suhrkamp taschenbuch 502

Hermann Broch, geboren am 1. November 1886 in Wien, ist am 30. Mai 1951 in New Haven gestorben. Auf Wunsch seines Vaters absolvierte er eine technische Ausbildung, die er 1907 mit der Qualifikation eines Textilingenieurs abschloß. Ab 1913 erste schriftstellerische Publikationen. Bis 1927 war er leitender Direktor der Firma seines Vaters; danach Verkauf der Fabriken und von 1925-1930 Studium der Mathematik, Philosophie und Psychologie. 1938 bei der nationalsozialistischen Okkupation Österreichs Verhaftung durch die Gestapo, Emigration in die USA dank einer Intervention von James Joyce. 1950 Honorary Lecturer für deutsche Literatur an der Yale University, New Haven.

Das Werk Hermann Brochs erscheint im Suhrkamp Verlag, herausgegeben von Paul Michael Lützeler, Germanistikprofessor an der Washington University, St. Louis (USA).

Die Kommentierte Werkausgabe umfaßt folgende Bände:

I. *Das dichterische Werk:* Bd. 1, Die Schlafwandler. Eine Romantrilogie; Bd. 2, Die Unbekannte Größe. Roman; Bd. 3, Die Verzauberung. Roman; Bd. 4, Der Tod des Vergil. Roman; Bd. 5, Die Schuldlosen. Roman in elf Erzählungen; Bd. 6, Novellen. Prosa. Fragmente; Bd. 7, Dramen; Bd. 8, Gedichte.

II. *Das essayistische Werk:* Bd. 9/1, Schriften zur Literatur/Kritik; Bd. 9/2, Schriften zur Literatur/Theorie; Bd. 10/1, Philosophische Schriften/Kritik; Bd. 10/2, Philosophische Schriften/Theorie; Bd. 11, Politische Schriften; Bd. 12, Massenwahntheorie.

III. *Briefe:* Bd. 13/1, Briefe 1913-1938; Bd. 13/2, Briefe 1938-1945; Bd. 13/3, Briefe 1945-1951.

Nach den erschütternden Erfahrungen mit dem Nationalsozialismus arbeitete Broch im amerikanischen Exil etwa zehn Jahre lang, von 1939 bis 1948, an der *Massenwahntheorie*. Während der Vorarbeiten studierte er die Massenpsychologien LeBons, Freuds, Adlers, C. G. Jungs, Reichs, Cantrils und Reiwalds. Von den Massenpsychologien dieser Wissenschaftler unterscheidet sich Brochs Massenwahntheorie dadurch, daß er erstens den Begriff des »menschlichen Dämmerzustandes« als individualpsychologische Größe und Voraussetzung von massenwahnartigen Reaktionen des einzelnen einführt, daß er zweitens seine Wert- und Geschichtstheorie mit Massenpsychologie verbindet, und daß er drittens die »Bekehrung« der Massen zur Demokratie ins Zentrum seines Buches stellt.

Während bisher nur einige Fragmente dieses Werkes veröffentlicht wurden, erscheinen in diesem Band sämtliche massenpsychologischen Studien Brochs nach dem von ihm selbst aufgestellten Plan.

Hermann Broch
Kommentierte Werkausgabe

Herausgegeben von
Paul Michael Lützeler

Band 12

Hermann Broch
Massenwahntheorie

Beiträge zu
einer Psychologie der Politik

90-1600

Suhrkamp

suhrkamp taschenbuch 502
Erste Auflage 1979
© Suhrkamp Verlag Frankfurt am Main 1979
Copyrightangaben am Schluß des Bandes
Suhrkamp Taschenbuch Verlag
Alle Rechte vorbehalten, insbesondere das
des öffentlichen Vortrags, der Übertragung
durch Rundfunk und Fernsehen und der
Übersetzung, auch einzelner Teile.
Satz: IBV Lichtsatz KG, Berlin.
Druck: Nomos Baden-Baden, Printed in Germany
Umschlag nach Entwürfen
von Willy Fleckhaus und Rolf Staudt

3 4 5 6 7 8 – 92 91 90 89 88 87

Inhalt

Darstellungen im Überblick

Massenwahntheorie

Erster Teil
Der Dämmerungsbereich

Zweiter Teil
Der menschliche Dämmerzustand und die Masse

Dritter Teil
Der Kampf gegen den Massenwahn
(Eine Psychologie der Politik)

Anmerkungen des Herausgebers

Darstellungen im Überblick

Vorschlag zur Gründung eines Forschungsinstitutes für politische Psychologie und zum Studium von Massenwahnerscheinungen[1]

Jedermann weiß um den Wahnsinn, unter dem das Weltgeschehen dieser Zeit vor sich geht, jedermann weiß, daß er selber, sei es als aktives, sei es als passives Opfer, an solchem Wahnsinn mitbeteiligt ist, jedermann weiß also um die Übermacht der ihn umgebenden Gefährdung, doch niemand weiß dieselbe zu lokalisieren, niemand weiß, aus welcher Richtung sie kommt, ihn zu übermannen, niemand vermag ihr wirklich ins Angesicht zu schauen, niemand vermag der Gefährdung wirklich entgegenzutreten. Die Gefährdung des Menschen durch massenmäßig orientierte Geistesverwirrung ist ein offenes Geheimnis und eben hiedurch auch ein offenes Problem. Die Wissenschaft zur Erforschung des geheimnisvollen Problems aufzurufen und hiefür ein geeignetes Forschungsinstitut zu errichten, dürfte jedem, der die Gefährdung erkannt hat, ebenso plausibel wie notwendig erscheinen: Die massenpsychische Gefährdung ist für die Menschheit sicherlich nicht minder verderblich als jene, welche von den Krebserkrankungen ausgeht, und sie müßte zumindest mit der gleichen Intensität wie diese bekämpft werden.

Doch so plausibel auch der Wunsch sein mag, in die Unbekanntheit massenpsychischer Gefährdungen vorzustoßen, es ist gerade diese Unbekanntheit, welche zur größten Skepsis gegen das Unternehmen auffordert: die Diagnostizierung von neurotischen und psychotischen Haltungen ist schon beim Einzelmenschen keineswegs leicht oder eindeutig, geschweige denn bei einer Menschenmasse, die ein durchaus fluktuierendes vages Objekt ist, da sie ihrerseits nur an den ihr angehörenden Einzelindividuen zu erkennen und zu studieren wäre –, wann aber wird die Ganzheit einer Masse durch eine Anzahl von Individuen konstituiert? Welche Kriterien sind a priori hiefür vorhanden? Welches Verhältnis besteht zwischen Individuum und Masse? Wann sind Wahnphänomene, sofern sie überhaupt erfaßbar sind, dem Individuum, wann der Masse zuzurechnen? Alle diese an sich erforderlichen definitorischen Voraussetzungen fehlen nahezu gänzlich, und fragt man noch überdies nach den Zielen einer praktischen Forschungsarbeit auf solch schwankendem Grunde, so ist die skeptische Antwort nicht ferne: der bloße Wunsch nach Bekämpfung von Massenwahnphänomenen genügt noch nicht, um diese aus dem Gestaltlosen zur Gestalt zu bringen, und ohne diese wohldefinierte Gestalt, ohne wohlabgegrenztes Arbeitsgebiet gibt es auch kein Arbeitsprogramm.

Sicherlich läßt sich eine wissenschaftliche Arbeit mit der diffusen Hoffnung inaugurieren, es werde aus den irgendwie gestalteten Forschungen irgendwann und irgendwie etwas Ersprießliches für das aufgeworfene Problem erwachsen. Indes, es liegt hier nicht der erste Fall eines dringlichen Problems vor, das beim ersten Anpacken zu zerfließen scheint, dann aber sich als durchaus behandlungsreif erwiesen hat; die Wissenschaft – und besonders die Geschichte der Geisteswissenschaften zeigt dies – hat für derartige Fälle einen methodologischen Ausweg gefunden, nämlich den der Konstruktion eines theoretischen Modells, und dieser Weg soll, mehr noch, er muß auch hier beschritten werden: mangels einwandfrei vorgegebener Definitionen für das Arbeitsfeld, ist dieses als fiktives Modell zu konstruieren und zu umreißen, damit auf dieser modellhaften Grundlage ein erstes Arbeitsprogramm errichtet werden kann; das Modell hat maximalen Wahrscheinlichkeitswert zu besitzen, d. h. es muß – das ist stets eine Intuitionsangelegenheit gewesen – sich möglichst weitgehend an die Realität der gedachten Problemlage annähern, freilich mit der Erwartung, durch die hernach einsetzende praktische Detailarbeit der Wissenschaft fortlaufend rektifiziert und u. U. sogar völlig abgeändert zu werden. Die heutige Soziologie hat mit dem ersten Entwurf Comtes nur mehr sehr wenig gemein, ist aber trotzdem Soziologie geblieben; der vorliegende Versuch einer Organisation massenpsychologischer Forschung wird unter günstigeren und bescheideneren Auspizien unternommen, da er nicht völlig jungfräuliches Neuland aufbricht, sondern, oftmals sogar kompilatorisch, sich auf Beiträge stützen darf, welche von den verschiedensten Wissensgebieten, wenn auch noch vielfach zerstreut, bereits zu dem Thema geliefert worden sind. Nebenbei: gerade diese allenthalben aufgetauchten und auftauchenden Beiträge weisen auf die Dringlichkeit des Problems.

A. Modell des Arbeitsfeldes

I. Definitorische Vorbereitung

Nur Konkretes kann beobachtet werden, also konkrete Dinge in ihren konkreten Verhaltungsweisen. Das menschliche Einzelindividuum ist ein derartig konkretes Beobachtungs- und Untersuchungsobjekt. Eine Menschenmasse hingegen hat nicht die gleiche Konkretheitsdignität; sie ist zwar konkret als Ansammlung von Individuen vorhanden, sie ist auch in ihren Verhaltensweisen vielfach konkret zu beobachten, aber nicht nur, daß ihre Abgrenzung, die für das Individuum ziemlich scharf vorliegt, fluktuierend ist, es tritt dieses fluktual-unkonkrete Element noch viel mehr in psychologischer (also in der hier eben wichtigsten) Beziehung zu Tage: wenn auch noch niemand die gesunde oder kranke Seele des Menschen je gesehen hat, so ist diese doch innerhalb des Individuums einwandfrei zu lokalisieren, bis zu einem gewissen Grade sogar physiologisch, während kein Verhalten einer Menschenmasse einen legitimen Rückschluß auf das Vorhandensein einer, gesunden oder kranken, sozusagen konkreten Massenseele erlaubt.

Das Beobachtungsmaterial für massenpsychische Erscheinungen hat demnach vornehmlich der Einzelmensch[2] zu bleiben; er ist das Konkretheitszentrum, und nur in seinem Reflex ist das Massenpsychische konkret zu erfassen. Im besonderen gilt dies auch für die hier so notwendige Entscheidung zwischen gesunder und kranker Massenkonstitution; eine nicht-existente Massenseele besitzt auch keinerlei Normalitätsbild, von dem aus her irgend ein Entscheidungskriterium gewonnen werden könnte, und unlösbar für immer wäre das Problem, würde ihm das Normalitätsbild des Einzelindividuums nicht eine zweite, eine konkrete Beleuchtung gewähren. Für das Einzelindividuum, sowohl an sich als auch in seinem Verhalten zum Kollektiv, existiert ein solches Normalitätsbild seelischer Gesundheit, zwar kein scharf definiertes und definierbares, wohl aber ein hinreichend bekanntes, und von diesem hinreichend konkreten Normalitätsbild muß ausgegangen werden; es ist das Fundament unseres Modells.

Der normalgesunde Mensch steht weitgehend unter der Kontrolle seiner Ratio, und zwar unter der einer sozialgebundenen Ratio, denn sie wird, soweit sie nicht den Zwecken einer reinen

Erkenntnis dient, nahezu ausnahmslos zum zweckgerichteten Verkehr mit dem Nebenmenschen verwendet. Die Stützpunkte dieser sozialgerichteten Ratio liegen in einem normalitätsbestimmenden, in einem normativen System für menschliche Verhaltungsweisen, sie liegen in der »Kultur« und ihrer Wertaxiomatik, die mit je höherem Recht sich als Maßstab menschlicher Normalität gerieren darf, je mehr sie sich im Absoluten oder vermeintlich Absoluten begründet.

Kultur ist rationale Regelung und Kontrolle irrationaler Bedürfnisse. Die Skala dieser Bedürfnisse reicht vom Metaphysischen bis zu jener Triebhaftigkeit, die am Nebenmenschen und letztlich daher im Kollektiv ausgelebt wird. Prinzipiell stehen hiezu zwei Wege offen,

1. der Weg der Irrationalbereicherung, und dieser Weg wird im allgemeinen durch die Irrationalwerte der Kultur gewiesen, da eben die Kultur, und zwar unter Voraussetzung des intakten Rationalbewußtseins im einzelindividuellen Ich, diesem mit ihren ethisch gebundenen Lebensformen der Gemeinschaft, mit ihren kultischen Bindungen und – nicht zuletzt – mit ihrer künstlerisch-ästhetischen Daseinsformung jenen Irrationalitätszuschuß vermittelt, den die individuellen Irrationalbedürfnisse und -triebe nicht nur zu ihrer unmittelbaren Befriedigung, sondern auch zu ihrer kulturalen Umgestaltung zu Gemeinschafts- und Zusammengehörigkeitsgefühlen benötigen.

2. Der Weg der Rationalverarmung (der natürlich auch der einer bereits a priori vorhandenen Rationalarmut sein kann), und dieser Weg wird meist dann gegangen, wenn das Individuum zu rationalen Haltungen und Kontrollen unfähig wird oder unfähig ist und – oftmals aus Furcht vor dem persönlichen Irrsinn, der mit dem ethischen Rationalverlust nicht selten verbunden ist, – die mangelnden Rationalhaltungen durch Triebhaltungen ersetzt und zwar durch solche, welche von einer möglichst großen Anzahl anderer Individuen der nämlichen Gruppe gleichfalls eingenommen werden, so daß also durch solche Vervielfältigung des Triebverhaltens eine Art Scheinethik entsteht, d. h. eine Scheinberechtigung zur unethischen Auslebung der unkontrollierten Triebe; wird eine große Anzahl Individuen von den gleichen Ursachen zum Rationalverlust gebracht und finden sie sich dann in einem derartig gemeinsamen Triebverhalten, so darf mit Fug von Massenwahn gesprochen werden,

besonders dort, wo zu der irrational-triebhaften Verhaltungsweise – wie es dem Wesen des Menschen, aber auch seinem schlechten Gewissen entspricht – pseudorationale Begründungen herangetragen werden.

Es gibt keine reinen Formen im Empirischen; die beiden obskizzierten Wege sind zwar in der Geschichte immer wieder zu verfolgen, fast niemals jedoch in ihrer grenzfallmäßigen schematischen Reinheit, hingegen sehr oft in gegenseitiger Verquickung. Es kann z. B. die Irrationalbereicherung (laut 1) für die Einzelseele so übermächtig werden, daß sie, wie dies der Vorgang des religiösen Wahnes bezeugt, auf den Weg der Rationalverarmung gezwungen wird. Andererseits können Phänomene, welche an und für sich einen ausgeprägt massenwahnmäßigen Charakter besitzen oder besessen haben, wieder unter die Herrschaft der Ratio gelangen und zu einer Irrationalbereicherung des aufs neue intakt gewordenen Bewußtseins-Ich führen; die Fortführung der Magierreligionen in höhere Bewußtseinslagen, der Einbau der antiken Mysterien in eine apollinisch gewordene Glaubenswelt, ja, fast die gesamte Glaubensgenese des Menschen darf hiefür als Beispiel gelten. Doch wie immer auch solche Umwandlung vor sich gehen mag, ob von oben nach unten, oder von unten nach oben, immer findet sie in der Einzelseele statt, immer führt sie durch deren Konkretheit hindurch, immer kann sie nur an dieser beobachtet und begriffen werden, und mag die Wirkung solchen Vorganges sich noch so sehr im Massenpsychischen zeigen, nichts berechtigt, dessentwillen von der Existenz einer Massenseele zu sprechen; Massenseele und Massenbewußtsein sind lediglich Bequemlichkeitsausdrücke.

Nichtsdestoweniger hat das Massengefäß, in dem die nichtexistente Massenseele lokalisiert wird, gewisse reale Bestandteile, und diese dürfen bei der definitorischen Konstruktion des massenpsychischen Geschehens nicht übersehen werden: Gruppen von einheitlichem physiologischen Charakter, wie Familien, Völker, Nationen, oder aber Gruppen, welche durch einen äußeren Zwang zusammengehalten werden, wie dies z. B. durch die einheitliche Tradition innerhalb einer Gesellschaft geschieht, befördern den Übergang von individuellen zu kollektiven Seelenhaltungen. Sie bilden die sozusagen statischen Vorbedingungen für jegliches Massengeschehen: sie grenzen das massenpsychologische Arbeitsgebiet sozusagen im Raume ab.

II. *Die dynamischen Vorbedingungen im Arbeitsfeld*
(Die autogenen Kräfte)

Zwei Hauptströme durchziehen das menschliche Sein und machen dieses zugleich aus: es sind dies die Ströme des cogito et sum, der Ratio und der Irratio, der Erkenntnis und des Lebens. Beide sind Geschehen, beide führen zu »etwas«, der rationale Strom der Erkenntnis führt zu »Wahrheiten«, der irrationale des Lebens führt zu Zuständen, welche am besten mit dem Worte »Wert« zu bezeichnen sind, also »Lebenswerte« darstellen. Der Mensch, in der Einsamkeit seines Ichs, befindet sich nicht nur im Zustand jeweils maximaler Wahrheit, d. h. er kann niemals, auch wenn er manches an sich selber nicht versteht, sich selbst belügen, aber er befindet sich auch im Zustand maximalen Wertes, d. h. er macht aus jeder Situation, sei sie nun von ihm gewollt oder ihm aufgezwungen, eine für ihn jeweils »beste aller Welten«. Oder m. a. W.: Wahrheitsvolumen und Wertvolumen sind für ihn jeweilig maximale Größen. Oder nochmals m. a. W.: er hat jeweils die Grenzen seines einsamen Ichs maximal gegen die Fremdwelt hin erweitert, freilich unausgesetzt erwartend, daß der Doppelstrom des Seins ihm diese Erweiterung mit dem nächsten Augenblick noch weiter vergrößern und ihn zu neuen rationalen Wahrheiten, zu neuen irrationalen Lebenswerten weiterführen werde. In diesem, logisch recht zwangsläufigen, Mechanismus bedingen die beiden Ströme einander gegenseitig: die Erkenntniswerte stellen sich immerzu auch als Lebenswerte dar, während diese sich sozusagen verdoppeln, wenn sie ihrerseits aus dem Irrationalen ins Rationale, kurzum ins Bewußtsein gehoben werden. Denn fast ist es, als würde in jener a priori gegebenen Zweiteilung des Seins sich das rationale und irrationale Ich gegenseitig als Fremdwelt betrachten, sich gegenseitig zur äußeren Welt hinzurechnen. Immer jedoch geht es um das Verhältnis zur äußeren Welt; es bleibt dem Menschen keine andere Wahl, als durch »Einverleibung« in sein Ich diese Außenwelt zum »Wert«[3] zu verwandeln, der die Ich-Erweiterung fortsetzt, und überall dort, wo das Ich in solchem Bestreben gehindert wird, überall, wo es an die Grenzen der »Fremd-Welt« stößt und sie nicht zu überschreiten vermag, überall dort entsteht des Wertes Gegen-Zustand, dort entsteht »Angst«: das Ich wird sich dann plötzlich seiner Verlassenheit und seiner a priori gegebenen Einsamkeit bewußt, es weiß um die metaphysische Einsamkeit seines Sterbens.

Sohin: je mehr es dem Menschen gelingt, reale oder geistige Weltinhalte seinem Ich einzuverleiben, je mehr er von der Welt »hat« oder aber je mehr er selber Welt »ist«, desto mehr wird ihm diese zum »Wert«, desto weniger einsam fühlt er sein Ich; er kann sich mit Scheinerweiterungen seines »Ichs« begnügen, wie etwa im Rausche, er kann Realerweiterungen primitiv durch Kleidung, etwas weniger primitiv durch Besitz und Macht vornehmen, er kann den Durchbruch zum Nebenmenschen, sei es durch Gewalt, sei es durch Liebe herzustellen trachten, und er kann schließlich versuchen, die Welt durch fortgesetzte Erweiterungen seiner rationalen Erkenntnis in sich einzuschließen, immer aber läuft neben solch positivem Wertstreben auch die Angst vor dem Un-Wert, die Angst vor der Angst. Mit einigen Einschränkungen darf von hier aus die Gesamtheit der Werte, die menschliche Kultur, in ihrem seelischen Sicherungscharakter als ein großes System der Angstbesänftigung aufgefaßt werden. Auch hier zeigen sich die beiden vorskizzierten Hauptwege, auf welchen sich das Individuum aus einer Normalitätslage ins Überindividuelle begibt, nämlich

erstens der Weg der Irrationalbereicherung, der zu Werterlebnissen vom Typus »Ich bin die Welt« hinführt, und

zweitens der Weg der Rationalverarmung, auf dem vornehmlich die Werte vom Typus »Ich habe die Welt« liegen,

doch auch die ständige Verquickung der beiden Wege wird wiederum sichtbar, denn unabhängig von den beiden Hauptrichtungen lassen sich die verschiedenen Wertversuche und Wertannäherungen in eine Art Wertaufstaffelung einordnen, auf deren oberster Stufe deutlichst der religiöse Totalwert als endgültige Überwindung des Todes steht. Wer sein Ich zur Gesamtwelt erweitert hat, der hat auch den Tod überwunden.

Sohin darf als Grundschema der Werthandlung durchgängig die Bewältigung und Überwältigung der Ich-fremden Weltbestandteile angesprochen werden. Alle Weltbestandteile, welche vom Ich nicht einverleibt sind oder nicht einverleibt werden können, wirken als Angstmahnungen, als Symbole der metaphysischen Angst, als Symbole der Todeseinsamkeit, als Symbole des Todes schlechthin. Sie sind Ich-fremd, und alles »Fremde« wird solcherart zum Angst-Symbol, m. a. W. wird zum Gegenstand der tiefsten metaphysischen Abneigung, zum symbolischen Objekt für den Todes-Haß. Niemals wäre zu verstehen, daß ein weißer Fleck auf der Landkarte für die Menschheit derart beunruhigend sein könnte, wie er es eben ist, niemals wäre zu verstehen, daß zu seiner Bewältigung gefahrvolle und kostspielige Expeditionen in an sich höchst gleichgültige Gegenden geschickt werden, wenn er nicht jenes symbolische Beunruhigungselement in sich trüge, das eben das der metaphysischen Fremdheit ist, wenn durch seine Bewältigung nicht Wertgefühle ausgelöst werden würden, die weit über den praktischen Wert und die praktischen Ergebnisse einer geographischen Expedition hinausgingen.

Was immer im Wertgeschehen vor sich geht, es ist Annäherung, symbolischer Vorversuch zu der endgültigen Todesüberwindung im Religiösen, und von diesem erhält es auch seine spezifische Erlebnisfärbung; die Gefühlsintensität, mit der die religiöse Erkenntnisverzückung als letzte Angstbefreiung erlebt wird, durchzieht jegliches, auch noch das kleinste Werterlebnis, und darf jene Intensität als die der Ekstase erkannt werden, so ist es eben sie, die abgeschwächt und oftmals depraviert, als Halbekstase, als Viertelekstase, als Pseudoekstase, doch selbst dann noch Symbol der Vollekstase, in alle Werthaltungen des Menschen, bis hinunter zu denen des Rausches, eingeht und ihnen ihre spezifische Färbung verleiht. Befreiung von der metaphysischen Angst des Ich ist das Agens zu sämtlichen Werthandlungen des Menschen; ihr Ziel ist die Ekstase, in der er sich, wenn auch zumeist nur symbolisch und zur Ernüchterung verdammt, als Ebenbild der Göttlichkeit fühlen darf.

Die letzte Ekstase ist einsam, sie kann nur einsam sein, so einsam wie der Tod, den sie in sich aufhebt. Sie braucht also keine Ekstase-Hilfen mehr, weder die der unteren noch der oberen Grade, sie braucht nicht den Rausch, nicht die Kollektivität, nicht den Sieg, nicht die Kulthandlung, nicht die kultische Gemeinde, denn ihre Erkenntnisverzückung ist größer als jedes reale Erleben, ist größer als die Realität des Kollektivs, ist größer als der reale Nebenmensch, der ihr nur noch Objekt einer ethischen Realität ist und sein darf, ihre Erkenntnisverzückung heißt »Ich bin die Welt«.

Ob der Mensch den Weg zu dieser endgültigen und obersten Ekstase, den Weg der reinsten Irrationalbereicherung einzuschlagen fähig ist, oder ob er sich zum untern Weg, dem der Rationalverarmung gedrängt fühlt, hängt von vielerlei Faktoren ab, von seiner persönlichen geistigen Struktur, von seiner Tradition, von seinem Milieu, usw., nicht zuletzt von seiner jeweiligen Angstsituation. Im allgemeinen befindet sich der Mensch im Normalkollektiv, d. h. in einem sozialen Verband, von dem er durch Freundschaft, durch Erfolg usw. stets eine Anzahl ekstatischer Werte zugeführt erhält, weil ja das Kollektiv schon an und für sich Ich-Erweiterung und Angst-Abbau für ihn bedeutet. Er hat also sicherlich stets gewisse Abneigungen, den Weg zur oberen Ekstase einzuschlagen, da ihm diese – mehr oder minder asketisch – die billigeren und bequemeren Ekstasehilfen verwehrt. Ist er jedoch hiezu von vornehrein unfähig – und nach der heutigen religiösen Lage sind die meisten Menschen hiezu unfähig –, so wird er es auch sein, wenn er einer realen Aktualangst ausgeliefert wird, durch die seine verborgene, metaphysische, trotz seines Widerstrebens plötzlich aktiviert wird: getroffen von dieser Aktualangst, getrieben von der durch diese mobilisierten metaphysischen Angst seiner Seele, ist er genötigt, sich aus seiner normalen seelischen Mittellage heraus zu bewegen, und da ihm der Weg der Irrationalbereicherung nicht mehr offen steht, wird er notgedrungen auf den zweiten, auf den der Rationalverarmung verwiesen: er muß den Weg der triebhaften Kollektivität (die ja auch für nahezu alle Formen des Rausches notwendig ist) immer weiter und weiter verfolgen, um im radikalsten Falle schließlich vom Massenwahn umfangen zu werden.

III. *Panik und Vor-Panik*

Die Hoffnung des Menschen ist die Angstbefreiung, ist die Ekstase. Wird ihm diese Hoffnung genommen, so tritt hoffnungslose Angst ein, unentrinnbare Angst, m. a. W. die Panik. In diesem Sinne ist Panik stets der polare Gegenbegriff zur Ekstase.

Jede Angst enthält Panikelemente, im besonderen aber tut dies die metaphysische Einsamkeitsangst des Menschen, denn da sie richtungslos aus der unbewußten Tiefe der Seele herstammt, eine unentrinnbare Todesmahnung aus dem Unerfaßlichsten, schwingt von allem Anfang an das paniköse Schreckbild der Hoffnungslosigkeit in ihr mit. Die Aktualisierung der metaphysischen Angst geschieht zumeist durch irgendeine Aktualangst, die von außen her den Menschen überkommt, und fast ist es ein Segen für ihn, wenn diese, und sei sie noch so groß, aus einer sichtbaren Quelle herstammt, so daß er sich gegen sie wenden und sich gegen sie wehren kann; stammt aber die auslösende Aktualangst gleichfalls aus dem Unsichtbaren, ist auch sie unerfaßlich, so daß sie innerseelische Urangst nicht nur erweckt, sondern auch noch überdies ihr äußeres Symbol wird, dann ist das Gespenst der Panik in unmittelbarste Nähe gerückt.

Es entspricht dem Wesen unserer Epoche — und unter dem Aspekt der in ihr wirkenden Ideen auch der materialistischen Geschichtsauffassung —, daß die Angstbedrohung, die den modernen Menschen umgibt, eine vornehmlich ökonomische ist, und zwar die einer ökonomischen Unerfaßlichkeit. Der Durchschnittsmensch dieser Zeit, insbesondere der Großstadtmensch, ist unsichtbar unerfaßlichen ökonomischen Gewalten unterworfen, sie heißen Konjunktur, Inflation, Arbeitslosigkeit, Unrentabilität, und sie können noch hundert andere Namen annehmen, immer aber sind sie in beinahe mythischer Weise übermächtig und so unentrinnbar, daß er sich als willenloser Spielball ihnen überantwortet fühlt. Nicht nur die unmittelbar Betroffenen stehen unter diesem Eindruck, nein, es sind die von der Gefahr noch nicht Betroffenen, jedoch von ihr Bedrohten noch weitaus intensiver der Angst ausgeliefert, und solange Arbeitslosigkeit überhaupt besteht, ist es für die seelische Lage des Volkes beinahe gleichgültig, ob die Arbeitslosenziffer ausnehmend groß oder ausnehmend klein ist, denn die Seele rechnet nicht mit Ziffern, sondern mit Bedrohungsfakten, und das Feuer der Angstbedrohung läuft von jedem noch so kleinen Brandherd weiter; heute steht nahezu die gesamte Großstadtmasse unter dem Angstfluch der Arbeitslosigkeit. Dieser Zustand seelischer Labilität, ein Zustand tiefsten Unbehagens, ist wohl am richtigsten mit dem Worte »Vor-Panik« zu benennen.

Der Zustand der »Vor-Panik« und der des Rationalverlustes sind enge miteinander verbunden; beinahe ließe sich behaupten, daß sie einander definieren. Ihre gemeinsame Konkretisierung im Seelenleben der Großstadtbevölkerung vollzieht sich unabänderlich an den wohlbekannten Symptomen der Intellektualverachtung, des Ratiohasses, des Hanges zur billigen Ekstase, kurzum der Massenwahnbereitschaft: wo das Rationale nicht unabweislich einwandfrei feststeht, also einwandfrei meßbar ist, wird es kurzerhand abgelehnt; nur dem reinen Tatsachenmaterial als solchem wird noch Vertrauen entgegengebracht, nur dieses allein vermag noch Halt zu geben, und deswegen wird es unter strikter Vernachlässigung des Wortes nur noch im Bildhaften, als Zeitungsillustration und auf der Kinoleinwand, oder aber im zahlenmäßigen Ausdruck als meßbarer Rekord oder als meßbarer Gelderfolg akzeptiert und zur Kenntnis genommen, gleichsam als einzig gültige Angstbefreiung, die demgemäß auch zum Quell der billigen Kollektivekstasen im Kino, auf den Sportplätzen und in einer – vom 19. Jahrhundert weitgehend bereits vorbereiteten – materialen Erfolgsanbetung gemacht wird. Allerdings ist dies nur die äußerste Oberfläche: dahinter verbirgt sich die Furcht vor dem allenthalben drohenden Todessymbol der Unerfaßlichkeit und Undurchdringlichkeit, dahinter verbirgt sich die Furcht vor der hoffnungslosen Panik, dahinter verbirgt sich die Sehnsucht nach einem noch größeren Symbol, das mit noch stärkerer Bildhaftigkeit aus all den Realbildern aufsteigen soll, um als gewaltigster Wegweiser haltgebend die Ausfluchtstelle in der bereits begonnenen Panik anzugeben. Es geht um das Symbol der bei aller Hoffnungslosigkeit noch immer ersehnten Ekstase. Die Bildsehnsucht des panikbedrohten Menschen ist Symbolsehnsucht.

Daß in all dem Fluchtgedanken mitspielen, ist klar. Wo Panik ist, gibt es auch Fluchtgedanken. Und neben der sehr deutlichen Flucht vor der Ratio beschäftigt sich die seelische Labilität des panikisierten Menschen mit noch vielen anderen Fluchtzielen, nicht zuletzt mit dem der Regression, d. h. mit dem der Rückkehr in einen früheren, noch nicht angstbesetzten Zustand, kurzum in »die gute alte Zeit«. Es ist jedoch auffallend, daß diese Flucht nach rückwärts, so rational verständlich und selbstverständlich sie auch wäre, von nur sehr peripherer Bedeutung ist und von dem Wunsche nach einer aggressiven Flucht nach vorwärts weitaus überdeckt wird; dieses auffallcnde Faktum läßt sich zwar aus dem Widerstreit erklären, der zwischen der recht rationalen Flucht in die Vergangenheit und der Ratioabneigung besteht, doch damit findet man nicht das Auslangen, vielmehr muß ein anderes, wesentlich wichtigeres Phänomen herangezogen werden, das geradezu zu den Hauptmerkmalen der Vor-Panik gezählt werden darf und als Revolutionsagens – und zwar als außerökonomisches! – sicherlich festgehalten werden muß: es genügt nicht, die Ursachen einer panikerregenden Aktualangst abzustellen, um die Panik als solche wieder zu besänftigen, es genügt keinerlei »Wiedergutmachung« und keinerlei Rückkehr in einen früheren Zustand – niemals war damit in der Geschichte ein Erfolg zu erzielen gewesen –, und eben deshalb genügt es z. B. auch nicht, ökonomische Schäden, so panikerregend sie auch sein mögen und [so] dringlich ihre Wiedergutmachung auch ist, einfach zu beheben, es genügt nicht, weil es rationale Maßnahmen sind und diese vom panikisierten Menschen infolge seines Rationalverlustes nicht mehr voll aufgenommen werden können, vor allem aber, weil er aus ihnen nicht den Ekstasegewinn ziehen kann, den er als einzig legitimes und daher unbedingt erforderliches Gegengewicht zur Hoffnungslosigkeit seiner Panik empfindet. Wiedergutmachung allein genügt nicht; der panikisierte Mensch braucht eine triebmäßige »Super-Befriedigung«, eine »Zusatz-Befriedigung«, m. a. W. eine zusätzliche Angst-Übertäubung, und mit dieser Tatsache muß jedes psychologische Begreifen historischer Abläufe ein für allemal rechnen, besonders dann, wenn es von einer Politik ausgeübt wird, welche den Ausbruch einer Massenpanik zu verhüten wünscht.

IV. *Die Ausrichtung der autogenen Kräfte*

Um mit einem für die Gegenwart immerhin bedeutsamen Beispiel zu beginnen: eine Minorität lebt unangefochten und ziemlich wohlgelitten innerhalb ihres Gastgebervolkes. Niemand erachtet ihre Fremdheit als »gefährlich«, im Gegenteil, sie wird allgemein zumeist nur als »komisch« betrachtet (was die Minorität zur Unterstreichung ihrer Harmlosigkeit zu einer spezifischen Übersteigerung aller komischen Kräfte in der Selbstpersiflage veranlaßt), und da diese friedliche Lage des Zusammenlebens – es war die Lage der Tschechen im alten

Österreich und die der Juden in Westeuropa, es ist heute noch zum Großteil die der Neger in Amerika – jedenfalls unschädlich, vielfach aber sogar nützlich ist, so hätte sie nach rationalem Ermessen ewiglich weiterbestehen können, wenn nicht, unbegreiflich der Ratio, unbegreiflich jedem rational-humanen Denken, plötzlich mit Lynchakten und Pogromen sich der Massenwahn auf das Harmlose gestürzt hätte, es zu vernichten. Was also ist hier geschehen? Was geschieht hier?

Gefahr, die sich im Augenblick ihres Aufkeimens als Un-Gefahr entpuppt, wirkt komisch; Komik ist »durchschaute« Scheingefahr, ist unausgebrochene Angst, da sie noch vor ihrem Ausbruch besänftigt worden ist, Komik ist jene Harmlosigkeit, welche unmittelbar aus der Bedrohung herausspringt, Komik ist plötzliche Freundschaftsvertrautheit mit einem Etwas, das anfänglich mit Fremdheitsqualitäten, also als »Feind« aufgetreten ist. Ob und wann dieser Sprung von der Antipathie zur Sympathie, oder aber – wie die Minoritäten es heute erleben – der Rücksprung von der Sympathie zur Antipathie vollzogen wird, hängt nur sehr wenig vom Gaste oder seinen Eigenqualitäten ab, hingegen sehr stark von den allgemeinen Sicherheitsverhältnissen im Gastraume. An und für sich birgt das »Fremde« immer Unbehaglichkeitsmomente, denn es bedeutet eben Nicht-Erfassung, bedeutet undurchgeführte Ich-Erweiterung, bedeutet Ich-fremde unbewältigte Welt und damit Wert-Losigkeit, bedeutet immer einen Angst-Rest. Doch für den Menschen von relativer Lebenssicherheit ist die Gefahr solcher Fremdheit (selbst wenn sie wirklich Gefahr wäre) weitgehend bedeutungslos: soferne er sich mit seiner ihm eingeborenen Seelenangst überhaupt zu beschäftigen geneigt ist – und im allgemeinen will er ja von der Todes-Einsamkeit, aus der ihm diese Angst zufließt, kategorisch nichts wissen –, soferne er sich aber trotzdem mit ihr beschäftigt, weiß er, daß die Angstquelle nicht in der Außenwelt, sondern in der tiefsten Unerforschlichkeit seines Herzens liegt und daß jede Verlegung in eine äußere Ursache nichts als eine Projektion auf ein ungeeignetes Objekt darstellt, auf ein Objekt, das höchstens ein Symbol der Angst-Unerforschlichkeit, niemals jedoch diese selber sein kann. Die Un-Gefahr des Außen durchschauend, erfaßt er deren Komik; er besitzt den Humor der Lebenssicherheit. Und er besitzt diesen Humor so lange, bis das Außen wirklich mit unerforschlichen, unerfaßlichen Bedrohungen an ihn herantritt; dann freilich, dann verliert er seinen Humor. Nun wird die Fremdheit der undurchdringlichen Welt wirklich zur Gefahr, und wenn der Bedrohte es vermeiden will, daß die Angst vor der Außen-Unerforschlichkeit, die sich überdies der seiner Innen-Unerforschlichkeit verkuppelt hat, zur hoffnungslosen Panik werde, muß er irgendeinen Gefahrenquell, dem er sich widersetzen kann, in der Fremdheitssphäre der Außenwelt lokalisieren: nichts eignet sich hiefür so gut wie der fremde Nebenmensch, der »fremde Nachbar«, keiner ist so gut wie dieser für die eigene Angst verantwortlich zu machen, und so erwacht der Haß gegen den »Fremden«, ein Haß, der sich ebensowohl gegen den Fremden außerhalb wie innerhalb der eigenen Gruppe richtet, an keinem aber so bequem und gefahrlos zu befriedigen ist wie eben an dem »Inner-Fremden«, also an dem Angehörigen einer Minorität; die Komik dieser Minorität, ihre Harmlosigkeit, ihre Selbstpersiflage ist vergessen, denn sie ist zur Würde eines Symbols aufgestiegen, und da es um die Aktivierung der menschlichen Ur-Angst geht, so wird archaisch-infantil mit dem schlichten Wunsch nach konkretphysischer Vernichtung dieses lebenden Angst-Symbols reagiert, m. a. W., es wird der »Fremde« nicht mehr als »Mensch« betrachtet, sondern als das Symbol des angsterzeugenden »Bösen schlechthin«, dessen Wegräumung zur ethischen Pflicht wird, da nur durch solche Vernichtung des symbolischen Widersachers sich der Weg zur Angstbefreiung, zur Panikbefreiung, zur Ekstase wieder eröffnet. Es ist der Weg des Rationalverlustes, der Weg der Kollektivberauschung, der Weg der Pseudoekstase, und die sadistische Triebauslebung, die den physischen Sieg über den Nebenmenschen will, ist mit solch symbolischem »Sieg über das Böse« ebensowohl das Mittel wie das Ziel des ekstatischen Massenwahnes; Mord ist Ekstase, doch nicht Todesüberwindung, trotzdem Ziel.

Als prinzipielle Struktur dieses immerhin bemerkenswerten Vorganges ist seine Zielgerichtetheit hervorzuheben: es hat eine Richtunggebung der diffusen Angstkräfte stattgefunden, also eine gewisse Rationalisierung ihrer Irrationalität, denn es gibt eben keine diffusen irrationalen Wegrichtungen, und damit diese rationale Ausrichtung des Diffusen geschehen konnte und geschehen kann, muß zu den initialen diffusen Angstkräften (zu den autogenen Kräften des Feldes) auslösend und regelnd eine rationale, rational erfaßbare und rationalisierende Zusatzkraft getreten sein; selbst wenn es derartige Kräfte nicht gäbe – aber es gibt sie – müßten sie modellmäßig angenommen werden: es obliegt ihnen das Geschäft der Richtunggebung.

Es entspricht der Richtigkeit unseres Modells, daß diese zielgebenden Zusatzkräfte gleichfalls in der Doppelrichtung der beiden seelischen Hauptwege wirken, oder genauer, daß diese Doppelrichtung eben durch jene Zielsetzung rational sichtbar wird, also an zwei Bewußtwerdungsmöglichkeiten, nämlich:

1. Das menschliche Individuum wird sich – zumeist wider seinen Willen – der Ur-Angst seiner Seele wahrhaft bewußt, und diese richtige Lokalisierung der Angst läßt ihn auch den richtigen Weg zur Angstbesänftigung gehen, also den kulturaufbauenden, kulturgebundenen Weg der Irrationalbereicherung, dessen Ziel mit der erkenntnismäßig-religiösen Ekstase vom Typus »Ich bin die Welt, weil sie in mich eingegangen ist« gesetzt erscheint.

2. Das Individuum versucht, seine Angst von sich abzuschütteln und sie nach außen zu verlegen, um sie solcherart dort symbolisch in die Gewalt zu bekommen, zumeist sogar, um sie mit den Symbolträgern physisch zu vernichten, d. h. dies als ethische Erlaubnis zur Auslebung archaischer Aggressionstriebe zu benützen, um den kulturzerstörerischen, kulturzersprengenden Weg der Rationalverarmung zu gehen, der zu einer triebmäßig-wahnhaften Ekstase vom Typus »Ich habe die Welt, weil sie mir unterjocht ist« hinzielt.

Im ersten Fall werden die richtunggebenden Rationalkräfte zur Zielauffindung zumeist vom Ich selber aufgebracht, im zweiten Fall werden sie ihm zumeist von außen zugeliefert. Und in vereinfachender Schematisierung wäre das Verhältnis dieser beiden Richtunggebungen zur Ratio noch folgendermaßen zu charakterisieren: die kulturaufbauenden, letztlich religiösen Richtungskräfte wirken im Sinne der Ratio, manifestieren sich aber nahezu ausschließlich im irrationalen Symbol, während die kulturzerstörenden, letztlich wahnbesessenen Richtungskräfte durchaus im Sinne einer triebhaften Symbolik wirken, sich aber äußerst logisch und rational manifestieren; es fällt nicht schwer, in dieser zwiefachen Bildgebung einerseits die Symbole der Liebe, andererseits die der Gewalt wiederzuerkennen.

V. Der historisch-empirische Aspekt des Beobachtungsfeldes
(Die eingebrachten Kräfte)

Was in der Seele des Menschen vorgeht, ist höchstens für ihn selber historisch, und auch dies nur selten, denn das Unformulierte wird zumeist vergessen. Historie beginnt mit dem Formulierbaren. Bloß das Geformte ist zeitlos oder Annäherung an die Zeitlosigkeit, also sichtbare Todesüberwindung. Wert ist Formung, und Historie als Formüberdauerung und Formaufbewahrung ist Wertgeschichte. Die höchsten Werte, d. h. die religiösen, zeigen die großen Geschichtsepochen an.

Historisch bedeutsam sind demnach nicht die diffus autogenen Kräfte, sondern die Kräfte der Ausrichtung. Das Beobachtungsfeld für massenpsychische Erscheinungen grenzt sich zeitlich in bestimmte Abschnitte ein, in denen Menschengruppen oder Menschenmassen infolge einer anscheinend gemeinsamen Willensäußerung in psychische oder physische Bewegung geraten und damit sich als einheitliche psychische »Person« gebärden. M. a. W.: der Geschichtsablauf gliedert sich nach den »Ausrichtungs-Phänomenen«. Überall, wo rationale Ausrichtung in das anonyme Geschehen der autogenen menschlichen Kräfte eingreift, entsteht Historie, wird Historie ablesbar, wird die Geschichte sich ihrer selbst »bewußt«.

Dieser Bewußtwerdungsvorgang, der Vorgang der formulierenden und formulierbaren Ausrichtung, kann innerhalb der einzelindividuellen Seele vor sich gehen, und er tut dies auch ausnahmslos in allen erkenntnismäßigen und erkenntnismäßig-religiösen Abläufen: hingegen darf eine Analogisierung dieses Vorganges durch seine Übertragung auf eine (nicht-existente) Massenseele oder auf ein (ebensowenig existentes) Massenbewußtsein nicht vorgenommen werden; man würde sich damit einer sehr billigen Mythisierung schuldig machen und sich gegen die Realität, die offen genug zu Tage liegt, blind stellen: die Ausrichtungsfunktion innerhalb einer Menschenmasse wird nicht von einem mythischen Massenbewußtsein, sondern von konkreten Personen besorgt, und zwar von jenen, in denen die Bewußtwerdung bereits vor sich gegangen ist, die sie formulieren und aussprechen, um sie den anderen einzelindividuellen Massenangehörigen zur Kenntnis zu bringen, kurzum, um diese zu »überzeugen«; die Ausrichtungsfunktion ist eine Mobilisierung und Lenkung des vorhandenen Triebvolumens vermittels rationaler und pseudorationaler Gründe (unterstützt durch individuelle Triebähnlichkeiten), und sie wird innerhalb des Kollektivs, das eben hiedurch historisch wird, stets von einem »Führer« oder einer Führergruppe ausgeübt.

Je tiefer ein Kollektiv in das Stadium der Vor-Panik gerät, je seelisch labiler die Kollektivmasse hiedurch wird, m. a. W., je mehr ihre Angst und deren Hoffnungslosigkeit ansteigt, desto dringender verlangt sie nach dem Führer, der sie vor dem Ausbruch der Voll-Panik schützen soll, indem er auf dem Weg zur Ekstase voranschreitet.

Und nirgends ist die Doppelrichtung des psychischen Kollektivgeschehens so deutlich erkennbar wie an den geschichtlich-geschichtsbildenden Führergestalten und ihren beiden Grundtypen:

1. im echten religiösen Heilsbringer, letztlich dem großen Religionsstifter, der die Menschheit kraft seiner ethisch-rationalen Erkenntnis auf dem Weg der ständigen Irrationalbereicherung hält und zur ständigen Annäherung an die Erkenntnis-Ekstase im Geistigen bringt;

2. im dämonischen Demagogen, der [die] Masse (nicht die Menschheit) auf dem Wege des Rationalverlustes und der Triebauslebung zu archaisch infantilen Ekstase-Formen, also vor allem zu denen von realen »Siegen« führt, massenwahnmäßig lediglich auf diesen Augenblick des Sieges und der sieghaften Pseudo-Ekstase fixiert.

Der Religionsstifter wird durch sein Tun und nur in seinem Tun zum Symbol der Angstbefreiung, der dämonische Magier hingegen ist Symbol mit seiner eigenen irdischen Person, der Religionsstifter ordnet sich mit seinem irdischen Sein völlig der göttlichen Ratio unter, die er als höchstes Gut des Menschen erkannt hat, der dämonische Magier hingegen verwendet virtuos alle Mittel der Ratio (– er ist stets ein Virtuose im Technischen –), um Gestriges zu verwirklichen, der Religionsstifter will die Menschheit als Ewigkeitsgedanken, der dämonische Magier braucht den Erfolg der augenblicklichen Aggression, er braucht den Sieg.

Innerhalb des Problemkreises, in den der Mensch durch das Vorhandensein seiner seelischen Angst und seiner Panikbedrohung gestellt ist, muß die religiöse Problemlösung als seine höchste ethische Leistung gelten: begründet auf dem Wissen um die Panikkräfte in der Menschenseele, konstituiert als regulierte, erkenntnismäßig orientierte und disziplinierte Vor-Panik, haben sich bisher allein die Religionen als befähigt gezeigt, die Masse zur wissenden Gemeinde zu verwandeln und dieser die Sicherheit ihrer rationalen Ebenbildhaftigkeit zu verschaffen. Die dämonische Magie hingegen steht trotz aller symbolischen Siege über das »Böse«, mögen sie nun in Kriegen, in Schlachten, in Lynchakten, in Pogromen, in Hexenverbrennungen errungen werden, hoffnungslos unter der Bedrohung unbesiegbarer Panik, unbesiegbar und unentrinnbar bleibt ihr die Panik, und sie schlägt auch allsogleich in paniköse Flucht um, wenn die vermeintliche Übermacht der Masse mit ihren Aggressionen an eine noch stärkere physische Macht gerät und an derselben zerschellt.

B. *Massenpsychologische Forschung*

Ein Modell ist bloß eine Vermutung. Man kann allerlei vermuten, und es lassen sich viele Modelle aufstellen. Modelle brauchen und können auch nicht »bewiesen« werden. Nicht einmal Theorien sind (außerhalb des Mathematischen) »beweisbar«, ihre mehr oder minder große Richtigkeit kann sich am Empirischen lediglich »bewähren« oder es eben nicht tun, aber für ein Modell kommt auch diese »Bewährung« kaum in Betracht, höchstens dann, wenn es theoretisch stark durchsetzt ist, in welchem Falle es an der Bewährung der in ihm eingebauten Theorien teilnehmen kann; die beiden großen mechanistischen Modelle des 19. Jahrhunderts, das Ökonomiemodell des Marxismus und das Seelenmodell der Psychoanalyse haben sich in diesem Sinne »bewährt«. Die Funktion eines Modells liegt anderswo: das Modell ist Frage-Anordnung, ist Experimentieranordnung, wobei die Beantwortbarkeit der von ihm aufgeworfenen Fragen, die Durchführbarkeit der von ihm geforderten Experimente, von dem Vorhandensein oder Nicht-Vorhandensein der in ihm eingebauten Theorien und Hypothesen, allerdings auch von deren Richtigkeit oder Unrichtigkeit abhängt, ein Modell kann plausibel und sogar ästhetisch bestechend sein, beispielsweise das Schopenhauersche Weltmodell, ohne daß sich aus ihm wissenschaftlich wirklich bedeutsame Folgerungen ergeben müßten, insonderlich weil es bereits in seinem Entwurf zu wenig Anknüpfungspunkte für die theoretisch-wissenschaftliche Fragestellung enthält, infolgedessen aber auch kein eigentliches Arbeitsgebiet umreißt, während jedes andere, das sich – und sei es unter Verzicht auf allumfassende Ausgeglichenheit – an jene empirisch-wissenschaftliche Realität anschließt, wie dies z. B. eben die materialistische Geschichtsauffassung oder Psychoanalyse tut, konkret beantwortbare Fragen aufwirft, deren Untersuchungsrahmen absteckt und gerade darum auch selber die Möglichkeit gewinnt, in ein mehr oder minder haltbares Theoriengebäude umgestaltet zu werden.

Es mag sein, daß das vorskizzierte massenpsychische Modell in seiner jetzigen Form als wissenschaftlich brauchbare Fragenzuordnung verwendet werden kann, es mag sein, daß es hiezu abgeändert oder durch ein ganz anderes (aus der großen Reihe der erfindbaren und aufstellbaren) ersetzt werden müßte. Doch es darf behauptet werden, daß jede künftige massenpsychische Untersuchung von einer derartigen Modellkonzeption ausgehen wird und jedes derartige Modell – dies erleichtert und erschwert zugleich seine Errichtung – auf all die vielen Untersuchungsresultate wird Bedacht nehmen müssen, welche die verschiedensten einzelwissenschaftlichen Forschungsgebiete zu dem Thema bereits herangebracht haben: Theologie, Philosophie, Psychologie, Pädagogik, Kriminologie haben sich seit altersher mit dem ethischen Verhältnis zwischen Einzelindividuum, Gemeinschaft und Masse beschäftigt, die Soziologie und Nationalökonomie mit ihrem ständigen Rückbezug auf geschichtstheoretische Überlegungen (– es sei bloß auch hiezu der Marxismus und seine Revolutionstheorie erwähnt –) haben sich und ihre Interessen stets nach diesen Problemen orientiert, aber auch von der naturwissenschaftlichen, und zwar insbesondere von ihrer medizinischen Seite her, ist der Fragekomplex, der ja unmittelbar ans psychopathologische Gebiet grenzt, längst aufgerollt worden, nicht zuletzt von der Psychoanalyse, welche gerade zur Massentheorie allerwichtigste Bausteine geliefert hat.

Aus diesem Sachverhalt sind einige, nicht unwichtige Schlüsse zu ziehen:

erstens weisen die mannigfachen Bemühungen, die auf so verschiedenen Wegen an die massenpsychischen Probleme heranzugelangen trachten, darauf hin, daß deren Dringlichkeit, man möchte wohl sagen deren welthistorische Dringlichkeit, allenthalben gefühlt wird;

zweitens läßt sich daran die ungeheure Ausdehnung des Problemmaterials erkennen, nicht minder aber seine Zerstreuung über die verschiedensten Wissensgebiete hin, so daß es also auch nur aus den verschiedensten einzelwissenschaftlichen Forschungen gewonnen zu werden vermag;

drittens ergibt sich eben hieraus, daß die erkenntnismäßige Bewältigung des massenpsychischen Materials in dieser ungeheuren Ausdehnung und Mannigfaltigkeit niemals von einem einzelnen Forscher geleistet werden kann, sondern daß es hiezu – wie überall in der Wissenschaft, die immer zusammenfassende Weiterentwicklung ist – eines wissenschaftlichen Arbeitskollektives bedarf, m. a. W., daß die Bewältigung des massenpsychischen Problems, soll es wirklich bewältigt werden, die Errichtung eines geeigneten Forschungsinstitutes nicht nur empfehlenswert, sondern sogar notwendig macht;

viertens jedoch muß gefolgert werden, daß zur Aufstellung eines einheitlichen Arbeitsprogrammes für ein solches Institut, welches ja auch die Wiederzersplitterung in Einzelbestrebungen hintanhalten soll, eine straffe Fragenanordnung vonnöten ist, und daß man zu deren Absteckung sich auf ein brauchbares Arbeitsmodell zu einigen hat, welches den gesamten Problemaufbau in seiner Struktur widerspiegelt.

Damit sind wir zu dem eingangs erhobenen, skeptischen Einwand gegen die Möglichkeit einer wirklich produktiven Fragestellung, eines wirklich produktiven Arbeitsprogrammes zurückgekehrt.

Angenommen nun (wenn auch nur hypothetisch angenommen), daß unser vorskizziertes Modell tatsächlich das Instrument von solch gewünschter Brauchbarkeit sei, so müßte zwecks Widerlegung jenes Einwandes gezeigt werden können, daß die Erkenntnis massenpsychischer Vorgänge – erfragt aus der Struktur des Modells – eine Möglichkeit eröffnet, die Übel zu lindern und zu verringern, denen die Menschheit im gegenwärtigen Augenblick wahnhaft ausgeliefert ist.

Zu diesem Behufe sei das Arbeitsfeld, wie es sich aus unserem

30

Modell und seiner Paniktheorie ergeben hat, nochmals kurz rekapituliert, und zwar diesmal in etwas anderer Anordnung:

I. *Abgrenzung des Arbeitsfeldes*

1. Das Untersuchungsmaterial besteht aus Einzelpersonen, zumeist allerdings aus Gruppen von Einzelpersonen, nämlich von solchen, welche einerseits auf dem Wege der Irrationalbereicherung, andererseits auf dem Wege der Rationalverarmung sich genötigt fühlen, massenpsychische Bindungen einzugehen,

2. historisch gesehen, grenzen sich die Untersuchungsfelder als Zeitabschnitte ab, welche – wie der des gegenwärtigen Weltzustandes – durch Massenbewegungen von einheitlichem psychischem Aufbau ausgezeichnet sind.

II. *Vorstruktur des Arbeitsfeldes*
(Theorie der Vorbedingungen)

1. Die statischen Vorbedingungen
   a. in räumlich-sichtbarer Beziehung, d. h. in der Struktur der Staaten, Klassen, Parteiungen und anderen distinkten Gruppierungen, durch welche die in Bewegung geratenen Menschenmassen umfaßt werden,
   b. in geistiger Beziehung, d. h. in der Struktur der Kulturtraditionen, der Werthaltungen etc., kurzum der geistigen »Normallage«, von der aus jene Menschenmassen in Bewegung geraten.
2. Die dynamischen Vorbedingungen
   a. im innern Geschehen, wie z. B. bei innerer Erschöpfung gewisser Werthaltungen, wie dies etwa bei Religionsverlust oder anderen innerlogischen Abläufen eintritt und die Wertsicherheit des Menschen erschüttert,
   b. im äußern Geschehen, nämlich in jenen zumeist katastrophalen Ereignissen auf sozialem, ökonomischem, politischem oder sonstwelchem Gebiet, durch welche die Menschen aus ihrer »Normallage« geschleudert und zur Suche nach neuen Wertsicherungen und neuen Werthaltungen aufgefordert werden.

III. *Die eigentlichen* »*Feldkräfte*«
(Wertaufbau und Wertzerstörung)

1. Ausgangspunkt und Ziel der diffusen, autogenen Kräfte
   a. Innerseelische Angst vor der Todes-Einsamkeit darf als psychisches (wenn auch vielleicht nicht als letztes metaphysisches) Agens für sein Wert-suchendes Tun angesehen werden;
   b. letztes Ziel dieses wertsuchenden Geschehens ist vollständige Angst-Befreiung, die Einsamkeits- und Todesüberwindung, begleitet vom Gefühl der Ekstase;
   c. wird dem Menschen jegliche Hoffnung auf Angst-Befreiung genommen, so tritt Panik ein, und jede Gefährdung, die ihn (laut II) aus der Normallage seiner Wertsicherung bringen kann, versetzt ihn in den Zustand der »Vor-Panik«.

2. Mechanik des Wertgeschehens
   Wird der Mensch aus seiner Normallage gebracht, so stehen ihm zwei Wege offen, welche ihn beide ins Kollektiv führen,
   a. der kulturaufbauende Weg der Irrationalbereicherung, der Weg der zentripetalen Gemeinschaftsgefühle,
   b. der kulturzerstörende Weg der Rationalverarmung, der Weg der zentrifugalen Aggressionstriebe.

3. Irreversibilität des Vorganges
   Beide Wege führen zu Ekstaseformen, der erste zu echten, der zweite zu Pseudoformen, beide werden als Gewinn empfunden, da nur sie ein Gegengewicht gegen die Panikbedrohung sein können. Eine Abolierung der Bewegungsursachen genügt also nicht, um die Bewegung wieder zum Stillstand zu bringen; es gibt keine »Wiedergutmachung«; die Forderung nach ekstatischen »Super-Befriedigungen« ist *unabdingbar*.

IV. *Die zusätzlichen, richtunggebenden Rationalkräfte*

Die aus der innerseelischen Angst stammenden, autogenen Feldkräfte sind diffus. Damit sie auf einen der beiden Befriedigungswege (laut III. 2) gelenkt werden und dort wirken können, müssen zusätzliche Rationalkräfte angenommen werden, welche diese Richtunggebung besorgen. Soferne diese Zusatzkraft nicht von Einzelindividuen für sich aufgebracht wird, ist es – und dies gilt immer für das Kollektiv – eine von außen eingebrachte, der dieses Geschäft zufällt, also eine, die von einem

»Führer« oder einer Führergruppe ausgeht.

Angesichts der heutigen Weltlage sind es vornehmlich die »negativen« Kräfte, also die der »Rationalverarmung«, deren Wirken für das grausige kriegerische Geschehen verantwortlich zu machen ist; sie sind die eigentlichen Kräfte, die eben nicht unrichtig als »Massenwahn« bezeichnet werden dürfen.

Soweit das Schema unseres Modells. Aus diesem soll der Frageaufbau für die massenpsychische Forschung gewonnen werden. Und fast will es scheinen, als ob die Gliederung des Schemas allein schon diese Problemanordnung liefern würde. Immerhin lassen sich, unter besonderer Berücksichtigung der Massenwahnphänomene, folgende Hauptgruppen von Forschungsaufforderungen heraushaben:

1. die Vorbedingungen für den einzelindividuellen Bewußtseinsverlust zu erfassen (Panik-Vorbedingungen im innern und äußern Geschehen),

2. die Wege aufzudecken, welche die Einzeltriebhaftigkeit in die einer ganzen Gruppe hineinführt (Ekstase-Vorbedingungen),

3. das spezifische Massengeschehen mit seiner ekstatisch-panischen Mechanik innerhalb des Kollektivs sowie in seiner Beziehung zum Einzelindividuum darzulegen (die Aggressions-Phänomene),

4. das Phänomen der unabdingbaren Forderung nach ekstatischer Superbefriedigung aufzudecken (Revolutions-Phänomen).

Sozusagen medizinisch ergeben sich hieraus zwei Hauptaufgaben,

ad 1. & 2. das hygienische Problem, nämlich die Frage nach der möglichen Verhütung des einzelindividuellen Bewußtseinsverlustes und seines Ersatzes durch Massentriebhaftigkeit,

ad 3. & 4. das therapeutische Problem, nämlich die Frage nach den Mitteln, welche das Individuum aus seiner massenpsychischen Bindung wieder lösen könnten, auf daß es an seine bewußte Einzelratio unbeschädigt zurückgegeben werde.

Über die Fülle der Einzelfragen, welche sich aus dieser Problemstellung weiter ergeben und die – unter Voraussetzung der Modellgeltung – auch zugänglich sind, kann und braucht hier nicht weiter gehandelt zu werden; es seien bloß einige als Beispiele angeführt:

Wann sind die Phänomene des Rationalverlustes als neurotisch oder gar als psychopathisch zu betrachten?

Wann sind die Formen der Panik, der Vor-Panik, aber auch die der Ekstase als neurotisch oder psychopathisch anzusehen?

Unter welchem Gesichtspunkt kann man vom Massenwahn als Seuchenverbreitung sprechen? Fallen Phänomene wie die der Rational-Ausrichtung (Führung, Propaganda) unter den Begriff der Ansteckung?

Wann kann von einem gesunden, wann von einem kranken Symbolwunsch gesprochen werden? Sind heute im politischen Leben auch außerhalb der Diktaturen noch Symbolbefriedigungen möglich?

Durch welche Mittel kann der Wunsch nach Super-Befriedigung erfüllt werden, wenn es nicht durch Aggression geschehen soll?

Wie können die Aggressionstriebe ins positiv Kulturaufbauende gelenkt werden?

etc. etc.

Allerdings: wissenschaftliche Fragen können nicht abstrakt aus der Struktur eines Modells – auch wenn dieses akzeptiert wird – herausgeklaubt werden, sondern müssen aus der praktisch-empirischen Forschungsarbeit erwachsen; dem Modell kommt lediglich die Anordnungsfunktion zu. Das nämliche gilt ja auch für die spekulative Theorienbildung, welche allenthalben hinter der konkreten Exaktheit der Empirie zurückzutreten hat. Und diese Verhaftung an das Konkrete hat bis in die Begriffsbildung einzudringen. Die Massenerscheinungen können und dürfen bloß vom konkretesten Objekt erfaßt werden, und dieses ist für sie immer nur wieder der Einzelmensch in seiner körperlichen und seelischen Konkretheit, nicht aber die Masse selber, geschweige denn hypothetische Hilfsbegriffe wie Massenseele oder Massenbewußtsein. Selbst die Begriffe des Modells, heißen sie nun »Panik« oder »Vor-Panik«, »Rational-Verarmung« oder »Angstbefreiung« oder »Ekstase«, sie alle können erst dann legitim werden, wenn sie sich an der realen Detailarbeit und durch dieselbe als haltbar werden erwiesen haben. Und eben weil diese Arbeit immer wieder auf den konkreten Einzelmenschen verwiesen ist, wird sie wohl zum Großteil in einer geduldigen und umfassenden Durchfragung von Einzelpersonen mit sorgsamer mathematischer Auswertung der statistischen Resultate erfolgen müssen. Das ist keine nachträgliche Wiederentwertung des »Modells«, vielmehr greift dieses eben auch in diese technische Organisation der Forschung hinein, und deshalb ist es nicht verfrüht, die Modellwirkung im praktischen Aufbau eines derartigen Institutes zu betrachten; es dürfte sich für dasselbe beiläufig folgende Arbeitsgliederung ergeben:

1. *Empirisch-naturwissenschaftliche Klasse* (Gebietsüberdeckung: Psychologie samt Nebenfächern, Psychoanalyse, Pädagogik, Kriminologie, Soziologie, Publizistik)

a. Studium der Panik-auslösenden Faktoren im öffentlichen Leben,

b. analytisch-statistische Durchfragung von Einzelpersonen zur Feststellung der Panik-auslösenden Wirkungen,

c. Studium der Massenerscheinungen, insbesondere der Ekstasetendenzen, die als Folgen einer konstatierten Panik oder Vor-Panik aufgefaßt werden können;

2. *Historisch-theoretische Klasse* (Gebietsüberdeckung: Historik samt Nebenfächern, Soziologie, Philosophie und Werttheorie, Theologie, Psychologie)

a. Studium der geschichtlichen massenpsychischen Geschehnisse als Analoga zum gegenwärtigen Geschehen,

b. Theorienbildung;

3. *Politisch-pädagogische Klasse* (Zusammenfassung sämtlicher Gebiete und Grenzfächer unter Zuziehung der Realpolitik)

a. Anwendung der gewonnenen Resultate auf die jeweilige massenpsychologisch-politische Situation,

b. Versuch zu deren Auswertung im praktischen politischen Staatsleben,

c. Anwendung auf die Jugenderziehung.

Mit einer solchen Wendung zur politischen Praxis sowie zur Pädagogik begibt sich das Institut freilich aus der rein wissenschaftlichen wertfreien Sphäre in die der Wertsetzungen, also in die der Ethik. Doch in eben dieser befindet es sich eigentlich von vorneherein, da eine Forschungsarbeit mit Heiltendenzen, deren Objekt gerade der wertsetzende Mensch ist, nicht wertneutral bleiben kann: die Beurteilung von Gut und Böse, von Gesund und Krank, von echter Gemeinschaft und Massenwahn, ist ohne a priori gegebene und anerkannte Grundwertungen nicht durchzuführen. Und auch unser Modell ist werttheoretisch aufgebaut.

Natürlich ist damit nicht gemeint, daß die wissenschaftliche Arbeit in der Propagierung ethischer oder religiöser Grundsätze bestehen soll. Ein wissenschaftliches Institut ist kein Propagandaministerium und auch keine Aufklärungsstelle. Eine direkte Beeinflussung der Bevölkerung fiele aus ihrem wissenschaftlichen Rahmen. Hingegen wäre es wünschenswert, ja dringlichst notwendig, wenn die Forschungsresultate durch die gesetzgebenden Körperschaften unmittelbaren Einfluß auf das öffentliche Leben gewännen, besonders aber, daß dem Institut ehestens eine beratende Funktion für ein Propagandaministerium übertragen werden würde. Die diktatorischen Staaten und ihre gigantischen Propagandaapparate haben sich die Technik der Massenbeeinflussung in einem geradezu dämonischen Ausmaße, man darf wohl behaupten mit dämonisch-genialischer Virtuosität zu eigen gemacht, um damit ihre äußerst praktische Siegespolitik irrationaler Triebbefriedigung zu stützen. Demokratische Staaten oder solche, die es sein wollen oder wenigstens sich so nennen, haben dem Irrationalen einen andern Platz einzuräumen, denn sie sind auf die Ratio angewiesen, sie sollten deren Ausdruck sein, da sie wesensgemäß derselben ihre Gründung verdanken; Rationalität im Geiste erfordert aber Objektivität und diese Objektivität in der Massenbehandlung muß ihre Stützung zwangsläufig in rationalen Wertsetzungen und rationalen wissenschaftlichen Ergebnissen suchen; eben zu diesem Zwecke müssen ihr jedoch auch geeignete wissenschaftliche Grundlagen geliefert werden, und hiezu sind nur richtige wissenschaftliche Forschungsinstitute, in deren Reihe sich nun auch das für Massenpsychologie stellen soll, wahrhaft imstande.

C. *Politische Erwägungen*

Man könnte ruhig sagen, daß alles, was bisher geschehen ist, ebensowohl die Aufstellung eines Arbeitsmodells, als auch die Absteckung des Arbeitsfeldes, als auch die Umreißung eines Arbeitsprogrammes, kurzum, daß dies alles geschehen ist, um die beiden anfänglichen Einwände, welche skeptisch an der

Durchführungsmöglichkeit solchen Vorhabens gezweifelt hatten, endgültig durch die Tat zu widerlegen. Nichtsdestoweniger gilt es nun noch, zwei weitere bedeutsame Einwände zurückzuweisen, welche zwar gleichfalls von Anfang an bestanden hatten, aber – so scheint es zumindest – durch die bisherigen Erwägungen ein besonderes Gewicht erhalten haben. Es ist zu hoffen, daß auch deren Widerlegung glücken mag.

Der erste dieser beiden Einwände ist von der religiösen Seite her zu erwarten, die zu solchem Einwand geradezu verpflichtet ist, da sie sicherlich feststellen kann und feststellen müßte, daß nach dem Gesagten sich die Religionsbekenntnisse und ihre kultischen Formen bisher noch weitaus am geeignetsten erwiesen haben, die Irrationalkräfte des Menschen höchstwertig zu binden und eben hiedurch Massenwahnerscheinungen hintanzuhalten; es ist also, anscheinend mit vollem Recht, zu fragen, warum erst große wissenschaftliche Umwege gegangen werden sollen, wenn nichts einfacher und zweckentsprechender wäre, als die Massen – immer liegt das Gute so nahe – geradewegs in die Arme der Religion zurückzuführen, auf daß sie hier die einzig wirkliche Besänftigung ihrer innerseelischen Angst empfangen möge. Die Antwort, die sich hiezu ergibt, ist nicht minder einfach: eine Rückgewinnung religiöser Bindungen wäre zweifelsohne die größte Gnade, die dem geplagten Menschengeschlecht widerfahren könnte, aber wenn die Religionsbekenntnisse nicht selber solche Wieder-Inthronisierung ihrer selbst besorgen können, so kann ihnen niemand anderer dieses Geschäft abnehmen. Außerdem: Glaube ist nur zum allergeringsten Teil Angelegenheit der Mystik, er ist zum weitaus überwiegenden Teil eine Angelegenheit der Ratio und der vernünftigen Plausibilität, d. h. Gott muß der menschlichen Vernunft plausibel sein, damit an ihn geglaubt werden kann; wenn also das rationale Denken wieder ins religiöse zurückfinden soll, so kann es zu diesem Zwecke nicht seinen eigenen Boden verlassen, und nur von diesem aus, vom Boden der objektiven Tatsachen, kann es zu einem Punkt gelangen, an welchem ihm der Glaube selber zur objektiven Tatsache wird. Sonst hilft ihm kein Teufel dazu. In die Reihe dieser objektiven Tatsachen ist aber u. a. gerade auch das Phänomen des menschlichen Religionsverlustes zu stellen, vor allem in seiner Eigenschaft als einer der Hauptfaktoren, die an der Auslösung der Massenlabilität und des Irrationaldurchbruches beteiligt sind, kurzum als eines der wichtigsten massenpsychischen Phänomene dieser Zeit. Dies ist ein durchaus bemerkenswerter Sachverhalt, denn er bedeutet, daß keinerlei Religionsbereitschaft etwas nützen dürfte, ehe nicht das Faktum des Religionsverlustes in seiner vollen Ausdehnung und Tragweite, also auch in massenpsychischer Beziehung durchschaut und erkannt sein wird, und daraus folgt, daß nicht nur für einen wiederetablierten Glauben eine ständige empirisch-wissenschaftliche Unterbauung und Überwachung von dringlichster Notwendigkeit ist. Ob eine solche Rationalarbeit vom Religionsbekenntnis aus Eigenem geleistet wird oder ob sie ihm von außen, wie z. B. von dem hier gedachten Forschungsinstitut ins Haus gestellt werden soll, ist beinahe gleichgültig, die Arbeit muß so oder so geleistet werden. Keinesfalls jedoch genügt es, unter Vernachlässigung solcher Aufgabe sich mit der Berufung auf die einstigen Glaubensleistungen zu begnügen; wo immer versucht worden ist – und von politischer Seite ist dies oft geschehen –, die apriorische Würde des Glaubens zu einer Wiederverankerung zu benützen, endigte solches Vorhaben in einem Versagen: durch administrative Maßnahmen des Staates ist kein Glauben zu installieren, so wenig wie von Staats wegen kein Heilsbringer zu bestellen ist. Hingegen hat der Staat, auch dann, wenn es ihm um die Wiedererweckung religiöser Haltungen geht, um eine ständige Vertiefung der Ratio und der wissenschaftlichen Wahrheit besorgt zu sein.

Der zweite der beiden Einwände (vielleicht nicht minder kirchlich) kommt von links statt von rechts, und im Grunde hat man ihn eigentlich schon oft gehört: daß Massenlabilität und Irrationaldurchbruch als Folgen ökonomischer Bedrohung aufgetreten sind, das entspricht der marxistischen These und wird von ihr als Beweis ihrer eigenen Richtigkeit angesehen; sie fühlt daher alle Berechtigung, im Sinne ihrer Theorie zu behaupten, daß nach Durchführung der sozialen Revolution und nach Einführung der kommunistischen Weltwirtschaft, in der jeder Einzelne seine größte ökonomische Sicherheit findet, keinerlei Veranlassung für massenwahnartige und ähnliche Auswege mehr vorhanden sein wird und daß daher die Förderung der sozialen Revolution weitaus zweckentsprechender als die Errichtung von ohnehin überflüssig werdenden Forschungsinstituten sei. Es ist dies ein ziemlich unwiderlegbarer Standpunkt, denn zu seiner wirklichen Widerlegung müßte die Probe aufs Exempel gemacht werden, und dies könnte nur dann geschehen, wenn das klassenlose Ideal wirklich erreicht wäre; Idealsachverhalte sind aber niemals erreichbar, sondern bloß annäherbar, sie enthalten bloß die Pflicht zur unendlichen Annäherung.

Der heutige Weltzustand ist von jenem Idealzustand ziemlich weit entfernt, und er enthält auch mancherlei Elemente, die in der materialistischen Geschichtsauffassung eigentlich nicht recht vorgesehen waren. Es ist dies eine Unstimmigkeit, die wahrscheinlich auf eine Absolutierung, auf eine Über-Ausweitung der in die Theorie eingebauten empirischen Begriffe zurückzuführen ist; eine Theorie will möglichst eine Dauerwahrheit von Unabänderlichkeitscharakter sein, empirische Tatsachen hingegen sind einmalig und haben von vorneherein keine Dauergeltung, müssen also überall dort, wo sie nicht Theorieobjekt, sondern Theoriebestandteil sind, die Theorie in deren Dauergeltung beeinträchtigen: in die marxistische Theorie ist der Begriff der Revolution und der des Proletariats eingebaut, das Bild der ersteren stammt aus der französischen Emeute von 1789, das des letzteren aus den Wirkungen des englischen Kapitalismus von 1840 auf die Industriebevölkerung, und in mechanistischer Auswertung und Ausweitung dieser beiden Bilder (gültig so weit der Mechanismus hiefür tragfähig ist) wird angenommen, daß mit Hilfe des Revolutionsvehikels der Herrschaftsanspruch von Klasse zu Klasse weitergegeben wird, um mit dem Herrschaftsantritt des Proletariats als letzter und breitester Klasse vom Idealzustand der klassenlosen Gesellschaft abgelöst zu werden. Vergleicht man diese These mit der heutigen Weltlage, so findet man, selbst wenn man diese als interimistisch betrachtet, nicht sehr viele Bestätigungen. Nicht nur, daß das Bild der Revolution sich völlig verwandelt und seine Eindeutigkeit verloren hat – Revolutionen gibt es heute von unten und oben, von links und rechts – sondern es ist auch durchaus fraglich geworden, ob das Proletariat, wie es von Marx gesehen worden ist und wie es heute kaum mehr als einheitliche Klasse von Ausgebeuteten besteht, wirklich als letzte und endgültige Gesellschaftsschichtung betrachtet werden darf, denn erschreckend beginnen sich in den

Fascismen – doppelt erschreckend, weil auch dies ökonomisch bedingt ist! – die Konturen eines Unterproletariats abzuzeichnen, dessen zwangsmäßige Lebensform und Lebenslage mit einiger Bestimmtheit auf die einer neuen Sklavenschicht in einer neuen Sklavenwirtschaft hinweist. Gewiß können diese Entwicklungen auch marxistisch ausgedeutet werden, aber man fühlt, daß damit nicht das Auslangen zu finden ist.

Ob und inwieweit ökonomische Geschehnisse durch psychische Kräfte abgeändert oder abgelenkt werden können, soll hier nicht diskutiert werden; vieles spricht für die Möglichkeit zu solchen Änderungen. Jedenfalls darf das Revolutionsphänomen nicht mehr als rein ökonomisches aufgefaßt werden. Die Irrationalkomponente im Revolutionsphänomen ist eine wohlbekannte Tatsache, niemand bezweifelt ihr Vorhandensein, niemand bezweifelt ihren sadistischen Einschlag, und im Realen darf man sogar der deutschen Regierung zugestehen, daß die russische Revolution und die russischen Reinigungsaktionen von weit größeren Grauensausmaßen als die germanischen Pogrome waren. Revolutionen unterliegen einem »innern Machiavellismus«, d. h. sie scheuen keine Opfer, wenn durch sie ein künftiger Staatszustand gefördert werden könnte, und wie jeder Machiavellismus ist auch jede Staatstheorie, die zu ihrer Verwirklichung nach dem Irrationaldurchbruch der Revolution verlangt, letztlich unmoralisch. Dies muß ausgesprochen werden und kann nicht oft genug ausgesprochen werden. Und diese Unmoralität wird um so ärger, je weiter und unerreichbarer der theoretische Idealzustand erscheint, um dessentwillen die Irrationalkräfte entfesselt, die Welt in Leiden gestürzt und Menschen zum Opfer gebracht werden sollen. Die Humanität, die letztlich der Normalzustand der Ratio ist, verlangt ein Minimum von Leiden in der Welt, und zwar hic et nunc, nicht in einer unabsehbaren Ferne. Nur wenn hic et nunc die Güter der Humanität angegriffen werden, nur wenn es um den Anspruch auf Freiheit, Gerechtigkeit, Würde und Unantastbarkeit des konkret lebenden Menschen geht, kann und darf dieser zum Opfer aufgerufen werden. Dieser Realpolitik der Humanität verdanken die Demokratien eben ihre Entstehung, sie sind das Instrument dieses regulativen Grundprinzips, und in seiner Entsprechung haben sie einen revolutionslosen Fortschritt als Ziel einer geordneten Politik anzustreben, genau so wie eine geordnete, humanitätsausgerichtete Volkswirtschaft – selbst wenn sie ein kommunistisches Ideal vor sich sieht – einen tunlichst krisenlosen Zustand der Ökonomie, und zwar hic et nunc anzustreben hat. Humanität verlangt Evolutionismus.

Bedenkt man den immer deutlicher werdenden Irrationalzuschuß im Massengeschehen, also auch in allem Revolutionismus, bedenkt man ferner, daß gerade in solch großen Irrationaldurchbrüchen unabwendbar alle seelischen Kräfte ins Spiel gesetzt werden, daß die ganze Angstmechanik der Panik und der Ekstase, der Bedrohung und der Triebforderungen, nicht zuletzt jener nach Zusatz-Befriedigungen in Aktion tritt, so dürfte sich die Behauptung rechtfertigen, daß die völlige Aufdeckung jener psychischen Elemente zu einer Revision des Revolutionsbegriffes wird führen müssen. Ob der solcherart umgestaltete Revolutionsbegriff eine ebenso starke politische Wirkung haben wird, wie es der alte mechanistische gehabt hat, kann freilich nicht ermessen werden; dies hängt von seinen praktischen Auswertungsmöglichkeiten ab. Doch als gesichert kann angenommen werden, daß diese mehr oder minder mögliche Auswertung in evolutionistischer Richtung liegt, und zwar – hegelisch-marxistisch gesprochen – weil die Geschichte immer den Umschlag ins Gegenteil fordert. Und vieles spricht tatsächlich dafür, daß Revolutionen in Hinkunft nicht mehr abgeführt zu werden brauchen, daß sie sich darin dem neuen Krieg angleichen werden, der in erstaunlicher Weise daran ist, seine Jahrtausende alte Physiognomie zu ändern und zum unabführbar-ungeführten Krieg zu werden, d. h. zu einem solchen, der nur mehr potentiell und nicht aktual geführt wird. Und auch dieses Kriegspotential wird in zunehmendem Maße von psychischen Faktoren durchdrungen. Stimmt dies alles, so darf für die Ratio und die ihr verbundenen Mächte, also für die Humanität und die Demokratie immerhin wieder eine Hoffnung aufkeimen, die große Hoffnung, sich gegen die Inhumanität behaupten und durchsetzen zu können. Denn die historische Wirksamkeit ist immer dort, wo erstmalig ein bisher unentdeckter Realsachverhalt im menschlichen Geschehen aufgedeckt wird. Die historische Idee ist auch immer eine empirische Realwahrheit. Der Marxismus mit seiner erstmaligen Aufdeckung der ökonomischen Zusammenhänge ist ein außerordentlich sichtbares Beispiel hiefür. Aber auch die Fascismen sind als Beispiel anzumerken, weniger wegen ihrer Theorien als wegen der Art des Wirkens und ihrer Erfolge, in denen, vielfach noch unbewußt, die neue Wahrheitsrichtung der Welt, nämlich die psychologische, aufgedeckt wird; die Überwindung des rein Ökonomischen aufgezeigt zu haben, ist ein Verdienst der fascistischen Methodik und ihrer massenpsychischen Irrationalvirtuosität. Diese irrationalen Momente aus der Sphäre des bloßen Instinktes zu heben, sie rational erfaßbar zu machen und eben hiedurch in den Dienst des humanen Fortschrittes zu stellen, wird die neue politische Aufgabe der Wissenschaft sein. Die neuen politischen Wahrheiten werden sich im Psychologischen begründen. Die Menschheit schickt sich an, die ökonomische Epoche ihrer Entwicklung zu verlassen und in ihre psychologische einzutreten.

1 Im Frühjahr 1939 stellte Broch diesen »Vorschlag« fertig. Es handelte sich dabei um die Ausarbeitung einer Idee, deren Realisierung Broch erstmals in seiner »Völkerbund-Resolution« von 1937 vorgeschlagen hatte. Er schickte diese Projektstudie u. a. an das Institute for Advanced Study, Princeton, zu Händen von Albert Einstein und an Alvin Johnson, Direktor der New School for Social Research, New York City. Beide ermunterten Broch, den in der Studie umrissenen Fragestellungen selbst nachzugehen. Einstein sprach sich gegen eine besondere Institutsgründung aus, aber er vermittelte in den folgenden Monaten Brochs Kontakt zum Office of Public Opinion Research der Princeton University.
2 Broch folgt hier der individualpsychologischen Kritik Freuds an LeBons Modell der »Massenseele«. Vgl. Sigmund Freud, »Massenpsychologie und Ich-Analyse«, in: S. F., Gesammelte Werke, Bd. 13 (London, 1940), S. 71-161 und Gustave LeBon, *La psychologie des foules* (Paris, 1895), besonders das erste Buch.
3 Vgl. Brochs »Wert- und Geschichtstheorie«, in: HB, *Philosophische Schriften 2: Theorie,* KW 10/2, hrsg. v. P. M. Lützeler, Frankfurt am Main 1977, S. 11-207.

Entwurf für eine Theorie
massenwahnartiger Erscheinungen[1]

I. *Methodologische Vorbemerkungen*

1. *Theorien und Modelle*

Jede menschliche Erkenntnis und im besonderen also jede wissenschaftliche Erkenntnis gibt ein Modell der Wirklichkeit oder richtiger eines Wirklichkeitsausschnittes.

Ein solches Wirklichkeitsmodell ist ein Gedankengebilde – man kann auch sagen ein Gedankenexperiment –, welches versucht, ein vereinfachtes rationales Abbild des beobachteten Wirklichkeitsausschnittes zu liefern, d. h. die unendliche Vielfalt der Wirklichkeit durch eine endliche Anzahl von Darstellungsmitteln abzubilden. Die Aufbauelemente für das Modell werden der empirischen Erfahrung entnommen oder richtiger aus früheren Wirklichkeitsmodellen, welche sich bereits so sehr bewährt haben, daß die nunmehr verwendeten Aufbauelemente als selbstevident und »empirisch richtig« anerkannt werden können. Ein Modell ist um so brauchbarer, mit je weniger Elementen es den beobachteten Wirklichkeitsausschnitt darzustellen vermag.

Die eigentliche Abbildung der Wirklichkeit, welche immer ein prozessualer Ablauf ist, wird durch die Funktion des Modells gegeben. Modelle benötigen also Operationsregeln, nach welchen die in ihm enthaltenen Aufbauelemente bewegt werden sollen. Auch diese Funktionsregeln sind der empirischen Wirklichkeit entnommen, denn sie tragen physikalistischen und mechanistischen Charakter. Im physikalischen Modell sind es diese physikalistischen Funktionen selbst, welche die Bewegung des Modells bestimmen; im außerphysikalischen Bereich werden diese Funktionen als Analogien zu dem physikalischen Modell gefaßt. Unabhängig jedoch von der Beobachtbarkeit der mechanischen Funktion im physikalischen Bereich tragen diese Operationsregeln ein aprioristisches Gepräge, d. h. sie werden vom menschlichen Geist axiomatisch (als Kausalität usw.) verwendet, und sie erlauben, das Modell durch deduktive Überlegungen zu konstruieren und in Gang zu halten.

Das Wirklichkeitsmodell bewährt sich als »richtig«, wenn es

im Ablauf seiner Funktion zu neuen Bildkonstellationen führt und diese wiederum ein Abbild der Wirklichkeit liefern, d. h. wenn die Resultate der Modellkonstruktion eine sichere Vorhersage der Wirklichkeitsabläufe beinhalten. Mit diesem Augenblick liefert das Modell ein »Wirklichkeitsgesetz«.

Beispiele für Modellbildungen liegen in allen Wissenschaften vor. So verwendet die Freudsche Theorie die Wirklichkeitselemente »Vorstellung«, »Trieb« etc. als Aufbauelemente ihres Modells und hält diese durch mechanistische Vorstellungen wie etwa die der »Verdrängung«, des »Aufsteigens« etc. in Gang. Die Marxsche Nationalökonomie und Gesellschaftstheorie läßt unschwer ähnliche Vorgänge erkennen. Die Physik als Gesamtwissenschaft wird immer das vollkommenste Beispiel eines Wirklichkeitsmodells sein.

Aufgabe der Psychologie ist es, ein tunlichst komplettes Modell des Ichs zu liefern. Die verschiedenen Konstruktionen, welche bisher im psychologischen Bereich aufgestellt worden sind, dürfen als Teilmodelle aufgefaßt werden; ihre Zusammenfassung zu einem Gesamtmodell ist zweifelsohne auf dem Wege.

2. Modell der Psychologie

Das Modell des Ichs, um das es in der Psychologie geht, soll mit einem Minimum von Aufbauelementen die Verhaltungsweisen des menschlichen Ichs sowohl in Ansehung seiner eigenen natürlichen Abläufe wie in Ansehung der Außenwelt und ihrer Beeinflussungsmöglichkeiten zur Abbildung bringen und hieraus die Gesetzlichkeiten dieses Verhaltens ableiten.

Zweierlei Phänomengruppen sind daher bei der Aufstellung des psychologischen Modells zu berücksichtigen, nämlich erstens die innerpsychologischen Bedingungen, unter welchen der Mensch denkt und handelt, und zweitens die Außenweltbedingungen, unter welchen dieses Denken und Handeln vor sich geht, und zwar im besonderen jene Außenweltbedingungen, welche sich der Mensch infolge seiner psychischen Struktur selbst geschaffen hat.

Um die wichtigsten der in Betracht kommenden Problemgruppen herauszugreifen, sei bloß vermerkt, daß an den Fragen des innerpsychologischen Verhaltens sowohl Erkenntnistheorie wie empirische Psychologie, wie Ichphänomenologie, wie

Psychoanalyse beteiligt sind; die Fragen der zweiten Problemgruppe sind ebensowohl biologischer wie soziologischer, ökonomischer und allgemein geschichtsphilosophischer Natur, wobei sich diese einzelnen Gebiete gegenseitig überlappen und verkreuzen. Es besteht kein Zweifel, daß ein allgemein psychologisches Modell nach einem Gesichtspunkt suchen muß, welcher geeignet ist, diese verschiedenen disparaten Bedingungen in ein einheitliches System zu ordnen, so daß tatsächlich mit einem Minimum von Aufbauelementen das Auslangen gefunden werden kann. Die bisherigen Untersuchungen haben ergeben, daß der *Wertbegriff* hiefür fruchtbar gemacht werden kann. Denn wenn mit Fug angenommen werden darf, daß alles Denken des isolierten Ichs wesensgemäß und notwendig nach einem Zustand hinstrebt, der als »Wahrheit« zu bezeichnen ist, so darf für die Verhaltensweisen des Ichs (von denen das Denken nur ein Teil ist) stets das Streben nach einem ähnlich positiven Zustand angenommen werden, und für diesen Zustand ist der Ausdruck »Wert« am adäquatesten. Kurzum, das Denken strebt stets nach einem Zustand maximaler Wahrheit, das Leben hingegen nach einem Zustand maximalen Wertes.

Tatsächlich hat sich auch im Zuge der Untersuchung ergeben, daß eine Durchleuchtung der verschiedenen oben angeführten Disziplinen vom werttheoretischen Standpunkt sich als durchaus angebracht erwiesen hat, und daß insbesondere die einfachste und weitesttragende Grundlage der Operationsregeln des Modells von hier aus geschaffen werden konnte.

3. Massenpsychologie

Unter Massenpsychologie kann keine Psychologie der Masse als solcher verstanden werden. Die Masse ist keine mystische Einheit, welche eine eigene Seele, einen eigenen Willen oder dergleichen besitzt. Wissenschaftlich erfaßbar ist immer nur das Individuum und das Einzel-Ich. Unter Massenpsychologie ist also ein Teil des allgemeinpsychologischen Modells zu verstehen, und zwar jener, welcher sich auf das Verhalten des Ichs in der Masse bezieht.

Genauer gesagt, handelt es sich dabei um die Außenweltbedingungen, unter welche das Ich durch das Vorhandensein einer soziologischen Gruppe, wie es die Masse ist, gestellt erscheint. Alle bereits vorher angeführten Problemgruppen, wie etwa die soziologische, ökonomische usw., spielen in das Verhältnis zwischen Masse und Ich hinein, insbesondere treten hier innerpsychische Phänomene, wie etwa die der Gemeinschaftsgefühle etc., in besonderem Maße auf.

Was also für das psychologische Modell im allgemeinen ausgesagt worden ist, gilt im besonderen Maße für das Teilmodell der Massenpsychologie. Gerade weil der Begriff der Masse ein durchaus fluktuierender und vager ist, erscheint es doppelt notwendig, hier mit größter methodologischer Schärfe vorzugehen, und gerade hier hat es sich erwiesen, daß durch die Einführung des Wertbegriffes am ehesten ein Zugang zu der Gesamtproblemlage zu finden ist.

II. *Wertbegriff in psychologischer Anwendung*

1. *Ich-Erweiterung und Ich-Verengung*

Grundwert alles Lebens ist das Leben selbst. Der Lebenstrieb eines jeden Organismus will bewußt oder unbewußt das Leben bis zur Erschöpfung aller Möglichkeiten verlängern. Vom Lebenstrieb aus gesehen, ist die Überwindung des Todes, kurzum das ewige Leben als höchster Wert des Ichs zu betrachten.

Die Todesbedrohung geht vom Non-Ich aus, letztlich sogar von der »Zeit« selber, nicht nur weil das Ich, soweit es auf sich selbst beschränkt ist, sich zeitlos fühlt, sondern auch weil es weiß, daß es durch sein Leben in der Zeit und durch seine Gebundenheit an den Zeitablauf zum Tode hingeführt wird. Der gesamte Komplex des Non-Ich wird also als todbringend und feindlich empfunden, als etwas, das gegen den angestrebten (niemals erreichbaren) höchsten Wert der Todesüberwindung gerichtet ist.

Als Annäherung an jenen höchsten Wert, d. h. also als Teilwert oder kurzum als »Werte«, werden vom Ich all jene Teile des Non-Ichs oder der Welt anerkannt, denen der feindliche Charakter genommen worden ist und die zu »freundlichen« Weltbestandteilen geworden sind. Um dies zu erreichen, versucht das Ich unausgesetzt, Teile der Außenwelt sich zu eigen zu machen, d. h. also Non-Ich-Bestandteile in Ich-Bestandteile umzuwandeln. Erste Stufe dieses Bestrebens, Non-Ich-Bestandteile dem Ich einzuverleiben, ist sicherlich die naturgegebene Nahrungsaufnahme eines jeden Organismus, und daran schließt sich das einfache materiale Possessivverhältnis, das wahrscheinlich die Grundstruktur allen Wertes überhaupt bildet: je mehr der Mensch über Weltbestandteile frei verfügt, je mehr er deren »besitzt«, desto geringer werden die Todesbedrohungen. Das nämliche gilt für das Verhältnis zum Nebenmenschen: je mehr Nebenmenschen sich das Individuum, sei es durch Liebe, sei es durch Zwang, unterwürfig macht, desto weniger Bedrohungen ist es ausgesetzt.

Der Akt des Erkennens dient auf der primitiv-materialen Stufe in erster Linie zur Erweiterung des Possessivverhältnisses zur Welt. Er rückt jedoch in dem Augenblick von der Stufe des Sekundär- zu einem Primärwert auf, sobald erkannt wird, daß die materialen Possessivwerte zwar die Lebensdauer unter Umständen verlängern, jedoch nicht verewigen können. Mit anderen Worten, sobald erkannt wird, daß die Zeit als solche durch die Possessivwerte und die daran geknüpften Triebbefriedigungen nicht aufhebbar ist. Hingegen hat sich der Akt des Erkennens ebenso als eine Ich-Erweiterung erwiesen, wie es der Akt der materialen Besitzergreifung in primitiverer Form gewesen ist. Das Erkennen der Welt, das Erkennen des Non-Ich, wird nun zu einem sublimierten Besitz der Welt, kurzum zu einer Triebsublimierung. Es hat sich herausgestellt, daß es unmöglich ist, die gesamte Welt tatsächlich zu besitzen, aber statt dessen ist der symbolische Besitz als Möglichkeit vorhanden, und nun wird von diesem verlangt, daß er das leiste, was der primitive Possessivwert nicht zu leisten vermocht hatte, nämlich die Aufhebung der Zeit: wem es gelingt, alles zu erkennen, der hat die Zeit und damit auch den Tod aufgehoben.

Überall, wo das Ich bereits erlangte Werte wiederum verliert, also Teile des Ichs wieder an das Non-Ich abgeben muß, tritt eine Ich-Verengung ein. Hiezu gehört also jeder Zwang, den das Ich vom Non-Ich her erleidet, jede Beschränkung seiner Triebauslebungen, also ebensowohl jeder Freiheits- wie jeder Besitzentzug. All dies wird zum Symbol des näherrückenden Todes.

2. Die psychologischen Begleiterscheinungen des Werterlebnisses

Jede Ich-Erweiterung wird von bestimmten positiven Gefühlen begleitet, die als Lust, Freude etc. bekannt sind, denen jedoch allen eine gewisse gemeinsame Grundstimmung anhaftet, die am besten mit dem Ausdruck »ekstatisch« zu bezeichnen ist. Das Ich strebt zweifelsohne unausgesetzt nach einem Zustand der Voll-Ekstase und erwartet, daß diese im Augenblick der Todesüberwindung auch tatsächlich eintrete. Die verschiedenen kleineren und materialen Werterlebnisse wie die der materialen Besitzergreifungen, der Machtausübung über den Nebenmenschen, sei es durch Zwang, sei es durch Liebe, laufen demnach unausgesetzt parallel mit Teil-Ekstasen, und sehr oft werden diese Teil-Ekstasen sogar zum Selbstzweck gemacht, d. h. vermittels künstlicher Herbeiführung von Rauschzuständen, die zweifelsohne allesamt unter der Illusion einer starken Ich-Erweiterung stehen.

Hingegen: treten durch den Zwang äußerer Umstände oder anderer Ursachen Ich-Verengungen ein, so wird ein zur Ekstase entgegengesetztes Gefühl ausgelöst, nämlich das der Furcht, hinter der bekanntlich stets Todesfurcht steht. Die Verweigerung oder Einschränkung von Triebauslebungen führt, wie die Analyse sehr eindeutig zeigt, stets zu Angstzuständen, und wenn die Ich-Verengung weiter fortschreitet, so steigern sich diese Angstzustände zur hoffnungslosen Angst, d. i. zur Panik, welche also den genauen Gegensatz zur Voll-Ekstase darstellt.

3. Wertsysteme

Die Handlungen und Einstellungen des Menschen sind also durchgängig auf die Erreichung von »Wertzuständen« gerichtet, und zwar wirken der Hauptsache nach drei Motivgruppen dabei mit:

a. von der materialen Realität her die praktische Bewältigung des Lebens durch Besitz, Macht etc.,

b. von der geistigen Realität her die Erreichung von erkenntnismäßigem Wissen um die Welt und die Weltinhalte,

c. von der emotionalen Realität her die Erreichung von ekstatischen und pseudo-ekstatischen Zuständen, wobei die ersteren sich an die Motivgruppen a. und b. anschließen, während die pseudo-ekstatischen Zustände sozusagen »objektlos« sind, also Rauschzustände, die meistenteils durch Triebauslebungen um der Triebauslebung selber willen erzeugt werden.

Wertsysteme sind also recht komplexe Systeme von Einstellungen und Verhaltensweisen und in gewissem Sinne selber Wirklichkeitsmodelle oder enthalten zumindest derartige Wirklichkeitsmodelle wie ein Stützgerippe in sich eingebaut.

Ihrem Wesen gemäß sind alle Wertsysteme von vornherein auf Vermeidung von Panik abgestellt. Sie sind also in vieler Beziehung auch Schutzsysteme, welche sozusagen aus Angst vor der Angst errichtet werden. Hieraus ergeben sich letztlich auch Invertierungen, welche beinahe kontradiktorisch erscheinen, so z. B. der Wunsch nach Selbstvernichtung. Wie weit es hiebei sich um eigene Todestriebe etc. handelt, braucht hier nicht untersucht zu werden.

4. Werttheologie

In der ständigen Wechselwirkung zwischen Leben und Erkennen, also auch zwischen »Wert« und »Wahrheit«, wird die Errichtung der Wertsysteme selber von erkenntnismäßigen Akten begleitet, d. h.: Wertsysteme werden vom Ich nicht nur errichtet und befolgt, sondern zugleich auch erkannt. In diesem Erkennungsvorgang liegt eine Begründung der vom Wertsystem vorgeschriebenen Handlungsweisen; sie werden rationalisiert und zur Norm erhoben.

Wenn von Wertsystemen gesprochen wird, so werden darunter im allgemeinen fast immer nur diese rationalisierten Inhalte samt ihren Normungen und ethischen Vorschriften verstanden, da ja nur sie, nicht aber die diffusen Verhaltensweisen etc. dem rationalen Begreifen zugänglich sind. Das gelebte Wertsystem verhält sich zum rationalisierten wie das Urbild zum Abbild, so daß also wiederum das letztere als Modell des ersteren gelten darf.

Beispielsweise ist jedes Religionssystem ein überaus umfassendes Wertgebäude, bestehend aus emotionalen und traditionsmäßigen, innerlichen und äußerlichen Haltungen, welche außerdem von erkenntnismäßigen Elementen durchsetzt sind. Die rationale Zusammenfassung dieses Systems zeitigt dann die Theologie der betreffenden Religion, und deswegen ist es nicht unangebracht, den rationalen Teil jedes Wertsystems als die ihm eigentümliche Werttheologie zu bezeichnen.

5. Offene und geschlossene Wertsysteme

Nach dem Prinzip des kleinsten Kraftaufwandes versucht das

Ich, bei der Bewältigung des Non-Ich (und im empirischen der Mensch bei der Bewältigung der Welt) mit den jeweils vorhandenen und erreichten Mitteln das Auslangen zu finden. Das heißt, ist einmal ein Wertsystem errichtet, so versucht der Mensch, sein gesamtes Wertstreben bis zur Vollekstase darin unterzubringen, und er wird erst dann sich zu einer Erweiterung des Systems entschließen, wenn er von äußern Umständen zur Einsicht gezwungen wird, daß eine Totalbewältigung der Welt mit dem jeweils gegebenen Wertsystem nicht möglich ist. Schon der Übergang von den rein materialen, possessiven Wertsystemen zu den sublimierten der Erkenntnis zeigt diesen Vorgang in recht deutlicher Weise. Im übrigen ist in den Modellerrichtungen selber, die ja mit einem Minimum von Elementen auskommen sollen, gleichfalls das Prinzip des kleinsten Kraftaufwandes sichtbar.

Dieses Haften gibt jedem Wertsystem zweifelsohne den Charakter eines Strebens nach absoluter Geltung. Die gesamte Welt soll unter die Herrschaft des betreffenden Systems gebracht und damit bewältigt werden. Es ist dies ein Phänomen, das unter der Bezeichnung »Apperzeptionsschema« sehr gut bekannt ist. Jeder Mensch, jede soziale Gruppe, jeder Beruf usw. versucht, die Welt in seinem spezifischen Apperzeptionsschema, das eben das seiner Wertschematik ist, zu begreifen und ausschließlich in diesem unterzubringen. In jeder Werttheologie scheint das Phänomen einer Wertdogmatik auf, deren Grenzen nicht überschritten werden sollen.

Ein System, welches unter der Herrschaft einer Wertdogmatik steht, darf als »geschlossenes System« bezeichnet werden.

»Offene Systeme« hingegen zeichnen sich dadurch aus, daß sie nicht versuchen, in einem bestimmten materialen Wertdogmengebäude sämtliche Weltphänomene unterzubringen, sondern sich bemühen, die erwünschte absolute Geltung durch ständige Fortentwicklung des Systems zu erreichen. Das offene System ist sich der Unendlichkeit der Welt bewußt und es weiß daher auch, daß die Absolutgeltung bloß ein unendlich ferner Zielpunkt, nicht jedoch ein konkret erreichbares Endstadium sein kann. Als Typus eines offenen Systems kann stets das System der Erkenntnis als solcher, insbesondere also das System der Wissenschaft schlechthin, gelten (obwohl es sogar in der Wissenschaft immer wieder dogmatisch eingeschränkte, geschlossene Systeme gibt).

Die Idee des offenen Systems ist die einer ständig sich weiter entwickelnden Evolution, während geschlossene Systeme, die sich als unzureichend erwiesen haben, bloß durch revolutionäre Sprengung in eine neue Phase übergeführt werden können.

6. Soziale Konkretisierung von Wertsystemen

Jedes Wertsystem wird von Menschen getragen, und zwar von gewissen sozialen Gruppen, welche ihre Verhaltensweise nach den Normen des von ihnen apperzipierten Wertsystems eingerichtet haben. In der sozialen Gliederung dieser Gruppen lassen sich demnach gleichfalls die beiden Haupttypen der offenen und geschlossenen Systematik wiedererkennen.

7. Individuum und Wertsystem

Die jeweilige Werttheologie spielt in dem Wertsystem, nach welchem ein bestimmtes Individuum lebt, vielfach die Rolle des Über-Ichs, das dem Individuum gewisse Triebauslebungen gestattet, andere aber verbietet oder sublimiert. Der sogenannte »Charakter« eines Menschen ist demnach zum großen Teil von den ihm eigenen Wertzielen, Wertnormungen etc., kurzum von dem ihm eigenen Wertsystem abhängig.

Je einheitlicher ein Leben unter einem bestimmten Wertsystem steht, desto ausgeprägter wird der Charakter dieses Lebens. Auch hier ist zwischen offenem und geschlossenem System zu unterscheiden. Für das Individuum bedeutet das offene System mit seinem ständigen Wertzuwachstum eine fortgesetzte Persönlichkeitsentfaltung. Wenn also auch die Normungen der jeweiligen Werttheologie durchaus rational sind, es wirkt das unendlich ferne Ziel eben infolge seiner Unerreichbarkeit als etwas Irrationales, und zwar als jene Irrationalität, die für das individuelle Leben im Begriff der »Persönlichkeit« und der »Persönlichkeitsentfaltung« zweifelsohne vorhanden ist.

Das persönliche Wertsystem des Individuums ist allerdings nur zu einem geringen Teil als das eigene Produkt des Individuums anzusehen. Es ist die Auseinandersetzung des Individuums mit seiner innern und äußeren Realität und ist demnach von sämtlichen Wertsystemen seiner Umgebung abhängig. Das individuelle Wertsystem ist daher ein sehr komplexes Gebilde, da die Umgebungswertsysteme in der mannigfachsten Weise verarbeitet werden.

III. *Psychische Funktion der Gemeinschaft*

1. *Individuum und Gemeinschaft*

Das persönliche Wertsystem des Individuums (insofern es ein solches besitzt) enthält demnach einen höchsten Irrationalwert, nämlich den der freien Persönlichkeitsentfaltung. Für das Individuum in der Gemeinschaft gibt es einen parallelen Irrationalwert, und zwar ist dieser mit dem Begriff »Gemeinschaftsgefühl« am besten umrissen.

Das Individuum in der sozialen Gemeinschaft sieht sich demnach einer Reihe innerer und äußerer »Wertforderungen« gegenübergestellt, welche sich etwa folgendermaßen aufgliedern lassen:

a. Es hat sein eigenes persönliches Wertsystem zu bilden, und zwar womöglich jenes offene, das ihm die »freie Persönlichkeitsentfaltung« gestattet.

b. Dieses persönliche Wertsystem enthält auch sämtliche sozialen Werte, und soweit diese in Betracht kommen, ist das Individuum ein Mitglied einer oder mehrerer sozialer Gemeinschaften seiner Umgebung, respektive ein Mitglied ihrer jeweiligen Wertsysteme.

c. Als Mitglied der äußern Sozialgemeinschaften und ihrer Wertsysteme kann und darf das Individuum »Gemeinschaftsgefühle« als einen ihm zukommenden positiven Wert anstreben.

Wird zwischen diesen drei Gruppen ein befriedigender Ausgleich erzielt, so bieten die verschiedenen mitbeteiligten Wertsysteme, respektive deren rationale Theologien dem Individuum eine »Rationalbereicherung«, während ihm durch das Leben innerhalb der dazugehörigen Sozialgruppen eine »Irrationalbereicherung« in Gestalt von Gemeinschaftsgefühlen geboten wird. Gelingt es, einen solchen Ausgleich zu treffen, so darf mit Fug von einem harmonischen Leben gesprochen werden.

Wo es keine freie Persönlichkeitsentfaltung gibt, tritt im individuellen Leben zumeist eine Irrational-Verarmung ein, d. h. das Individuum wird vorwiegend von teilweise lediglich materialen, teilweise rationalen Vorschriften in seiner Haltung geleitet. Eine Parallele hiezu ist die »Rational-Verarmung«, welche im sozialen Leben eintritt, wenn dieses dem Individuum keine sozialen Rationalwerte, sondern bloß triebmäßige Gemeinschaftsgefühle zumittelt.

Das Leben in einer Religionsgemeinde bedeutet Irrationalbereicherung unter Aufrechterhaltung des rationalen Status, das Leben in einer Lynchhorde bedeutet »Rationalverlust« zugunsten vager und triebmäßiger Gemeinschaftsgefühle.

2. Idealtypus der Gemeinschaft

Es darf behauptet werden, daß jede gesunde Gemeinschaft solcherart dem Individuum sowohl ein Maximum an rationalen wie an irrationalen Werten bietet, letztere ebensowohl in Gestalt der freien Persönlichkeitsentfaltung wie der von Gemeinschaftsgefühlen. Die soziale Gemeinschaft, welche solches leistet, gibt demnach dem Individuum

a. ein Maximum ökonomisch-materialer Sicherheit,
b. ein Maximum erkenntnismäßiger Sicherheit,
c. ein Maximum emotionaler Sicherheit.

Das Ideal einer solchen Sozialgemeinschaft ist in der Utopie der »Civitas Dei« gegeben; es ist die Tragik des abendländischen Staates, daß es ihm immer nur gelungen ist, Teile dieses allgemeinsten Systems zu verwirklichen.

Das Wesentliche der gottesstaatlichen Idee liegt in der Existenz eines Zentralwertsystems (wie es eben das christliche ist), dem sich alle anderen Werthaltungen und Untersysteme einzuordnen haben. Ist nun dieses Zentralwertsystem außerdem noch ein offenes (wie es dem Prinzip nach das christliche ist), so sind die Vorbedingungen für die erwähnte Harmonie gegeben.

IV. Massenwahn

1. Seelische Erkrankungen

Zum Unterschied von körperlichen Erkrankungen, welche im allgemeinen durch empirischen Befund am Patienten ohne Berücksichtigung seiner Umwelt konstatiert werden können, ist die psychische Erkrankung vor allem an der Verhaltensweise des Patienten gegenüber seiner Umwelt zu diagnostizieren. Die

Diagnose der »Normalität« oder »Abnormalität« hängt also aufs innigste von dem jeweiligen Wertsystem der Umgebung und dessen Normungen ab.

Es ist also die Frage, ob Wertsysteme als solche die Bezeichnung »normal« oder »abnormal« verdienen können. Dies ist keine objektive Entscheidung mehr. Hingegen kann objektiv entschieden werden, ob ein System offen oder geschlossen ist. Und hier zeigt sich nun allerdings bei den meisten geistigen Erkrankungen, seien sie psychotischer oder neurotischer Natur, daß der Kranke vornehmlich sich in geschlossenen Systemen bewegt. Ohne die klinische Seite dieser Annahme allzusehr unterstreichen zu wollen, kann sie für die Betrachtung massenpsychologischer Phänomene immerhin recht nutzbar gemacht werden.

2. Psychische Zyklen in der Geschichte

Werden die bisherigen Annahmen historisch betrachtet, so ergibt sich beiläufig folgendes Bild:

a. Jedes Wertsystem strebt nach Absolutgeltung. Gelingt dies unter besonderen Umständen (wie es z. B. die geographischen und machtpolitischen Verhältnisse des christlichen Europa gewesen sind), so entsteht ein echtes Zentralwertsystem, in dessen Rahmen ein mehr oder minder harmonischer Kulturaufbau erfolgt, so daß dem Individuum das Maximum der jeweils möglichen materialen und psychischen Sicherheit geboten werden kann. Dieses Gesamtwertsystem entzieht sich infolge seiner Abgeschlossenheit weitgehend jeder Realitätskontrolle: es versucht, die Bewältigung der Welt mit den einmal gegebenen Werten ohne weitere Ergänzungen, so weit sie nicht aus dem System selbst entspringen, zu bewerkstelligen.

b. Innerhalb eines solchen abgeschlossenen Systems wird die »Werttheologie« autonom, sie handelt lediglich mehr nach ihren logischen, allerdings einwandfrei logischen, dialektischen Abläufen und nimmt auf die Realität keine Rücksicht. Mit anderen Worten, die Theologie des Systems *hypertrophiert*. Werden nun die Normen dieser Hypertrophie auf die Realität übertragen, so treten wahnhafte Zustände ein. Zum Beispiel war es für die Theologie des 16. und 17. Jahrhunderts eine deduktiv unumstößliche Wahrheit, daß es Hexen geben müsse, und diese Forderung wurde der Realität aufgezwungen, so daß also tatsächlich ein echter Massenwahn entstehen mußte. Es läßt sich mit ziemlicher Sicherheit behaupten, daß jedes Zentralwertsystem, und mag es noch so kulturaufbauend gewesen sein, in dem Augenblick zerfällt und zu einem richtigen Massenwahn degeneriert, in welchem seine Theologie zum geschlossen-autonomen System wird und als solches hypertrophiert. Die daraus entstehenden Wahnformen können mit Fug als »hypertrophia« bezeichnet werden.

c. Ist einmal ein Zentralwertsystem auf diese Art und Weise erschüttert, so beginnt eine neue Konfrontation mit der inneren und äußeren Realität. Eine solche hat – nebenbei parallel mit dem Hexenwahn, denn die Perioden überlappen sich – in Europa als Reformation und Renaissance eingesetzt und hat mit dem naturwissenschaftlichen 19. Jahrhundert ihren Höhepunkt gefunden.

d. Die Auflösung eines Zentralwertsystems gibt jedoch alle Untersysteme frei, so daß also jedes von ihnen nunmehr selbständig seinen eigenen Absolutheitsanspruch anmelden und seine eigene Theologie entwickeln kann. Das Individuum ist nun nicht mehr Angehöriger eines einzigen großen Wertsystems, sondern einer ganzen Anzahl verschiedener; so gehört der Mensch sozial dem Staate, seiner Nation, seinem Berufsstand, seiner Religionsgemeinschaft usw. an, und da die Wertsysteme dieser Gruppen, jedes mit seinem eigenen Absolutheitsanspruch, einander bekriegen, ist ihm jegliche Wertsicherheit genommen (der Conscientious Objector[2], aber auch der Fifth Columnist[3] sind schlagende Beispiele für diesen Sachverhalt). Der Mensch in diesem Stadium völliger Unsicherheit gerät in einen durchaus wahnhaften Zustand, den man etwa mit dem Ausdruck »Zerrissenheit« belegen könnte.

Der Ablauf dieser vier Phasen scheint unausweichlich zu sein, und weiters läßt sich hiebei feststellen, daß die hypertrophia einen eher psychotischen, hingegen der »Zerrissenheitswahn« eher einen neurotischen Charakter besitzt. Ob dahinter eine allgemeine psychotische Veranlagung des Menschengeschlechtes steht – was angesichts des allgemeinen Grauens in der Weltgeschichte nicht unvorstellbar wäre –, müßte noch untersucht werden. Jedenfalls aber kann mit einiger Sicherheit vorausgesagt werden, daß die Einführung von Zentralwertsystemen (nach denen sich der Mensch freilich immer wieder sehnt, insbesondere in der Phase des Zerrissenheitswahns) die größte Gefahr für einen Wiederausbruch von Hypertrophien in sich trägt; je größer das Wirkungsfeld eines Zentralwertes ist, desto größer sind die Wahngefahren, die von einer unkontrollierten und unkontrollierbaren Werttheologie dann gezeitigt werden würden.

So weit die bisherigen Untersuchungen gediehen sind, scheint in diesem Ablauf tatsächlich ein Gesetz psychischer Zyklen für das historische Geschehen gegeben zu sein.

3. Wahnauslösende Momente

Wenn ein Wertsystem in einer sozialen Gemeinschaft zusammenbricht, so ist diese Gemeinschaft zumeist auch nicht mehr fähig, ihren materialen, erkenntnismäßigen und emotionalen Verpflichtungen nachzukommen. Dies gilt ebensowohl für Zentralwertsysteme wie für Einzelwertsysteme. Der Zusammenbruch des mittelalterlichen Systems war zugleich ein ökonomischer Zusammenbruch für den Bauernstand Europas, und der gegenwärtige Kampf der verschiedenen Wertsysteme gegeneinander spielt sich zum Großteil auf ökonomischem Gebiet ab, also als ein Versagen des kapitalistischen Systems.

Wo Sicherheiten verloren gehen, tritt notwendigerweise Angst ein, um so mehr als hiedurch die sadistischen Triebe, welche in einem festgefügten System (wie z. B. dem kapitalistischen) einen geordneten Abfluß gehabt hatten, sich stauen und damit zusätzlich angsterzeugend wirken. Kurzum, das Individuum gerät in einen Zustand des Wertentzugs, also der Ich-Verengung, und nähert sich hiedurch der Panik.

Tritt ein solcher Zustand der Panik oder auch nur der Vorpanik ein, so ergeben sich zwei Hauptfolgen:

a. Die Massen oder das Individuum in der Masse sehen nach einem Führer aus, welcher sie aus diesem Zustand der Panik herausleiten könnte.

b. Diese Führung soll eine Wiedergutmachung all der erlittenen Schäden bewerkstelligen.

Es ist hiebei ein wichtiges Phänomen festzustellen. Mit Wiedergutmachung allein ist es dem geschädigten Menschen nicht getan. Vielmehr verlangt er nach einer Art emotionaler »Superbefriedigung«, kraft welcher er seine zurückgedrängten sadistischen Triebe nunmehr befriedigen kann. Man kann geradezu von einer *Regel der Superbefriedigungen* sprechen, einer Regel, welche in allem revolutionären Geschehen eine ausschlaggebende Rolle spielt.

Diese sadistischen Superbefriedigungen sind fast durchweg auf »Sieg« abgestellt, und zwar auf sicheren Sieg. Wenn z. B. durch ökonomischen und sozialen Druck, dessen Herkunft für den Menschen unerforschbar ist, also fast mythische Gestalt annimmt (der Mythos der Konjunktur), ein Stadium der Vorpanik eintritt, so wird notwendigerweise nach irgendeinem Verursacher dieses Mißstandes gesucht. Und da jeder Wertverlust, also jede Ich-Verengung, vom unbekannten Non-Ich ausgeht, wird insbesondere der »Fremde« zum Verursacher aller Schäden gestempelt; er wird zum »Feind« gemacht, und die Lynchakte, Pogrome usw. sind die notwendige Folge des damit einsetzenden Rationalverlustes. Es ist ein Rückfall in magische Vorstellungen, ja sogar in die des Menschenopfers, und die panikisierte Masse verlangt vom Führer, daß er sie diesen Weg gehen lasse.

4. Richtunggebende Zusatzkräfte

Die in der Masse wirkenden autogenen Kräfte, wie sie bisher beschrieben worden sind, haben zum Großteil diffusen und richtungslosen Charakter; insbesondere in der Panik tritt diese Diffusität außerordentlich zutage, und eben darum setzen gerade in solchem Zeitpunkt die richtunggebenden Zusatzkräfte ein, welche von einem Führer oder einer Führergruppe ausgeübt werden. Diese richtunggebenden Zusatzkräfte stehen zu den autogenen diffusen Kräften etwa im Verhältnis der Ratio zur Irrationalität, d. h. die autogenen Kräfte werden durch sie faßbar gemacht und auf ein Ziel gerichtet.

Auch in der Führerfrage zeigt sich die doppelte Funktion des Massengeschehens. Denn der Führer kann

a. entweder in der Richtung der Irrationalbereicherung wirken, wie dies besonders beim Religionsstifter zum Ausdruck gelangt, oder

b. er wirkt in der Richtung des Rationalverlustes, wie dies besonders beim Demagogen und modernen Diktator sich zeigt.

Der Erfolg der Führerpersönlichkeit hängt nicht zuletzt von seiner Einordnung in die Realitätsrichtung ab, d. h. von seiner Einordnung in die Logizität der Geschehnisse, wie sie durch ökonomische und psychologische Gesetzlichkeiten gegeben sind.

5. Die Normalitätsepochen

Gegen gesetzliche Abläufe läßt sich nicht ankämpfen; sie bestimmen eben die Realitätsrichtung des Geschehens. Es erscheint jedoch durchaus möglich, daß man eben durch Kenntnis der Gesetzlichkeiten eine Kontrolle des Geschehens ausüben kann, und sofern mit dem »Gesetz der psychischen Zyklen« tatsächlich eine reale Struktur der Abläufe aufgedeckt ist, dürfte es möglich sein, die Periode, welche zwischen den beiden Wahnformen der Hypertrophie und des Zerrissenheitswahnes liegt, durch eine entsprechende Massenbeeinflussung zu verlängern, so daß der Pendelausschlag zwischen den beiden Wahnpolen nicht so kraß wird. Es läßt sich mit ziemlicher Sicherheit behaupten, daß die Normalitätsperioden, welche eben die der Wirksamkeit eines offenen Systems sind, sich mit denen der Anwendung und Anwendbarkeit von Humanitätsprinzipien, also letztlich mit den Prinzipien der Demokratie decken. Es wäre also Aufgabe der richtunggebenden Zusatzkräfte, einen solchen Zustand (sicherlich unter Berücksichtigung der Regel der Zusatzbefriedigung) herbeizuführen.

V. Der Kampf gegen den Massenwahn

1. Die Problemlage

Ein Primitiver, der das Bild seiner Beute in den Sand zeichnet, bevor er planmäßig und zielstrebig seine Jagd beginnt, handelt gemäß magischen Auffassungen, aber er ist kein Irrer; er befindet sich in Übereinstimmung mit den Normen seines Stammes, und der Stamm würde ihn als Irren betrachten, wenn er nicht zeichnete, denn damit verstieße er gegen die Normen. Es wäre ein Normenverstoß wie etwa der Gebrauch falscher Jagdmittel, z. B. stumpfer Pfeile beim Töten eines Tigers. Die Einsicht, daß jenes Ritual, das dem Jäger eine sichere Hand verleihen soll, nur subjektive Gültigkeit hat, während der spitze Pfeil eine objektive Notwendigkeit ist, diese Einsicht bleibt dem magischen Denken unzugänglich. Umgekehrt würde ein Weißer als objektiv irr betrachtet werden, wenn er sich – gleichgültig ob er mit stumpfen oder spitzen Pfeilen oder mit modernen Waffen schießt – genötigt sieht, zunächst ein magisches Zeichenritual zu absolvieren.

Das Fehlen von Absichten und Zielen ist sicherlich ein wichtiges Symptom des Wahns. Aber Zielgerichtetheit alleine ist noch kein objektives Kriterium für Gesundheit; die meisten massenwahnartigen Erscheinungen gehören jenem Krankheitstyp an, bei dem trotz Zielgerichtetheit und Logik Realitätsfremdheit zu konstatieren ist. Innerhalb ihrer Kriegsideologie handeln z. B. die fascistischen Staaten völlig rational und zielgerichtet, aber diese Ideologie selbst (mit dem sie tragenden Glauben an die Überlegenheit der deutschen bzw. der japanischen Rasse) ist äußerst realitätsfremd und weist alle Symptome eines geschlossenen Systems auf.

Wenn der Irrsinnige Amok läuft, sieht die Gemeinschaft, in der er lebt, nur eine Möglichkeit, sich vor der Vernichtung zu schützen: der Irre muß durch physische Kraft überwunden werden. Auch Lynchhorden kann man nur mit Wasserschläuchen und Tränengas oder, wenn es nicht anders geht, mit bewaffneter Macht begegnen; und dies ist um so nötiger, wenn die Gefahr der Ansteckung, die bei jedem psychischen Verhalten – besonders bei Epidemien von Geistesgestörtheit – gegeben ist, proportional zum Erfolg des betreffenden Verhaltens wächst. Ein erfolgreicher Kampf gegen psychische Epidemien sollte jedoch zu einem früheren Zeitpunkt beginnen, und zwar in Form vorbeugender Maßnahmen gegen die Gefahr der psychischen Ansteckung.

Wenn krankhaftes Verhalten aus dem Verhaftetsein an ein geschlossenes Wertsystem resultiert, so ist es die Aufgabe jeder psychopathologischen Heilungsmethode, den Patienten zu veranlassen, das realitätsfremde geschlossene System zu verlassen und ihn aus jenen Gruppenbindungen herauszulösen, die ihm gestatten, jenen Impulsen nachzugeben, die einen ständig größer werdenden Realitätsverlust zur Folge haben. Das Ziel dabei muß sein, dem Patienten zu ermöglichen, sich wieder an die Wirklichkeit anzupassen und ein offenes System betreten zu können. Die klinischen Maßnahmen bei der Ausführung einer solchen Behandlung hängen natürlich von dem jeweiligen individuellen Krankheitsfall ab.

Massenpsychologische Phänomene dagegen können weder bei der Heilung noch bei der Vorbeugung individuell behandelt werden. An die Stelle individueller Behandlung tritt hier eine Reihe von Maßnahmen, die logischerweise politischer Natur sind. Es handelt sich um Maßnahmen, die – bewußt oder unbewußt – immer eine bedeutende Rolle im politischen Leben gespielt haben, die aber jetzt in Anbetracht der sich häufenden Symptome von Massenwahn gesammelt und vereinheitlicht werden müssen zu einem System von »politischer Gesundheitspflege«.

2. Theorie der Bekehrung

Die Geschichte aller politischen Bewegungen weist zahllose Beispiele für die Beeinflussung und Führung von Massen auf. Daß man, wie in unserem Falle, die Massen zweifellos in ein offeneres System führen kann, zeigt klar die Entwicklung der Religion, insbesondere die der beiden großen christlichen Bekehrungsbewegungen. Der katholische Kampf gegen das Heidentum ist in diesem Zusammenhang äußerst aufschlußreich. An dieser Stelle können wir eine allgemeine Theorie der Bekehrung an sich aufstellen.

An Hand des aufgestellten Wertmodells und seiner Mechanik zeigt sich jegliche »Bekehrung« (sei sie nun individuell oder kollektiv) als Bewußtmachungsfunktion, die von den richtunggebenden Rationalkräften eines höheren Wertsystems ausgeht und sich etwa folgendermaßen schematisieren läßt:

1. Die Basis fast jeder Bekehrung ist irrational; sie ist als wundersame (gnadenhafte) Erleuchtung bekannt, als eine Erleuchtung, durch die ein neuer und höherer Zentralwert plötzlich zu innerstem Erleben, damit aber letztlich auch zu Bewußtsein gebracht wird. Wenn irgendwo, so liegt hier die Quelle aller »Irrationalbereicherung«.

2. Neben dieser irrationalen, dem menschlichen Eingriff vielfach unzugänglichen Seite der Bekehrung besitzt sie auch eine rationale, und hier wirkt das eigentliche Bekehrungswerk. Hierunter ist jedoch nur zum geringsten Teil eine rational-didaktische Wirksamkeit gemeint; das »bekehrende« höhere Wertsystem wendet sich an eines von niedrigerer Rationalität, muß also eine diesem gemäße Sprache reden, und insbesondere im Massengeschehen muß es eine den Massen gemäße Symbolsprache sein, d. h. eine, deren Rationalität sich weit mehr in Haltungen und Taten als in lehrhaften Worten ausdrückt. Denn

der Mensch versteht eben immer nur die Sprache des Wertsystems, in dem er sich jeweils befindet. Zum Unterschied von der irrationalen Erleuchtung und der von ihr verursachten unmittelbaren »Irrationalbereicherung« geht es hier vornehmlich um Bekämpfung und Hintanhaltung des »Rationalverlustes«, wie er vor allem in den Wahnkomponenten der niedrigeren Systeme in Erscheinung tritt. Auch hierin vollzieht sich also ein Bewußtmachungsprozeß, und zwar einer, der sozusagen als Vorbereitung, als Wegbereitung für die »Erleuchtung« gelten kann; allerdings, wiederum zum Unterschied von dieser, ist er kein plötzlicher, sondern geht in distinkten Phasen vor sich:

a. Die erste Annäherung der beiden Wertsysteme, des »bekehrenden« und des »bekehrungsbedürftigen«, könnte man die Periode der »Amalgamierung« nennen, denn in dieser wird der erste Versuch unternommen, das höhere System an die Stelle des niedrigeren zu setzen, und zwar derart, daß Wert- und Glaubenselemente aus dem niedrigeren System in das höhere eingefügt werden, allerdings an untergeordneter Stelle, so daß sich, sozusagen unbemerkt, dennoch symbolhaft für den Angehörigen des niedrigeren Wertsystems verständlich, eine Überlegenheit des neuen Systems äußert.

b. Hieraus entwickelt sich die zweite Periode, nämlich die der »Konkurrenz«; das höhere Wertsystem hat nun die Aufgabe übernommen, die ekstasierenden Superbefriedigungen, welche dem Menschen im Rahmen des Rationalverlustes gewährt werden, durch äquivalente zu ersetzen, und in der zumeist symbolhaften Erfüllung dieser Aufgabe (Tieropfer statt Menschenopfer usw.) liegt zugleich eine Vorbereitung für die irrationale »Erleuchtung«, die – wird sie tatsächlich erzielt – die totalste Superbefriedigung abgibt.

c. Sind diese beiden ersten Schritte getan, so ist der Bewußtmachungsprozeß bis zur eigentlichen »Systemetablierung« vorgedrungen, d. h. bis zu einem Punkt, an welchem sich der bekehrte Mensch im neuen Wertsystem seelisch »sicher« fühlt, besonders dann, wenn er daselbst auch seine äußern Lebenssicherheiten findet.

d. Es folgt schließlich, freilich schon vorher schrittweise vorbereitet, die Periode des »Tabus«, in welcher die Werte des alten Systems nun von der neuen Gemeinschaft unter Strafandrohung »verboten« werden, oder richtiger, verboten werden können, weil mit dem erweckten Wertbewußtsein auch die Angst vor dem überstandenen Wahnsinn, die Angst vor dem Rückfall und einem neuerlichen Rationalverlust miterweckt wird.

Es ist also ein ganzes »Entwertungssystem«, das da vom bekehrenden gegen das bekehrungsbedürftige System errichtet wird, und da es einem Prozeß zunehmender Bewußtmachung dient, mit dem ein Rationalverlust bekämpft oder hintangehalten werden soll, entwickelt es sich selber im Sinne einer zunehmenden Rationalität: die vier Schritte, welche hier gewissermaßen als Hauptpunkte des an sich recht komplizierten Vorganges herausgehoben worden sind, beginnen in der Periode der »Amalgamierung« mit einer mehr oder minder lediglich symbolhaften Sprache (nämlich der des unteren Systems), um schließlich in der Periode des »Tabus« sich zu vollrationaler Artikulation aufzuschwingen, denn »Verbote« sind bereits rationale Gesetzgebung.

»Bekehrung« unterscheidet sich sohin grundsätzlich von bloßer »Erziehung«; sowohl der irrationale Prozeß der Erleuchtung wie der rationale der bewußtmachenden Entwertung sind spezifische Formen jeglichen Bekehrungswerkes und damit auch der Massenwahnbekämpfung, soweit diese unter die Kategorie der Bekehrung fällt; sicherlich ist jedoch in der Massenwahnbekämpfung nicht mit bloß didaktischen Maßnahmen das Auslangen zu finden.

Als klassisches Beispiel für den Aufbau eines Bekehrungswerkes wird, wie erwähnt, stets das der katholischen Mission, wie es seit den Anfängen der Kirche bis zu den heutigen Tagen geübt worden ist, angeführt werden müssen. In ihrem Kampf gegen das Heidentum, das von ihr durchaus als ein Phänomen der Rationalverarmung, ja eines Massenwahnes genommen wird, kommt es ihr unentwegt darauf an, den Heiden von der Insuffizienz seines Denkens zu überzeugen, und so lassen sich hier die vier Stufen der zunehmenden Bewußtmachung deutlicher denn irgendwo anders verfolgen:

a. die Periode der »Amalgamierung«, während welcher heidnische Glaubenselemente, allerdings in untergeordneter Stellung, in die christliche Glaubenshierarchie und -ritualität aufgenommen werden;

b. die Periode der »Konkurrenz«, während welcher die Ekstasemotive des heidnischen Rituals fortschreitend durch die höheren Ekstasen der christlichen Gemeinschaft ersetzt werden, so daß sich hiedurch auch eine symbolhafte »Besiegung« der alten Mächte ergibt;

c. die Periode der »Etablierung«, während welcher die neue Religion dem Menschen vollkommene seelische Sicherheit gewährt, so daß die »besiegten« alten Mächte zu entrechteten und »harmlosen« Dämonen herabsinken;

d. die Periode des »Tabus«, nämlich eines Tabus, das jede Erinnerung an das Heidnische unter schärfste Strafsanktion stellt, so daß jeder Rückfall in Rationalverarmung, unter welchem Namen auch immer sie auftrete, radikal abgeschnitten werden möge.

Der gesamte Prozeß kann als der einer fortschreitenden »Entdämonisierung« bezeichnet werden, ein Bewußtmachungsprozeß, in welchem die Kirche, ungeachtet der zentralen Stellung des Gnadenheiles, sich weit mehr auf ihre höhere Rationalität als auf ihre höhere Irrationalität gegenüber dem Heidentum beruft.

3. Demokratische Bekehrung

Es wird hier keine oberflächliche Parallele gezogen, wenn darauf hingewiesen wird, daß es bei den fascistischen Bewegungen Symptome einer Wiederverheidung gibt. Der Kampf gegen den Massenwahn, die Zurückführung des Menschen in das offene System der Humanität ist die Aufgabe der Demokratie. Es ist der Kampf gegen die magische Ideologie des Sieges, ein Kampf für die Idee der »humanen Gerechtigkeit«; und das ist der Grund, weshalb die demokratische Mission als die Fortsetzung der christlichen betrachtet werden muß, obgleich sie von einer säkularen, wissenschaftlichen und besonders psychologischen Basis ausgeht. Das Schema aller religiösen Bekehrungen kann daher auch sehr gut für ihre säkulare Fortsetzung gelten.

Wir werden keine Analogien herausarbeiten zu der irrationalen »Bekehrung durch Gnade«, wobei es sich freilich um Analogien handelt, die leicht gezogen werden könnten, denn Humanität und Demokratie sind entschlossen, »Irrationalbereicherung« oder »Rationalverlust« zu unterstützen; aber eine solche Unterstützung bezieht sich nicht auf die Religion, sondern schafft eher der Religion Raum, da die Demokratie ihr ei-

gentliches Fundament in der Vernunft hat und deshalb auf
ständige »Rationalbereicherung« ausgerichtet ist. Daher muß
hier vor allem die »Bekehrung durch Hintanhaltung von Rationalverlust« angewandt werden. Die Analogie zur christlichen
Methode ist dabei offensichtlich:

a. Phase der »Amalgamierung«

Elemente des »niederen« Wertsystems werden an untergeordnete Stellen des »höheren« eingebracht. So wird die »Ritualsprache« des »niederen« Systems übernommen, wobei ihre
alte Bedeutung entwertet wird. Die Wertrituale des modernen
Lebens sind fast ausnahmslos »Erfolgsrituale« und »Siegesri-
tuale«. Eine Entwertung dieser Rituale hat daher mit einer
Umorientierung des Siegeswillens zu beginnen, wobei das Ziel
die »Besiegung des Sieges« ist.

b. Phase der »Konkurrenz«

Die Konkurrenz zwischen zwei Wertsystemen bedeutet heute
vor allem eine »Propagandakonkurrenz«. In unserem Falle
geht es um die Gegenpropaganda gegen die fascistischen Dog-
men, und es gilt hiebei die Kenntnisse über massenpsychologische Phänomene zu nutzen. Was bei allen vorangegangenen
Bekehrungen gültig gewesen ist, muß auch hier als wirksames
Prinzip anerkannt werden: der heidnische Gott muß zu einem
Dämon verkleinert werden, dessen Gebote alle Bedeutung
verloren haben.

c. Phase der »Sicherung«.

Das letzte Ziel einer jeden durchgeführten Bekehrung ist die
Etablierung einer Kirche; das letzte Ziel ihrer säkularen Fortsetzung ist die organisierte Humanität, also kurz: die demokratische Organisation. Die fascistischen Systeme haben auf ihre
Weise eine ideale Lösung ihrer organisatorischen Probleme gefunden, indem sie – oft unbewußt – neue psychologische Prinzipien zur Anwendung bringen. In jeder Hinsicht ist die Demokratie fähig, von ihren eigenen Grundprinzipien aus eine
Organisation aufzubauen, die nicht weniger effektiv, psychologisch wirksam und überzeugend arbeitet. Da diese Organisation gegen den fascistischen Wahn arbeiten muß, wird das »Bewußtsein der Normalität« des Menschen vor allem geweckt
werden müssen.

d. Phase des »Tabu«

Sobald eine neue demokratische Organisation tatsächlich geschaffen worden ist, werden die alten Wertauffassungen an Wirkungskraft verlieren. Dieser Prozeß liegt jedoch bereits außerhalb des Einflusses der eigentlichen Psychologie. Hier werden bereits Probleme der Verfassung und der Legislative berührt, die nicht Teil des Bekehrungswerkes, wohl aber Ergebnis der abgeschlossenen Bekehrung sind. Die Verjüngung der Demokratie wird und muß nach diesem Schema erfolgen.

Es ist klar, daß diese vier Phasen, die früher sehr genau aufeinander zu folgen pflegten, sich heute überschneiden oder gar zusammenfallen.

VI. *Empirische Forschung*

Dieses theoretische Gebäude ist im einzelnen beschrieben in einem dreihundert Seiten umfangreichen Manuskript.[4] Obgleich es eine Reihe von empirischen Aspekten enthält, muß die Theorie doch noch durch ausreichende empirische Belege gestützt werden, besonders dann, wenn es für die praktische Politik einen Gebrauchswert haben soll.

Diese empirische Forschung hat sich in zwei Richtungen zu bewegen:

1. Auf historischem Gebiet müssen wir massenpsychologische Phänomene erforschen, wie sie immer wieder in der Geschichte und besonders in der Religionsgeschichte auftauchen, wobei besondere Aufmerksamkeit den tatsächlich stattgefundenen Bekehrungen und der Sektenbildung zu widmen ist.

2. Der gegenwärtige Zustand der Massen muß mit jenen Fragestellungen untersucht werden, wie sie besonders innerhalb dieser Theorie entwickelt worden sind. Das geschieht am besten mit dem Mittel der Umfrage. Einige dieser Fragen seien hier kurz referiert:

a. In welchem Ausmaß gehören Individuen verschiedenen Wertsystemen an, und wie stark fühlen sie sich an sie gebunden?

b. Bis zu welchem Grade führen solche psychologischen Situationen zu psychopathischen oder neurotischen Phänomenen?

c. In welchem Umfang führen diese Umstände zu einem Verlangen nach Führung und nach dem Zusammenschluß der Werte?

d. Welche gefühlsmäßigen Superbefriedigungen erwartet das Individuum von einem solchen Zusammenschluß und von solcher Führerschaft?

Die Anzahl dieser Fragen kann nahezu beliebig vermehrt werden. Die Ausarbeitung eines Fragebogen-Programms wird derzeit unternommen.

1 Im Frühjahr 1941 verfaßte Broch den »Entwurf« für Hadley Cantril, Direktor am Office of Public Opinion Research der Princeton University. Aufgrund dieses Exposés erhielt Broch für die Zeit von Mitte 1942 bis Ende 1944 die Stelle eines unabhängigen Assistenten bei Hadley Cantril, wobei die Bezahlung über die Rockefeller Foundation erfolgte.
2 Kriegsdienstverweigerer.
3 Mitglied der Fünften Kolonne.
4 Gemeint ist der Abschnitt »Massenwahntheorie (1939 und 1941)«, der 200 Schreibmaschinenseiten umfangreich ist. Vgl. »Autobiographie als Arbeitsprogramm«, YUL. S. 50-250; abgedruckt in diesem Band S. 274-456.

Eine Studie über Massenhysterie[1]
– Beiträge zu einer Psychologie der Politik –
(Vorläufiges Inhaltsverzeichnis)

Vorwort

Diese Zeit hat den Stempel ihrer irren Selbstzerstörung von einem Psychopathen aufgedrückt erhalten. Aus den mannigfachsten Gründen ist er zur Macht gelangt, aus den mannigfachsten Gründen hat man ihn gewähren lassen –, das deutsche Volk hat ihn emporgehoben, sogar noch heute hat er allenthalben Anhänger und Bewunderer, und wenn er, Hitler, auch besiegt werden sollte, der Hitlerismus wird damit noch nicht zur Gänze aus der Welt geschafft worden sein: was da geschehen ist und weiter geschieht, ist – wie sollte es anders sein – Funktion des »Zeitgeistes« (der trotz seiner Zerklüftungen und anscheinend unüberbrückbaren Widersprüche wesentlich engere innere Zusammenhänge enthält, als gemeiniglich angenommen wird), und sein sichtbarster Exponent ist der Psychopath Hitler.

Ist also die Menschheit, die ja der Träger dieses »Zeitgeistes« ist, in ein psychopathisches Stadium getreten? sind die vielen erschreckenden Züge, die sich da im Massengeschehen konstatieren lassen, als psychopathisch zu werten? mehr noch, hat die Menschheit – so müßte man fast annehmen – eine psychopathische Grundanlage? Mit diesen Problemen beschäftigt sich die vorliegende Untersuchung.

Sie wendet sich zu diesem Zwecke dem psychischen Gehaben der Massen zu. Denn letztlich steckt in all dem eine Art »diffuses« Massenverhalten, durchaus verwandt mit demjenigen, das man an dem konkreter Massenzusammenballungen beobachten kann, umsomehr als es ja aus diesen fortwährend gespeist wird: kein Zweifel, das diffuse und das konkrete Massenverhalten besitzen eine gemeinsame Wurzel, und wenn es glückt, diese aufzufinden, so ist zu hoffen, daß damit auch ein Zugang zu dem geheimnisvoll irrationalen »Zeitgeist« eröffnet wird.

Und auf die Erfassung dieser Irrationalität kommt es an, wenn man den Versuch zu ihrer Lenkung (die eben Lenkung der Massen ist) unternehmen will, wenn man es unternimmt, psychopathische Phänomene vom Schlage des Hitlerismus tunlichst endgültig aus der Welt zu schaffen. Kurzum, die Heilbarkeit massenwahnartiger Erscheinungen steht zur Frage. Gelänge es nicht, dieser »Irrationalitäten« wahrhaft Herr zu werden und sie wahrhaft zu »rationalisieren«, so gibt es keine Planung einer nach-hitlerischen Welt. In diesem Sinne trachtet die vorliegende Untersuchung, einen Beitrag zur Besiegung des Hitlerismus und zum Aufbau einer besseren Nachkriegszeit zu erbringen.

Erster Teil
Der Dämmerungsbereich

Kapitel 1:
Methodologische Vorbemerkungen

1. Inkompetenz der Geschichtsphilosophie:
Naturgesetze werden nicht mehr von der Naturphilosophie aufgestellt, und ähnlich werden historische Gesetze über kurz oder lang nicht mehr von der Geschichtsphilosophie, sondern von einer strengeren »Geschichtstheorie« aufgestellt werden.

2. Wesen wissenschaftlicher Gesetze:
Es gibt keinen »Zufall« im Bereich der Naturgesetze, und auf gleiche Weise schließt das historische Gesetz das Moment des freien Willens aus.

3. Ein methodologischer Irrtum und seine Konsequenzen:
Als Teilgebiet der Philosophie befaßt sich die Ethik mit dem freien Willen, und ihr unterlief der methodologische Fehler, das historische Gesetz (und sein Problem des freien Willens) an die Geschichtsphilosophie zu binden. Solcherart erhielt das historische Gesetz die Qualität eines moralischen Gebotes, das keinen anderen Willen dulden kann: daraus folgte die Behauptung der »geschichtlichen Legitimität und Notwendigkeit von Gewalt«, die die Grundlage allen politischen Dogmatismus ausmacht.

4. Geschichtstheorie und psychologische Wirklichkeit:
Das Aufstellen von Gechichtsgesetzen ist nur möglich aufgrund der Tatsache, daß es weite Strecken des menschlichen Lebens gibt, die tatsächlich willensentblößt, sozusagen »gesetzes-automatisch« sind. Solche Strecken sind vorhanden und

können bezeichnet werden mit dem Begriff des »Dämmerzustandes des menschlichen Bewußtseins«.

Kapitel 2:
Phänomenologie des Dämmerzustandes

1. Das tierische Erbe:
Das Tier bewältigt seine Lebensaufgaben auf scheinbar rationale Weise, denn es erreicht ja seine Ziele, indem es die angemessensten Mittel benutzt. Dieses scheinbar rationale Vorgehen ist jedoch ein bloß instinkthaftes. Das Tier handelt in einem rudimentären Dämmerzustand.

2. Die dämmerhafte »Akzeptation« des Menschen:
Das Tier befindet sich in einer artgebundenen »Haltungsinvarianz«, und in dieser ist es gezwungen, seine innern und äußern Lebensbedingungen als »unabänderlich« zu akzeptieren. Spuren eines ähnlichen Verhaltens finden sich auch beim Menschen, wo immer er in einem Dämmerzustand lebt und handelt.

3. Das untierisch Menschliche im Menschen:
Im Gegensatz zum Tier besitzt der Mensch Ich- und Welterkenntnis, Ich- und Weltbewußtsein. Dank dieser Fähigkeit vermag er, sein Dahindämmern zu durchbrechen; es sind die Erkenntnisvorstöße, in denen sich das spezifisch Menschliche vollzieht und wovon die geschichtliche Entwicklung und der Kulturaufbau Zeugnis ablegen. Beides kennt das Tier nicht. Nur der Mensch hat eine Geschichte.

4. Die Doppelbedingtheit des menschlichen Dämmerns:
Das menschliche Dahindämmern vollzieht sich demnach nicht nur unter den – für das Tier allein ausschlaggebenden und ihm unabänderlichen – Umweltsbedingungen der Natur, sondern auch unter denen, die der Mensch kraft seiner Erkenntnisvorstöße selber geschaffen hat, kurzum unter jenen der Kultur und den durch sie besorgten Naturabänderungen.

5. Akzeptation von Erkenntnisvorstößen:
Wenn der Mensch sich im Dämmerzustand befindet, kann er nicht zwischen den Gegebenheiten von Natur und Kultur unterscheiden. Seine Einstellung gegenüber der Kultur ähnelt dann der des Tieres gegenüber der Natur.

6. Das untermenschlich Primitive:
In der Unterscheidungslosigkeit seiner Akzeptationen verliert

der Mensch seine ihn auszeichnende menschliche, individuelle Bewußtseinsfähigkeit. Er verliert seine individuelle menschliche Physiognomie; wo das Dahindämmern die Oberhand gewinnt, da wird der Mensch zur Masse. Die Masse ist das Produkt des Dahindämmerns.

7. Großstadtmassen und Rationalität:

Die hochentwickelte Rationalität der modernen Großstadtkultur mildert das menschliche Dahindämmern nicht, sondern intensiviert es. Die akzeptierte Ratio wird zu einem bloßen Mittel der Triebbefriedigung und wird hiedurch ihres Erkenntnisgehaltes zur Gänze beraubt.

8. Sport und Spiel:

Die rationalen Elemente geben also nur ein Muster ab; lediglich die Strukturen sind noch vorhanden, und mit ihnen wird ein Spiel der Akzeptation und Regulation aufgeführt. Die Rollen von Sport und Spiel im modernen Großstadtleben sind außerordentlich aufschlußreich. Technologie, Sport und die Sucht nach Rekorden sind Belege für ein solch lediglich strukturiertes Verhalten. Ihre geistige Grundlage ist den nihilistischen Tendenzen verwandt, wie sie sich in dem Kampf der Fascisten für den Sieg um des Sieges willen dokumentieren.

9. Dämmerzustand und menschlicher Fortschritt:

Sind die Konsequenzen der immer wiederkehrenden Rückfälle der Menschheit unvermeidbar? Die Menschheit hat seit ihren Anfängen immer wieder versucht, diese Rückfälle zu überwinden, und jeder der in diesem Kampf errungenen wenigen Siege hatte seinen Ursprung in der »Weisheit«, d. h. in dem Wissen um die Grenzen der menschlichen Kraft. Da vor allem der Dämmerzustand die Ursache dieser Grenzen ist, gilt es, eine genaue Studie über den menschlichen Dämmerzustand zu erarbeiten, eine Studie, die uns ein Instrument zum Verstehen und vielleicht auch zur Beeinflussung sowohl des menschlichen Verhaltens im Dämmerzustand als auch des Menschheitsfortschritts an die Hand gibt.

Kapitel 3:
Dämmerzustand, Unterbewußtes, Unbewußtes

Philosophen des späten 19. Jahrhunderts wie Schopenhauer[2], Hartmann[3] und Bergson[4] bereiteten den Weg vor zum Studium

70

jenes Geisteszustandes, der hier als Dämmerzustand umschrieben wird. Mehr oder weniger beeinflußt durch diese Philosophen, tat die Psychologie dieser Zeit den nächsten Schritt, indem sie auf das Problem des Unterbewußten aufmerksam machte, ein Problem, das besonders durch Freuds[5] neue Entdeckungen erhellt wurde. Es ist keine Frage, daß das Phänomen des Dämmerzustands viel gemein hat mit jener Erscheinung, die man in der Philosophie mit dem »Unbewußten« und in der Psychologie mit dem »Unterbewußten« umschrieb. Allerdings passen beide Termini nicht zur angemessenen Kennzeichnung des Dämmerzustandes. Denn als tierisches Erbe ist der menschliche Dämmerzustand zum Teil eine Funktion des Unterbewußten, also der Instinkte und der irrationalen Triebe, aber teilweise auch eine Funktion des rationalen menschlichen Vermögens und seiner spezifischen Begrenzungen. Eine Theorie des Dämmerzustandes hat daher zu klären, in welchem Maße er diesen beiden Phänomenen verhaftet ist und inwiefern auch noch andere Komponenten mitwirken, wie z. B. massenpsychologische Elemente.

Kapitel 4:
Methodologie des menschlichen Dämmerzustandes

1. Auf das Objekt menschlichen Handelns bezogene Gesetzlichkeiten:

Gewöhnlich werden die geschichtlichen Gesetzlichkeiten an den Hervorbringungen menschlichen Handelns abgelesen, wobei von den Handlungen selbst abgesehen wird (Entwicklungsgesetze in den Bereichen der Sprachwissenschaft, der Wirtschaft, der Geistesgeschichte usw.). Es ist immer als erwiesen betrachtet worden, daß das Individuum in seinem Handeln an diese Geschichtsgesetze gebunden ist.

2. Absolutierungssucht:

Fast jedes historische Gesetz trachtet nach absoluter und endgültiger Alleingeltung. Soweit es sich dabei um die reinen Formen zur Beschreibung des Ablaufs historischer Prozesse handelt, mag eine solche Absicht noch als legitim betrachtet werden. (Man denke an das Hegelsche Gesetz vom dialektischen Charakter der Entwicklung.) Aber immer wenn ein solcher absoluter Gültigkeitsanspruch auf den materialen Inhalt der Geschichte ausgedehnt wird, führt dies zur Ausschaltung alles dessen, was in der Geschichte »neu« auftritt und folgerichtig zur Unterdrückung jeglicher Innovation mittels physischer Gewalt.

3. Das »Neue« in der Geschichte als Zentrum jeder allgemeinen und strengen Geschichtstheorie:

Nur das »Neue« ist wahrhaft geschichtsstiftend. Aber gerade wegen seiner bisherigen Unbekanntheit kann es den bestehenden Gesetzen nicht eingeordnet werden. Hier scheint eine Antinomie vorzuliegen. Vom formalen Gesichtspunkt aus betrachtet, wirkt das »Neue« nur insofern geschichtsstiftend, als es zum Auffinden neuer Gesetzlichkeiten führt.

4. Das Phänomen des Neuen in der Wissenschaft (Exkurs): Theorie der Problemtypen.

5. Die Theorie der Dämmerzustände im Rahmen einer allgemeinen Geschichtstheorie:

Vom methodologischen Standpunkt aus betrachtet sind inhaltlich-objektbezogene Geschichtsgesetze lückenhaft. Das System einer allgemeinen Geschichtstheorie ist unvollständig, so lange nicht der Faktor des Menschen als geschichtstragende Person in sie eingeführt worden ist, und das bedeutet gleichzeitig die Berücksichtigung der spezifischen Konstitution des Menschen einschließlich seines Dämmerzustandes.

6. Die methodologische Lückenhaftigkeit bestehender historischer Gesetzlichkeiten:

Die materialistische Geschichtsauffassung bietet ein ausnehmend gutes Beispiel für objektbezogene Gesetzlichkeiten und deren systembedingte Lückenhaftigkeit.

7. Politische Möglichkeiten einer allgemeinen Geschichtstheorie:

In einer allgemeinen Geschichtstheorie müssen die objektbezogenen historischen Gesetzlichkeiten ergänzt werden durch die subjektbezogene Theorie der menschlichen Dämmerzustände. Nur so auch kann verhindert werden, daß die objektbezogene historische Gesetzlichkeit absolute Alleingeltung beansprucht:

8. Die hauptsächlichen Forschungsziele:

a. Entstehung und Ablauf der dämmerhaften Akzeptationshaltungen und ihrer Entwicklung in typisches Massen-Verhalten.

b. Möglichkeit der Beeinflussung von Massentendenzen, indem man sie mit den von der Individualpsychologie bereitgestellten Mitteln angeht.

Kapitel 5:
Absteckung des Untersuchungsfeldes

»Massenwille«, »Massenseele« usw. sind nichts als Metaphern. Das einzige Objekt der Untersuchung bleibt der Einzelmensch, und deshalb sollte das »Modell« für dieses Forschungsgebiet sich an der psychischen Struktur des Einzelmenschen orientieren.

1. Das »Modell« als Erkenntnisinstrument« kat'exochen:

Ein »Modell« ist ein theoretisches System, das aus bestimmten Abstraktionen empirischer Tatsachen besteht, die logisch miteinander verknüpft werden und durch Schlußfolgerungen die Gesetzlichkeiten eines bestimmten Wirklichkeitsgebietes abzubilden trachten.

Das Modell vermittelt:

a. den Umfang des beobachteten Wirklichkeitsausschnittes in seiner materialen Statik,

b. die Dynamik sowohl seiner autogenen als seiner äußeren bzw. seiner eingebrachten Kräfte.

Die Richtigkeit des »Modells« erweist sich vor allem an der deduktiven Geschlossenheit, doch je größer die Anzahl der zu seiner Konstruktion verwendeten empirischen Elemente ist, desto mehr bedarf es einer Erhärtung an der empirischen Wirklichkeit.

2. Theorie der Deduktion (Exkurs)

3. Das Modell des Einzelmenschen als geschichtstheoretisches Modell:

Der Mensch ist der Träger der Geschichte: Wenn die Gesamtheit aller menschlichen Eigenschaften wirklich erfaßt werden könnte, so würde dieses Modell uns die Bedingungen für jede künftige geschichtliche Erfahrung liefern.

4. Unzulänglichkeit eines lediglich psychologischen Geschichtsverständnisses:

Obgleich sie die Existenz der menschlichen Willensfreiheit nicht bestreiten, setzen die psychologischen Gesetze einen bestimmten Automatismus des menschlichen Geistes voraus.

Konsequenterweise betrachtet man alle psychischen Symptome, die nicht in diesen Automatismus passen, als pathologisch. Der Einfluß des freien Willens auf die Geschichte kann jedoch nicht als ein bloßes pathologisches Phänomen bezeichnet werden.

Andererseits bildet sich der freie Wille innerhalb des Ichs, das für die klassische Psychologie lediglich etwas Noumenales ist, da es dem empirischen Zugriff unzugänglich bleibt. Wo immer die Psychologie das Ich zu erfassen sucht, wie z. B. in der Psychoanalyse und in der Gestaltpsychologie, hängen ihre Aussagen von erkenntnistheoretischen Apriorität ab.

5. Notwendigkeit einer erkenntnistheoretischen Konstruktion des »menschlichen Modells«, d. h. Notwendigkeit einer »Theorie des Ichs«:

Die empirische Psychologie benötigt das Ich als einen Ort, in den es alle zu einer methodologischen Einheit gebündelten psychischen Bewegungen der Empirie projizieren kann. Aus diesem Grunde ist eine Theorie der Struktur des Ichs erforderlich, eine Theorie, die die Psychologie selbst nicht zu liefern imstande ist. Freilich ist das Ich eine unbestreitbare innerliche Erfahrung des Einzelmenschen. Aber der Einzelmensch ist nicht in der Lage, psychologische Aussagen über sein Ich zu machen; seine Grundkenntnis über das Ich ist apriorischer Natur: abgeschlossen in sich selbst, errichtet das Ich sein eigenes »Modell«.

6. Das vollständige Modell des Ichs als letztes Ziel jeglicher Psychologie:

Ohne direkten empirischen Zugang zu einem Ich zu haben, das nur als Projektionsort betrachtet wird, macht sich die Psychologie – und damit auch die Psychologie des Dämmerzustandes – methodologisch gesehen abhängig von eben diesem Ich-Modell und seinen Ableitungen. Andererseits gewinnt dieses Ich-Modell wiederum an Reichtum und Umfang mit jedem Wirklichkeitsgehalt, der von der Psychologie in es projiziert wird: ein vollständiges Modell des Ich kann deshalb zum letzten Ziel der Psychologie erklärt werden, ein Ziel allerdings, das nie erreicht werden, dem man sich aber immer mehr nähern kann.

7. Beziehungen des »Modells« zum empirischen Material:

Alle in Frage kommenden empirischen Daten können in jenen Wissenschaften gefunden werden, die sich mit dem Menschen und seinen Handlungen beschäftigen: vor allem in der Psychologie, aber auch in der Soziologie, der Ökonomie, der Wissenschaft der Politik usw.

Kapitel 6:
Ich-Modell und Wertlehre

1. Der Wert als allgemeinste Kategorie menschlichen Handelns:

Alles menschliche Denken strebt den Zustand maximaler Wahrheit an; das Leben schlechthin dagegen ist wert-orientiert. »Cogito ergo sum« gilt nur für das Bewußtsein an sich; für den Menschen aber trifft das »sum ergo cogito« zu; für ihn ist die Wahrheit an die Kategorie des Wertes gebunden.

2. Das Ich in seiner Beziehung zum Wert:

Vor allem ist das Ich gleichzusetzen mit dem Leben an sich. Bei der Prüfung seines Inhalts wird sich das Ich der es begleitenden Werte bewußt. Dem »ich bin« wird somit ein »ich habe« hinzugefügt.

3. Ich-Erweiterung und Ich-Verengung:

Die begleitenden Werte fügen dem Ich neuen Wert hinzu. Wenn es seiner begleitenden Werte beraubt wird, löst sich das Ich zu einem Nichts auf. Diese Ich-Dynamik ist dem Menschen ganz klar, und er reagiert auf sie einerseits mit wachsender Ekstase und andererseits mit wachsender Panik.

4. Ich und Non-Ich:

Alles, was nicht dem Ich angehört, wird als Non-Ich betrachtet. Seine Aneignung verändert es zu einem Teil des Ichs und fügt diesem neuen Wert hinzu. Das Non-Ich bleibt ohne Wert; ihm Wert zu verleihen ist die Aufgabe des verstehenden und selbsterweiterten Ichs.

5. Voll-Ekstase und Voll-Panik:

Die Aneignung des ganzen Non-Ichs verursacht die höchstmögliche Ekstase des Menschen; es ist ein Gefühl der Unsterblichkeit (Besiegung des Todes). Das völlige Ausschließen des Non-Ichs, das zunächst das Gefühl der Einsamkeit nach sich zieht, führt den Menschen in den Zustand der Voll-Panik.

6. Rationale und irrationale Elemente des Ichs in Bezug auf die Theorie der Werte (Exkurs).

7. Rationalisierung der Werte:

Die Werte betreten das Bewußtsein – gleichgültig, ob auf rationale oder irrationale Weise – und erhalten zusätzliches Gewicht. Durch die verschiedenen Bewertungen werden sie zu Normen, zunächst nur zu individuellen und dann zu Normen für Gruppen.

8. Wertarten:

Es geht um eine Typologie der Werte, die bestimmt wird durch die Gegensätze von a. Sein und Denken, b. Ich bin – Ich habe, c. rationalen und irrationalen Elementen. Auf diesem Koordinatensystem ruht die Aufteilung in zwei Wertgruppen, nämlich in

α. ethische Werte, die aktiv an der Formung der geistigen und materialen Welt teilnehmen;

β. ästhetische Werte, die das bereits Getane repräsentieren.

9. Ethische und ästhetische Normen:

Ethische Normen werden auf das menschliche Verhalten, ästhetische dagegen auf das vom Menschen Erreichte angewandt, ungeachtet ihrer Wechselwirkungen.

10. Der Mensch und das Wertsystem:

Das Übermaß an (sich zum Teil widersprechenden) Wertarten zwingt den Menschen zu einer selektiven Normbewertung und zur Suche nach einem ausgeglichenen Wertsystem.

Alle Werte innerhalb eines Systems werden von einer zentralen Norm aus gelenkt; deshalb repräsentiert das Wertsystem einen zusätzlichen Wert, nämlich den Zentralwert.

11. Geschlossene und offene Systeme:

Jedes Wertsystem unterliegt einer spezifischen Tendenz. Diese Tendenz wird bestimmt entweder durch den Zentralwert des eigenen Systems oder durch einen Wert außerhalb des Systems – im ersten Fall handelt es sich um ein geschlossenes, im letzteren um ein offenes System. Das geschlossene System hat einen dogmatischen, das offene dagegen einen evolutionären Charakter.

12. Das geschlossene System und die Geschichtsdynamik:

Gleichgültig in welchem bestimmten Gebiet, ob in einem naturwissenschaftlichen, politischen usw., eine erste Systemisierung von Normen vorgenommen wird, sie hat als ihren Ausgangspunkt immer die Wirklichkeit. Aber sobald die Systemisierung zu einem geschlossenen System führt, trennt dieses sich von der Wirklichkeit. Die Wirklichkeit jedoch kann nicht von einem einzigen System erfaßt werden. Sobald also das geschlossene System mit Erscheinungen konfrontiert wird, die es nicht aufnehmen kann, bricht es auseinander. Dies ist die Stunde der Revolution – es sei denn, daß auf evolutionäre Weise das zerfallende geschlossene System doch wieder verwandelt werden kann in ein offenes.

Zweiter Teil
Der menschliche Dämmerzustand und die Masse

Kapitel 1:
Normalität und Abnormalität

1. Mensch und Masse:
Der in der Masse handelnde Mensch zeigt gewisse Symptome, die man vom Standpunkt der Individualpsychologie aus betrachtet als abnormal bezeichnen würde.

2. Physische und psychische Krankheiten:
Ein Vergleich zwischen physischen Krankheiten und psychischen Abnormalitäten zeigt, daß letztere aus der Einstellung des Menschen zu seiner Umwelt resultieren, d. h. aus seinen Reaktionen auf Wertsysteme.

3. Der Gegensatz zwischen individuellem und gruppenmäßigem Wertsystem:
Wenn das Wertsystem eines Einzelmenschen dem Wertsystem einer Gruppe widerspricht, so kann es sich bei diesem Widerspruch entweder um eine bloße Störung, also um eine reine Abnormalität, oder aber um einen Antrieb zum Fortschritt handeln, d. h. um eine neue Normgebung. Wegen der Komplexität des menschlichen Lebens ist ein klares Urteil darüber, um welche der beiden Möglichkeiten es sich jeweils handelt, nur in sehr extremen Fällen (etwa bei ausgesprochener Kriminalität oder bei Geisteskrankheit) sofort möglich. Und nur zur Bestimmung solch extremer Fälle können objektive Kriterien gefunden werden.

4. Kriterien für Abnormalität:
Der Einzelmensch ist dann ein »legitimer« Rebell, wenn er sein eigenes offenes System in ein geschlossenes Gruppensystem einführt; wann immer aber ein einzelnes geschlossenes System gegen ein offeneres System als sein eigenes revoltiert, handelt es sich bei dem betreffenden Einzelmenschen entweder um einen Kriminellen oder um einen Irren. Die Objektivität

des Abnormalitätskriteriums bemißt sich nach der Geschlossenheit des individuellen Systems.

5. Geistige Erkrankungen und geschlossene Wertsysteme (Exkurs).

6. Systemgeschlossenheit und Irrationalismus:

Irrationales Verhalten befindet sich entweder in Übereinstimmung mit der Realität oder nicht; innerhalb eines geschlossenen Systems stimmt es aber notwendigerweise nicht mit ihr überein. Diese Nicht-Übereinstimmung ist nach dem Schema der sogenannten Irrationalität des Irren zu beurteilen: sie steht für eine Irrationalität ohne irrationale Werte.

7. Rationalverlust und Irrationalbereicherung:

Die gegenseitige Abhängigkeit von beiden reguliert sich in Übereinstimmung mit dem mehr oder weniger offenen bzw. geschlossenen Charakter des jeweiligen Systems.

Kapitel 2:
Phänomenologie der Dämmerzustände in der Masse
(Autogene Energien des Dämmerzustandes)

1. Soziale Gruppen:

a. Eine Gemeinschaft definiert sich durch ihr gemeinsames System; es enthält erstens rationale Werte (Normen) und zweitens irrationale Werte (Gefühle der Freundschaft, Gebräuche, Traditionen). Nur die rationalen Bestandteile garantieren die Aufrechterhaltung der Individualität innerhalb der Gruppe.

b. Eine Masse definiert sich nur durch irrationale Werte. Offensichtlich enthalten diese irrationalen Werte auch rationale Elemente, mit denen sie sich mischen. Da aber beide Wertarten im Dämmerzustand aufgenommen werden, hat dieser Aufnahmeprozeß eine ausgesprochen irrationale Tendenz.

2. Die »Massenseele« als geschlossenes System:

Diese Vorherrschaft der irrationalen Bestandteile begünstigt die Entstehung eines geschlossenen Systems und ist verantwortlich für die Bereitschaft der Masse zu geisteskrankhaftem Verhalten.

3. Grundformen des Massenverhaltens:

Bei den irrationalen Bestandteilen des Gruppenverhaltens handelt es sich entweder um alte Gefühlshaltungen, die mit Gemeinschaftsgefühlen und Tradition zusammenhängen, oder um die Befriedigung von Urinstinkten. Sie können die Bildung einer Gemeinschaft sowohl befördern als auch verhindern. Im letzteren Falle wird aus der Gruppe die Masse, und als Folge davon verlieren die rationalen Werte ihren Einfluß.

4. Psychologische Gründe für die Bildung von Massen:
Der Mensch im Dämmerzustand ist vor allem deswegen bereit, sich in die Masse einzugliedern, da ihn das Gefühl völliger Einsamkeit irrationale Werte suchen läßt, wie sie ihm durch das Gefühl der Verbundenheit mit der Masse gegeben werden.

5. »Vorpanik«:
Wenn der Mensch mit nicht erklärbaren Gefahren außerhalb des Ichs konfrontiert wird, gerät er durch das immer gegenwärtige Gefühl der Einsamkeit in Panik (Zustand der »Vorpanik«).

6. Symbolische Gefahren:
Während der isolierte Einzelmensch geneigt ist, seine Konfrontation mit unerklärlichen Phänomenen anzunehmen, sucht der Mensch in der »vorpanikisierten« Masse nach einem – vornehmlich menschlichen – Erklärungsgrund für das Phänomen. Da das Fremdartige die Kennzeichen des Non-Ich trägt, wird es vor allem zu einem Gefahrensymbol. Die Furcht wandelt sich dann zur Aggression, und das zieht einen Kampf um den Sieg nach sich.

7. Besiegte Symbole:
Der angestrebte Sieg umfaßt folgende Elemente: Befriedigung von Instinkten; Sicherheit vor solchen Strafen, die durch ein anderes Wertsystem auferlegt werden können; Beruhigung des eigenen Gewissens; Bestätigung des Wertsystems (Prüfung); Opferung des Feindes zur Ehre des eigenen Wertsystems.
Der ganze Vorgang findet symbolisch statt.

8. Rituale:
Für den Primitiven gibt es keinen Unterschied zwischen Wirklichkeit und Symbol (Magie). Bei den magischen Systemen handelt es sich um geschlossene Wertsysteme, bei denen die ansonsten erforderlichen Korrekturen durch Rituale ersetzt werden.

9. Funktion und Sinn der Rituale:
Rituale haben zweierlei Bedeutung: sie regulieren das eigentliche Funktionieren des Wertsystems, und sie vermitteln die ganze Bedeutung des Systems seinem Teilnehmer und zwar vor

allem auf visuelle Weise.

10. Heidnische Elemente:

Das Heidnische baut sich auf als geschlossenes System mit magischen Verbindungen und als Visualsystem mit Idolen, die durch Menschenopfer versöhnt werden müssen. Innerhalb des Ritualprozesses, zu dem auch Prüfungen gehören, können die Symbolträger gegenseitig ausgewechselt werden.

11. Partizipation an Gruppennormen (Exkurs).

12. Magische und humane Normen:

Jede soziale Gruppe ist auf Normen aufgebaut, die durch Ahndungen gesichert werden. Primitive Gruppen kennen nur radikale Ahndungen: die Tötung des fremden Gegners. Wo immer rationale Elemente an der Entwicklung der Normen beteiligt waren, stehen die Ahndungen in einem mehr oder weniger ausgeglichenen Verhältnis zu den Gebotsübertretungen, und es entwickelt sich ein Empfinden für die Art und das Ausmaß des Verbrechens.

13. »Magische Gerechtigkeit« und »Rationale Gerechtigkeit«:

Zwei Grundarten von »Gerechtigkeit« lassen sich daher in der menschlichen Geschichte erkennen, die »magische« und die »humane« oder »rationale«, und die Neigung zur einen oder zur anderen ist Indiz dafür, ob eine soziale Gruppe auf dem Wege ist, Masse oder wirkliche Gemeinschaft zu werden.

14. »Superbefriedigung«:

In diesem Zusammenhang muß ein wichtiges Phänomen beim Namen genannt werden: der bloße Schadenersatz genügt einer verletzten Person nicht. Sie verlangt nach einer Art von »Superbefriedigung«, die es ihr erlaubt, ihre unterdrückten sadistischen Triebe zu stillen. Man könnte von einer »Regel der Superbefriedigung« sprechen, und da diese sadistischen »Superbefriedigungen« fast alle auf »Sieg« abgestellt sind, unterstützen sie immer die »magische Gerechtigkeit«. Besonders bei Massen im vorpanischen Zustand kann man diese Regel beobachten, und daher spielt sie eine entscheidende Rolle bei allen revolutionären Vorgängen, da sie diesen den magischen Charakter der »Vergeltung« verleiht.

15. Abnormalität und magische Elemente:

Sogar mit unseren eigenen Maßstäben gemessen, sind die magischen Reaktionen des Verstandes der Primitiven nicht als ab-

normal zu betrachten. Aber immer dann, wenn Erkenntnisvorstöße den Weg zu offenen Systemen geebnet haben, werden die
magischen Elemente zu wahnhaften. Wo immer geschlossene
Systeme Elemente von offenen Systemen abweisen, zeigt sich,
daß sie wahnhafte Bestandteile enthalten, die zur magischen
und heidnischen Sphäre gehören.
    16. Antisemitismus (Exkurs als Beispiel).

Kapitel 3:
Dämmerzustand und Führerschaft
(Die im Dämmerzustand wirksamen eingebrachten Kräfte)

1. Die Funktion des Führers innerhalb der Gruppe:
    Der Mensch, der sich im Geisteszustand der »Vorpanik« be-
findet, sucht nach Befreiung von der Panik durch einen Führer,
der ihm »Sicherheit« und »Superbefriedigung« zu geben vermag. Innerhalb einer Gruppe von Menschen, die sich im Dämmerzustand befindet, übernimmt der Führer (oder eine Füh-
rerschicht) alle rationalen Funktionen.
    2. Historische Bedeutsamkeit der Führerschaft (Exkurs).
    3. Analyse der Führerqualitäten:
    Der Führer ist der Exponent eines Wertsystems und der Trä-
ger der Dynamik dieses Systems. Er erscheint, wie gesagt, vor
allem als Symbol des Systems. Seine rationalen Züge und
Handlungen sind von untergeordneter Bedeutung.
    4. Führertypen:
    Die beiden Pole einer Typologie der Führerschaft werden
vertreten durch den religiösen Heilsbringer (Religionsgründer)
und den irdischen Sieger – entsprechend der Irrationalbereicherung bzw. des Rationalverlusts, den sie herbeiführen. Die
Extremerscheinungen dieser beiden Führerarten sind einerseits
die religiöse Ekstase und andererseits der Größenwahn des
Siegers.
    5. Propheten und Apostel (Exkurs).
    6. Anhang: Historische Beispiele.

Kapitel 4:
Psychische Zyklen in der Geschichte

1. Zentralwertsysteme und ihre innere Autonomie:
    Solche Systeme haben die Tendenz zu einer geschlossenen

Form in sich, und indem sie sich mehr und mehr von der Wirklichkeit entfernen, müssen sie sich in wachsendem Maße auf deduktive Werte verlassen.

2. Die strenge Ausschließlichkeit des Zentralwertsystems:

An diesen Systemen fällt ihr starkes Absolutheitsstreben auf. Alle Berührungen mit Wertsystemen, die sich außerhalb ihrer Kosmogonie befinden, stehen sich feindlich gegenüber, und entsprechend erlauben sie keinerlei Gruppenbildungen, die ihre Abgeschlossenheit gefährden.

3. Das menschliche Bedürfnis nach Zentralsystemen:

Der Einzelmensch selbst, besonders dann, wenn er sich im Dämmerzustand befindet, hat das Bedürfnis, sich in ein absolutes System einzuordnen.

4. Mißachtung der Realität:

Die unter den Punkten 2. und 3. angeführten Charakteristika sind verantwortlich für die völlige Mißachtung empirischer Erfahrung und der aus ihr abzuleitenden Schlüsse. Diese Mißachtung führt oft so weit, daß dem Einzelmenschen eine völlige Gleichgültigkeit gegenüber der Wirklichkeit aufgezwungen wird, wobei man ihn auf sein physisches Leben und auf die Befriedigung von Urtrieben einschränkt.

5. Das Phänomen des Massenwahns:

Der Mensch im Dämmerzustand akzeptiert dieses geschlossene System als etwas Natürliches oder vielmehr als ein magisches Ritual, an dem er teilhaben darf. All die deduktiven Werte des Systems werden für ihn Wirklichkeit. Dieser in der Masse erlebte Zustand gibt die Grundlage ab für das Phänomen des Massenwahns als einer Hypertrophie der deduktiven Werte.

6. Zersprengung des Systems:

Da weder die Wirklichkeit noch sich anders entwickelnde Systeme für immer ignoriert bzw. unter Kontrolle gehalten werden können, zersprengt das System, womit der Einzelmensch von seinen Fesseln befreit wird.

7. Das Individuum und das zersprengte System:

In der Wertanarchie, welche von der Zersprengung bewirkt wird, strebt jedes der früheren Untersysteme, die bisher vom Zentralwertsystem kontrolliert wurden, nach Macht. Der Einzelmensch gerät in den Bann einer Vielzahl verselbständigter Untersysteme, von denen ein jedes Absolutgeltung beansprucht. Die Folge davon sind eine Hypertrophie der deduktiven Werte und entsprechend ein größerer Massenwahn.

Die Intensivierung dieses Wahnzustandes führt zu der allgemeinen Sehnsucht nach Wiederherstellung eines geschlossenen Zentralwertsystems, das allerdings jene Wirklichkeitselemente, die zur Sprengung des vorhergehenden Systems führten, in sich aufnehmen würde. Diese ganze Entwicklung kann als ein immer wiederkehrender prozessualer Zyklus beschrieben werden.

8. Die psychischen Zyklen der Systemänderungen:
Dieser »Systemzyklus« geht so vor sich:

a. Herrschaft eines zentralen Wertes – entspricht ziemlich der Wirklichkeit bis zur Vollendung des geschlossenen Systems;

b. Zerfall dieses geschlossenen Systems durch Hypertrophie des deduktiven Prozesses;

c. Wieder-Etablierung der Realität – ohne ein zentrales Wertsystem;

d. Hypertrophie der verschiedenen abgesplitterten Systeme.

9. Psychopathologische Aspekte:
Das Massenverhalten im hypertrophierten Zustand (siehe 8b und 8d) weist gewisse Ähnlichkeiten zum Verhalten eines wahnsinnigen Individuums auf. Deshalb üben psychopathische Züge an Führerfiguren eine bestimmte Anziehungskraft auf Massen aus.

10. Die heutigen Weltverhältnisse als Zustände der Hypertrophie verschiedener Partialsysteme betrachtet (Exkurs).

Dritter Teil
Der Kampf gegen den Massenwahn
(Eine Psychologie der Politik)

Kapitel 1:
Die Aufgabe

1. Die praktische Bedeutung historischer Gesetze:
Der Mensch ist sogar in der Lage, das Böse, welches ihm durch die Natur zugefügt wird, zu bekämpfen; umso mehr sollte er jene Übel bekämpfen können, die er sich selbst auf dem Gebiet der Werte zufügt. Daher gilt, daß die Kenntis historischer Ge-

setze bedeutungslos wäre, wenn sie nicht als Mittel zur Verbesserung der menschlichen Lebensverhältnisse genutzt werden könnte.

Das Gesetz der »Systemzyklen« zeigt, daß es Phasen mit einer gefährlichen Tendenz zum Massenwahn gibt (wie etwa in unserer Epoche), die wiederum abwechseln mit Phasen, in denen jene Tendenzen abnehmen. Gibt es keine Möglichkeit, den abzusehenden Phasenwechel zu beschleunigen? Die Antwort kann nur in der formalen Struktur des Gesetzes, d. h. im Ich-Modell, gefunden werden, und es wird sich um eine positive Antwort handeln, denn im Prinzip kann der Dämmerzustand auf rationale Weise gelenkt werden.

Das Gesetz der »Systemzyklen« läßt die Voraussage zu, daß der Mensch in der kommenden Phase – obgleich er sich auch dann noch im Dämmerzustand befinden wird – dem Massenwahn nicht anheim fallen wird. Ein neuer Menschentyp ist erforderlich, und die jetzige Generation muß durch rationale Lenkung allmählich in diesen neuen Typus verwandelt werden. Die Prinzipien für diesen Prozeß werden durch den logischen Rahmen des historischen Gesetzes geliefert.

2. Die Wandlung des Menschen:

Das Neue in der Geschichte ist das entscheidende Faktum beim Wechsel der historischen Epochen und ihrer Stile. Der Stil (einschließlich des künstlerischen Stils) ist der Exponent jedes spezifischen epochalen Wertsystems, das durch ein ursprünglich Neues (durch einen Erkenntnisvorstoß) in der betreffenden Epoche geschaffen wurde. Der Stil ist daher auch der Exponent des ganzen menschlichen »Verhaltens«. Indem es den Stil bestimmt, bestimmt das Neue in der Geschichte auch den »Menschentyp« jeder Epoche.

3. Die logische Bedeutung der »Typen« (Exkurs).

4. Wertsysteme und »Überzeugungen«

Im Gegensatz zu einer allgemein verbreiteten Meinung, hängt eine »Überzeugung« gewöhnlich nicht von der Wahrheit ab, und andererseits braucht die Wahrheit an sich nicht durch eine Überzeugung bekräftigt zu werden. Mehr noch, eine Überzeugung ist sogar verbunden mit einer Halb-Wahrheit. Denn im allgemeinen gilt, daß die Überzeugung Funktion eines geschlossenen Systems ist; sie repräsentiert die generelle Einstellung im Rahmen eines geschlossenen (und manchmal sogar kriminellen) Wertsystems. Mit anderen Worten, sie bezeichnet die moralische Haltung eines Menschen im Dämmerzustand. So gesehen bedeutet Überzeugung: unabänderliche Bejahung nicht der Wahrheit, sondern der Normen eines Wertsystems (das natürlich eine Anzahl von Wahrheiten enthalten kann).

Da der menschliche »Typus« durch das Wertsystem geprägt wird, dem eine Person angehört, wird die Überzeugung, die ihn veranlaßt, sich an die Normen des Systems zu halten, zum Exponent seines »geistigen Typus«.

Somit muß sich die rationale Leitung in ihrem Bemühen um die Schaffung eines neuen Menschentypus, der gegen Massenwahn gefeit ist, vor allem um die geistigen Belange des Menschen kümmern. Die Änderung von Überzeugungen zieht auch die Änderung von Wertsystemen nach sich. Es ist die Aufgabe der »Bekehrung«, die sich der rationalen Lenkung mit diesen Bemühungen stellt.

5. »Bekehrung«:

Bekehrung – im üblichen Sinne – findet statt, wenn durch den Wechsel der Überzeugung von einem geschlossenen System zu einem offenen oder offeneren System sich die Geisteshaltung des Menschen ändert (wenn z. B. der Heide sich zum Christen bekehrt). Genau dies, nämlich der Wechsel von einem geschlossenen zu einem offenen System, ist das Ziel des Kampfes gegen den Massenwahn.

Kapitel 2:
Theorie der Bekehrung

1. Allgemeine Ziele einer jeden Bekehrung:

Bekehrung als Leitung des Menschen während des Wechsels von einem geschlossenen Wertsystem zu einem offeneren enthält immer auch eine sekundäre Bedeutung von »Heilen« (der bekehrende Erlöser ist immer auch ein »Heilsbringer«), und diese »heilende« Bekehrung verfolgt ein doppeltes Ziel: erstens den Aufbau einer neuen Überzeugung, die sich an das offene Wertsystem bindet, und zweitens die Bereitschaft einer Anzahl von Vorsichtsmaßregeln, die verhindern sollen, daß der Bekehrte in das geschlossene System zurückkehrt; diese beiden Maßnahmen kann man vergleichen mit Therapie und Prophylaxe.

2. Ziele im Kampf gegen den Massenwahn:

Bekehrung im Dienst des Kampfes gegen den Massenwahn wendet sich an das Mitglied der Masse, das wieder ein Individuum mit voller Persönlichkeit werden soll, auf daß die Masse selbst in eine Gemeinschaft verwandelt werden kann. Somit geht es bei den zwei Zielen der Bekehrung um

a. Verhinderung der Massenbildung (prophylaktischer Kampf),

b. Herauslösung des Einzelmenschen aus der Masse (therapeutischer Kampf).

3. Bekehrungsschema:

Das folgende Schema läßt sich auf alle Bekehrungen anwenden:

a. Bekehrung durch Gnade, d. h. durch die Einführung irrationaler Elemente;

b. Bekehrung durch die Verhinderung von Rationalverlust. Hiebei kann zwischen Entwicklungsphasen unterschieden werden, die sich entweder überschneiden oder gar gleichzeitig erscheinen, nämlich:

α. Phase der Amalgamierung, während welcher Teile des höheren Wertsystems in den Rahmen des niederen eingefügt werden;

β. Phase der Konkurrenz, während der das höhere System seine Überlegenheit unter Beweis zu stellen sucht;

γ. Phase der Etablierung und Sicherung des höheren Wertsystems, eine Phase, in der der Bekehrte ein Gefühl der Sicherheit erhält;

δ. Eine Phase des Tabu, in der das höhere System genug Kraft gewonnen hat, alle Reste des niederen Systems mit den Mitteln von Tabu und Strafsanktionen zu beseitigen.

Während religiöse Bekehrungen irrationale und rationale Mittel einsetzen (a und b), steht die rationale Verständigung im Zentrum des nicht-religiösen, d. h. des säkularisierten Bekehrungswerkes (b).

4. Die säkularisierte, besonders die politische Bekehrung:

Politik bedeutet für die Gemeinschaft sorgen. Früher übernahm die Kirche einen wichtigen Teil dieser Aufgabe; sie hat zu allen Zeiten versucht, gegen den Massenwahn anzugehen, freilich nur gegen den mit heidnischen Tendenzen. Die weit fortgeschrittene Säkularisation unserer Zeit läßt es nicht zu, daß die Kirche die ganze Aufgabe übernimmt. Die Politik tritt hier an die Stelle der Kirche und muß die ganze Pflicht des Kampfes gegen den Massenwahn auf sich nehmen, ungeachtet der immanenten religiösen Elemente, die verbleiben.

Mit anderen Worten, die Politik an sich (nicht jene einer bestimmten politischen Partei) hat die missionarische Aufgabe der Bekehrung im Kampf gegen den Massenwahn zu erfüllen.

5. Theorie der Politik und der Bekehrung:

Die Theorie der Politik und die Theorie der Bekehrung hängen daher eng miteinander zusammen, und beide sind mit ihren Verfahrensprinzipien ausgestattet durch die oben beschriebenen methodologischen Voraussetzungen.

Kapitel 3:
Politische Bekehrung

Den vier Phasen der Bekehrung entsprechen vier Abteilungen auf dem Gebiet der theoretischen und praktischen Politik:

1. Phase der Amalgamierung:

Es ist die Phase, in der das höhere System sich teilweise in das niedere eingliedert, und aus diesem Grunde hat es die »Ritualsprache« des niederen Systems zu übernehmen, um sich selbst verständlich zu machen; mit anderen Worten, es übernimmt Formen des Systems, das es zu bekehren gilt. Bei diesem Übergang wird das Prinzip der »Entwicklung« wirksam, ein Prinzip, das für alle demokratische Politik von höchster Bedeutung ist. Kurz gesagt, die Theorie der Politik kommt nicht ohne die *Theorie der Entwicklung* aus.

2. Phase der Konkurrenz:

Politische Bekehrung kann nicht unabhängig von der Propaganda betrachtet werden. Eine *Theorie der Propaganda* (vom Standpunkt der Bekehrung aus gesehen) muß ausgearbeitet werden: Die Propaganda als ein Instrument des Kampfes gegen den Massenwahn muß sich an rationaler Argumentation und Erziehung ausrichten.

3. Phase der Etablierung und Sicherung:

Der Kampf gegen den Massenwahn macht eine *Theorie der politischen Organisation* erforderlich: das Ziel ist, eine Gemeinschaft aus einer Vielzahl von Einzelmenschen zu bilden, die jetzt noch im Dämmerzustand leben.

4. Phase des Tabu:
Die angestrebte Ausschließung aller Werte eines niederen Wertsystems führt dazu, alle Werte niederer Ordnung zu tabuisieren. Dies trägt neue Aspekte bei für eine *Theorie des Zivil- und des Strafrechts*.

Kapitel 4:
Rechtsprechung und neuer Menschentyp

1. Das Recht und der Mensch:
Das Gesetz mit seinen Sanktionen bildet den Rückhalt eines jeden etablierten sozialen Wertsystems. Wo immer die Bekehrung ein geschlossenes System in ein offeneres umzuwandeln trachtet, um die Menschheit dem Ziel der »Normalität« und dem Typus eines »humaneren« Menschen näherzubringen, dort verlangt dieser Fortschritt nach Veränderung der »magischen« in die »rationale« Rechtsprechung.

2. Zivilrecht und magisches Denken:
Das magische Denken in der heutigen Zeit billigt abstrakten Einheiten wie etwa dem Staat oder sogar großen Wirtschaftsverbänden magische Kräfte zu. Obgleich es dies nicht aus magischen Gründen tut, so begünstigt doch das Zivilrecht diese Art von Denken, weil es jenen abstrakten Einheiten das Recht und die Würde konkreter Personen zuschreibt. Es beginnt sich jetzt aber ein neuer Trend abzuzeichnen, nach dem zu urteilen diese abstrakten Einheiten wieder ihre Person-Qualität zu verlieren scheinen. Obgleich dies vor allem mit wirtschaftlichen Gründen zusammenhängt, offenbart es doch eine Tendenz hin zum rationalen Recht, dem es darum geht, das menschliche Individuum wieder als wichtigsten Faktor der Gemeinschaft zu betrachten. Je stärker sich diese Tendenz in der öffentlichen Meinung durchsetzt, desto mehr trägt das rationale Recht zur antimagisch ausgerichteten Bekehrung bei.

3. Magische Rechtsprechung:
Die Todesstrafe steht im Zentrum magischer Rechtsprechung, die somit als Strafrecht bezeichnet werden kann. Im Gegensatz zur rationalen Rechtsprechung, der es um den Einzelmenschen geht, betont die magische Justiz das Kollektiv, besonders den in magischen Dimensionen gesehenen Staat. Entsprechend

wird (notwendigerweise) die magische Rechtsprechung im Fascismus angewandt, denn sie schafft einen Menschentyp, der sich den Erfordernissen des abstrakten mythischen Staates anpaßt, d. h. ein Massentier mit entfesselten Instinkten und in Zaum gehalten nur durch die Erfordernisse des kollektiven Ziels. Gehorsam ist hier die einzige Beziehung, die das Individuum mit der Gemeinschaft verbindet, und dies ist auch die einzig mögliche Beziehung dort, denn nur dem Kollektiv alleine wird theoretisch die Eigenschaft einer »lebenden Person« zuerkannt, dem Einzelmenschen dagegen nicht; mit einem Wort: alle »Existenz« gründet im Kollektiv. Das Recht des Kollektivs, jedes Mitglied der Gemeinschaft (sogar ohne Angabe eines Grundes) zu vernichten, dieses Recht leitet sich ab aus der Existenzeigenschaft, die ausschließlich das Kollektiv besitzt.

4. Rationale Rechtsprechung und Strafrecht:

Eine wirkliche Beziehung zwischen Individuum und Gemeinschaft findet nur dann statt, wenn dem Einzelmenschen zumindest die gleichen Existenzqualitäten zugebilligt werden wie dem Kollektiv. Während sich die Frage der Todesstrafe der magischen Justiz gar nicht als Problem stellt, ist sie ein zentrales Problem für die rationale Rechtsprechung und für ihre theoretische Grundlegung; und schon dieser Unterschied zeigt, daß es der Bereich der rationalen Rechtsprechung ist, innerhalb dessen sich eine angemessene Beziehung zwischen Individuum und Gemeinschaft entwickeln kann. Die Abschaffung der Todesstrafe ist eines der Ziele rationaler Rechtsprechung, nicht nur, weil erst danach eine Gemeinschaft ihr wahres Ziel erreichen kann, nämlich ethisch gültige Beziehungen zwischen den Mitgliedern der Gemeinschaft, sondern auch deshalb, weil die Abschaffung der Todesstrafe eines der wirksamsten Mittel im Kampf gegen das magische Denken ist.

5. Die Rolle der Rechtsprechung bei der Schaffung eines neuen Menschentypus:

Wenn der neue Menschentyp nicht so ein Massentier werden soll, zu dem ihn Fascismus und magische Justiz machen, dann wird es ein Menschentyp sein, der – obgleich er im Kollektiv lebt und sich an dieses gebunden fühlt – alle vollmenschlichen Qualitäten behalten wird; er wird gekennzeichnet sein durch seine Wechselbeziehung zur Gemeinschaft, für die er sorgt und die für ihn sorgt, wobei er die Gemeinschaft mitformt und diese wiederum ihn beeinflußt. Beide Formen der Rechtsprechung (Zivil- und Strafrecht) nehmen teil an dieser Entwicklung, denn die Jurisdiktion ist der Beschützer der Gemeinschaft, d. h. all der zwischenmenschlichen Beziehungen, durch die die soziale Gruppe mit ihrem gemeinsamen Wertsystem fortbesteht. Dies ist die Rolle der rationalen Rechtsprechung bei der Bildung des neuen Menschentypus, der mit Recht als *neuer demokratischer Typus* bezeichnet werden kann.

Kapitel 5:
Zeitgenössische politische Entwicklungen
und die Bekehrung zur Humanität

1. Psychologische Gründe für das Versagen der Demokratien während der letzten Jahre:

Die moderne Demokratie erfüllt nicht alle Voraussetzungen für ein zentrales Wertsystem; sie spiegelt sogar den Zerfall der Werte wider, da sie eine Vielzahl von Wertsystemen duldet, die nicht nur sich selbst, sondern auch der Demokratie feindlich gegenüberstehen. Da sind z. B. die Überreste des Feudalsystems, wie sie sich in den kapitalistischen Hypertrophien oder in imperialistischen Bestrebungen demokratischer Staaten bemerkbar machen. Solche Gegensätze der verschiedenen Wertsysteme machen sich auch bei den parlamentarischen Körperschaften bemerkbar, dessen Funktionieren sie unterbinden.

2. Psychologische Gründe für den Erfolg totalitärer Organisationen:

(Schintoismus[6], Nationalsozialismus, Fascismus, Bolschewismus).

3. Bekehrungsmöglichkeiten bei bestehenden politischen Systemen:

Ist irgendeines dieser politischen Systeme (der demokratischen als auch der totalitären) in der Lage, die Bekehrungsaufgabe beim Kampf gegen den Massenwahn zu übernehmen? Im Sozialismus, sogar in seiner bolschewistischen Variante, kann man bestimmte Elemente erkennen, die zweifellos eine starke missionarische Kraft besitzen. Aber Bekehrung bedeutet Konversion zu einem offenen System, und die dogmatischen Tendenzen innerhalb des Sozialismus, die wiederum zu einem geschlossenen System führen, dürften nur schwerlich zu überwindende Barrieren darstellen. Der Sozialismus müßte zunächst selbst durch eine Bekehrungsphase gehen, die ihn in ein (mehr oder weniger demokratisches) offenes System verwandeln würde, und ein solcher Schritt müßte, obgleich er in der sowjetischen Verfassung vorbereitet zu sein scheint, von einer Minderheit unternommen werden. Nur die Demokratie als solche ist ein offenes System, und deshalb muß das Bekehrungswerk auch von der Demokratie selbst übernommen werden, trotz ihres früheren Versagens. Die Demokratie wird bei diesem Unternehmen aber nur Erfolg haben, wenn sie – mittels gründlicher Neuorganisation ihrer Struktur – die Gründe für dieses Versagen beseitigt hat.

4. Selbstevidente Prinzipien in der Demokratie:

Alle Gemeinwesen von Dauer hängen von einem gegenseitigen Vertrauen ab – von der Glaubwürdigkeit, die der Mensch in die Unternehmungen seiner Gemeinschaft hat und umgekehrt. Solches Vertrauen ist unmöglich, wenn die grundsätzlichen moralischen Prinzipien des gemeinsamen Wertsystems nicht unangreifbare Gültigkeit haben. Seit zweitausend Jahren hat das Christentum diese moralischen Grundregeln in die Welt der Weißen gebracht – von ihnen her leiten sich die religiösen Elemente in der westlichen Demokratie ab –, und sie waren so stark, daß sie sogar in solch atheistischen Systemen wie denen der Französischen Revolution und des Marxismus nachgewirkt haben. Es ist das religiöse Fundament der Ethik, und es verkündigt die Göttlichkeit eines jeden Menschen als Träger einer (göttlichen) Menschenseele.

5. Säkularisierte Selbstevidenzen:

Die Menschheit ist bis zu einem solchen Maße säkularisiert, daß der Nationalsozialismus es wagen kann, die christliche Ethik durch den Glauben an eine »Herrenrasse« zu ersetzen. Aber gerade deshalb – trotz aller Säkularisierung – kann die Demokratie ihr Fundament, das Konzept einer menschlichen Seele und menschlicher Würde, nicht aufgeben. Solch ein Aufgeben ist aber auch überflüssig und wird überflüssig sein. Nach zweitausendjähriger christlicher Erziehung ist der menschliche Geist bereit und fähig, die Selbstevidenz des Ichs zu akzeptieren, d. h. die Existenz der menschlichen Seele ohne religiöses Dogma anzuerkennen.

6. Demokratische Bekehrung:

Bei der ersten Bekehrung in der Welt der Weißen handelte es sich um die vom Heidentum zum Katholizismus; die zweite – schon in säkularisierterer Form – war die protestantische, und die dritte wird die demokratische Bekehrung sein.

Die demokratische Bekehrung hat mit einer neuen Form des Heidentums zu tun, nämlich mit dem nationalsozialistischen Glauben, der alle charakteristischen Merkmale des Heidentums trägt, wie z. B. Götzendienst, Ritualismus, Gottesurteile etc. und schließlich die Vergötterung des Sieges. Außerdem muß die Bekehrung heute durch Kriegshandlungen erreicht werden. Es besteht kein Zweifel darüber, daß der Krieg und besonders der notwendige Sieg die Bekehrungsaufgabe selbst vergessen machen können; es wäre eine Katastrophe für den demokratischen Geist. Um solch eine Gefahr zu überwinden, muß sich die Demokratie – eine Demokratie im Kriege – um so mehr an ihre ethischen Grundwerte klammern, die ja letztlich in der Würde der Menschenseele wurzeln.

7. Demokratie als Zentralwert:

Das letzte Ziel dieses Krieges ist ein neues Zentralwertsystem; es wird entweder ein nationalsozialistisches oder – hoffentlich – das demokratische sein. Die Herausforderung für die Demokratie liegt darin, sich selbst in ein Zentralwertsystem umzuwandeln, denn bis jetzt war die Demokratie nicht bereit, sich als Zentralwert zu verstehen; ohne den Charakter eines Zentralwertes würde die Demokratie wieder in ihre alten Fehler verfallen und wäre nicht in der Lage, das Bekehrungswerk zu übernehmen.

8. Bestandteile totalitärer Systeme als Vorversuche:

Als zukünftiger Zentralwert und offenes System wird die Demokratie notwendigerweise einige Bestandteile totalitärer Organisation übernehmen müssen. Von diesem Standpunkt aus gesehen, kann man die Totalitarismen als »Vorversuche« der Geschichte werten. Eine »Totaldemokratie« ist bereits erkennbar.

9. Totaldemokratie und Freiheit:

Die Massen suchen nicht nach absoluter Freiheit; Sicherheit ist ihr Ziel im Stadium der Vor-Panik. Nur das Individuum strebt nach Freiheit. Entsprechend hat die Totaldemokratie den Massen ein Höchstmaß an Sicherheit (wirtschaftlicher, sozialer und psychischer) zu verschaffen, um den Einzelmenschen aus der Masse herauslösen und dem Menschen wieder ein Maximum an demokratischer Freiheit gewähren zu können.

Kapitel 6:
Demokratie und Massenbehandlung:

1. Kantonale Urdemokratien:
In kleinen Gemeinwesen, in denen der einzelne praktisch jederzeit alle regionalen Vorgänge überschauen konnte, entstand die kantonale Urdemokratie. Das hier entstehende Gemeinschaftsgefühl gab die Grundlage ab für den Wunsch, am rationalen Aufbau der politischen Willensbildung mitzuarbeiten. Die parlamentarische Repräsentation erwies sich dabei als das geeignetste Mittel.

2. Großdemokratien:
Sie setzen sich aus Massen, besonders aus Großstadtmassen, zusammen. Es ist nahezu unmöglich, diese Massen wieder in kantonale Verbände aufzuteilen, um solcherart den Geist der Urdemokratie zu neuem Leben zu erwecken. Tatsächlich stehen alle zeitgenössischen ökonomischen Strukturen, ob kapitalistischer oder sozialistischer Art, dagegen. Um eine Totaldemokratie schaffen zu können, muß sich das demokratische Bekehrungswerk daher vor allem an die Großstadtmassen wenden.

3. Totaldemokratie:
Es konnte häufig beobachtet werden, wie der Mißbrauch ureigenster Bestandteile demokratischer Freiheiten in einigen Ländern zur Zerstörung der Demokratie selbst führte.
Die Totaldemokratie unterscheidet sich von der bisher bekannten Demokratie dadurch, daß sie die regulativen Grundprinzipien mit in jene Verhaltensnormen einbezieht, die das Rechtsverhältnis zwischen Individuum und Individuum bestimmen. Ähnlich der Strafpraxis des bolschewistischen oder des nationalsozialistischen Staates im Falle von »antirevolutionärer« bzw. »unvölkischer« Haltung, so müßte die Totaldemokratie antihumanes Verhalten als solches bestrafen. Solche regulativen Prinzipien wie etwa jene in der Unabhängigkeitserklärung[7] aufgestellten (die der Verfassung[8] vorausgingen und

93

nicht in sie aufgenommen wurden), würden nicht mehr lediglich als bloße Idealprinzipien über den Gesetzesnormen schweben. Vielmehr würden sie in das kodifizierte Recht selbst eingebaut werden. Denn die Rechtsprechung bleibt eines der wenigen »magischen« Instrumente der Regierung, und als solches prägt es sich den Massen ein, denen es den ethischen Kern des Zentralwertes vermittelt.

4. Weltdemokratie:

Das gleiche Prinzip ist auch auf die Beziehungen zwischen den Staaten in Anwendung zu bringen. Schon der weltweite Wunsch, die Kriegsverbrecher zur Rechenschaft zu ziehen, weist in diese Richtung. Einschränkungen der Souveränität wären freilich unerläßlich. Indem die Einzelstaaten allmählich mehr und mehr Rechte ihrer Souveränität abtreten, würden sie den idealen »Super-Staat« schaffen.

5. Die unmittelbare Partizipation der Massen an der Totaldemokratie:

Die direkte Teilnahme der Massen an der Totaldemokratie besteht in der zweifachen Aufgabe, grundsätzliche Belange des Einzelmenschen und seines Alltagslebens zu regeln: das Individuum hat sowohl eine gebende als eine nehmende Funktion. Seinen Bürgerrechten stehen solche Pflichten gegenüber wie sie sich aus seinem eigenen Bedürfnis nach Sicherheit ergeben. Eine analoge Beziehung zwischen dem Individuum und dem Super-Staat ist eines der Fernziele der Totaldemokratie.

6. Technik der Partizipation (gegenwärtiger Stand):

a. Die technischen Mängel moderner demokratischer Verfahrensweise: Trotz der für eine Demokratie notwendigen Trennung von Legislative und Exekutive, erwies sich der Parlamentarismus in den meisten Ländern als ein Mangel, so daß sich die fascistischen Bewegungen mit ihrer Wiedervereinigung der beiden Gewalten zu Rettern des Staates und seiner Funktionen erklären konnten.

b. Beispiele:

In diesem Land hat die Separierung der Wahlgänge für Präsidentschaft und Kongreß eine Konkurrenz zwischen beiden Instanzen herbeigeführt, da sie sich gleichermaßen auf die öffentliche Meinung berufen können. Andererseits hat in Notzeiten gerade diese Trennung eine gewisse Schwerfälligkeit des Regierungsapparates zur Folge. Die Notwendigkeit einer Verbesserung wird allgemein empfunden; die Probleme liegen auf der Hand.

c. Lösungsrichtungen:

Diese zeichnen sich bereits ab. Die dritte Wahlperiode des Präsidenten[9] zeugt von einem gesunden politischen Instinkt auf der Seite des amerikanischen Volkes. Der direkte Radiokontakt, wie er vom Präsidenten angestrebt wird, macht den Wunsch der Exekutive deutlich, den einzelnen Wähler an der ständigen Teilnahme am Tun des Gewählten zu interessieren. Auch dem Kongreß stehen solche Mittel zur Verfügung; die politische Umfrage ist eines von ihnen.

7. Technik der Partizipation in der Totaldemokratie:

a. Die politische Umfrage als verfassungsmäßige Einrichtung;

b. Berufskammern, Genossenschaften und Gewerkschaften als Beratungsgremien mit offiziellem Status – besonders in wirtschaftlichen Angelegenheiten;

c. Dezentralisation der Gesetzgebung und Verwaltung – bei gleichzeitiger ständiger Kontrolle durch die Zentralorganisation;

d. häufiger Gebrauch des Volksentscheids (der umso häufiger vorkommen sollte, je kleiner der Verwaltungsbezirk ist).

All diese Maßnahmen würden beitragen zu einer ständigen Kontrolle und Gegenkontrolle sowohl des individuellen als des kollektiven Wertsystems.

Die Teilnahme am Super-Staat würde auf ähnliche Weise vor sich gehen. Die direkte Wahl von Vertretern in das Parlament einer solchen Organisation müßte der erste der zu unternehmenden Schritte sein.

8. Politische Parteien oder Einparteiensystem?

Die Totaldemokratie müßte bei ihren Bürgern ein wachsendes Gefühl für Weltbürgertum entwickeln. Der Sozialismus (wie er ursprünglich verstanden wurde) steht als Beispiel für solche möglichen Weltparteien, die selbstverständlich sich an den Grundprinzipien der Demokratie auszurichten haben.

Durch eine solche Lösung des Parteienproblems würde die Totaldemokratie fähig werden, folgende in ihrer Struktur angelegte Antinomie zu überwinden: als Zentralwert würde sie nach einem Einparteiensystem verlangen, aber als offenes politisches System, das Gedankenfreiheit und die Freiheit der Rede sichert, muß es wiederum politische Parteien zulassen. Beide

Tendenzen werden integriert in der Idee strikt demokratischer Weltparteien.

Ferner würden die verfassungsmäßigen Änderungen, wie sie oben (7) vorgeschlagen wurden, das Parteiensystem weitgehend ersetzen; die neuen Verfahren zur Feststellung der öffentlichen Meinung könnten allmählich die alten Parteien als regulative Institutionen ersetzen.

Natürlich haben bloße Parteimaschinen innerhalb der Totaldemokratie keinen Raum, denn sie verkörpern lediglich hypertrophische, in Richtung Dogmatismus weisende Tendenzen. Aber schon heute sind Gruppenbildungen innerhalb der gesetzgebenden Körperschaft weder abhängig noch an organisierte politische Parteien gebunden.

9. Praktische Durchführungsmöglichkeiten:

Viele Symptome in den demokratischen Ländern – auf einige haben wir aufmerksam gemacht – weisen in die angedeutete Richtung der Entwicklung hin zur Totaldemokratie, und es mag sogar sein, daß die Sowjetunion (entsprechend ihrer Verfassung) sich früher oder später dieser Tendenz anschließen wird. Dann wäre eine wirkliche Basis für die Organisation der »Vereinten Nationen« gegeben, und das sollte man bei den Vorbereitungen auf die Nachkriegszeit nicht aus dem Auge verlieren. Eine Übereinstimmung in diesen demokratischen Prinzipien wäre nicht nur die einzig akzeptable Grundlage für die Arbeit des neuen Völkerbundes, sondern sie bedeutete auch einen weiteren Schritt hin auf das Ziel der Lösung jener Fragen, wie sie mit Indien oder Palästina anstehen, denn das Problem des »Eigentums« an einem Land oder besser der »Regierung« über dieses Land würde sich dann reduzieren auf die einfache Angelegenheit einer guten Verwaltung.

Kapitel 7:
Schlußfolgerungen:

Die Realitätsrichtungen sind untersucht worden. Die Totaldemokratie ist als künftiger Zentralwert klar zu erkennen. Hegels dialektisches System – die Synthese aus zwei vorausgehenden Epochen – kann mit Fug auf die Totaldemokratie angewandt werden; nimmt man die letzten hundertfünfzig Jahre als die Epoche des reinen Liberalismus einerseits und der Diktatur an-

dererseits, so entspricht die Totaldemokratie dieser Synthese
eher als der Marxsche Schluß auf einen glückseligen Endzustand.

Marx gibt die Benachteiligten, das Proletariat, als Kraft an, die
die klassenlose Gesellschaft herbeiführen soll. Welche Klasse
könnte die Totaldemokratie aufbauen? Die Menschheit überhaupt (und bestimmt auch das Proletariat in der ganzen Welt)
besitzt bereits nur noch wenige der humanen Vorzüge, mit denen der Mensch an sich ausgestattet ist. Es scheint fast, als wenn
alle Menschen nahe daran wären, eine einzige »Klasse« von
»Benachteiligten« zu bilden – ein Sachverhalt, der mit der
Länge des Krieges nur noch schlimmer wird. Aber wie sehr wir
auch heute befürchten mögen, daß Grauen und Hunger, Seu-
chen und Krieg die Menschheit in eine Herde brutalisierter
Halbtiere verwandeln könnte, der Augenblick muß kommen,
an dem die Menschheit in ihrer Erschöpfung sich ihres eigenen
Irrsinns bewußt wird. Schließlich wird der Mensch einsehen,
daß er im Dämmerzustand den rechten Weg verfehlte, und er
wird sich danach sehnen, wieder den Weg der Humanität einzuschlagen.

Vorausgesetzt, daß die äußerste Erschöpfung verhindert werden kann und daß der gegenwärtig tobende Massenwahn rechtzeitig unter Kontrolle gebracht wird, hat die Totaldemokratie
eine Chance, den Aufbau der neuen Welt zu bestimmen. Das
Bewußtsein dieses Zieles – und sonst nichts – darf die millio-
nenfache Qual der Soldaten, die gegen den Fascismus kämpfen,
rechtfertigen. Und man kann nicht eine neue Ordnung planen,
ohne eine bestimmte Garantie dafür zu haben, daß der nochmalige Ausbruch von Massenwahn verhindert wird. Alle, die
heute unter den Folgen der unkontrollierten Welthysterie leiden, der Soldat auf dem Schlachtfeld wie die versklavten europäischen und asiatischen Nationen, warten auf ein solches Ergebnis des Krieges; es ist ihr einziger Grund, im Kampf
auszuhalten, und es ist ihre größte Hoffnung.

1 Anfang 1943 arbeitete Broch dieses Inhaltsverzeichnis aus. Er bewarb sich –
vergebens – damit um eine Verlängerung der Assistentenstelle bei Hadley
Cantril und um ein Stipendium bei der Philosophical Society of America für

die Zeit nach 1944. Zwei Jahre später bewarb er sich mit diesem Exposé erfolgreich um ein Stipendium der Old Dominion Foundation (später Bollingen Foundation, New York), das er von Anfang 1946 bis Mitte 1947 erhielt.

2 Vgl. Arthur Schopenhauer, *Die Welt als Wille und Vorstellung* (1819).

3 Vgl. Eduard von Hartmann, *Philosophie des Unbewußten* (1869).

4 Vgl. Henri Bergson, *L'energie spirituelle. Essais et conférences* (1919).

5 Vgl. Sigmund Freud, *Vorlesungen zur Einführung in die Psychoanalyse* (1910).

6 Nationalreligion der Japaner; der offizielle Staatskult des Schintoismus wurde 1945 aufgehoben.

7 Gemeint ist die Declaration of Independence der USA von 1776.

8 Gemeint ist die Constitution der USA von 1787.

9 Franklin D. Roosevelt wurde 1940 zum dritten Mal als demokratischer Präsidentschaftskanditat nominiert und gewählt, ein beispielloser Vorgang in der politischen Geschichte der USA.

Massenwahntheorie

Erster Teil
Der Dämmerungsbereich

Kapitel 1:
Methodologische Vorbemerkungen.
HISTORISCHE GESETZE UND WILLENSFREIHEIT

Wo historische Gesetze gelten sollen, da kann es keine Willensfreiheit geben.

Aller Erkenntnisfortschritt fußt letztlich auf philosophischen Haltungen, auf epistemologischen und logischen Überlegungen: ohne den klaren Wahrheitswillen einer strengen Philosophie (und ihrer Ethik) ist empirische Forschung undenkbar, ja, im methodologischen Sinn sogar unmöglich, und wenn auch die Empirie allzeit geneigt ist, sich vollkommen selbständig zu dünken, wenn sie auch, berauscht vom eigenen Vorwärtsstreben, ihren philosophischen Ausgang zu vergessen trachtet, es hat dieser den Grundriß für das empirische Wissensgebäude geliefert, den ein für allemal gültigen Grundriß, der in sämtlichen Konstruktionsteilen, und mag das Gebäude noch so hoch sein, noch so hoch werden, immer wieder zum Vorschein kommt.

Indes, sowenig der Zusammenhang zwischen philosophischer und empirischer Forschung vergessen werden darf, sowenig dürfen die beiden Gebiete und ihre Unterteilungen miteinander vermengt oder gar verwechselt werden. Daß die hiezu notwendigen scharfen Begriffsabgrenzungen, trotz vielfacher Bemühungen, bisher kaum über den Umkreis der mathematisch bestimmbaren Naturwissenschaften hinausgediehen sind und sicherlich den der (vornehmlich historischen) Geisteswissenschaften noch keinesfalls erreicht haben, ist nicht zuletzt auf deren (vielleicht unbehebbaren) Mangel an einer präzisen Terminologie zurückzuführen. Jahrhundertelang hat es gedauert, bis man erkannt hat, daß Naturphilosophie, Naturgeschichte und Naturwissenschaft drei verschiedene Dinge sind, und dann noch brauchte es geraume Weile, bis man zu erkennen vermochte, daß es nicht Geschäft der Naturphilosophie sein kann, die Gesetzlichkeiten der Natur aufzudecken, sondern daß dies restlos den Theorien der empirischen Naturforschung zu obliegen hat. Eine ähnlich reinliche Scheidung zwischen Geschichtsphilosophie, Geschichtsdarstellung und Geschichtstheorie wäre demnach schon mehr als überfällig, allein, mit sonderbarer Hartnäckigkeit wird gemeiniglich noch heute von der Geschichtsphilosophie erwartet, daß sie historische Gesetzlichkeiten zutage fördere. Dies also sei vorausgeschickt und strikte festgehalten: das Feld der historischen Abläufe (in Vergangenheit und Gegenwart), das Feld des vom Menschen und von seinen verschiedentlichen Gruppierungen getragenen politischen Geschehens (in Vergangenheit und Gegenwart), kurzum das Feld der menschlichen Massenbewegungen wird hinsichtlich seiner Gesetzlichkeiten nicht von der Geschichtsphilosophie beackert – der eben andere, nicht minder grundlegende Aufgaben zugefallen sind –, und ebenso hat die eigentliche Geschichtsschreibung und Geschichtsdarstellung nichts mit solcher Beackerung zu schaffen, vielmehr fällt dieselbe ausschließlich in den Aufgabenbereich einer strengen Geschichtstheorie, die zwar von der Geschichtsphilosophie ihre regulativen Grundprinzipien und von der Geschichtsdarstellung ihr gesamtes empirisches Illustrationsmaterial bezieht, dennoch aber von den beiden andern Disziplinen scharf geschieden ist.

Dies kann und soll freilich nicht etwa eine Entthronung der bisherigen geschichtsphilosophischen Leistung bedeuten; es hat diese – von Augustinus bis Hegel und Marx – mit der Auffindung historischer Gesetzlichkeiten einen Grundstock systematischer, materialer und methodologischer Ergebnisse gezeitigt, die in jede künftige Geschichtstheorie eingehen werden. Zu ihnen gesellen sich aber nun all die geschichtstheoretischen Ansätze, die – in neuerer Zeit zunehmend häufiger werdend – sich im Forschungsbereich der empirischen Geisteswissenschaften, in Soziologie, Ökonomik, Psychologie und schließlich, wie es sich von selbst versteht, auch in der Geschichtsforschung selber überall vorfinden lassen. Der Tag dürfte wohl nicht mehr ferne sein, an dem es gelingen wird, all die verschiedenen, oftmals einander widersprechenden, jedoch unentwegt gleichzieligen Bestrebungen zu einer einheitlichen Geschichtstheorie zusammenzufassen, und wenn damit eine richtige Systematisierung gelänge, ein richtiges »Wissenssystem«, so wird dieses mit seinem Netz von Funktionalbeziehungen, von Theorien und Gesetzlichkeiten zumindest die wichtigsten (und daneben wohl auch einige unwichtige) geschichtsbilden-den Verhaltungsweisen des Menschen einzufangen und zu schematisieren vermögen, also imstande sein, eine historische Anthropologie oder, vielleicht besser bezeichnet, eine anthropologische Strukturenlehre der Geschichte ins Leben zu rufen. Und an dem Tage, an dem solches geschieht, wird sich die Geburt einer neuen Wissenschaft vollzogen haben.

Alle wissenschaftliche Gesetzlichkeit muß, auf daß sie Gesetzlichkeit sei, die Geschehnisse in ihrem Wirkungsfeld strukturell erfassen, um deren Abläufe strukturell voraussagen zu können; diese Vorschrift gilt ebensowohl für die Geschichtstheorie wie für die Naturwissenschaften. Und gleich dem Naturgesetz hat auch das historische auf die Ausschaltung jedweden »Zufalls« in seinem Wirkungsfeld Bedacht zu nehmen, denn in dem Augenblick, in welchem Spontanphänomenen begegnet wird, die samt ihren Bewegungsimpulsen »unerklärlich« sind, d. h. aus bis dahin gesetzesunzugänglichen und daher »gesetzesfremden« Sphären herstammen, steht das Gesetz in Abdankungsgefahr. Nirgends jedoch ist das Spontanphänomen des Zufalls offensichtlicher und bedrohlicher am Werke als im Felde der historischen Gesetzlichkeit: es ist die angeblich autonom freie, individuelle Willensentscheidung des Menschen, die hier die Rolle des »Zufalls« spielt. Die Geschichtstheorie – und mit ihr die bisherige Geschichtsphilosophie in ihren geschichtstheoretischen Elementen – sah und sieht sich daher gezwungen, jene treibenden Kräfte in der Geschichte aufzuspüren, welche die Annahme eines autonom-indeterminierten menschlichen Willens auszuschließen gestatten. Wie immer also von hier aus das historische Geschehen aufgefaßt wird, ob als göttlicher Weltenplan, dem des Menschen Gesamtverhalten kraft seiner Ebenbildhaftigkeit eingeordnet ist, oder als Entfaltung eines dialektischen Weltengeistes, dessen Logos alles menschliche Bewußtsein konstituiert, oder als Wirkungsstätte einer nicht minder dialektisch gefärbten ökonomologischen Geschichtsmaterialistik, die dem animalischen Daseinskampf des Menschen eindeutig bedingte Bahnen vorschreiben will, es wird in jeder dieser Konstruktionen die Gültigkeitsgrundlage der historischen Gesetzlichkeit in eine über-individuale, über-personale Sphäre verlegt, in eine jeglicher einzelmenschlichen Beeinflussung entrückte allgemeinste Sphäre, die so unbedingte Determinierungskraft haben soll, daß das Einzelindividuum kaum gewahr werden mag, in welch unbedingtem Ausmaße es mit seinem ganzen Denken und Handeln ihr untertan ist. Mit der Etablierung eines derart durchgängigen historischen Determinismus würde das historische Gesetz volle Voraussagekraft gewinnen und wäre dem Naturgesetz methodologisch restlos gleichgestellt.

Doch das Naturgesetz weiß eindeutig genau, wann es auf ein Zufallsphänomen stößt, um dessentwillen es sich zu erweitern und zu modifizieren, oder aber, gelingt dies nicht, abzudanken hat, und das historische Gesetz ist weit davon entfernt, derlei zu wissen: der »Zufall« der spontan freien Willensentscheidung im Geschehen ist kein eindeutig greifbares Einzelfaktum, sondern ist eine anonyme, überhaupt nicht greifbare, unendliche und ewig sich erneuernde Faktensumme, und weder ist dem historischen Gesetz die Sisyphosarbeit einer ständigen Erweiterung und Modifikation zur Bewältigung solcher Zufallsagglomeration zuzumuten, noch ist es hiezu angetan, denn es behauptet ja, diese Bewältigung von vorneherein in Bausch und Bogen vorgenommen zu haben. M. a. W., das Naturgesetz hat, um seines eigenen Bestandes willen, die Bewältigung des Zufalls, den es in seinem Wirkungsfelde antrifft, in jedem Einzelfall eindeutig zu beweisen, während das historische Gesetz den Zufall, d. h. hier die Möglichkeit freier Willensentscheidungen, kurzerhand aus seinem Wirkungsfeld, also aus der Geschichte »hinausinterpretiert«. Diese Tatsacheninterpretation, die solcherart an die Stelle des naturwissenschaftlich-mathematischen Beweises tritt, wird mit Hilfe von Tatsachenauslese, Tatsachenhäufung und – das Heil jeder schlechten Geschichtsphilosophie – Tatsachenverfälschung durchgeführt, und hiezu gesellt sich die analogisierende Verwertung von Hilfstheorien aus außerhistorischen Wissensgebieten. Die Pawlowschen[1] Experimente z. B., welche darzutun suchen, daß sämtliche Reaktionsweisen des tierischen – und damit auch des menschlichen – Organismus nichts als ein Bündel genau vorausberechenbarer Instinktreaktionen sind und daß zu ihnen sogar auch die eines ebenso vorausberechenbaren tierischen Freiheitsinstinktes gehören, dürfen unzweifelhaft von der Geschichtstheorie (insbesondere in ihrer materialistischen Ausprägung) als wertvolle Eideshelfer für die eigene Stellungnahme und deren Zuversicht betrachtet werden, nämlich eben für jene Zuversicht, die mit aller Bestimmtheit erwartet, daß das Zufallsmäßige des angeblich freien Willens sich ins gesetzmäßig Vorerrechenbare, Voraussagbare auflösen lassen werde. Da aber kein Eideshelfer, keine Interpretation, wie immer sie auf Tatsachenauslese und Tatsachenhäufung basiert sei, jemals zu einem stringenten Beweis werden kann, so bleibt zumindest die methodologische Möglichkeit eines Weiterbestandes und Weiterwirkens des freien Willens in der Geschichte ungeschmälert offen, und da dies den Existenzgrundlagen der historischen Gesetzlichkeit methodologisch wieder strikte entgegengesetzt ist, ergibt sich ein Widerspruch von geradezu antinomischem Charakter. Zwischen mangelndem Beweis und mangelndem Gegenbeweis eingespannt, scheint der Geschichtstheorie jeder methodologische Boden unter den Füßen weggezogen zu sein, und daß sie trotz alledem beinahe hartnäckig an ihren Grundbehauptungen festhält, daß sie dies tun muß und tun kann, scheint sie jeglicher Strenge und eigentlichen Wissenschaftlichkeit zu entkleiden, scheint sie auf den Rang einer bloßen »Überzeugung« hinabzudrücken.

Allerdings, mit Überzeugungen und wahrscheinlich nur mit Überzeugungen sind Antinomien zu überbrücken. Und immerhin ist der Mensch u. a. auch als das Wesen definierbar, welches bemüßigt ist, sich mit der Überbrückung von Antinomien zu beschäftigen; fast ist es, als ob seine ganze geistige Produktivität aus der Antinomie herstamme, und sicherlich hat deren erste Überbrückung zu jener großen Menschheitsstunde stattgehabt, in der er sich, er, der Mensch, erstmalig einen Gott gesetzt hatte. Und angesichts solchen Ausganges ist es nahezu selbstverständlich, daß die theologisch-philosophische Spekulation gerade diese Kunst des Brückenschlagens zu höchster Präzision ausgebildet hat, zu einer haargenauen Kühnheit, wie sie von der nachfolgenden Laienphilosophie, ungeachtet ihrer theologischen Erbschaft, kaum mehr erreicht worden ist. Kein Zweifel, die theologisch-philosophische Spekulation ist ein Bett, das für jedwede Art von Antinomie bereit steht, kein Zweifel, daß sie für die geschichtstheoretische Antinomie des gleichzeitigen Vorhandenseins von Gesetz und freiem Willen doppelt aufnahmebereit ist, weil ja das Determinismus-Indeterminismus-Problem zu ihrem ureigensten Bestande gehört, und kein Zweifel kann darüber herrschen, daß die Geschichtstheorie seit jeher Tendenzen gezeigt hat, in dieses ihr vorbereitete Bett zurückzugleiten. Das methodologische Bindeglied hiezu ist im Begriff und im Phänomen der geschichtlichen »Entwicklung« gegeben, um die das historische Gesetz nun einmal nicht herum kann und die – und dies ist bereits ein durchaus theologischer Gedanke – einerseits nach sie vorwärtstragenden Willenskräften verlangt, weil sie sonst von allem Anfang an steckengeblieben wäre, andererseits aber offenbar retardierende Kräfte enthält, weil sie sonst von allem Anfang an, sozusagen sofort und entwicklungsfrei, die spätesten Entwicklungsstadien in der Gesetzesrichtung – besonders wenn diese als Annäherung an einen glückseligen Endzustand imaginiert werden – erreicht hätte; daß diese Retardierung notgedrungen auf die Mangelhaftigkeit des irdisch begrenzten menschlichen Verstandes und des von ihm gelenkten individuellen Willens zurückgeführt werden müsse, ist umso einsichtiger, als kein anderer unter den im historischen Wirkungsfeld befindlichen Faktoren für solch »böse« Tätigkeit auffindbar ist, und hiefür bedarf es nicht einmal der Theologie, hingegen hat selbst sie mit der zweiten, der »guten« Willensgattung, die beauftragt sein soll, die Entwicklung im Sinne des ihr vorgeschriebenen Gesetzes vorwärtszutragen, unzweifelhaft gewisse Schwierigkeiten, denn hier geht es um die Paradoxie einer vom Gesetz »gebundenen« Freiheit, um einen »gebundenen« freien Willen, um einen viereckigen Kreis und eine contradictio in adiecto, d. h. um ein Gebilde, das eine Antinomie überbrücken will und daher ihre Züge zu tragen hat. Tatsächlich aber wird hiezu von der Theologie die paradigmatische Lösung geliefert: der Mensch besitzt keinen unendlichen, keinen absoluten Verstand, keine göttliche Vernunft, doch ein Abglanz hievon ruht auf ihm, und soweit er in diesem Abglanz denkt und handelt, unterscheidet er sich vom Tiere, ist er wahrhaft Mensch, »normaler« Mensch mit Freiheitsbegabung, dessen »normale« Vernunft dann aber eben auch nur eine bestimmte Art »freier« Willensentscheidungen gestattet, nämlich solche, welche der »höheren« Vernunft und des von dieser entworfenen Weltenplanes entsprechen; jede andere Art von Willensentscheidung, jede andere Art von Freiheit, ja, sogar schon die bloß theoretische Annahme einer anderen Freiheits- und Vernunftsautonomie wird von hier aus mit dem Stigma eines Abfalles ins »Abnormale«, ins anarchisch Närrische versehen, als die Teufelsbesessenheit, die den schwachen irdischen Menschen unaufhörlich bedroht und ihm das Geschenk des göttlichen Vernunftschimmers stets aufs neue entreißt, so daß der Beraubte zum verwerflichen Schädling, kurzum zum austilgungswürdigen, austilgungsbedürftigen Ketzer werden muß und wird. Es ist ein paradigmatisches Schema, das sich demgemäß, wenn auch zumeist wesentlich vereinfachter, fast in jeder Geschichtstheorie nachweisen läßt, so etwa in der marxistischen, und zwar hier als die »Normalität« des allein gültigen »proletarischen« Denkens und seines spezifisch gebundenen Revolutions- und Freiheitswillens, so daß jede andere, noch so theoretische Freiheitsauffassung automatisch dem Fluche konterrevolutionären Ketzertums verfällt. Eine weitere Erklärung für diese auffallende Wiederkehr der gleichen schematischen Formen ist kaum vonnöten, kann aber vom Wesen der »Überzeugung« an sich beigebracht werden: »Überzeugung« überzeugt niemals durch mathematische Beweise (für die keine Überzeugung nötig ist), sondern durch Berufung auf eine »normale« Vernunft, indes da es auch zur Festlegung der Normalität keinen eindeutig beweiskräftigen Weg gibt, bleibt am Ende lediglich der des einfachen Drauflosschlagens übrig, der Weg der physischen Gewalt, die auf ihre Art jegliche Antinomie aufhebt; die für die Gültigkeit des historischen Gesetzes notwendige Ausmerzung des freien Willens aus dem Wirkungsfeld der Geschichtstheorie wird am Ende durch Ketzerverbrennungen und Ketzererschießungen besorgt.

Welch sonderbarer, welch fürchterlicher Sachverhalt! Dank der Freiheit seines Verstandes ist der Mensch zur Erkenntnis, ja, sogar zur wissenschaftlichen Erkenntnis und zur Statuierung von Gesetzlichkeiten im chaotisch anonymen Sein begabt, ist er zur Ordnung begabt, und er ist voll der Erkenntnis-Bangnis, in die Dunkelheit seiner Herkunft, die sein Wesen enthält, in die Dunkelheit der Jahrtausende, die vor ihm waren, die nach ihm sein werden, mit seiner gesetzesschaffenden, ordnenden Erkenntnis erhellend einzudringen; doch gebunden an seine eigene Setzung, gebunden an die Gesetzlichkeit, mit der allein er ordnende Rück- und Vorschau zu halten vermag, gebunden an ein Gesetz, aus dessen Wirkungsfeld unabänderlich der freie

Wille ausgeschaltet zu bleiben hat, erblindet der Mensch, da er die ihm verliehenen Erkenntniswerkzeuge ausnützen will, wird er seiner selbst und seiner Freiheit blind, da er in die Geschichte blickt: nicht nur, daß er die Geschichte mit Wesen bevölkern muß, die – wenigstens dem Prinzip nach – ausschließlich gesetzesbedingt und sohin bar jeder Freiheit sind, er ist von diesem Gesetzeszwang derart überwältigt, daß er sich bemüßigt fühlt, auch praktisch und augenblicklich den freien Willen, der immer nur der des Ketzers sein kann, radikal aus der Welt zu schaffen. Aus schierer Unbeholfenheit des Denkens wird ein an sich durchaus legitimes und notwendiges Erkenntnisvorhaben, wie es das der Geschichtstheorie ist, zu einer aggressiv wahnhaften Ethik und Moral verkehrt, zu einem wahnhaften Strafrecht, das in besinnungsloser Verwirrtheit menschenmordend, menschheitsmordend allüberall Scheiterhaufen entzündet, Konzentrationslager errichtet, Marterpfähle aufstellt, Exekutionspelotons kommandiert, Tanks über die Weizenfelder jagt und die Behausungen des Menschen zu Ruinen bombt.

Selbst auf das rein Erkenntnismäßige beschränkt, ist es ein Bild fürchterlichster Verwirrung, logisch wie menschlich gleicherweise verwirrt, das sich da bietet, und es wird nicht milder, höchstens zynischer, wenn die Geschichtstheorie, in völliger Vermengung aller logischen Kategorien, behauptet, daß jedwede geschehene Furchtbarkeit, angefangen von den Ketzerhinrichtungen, bloß als Beweis für die Standfestigkeit des historischen Gesetzes genommen werden dürfte. Und in vieler Beziehung ist es eine Bankrotterklärung aller philosophischen Wissenschaft, die ihrer Zeitgebundenheit erlegen und damit der nämlichen Wirrnis verfallen ist. Wahrscheinlich wäre die Verkehrung der Geschichtstheorie in eine fordernd wahnhafte Moral niemals möglich gewesen, wenn sie methodologisch hätte kontrolliert werden können, wenn ihr die scheinbar so harmlosen erkenntnistheoretischen Versuche zur Aufspaltung der einheitlich logosbestimmten menschlichen Erkenntnisstruktur in deskriptive und normative, in wertfreie und wertbezogene, in quantifizierende und qualifizierende Spezialerkenntnisarten nicht vorangegangen wären; all dies wird aus ein und derselben trüben Quelle gespeist. Indes, wie weit die Wissenschaft solcherart unmittelbar an der Ausartung der Erkenntnis mitbeteiligt gewesen war und wie solcherart das geistige Bemühen, ja, das Wahrheitsstreben selber sich ins Kontrollose gewandelt hat, um damit gegen den eigenen (oder zumindest sehr oft gegen den eigenen) Willen alle chaotischen Urgründe der Menschennatur aufzureißen, kann und muß vorderhand unerörtert bleiben, vielmehr gehört dies zu den zentralen Untersuchungsobjekten der vorliegenden Arbeit. Vorderhand mag und darf es genügen, auf die Irrwege, auf die Irrsinnswege hingewiesen zu haben, die von der Geschichtstheorie eingeschlagen worden sind, als sie, in mißverständlicher Auslegung ihrer Pflicht zur Zufallsbekämpfung, radikal jeden Ansatz zu einem freien Willen aus dem Wirkungsfeld ihrer Gesetze hatte austilgen wollen.

Doch steht der Geschichtstheorie überhaupt ein anderer Weg zu ihrer Existenzsicherung offen, wenn ihr die Irrwege versperrt werden sollen? Ist das, was von ihr existiert – und daß es existiert, ist sogar noch an ihren Auswüchsen ersichtlich –, etwa nur als »Als-ob«-Betrachtung zu werten? Merkwürdigerweise ist diese Frage durchaus keine Frage, sondern der Hinweis auf einen weitgehend korrekten, methodologisch weitgehend gesäuberten Tatbestand, der demgemäß auch den ersten Hinweis auf die richtige Problemlösung enthält: gewiß bevölkert das historische Gesetz – wie eben nicht anders zu erwarten – die Geschichte mit Wesen, die bar jeder Freiheit und ausschließlich gesetzesbedingt sind, aber fürs erste hat sich weder das Gesetz noch die Geschichtstheorie als solche um das wirkliche Vorhandensein oder Nichtvorhandensein dieser Fabelwesen zu bekümmern; einerlei, wie groß die Verstandesklarheit des Menschen ist, mit der er die historischen Gesetzlichkeiten aufgestellt hat, das Gesetz als solches, das Gesetz im eigenen Wirkungsfeld betrachtet die Menschen »als ob« sie an keiner Verstandesklarheit teilhätten, »als ob« sie eine Masse von Träumenden seien, von Dämmerwesen, die unter höherem Befehl herdengleich durch die Geschichte und deren Geschehnisse hindurchgetrieben werden, gleichsam als ein abstraktes Medium, von dem die Geschichte zwar handelt, weil sie einen materialen Ansatzpunkt für ihre Gesetze braucht, dem aber trotzdem keine konkrete Bedeutung zukommt, so daß – radikal gesprochen – es fast den Anschein haben würde, als ob der konkrete Mensch mit seinen konkreten Eigenschaften (und sohin auch mit seinem individuellen Willen) überhaupt nichts mehr in der Geschichte oder zumindest nichts in der Geschichtstheorie zu schaffen hätte.

Dies ist methodologisch einwandfrei, und wahrscheinlich wäre es sogar möglich, auf so abstrakter »Als-ob«-Basis eine einwandfreie Geschichtstheorie aufzubauen. Nichtsdestoweniger, sie wäre dann nichts als ein bloßes Gedankenspiel, sie wäre keine wissenschaftliche Theorie mit Wahrheits- und Richtigkeits- und Wirklichkeitsanspruch. Und solchen Anspruch kann man den historischen Theorien und Gesetzen wahrlich nicht absprechen, am allerwenigsten angesichts ihres unseligen praktischen Eingreifens in die Realität des Lebens. Ja, mehr noch, fast jeder Fiktion, und schwebe sie scheinbar noch so losgelöst oberhalb der Realität, entspricht irgendwo ein Realitätsbereich, aus dem sie ihre Aufbaumaterialien herbezieht. Und wenn eine Fiktion, die eine so starke Realitätsbeziehung wie die Geschichtstheorie hat, das Phänomen des historischen Menschen als eine Masse von willenlos träumenden, willenlos dahindämmernden Wesen behandelt, so muß man sich fragen, ob dieser angeblich fiktiven Annahme nicht irgendwo doch eine echte Realität entspricht.

Und diese Frage ist vollauf zu bejahen. Ob dem Menschen überhaupt eine absolute freie Willensentscheidung zukommt, etwa wie sie aus absolut höchster (allein dem Gotte vorbehaltener) Vernunft oder aus absolut tiefster (sicherlich nicht dem Tiere zuzuordnenden) Närrischkeit erfließen mag, dieses Problem darf hier beiseite gelassen werden; aber zwischen absoluter Vernunft und absoluter Närrischkeit gibt es eine ungeheuer breite Zwischenschicht, und die kann als die spezifisch menschliche angesprochen werden: unbeschadet der mehr oder minder freien Willensentscheidungen am obern und untern Rande dieser Zwischenschicht, in ihrer eigentlichen Mittellage – und eben darin spielt sich nahezu ununterbrochen alles menschliche Leben ab – gibt es sicherlich nichts dergleichen, gibt es sicherlich keinen freien Willen. Denn diese Mittellage ist die der »Traumhaftigkeit«, ist die des dämmerhaften Halbdunkels, das den Menschen umfängt, das ihn fast niemals entläßt und in dem sein Wollen schon längst kein Wollen mehr ist, nur noch ein Dahingetriebenwerden in dem Traumesstrom. Doch weil der Traumesstrom eine echte Realität ist, eine Realität, die ein jeder – soferne es ihm gegönnt ist, sich der eigenen Traumhaftigkeit zu entringen – allezeit und allerorts (und schließlich eben auch an sich selber) zu beobachten in der Lage ist, kurzum, weil im dämmerhaft-traumhaften Dahinleben tatsächlich eine beinahe willenlose Lebensschicht sich zeigt, ist der Geschichtstheorie der Zugang zu echter, d. h. tunlichst fiktionsloser, realitätsbezogener Wissenschaftlichkeit freigemacht.

Oder genauer: soweit und nur soweit der Mensch »traumhaft« dahinlebt, soweit ist er Objekt geschichtstheoretischer, geschichtsgesetzlicher Erkenntnis. Und innerhalb dieses Objektfeldes, d. h. dem des dämmerhaft-traumhaften menschlichen Dahinlebens besitzen die Gesetze der Geschichtstheorie ihre wissenschaftlich echte Gültigkeit.

Kapitel 2:
Phänomenologie des Dämmerzustandes.
HISTORISCHE GESETZE UND DÄMMERZUSTAND

Der lediglich dahindämmernde Mensch ist zu freien Willensentscheidungen weitgehend unfähig und kann infolgedessen historischen Gesetzen eingeordnet werden.

Daß das Leben ein Traum ist, daß der Mensch den größten Teil seiner Erdenzeit »wie im Traume« hinbringt, ist eine Binsenwahrheit, allerdings eine von so überaus großer Eindringlichkeit, daß sowohl die Dichter wie die Philosophen aller Völker und jedweder Epoche stets aufs neue zu ihr zurückgekehrt sind, stets aufs neue sich mit ihrem Gehalt beschäftigt haben, als wäre dieser unerschöpflich: aus unerforschlicher Dunkelheit kommend, in unerforschliche Dunkelheit eingehend, traumhaft dunkel die kurze Strecke, die dazwischen liegt, durchwandelt sie traumhaft der Mensch, ist sie des Träumenden Lebenslandschaft, und er weiß nicht, auf welcher Traumesebene sie liegt, wieweit sie Luftgespinst, wieweit sie Wirklichkeit ist; er weiß, daß er träumt, allein er vermag seine Traumestiefe nicht zu erwissen, und es quält ihn, in solcher Wissensgelähmtheit verbleiben zu müssen, denn sehnsuchtsschwer schwebt darüber die Ahnung der Wachheit.

Nichtsdestoweniger, bei allem Vertrauen, das der Dichter, der richtige Dichter für sich und seine Ausdruckskraft zu beanspruchen berechtigt ist, der Ausdruck »Traum« ist ungenau und deckt nicht den gesamten Tatbestand. Gewiß, das Leben des Menschen verrinnt wie ein Traum, vielfach unerinnert und unerinnerbar wie ein solcher und traumesflüchtig; gewiß, gleichwie im Traume ist dem Menschen kaum ein eigener Wille belassen, und wo er glaubt, nach eigenem freiem Willen zu handeln, da geschieht es in Traumesnotwendigkeit. Besonders wenn der Mensch Rückschau hält, da ist ihm sein Leben wie ein Traum, ein Konglomerat merkwürdiger und kaum merkbarer ineinanderverschachtelter Träume, manche schlafsatter, manche lichter, manche realitätsnäher, manche realitätsferner, keiner aber imstande, die Wirklichkeit, als wäre auch sie dem Traum zugehörig, wahrhaft zu finden. Nichtsdestoweniger, so sehr dies Symptome für das menschliche Träumen sind, sie sind es ebensosehr für eine andere Bewußtseinslage, und die ist nicht allein dem Menschen vorbehalten, sondern muß wohl auch dem Tiere zugesprochen werden: es handelt sich um jenes animalische und fast vegetative Dahindämmern, in dem Schlaf- und Wachtraum seltsam ineinanderverflutet sind, seltsam verflutet mit jenem Erleben und Tun, dessen Traumesfremdheit bloß erahnt, dennoch erfaßt wird und eben Realität heißen soll; der eigentliche Traum dürfte, soweit die Beobachtungen reichen, lediglich dem Menschen zukommen, nicht dem Tiere, denn dieses träumt wahrscheinlich nur ausnahmsweise und dann auch wohl nur äußerst unartikuliert, doch sofern seine Lebensfunktionen sich irgendwie in einem wachen Bewußtsein abspiegeln, irgendwie wach von einem solchen begleitet werden, ist solches bloß als eine tiefe Verdämmertheit vorstellbar, und alles, was am Menschen tierisch – und dies ist gewiß nicht wenig –, geht zweifelsohne in der nämlichen Verdämmertheit des Denkens und Erlebens vor sich. Der gemeiniglich als traumhaft bezeichnete Zustand des menschlichen Seins ist in Wahrheit der eines animalischen und oftmals geradezu vegetativen, dunkelverschatteten Dahindämmerns.

M. a. W.: traumhaft, ohne zu träumen, bewältigt des Tieres Dahindämmern instinktmäßig die Realität; traumhaft eingebettet in den Lebensstrom, in die Realität der Natur, in die des eigenen Wesens wie in die der Umwelt, in ihre innern und äußern Bedingungen, in ihren innern und äußern Rhythmus, weiß das Tier um die Notwendigkeiten seines Daseins, weiß es, wann und wo es sein Futter zu suchen hat, weiß um seine Tränkzeiten und Tränkstellen, weiß um drohende Gefahren, selbst um die unvermutetsten, verteidigt oder flüchtet sich gemäß dem jeweiligen Stärkeverhältnis, fällt den Gegner an und behütet die eigenen Jungen. Nichts jedoch von der dem menschlichen Traum eigentümlichen Phantastik und (scheinbaren) Illogizität ist in diesem Gehaben sichtbar, vielmehr geht es, von außen her besehen, gleichsam vernunfthaft, gleichsam rational vonstatten: das Tier steht unter dem Befehl seines Lebenswillens, steht unter dem düstern Befehl des ihm von der Natur auferlegten Lebenskampfes, und innerhalb dieses Lebenskampfes wird die Befriedigung der organischen Urtriebe durchaus zweckmäßig und zweckgerichtet, d. h. vermittels Ausnützung oder Überwältigung der Umwelt erzielt. Daß trotz solcher »Vernünftigkeit« des tierischen Gehabens es als dämmerhaft bezeichnet werden darf, nämlich als Zustand, in den hinein weit eher die Qualitäten des menschlichen Traumes als die der menschlichen Vernunft zu projizieren sind, gründet sich in erster Linie auf die »Instinkthaftigkeit« des Tieres, in zweiter aber auf seine »Ichlosigkeit«, beides experimentell weitgehend erhärtete Fakten, von denen das erste eine wache Vollbewußtheit überflüssig macht und das zweite, tieferreichend als jenes, sie einfach ausschließt; insbesondere ist es die Ichlosigkeit, die sich in die Annahme eines tierischen Dahindämmerns gut einfügt, denn nicht nur daß die Bewußtseinsverminderung, die Dahindämmern bedeutet, sich ebenfalls auf das Zeitbewußtsein zu beziehen hat, und nicht nur daß Ichlosigkeit geradezu eine Aufhebung des Zeitbewußtseins bedingt, und nicht nur daß das Tier (bei all seiner Instinktsicherheit für »Zeitmarken«, d. i. für die Erfassung gewisser Daten und Tagesstunden) erwiesenermaßen kaum einen Sinn für die Dauer von Zeitabläufen besitzt, es sind auch die Träume des Menschen, aus deren Struktur die meisten Vorstellungen über das tierische Dahindämmern herstammen, vielfach mit Ich-Veränderungen, Ich-Auflösungen verwoben, die mit den sonderbaren Zeitverkürzungen der Traumabläufe in einem offenkundigen und sicherlich nicht unerforschlichen Zusammenhang stehen.

Der Mensch hingegen ist sich des Zeitablaufes bewußt. Er besitzt ein Ich und hat ein Ich-Bewußtsein, das all seinem Hindämmern zu Trotz dieses Ich wie ein zwar nicht sehr starkes und auch nicht immer kontinuierliches, dennoch stets erahnbares

Leuchten durch das Dunkel der Dämmerungsnebel hindurch begleitet, unverlierbar, unverlöschlich. Daß der Mensch – eben im Gegensatz zum Tier – artikuliert zu träumen vermag, ist nicht zuletzt auf seine Ich-Bewußtheit zurückzuführen, wiedererkennbar noch in dem »Traumesbewußtsein«, kraft welchem der Träumende, noch im Traume ein wacher Beobachter, um sein Träumen weiß: nur weil er ein waches Ich besitzt und darum weiß, nur weil dieses Ich, in den Traum gleitend, um sein Träumen weiß, nur infolge solch niemals erlahmenden Weiterwirkens des Ich-Bewußtseins ist der Mensch imstande, sein Hindämmern als das reale Faktum, das es ist, zu agnoszieren, d. h., es nicht nur gegen Traum und Wachheit abzuheben, sondern auch den darin enthaltenen »Wachheitsverlust« nach Wachheits- und Bewußtheitsgraden (mit der völligen Bewußtlosigkeit als sozusagen absolutem Nullpunkt) ziemlich einwandfrei, also ohne allzuviel Selbsttäuschung zu agnoszieren; Selbsttäuschung tritt zumeist erst bei den oberen Wachheitsgraden ein, und zwar weil sie in der Regel unter Vernachlässigung jeder weiteren Differenzierung kurzerhand mit dem Gebrauch eines vollfreien Willens identifiziert werden. Die Dämmerungsskala, wenn man sie so nennen darf, ist nach oben hin sicherlich stets um ein gutes Stück länger, als das noch so wach beobachtende Ich annimmt, ja, annehmen will.

Doch wie immer dem sei, der Mensch hat die Fähigkeit, sein Dahindämmern zu erkennen, und diese Erkenntis projiziert er – unter Weglassung des Ich-Bewußtseins – in das Dahindämmern des Tieres: er »erkennt« das Tier und das tierische Dahindämmern mit Hilfe solcher Projektion. Andererseits nimmt er Rückprojektionen vor, und daß sich hiebei, d. h. in der empirischen Überprüfung der Fakten, eine fortlaufende Übereinstimmung zwischen tierischem und menschlichem Dahindämmern vorfindet, kann als Bestätigung der Legitimität von Projektion und Rückprojektion genommen werden. So ist genau wie im tierischen Dahindämmern auch im menschlichen wenig von der dem eigentlichen Traum zukommenden spezifischen Phantastik zu merken, genauso wie dort ist auch hier der düstere Befehl des Lebenskampfes das weitaus ausschlaggebendste Moment, genauso wie dort geht es auch hier um die Befriedigung der urtriebhaften Bedürfnisse nach Futter und nach gesicherter Ruhe und, wahrlich nicht zuletzt, nach geschlechtlicher Lust, und genauso wie dort müssen auch hier all diese Triebbefriedigungen tunlichst zweckmäßig den Umweltbedingungen teils abgelistet, teils abgetrotzt werden. Und genauso wie dort werden auch hier Zweckmäßigkeit und Zweckgerichtetheit beinahe unbewußt vorangebracht, so daß man auch hier mit Fug von Instinkt reden darf. Vieles von dem, was im Tun des Menschen ihm selber wie anderen als rational und zweckentsprechend und klar gewollt erscheint, unterscheidet sich in nichts von dem instinkthaften, schlafwandlerisch-sicheren, kaum oder gar nicht gedankenbelasteten Handeln des Tieres. Die Unterschiede hingegen liegen außerhalb des Dämmerzustandes, da dieser für das Tier von nahezu gleichbleibender Konstanz ist, während er für den Menschen alle möglichen Schattierungen und Nuancierungen bis zu großer Bewußtseinshelle annimmt, wie dies höchst deutlich am Gedächtnisphänomen ersichtlich wird; denn wenn auch der Mensch, gleich dem Tiere, zumeist nicht weiß, »wo die Zeit hingeraten ist«, und wenn auch jeder Blick in sein Gedächtnis ihm die merkwürdig traumhafte, erinnerungsentleerte Verkürzung aller Zeitabläufe zeigt, es gibt doch immer wieder Zeitstrecken, über die das menschliche Gedächtnis Rechenschaft zu geben imstande ist. Ließe sich also die »Wachheitsskala« für die verschiedenen Bewußtheits- und Gedächtnisschattierungen tatsächlich anlegen, so würde sie etwa in ihrer Mitte die Phase des Dahindämmerns als die eines stark herabgeminderten Ich-Bewußtseins enthalten, und es wäre auch die der stärksten Ähnlichkeit zwischen menschlicher und tierischer Seelenstruktur; hierher und nicht in den eigentlichen Traum zielen die Rückprojektionen aus dem tierischen Verhalten ins menschliche, und zwar mit vollem Recht, weil eben hier die animalische Ichlosigkeit beidseitig am reinsten zum Ausdruck gelangt. Kein Zweifel, der Mangel an Ich-Bewußtheit ist ein allgemeines Merkmal jedweden Dahindämmerns.

Der Mangel an Ich-Bewußtheit definiert das Hindämmern gewissermaßen von innen her und verlangt daher nach einer ergänzenden Definition, nämlich nach einer, die das Dämmerungsphänomen von außen betrachtet; [der Mangel des] Ich-Bewußtseins ist mit seinen Abschattungs- und Verlustmöglichkeiten eine subjektive Konstatierung der menschlichen Introspektion, wird als solche in die Tierseele wie überhaupt in das Dahindämmern hineinprojiziert, und nur vermittels der Stützung durch das objektive Komplement einer »Außenkonstatierung« wird die Projektion über den Rang einer bloßen Annahme hinausgehoben. M. a. W., es muß nach einem von außen beobachtbaren Verhalten gefragt werden, durch welches sich das Hindämmern so weit auszeichnet, daß es mit Hilfe der Beschreibung dieses Verhaltens selber zu definieren wäre. Ein Hinweis auf eine derartige definierende Verhaltungsweise ist nun in der ununterbrechbar fortwährenden Konstanz gegeben, unter der das tierische Hindämmern vor sich geht. Denn darin zeigt sich offenbar das Prinzip des kleinsten Kraftaufwandes, von dem das gesamte organische Leben und sohin auch das gesamte organische Dahindämmern durchzogen ist. Gewiß, das Naturgeschehen ist im großen wie im kleinen von einem unendlichen Produktionsüberfluß getragen, also eher von einem Kraftüberschuß als von einer Kraftsparsamkeit, indes, sobald und sooft sich die Entwicklung in einer bestimmbaren Form, in einer bestimmten Verhaltungsweise stabilisiert hat, folgt diese der Linie des geringsten Widerstandes, ja, die Auslebung des Kraftüberschusses in dem solcherart abgesteckten Rahmen ist mit dieser Aufsuchung des geringsten Widerstandes geradezu identisch: eine einmal eingeschlagene Grundrichtung wird nicht mehr verlassen, und unabhängig von der Variabilität des individuellen Exemplars und seines individuellen Lebens bleibt die Form, bleibt die Verhaltensweise der Gattung ein für allemal festgelegt und zu steter Konstanz vorbereitet. Die Invarianz, die damit aufscheint, ist also nicht nur auf den Habitus der Gattung, sondern auch auf deren Verhaltensweisen bezogen, sie ist eine Art »Haltungsinvarianz«, die allerdings mit der des Habitus in so enger Wechselwirkung steht, daß jede Verfeinerung oder Erweiterung, der sie unterworfen werden mag, den Habitus der Gattung – soferne diese einen solchen Eingriff überhaupt verträgt und nicht darob zugrunde geht – gleichfalls verändert. Die zähe Tendenz zur Haltungsinvarianz, die jedem Organismus innewohnt, hat demnach einerseits dem Prinzip des kleinsten Kraftaufwandes zu folgen, andererseits aber dem Fortbestand der Gattung und der Erhaltung ihres Habitus zu dienen; mag der Widerstand der Außenweltbedingungen, gegen die der Organismus in seinem Lebenskampf unausgesetzt anzukämpfen hat, ihn auch immer wieder zu Anpassungen seiner Haltungsinvarianz, zu ihrer Verfeinerung und Erweiterung nötigen, er muß jede einzelne dieser Veränderungen dem Widerstand seiner Innenweltbedingungen, dem Widerstand seines Gattungshabitus abringen, und beides zwingt ihn, die Linie des geringsten Widerstandes, und zwar nach beiden Seiten hin, aufzusuchen. Und gerade in der Verhaltensweise des Dahindämmerns kommt dies zum Ausdruck. Das Tier ist nicht bewußtseinsbegabt, der Mensch ist es, aber selbst für ihn, er ebenfalls animalischer Organismus, gehört das Bewußtsein (samt mancher anderen Erkenntnisfunktion) zur Klasse des vermeidbaren übermäßigen Kraftaufwandes, und er ist daher stets bereit, in seinem Dahindämmern eben dieser Vermeidbarkeit Rechnung zu tragen und sich in die tierische Haltungsinvarianz einzureihen, mehr noch, er ist bemüßigt, dies zu tun, da alles Dahindämmern – sonst wäre es keines – Unterwerfung unter das Prinzip des kleinsten Kraftaufwandes und damit bewußtseinsbefreite Akzeptierung von Umweltbedingungen bedeutet. Und dies ist eben auch die »objektive« Ergänzung zur »subjektiven« ersten Definition: an und für sich ohne Bewußtsein, betrachtet das Dahindämmern die Umweltbedingungen als »Unabänderlichkeit«, oder kurz, es ist eine »Akzeptierung der Umweltbedingungen«.

Denn tatsächlich bedarf das Tier zu seinem Daseinskampf keinerlei Ich-Bewußtsein. Und tatsächlich folgt es hiebei dem Prinzip des kleinsten Kraftaufwandes, da es als Naturwesen stets mit seinen gesamten Instinkten die Linie geringsten Widerstandes sucht. Und tatsächlich wird die »Akzeptierung der Umweltbedingungen«, wird deren »Unabänderlichkeit« hiedurch zum Grundschema des Dämmerungszustandes, in dem der tierische Daseinskampf sich abzuspielen hat. M. a. W., von vornherein enthoben, seine Ichlosigkeit zu durchbrechen, bleibt das Tier ohne Ich-Bewußtheit und vermag weder »sich selbst« noch die Außenwelt artikuliert zu »erkennen«; ohne Ich-Bewußtheit und Ich-Erkenntnis gibt es auch keine Außenwelterkenntnis: was ihm von innen und außen zufließt, was ihm sinnenhaft vorgeschrieben und auferlegt wird, das wird vom Tiere dämmerhaft unartikuliert, kurzum begriffs- und erkenntnislos, also rein »konkret« hingenommen; inneres und äußeres Sein, ununterschiedlich ineinander verschmolzen, werden einfach konkret »gelebt«, lediglich gelebt, niemals erkannt, und eben darin liegt die Seinsunabänderbarkeit für das Tier, liegt der Zwang zu ihrer Akzeptierung. Gleichgültig, ob die Umweltbedingungen die Befriedigung der tierischen Triebe fördern oder stören, ob sie für die Lebenserhaltung von Individuum und Gattung günstig oder ungünstig sind, gleichgültig also, ob sie sich als freundlich oder feindlich erweisen, und gleichgültig, ob sie darob ausgenützt oder geflohen oder bekämpft werden, sie bleiben für das Tier unabänderliche Gegebenheiten.

Freilich, jedes organische Lebewesen verändert unaufhörlich seine Umgebung; schon das bloße Atmen tut dies, erst recht also all die Handlungen, die das Tier im Kampf oder auf der Flucht begeht. Die Hinterlassung von »Spuren« durch ein funktionales Gehaben und Tun ist aber – und dies muß wegen sonst unvermeidlicher Einwände festgehalten werden – noch keineswegs eine individuell erkenntnismäßige Umweltabänderung, um die allein es sich hier handelt. Selbst so sinnreiche »Zufluchtsstätten«, wie es z. B. Vogelnest, Bienenwabe oder Termitenbau sind, können da nicht als Ausnahmen genommen werden, sondern sind gleichfalls »Spuren« eines funktionalen Verhaltens: es ist jenes eindeutige Funktionalverhalten, das der betreffenden Gattung vom ersten Augenblick ihres Entstehens an als Invarianzhaltung und Haltungsinvarianz eigentümlich ist, ihre innere, von der »Natur« ihr vorgeschriebene Funktionalbedingung, allerdings eine, die ausnehmend sinnfällig sich in der Außenwelt dartut und vom Einzeltier, besonders angesichts seiner ständigen Verschmelzung von innerem und äußerem Sein, ohneweiters als selbstverständlich und als unabänderlich akzeptiert wird. Nichts wird individuell abgeändert, nichts wird, wie es eben bei einer individuell erkennenden Nichtakzeptierung zu erwarten wäre, auch nur um ein Haar vervollkommnet; perfekt, aber nicht vervollkommnet, zeigt der Termitenbau heute die nämliche Gestalt, in der er vor hunderttausend Jahren zugleich mit der Termite geschaffen worden war, um unveränderbar, ohne Aussicht auf Vervollkommnung weitere hunderttausend Jahre bis zum Aussterben der Art fortzubestehen. Möge die tierische Zufluchtsstätte noch so sinnreich konstruiert erscheinen, niemals wird hieraus ein Rückschluß auf erkenntnismäßige Nichtakzeptierungen zu ziehen sein, ein Rückschluß auf ein begrifflich-erkenntnismäßiges Denken und Handeln des

Tieres. Doch was für die Flucht gilt, das gilt mindestens ebensosehr für den Kampf. Wer glaubt, aus dem Phänomen des tierischen Kampfes den Erkenntnisfunken des organischen Lebens, den prometheischen Erkenntnisfunken der Menschheit schlagen zu können, sei es, weil er, ganz richtig, den Kampf als eine der spezifischsten Formen, vielleicht sogar die Form an sich für jede Art von Nichtakzeptierung betrachtet und daher, ganz unrichtig, ihn zum Ausgangspunkt der Erkenntnis schlechthin machen will (– aus der angeblich notwendigen Erkenntnis des Gegners soll die Ich-Erkenntnis und sohin schließlich das Ich-Bewußtsein erfließen –), oder sei es auch nur, weil er beobachtet, daß das Raubtier gemeiniglich eine raschere Intelligenzreaktion als das Flucht- und Sicherungstier besitzt, der fördert hiedurch bloß die Legende von der Raubtiernatur des Menschen, von der Raubtierhaftigkeit der menschlichen Erkenntnis und gelangt letztlich zu der schlicht scheußlichen, banal »realpolitischen« Anpreisung des Krieges als des Vaters aller Dinge, vergißt jedoch bei alldem, abgesehen von der »Friedlichkeit«, deren sich das Raubtier in Ansehung seiner Gattungsgenossen befleißigt, daß der Mensch – obwohl wirklich im Vollbesitz der Erkenntnis und sämtlicher Erkenntnisfunktionen – sofort in echteste und tierische Erkenntnislosigkeit fällt, ich-entkleidet, bewußtseinsentkleidet, sobald er in einen rein physischen, also wahrhaft tierischen Kampf gerät, bei dem es auf Tod und Leben, aufs tierische Gurgeldurchbeißen und sonst nichts geht. Nein, bei allen Konstruktionsleistungen des Flucht- und Sicherungstieres, bei aller Schlauheit und Behendigkeit des Raubtieres, sie beide bleiben ihrem Dahindämmern verhaftet, erkenntnismäßig ohne Erkenntnis an die Akzeptierung der ihnen auferlegten Gegebenheiten und Bedingungen gebunden; der eigentliche Durchbruch aus dem Erkenntisdunkel schierer Instinkthaftigkeit zum Bewußtseinsbereich ist ihnen nicht vorgezeichnet, ist ihnen nicht Notwendigkeit, ja, wird ihnen – in letztradikaler, bereits paradoxer Konsequenz – vom Prinzip des kleinsten Kraftaufwandes geradezu verboten.

Wie aber verhält es sich hiezu mit den Spielen des Tieres? Entziehen sie sich, obschon selber im Dahindämmern gespielt, nicht eben doch dem Prinzip des kleinsten Kraftaufwandes? Ja, mehr noch, müßten sie dann nicht auch – z. B. als primitive Verabredungen zwischen den Spielpartnern – die ersten Ansätze zur Erkenntnisfunktion enthalten? Es sind dies Fragen, die nicht ohneweiters beiseite zu schieben oder gar zu verneinen sind; die menschliche Erkenntnisfunktion entwickelt sich bei jedem Individuum aus dem Kinderspiel, und was für das Kind gilt, das kann schließlich, vielleicht unter gewissen Einschränkungen, auch für das Tier gelten, umsomehr als da wie dort das Spiel auf zwei gleiche Grundtypen, das Leistungs- und das Kampfspiel, reduzierbar ist. Indes, bei aller Verwandtschaft, das Leistungsspiel ist beim Kinde weit weniger rein ausgeprägt als beim Tier, und soweit dieser Spieltypus in Betracht kommt, läßt sich die Erkenntnisfunktion von vorneherein ausschalten. Denn all diese Spielungebundenheit, der sich das Tier hingibt (nebenbei für das Tierjunge vielfach ein Übungsspiel), all das Schwirren und Kreisen und Schweben der Flugwesen, vom Insekt bis zum Vogel, all das freie Rennen und Springen der Vierfüßler, das Turnen der Affen, all das Tauchen und Schnellen und Spritzen der Wassertiere, nicht zu vergessen all die Lärm- und Ton- und Liedspiele, von denen die Natur (und dies keineswegs lediglich zur Sexualanlockung) durchhallt, all dies darf mit gutem Fug dem Prinzip der Haltungsinvarianz überantwortet werden: es ist einfach der Kraftüberfluß der Natur selber, der sich da in jedem einzelnen der spielenden Individuen äußert und sie zur »Überflüssigkeit« des Spielens drängt, aber nichts hievon überschreitet den Verhaltensrahmen der jeweiligen Tiergattung, nichts hievon unterbricht ihr Dahindämmern auch nur für den kürzesten Augenblick. Anders allerdings oder zumindest komplizierter steht es um die Kampfspiele, obwohl sie der Anlage nach gleichfalls auf Leistung und Übung aufgebaut sind. In erster Linie ist es hier auffallend, daß diese Leistung, diese Übung nun nicht mehr ein eindeutig schlichtes Ausleben überschüssiger Körperkräfte ist, sondern daß das Gehaben plötzlich einen »Sinn« erhalten hat, den Sinn einer »Repräsentation«, die ein anderes Gehaben, nämlich das des ernsten Kampfes, in spielerischer Verkleinerung und Verkleidung zur Darstellung bringen will. Und das ist um so auffallender, als das Tier nur verhältnismäßig selten, d. h. nur in der Liebeskonkurrenz und ausnahmsweise um einen Beutebesitz ernstlich mit dem Artgenossen kämpft, ansonsten jedoch bloß im Artfremden einen bekämpfbaren Feind sieht. Die Spielgegner »repräsentieren« also etwas, was sie in Wirklichkeit nicht sind, sie repräsentieren »Feinde«, und was sie treiben, ist erst recht Repräsentation, ist repräsentierendes, verkleinertes und gemildertes, gefahrlos gemachtes Spiegelbild für Kampf und Blut und Tod. Die »Spielregel« ist damit plötzlich zur Welt gekommen, sogar eine recht verwickelte Spielregel, da sie außer dem Begriff der Repräsentation auch noch den der »Schonung« (schier unbegreiflich für eine vom Daseinskampf regierte tierische Welt) ins Spiel bringt. Mit menschlichen Augen geschaut und mit menschlichem Maß gemessen, erscheint es fast unmöglich, daß die Anwendung einer solchen Spielregel, daß die Einigung auf ihre Anwendung, kurzum, daß die Spielverabredung wirklich ohne irgendeine Erkenntnis- und Verständigungsfunktion zustande kommen könnte. Andere Sozialverabredungen im Tierreich, wie etwa die über die Hierarchie in einer Herde, in einem Zugvögelschwarm, in einem Bienenstaat, finden leichthin ohne Erkenntnisfunktion ihr Auslangen; das Phänomen der Spielregel ist ihnen nicht einzureihen, weil ihm durch das Repräsentationsmoment eine offenbar erkenntnisbedürftige Sonderstellung zuerteilt wird. Am deutlichsten zeigt sich dies wohl an den »Alleinspielen« des Tieres, in denen es überhaupt keinen Partner gibt, dafür aber ein Gegenstand zum Gegner und zur Beute, wohlgemerkt zur symbolischen Beute ernannt worden ist, eine durchaus überraschende Wendung, kraft welcher sich die Repräsentation zu einer klaren Symbolhaftigkeit verschärft. Symbolhafte Repräsentation ist jedoch nichts anderes als die Struktur der Erkenntnis schlechthin: das Wort erhält seinen »Sinn«, wenn es als Begriff den von ihm gemeinten Gegenstand repräsentiert und symbolisiert. Und angesichts der symbolischen Jägerrolle, die das Tier sich innerhalb des Repräsentationsspieles beilegt, wird die Hypothese von seiner Ichlosigkeit genügend zweifelhaft, um die Wiedereinführung seiner Ich-Bewußtheit – der Grundvoraussetzung aller Erkenntnis – aufs neue zur Diskussion zu stellen. Sollte dem tatsächlich so sein (unbeschadet, ob es sich damit um ein echt begriffliches Erkennen oder bloß um eines innerhalb des »konkreten Erlebens«, wie es dem Tiere eigentümlich ist, handeln würde), so müßte man sich bequemen, das Tierspiel als erste Durchbrechung des ichlosen Dahindämmerns, als erstes Aufleuchten der Erkenntnis und sogar als eine erste Erschütterung der Prinzipien vom kleinsten Kraftaufwand und der Linie geringsten Widerstandes anzuerkennen. Abgesehen von den methodologischen Folgen einer solchen Anerkennung (– in letzter Konsequenz eine nihilistische Auflösung alles wahrheitsgerichteten, alles ethischen, wissenschaftlichen und künstlerischen Strebens im Sumpf eines nichtexistenten »Spieltriebes« –), es wäre damit die kaum anzweifelbare Tatsache des im Spiele dahindämmernden Kindes und Tieres, die Tatsache der durchgängigen Spielverdämmertheit schlankwegs abgeleugnet. Dies aber ist nur dann widerlegbar, soferne die abgeleugnete Tatsache selber die Widerlegungsargumente beibringt, eine Forderung, die freilich angesichts der Unabänderlichkeit des jeweiligen tierischen Spieltypus als erfüllt gelten dürfte: der jeweilige Spieltypus, vom Tiere bezeichnenderweise sowohl im Kampfwie im Leistungsspiel ohne Abänderungsbedürfnis, ohne Abänderungsmöglichkeit bis zur gänzlichen Erschöpfung seines Kraftüberschusses iteriert, ist ihm gattungsgebunden vorgeschrieben, ist ihm eine Invarianzhaltung, die gleich seinen sonstigen Lebensgewohnheiten, gleich Nestbau und Monogamie, gleich Herdenhaftigkeit und Promiskuität, gleich Arbeitsteilung und Staatenbildung usw. dem Gattungshabitus von Urbeginn an zugeteilt ist; nicht anders also, wie von all den sonstigen innern Daseinsbedingungen des Tieres höchstens behauptet werden kann, daß sie akzeptiert, und zwar dämmerungsbefangen akzeptiert werden, doch keineswegs, daß die in ihnen steckende Erkenntnisähnlichkeit irgendwelch echte Erkenntnisfunktion auslöse, nicht anders läßt sich vom jeweiligen Spieltypus höchstens sagen, daß seine Akzeptierung für das Tier auf der Linie des geringsten Widerstandes liegt und daß hier ebenfalls nichts die Erlaubnis erteilt, aus einer Strukturanalogie bedenkenlos auf das Wirken echter Erkenntnisfunktionen zu schließen. Hingegen ist es sicherlich erlaubt, das sogenannte Erkenntnisverhalten der Tiere als eine prinzipielle Vor- oder richtiger Nebenform der menschlichen Erkenntnis aufzufassen, gleichwie die physische Konstitution der höheren Tiere, ungeachtet des Mangels einer Entwicklungsbrücke zu der des Menschen hin, unbedingt als deren wichtigste Parallelform begriffen werden muß; lediglich in Ausnahmefällen – wenn überhaupt – ist die Analogie zwischen den beiden Erkenntnisformen mit einiger Berechtigung zu Konkretheit verdichtbar, nämlich dort, wo die menschliche gewissermaßen unter sich selbst herabsinkt, d. h., wo sie völlig unbewußt und instinkthaft wird, wo sie gewissermaßen auf den tiefsten Boden des Dahindämmerns fällt: was zwischen zwei Tieren an erkenntnismäßiger Verständigung vor sich geht, ist am ehesten noch vielleicht mit jenen stummen Verständigungen zwischen Mensch und Mensch zu identifizieren, für die es zwar noch keine Erklärung, wohl aber schon einen Namen, den der Telepathie, gibt. Immerhin, ob mit oder ohne Identifikationsstrecken, die sehr enge Analogie als solche kann und soll nicht in Abrede gestellt werden, sie ist vorhanden, und weil sie vorhanden ist, legitimiert sie noch eine zweite Analogie, und die ist die zwischen menschlichen und tierischen Glücksempfindungen: wenn Aristoteles den Menschen an seinem Erkenntnis- und Glücksstreben definiert haben wollte, so scheint sich die Einheit der beiden Strebungen auch dann noch bewahrheiten zu wollen, wenn sie, entgegen Aristoteles, auch außerhalb des Menschenbereiches sich befinden und finden, denn noch sinnfälliger als die Erkenntnishaftigkeit des tierischen Spieles ist seine Glückhaftigkeit, die so nahe an die des Menschen und insbesondere des menschlichen Kindes herangerückt sich zeigt, daß er in der Zärtlichkeit als Spielpartner des Tieres unmittelbar daran teilzunehmen und damit zur Verdämmertheit seiner Kindheit zurückzukehren vermag. Triebhunger und Triebsattheit, die beiden Pole, um die des Tieres Leben kreist, sind noch nicht Unglück und Glück; erst wenn es ihm vergönnt ist, im Rahmen seiner unentrinnbaren Haltungsinvarianz kraftüberschüssig und kraftauslebend das Überflüssige zu tun – und dies gerade ist Spiel –, schimmert ihm etwas Tierfernes, schimmert ihm Glück, und vielfach ist dem Menschengeschöpf – solange es hindämmert – auch nichts anderes beschieden.

Doch die tierische Invarianz ist nicht die des Menschen, und damit ändert sich für ihn der Charakter des Überflüssigen von Grund auf. Mag das menschliche Kind noch so sehr in seinem Erkenntnis- und Glücksverhalten dem spielenden Tier verwandt sein, es wächst sehr bald über dieses hinaus, und was dem Tiere versagt ist, die Überwindung der schieren Akzeptation, der Bruch mit dem Prinzip des kleinsten Kraftaufwandes, die Auflösung der Invarianzhaltungen in Entwicklungsprozesse, all dies ist in der Seele des Menschenkindes angebahnt, ist ihm kraft seiner Erkenntnisbegabung vorgezeichnet. Dies ist das

Wahrhafte im Überflüssigen, sein eigentlicher Wirklichkeits-
wert, und von hier aus wird der Mensch zum einzigen Wesen,
das überflüssigkeitsbegabt, überflüssigkeitsgenötigt ist; das
Überflüssige, das rebellisch Überflüssige der Nichtakzeptation
bestimmt seinen prometheischen Charakter, ist Voraussetzung
seines Ich-Bewußtseins, seines Weltbewußtseins und konstituiert seine Erkenntnis. Gleichgültig ob er Raubtier oder Siche-
rungs- und Fluchttier genannt werden soll – wahrscheinlich ist
er keines von beiden, höchstens beides zusammen –, ihm allein
wird Kampf wie Flucht zu einer bewußten Nichtakzeptierung
der Umweltbedingungen, ihm allein gelingt es, die äußern Bedingungen bewußt abzuändern, die inneren aber zu disziplinie-
ren, kurzum sich eine äußere Zivilisation und eine innere Moral
zu schaffen. Es ist der »Fortschritt«, dieser dem Menschen und
der Menschheit allein vorbehaltene Fortschritt, der sich solcherart als eine immer aufs neue sich vollziehende Durchbrechung des Prinzips der Haltungsinvarianz, ja, des Prinzips vom
kleinsten Kraftaufwand manifestiert, denn aller Fortschritt ist
Ergebnis eines Erkenntnisvorstoßes, und dieser liegt in einer
Richtung, die – und das ist eines der Wunder des Sprunges vom
Tierhaften zum Menschenhaften hin – keineswegs die der Linie
geringsten Widerstandes ist. Im ersten Anblick will es freilich
scheinen, als ob es hier gleichfalls nur um die möglichst einfache, möglichst direkte, möglichst widerstandslose Befriedigung von Urtrieben, also um eine Art »Triebutilität« ginge.
Insbesondere soweit Individual- und Arterhaltung als innerstes
Ziel der animalischen und damit auch menschlichen Triebbefriedigungen gelten darf (– der Termitenbau als Ideal einer
beinahe unbeschränkten, für den Menschen kaum jemals erreichbaren Arterhaltung –), kann jede Abänderung der äußern
Umweltbedingungen, die deren Bekämpfungs- und Entflie-
hungsnotwendigkeiten verringert oder deren Ausnützungs-
möglichkeit vergrößert, sohin jeder Fortschritt der Zivilisation
und der technischen Weltbewältigung ohneweiters als Maßnahme zur Befriedigung der arterhaltenden Triebe aufgefaßt
werden. Daß das technische 19. Jahrhundert durch Verbesserung aller physischen Lebensumstände offenbar einen gewaltigen Beitrag zu der in dieser kurzen Zeitspanne vor sich gegangenen unerhörten Bevölkerungsvermehrung der weißen
Rasse und damit zu ihrer Arterhaltung geleistet hat, wird ge-

meiniglich als Beweis für die Utilitätsauffassung gewertet. Nichtsdestoweniger, bei aller Würdigung des bedeutenden Einflusses, den günstige Lebensumstände auf jede Arterhaltung auszuüben fähig sind und ausüben, es können bei einem Phänomen wie dem einer plötzlichen Bevölkerungsvermehrung noch ganz andere, vorderhand unerforschte oder überhaupt unerforschbare, etwa innerbiologische Nebenursachen mitwirken, von den rein psychischen ganz zu schweigen; ebenso läßt sich durchaus nicht sagen, ob während all der Bevölkerungszunahme, die vorher seit prähistorischer Zeit vor sich gegangen ist, nicht ähnliche sprunghafte Vervielfältigungen, und zwar ohne Unterstützung durch irgendeinen technischen Fortschritt, stattgefunden haben. Noch prekärer wird die Rolle des Fortschritts für die Arterhaltung, wenn man von seiner lediglich technischen Seite absieht und bloß die dahinter wirkende intellektuelle, d. h. den eigentlichen Erkenntnisvorstoß ins Auge faßt: hochintellektualisierte Individuen und Gruppen, also gerade die Fortschrittsführer, »degenerieren«, nicht zuletzt in ihrem Fortpflanzungsgeschäft, und werden von den »Barbaren«, obwohl oder weil diese allem Fortschritt gründlich abgeneigt sind und ausschließlich seine technischen Errungenschaften sich zu eigen machen, in der Regel auf jeglichem Lebensgebiet kurzerhand überrannt. Fast ist es, als ob im Gegensatz zum bloßen Dahindämmern, das durchaus von den Lebenstrieben beherrscht wird, mit jedem Erkenntnisvorstoß auch ein Stück Todestrieb hochkomme, ein Stück Kontraanimalität, deren Lebenspessimismus z. B. auch in den Moralen beinahe aller großen religiösen Erkenntnissysteme aufscheint, insonderlich im christlichen Dilemma zwischen Persönlichkeitsbejahung und Fortpflanzungsverneinung, und fast ist es, als ob der Mensch sich über die Gefahr der Vitalitätsverminderung, die ihn von der Erkenntnis her bedroht, unaufhörlich hinwegtäuschen wollte: die Erkenntnisanstrengung, zu der einzig und allein er berufen und befähigt ist, dieser Auftrag zur Erhellung der Dunkelheit in ihm und um ihn, diese prometheische Pflicht zur Wachheit, zur Ich-Erkenntnis und Welt-Erkenntnis, die ihn über das Tier hinaushebt und ihm den Weg zur freigewählten Handlung, aber auch zur freien Todesbereitschaft eröffnet, kurzum diese Pflicht zur Pflicht, sie enthüllt sich ihm als das, was sie ist, als die prometheische Tragik, die allem Menschentum in tiefster Tiefe innewohnt, und auf daß er dies nicht sehen müsse, macht er sie zu etwas, was sie nicht ist, macht er sie zur »Utilität«, zur »Triebutilität«, zur »Gattungsutilität«, zur »Menschheitsutilität«, verlangt er von ihr, daß sie dem Leben und der Menschheit »nütze«, setzt er ihr (und eben darum vor allem der Wissenschaft) die »Menschheitswohlfahrt« zum Ziel. Täte er dies nicht, er müßte von vorneherein verzweifeln. Denn die prometheische Verpflichtung ist unabänderlich, so unabänderlich, daß sich hiefür kaum eine andere Erklärung als die von der göttlichen Ebenbildhaftigkeit beibringen lassen will. Der menschlichen Seele ist es aufgetragen, die Haltungsinvarianz ihrer eigenen tierischen Natur stets aufs neue zu unterbrechen, die Unbewußtheit ihres Hindämmerns stets aufs neue aufzuheben, und wenn auch dieser Befehl zur Bewußtheit selber in tiefer Unbewußtheit gesetzt, gehört und befolgt wird, nicht zuletzt wegen dieser Unbewußtheit ist er des Menschen zweite Haltungsinvarianz geworden, übergeordnet der seiner animalischen Natur, scheint in ihm des Menschen innerste Funktionalbedingung auf, seine stärkste Unabänderlichkeitsinstanz, der er sich, all seinem Sträuben zu Trotz, nicht zu entziehen vermag. Und es ist solcherart die spezifisch menschliche Haltungsinvarianz, nämlich die des »Charakters«.

Doch hier erhebt sich ein unabweislicher Einwand und mit ihm ein gewichtiges Problem: wenn diese spezifisch menschliche, allem Animalischen übergeordnete Instanz wirklich so stark ist – warum dann noch immer und stets aufs neue der Rückfall ins Dämmern? Warum muß, warum kann der Mensch den prometheischen Charakter seines Wesens stets aufs neue verleugnen? Warum kann es keinen kontinuierlichen Erkenntnis- und Lebensfortschritt geben, sondern lediglich singuläre Erkenntnisvorstöße, fast nur Inseln im Dämmerungsstrom? Betrachtet man z. B. die Erkenntnislage der Antike zu ihrer römischen Blütezeit, so ist es schier unbegreiflich, daß dieser sehr hohe Wissensstand auch nicht den leisesten Ansatz zu einer technisch-ökonomischen Ausgestaltung, zur Erfindung und Verwendung von Maschinen aufweist, obwohl der steigende Sklavenmangel nichts dringlicher als den Ersatz der Hand- durch Maschinenarbeit gefordert hätte; die antike Großstadt besaß sämtliche Voraussetzungen der modernen, sie hätte sozusagen unmittelbar zu dieser entwickelt werden können, wenn der hiezu nötige technische Sprung gewagt worden wäre, indes, eine solche technisch-ökonomische Auswertung anzustreben, überstieg die Vorstellungskraft des damaligen Menschen, war ihm (– und dies ist nebenbei ein deutlicher Hinweis auf die Unzulänglichkeit einer ausschließlich ökonomisierenden Geschichtsauffassung –) genau so unvorstellbar, wie dem heutigen das Gegenteil unvorstellbar ist. Mit anderen Worten, aus den präantiken Lebensbedingungen hatte sich infolge mannigfacher, durch Erkenntnisvorstöße verursachter »Abänderungen« und »Vervollkommnungen« schließlich die antike Zivilisation herausgebildet, und es hatte sicherlich geraume Zeit gebraucht, bis der Mensch sich mit seinen urtümlichen Trieben an den neuen Stand der Dinge angepaßt und darin seine Befriedigungsmöglichkeiten gefunden hatte, und nun, da der neue Zustand »akzeptiert« und darin ein neues Triebgleichgewicht eingerichtet worden war, da sollte diese Akzeptation auch andauern, da sollte der akzeptierte Zustand nicht nochmals abgeändert werden, nicht einmal um den Preis von Vervollkommnungen, und in diesem verdämmernden Beharrungsvermögen weigert sich auch die Vorstellungskraft, über den nun einmal erreichten Konventionsrahmen hinauszudringen. Und darin erlangt das Beispiel der Antike eben Allgemeingültigkeit: ist einmal ein Zustand des »Triebgleichgewichtes« erreicht, so wird jedem neuerlichen Erkenntnisvorstoß, insbesondere jedem, der den äußeren Lebensrahmen technisch oder sonstwie wiederum abändern will, erbitterter Widerstand geleistet, auch wenn darob auf ökonomische Vorteile verzichtet werden muß. Die Gefährdung ist zu groß. Denn nicht nur, daß der Mensch – im innersten Unbewußten – die mit aller Erkenntnisfunktion mitschwingende Lebensfeindlichkeit spürt, und nicht nur, daß er das Animalische, das animalische Hindämmern als die tiefere und wärmere Heimat seines Lebens empfindet, er wird auch durch den für ihn unentrinnbaren Lebenskampf als solchen immer wieder in die Sphäre animalischer Instinkthaftigkeit gedrängt, da bloß in dieser, nicht aber in der des Intellektes, ein erfolgreiches Handeln und Kämpfen stattfinden kann; selbst im geistigsten Kampf kommt es auf die instinkthaften Augenblicksreaktionen an, gewissermaßen auf einen instinktivierten, fast physisch gewordenen Intellekt, und überall dort, wo der Kampf tatsächlich physisch wird, da nimmt der Mensch völlig

das Gehaben des bewußtseinslosen Tieres an. Der Erkenntnisvorstoß bereitet das Rüstzeug für den Lebenskampf, er beeinflußt seine Regeln und Formen, doch er ist außerstande, ihn
selber zu führen. Mit einer gewissen, wenn auch anscheinend
paradoxen Berechtigung fürchtet daher der im Lebenskampf
stehende Mensch jeden Erkenntniseingriff in sein Handeln, er
fürchtet eine Beeinträchtigung seiner Instinkthaftigkeit durch
das »Theoretische«, und er fürchtet die Abänderung der gewohnten Kampfbedingungen, ja, er fürchtet dies beinahe noch
mehr als den Kampf selber, wie er ja auch lieber stirbt, als daß
er die Überzeugungen, um derentwillen er zu sterben bereit ist,
durch Nachdenken rektifizieren möchte. Kurzum, wenn der
Mensch nicht dämmerhaft-instinktmäßig seine Lebenserfor-
dernisse bewältigte, wenn er die Formen des Lebenskampfes,
in den er sich zu werfen hat, nicht instinktmäßig auf sich nähme,
er würde sie überhaupt nicht bewältigen: des Lebenskampfes
jeweiliger Konventionsrahmen – heute ist es hauptsächlich
noch der des Geldes – wird im allgemeinen ohne Spur einer rationalen Überprüfung einfach als naturgegeben-unabänderlich
akzeptiert, und demgemäß werden im allgemeinen auch die Erkenntnisvorstöße womöglich nicht über den Bereich des jeweiligen Rahmens hinausgetrieben, denn nur hiedurch ist gewährleistet, daß sie das Dahindämmern nicht definitiv unterbrechen,
daß ihr Erkenntnisgewinn sich bald und leicht wieder in den
Dämmerstrom einordnen lassen werde, eingeordnet und wie-
dereingeordnet in eine Instinkthaftigkeit, durch die allein, der
menschlichen Grundanlage entsprechend, der Daseinskampf
bewältigt wird. Unzweifelhaft ist dies eine Einschränkung, die
den Erkennntnisvorstößen hinsichtlich ihrer Reichweite, aber
auch hinsichtlich ihrer Anzahl auferlegt ist, und daß es ihrer so
wenige gibt, daß die prometheischen Augenblicke im Leben des
Individuums wie in dem der Gesamtheit so dünn gesät sind, ist
zum Teil eben hierauf zurückzuführen; der Mensch will sie
nicht reicher gesät haben, es wäre ihm im wahrsten Wortsinn
»unnatürlich«, wenn es ihrer mehr gäbe, und ebenso ist es ihm
nur »natürlich«, daß nach jedem der seltenen echten Erkenntnisvorstöße unweigerlich ein Erkenntnisstillstand eintritt, eine
Stabilisierungsperiode, in der es ihm gestattet sein soll, über-
raschungsgefeit zu den geordneten Dämmerbahnen seines Daseinskampfes zurückzukehren. Für die Erkenntnis als solche

sind diese Stabilisierungsperioden ein Verlust, für das »Leben« des Menschen sind sie ein Gewinn: sie sind jene Ruhestrecken größeren oder kleineren Ausmaßes, durch die jeder menschliche Geschehens- und Lebensablauf, der des Individuums ebensowohl wie der einer Sozialgemeinschaft, in deutlich voneinander geschiedene Zeitabschnitte geteilt wird, und in dieser Eigenschaft dürfen sie ohneweiters als Kulturabschnitte, als Kulturperioden, als Kulturepochen erkannt und demnach auch so benannt werden; »Kulturen« in diesem Sinne – d. h. als Stabilisierungsperioden nach einem geschehenen und sodann vom dahindämmernden Leben aufgenommenen und aufgesaugten Erkenntnisvorstoß – sind Manifestationen einer bestimmten »Invarianzhaltung«, Manifestationen eines bestimmten »Stiles«, der eben nichts anderes als eben Invarianzhaltung ist (daher seine Verwandtschaft mit dem »Charakter«), und sie erlauben dem Menschen, nein, mehr noch, sie fordern ihn auf, daß er die Umweltbedingungen, wie sie von ihnen als ihr Kultur- und Epochestil gesetzt werden, auflehnungslos akzeptiere, daß er sein Hindämmern innerhalb des damit vorgezeichneten Kultur- und Erkenntnisrahmens betreibe und ihn nicht etwa mit eigenen Erkenntnisvorstößen noch sprenge, eine Forderung, der sich der Mensch, auf der Linie geringsten Widerstandes verharrend, meistenteils gerne fügt. Doch wie immer dem auch sei, wie spärlich auch die prometheischen Augenblicke im Leben des Einzelnen und der Gesamtheit verteilt sein mögen, ihr schöpferisches Leuchten geht niemals ganz verloren, bleibt als ein Nachglanz in allem Dahindämmern erhalten, und gerade das Wunder der Kultur, jeder Kultur im Erdenrund und in der Erdenzeit, ist ein solcher Nachglanz des schöpferischen Erkenntnisvorstoßes, der an ihrem Anfang gestanden und von dem sie ihre Begründung erfahren hat.

Der menschliche »Fortschritt« bewegt sich von Kultur zu Kultur, von Stil zu Stil, von einer Dämmerungsperiode zur nächsten, und jede von ihnen wird prometheisch von einem Erkenntnisvorstoß eingeleitet. Erkenntnisvorstöße aber, seien sie nun klein oder groß, kurz oder weittragend, werden von Einzelindividuen – nur das Individuum als solches besitzt Erkenntnis – ausgeführt, und umgekehrt gewinnt das Individuum mit jedem Erkenntnisvorstoß, also mit jedem Zuwachs an Ich-Erkenntnis und Welt-Erkenntnis auch jenen Persönlichkeitszuwachs, durch den allein es sein Menschentum zu besiegeln vermag und distinkter Einzelmensch wird, um als solcher und nur als solcher – je nach Bedeutung seines Erkenntnisvorstoßes – »historisch« zu werden. In den Übergangssphären zwischen einer Kulturepoche und der nächsten, steigt daher zumeist die Häufigkeit »historischer Persönlichkeiten«, die so oder so, gut oder böse, instinkthaft oder denkerisch ihren Beitrag zu dem im Zuge befindlichen, epochestiftenden Erkenntnisvorstoß leisten. Das soll freilich nicht heißen, daß die dem Erkenntnisvorstoß nachfolgende Stabilisierung eine historische Ödstrecke sei. Im Gegenteil, es beginnt ja da erst die eigentliche Kulturperiode, es beginnt jene Entwicklung, die zur »Blüte« der jeweiligen Kultur hinführt und damit auch ihren initialen Erkenntnisvorstoß zur Vollentfaltung bringt. Gewiß, das Verhalten der Stabilisierungsepoche zu ihrem Erkenntnisvorstoß ist das einer mehr oder minder verdämmerten Akzeptation, aber in den Händen erkenntniserfüllter, bedeutender Menschen, deren es in der Epochenmitte ebenso viele wie am Epochenrand gibt (mögen sie auch nicht das nämliche historische Gewicht wie die dort wirkenden zuerteilt erhalten haben), wächst selbst die simple Akzeptierung zur Bedeutsamkeit, zu einer nicht minder großen Bedeutsamkeit; wer selber der Erkenntnis hingegeben ist, der akzeptiert Erkenntnis nicht in einem simplen Hinnehmen, sondern indem er, in ihren Gehalt sich versenkend, sie vertieft und entfaltet – die Akzeptierung wird zu einer geradezu mystischen »Partizipation«, zu einer, dem Ursprung nach, geradezu magischen Haltung, die aber als mystisches Erlebnis um so größer und echter, ja, religiöser wird, je wahrheitserfüllter, je wahrheitsgrößer, je wahrheitsechter die Initialerkenntnis ist. Wo immer von einer vollerblühten Kultur gesprochen werden kann, da findet sich solch mystische Partizipation an ihren Initial- und Grundwahrheiten; was am Epochenanfang sich noch mit eindeutig schlichter, beinah rational strenger Nüchternheit kundtut, das wird in der mystischen Partizipation zu einer komplexen Ergriffenheit der Gesamtpersönlichkeit gesteigert, wie dies z. B. in der Haltung des mittelalterlichen Mystikers und Theologen hinsichtlich der christlichen Grundwahrheiten deutlichst zum Ausdruck kommt. Doch nicht nur die religiösen Blütezeiten sind derartiger Beispiele trächtig, sie sind ebenso in außerreligiösen Wahrheitstraditionen anzutreffen: Jefferson stand am Anfang der liberalen Demokratieepoche, Lincoln in deren Traditionsmitte, und während jener ein Sucher und Formulierer der demokratischen Wahrheit gewesen war, ist dieser von ihr mystisch durchglüht, ist er mit jeder Faser seines Seins ihr partizipierender Apostel, der die nämliche Partizipation bei seinen Mitmenschen voraussetzt, sie ihnen unaufhörlich weitervermitteln will und sie von ihnen fordert. Und die Tragik Lincolns, in erster Linie sicherlich das tragische Märtyrertum, das allem wahrhaft Großen auferlegt ist, war überdies die Tragik desjenigen, den das Schicksal in eine Epochen- und Traditionsmitte gestellt hat. Der Erkenntnisvorstoß der Revolution – typenbildend wie jeder große Erkenntnisvorstoß – hatte den Typus des demokratischen Amerikaners geprägt, aber je weiter eine Epoche fortschreitet, je mehr die ursprüngliche Partizipation vor der bloßen Akzeptation zurückweicht, kurzum, je mehr das aufgelockerte seelische Erdreich, in dem anfänglich der Erkenntnisvorstoß gewirkt hatte, wieder erstarrt, desto mehr auch wird das Typische, geradezu zwangsläufig, vom Durchschnittlichen abgelöst, und Lincoln, kraft seiner Partizipation reinster Repräsentant des demokratischen Typus, hatte in einer Welt von Durchschnittsdemokraten zu leben, in einer üblen Durchschnittswelt, an der zu scheitern er von vorneherein verurteilt gewesen war; verurteilt von vorneherein zu Fremdheit und schmerzlichster Entfremdung, weil es zwischen Partizipation und Akzeptation kaum eine Verständigung gibt, weil zwischen Epochentypus und Epochendurchschnitt ein unüberbrückbarer Riß klafft, vielleicht bloß mit dem vergleichbar, dessen Entweder-Oder den mystisch Eingeweihten vom Mysteriumsfremden trennt. Der Widerstand des Durchschnittsmenschen gegen die historisch große Persönlichkeit ist eine spezifische Erscheinung der Epochenmitte – auch Perikles wußte darum –, da die festen Lebensformen, von denen jede Kulturblüte begleitet wird, den günstigsten Boden für die bloße Akzeptation und damit eben auch für das Aufkommen des Durchschnittsmenschen bieten; kraft solcher Akzeptation lediglich »stilbestimmt«, kaum »stilerhaltend«, geschweige denn irgendwie »stilbestimmend«, wird er zum physiognomielosen Geschöpf, wird sein Antlitz zur »Epochenphysiognomie«, bar jeglichen individuellen Zuges, ununterscheidbar in der amorphen, ebenso physiognomielosen Masse seiner Nebenmenschen, ununterscheidbar wie ein Herdenstück in der Masse seiner Nebentiere, gleich diesen ausschließlich mit der unmittelbaren Triebbefriedigung dämmerhaft beschäftigt, und solcherart im Gegensatz zur historisch distinkten großen Persönlichkeit (die er verdrängt), mit seiner Physiognomielosigkeit zum »historisch anonymen« Menschen geworden, leitet er den Niedergang der Epoche, den Niedergang ihrer Kultur ein. Der Kulturverlust ist ein schlechterdings notwendiges Ergebnis des Verlustes an Erkenntnispartizipation. Es ist ein Menschlichkeits-, ein Menschheitsverlust. Ihn zu verhüten, wurde demnach mit zur Hauptpflicht der dem Menschen wesenhaftesten und damit auch stärksten Erkenntnisvorstöße, nämlich der religiösen, wie sie sich in den großen Erkenntnisreligionen geformt hatten: ihnen allen geht es um Herstellung einer möglichst unmittelbaren, möglichst breiten und umfassenden Partizipation, um die Schaffung einer unmittelbar an der verkündeten Wahrheit partizipierenden und nicht nur akzeptierenden Gemeinde, und auf daß sie erstehe und mit lebendiger, nie erlahmender Tradition für alle Zeiten erhalten werde, wird der Wahrheitsaufruf, der Aufruf Christi ebensowohl wie der Aufruf Buddhas oder Moses unmittelbar an die zur Partizipation bestimmte menschliche Seele gerichtet. Die großen religiösen Erkenntnisvorstöße wurden solcherart auch die eigentlichsten geschichtsbildenden Epochenstifter der Menschheit, die Stifter der eigentlichen Menschheitsepochen; sie haben für Jahrtausende die Haltung des Menschen, seinen gesamten Denk- und Lebensstil beeinflußt und bestimmt, da sie ihn, jede auf ihre Weise, kraft ihres Aufrufes aus seinem Hindämmern, aus seiner dämmerhaft der Ichlosigkeit des Tieres angenäherten Anonymität befreit und dafür mit einem Schimmer individueller Eigenpersönlichkeit beschenkt haben. Gewiß, eine völlige Aufhebung des menschlichen Dahindämmerns, eine völlige Überwindung der menschlichen Mangelhaftigkeit, des menschlichen Hanges zum anonym Formlosen, zur dämmerhaften Ich- und Gottlosigkeit, hat noch niemals stattgefunden, sonst wäre ja bereits das Gottesreich auf Erden etabliert, und so sind auch die vom religiösen Erkenntnisvorstoß beherrschten großen Geschichtsperioden, sind selbst diese größten Menschheitsepochen allüberall vom Irdischen her bedingt; sie gleichfalls sind vom menschlichen Dämmern durchflutet, und sie gleichfalls stehen unter der Gefahr des Wiederabsinkens aus der einmal erreichten Erkenntnishöhe und Erkenntnisblüte, stehen unter der Gefahr des Niederganges, der für sie Religionsverlust heißt. Und ebendarum sind sie in ihrem Erkenntnisgehalt auch fortwährend Veränderungen unterworfen; die mannigfachsten Teilepochen sind, einander ablösend, ihnen eingebettet, jede ihrem eigenen Erkenntnisvorstoß folgend – der des scholastischen Denkens ist ein grundlegend anderer als der nachfolgende der Renaissancewissenschaft –, doch zugleich auch jede auf den Initialvorstoß und seinen religiösen Wahrheitsinhalt bezogen, für dessen Auf- und Abschwellen im Geschichtsverlauf sie das getreueste Spiegelbild abgeben, freilich ohne daß es irgendeinem dieser Partialvorstöße je gelungen wäre oder gelingen könnte, das menschliche Dahindämmern auch nur annähernd so langanhaltend aufzuhellen, wie es dem Initialvorstoß gelungen ist. Ob nun aber Haupt- oder Unterepoche, das Hindämmern des Menschen stellt sich da wie dort als eine Art »Absinken« dar, als eine Art »Abfall«, aus einer bereits erreicht gewesenen Erhellungshöhe, als ein Abfall, der sich in jeder Epoche, sei sie nun kurz oder lang, unausweichlich wiederholt, sobald die Partizipation an ihrem Erkenntnisvorstoß sich erschöpft und der Mensch in der historischen Anonymität seiner vollkommenen Physiognomielosigkeit verlorengeht.

Der physiognomielose Durchschnittsmensch, der Mensch mit der nichtssagenden »Epochenphysiognomie«, die sich von der seines Nebenmenschen ebensowenig unterscheidet wie ein Bild vom andern in einem alten Photographiealbum, ist ins nackte Hindämmern zurückgeraten, ins verdämmerte Herdenhafte, fern jedem Erkenntnisvorstoß, fern jeder Partizipation; seine vegetativ-animalische Natur hat die Oberhand in ihm gewonnen, und was immer er denkt, plant oder unternimmt, handelnd oder nur vorstellungsmäßig, umweltfreundlich oder umweltfeindlich, es ist restlos ins Instinkthafte zurückgeglitten, es dient nur noch den unmittelbaren Triebbefriedigungen, und es vollzieht sich im Rahmen der vorhandenen Umwelt, im Rahmen der hic et nunc gegebenen Umweltbedingungen, deren Akzeptierung ihm von seinem Hindämmern geheißen wird. Es ist eine äußerst an das Tierhafte angenäherte Haltung, und auch das Tier als Einzelwesen besitzt keine distinkte Eigenphysiognomie, unterscheidet sich innerhalb der eigenen Gattung physiognomisch kaum von seinem Nebentier. Gewiß, der Mensch bleibt trotzdem Mensch (– nur im rohesten physischen Kampf wird er wieder völlig zum Tiere –), und sogar sein Triebleben bleibt in weiten Partien spezifisch menschlich, nämlich insoweit, als es »sublimierbar« ist, indes, eben in dieser Sublimierbarkeit setzt die nebelartige, trotzdem tiefgreifende Auflösungsarbeit des Hindämmerns an, als könnte, gleichsam die Schöpfung umkehrend, nochmals die Grenze zwischen Mensch und Tier verwischt werden. Die ganze menschliche Geschichte ist ein fortlaufendes Ringen um Triebsublimierung, ja, wenn überhaupt von Fortschritt in der Geschichte gesprochen werden darf, so liegt dieser nicht so sehr in der Bändigung der äußern als in der Bändigung der innern Natur, liegt er in den Sublimierungsbemühungen, kraft welcher das Individuum die Kontrolle über seine eigenen Triebe zu gewinnen trachtet, sie diszipliniert und ihre Befriedigung ins Erkenntnismäßige, ins Produktive und Soziale verlagert, um damit nicht nur sie, sondern auch sich selber aus der tierischen Anonymität herauszuheben. Für das Tier hingegen kommt Sublimierung wohl kaum oder höchstens als unartikuliertes Rudiment in Betracht, als unartikulierte, in sich abgeschlossene, unentwickelbare Vorform, nicht anders wohl, wie es die seines Träumens oder die seiner Erkenntnis ist; demzufolge ließe sich, insbesondere bei dem in Freiheit befindlichen Tier, vermutlich eher von Sublimierungstrieben statt von Triebsublimierungen reden, beispielsweise wenn das Muttertier zuerst seine Jungen füttert, bevor es seinen eigenen Hunger stillt, und bei den Haustieren muß das Eingreifen des Menschen berücksichtigt werden, der das Tier zu bestimmten Akzeptationshaltungen dressiert und damit, oftmals allerdings mit erstaunlichem Erfolg, sublimationsähnliche Resultate erzielt. Wieweit solch sublimationsähnliches Gehaben eines Ich-unbewußten Geschöpfes den Rang echter Sublimation beanspruchen darf, bleibt freilich eine ungelöste Frage; von der Theorie der Ichlosigkeit aus gesehen, müßte sie wahrscheinlich – viele Gründe sprechen dafür – im wesentlichen verneint werden. Doch selbst wenn sie unter gewissen, sehr vorsichtigen Kautelen bejahbar wäre, so daß der Hund, der mit rührend-liebendem Bemühen und trauriger Perversion, seltsam für beides begabt, seine Urtriebe in den Kodex einer ihm auferlegten Moral umbiegt, eine höhere Sublimationskraft als mancher Mensch besäße (wie es ja tatsächlich häufig genug den Anschein hat), es wäre hiedurch zwar der Hund im Sinne dieser Moral außerordentlich erhöht, indes noch mehr wäre, nein, ist der Mensch hiedurch erniedrigt, denn es wird daran sichtbar, wie tief er in seinem Dahindämmern absinken kann, tief unter das Tier und ein tierisches Verhalten, von dem nicht einmal feststeht, ob es überhaupt echte Sublimationszüge trägt oder auch nur zu tragen befähigt ist. Allgemein läßt sich daher wohl behaupten, daß die Funktionen des Dahindämmerns und der Triebsublimierung einander weitgehend, wenn nicht gar vollständig ausschalten. Sosehr also auch jeder Erkenntnisvorstoß, und selbst derjenige, der sich bloß auf die äußeren Umweltabänderungen innerhalb einer Zivilisationsvervollkommnung bezieht, notwendigerweise sämtliche Lebenskonventionen beeindruckt und sohin mit seinem »Fortschritt« auch eine neue Sublimationsbasis schafft, verankert in einem neuen »Sublimationsniveau«, es wirken die Konventionen dieses Niveaus auf den dahindämmernden Menschen lediglich wie Dressurmaßnahmen, wie eine Tierdressur, die von dem betroffenen Tier akzeptiert werden muß und – hier gleichfalls gilt die Linie des geringsten Widerstandes – mehr oder minder willig, mehr oder minder widerwillig schließlich akzeptiert wird; einzig und allein für den »Partizipanten«, niemals für den in der Herde physiognomielos dahindämmernden bloßen Akzeptanten, wird der Erkenntnisvorstoß zur echten Sublimationsbasis, nicht zuletzt weil die Sublimierung, gleich der Erkenntnis selber, eine Individual- und keine Massenfunktion ist: die dahindämmernde, physiognomielose Menschenherde kennt keine Sublimation, sie kennt, als Masse, nichts anderes als eine akzeptierende Einfügung in die äußeren Formen eines Sublimationsniveaus; wer aus dem Bestand eines gehobenen Sublimationsniveaus einfach auf eine durchgängige höhere Sublimierungsfunktion der Einzelindividuen schließen will, begeht einen Trug- und Kurzschluß ärgster Sorte. Das infolge seines Fortschrittsstolzes für Trug- und Kurzschlüsse besonders begabte 19. Jahrhundert hat nicht nur konstant seine technische Zivilisationshöhe mit seinem Sublimationsniveau verwechselt, d. h. es hat nicht nur die Zivilisation gutgläubig mit dem ihm vom Vorjahrhundert vererbten Konventionsrahmen der Freiheit,

Gleichheit und Brüderlichkeit gleichgesetzt, sondern war auch – eben deswegen – zu wähnen genötigt, es befände sich auf dem Weg einer ständig fortschreitenden Entwicklung der einzelpersönlichen Individualität; wahrlich ein Trugschluß, dessen Widerlegung durch die Wirklichkeit geradezu zwangsläufig hatte kommen müssen und in der gräßlichsten Weise kam: furchtbar und unerbittlich entblößte das 20. Jahrhundert die verdeckte und überkleisterte Zwiespältigkeit, zeigte die Fadenscheinigkeit des angeblichen Individualismus, zeigte die Selbsttäuschung, die darin gesteckt hatte, die unaufhaltsam gewesene Typisierung der Einzelpersönlichkeit, und da solcherart die leere Humanitätsfassade vorgeheuchelter Triebsublimierung zusammenbrach, brach das apokalyptisch Unbegreifliche wieder daraus hervor, der ungefesselte Trieb in Mord und Blut und Grauen und in unentrinnbar-blindwütiger Selbstzerstörung. Dem Tiere ist die Selbstzerstörung erspart, es kann, kraft der Eindeutigkeit, mit der es allüberall es selber ist, nicht unter sich und sein eigenes Wesen stürzen, dem Menschen aber, eingespannt in seine Zwiespältigkeit, hilflos hingespannt zwischen Erkenntnis und Dahindämmern, zwischen Partizipation und bloßer Akzeptation, zwischen einem typischen und einem Durchschnittsleben, zwischen Persönlichkeitsentfaltung und Physiognomielosigkeit, ja, Ichlosigkeit, kurzum zwischen Sublimierung und Triebbefriedigung, hingespannt zwischen all seinen Gegensätzlichkeiten, ihm ist der Absturz vorbehalten, der Abfall von sich selbst und seinem Menschentum, der Abfall zur Selbstzerstörung, die zugleich der Verrat an seinem Menschentum ist, da dieses im Vollzug des Erkenntnisvorstoßes oder in der Erkenntnispartizipation sich erfüllt und kein Absinken aus einer einmal bereits erreichten Erkenntnis- und Erhellungshöhe zuläßt. Für die religiöse Wahrheitserkenntnis mußte demnach solcher Verrat am Menschentum, der ihr vor allem Verrat an der Ebenbildhaftigkeit ist, notwendigerweise zum Urtypus der »Sünde« werden, die Selbstzerstörung aber zu ihrer mystischen Bestrafung – und fast wäre es Trost, daß es Strafe sein könnte –, doch selbst wenn von religiösen Wertungen abgesehen werden dürfte, die Zwiespältigkeit der Menschennatur, ihre ständige Gefährdung durch den Absturz in tierische Ichlosigkeit, ihr hilfloses Ausgeliefertsein an den eigenen Zwiespalt, dieser circulus vitiosus und Wunsch, ihn zu durchbrechen, führt immer wieder ins moralische Gebiet.

Und dennoch ist es, als ob jeder Versuch zur Durchbrechung solch verhängnisvoller Zirkelhaftigkeit von vornherein ein nutzloses Beginnen bleiben müsse, doppelt nutzlos, wenn er mit einem moralischen »Du sollst« unternommen wird. Durch Erkenntnisvorstöße aus seinem Hindämmern herausgerissen und wieder ins Dämmern zurückfallend, aus Triebgebändigtheit immer wieder in Triebungebundenheit und triebentfesselte Selbstzerstörung zurückfallend, ist der Mensch mit keinem moralischen »Du sollst« vor diesem Rückfall zu schützen. Alles, was erreichbar zu sein scheint, ist eine Verlangsamung und vielleicht Verkleinerung der unheilsträchtigen Zirkelbewegung, ihre Milderung mit Hilfe eines Gleichgewichtes, das zwischen den einzelnen Bewegungsphasen herzustellen ist, zwischen Triebsublimierung und Triebauslebung, zwischen erkennendem und dahindämmerndem Leben, zwischen ungeduldigem Prometheismus und geduldigem Wachstum, kurzum, mit Hilfe eines ausgleichenden Bescheidens, das auf die begrenzte Tragfähigkeit der Menschennatur und ihrer Kräfte gebührend Bedacht nimmt. Soweit diese Haltung in Resignation gipfelt, kann sie – manchmal – durch bewußtes Vorhaben und – öfters – durch Alterserfahrungen erzielt werden, doch soweit sie – und dies ebenfalls ist möglich – resignationsfrei ist, gleichsam als wäre sie natürlich gewachsen, so weit ist sie »unerwerbbar«, d. h. so weit ist sie aus gewissen selber naturhaft gewachsenen Lebensbedingungen herausgewachsen. Es sind, oder richtiger, es waren die Lebensbedingungen des Bauernstandes. Denn, es mag die Ungeduld der Erkenntnis noch so tief in der Menschennatur verankert sein, das Prometheische noch so sehr dem menschlichen Erkenntnisvorstoß innewohnen, es will das bäuerliche Leben geduldverhaftet an keiner Ungeduld teilnehmen: obwohl Teil der Menschheit, ja, sogar deren wichtigster Teil, hindämmernd in ihr, hindämmernd mit ihr, akzeptiert der Bauer nur zögernd ihre Erkenntnisvorstöße, sozusagen nur widerstrebend, freilich um sodann – überall, wo das Widerstreben, nach bedächtig-mißtrauischer Auslesung des Akzeptationsmaterials, schließlich überwunden wird – die Akzeptation der ausgewählten Erkenntnisvorstöße zu voller Partizipation an ihnen zu steigern. Jahrtausende hindurch hat das bäuerliche Leben sich kaum verändert, es hat sich, zumindest in seinen

Grundhaltungen, gegen alle Kultur- und Stilwandlungen na-hezu unverändert und unveränderbar behauptet, und gerade weil die großen Religionsepochen hauptsächlich vom Bauern getragen werden, zeigen sie sich, von hier aus gesehen, als Teil-perioden innerhalb einer sie überdauernden und eben spezi-fisch bäuerlichen, über-epochalen Lebensgestaltung. Nicht nur daß die bäuerliche Seele unerschütterbar jene naturreligiösen und magischen Einstellungen in sich bewahrt, aus denen noch jede Erkenntnisreligion hervorgegangen ist und von deren nachträglichen Einschüssen sie unablässig beeinflußt wird, es ist diese bäuerliche Religiosität noch überdies von etwas durch-setzt, das außerhalb aller Magie und außerhalb aller Natur- und Erkenntnisreligiosität liegt und trotzdem von einer wesenhaft menschlichen Frömmigkeit erfüllt ist: Erkenntnisvorstöße, die vom bäuerlichen Leben einmal akzeptiert worden sind, also insbesondere diejenigen, die an seinem Eingang stehen, wie die Entdeckung des Feuermachens, die Erfindung des Pfluges so-wie all der andern bäuerlichen und handwerklichen Gerät-schaften, durch die das Menschliche im Menschenleben ermög-licht worden ist, werden in dem ganzen ihnen zukommenden, ewig göttlichen, ewig menschlichen Gewicht erfaßt und damit – vom innersten Unbewußten her und kraft innerster Partizipa-tion – zur Heiligkeitswürde erhoben; diese heilige Würde des Alltags verleiht dem bäuerlichen Sein die ihm eigentümliche, im Grunde unmagische, sehr nüchterne »Frommheit«. Das Hindämmern des bäuerlichen Menschen geht in Frommheit vor sich. Und wie jede Frommheit ist diese gleichfalls, und zwar trotz und mitsamt ihrer Nüchternheit, in erster Linie vom To-deserlebnis gestaltet und bestimmt, vom Verhältnis zum Tode, das hier eben das einer vollen Akzeptation ist: der ungeheure geistig-seelische Kampf, den der abendländische Mensch zur Überwindung des Todes zu führen genötigt ist, kurz, sein Pro-metheuskampf ist sicherlich auch der bäuerlichen Seele vorge-zeichnet, hat sich jedoch in ihr seltsam zu bedächtiger Form ge-wandelt; nicht etwa, daß der Bauer den Tod liebt oder gar ihn sucht, im Gegenteil, seinem gesamten Wesen, seiner gesamten Tätigkeit nach ist der Bauer lebenserhaltend, und sein Lebens-trieb, so stark wie nur irgendeiner, haßt Zerstörung, widersetzt sich ihr in allerstärkstem Maße, indes, keiner vermag sich so vollmütig wie der Bauer dem Unvermeidlichen zu fügen, keiner akzeptiert so selbstverständlich die Sterbensstunde wie er, sobald sie ihm schlägt, und ebendeshalb bleibt er von den Bemühungen um die Überwindung des Todes, die in jedem Erkenntnisvorstoß und zumal in jedem metaphysischen mitschwingen, ja, ihn ausmachen, weitgehend unberührt, sind sie ihm, zumindest über weite Strecken hin, einfach gleichgültig. Fast durchaus auf das Diesseitige beschränkt, auf Acker und Wachstum und auf die Gerätschaft, mit der das Seiende betreut wird, akzeptiert der Bauer auch den Tod als etwas Diesseitiges, und der Blick ins Ewige gilt nicht so sehr dem Jenseitigen als einem irdischen Fortbestand der gestorbenen Persönlichkeit, gilt dem doppelten Einst der Vergangenheit und Zukunft, das sich auf Erden abspielt, gilt der Eingegliedertheit des Einzelnen in die Generationenreihe, einer Eingliederung, deren Heilighaltung allüberall und insbesondere in allen Ahnenkulten zum Ausdruck gelangt. Nicht Gleichgültigkeit, sondern Gleichmut ist das bäuerliche Verhältnis zum Tode, und wiewohl selber aus dämmernder Akzeptation erwachsen, darf es nicht mit der des sterbenden, in den Tod hineindämmernden Tieres verwechselt werden, vielmehr findet hier – menschlich in tiefster Wesenheit – eine Heiligung des Diesseitigen statt, die sich ebensowohl auf jede lebenserhaltende Handlung wie auf den Tod, der sie alle abschließt, in gleicher Diesseitsfrommheit bezieht; der Bauer hat seine Kultur auf ein verhältnismäßig kleines Akzeptationsvolumen aufgebaut, aber dieses ist heiligkeitsdurchtränkt, und die Zähigkeit, mit der er daran festhält, seine Scheu vor jeder Vergrößerung des Akzeptations- und Partizipationsvolumens, sein ablehnendes Mißtrauen gegen weitere Erkenntnisvorstöße und gegen die aus ihnen allen folgenden neuen Umweltsabänderungen ist nicht zuletzt Scheu vor Entheiligung, nämlich vor Entheiligung einer ihm kraft Partizipation heilig gewordenen Lebensform. Heiligung der irdischen Gerätschaft, Heiligung des irdischen Todes, Heiligung der irdischen Tradition – die letzten Spuren solcher Haltung lassen sich sogar noch in der nationalsozialistischen Ideologie als hypertrophierte Zerrbilder nachweisen, als Heiligung der Technik, als Heiligung des Heldentodes um des Heldentodes willen, als Heiligung des völkischen Bestandes, lauter Zerrbilder, weil ihnen das Wesentlichste zu ihrer Heiligung fehlt, weil ihnen die natürliche Gewachsenheit, die Naturgewachsenheit und -verwachsenheit bäuerlichen Lebens fehlt. Und so findet dieses auch gerade hierin den Schlüssel zu seinen Grundhaltungen: die Bauernkultur trachtet mit einem Minimum akzeptierter Erkenntnisvorstöße und Umweltabänderungen auszulangen, auf daß die schützende Trennungswand, die sie, wie jede Kultur, zwischen dem Menschen und der Natur errichtet, tunlichst durchsichtig, tunlichst durchlässig bleibe; mag die Natur noch so abänderbar sein, sie enthält trotzdem die letzte Unabänderlichkeitsbasis für den Menschen, und da die Bauernkultur infolge ihrer Selbstbeschränkung auf ein Akzeptationsminimum ihn niemals völlig von der Basis trennt, ihn in stetem Kontakt mit ihr hält, gibt sie ihm die wissende Partizipation – und nichts anderes ist unter Naturverwachsenheit gemeint –, gibt sie ihm die wissende Zugehörigkeit zur Natur und zur Unabänderlichkeit ihrer innern und äußern Bedingungen, gibt sie ihm Ich-Erkenntnis und Welt-Erkenntnis, die eine an der anderen entzündet. Der circulus vitiosus wird hiedurch zum circulus propius; es wird des Menschen Dahindämmern, sein Wiedereintauchen in den Dämmerstrom gleichsam neu beleuchtet, wird durchleuchtet von der Partizipation an dem vorangegangenen Erkenntnisvorstoß, es wird wissend, und in diesem Wissen wird nun auch das Gleichgewicht zwischen Triebauslebung und Triebsublimierung erreicht: durch Partizipation am Erkenntnisvorstoß so weit als nur irgend möglich vor völligem Absturz in tierische Ichlosigkeit bewahrt, dennoch wissend, daß bloß der Gott, und vielleicht nicht einmal er, absturzlos in einem ständigen Vollbewußtsein zu verharren befähigt ist, hingegen des Menschen Bewußtseinsschwäche – die Unabänderlichkeit seiner Natur – stets aufs neue ins animalisch-vegetative Dämmern fallen muß, wird dieses, fast ohne moralisches »Du sollst«, in den solcherart abgesteckten »natürlichen« Grenzen gehalten; das »Natürliche«, das »Moralische«, das »Sündlose«, das sind Begriffe, die im bäuerlichen Leben identisch werden, sie alle von demütiger Diesseitsfrommheit gleicherweise mit scheuer Heiligung umgeben und ausgestattet. M. a. W., das Unabänderliche wird auf den ihm gebührenden Platz gestellt, und der Erkenntnisvorstoß wird trotzdem nicht vergessen; das unabänderlich naturgegebene, naturbedingte Wiedereintauchen ins dämmernd Unbewußte wird akzeptiert, aber es wird mit dem ganzen prometheisch erweckten, prometheisch durchleuchteten Bewußtsein bis zur Sterbestunde hin erlebt, und dieses unbewußte Bewußtsein, diese wissende Unbewußtheit, dieser verzichtlose Verzicht darf füglich Weisheit genannt werden, die sophrosynische Mitte zwischen Gott und Tier, die Mitte des Menschentums, vielleicht sogar das menschliche Glück im irdischen Bereich.

Weisheit ist viel eher eine Funktion des Dahindämmerns denn eine der Erkenntnis; sie entsteht im Zusammenklang von Bewußtheit und Unbewußtheit, im Zusammenklang von Kultur und Natur, von selbstgeschaffenem Werk und naturgegebener Unabänderlichkeit, eingebettet in den Dämmerungsstrom, ein dahindämmerndes Erkennen, ein erkennendes Dämmern. Weisheit ist Diesseitsfrömmigkeit, und ihr Prüfstein ist ihre Akzeptierung des Todes. Ihr Blick kann ins Jenseitige gerichtet sein, muß es aber nicht tun, und ebendeswegen ist ihr das Prometheische mitsamt seiner gottstürmenden Ungeduld etwas Unweises, unweise, soweit der Gott unstürzbar ist, unweise infolge Überflüssigkeit, unweise, soweit sie sogar auf den Gott zu verzichten vermag. Freilich, keinerlei prometheische Unweisheit gibt die Erlaubnis, im Gegensatz zu ihr von irgendeiner tierischen Weisheit zu sprechen, eine »Weisheit des Tieres« anzunehmen, bloß weil dieses als Urtypus alles Hindämmerns sich ohne Widerstreben in die Unabänderlichkeit der von ihm erlebbaren und ersterbbaren Umweltbedingungen, in die Unabänderlichkeit der Natur einzuordnen weiß und damit der Glücks- und Weisheitssehnsucht des Menschen – etwas anderes findet ja damit nicht statt – eine verhältnismäßig leichte Gelegenheit gibt, sich in solches Verhalten hineinzuprojizieren. Daß dies eine unerlaubte Projektion ist, ja, daß die hiezu verwandten Kriterien nicht einmal ausreichen, um tierhaft dämmerungsumfangene menschliche Primitivkulturen als »weise« anreden zu dürfen, das ist gerade am Beispiel der alten, jahrtausendealten, jedoch schon längst nicht mehr primitiven Bauernkulturen und ihrer wahren Weisheit, d. h. an der Weisheit, mit der sie ihre Erkenntnisinhalte verarbeiten, deutlich ersichtlich gewesen. Nicht minder aber ist daran ersichtlich, daß die Handwerkerkulturen der europäischen und asiatischen Stadtwesen eine der bäuerlichen sehr ähnliche Weisheit mit der Art ihres Erlebens und ihrer Lebensführung beanspruchen dürfen, oder richtiger durften, da sie allesamt bis zum Anbruch des Maschinenzeitalters die Züge eines naturzugekehrten, na-

türlichen und durch die lange Übung erst recht natürlich gewordenen, unabänderlich gewordenen Wachstumsablaufes getragen haben. Und schließlich ist daraus zu ersehen, daß
Weisheit, trotz ihrer Ablehnung des Rebellentums prometheischer Unweisheit, trotz ihrer starken Gebundenheit an das
einmal Akzeptierte, trotz ihrer Bescheidenheit vor der Unerreichbarkeit letzter Bewußtseinshöhe, kurzum, trotz ihrer Er-
kenntnisbescheidenheit keineswegs mit sklavischer Fügsamkeit
zu verwechseln ist, vielmehr, aufs innigste mit dem Freiheits-
willen der menschlichen Persönlichkeit verquickt, als erste
Grundlage des menschlichen Prometheismus überhaupt zu gelten hat. Alle jene glücklich-weisen Lebensformen, und vor allem die bäuerlichen, haben seit jeher den günstigsten Boden für
die menschliche Freiheit abgegeben, und zwar nicht nur für die
innere Freiheit des ich-wissenden, seine ebenbildhafte Würde
ahnenden Menschen, sondern ebendamit auch für seine politische Freiheit; Bauernländer sind auch immer oder fast immer
die Geburtsstätten von Demokratie gewesen. Dies hängt wohl
in erster Linie, wenigstens zu einem sehr großen Teil, mit dem
weisheitsgerichteten Blick auf die Natur zusammen, denn von
dieser empfängt der Mensch seine Stellung im Gesamtgefüge
der Welt vorgezeichnet, und wenn er auch in seinem Dahindämmern, unbeschadet der Weisheit, in der es vonstatten gehen
möge, vorzüglich zu passiven Lösungen neigt, es entstehen von
hier aus jene naturrechtlichen Vorstellungen, die nach langsa-
mer Verdichtung sodann im prometheischen Augenblick der
Erkenntnis aufflammen, um zur Freiheitstat zu werden: wo es
um essentielle Lebensentscheidungen geht, da greift die Weisheit stets auf die eigentlichen, auf die tiefsten Unabänderlich-
keiten des Seins zurück, und die menschliche Freiheit bildet einen Teil dieses unabänderlichen Urgrundes. Der weise Mensch
ist an sich nicht »historische Gestalt«, er ist nicht historisch wie
jener, der am Erkenntnisvorstoß unmittelbar, sei es positiv, sei
es negativ, beteiligt ist, er ändert selber keinerlei Umweltbedingungen ab, sucht viel eher in seiner dämmernden Akzeptierung sich mit ihnen abzufinden, doch selbst in seinem ver-
träumtesten, passivsten »ahistorischen« Dahindämmern bleibt
er dank seiner Weisheit, dank des wissenden Erlebens, mit dem
er sein Dahindämmern akzeptiert, dank diesem steten Nachleuchten der Erkenntnis für immerdar vor Rückfall in tierische

Physiognomie- und Ichlosigkeit gefeit, bleibt sein Ahistorismus scharf von dem des herdenhaften Durchschnittsmenschen geschieden; gleichwie die Erkenntnis ist die Weisheit an die distinkte Einzelpersönlichkeit gebunden, an ihr individuelles Leben und ihr sehr individuelles Sterben – es gibt keine Massenweisheit –, und eben weil der weise Mensch, unbewußt-bewußt, unwissend-wissend, seine Persönlichkeit bewahrt, vielleicht sogar noch fester bewahrt als der lediglich Erkennende, wird er zum spezifischen Verfechter der Freiheit, einer Freiheit, die ebensowohl die des Bodens ist, den er bebaut, wie die seines Menschentums, um dessentwillen er lebt.

Nirgends also wird die Bedrohung des Menschen und des Menschlichen so erschreckend unmittelbar, so unmittelbar offensichtlich wie in jenen Geschichtsaugenblicken, in welchen nicht nur eine Kulturepoche als solche, sondern auch noch außerdem die über-kulturale Lebensform des freien Bauern einem Ende zugeht. Zwei solche Einschnitte hat die abendländische Geschichte gekannt: den ersten im letzten vorchristlichen Jahrhundert, den zweiten nahezu zweitausend Jahre später am Beginn der Aufklärungsperiode des 18. Jahrhunderts, und beidemale vollzog sich die Auflösung der alten kulturtragenden Glaubensformen in enger Koinzidenz und Wechselwirkung mit einer katastrophalen Erschütterung des gesamten bäuerlichen Lebens; abgesehen von den ökonomischen Verursachungen – auf der einen Seite sind sie vornehmlich in der Hypertrophierung der Latifundien- und Sklavenwirtschaft zu sehen, auf der andern in den Auswirkungen des eben aufkommenden kapitalistischen Industrialismus –, und abgesehen davon, daß der römische Freibauer in keine allzu enge Parallele mit dem Bauernstand der feudalen und nachfeudalen Zeit Mitteleuropas gesetzt werden kann, das Wesentliche an der Parallelität zwischen dem antiken und dem modernen Ereignis liegt im Übergang von einer Bauern- und Handwerkerkultur zur Großstadtzivilisation, wie dies in beiden Fällen mit aller Deutlichkeit stattgefunden hat. Und wenn irgendwo von einer Umwandlung des Menschen zur physiognomielosen Masse gesprochen werden darf, so ist dies hinsichtlich des großstädtischen Lebens erlaubt; die Großstadt ist gemeinschaftsauflösend, aber nicht zugunsten der individuellen Persönlichkeitsentfaltung, sondern zugunsten des amorphen Typus, und nicht zuletzt eben, weil mit der Auflösung des Bauerntums auch seine persönlichkeitserhaltende Weisheit zugrunde geht. Und deshalb und immer wieder, sobald und sooft die bäuerliche Lebensführung innerhalb eines Volkes, eines Staates oder sonst irgendeines Sozialgebildes – aus welchen Gründen auch immer, mögen auch ökonomische vorwalten – von der Wurzel aus gefährdet erscheint, so wird dies als eine ungeheuerliche Katastrophe empfunden: eine tiefgehende metaphysische Unruhe, mehr noch, ein schweres metaphysisches Erschrecken bemächtigt sich da der Gemeinschaft, bemächtigt sich des Menschen; es ist ihm, als näherte sich ihm das Unerfaßliche schlechthin, als flöhe der letzte Licht- und Weisheitsschimmer aus seinem Dahindämmern, nichts ihm zurücklassend als schiere Finsternis, nichts als die undurchdringliche Dunkelheit des Tierischen – Tolstoj, Apostel des Bauerntums, kannte dieses jähe Dunkelheitsgrauen besser denn irgendeiner –, und solcherart plötzlich und unmittelbar vor den Rückfall in die tierische Ichlosigkeit gestellt, fühlt der Mensch, daß die Quellen seines eigentlichen Seins und Wesens zu versiegen beginnen. Und aus diesem Erschrecken entstehen die Bilder der Rückkehr, entsteht die Verklärung des Einst. Das Bäuerliche und die Weisheit seiner Lebensform wird angesichts des großstädtischen Unheils zum Goldenen Zeitalter verklärt. Das Erschrecken, das Vergil vor dem neuen römischen Massenmenschen befallen hatte, war das nämliche, von dem in den Umwandlungsperioden des 18. und 19. Jahrhunderts Rousseau und Tolstoj überkommen worden waren, und sowohl Vergil wie Rousseau (und mit der Wendung ins Urchristliche eben Tolstoj) sind zu Verkündern eines naturzugewandten, naturnahen, naturgegebenen Lebens geworden, in dessen Bild verklärt der Traum vom Goldenen Zeitalter aufschimmert, der Traum von der unübertroffenen, unübertreffbaren einstigen Glücksvollkommenheit, die der Mensch durch eigene Schuld nicht hatte halten können, die er durch eigene Schuld weiter und weiter vermindert hatte.

Gewiß, des Menschen Paradiesessehnsucht ist nicht bloß Frucht der Kulturkatastrophen, die ihn ereilt haben, ist nicht bloß Frucht seines Erschreckens. Auch außerhalb dieser Grauensaugenblicke fühlt er sich von der Gefahr seines Abgleitens ständig begleitet, er fühlt es, selbst wenn er von göttlicher Vollbewußtheit und tierischer Nichtbewußtheit, den beiden Bewußtseinspolen, zwischen denen sein dämmerndes Absinken vonstatten geht, nicht das geringste weiß, und eben weil er beides, Anfang wie Ende des Absinkens, ahnend fühlt, steigen Traumbilder in ihm auf, wunscherfüllt hoffende, erklärende, strafende. Vielleicht sogar von Erinnerungsbildern an eine ferne Menschheitsvergangenheit umdämmert, erhob sich für ihn nicht nur die Frage nach dem Anfangsstadium, von dem aus die unaufhörliche Kette der abwärts führenden Schritte offenbar ihren Ausgang genommen hatte, sondern er verlangte auch noch außerdem, daß der ganze Vorgang des Absinkens sich darin als gefahrlos dartue. M. a. W., Anfangs- und Endzustand des Absinkens sollen zusammenfallen, damit dieses zu einem glücklichen Kreislauf sich schließe, in dem der dämmernde Hang zum Tierischen sich unverbindlich-harmlos befriedigen läßt. Es wurde zum paradiesischen Sehnsuchtsbilde, zum Bild eines Zustandes, in dem Mensch und Tier in innerlicher Einheit ineinander, nebeneinander leben, sie beide in friedlich-weisem Dahindämmern, sie beide Ich-begabt und daher auch sprachbegnadigt, sie beide weise eingefügt in das Gottesgebot. Und es ist die Selbstverklärung des Dahindämmerns, die sich in dem Bilde auftut, die Selbstverklärung dämmernder Weisheit in einem Traumbild. Daß das Leben ein Traum ist, diese reiche und gewichtige Binsenwahrheit der Dichter und Philosophen aller Völker und Zeiten hat aus innerer Notwendigkeit eine krönende Lösung finden müssen, und diese wurde ihr von der dichterischen und denkerischen Phantasie mit dem Traum vom schwebenden Garten einer unschuldig weisen Menschheitskindheit geliefert, mit einem Traum, der – wie jeder Traum beinahe witzig – die Erfüllung der heterogensten Wünsche unter einen gemeinsamen Nenner bringt. Weil aber der Mensch die Weisheit vornehmlich in den bäuerlichen und hirtenhaften Daseinsformen erlebt hatte, mußte er ebendieselben geradezu zwangsläufig als Bausteine für seinen großen Traum verwenden, und dank ihnen hat die Vision jenen anmutigen, häuslich-haustierhaften, zartfreundlichen Anstrich gewonnen, mit dem sich – Löwe und Lamm gemeinsam grasend[2] – das paradiesich vergoldete Einst milde in der Menschheitssehnsucht abzeichnet.

Der biblische Paradiesestraum ist strikt antiprometheisch, und er hält mit schärfster Konsequenz daran fest; alles Strafwürdige wird unter dem Worte »Erkenntnis« zusammengefaßt, und alle Wunscherfüllungen, die der Traum geboten hat, sind zunichte gemacht, da die Erkenntnis in ihn eindringt: die Einheit zerreißt, und der traumvertriebene Mensch, sehnsuchtsgeschlagen vom Göttlichen, absturzgefährdet vom Tierischen her, steht zwischen den beiden, sündig beiden entfremdet, einsamkeitsverurteilt in irdischer Menschenhaftigkeit. Beinahe überall, wo der Mensch von der Gewinnung oder Wiedergewinnung eines paradiesischen Goldenen Zeitalters und seines dämmerndweisen Glückes träumt, taucht zugleich auch die Vorstellung von der Strafwürdigkeit des Prometheischen auf; das irdische Geschehen aber, die irdische Geschichte wird damit zum Werkzeug der Götterrache, rächend eingesetzt, rachevollst gestaltet, um die unbezwingbare Vermessenheit des Menschen und seiner Erkenntnis fortlaufend zu ahnden. Doch zugleich auch ist darin der Versuch enthalten, sich aus den Fängen einer Antinomie, einer Urantinomie zu befreien. Denn Prometheus wurde geschlagen, und Jakob wurde gesegnet, und beides war Rechtens, mußte Rechtens werden, weil der Mensch nicht Mensch wäre, wenn das Streben nach Erkenntnis und Wahrheit ihm nicht einversenkt worden wäre, wenn er es nicht als sein ureigenstes Wesen besäße; der Mensch ist antinomisch geschaffen, denn er wäre nicht ebenbildhaftes Gottesgeschöpf, wenn er nicht um der Erkenntnis willen gegen den Gott aufstünde. Alle Weisheit weiß um diese Antinomie, und nicht zuletzt ist die bäuerliche Weisheit in solchem Wissen begründet, da sie, die Grenzen des eigenen Erkennens akzeptierend, sich vor der Antinomie beugt und deren Unlösbarkeit fromm akzeptiert. Ebendiese bäuerliche Haltung war es, die Vergil vorgeschwebt hatte, als er, ein Bauer er selber, erschüttert vom Niedergang des Bauernstandes, erschüttert von den Greueln des Bürgerkrieges, aufs tiefste erschüttert von der metaphysischen Unruhe, die ihn wie die gesamte damalige Welt ergriffen hatte, nach den Möglichkeiten zur Wiedergewinnung des einstigen rustikalen Glückes fahndete: ihm war die Antinomie zwischen dämmernd-demütiger Weisheit und vorwärtsschreitender Erkenntnis vollauf bewußt (sicherlich mehr darum wissend als etwa Rousseau, wenngleich sicherlich nicht mehr als Tolstoj), sie wird in jeder Phase seines Dichtens unentwegt immer wieder aufgegriffen, und die Lösung, die er bringt, ist die des frommen

Gehorsams vor dem als unabänderlich anzuerkennenden Göttergebot, ist die bäuerlich-weise Akzeptationshaltung seines Helden Äneas. Selbstzucht wird durch Aufstellung dieses Vorbildes gefordert, eine Selbstzucht der Ratio, eine Selbsteinschränkung des kritischen Verstandes, gewissermaßen eine künstliche Herstellung dämmernder Weisheit mit Hilfe der Erkenntnis selber. Allerdings, nicht nur, daß solcherart die Erkenntnis als regulierende Funktion in ihrem Selbsteinschränkungsgeschäft benützt wird, sie hat überdies darauf zu achten, daß sie sich hiebei nicht vollkommen ausmerze, daß sie einen Minimalbestand bäuerlicher Kenntnisse und Erkenntnisse, kurzum die von der bäuerlichen Weisheit akzeptierten Erkenntnisvorstöße sich erhalte, um mit ihrer Hilfe den irdischen Garten Eden, den zu errichten es da gilt, bestellen zu können. Im Vergleich mit dem biblischen Paradies, das die Erkenntnis radikal verbannt und mit dem Fluch des Arbeitsschweißes belegt hat, wird hier, sozusagen durch eine Hintertür, ein Stückchen Erkenntnis und ein Tröpfchen Arbeitsschweiß in die seligen Gefilde eingeschmuggelt, und daß ein derartiger idyllisch-bukolischer Halb-Antiprometheismus keine geeignete Rezeptur zur Lösung einer Antinomie sein könne, daß zum Aufbau eines neuen Paradieses, auch wenn es ein bäuerliches sein sollte, es vorher einer radikal gründlichen Aufräumarbeit bedürfte, das konnte der Denkehrlichkeit Vergils auf die Dauer nicht verborgen bleiben, um so weniger als der prometheische Gehalt seines frommen Gehorsams bereits alle Ansätze zu endgültiger Radikalisierung in sich getragen hatte: offenbar nach schwersten inneren Kämpfen radikal antiprometheisch geworden, verfügte Vergil am Ende seines Lebens, daß alles, was in diesem prometheisch gewesen war, also sein eigenes Werk, seine eigene Dichtung vernichtet werden möge, und dieser Entschluß war im Letzten nichts anderes als der Durchbruch all seiner christlichen Vorausahnungen, all seiner Ahnungen um das bevorstehende Erscheinen des Christentums, war nichts anderes als ein Hinstreben zur urchristlichen Geistesaskese (zu genau der nämlichen also, zu der Tolstoj – wie hätte es anders sein können – zurückzustreben bemüßigt war). Daß radikaler Antiprometheismus zur Wiedergewinnung eines Goldenen Zeitalters unerläßlich sei, ist bloß eine Theorie, hier jedoch, in der Vergilschen Haltung, ist sie zur Tat geworden, zur religiösen oder zumindest vorreligiösen und sogar – nimmt man sie als einen Teil der christlichen – zur Geschichte schaffenden Tat (genauso wie der Rousseausche Halb-Antiprometheismus sich in der Französischen Revolution zur geschichtsbildenden Tat entwickelt hat). Nichtsdestoweniger, es läßt sich nicht sagen, daß die Antinomie hiedurch gelöst worden sei, sie ist lediglich entschieden worden, und zwar gegen die Erkenntnis und zugunsten des Hindämmerns; nur wenn ein Gnadenakt angenommen wird, von dem diese Entscheidung inspiriert worden ist, kann sie als eine Antinomielösung anerkannt werden. Und so steckt im Paradiesestraum trotz des Vergilschen Menschheits- und des Rousseauschen Fortschrittsglaubens ein tiefer Pessimismus, nicht nur weil die Erfüllung des Traumes in ein unendlich fernes Einst geschoben wird – das Einst des Endes ist ebenso weit entfernt wie das Einst des Anfanges –, sondern noch viel mehr, weil jeder Antiprometheismus von vorneherein pessimistisch ist, ja, fast eine Verzweiflung am Menschlichen schlechthin in sich birgt. Jede rückgewandte Sehnsucht ist pessimistisch.

Vergil, Vorläufer des Christentums, Rousseau, Vorläufer der Französischen Revolution, Tolstoj, Vorläufer des Bolschewismus: Dichter und Propheten sie alle drei, Propheten infolge ihres starken und stellenweise sogar politisch starken Wirklichkeitssinnes, behindert jedoch durch ihre dämmerungszugekehrte, rückgewandte Sehnsucht, waren sie alle drei »konservative Revolutionäre«, wie man heute sagen würde, und eben weil sie dies waren, nahmen die Revolutionen, denen sie vorausschauend Pate gestanden hatten, einen ganz anderen Verlauf als jenen, der ihrer rückgewandten Sehnsucht entsprochen hätte. Es war in allen drei Fällen völlig konkret gedacht gewesen, die Neufundierung der Menschenwürde und der Menschenfreiheit in die Hände eines Bauernstandes legen zu wollen, der sich immer noch als der Hort alles Menschlichen bewährt hatte – nicht nur die römische, auch die schweizerische Republik hatte ihm ihr Dasein zu verdanken –, doch bereits minder konkret war es gedacht gewesen, des Bauern »natürliche« Weisheit gegen die »Unnatur« der aufwuchernden Großstadt auszuspielen und eine Wiederaufsuchung des »Natürlichen« zu verlangen, auf daß das Absinken ins Massenartige und Physiognomielose verhütet werde. Denn der Antiprometheismus, unter dessen Devise solches angestrebt wurde, war von vornehererin zum Scheitern verdammt. Der Erkenntnisfortschritt schert sich um keinen Pro- und um keinen Antiprometheismus, sondern folgt lediglich, allerdings auch unaufhaltsam seiner eigenen innern Logik, und demgemäß sind auch die Erkenntnisvorstöße, welche die Entwicklung zur Großstadt bewirkt haben und deren Weiterentwicklung bewirken, durch nichts aufzuhalten, am allerwenigsten durch antiprometheische Sehnsüchte. Die von Vergil so sehr begrüßten konservativen Reformationen des Augustus waren keineswegs die bloßen Scheinmanöver, als welche sie wegen ihrer Erfolglosigkeit späterhin erschienen, und so ehrlich, ja, so notwendig die rustikalen Tendenzen in der Französischen wie in der Amerikanischen Revolution waren, sie verblaßten völlig vor der großstädtischen Entwicklung, und gerade die Wiederinaugurierung der alten Römertugend, die sie u. a. hätten bringen sollen, war in einer Art Nachfolgeschaft der schäferhaft rustikalen Einschläge des Rokokos kaum über die ästhetisch-stilistische Sphäre hinausgelangt. Und mochte Vergil (und ebenso Rousseau) vielleicht gar gehofft haben, es sei die menschliche Seele durch die neuen Lebensumstände, die ihr von der Erkenntnis geschaffen worden waren, gewissermaßen bloß überrascht und gelähmt worden – etwa so wie ihr dies heute durch die Technik widerfahren ist –, so daß sich nach erfolgter Adaptation bald die Rückkehr zu natürlich-weisen Haltungen ergeben müßte, es geschah und geschieht in Wirklichkeit genau das Gegenteil hievon, d. h. die ökonomische und kulturale Struktur der Großstadt nahm mit erschreckend zunehmender Geschwindigkeit immer größere Teile des bäuerlichen Lebens in sich auf, ohne daß die menschliche Seele, mochte sie hiedurch metaphysisch noch so sehr beunruhigt, verwirrt und aufgewühlt worden sein, dem Gang der Dinge irgendeine andere Wendung hätte geben können. Der mitteleuropäische Bauer, insbesondere der französische, geriet weiter und weiter ins Kleinbürgerliche, der russische wurde zu einem Kollektivarbeiter der Ackerbaumaschinerie verwandelt, und in dieser allgemeinen, von der Stadt her bestimmten Technisierung, Industrialisierung, Ökonomisierung, Standardisierung hat der amerikanische Farmer, soweit er überhaupt noch als solcher existiert, seinen einstigen bäuerlichen Charakter fast zur Gänze eingebüßt. Allüberall treten die vom Menschen selbstgeschaffenen Umweltbedingungen an die Stelle der natürlichen. M. a. W., die Trennungswand zwischen dem Menschen und der Natur wird mehr und mehr undurchlässig, wird schlechterdings undurchdringlich; in der geradlinigen Landschaft aus Stahl und Beton, die er über die Landschaften der schöpfungsgewachsenen Erde gebreitet hat, in dieser Welt rationaler Zahlenhaftigkeit und scharfer Errechenbarkeit, die nun der Schauplatz seines Hindämmerns sein soll, ist des Menschen eigene Irrationalität gleichsam zu einem Fremdkörper geworden, fremd und hilflos seine Eigennatur mit ihrer Triebkonstitution und den von ihr verlangten Triebbefriedigungen, denen er, aller Rationalität zu Trotz, nun einmal nicht entgehen kann; mag er sich auch nach dem Trieb- und Sublimationsgleichgewicht des Einst zurücksehnen, es gibt kein Zurück zur verlorengegangenen Weisheit. Alle Spekulationen über Nutzen oder Schädlichkeit der Erkenntnis, von welch erlauchten Namen sie auch immer getragen sein mögen, erweisen sich, von hier aus gesehen, als schiere Scheinprobleme, als Material einer müßigschlechten Geschichtsphilosophie, kurzum als Material der Unphilosophie. Es gibt kein Zurück in der Geschichte, es gibt keine konservative Revolution, es gibt kein Zurück zu einem Goldenen Zeitalter.

Doch gerade diese Irreversibilität, gerade diese Unbeeinflußbarkeit und Unentrinnbarkeit des Ablaufes, gerade diese Gelähmtheit des menschlichen Willens zeigt deutlichst, daß der Mensch in sich eine Handlungsgesetzlichkeit trägt, gegen die er sich nicht aufzulehnen vermag, die er zu akzeptieren hat und die er dämmernd akzeptiert. Wie immer diese Gesetzlichkeit geartet sei, wo immer sie in den Verhaltensweisen des Menschen, in den ökonomischen oder sonstwelchen, sich fundiere, wer immer, Gott oder sonst eine Schöpfungsmacht, sie in ihn einversenkt habe, sie ist des Menschen ureigenstes Gesetz, ihn sowie das gesamte menschliche Geschehen bestimmend, Teil seiner dämmerungsumfangenen Seele und eben ob solcher Dämmerung gänzlich seinem Willen entrückt. Gewiß, es gibt daneben auch noch außermenschliche, also naturhafte Faktoren, welche die Geschichte bestimmen, und wenn man auch nicht just an den fortlaufenden Einfluß der Sterne und der Sonnenflecken glauben muß, es ist nicht zu leugnen, daß Naturereignisse wie die der Eiszeitkatastrophen (oder gar wie die des mythischen

Verschwindens des atlantischen Kontinentes) oder aber, in historischer Zeit, wie die der Versumpfung des Euphrat-Tigris-Beckens und der Versandung Nordafrikas, ganz entscheidende, richtunggebende Wendepunkte in der Menschheitsgeschichte gewesen sind. Indes, bei aller Anerkennung dieser Außenimpulse, sie sind einerseits verhältnismäßig selten, andererseits aber historisch »unselbständig«, d. h. sie wirken bloß durch das Medium des Menschen, letztlich also durch das seiner Innengesetzlichkeit, sohin mittelbar, niemals unmittelbar auf die Geschichte ein. Es ist demnach ziemlich gleichgültig, ob die Erkenntnisvorstöße ihre Richtungsimpulse von Außeneinflüssen oder von einer innern Eigengesetzlichkeit empfangen haben und empfangen, vielmehr liegt das Wesentliche in der Unabänderlichkeit der einmal eingeschlagenen Geschichtsrichtung, wie dies eben in der Entwicklung zur Großstadt besonders klar zum Ausdruck gebracht wird. M. a. W., obwohl die Erkenntnis mit ihren Vorstößen, mit ihren Umweltabänderungen, mit ihren steten Neuregelungen des menschlichen Daseinskampfes unzweifelhaft das eigentliche Vehikel des Geschichtsfortschrittes darstellt, mehr noch, obwohl jeder Einzelschritt, den das Individuum zur Bewältigung seiner daseinskämpferischen Obliegenheiten unternimmt, unzweifelhaft (zumindest in seinen eigenen Augen) einen zweckgerichteten und rationalen Erkenntnisgehalt besitzt und darüber hinaus manchmal sogar auch wirklich gewisse Erkenntnisvorstöße enthalten kann, so ist dennoch kaum ein einziger dieser Schritte imstande, die einmal eingeschlagene Gesamtrichtung (so die zur Großstadt hin) tatsächlich umzustoßen. Kurzum, unabhängig von den Instanzen, welche eine Richtungsentscheidung für die Geschichtsentwicklung getroffen haben, unabhängig selbst dann noch, wenn es sich, ausnahmsweise, um eine freie Willensentscheidung des Menschen gehandelt hätte, erwirbt die eingeschlagene Richtung eine Art Beharrungsvermögen, das sie nicht nur immun gegen weitere Erkenntniseingriffe macht, sondern ebenhiedurch sie auch in engen Konnex zur Haltungsinvarianz setzt, und da diese das eigentliche Feld des Dahindämmerns ist, so folgt daraus, daß die Mechanik der Entwicklung mit der des Dahindämmerns nahezu identisch wird, und zwar unter Ausschaltung der Erkenntnisfunktion. Denn die Mechanik des Dahindämmerns kümmert es nicht, daß der prometheische Erkenntnisvorstoß das »Abänderungs- und Vervollkommnungs-volumen« in der Welt ständig vermehrt, um hiedurch – das Wesen eines jeden Erkenntnisfortschrittes – dem Menschen, ihn aus seinen Gebundenheiten entlösend, ein ständig zuneh-mendes Maß der ihm gebührenden Freiheit zu erobern; Me-chanik kümmert sich überhaupt nicht um Inhalte, weder um prometheische, noch um sonstwelche, sondern sieht in deren Vermehrung höchstens eine Vergrößerung des »Akzeptations-volumens«, und in dieser mechanischen Grundstruktur gleicht das menschliche Dahindämmern vollkommen dem tierischen, nur daß dieses in der unterscheidungslosen Akzeptierung seiner Umweltbedingungen nicht mit dem Auftreten irgendeines Pro-metheismus zu rechnen hat. Ist also, wie dies unter den groß-städtischen Erkenntnisverhältnissen geschieht, der Mensch außerhalb seiner Weisheitskontrolle belassen, so akzeptiert er in seinem Dahindämmern unterscheidungslos die ihn umge-benden Umweltbedingungen, unterscheidungslos die der Natur und die der Zivilisation miteinander vermengend. Die Er-kenntnis hat ihm mit ihren Vorstößen eine Reihe von Abände-rungs- und Vervollkommnungsmöglichkeiten hinsichtlich der ihm feindlichen Natur verschafft, doch in seiner unweisen Un-terscheidungsunfähigkeit erhebt er das Abgeänderte, das Ver-änderliche und weiter Abänderbare zum Range einer Unabän-derlichkeit, wie sie bloß der Natur und auch dies nur in ihren letzten Grundlagen zukommt. Wo der Mensch unweise wird, da wird sein Verhältnis zur eigenen Zivilisation genau das nämli-che wie das der Tierheit zu ihren verschiedenen pseudozivilisa-torischen Leistungen, zu ihrem Nestbau, zu ihren Stockorgani-sationen usw.; er akzeptiert seine gesamten zivilisatorischen Einrichtungen erkenntnislos als ein Teil der natürlichen Unab-änderlichkeit, und damit wird die schützende Scheidewand der Kultur, die er zwischen sich und der Natur errichtet hat, ihrer einstmaligen Durchsichtigkeit zur Gänze beraubt und zu einem undurchdringlichen Gestrüpp starrer Konventionen und starrer Anschauungen verdickt, so daß der weise Zusammenklang von Natur und Kultur endgültig zerstört erscheint. Daß die bäuerli-che Weisheit den prometheischen Erkenntnisvorstoß und seine Bemühung um die Befreiung des Menschen aus den Gebun-denheiten der Natur als unweise empfindet, erfährt hier vollste Legitimation, da der Mensch nun seine Gebundenheiten einfach umlagert, da er die Unnatur mit den Funktionen der Natur betraut, da er den Erkenntnisvorstoß und die Erkenntnisleistung zu konventionserstarrten, unwandelbaren und unabänderlichen Gebilden verkehrt. Aus der prometheischen Unweisheit entsteht die mephistophelische, die Unweisheit in ihrer flachsten Flachheit, die Unweisheit in ihrer ärgsten und wohl gespenstischsten Form, nämlich als die Unweisheit der Philistrosität. Unvorstellbar in den alten Bauern- und Handwerkerkulturen, werden von der mephistophelischen Unweisheit der Philistrosität sämtliche Lebenserscheinungen und sogar der Tod ununterschiedlich auf eine einzige gemeinsame Akzeptationsebene gebracht, werden mit äußerster Dignitätsentblößung, wenn auch hiedurch oftmals witzig, ins Vertauschbare gezogen, ebenso physiognomielos, wie der philiströse Mensch selber es ist, und ohne eigenes Erkenntnisstreben, ohne Achtung vor der Erkenntnis, wird diese zum bloßen Mittel degradiert, zu einem Mittel, mit dem, ohne Rücksicht auf den Verlust menschlichen Weisheitsglücks, ungehemmt, unsublimiert alle Triebbefriedigungen und nichts als Triebbefriedigungen erzielt werden sollen. Diese mephistophelische Unweisheit, diese witzige Erkenntnislosigkeit der Selbstsucht, diese erkenntnislose Erkenntnisvermessenheit, unbewußt dahintreibend im Dämmerstrom zwischen Dämmerufern, die aus nichts anderem mehr als aus leblosen Konventionen bestehen, dieses Absinken des Menschen ins Untertierhafte, unbewußt der Natur, unbewußt des Todes, unbewußt des Gottes, unbewußt des eigenen Seins, diese nackteste Akzeptation ohne eine Spur von Partizipation ist Ergebnis der Dämmerungsgesetzlichkeit und ihrer in allem Dahindämmern wirkenden spezifischen Mechanik. Nicht die Erkenntnis, nicht die Eigengesetzlichkeit ihres Fortschrittes kann für dieses Absinken verantwortlich gemacht werden, ja, nicht einmal der Großstadt als solcher ist die Verantwortung hiefür aufzubürden, denn mag die Großstadt auch vielleicht der günstigste Boden für die Existenz des Massenmenschen sein, sie ist es der Hauptsache nach nur infolge einer Art Entwicklungskoinzidenz, die parallel einerseits zu ihr, andererseits zum schrankenlosen Dahindämmern geführt hat. Keineswegs ausschließlich in der Großstadt, sondern überall, wo der Mensch erkenntnisbar in schierer Triebbefriedigung unter Vollakzeptierung der jeweiligen Umweltbedingungen dahindämmert,

dort verwandelt er sich zum physiognomielosen Durchschnitts-
individuum – selbst im bäuerlichen Leben gibt es den Durchschnittsmenschen –, und überall, wo dies geschieht, dort ist zu
erwarten, daß die lebendige Gemeinschaft zu einem toten Mas-
senkonglomerat werde: die Verantwortung aber liegt einzig
und allein im Phänomen des Dahindämmerns und seiner Mechanik.

Trotz alledem bleibt es verwunderlich, daß in dem Kampf um
die Menschenseele, der da zwischen dem Dahindämmern und
der Erkenntnis sich vollzieht, diese bis zur völligen Ausschaltung aus dem Geschehen, bis zur völligen Ausschaltung aus
jeglicher Verantwortlichkeit unterliegen soll. Zum Beispiel:
führt das Dahindämmern zum Absturz ins Untermenschliche
und Untertierhafte, so möchte man meinen und wohl auch
wünschen, daß alles, was unter Leitung der Erkenntnis und der
Ratio geschieht, einschließlich der Entwicklung zur Großstadt,
das gegenteilige Resultat zeitigen müßte; man möchte u. a.
meinen, daß eine Wirtschaftsnotwendigkeit, wie es die der
großstädtischen Technisierung, Industrialisierung, Ökonomisierung, Standardisierung ist, daß diese rationale Notwendigkeit, deren Gültigkeit unzweifelhaft auf lange Zeit hinaus wirt-
schaftsformend bleiben wird, ihre Rationalität sich auch auf die
menschliche Seele (– und dies ist vor allem der unerschütterliche Glaube der ökonomischen Geschichtsauffassung –) aus-
dehnen müßte, um solcherart das Absinken ins irrationale
Dämmerdunkel hintanzuhalten. Es ist eine Irrmeinung; nichts
wurde hintangehalten, nichts ist hintanzuhalten. Gewiß, die
Seelenlage des Menschen hat neue Färbungen angenommen,
da die scharf-geradlinige Landschaft aus Stahl und Beton, in der
er sich bewegt, nicht ohne Einfluß auf ihn hatte bleiben können;
das versteht sich von selbst, aber von mehr als einer bloßen
Umfärbung läßt sich nicht sprechen: einwandfrei ist höchstens
eine Art verschärftes oder korrekteres Hindämmern zu konstatieren, d. h. eines, das ins Zahlen- und Rekordhafte, ins korrekt
Erfaßbare gerichtet ist, bei alldem jedoch nirgends über die
Dämmerungsgrenze hinauslangt, ein irrationaler Fremdkörper
inmitten einer hyperrationalen Welt. Woher stammt diese Unbeeinflußbarkeit? Ist sie unberechenbar? Das Problem ist in
vereinfachter Gestalt bereits einmal aufgetreten, nämlich dort,
wo gefragt worden ist, warum ungeachtet aller Erkenntnisvor-

stöße der Mensch stets aufs neue ins Dämmern überhaupt zurückfallen muß. Nun verengt sich die Frage, und ihre präzisiertere Form lautet: warum gestattet eine so hochgradig rationale Zivilisation, wie es die großstädtische ist, keine echte Partizipierung, warum muß der Mensch mit seiner irrationalen Triebkonstitution ein Fremdkörper in einer von ihm selbst geschaffenen Kultur sein, kurzum, warum ist weder diese noch er selber imstande, ein Trieb- und Sublimationsgleichgewicht herzustellen, das ihn – und es ist der weise Zusammenklang von Natur und Kultur, der damit wieder aufscheint – wahrhaft organisch in seine Umwelt einbindet? Es geht also in erster Linie um die Partizipation des Menschen an seinen jeweiligen Kulturgrundlagen, um jene Partizipation, durch die das Individuum »sublimationsreif« wird. Und hier mag es gestattet sein, der Erkenntnis, insonderheit in ihrer gegenwärtigen hyperrationalen Gestalt, doch ein Stück Verantwortung anzulasten. Denn die Begabung zum Partizipationsaufruf, eine Gabe und Begabung, die der religiösen Erkenntnis im höchsten Maße zu eigen ist, mangelt der rein rationalen nahezu gänzlich. Vor allem ist sie, im Gegensatz zur religiösen, keine zentralisierte Erkenntnis, d. h. sie ist nicht um eine zentrale Wahrheit angeordnet, von der aus das Wissens- und damit das Kulturorganon als Einheit, zumindest in seinen wesentlichen Einheitsgrundzügen, zu erfassen wäre, sondern sie ist ein Gewebe, das in jedem seiner Punkte gleichbleibende Bedeutsamkeit und Wichtigkeit besitzt, so daß der Einheitsblick, ohne den es eben keinerlei Partizipation, keinerlei Aufhellung der Dämmerung, keinerlei Auflockerung der Dämmerung und letztlich wohl auch keinerlei Weisheit gibt, schlechterdings unmöglich geworden ist. Hiezu kommt, daß die Menge der Erkenntnisvorstöße, welche das Abänderungs- und Vervollkommnungsvolumen der heutigen Zivilisation geformt haben und weiter formen, zu einer glattwegs unübersehbaren Komplexheit angewachsen ist, in allen Lebensgebieten und insbesondere in dem der Technik mit schwindelnd zunehmender Geschwindigkeit weiter und weiter anwachsend. Sogar derjenige, welcher am unmittelbarsten an dieser Erkenntnis und ihrem Fortschritt beteiligt ist, nämlich der wissenschaftliche Forscher, vermag solchem Ausdehnungstempo heute kaum mehr zu folgen; er überschaut zur Not gerade sein eigenes Fachgebiet, geschweige denn die Gesamtheit des verwirrenden Wissensgewebes, und kann daher im allgemeinen sicherlich nicht als Partizipant an diesem gelten, wenigstens nicht in jenem tiefen Sinne, dem die echte Polyhistorie eines Bacon oder Leibniz zu ihrer Zeit noch genügt hatte. Für den Laien aber, dem selbst dieser schmale Zugang der wissenschaftlichen Pforte verwehrt ist, verliert das Abänderungs- und Vervollkommnungsvolumen jeglichen Erkenntnischarakter, es wird ihm zum puren Akzeptationsvolumen, und zwar zu einem, das infolge überwältigender Größe und Vielfalt nicht nur seine Fassungs-, sondern auch seine Akzeptationskraft so sehr übersteigt, daß ihm in seiner Überwältigung und Verwirrung überhaupt keine andere Wahl als die Flucht ins Massen- und Herdenhafte schrankenlosen Dahindämmerns übrigbleibt. Dies ist der Punkt, an dem die Erkenntnis restlos vom Dahindämmern geschlagen wird, an dem sie restlos vor diesem abdankt. Es ist der Punkt, an dem der Mensch jeden innern Kontakt mit der Erkenntnis verliert, an dem er sie zum bloßen Instrument seiner verschiedenen Triebbefriedigungen degradiert, mehr noch, degradieren muß, weil er keinen Zugang mehr zu ihr besitzt und hiedurch der mephistophelischen Unweisheit physiognomieloser Erkenntnispromiskuität überantwortet wird. Weit also davon entfernt, dem Menschen eine Auflockerung seines Dahindämmerns zu bringen, ist ihm die hochrationale, von der industrialisierten Großstadt beherrschte heutige Weltzivilisation eine Dämmerungsintensivierung von äußerster Schärfe; je heller und rationaler der Erkenntnisfortschritt sich gibt – und dies ist der paradoxe, dennoch von der Wirklichkeit bewahrheitete Schluß, der aus alldem zu ziehen ist –, desto dunkler wird die Dämmerung der Menschenseele. Das Leben der Großstadtmassen, dieses Paradigma für das Leben des modernen Menschen, verläuft blindheitsgeschlagen im schwersten, irrationalitätsbeladenen Dämmerungsdunkel, in schwerster, unsublimiertester Triebverwirrung: nackte, vollkommen rohe Triebbefriedigung im Rahmen eines unverständlich gewordenen, dämonisch krausen und starren Konventionengestrüppes, dem allein noch Wirklichkeitsgeltung zugemessen wird.

Triebbefriedigungen innerhalb einer vorgeschriebenen Konvention – ist dieses Schema der Dämmerungsstruktur nicht das eines jeden sozialen Lebens? Sicherlich ist es dies, allerdings nur in dem sehr eingeschränkten Sinne äußerster Formalvereinfachung. In größerer Präzision hingegen stimmt das Schema mit dem des Spieles überein, insbesondere mit dem jener Spiele, die – mehr oder minder harmlos, kindlicher oder erwachsener – die verschiedenen Abwandlungen des sozialen Lebens, nicht zuletzt die des Daseinskampfes zu imitieren suchen und, da dies bloß in sehr vereinfachter, sehr vereinfachender Weise erfolgen kann, gerade die Formaleigenschaften ihrer Urbilder zur Abspiegelung bringen müssen. Die (abgespiegelten) Konventionen, in deren Rahmen die Triebbefriedigungen des Spieles vorgenommen werden, heißen »Spielregeln«, und zu solch formaler Verwandtschaft zwischen den Strukturen des Dahindämmerns und des Spieles muß noch das beidseitige Formalsymptom der Physiognomielosigkeit zugesellt werden: im Gefüge des Spieles ist der Spieler physiognomielos; es wird von ihm lediglich verlangt, daß er die Spielregeln beherrsche und sie zu exekutieren verstehe; er ist in Ansehung des Spieles durch jede andere, ebenso individualitätslose Person ohneweiters austauschbar. Wohlgemerkt, damit soll nicht etwa behauptet werden, daß das Dahindämmern der physiognomielosen Großstadtmassen kurzerhand mit einem Spiel gleichzusetzen ist, sondern bloß, daß es in spielartigen Strukturen und Bahnen verläuft. Eine strukturelle Affinität besteht aber immer nur dann, wenn eine inhaltliche ihr zugrunde liegt, und hier findet sich eine solche in der Sublimierungssituation; das Spiel nimmt, gleich wie die Großstadtzivilisation, keine Triebsublimationen, sondern Triebzähmungen vor (mag es auch hie und da Triebsublimierungen imitieren), d. h. es hält die Triebbefriedigungen unter einer gewissen Konventionsschranke (– der Sieger im Kartenspiel darf den Partner bloß nach den Spielregeln »schlagen«, nicht erschlagen, wie es sein Sadismus eigentlich wünschte –), wobei freilich, wie bei den römischen Zirkusspielen, die »Triebschranke« ungemein tief, fast bis zur nackten Triebauslebung herabgerückt werden kann. Damit, eben mit der »Sublimationsaffinität«, erklärt sich auch weitgehend die auffällige Zentralstellung, die dem Spiel und zumal dem Kampfspiel, also dem Sport, in allem Großstadtleben – im römischen genau so wie im modernen – seit jeher zugekommen ist. Denn wo der Mensch infolge intensivst radikalen Dahindämmerns ins Tierhafte absinkt, da muß er das Tier dort antreffen, wo es am »menschlichsten« sich gebärdet, also in seinem

Spiel, in der »Überflüssigkeit« seines Spielens, im spielerischen Kraftüberschuß, der die Glücksgemeinschaft von Mensch und Tier, ihrer beider geheimstes Einverständnis ist. Indes, es ist zugleich die Stelle, von der aus sie wieder auseinanderzustreben beginnen. Die Spielmöglichkeiten und Spielformen des Tieres sind durch seine gattungsmäßig bedingte Haltungsinvarianz genau abgegrenzt, während für den Menschen, und gar für den Großstadtmenschen, eine derartige Einengung nicht existiert, so daß der Spielstruktur – dies ist ja ihre Affinität zur großstädtischen Lebensform – nichts im Wege steht, ungehemmt weiterzuwuchern und sich über sämtliche Gebiete des Daseins hinzuerstrecken. Angesichts dieser Wucherungs- und Durchdringungsstärke ist es fast, als ob die magischen Urvorstellungen, von denen sowohl die Kampf- wie die Glücksspiele in ihren ersten religiösen Wurzeln genährt worden sind, nun zusammen mit den unsublimierten Triebauslebungen neue Kraft erlangt hätten, die magische Kraft der selbständig gewordenen Spielregel an sich, die Magie der leeren Form. Und der in seinem Dahindämmern stets akzeptationspflichtige, stets akzeptationsbereite Mensch unterwirft sich solch magischem Gebot. Schon in den Anfängen der kapitalistischen Geldwirtschaft, unter deren Auspizien sich die moderne Großstadt gebildet hat, werden die Grundzüge dieser Magie erkennbar, selbstverständlicherweise vor allem als die des Geldes, um mit fortschreitender Entwicklung immer mehr zur magischen Dämonie des Nichts, des bloßen Rituals, der bloßen Form, der bloßen Spielregel zu werden. Die calvinistische Verkoppelung des kommerziellen Erfolges mit dem Gnadenbegriff (– heute heißt es, nicht viel weniger mystisch, das gottgewollte Überlebensrecht des Tüchtigsten –) darf sicherlich als eines der frühesten Symptome kapitalistischer Magie gewertet werden. Immerhin, damals hatte Geld noch vornehmlich die Bedeutung einer Eigensubstantialität, nämlich eines konkreten Wertes, der an einen konkreten, persönlichen Besitzer, den »Reichen«, gebunden ist und ihn befähigt, seine persönlichen Bedürfnisse und Gelüste nach Belieben zu befriedigen. Davon kann heute keine Rede mehr sein; höchstens der Wirtschaftsausgestoßene, der vom Besitz ausgeschaltete »Arme« hegt, von purem Ressentiment getrieben, manchmal noch derartige Anschauungen. Abgesehen davon, daß der Charakter des »Reichtums« sich vollständig gewandelt hat, daß er mitsamt der ganzen kapitalistischen Wirtschaft aus dem statischen in ein dynamisch-funktionales Stadium übergetreten ist, u. a. die Konkretheit des »reichen Mannes« durch die Abstraktheit des »Unternehmens« ersetzend, es haben sich außerdem während und infolge dieses Umwandlungsprozesses sämtliche kapitalistischen Funktionen mehr und mehr mythisiert, und vollends ist Geld zu einem ganz und gar mythisch-magischen Gebilde geworden, zu einer magischen »Spielmarke«, die – nur noch eine Erinnerung an ihre einstige Eigensubstantialität, mehr »gebucht« als »besessen« – durch ihre Verteilungsverhältnisse, durch ihr »Soll und Haben« den jeweiligen Stand des magischen Spieles, in Unterscheidung von »Gewinnern« und »Verlierern«, abgestuft anzuzeigen hat. Diesem magischen Spiel, dieser kapitalistischen Spielregel und ihrer beinahe dämonischen Unentrinnbarkeit ist der moderne Mensch in seinem Dahindämmern hoffnungslos verfallen, nicht zuletzt der »Kapitalist« selber, der reiche Mann von ehedem, er gleichfalls ein Dämmerwesen, das »unternehmungsgebunden« unmittelbar oder mittelbar für das »Unternehmen« und den »Unternehmensgewinn« front, auf daß sich mit diesem sein Ich symbolisch identifizieren könne, identifiziert mit des Gewinnes magischer Macht, der sich der moderne Mensch unterworfen hat und um die er dient. Die Anhäufung der Spielmarken in des Gewinners Hand (oder richtiger in seinen Büchern) ist hiefür das konkrete Symbol, und solche Konkretheit ist um so wichtiger, als der Dämmerzustand des Spielers aufs äußerste dem des Tieres angenähert ist; auch dieses vermag bloß konkret und nicht begrifflich zu erleben. Die aber von dem Symbol angezeigten oder verursachten Triebbefriedigungen sind nun hier von zweierlei Art; erstens sind sie die einer vollbrachten Leistung, ähnlich also jenen, die sich bei einem geglückten Hochsprung oder einer schwierigen Skiabfahrt einzustellen pflegen, und zweitens sind sie einfach die eines jeden Sieges, sind sie die Erfüllung der sadistischen Siegtriebe. Denn mit der (konkret symbolischen) Anzeige des eigenen Gewinnes wird auch der vom Spielpartner erlittene Verlust angezeigt, und hinter dem Verlust steht symbolisch der Hungertod des Verlierers, sein magisch-symbolisches Todesurteil, auf das es in den hemmungslos sadistischen, mordgerichteten Triebwünschen des Siegers stets ankommt. Am krassesten zeigen sich diese Mordwünsche dort, wo das

Geschehen infolge Imitation ins Bewußtsein gehoben wird, d. h. als wirkliches Spiel sich manifestiert: der Spielkodex dekretiert Spielschulden als Ehrenschulden, deren Nichteinlösung bloß durch Selbstmord sühnbar ist. Nur in der angeblichen Scheinwelt des Spieles wagt der Mensch, sich seine Mordwünsche einzugestehen, und ungeachtet dessen, daß diese magisch-sadistische Spielstruktur seinen gesamten Alltag, nämlich sein gesamtes Wirtschaftsleben durchzieht, daß sie daselbst ebensowohl im Verhältnis zwischen Käufer und Verkäufer, wie in dem zwischen Arbeitgeber und Arbeitnehmer, wie in dem zwischen zwei Konkurrenten deutlich zutage tritt, sie muß dem Bewußtsein verborgen bleiben. Lediglich im »Börsenspiel«, also in einer Wirtschaftsabart, in deren Rahmen nicht gegen einen konkreten, tötbaren Partner, sondern gegen das magische »Glück« als solches gespielt wird, ist die Bezeichnung »Spiel« gestattet; überall anderswo ist sie mitsamt ihren magischen Inhalten ins Unbewußte verbannt. Was sich da im wahrsten Wortsinn »abspielt«, ist unbewußt – die Unbewußtheit des im Dämmerzustand sich abspielenden Lebenskampfes –, und in dieser Unbewußtheit findet das sadistische Spiel seine »Natürlichkeit«; für den heutigen Menschen ist die magisch-sadistische Wirtschaftsform so überaus natürlich, daß ihm eine andere, verspräche sie ihm auch eine noch so gute Lösung seiner ökonomischen Nöte, beinahe unvorstellbar erscheinen will. Die Spielstruktur mit ihrer konkreten Symbolik hat sich als die natürliche etabliert, und diese magische Natürlichkeit oder natürliche Magie ist es eben auch, ohne die ihr stetes Weiterwuchern und Weiterumsichgreifen sicherlich kaum möglich wäre. So aber ist es nur natürlich, daß eben diese der Großstadt eigentümliche Hypertrophierung der Spielstruktur, lieber möchte man sagen ihre Depravierung gewissermaßen, in einer Rückwendung nun auch auf das eigentliche Spiel übergegriffen hat: die Funktion, die der »konkreten Spielmarke« und ihrer ziffernmäßigen Symbolhaftigkeit im Wirtschaftsgeschehen zugeteilt ist, hat sich im eigentlichen Spiel zum ziffernmäßigen Rekord umgestaltet, und gerade im Rekord hat das Spiel sein spezifisch großstädtisches Gepräge erhalten; durch den Rekord ist des Spieles Irrationalität nicht nur in einen rationalen Betrieb mit Starsystem verwandelt, sondern auch seiner ursprünglichen Unbefangenheit, seiner unbefangen glückserfüllten

Freude beraubt worden, nichts zurücklassend als die nackteste Spielverbissenheit, nichts als das verbissene, sadistische Wut-Glück der Siegwünsche, der erfüllten Siegtriebe. Kurzum, der rationale Lebenskampf hat die Gestalt eines irrational verbissenen Spieles angenommen, und das einstmals irrationale Spiel ist zu einem verbissen rationalen Lebenskampf geworden, ununterscheidbar sie beide ineinander verquickt. Und in der Tat, die Un-Physiognomie des großstädtischen Menschen ist die des verbissenen Spielers, glücksberaubt, schwach und triebbesessen, erkenntnis- und weisheitsbar und liebeleer einsam, die Physiognomie des rational gewordenen Herdentieres, das außer der Spielregel keine andere Verbindung zu seinem Nebentier hin kennt. Es ist die »Spielerherde«, und eben hierauf ist auch ihr soziales Gefüge aufgebaut. Spieler bilden ein Team, bilden eine Partie, und u. U. kann selbst eine solche noch von zweckvollem sozialen Verhalten bestimmt werden, nämlich von zweckgerichteten Sozialkonventionen, die dem Menschen vorschreiben, wann er sich mit dem Nebenmenschen zwecks gemeinsamen Interessenschutzes zusammenzutun hat und wann er ihn erschlagen darf, doch da in ein so gebautes, auf Spielregeln aufgebautes Rationalgefüge von keiner Seite – am allerwenigsten von der des Spieles selber – irgendeine Sublimationskraft eingebracht wird, bleibt es bei der bloßen Sozialform ohne Gemeinschaftsinhalt, bleibt es beim Termitensystem, in dem nichts als die nackte Spielregel gilt, bleibt es bei der Termitengroßstadt, in der das Einzelindividuum keinen Eigenwert besitzt, weil nur die physiognomie- und individualitätslose, ununterscheidbare Systemeinheit anzuerkennen und einzuordnen ist. Entblößt jeglicher Sublimationskraft, unfähig jeder Sublimation und unfähig daher zur Gemeinschaft, ohne Erkenntnis, ohne Weisheit, ohne Liebe lebt die Spielerherde, und nicht einmal ahnend, daß Erkenntnis, Weisheit und Liebe zusammengehören, daß sie, vereint zum menschlichen Glück, einander bedingen und daß sie (– weder der Erkennende noch der Weise, noch der Liebende spielt, und nichts ist ihnen Spiel –) niemals vom Spiel aus zu erreichen und zu begreifen sind, ist der hindämmernde Massenmensch bemüht, das ihm Unerreichbare ins Unsublimierte seines Spielbereiches und seiner Spielregeln zu ziehen. Neben der zur mephistophelisch erkenntnislosen Witzigkeit depravierten Erkenntnis wird die Liebe in gleicher

Weise mephistophelisch depraviert, bloßes Mittel ohne Selbst-
sinn, sie selber zur leeren Spielregel geworden, die als solche
und nur als solche akzeptiert und erfüllt wird, eine in ihrer Aus-
tauschbarkeit ebenso witzige wie traurige Sterbenszweisam-
keit, aus der heraus zwar noch Kinder geboren werden, doch
nur um eines Dämmerungssterbens willen, ein wüstes und ver-
wüstendes Dämmern. Es ist der Albtraum des Spieles, das Alb-
dämmern des Spielers, und physiognomielos er selber, physiognomielos der Nebenmensch, austauschbar er selber, austauschbar der Nebenmensch, wird er von dieser doppelten
Distinktlosigkeit, der eigenen wie der fremden, in seinem ganzen Wesen beherrscht; m. a. W., unfähig zur Gemeinschaft,
nimmt er es auf sich, zum anonymen Partikel eines Termitensy-
stems zu werden, und mit der fremden Auslöschbarkeit akzeptiert er dämmernd auch seine eigene. Diese Selbstauslöschung
des Individuums, diese akzeptierende Selbstpreisgabe des Ichs
an seine Massenqualität ist zumindest ebenso dämonisch wie
seine Akzeptierung der leeren Spielregel: der Mensch, welcher
seine Massenqualität in dieser Form akzeptiert, lebt seinen
Todestrieb ebenso nackt und unsublimiert aus, wie er seine
sonstigen Triebe unsublimiert auszuleben trachtet. Und umgekehrt – denn es ist eine Schraube ohne Ende –, eben weil der
Todestrieb, der das Nichts will, so unbedingte Macht über den
Menschen gewonnen hat, muß dieser das Leben als eine leere
Spielregel begreifen, die womöglich auch noch gesprengt werden soll, damit nichts als die letzte Substanzlosigkeit des Triebes
allein übrigbleibe, der Mythos der leeren Technik. Um dies zu
erreichen, stürzt er sich ins Massenartige, stürzt er sich in einen
gemeinsamen Dämmerungswillen, der – gerade weil er mit Gemeinschaft nichts mehr zu schaffen hat – jede Verpflichtung zur
Erkenntnis oder Weisheit übertönt, und von hier aus, von diesem gemeinsamen Willen zum Nichts aus und in ihm fußend,
mehr noch, getragen von dieser unendlichen Multiplikation des
Nichts, von ihr gesteigert und übersteigert, erwirbt der Mensch
das Recht – das Nichts verleiht es ihm –, sich hemmungslos-
blind seinen sadistischen Siegtrieben hinzugeben, ist ihm die
Blindheit gestattet. Sogar die Beute, um derentwillen er sich
zum Morde aufgemacht hat, als brauchte er vor seinen Lebenstrieben zuerst einmal solch rationalen Vorwand für seine aktiven und passiven Vernichtungsgelüste, sogar die Beute wird

vernichtet, und nichts bleibt mehr übrig als der leere Sieg als solcher, der dem leeren Spiel einzig angemessene Preis, ein Preis, der durch keine reale Beute mehr beschmutzt werden darf; der Sieg an sich, der Tod für den leeren Sieg wird zum letzten Lebenssinn, zum Sinn des zur äußersten Radikalität hypertrophierten Spieles. Und fast ist es, als wollte sich damit auch der letzte, zutiefst unheimliche Sinn und Nicht-Sinn, der in allem Spiele steckt, dem Menschen enthüllen, der apokalyptische Sinn des »Zeitvertreibes«, der in unterscheidungsloser Akzeptierung an nichts mehr partizipiert außer am Nichts schlechthin, apokalyptisch dem Nichts verhaftet. Selber zur individualitätslosen Maschine geworden, durchrast der Mensch die geradlinigen Maschinenlandschaften einer einst natürlichen Erde, und dieser Amoklauf der Physiognomielosigkeit, todaussäend, todempfangend, er ist die magisch-dämonische Spielregel des zu seiner letzten Konsequenz radikalisierten menschlich-untermenschlichen Dahindämmerns, das sich selber übermenschlich dünkt, in Wahrheit aber der Absturz ist, der Absturz aus der Animalität in die Bestialität.

Apokalyptische Vernichtung, das Wissen um sie und um das leere Vernichtungsspiel, aus dem sie hervorgeht, dies ist der Inhalt aller prophetischen Vision seit jeher gewesen. Der Weisheit eng verwandt, beruht Prophetie auf einer Selbsterkenntnis des Dahindämmerns, ist sie wissende Unbewußtheit, unbewußtes Wissen, und ihre Dämmerbilder – ähnlich denen der Dichter, doch schärfer als sie in ihrer Ahnungskraft – sind aus dem Wissen um das apokalyptisch bedrohte menschliche Dahindämmern geschöpft. Es gibt keine Glücks-, es gibt bloß Unheilspropheten. Indes, nicht die Voraussagung realer Tatsachen macht das eigentliche Geschäft der wirklichen, der großen Prophetie aus; nur die kleine beschränkt sich auf die Warnung vor bevorstehendem Unheil. Allzu leicht ist es, zu erkennen, daß apokalyptische Vernichtung das Los des Menschengeschlechtes gewesen ist von Anbeginn an. Allzu leicht ist es, zu erkennen, daß kein Volk, kein Staat, keine Kultur je davor gefeit war oder ist, daß der Hungrige stets den Gesättigten überfallen muß, um ihn seines Reichtums zu berauben, daß der Reiche und Besserbewaffnete sich noch niemals gescheut hat, den Wehrlosen schlankwegs der letzten Habe zu entblößen und zu versklaven, um sich selber vor künftigen Überfällen zu schützen. Allzu leicht ist es, zu erkennen, daß das erbarmungslose Gesetz des Stärkeren durch die Weltgeschichte rast und daß es das Menschliche immer wieder in Blut und Mord und Brand und Leid erstickt. All dies ist nicht der Prophetie wirklicher Sinn, ist es selbst dann nicht, wenn der Sturz Trojas, der Sturz Jerusalems es ist, den sie schaut. Dahingegen ist es ihr Sinn, zu erkennen, daß das Gesetz des Stärkeren, dessen Wirkungen sie schaudernd vor sich sieht, nicht das Notwendige des Lebenskampfes, sondern das einer entfesselten Bestialität ist, die sich in der leeren Spielregel des Todes und der nackten Zerstörung austobt. Hinter dem Zusammenbruch seiner eigenen, oftmals begrenzten, irdischen Welt – und gerade wenn es ein Troja, wenn es ein Jerusalem ist, das da zusammenbricht – sieht der Prophet die Wurzeln des Apokalyptischen schlechthin, sieht er die Selbstvernichtung der Menschheit, sieht er einen furchtbarsten Zukunftstag, an dem, über alle isolierten Katastrophen hinaus, es nicht mehr heißen wird, daß dieses oder jenes Volk mit seiner Staatlichkeit und Kultur sich um eines Neubeginns willen vor einem andern Volk, vor einem andern Staat, vor einer andern Kultur wird zu beugen haben, nein, daß an diesem Schicksalstag eine Gesamtkatastrophe wird eintreten müssen, die jeglichen menschlichen Neubeginn zermalmt, weil die Überlebenden nur noch als idiotisierte Tiere aus ihr hervorgehen werden, auf Generationen hinaus unfähig eines neuen Erkenntnisvorstoßes, unfähig jedweder Weisheit, unfähig des Menschlichen. Die apokalyptische Stimme ist stärker als die eines jeden unmittelbaren irdischen Anlasses, und möge dieser noch so sehr, noch so erschütternd von Blut und Mord und Brand geschwängert sein, die Stimme, die zur Stimme zwingt, ist es, die mit ihrer Vision vom Ende des Menschlichen als solchem alle Prophetie erfüllt. Wohlgemerkt, alle Prophetie, d. h. also ebensowohl die echte wie die falsche. Denn der falsche Prophet – keineswegs weniger scharfsichtig als der echte, wenngleich oftmals eher Jünger als Prophet – versteht ebenfalls richtig zu weissagen, nur daß er, im Gegensatz zum echten, die Akzeptationshaltungen seines Dahindämmerns sogar auf das Apokalyptische selber ausdehnt und es bejaht, indem er die Vernichtungskräfte nicht nur herbeiwünscht, herbeiruft, sondern ihnen auch unter den verschiedensten Vorwänden, so etwa dem ihrer Unausweichlichkeit oder etwa dem ihrer Notwendigkeit für den Lebenskampf, einen Selbstsinn, den unsinnigen Selbstsinn der Physiognomielosigkeit zu unterlegen trachtet: mit Hilfe solcher Scheinbegründungen und ihrem mephistophelisch witzigen Erkenntnismangel wird der leere Sieg um des bloßen Sieges willen, wird diese leere Spielregel des Sadismus in eine Art mystische Heroik verkehrt, wird dem Mord, der Vergewaltigung, der Unterdrückung, der Schmerzzufügung, kurzum dem Leid an sich der Rang eines wesentlichen und womöglich einzig menschenwürdigen Lebenswertes verliehen, der freilich in seinem bösartigen Ästhetizismus bloß dartut, daß der falsche Prophet, obwohl er sich von seinem abgeschwächten Derivat, nämlich dem ästhetisierenden Literaten, höchstens durch seine größere Scharfsinnigkeit unterscheidet, gerade wegen dieser und ihrer Satanik selber einen Teil des apokalyptischen Weltzustandes bildet. Demgegenüber hebt sich die echte Prophetie und mit ihr die echte Dichtung (die zu ihr im gleichen Verhältnis wie das Literatentum zur falschen Prophetie steht) aufs schärfste ab; während die falsche Prophetie, gemäß ihrer unterscheidungslosen Akzeption jedweder Gegebenheit, einen ethischen Willen weder besitzt noch besitzen mag, ist die echte Prophetie (tief in die Dichtung hineinleuchtend) stets ethisch ausgerichtet, da sie kraft ihrer Weisheitsgrundlage das Abänderliche vom Unabänderlichen zu sondern imstande ist und auf diese Sonderung strenge besteht: das Apokalyptische ist ihr nicht unabänderliches Fatum des Menschengeschlechtes, sondern eine diesem drohende, jedoch vermeidbare Strafe, die allerdings unvermeidbar wird, wenn der Mensch in seinem Abfall, in seinem Erkenntnisabfall zu verharren gedenkt. Und eben hier setzt die Aufgabe aller großen Prophetie an, eine Aufgabe, die ihr ungleich wichtiger ist als die des bloßen Weissagens; sie fühlt sich beauftragt, den dahindämmernden Menschen aus dem Abfall zu erretten und ihn zur Erkenntnis, oder richtiger, zur Wahrheitspartizipation wirklicher Weisheit zurückzuführen. Eine sehr nahe Beziehung zur Erkenntnis und damit zum Prometheischen hin wird hiedurch von der Prophetie aufgeschlossen, das ihr unweigerlich immer innewohnende prometheische Element, ihr prometheischer Kern. Zwar ist Prophetie, entsprechend ihrem Weisheitscharakter, nicht selber prometheischer Erkenntnisvorstoß, indes in ihrer erkenntniszugekehrten Haltung tritt das Prometheische klar zutage, nicht zuletzt in jener edlen Unweisheit, die mit unbeugsamem Schicksalstrotz gegen das schier Unüberwindliche anstürmt, um dem Menschen, ungeachtet seiner Rettungsunwilligkeit, ungeachtet seiner Taubheit gegen jeglichen Aufruf, ungeachtet seiner dämmernden Absturzlust doch stets aufs neue Rettung und Hilfe zu bringen. Es ist der Aufruf der großen Prophetie an die Menschheit, ihr niemals erlahmender, ethischer Aufruf zur Wahrheitspartizipation, die zugleich und für alle Zeiten das wahre Menschentum und mit ihm die Wiedergewinnung des Menschenantlitzes bedeutet. Dieser Wiedergewinnung, dieser Wahrheitspartizipation, ohne die der dahindämmernde Mensch nie und nimmer der apokalyptischen Drohung zu begegnen, geschweige denn sie zu bannen vermöchte, ihr allein gilt der prophetische Aufruf. Neben der apokalyptischen Unheilsvision steht leuchtend die messianische Schau eines erringbaren, eines wiedererringbaren Menschheitsheiles. Spätere Generationen haben die ethische Stärke der alten und echten Prophetie weitgehend eingebüßt, vielleicht wohl auch, weil ihnen das Grauen des apokalyptischen Bildes unertragbar und unaussprechbar geworden war; wenn auch noch echt, trotzdem schon abgeschwächt, zitterte das Grauen in Dichtung und Philosophie nach, und selbst das Messianische mußte durch die Lyrik einer goldenen Zeit milde gelöst werden. Die große Prophetie hingegen verschmäht jede Milderung, und abhold jeglicher Lyrik, ist ihr der Väter Weisheit nicht eine angstlösende Wunschvision von einem verklärten Einst, sondern strenge Mahnung, die Mahnung gotterfüllter Menschlichkeit, nicht milde Zukunftsversprechung, sondern angstzerrissener Aufruf an das unmittelbare Hier und Jetzt, in dem das Notwendige sofort zu geschehen hat, auf daß das letzte Grauen noch zu letzter Stunde verhütet werde; das Messianische nimmt in der großen Prophetie die Gestalt des Prometheischen an, die Gestalt eines prometheischen Anstürmens gegen das Unausweichliche, die Gestalt eines verzweifelt mahnenden Aufrufes zur unmittelbaren Erkenntnispflicht, also zu jener Pflicht zur Pflicht, die lebenszugekehrt, vernichtungsabgekehrt den Gott und den Titan, trotz deren Feindschaft, zum Wahrheitsdienst vereinigt, dem Menschen aber die Wahrheitspartizipation vermittelt. Das Prometheische und das Messianische sind zu einer einzigen Verheißung zusammengeschweißt.

Nichts liegt also der Prophetie, der großen Prophetie ferner, als eine Rückkehr zu früheren Lebens- und Weisheitsformen predigen zu wollen; um Einkehr handelt es sich ihr, nicht um Rückkehr. Das prophetische Ethos scheut sich nicht, Unmögliches vom Menschen zu verlangen; niemals jedoch verlangt es Unsinniges. Und nichts wäre unsinniger, als von einer städtisch gewordenen Welt eine Rückkehr zur Rustikalität und zur rustikalen Weisheit zu verlangen. Nur in einem einzigen Fall wäre solche Rückkehr denkbar, nämlich dann, wenn die apokalyptische Menschheitskatastrophe tatsächlich in vollem Ausmaße einträte, wenn sie tatsächlich des Menschengeschlechtes gesamte bisherige Leistung gänzlich vernichtete, alles Kulturale und Zivilisatorische, alles Geistige und seelisch Erhabene, kurz, den gesamten menschlichen Wertaufbau tatsächlich zu dunkelster Un-Erinnerung austilgend. Denn könnte aus solch vollkommenem Verfall, aus solch vollkommener, dem Tierhaften angenäherter Vergessenheit überhaupt nochmals ein humaner Neubeginn je erstehen – der dann freilich der stärkste Beweis für die Unzerstörbarkeit des göttlich-menschlichen Kernes wäre –, so könnte er nichts anderes mehr als ein mühselig-langsames Zurücktasten und Zurückdämmern zu den Formen einer primitiven Rustikalität sein, sicherlich nicht zu einer, welche die Züge eines Goldenen Zeitalters trägt, wohl aber zu einer, deren stumpfsinnig gewordenes Antlitz von dem vorangegangenen Erkenntnis- und Weltzusammenbruch Kunde gibt. Paradox gesprochen, wäre es eher eine zerstörte Städtischkeit als eine echte Rustikalität. Solange jedoch die Totalzerstörung hintanzuhalten ist – und gerade die große Prophetie hatte es sich zur Aufgabe gemacht, sie hintanzuhalten –, solange also das Menschliche noch eines Schutzraums auf Erden genießt, so lange ist der Erkenntnisfortschritt nicht abgebrochen, und wie immer er sich weiterentwickeln würde, er kann die Periode seiner Städtischkeit nicht überspringen, am allerwenigsten jedoch deren Ergebnisse zugunsten einer primitiven Rustikalität rückgängig machen; möge sogar nach anderen, etwa nach gartenhaft-halbstädtischen und sohin besseren Siedlungsformen gegriffen werden, es würde eine »unsichtbare Großstadt« als Geist der Technisierung und Industrialisierung, als Geist der Verwissenschaftlichung noch auf lange Zeit hinaus für das menschliche Denken und Gehaben bestimmend bleiben. Wenn aber solcherart der Rückweg ins Bäuerliche versperrt, ja geradezu verboten ist, zu welch anderen Weisheitsformen vermag da die Prophetie, soll ihr Aufruf auch fürderhin Gültigkeit besitzen, noch aufzurufen? Unzweifelhaft nun, es will derjenige, welcher ethische Forderungen erhebt, die Menschen, an die er sich richtet, in seinem eigenen Ebenbild gestaltet wissen, und auch der Prophet macht hievon keine Ausnahme. Dies bedeutet freilich nicht, daß er die Erde mit lauter Propheten bevölkert zu sehen wünscht, hingegen wohl, daß er seine eigenen Weisheitsgrundlagen als Schutz vor der apokalyptischen Strafe empfindet und daher solchen Schutz allen Gefährdeten angedeihen lassen möchte. Und auffallend genug, diese Weisheitsgrundlagen der Prophetie waren eigentlich niemals mit denen des bäuerlichen Lebens identisch. Die Prophetie sondert wesensgemäß ihren Träger von vornherein aus seiner Sozialgemeinschaft aus; sie macht ihn zu einem Einzelgänger, und selbst dort, wo sein Amt sozial institutionell wird, wie z. B. in dem des Medizinmannes, des Magiers, des Auguren, des Priesters, selbst da noch bleibt er ein Gesellschaftsfremdling, dessen Geistesart mit der seiner Umgebung, und sei diese, wie dies im Bäuerlichen etwa vorkommen könnte, noch so weise, niemals völlig übereinstimmt. Ein anderer, ein zweiter Weisheitstypus ist da entstanden, ausgestattet mit einem neuen Weisheitselement, das in der bäuerlichen »Laienweisheit«, als welche sie wohl bezeichnet werden dürfte, nicht enthalten ist; sie ist im Gegensatz zu der des Laien eine Art »intellektuell-ethischer Weisheit«, und das neue Weisheitselement, von dem sie diese Würde bezieht, ist offensichtlich einem der weittragendsten Phänomene der menschlichen Geistesgeschichte aufs engste verwandt, nämlich mit jener Geschichtsstufe, auf der sich die Entdeckung der menschlichen Seele vollzogen hatte: der Medizinmann, der Magier, der Augur, der Priester und mit ihnen auch der Prophet, ja, er vor allem, er ist über die bloße Naturbetreuung hinausgewachsen, er betreut nicht nur seinen Acker, er betreut die menschliche Seele, denn er hat das Eigen-Ich in sich selber und im Nebenmenschen entdeckt. Das Wissen um das Vorhandensein der Seele ist nicht gleichzusetzen mit dem Ichbewußtsein, dessen jeder Mensch, auch der unweiseste, teilhaftig ist, und obzwar es selber – wie jede Weisheit – zumeist gleichfalls in dämmernd-wissender Unbewußtheit verharrt, es reicht an Bewußtseinskraft doch über jenes unbewußte Wissen hinaus, mit dem die Laienweisheit ihren Dämmerzustand zur Kenntnis nimmt und sich in ihm bescheidet. Eine Schwerpunktsverlagerung in der Richtung zunehmender Vollbewußtheit hat in der intellektuell-ethischen Weisheit stattgefunden, und beinahe selbstverständlich ist es, daß das nämliche sich überall in ihr, insbesondere also in der für alle Weisheit so überaus wichtigen Scheidung zwischen abänderlichen und unabänderlichen Faktoren zeigen will und gezeigt hat: ist in der bäuerlichen Laienweisheit der Unabänderlichkeitsfaktor schier ausschließlich in des Menschen Innen- und Außennatur lokalisiert, so wird er nun hier entsprechend umgelagert, d. h., es wird, der neuen Bewußtseinsqualität entsprechend, das neuentdeckte Phänomen der Menschenseele zu einem mittragenden Unabänderlichkeitsfaktor ernannt. M. a. W., neben der Unabänderlichkeit der »Natur« tritt nun die der Seele an sich, tritt die des »Humanen« schlechthin, und in den Zusammenklang von Natur und Kultur, der die bäuerliche Weisheit ausmacht, wird nun das Humanbewußtsein als bestimmendes Element eingebracht, einesteils die Funktion der Naturunabänderlichkeit darin ersetzend, andernteils sie in sich einschließend. Alle echt religiösen, also antiheidnischen Erkenntnisvorstöße haben ihren Gott genau so weit entdeckt, als sie die menschliche Seele entdeckt haben, und alle sind sie hiedurch auf das Humane ausgerichtet; nur das Heidnische ist ahuman, nur das Heidnische hängt am Menschenopfer. Die Entwicklung vom Medizinmann zum Magier und von ihm aus zum Priester ist (häufig genug gegen den Willen der Beteiligten) antiheidnisch und demzufolge humanitätsgerichtet. Die große Prophetie mit ihrem ethischen Willen ist eine späte, ist eine nachheidnische Erscheinung. Der neue Weisheitstypus, der sich da ankündigt, enthält ein Hinauswachsen über den bäuerlichen; er ist eine Überwindung der bloßen Rustikalität, nicht zuletzt weil damit die heidnischen Elemente, die im Bäuerlichen und sogar in der bäuerlichen Weisheit seit jeher untergründig weitergewebt haben, endgültig überwunden werden. Schon im Strukturellen heben die beiden Weisheitstypen sich scharf voneinander ab: die bäuerliche Weisheit hat durch ihre zutiefst antiprometheische Einschränkung der Akzeptations- und Erkenntnisvolumina, durch deren radikale Aussiebung zu einem Erkenntnisminimum die zivilisatorische

Scheidewand zwischen dem Menschen und der Natur durchlässig genug halten können, um seine stete Partizipation an dieser und an den in ihrer letzten Unabänderlichkeit fundierten Lebensbedingtheiten zu ermöglichen; die intellektuell-ethische Weisheit muß im Hinblick auf die humane Unabänderlichkeit eine ähnliche Partizipation erzielen, doch viel zu sehr dem Prometheischen angenähert, als daß sie sich eine antipromethische »Erkenntnisintoleranz« gleich der bäuerlichen Laienweisheit gestatten dürfte, vielmehr dazu verhalten, statt eines Erkenntnisminimums tunlichst ein Maximum hievon zu akzeptieren, hat sie dieses mit ihrem Humanitätsziel in Einklang zu bringen, und dem ist bloß dann zu genügen, wenn an die Stelle der einschränkenden Selektion ein anderes, ein neues Prinzip angewandt wird, nämlich das einer »Erkenntnishierarchisierung«, welche die Fülle des akzeptierten Erkenntnismaterials um den humanen Zentralwert anordnet, oder richtiger, ihm unterordnet, hierarchisch ihm einordnet. Allein die antiheidnische, human-ethische Religiosität, niemals die heidnisch-naturreligiöse Magie ist imstande, solch dominierenden Zentralwert zu produzieren; allein die ethisch-humanitätsgerichtete Weisheit ist imstande, sich solchem Wertsystem einzufügen. Kurzsichtig also wäre es zu meinen, daß die Wendung zum Humanen bloß erfolgt wäre, weil der städtisch gewordene, naturberaubte Mensch nach einem neuen Fixpunkt für seine Unabänderlichkeitsbedürfnisse hatte Ausschau halten müssen und ihn zufällig im Humanen gefunden habe. Gewiß, das Städtische ist dem Naturreligiösen nicht günstig, aber es ist überhaupt keiner Religion günstig – sonst hätte es ja nicht die unheilvoll zersetzende Wirkung, die es hatte und hat –, und trotzdem sind die großen ethischen Religionen vielfach im urbanen Kreis entstanden oder haben zumindest in ihm entscheidende Entfaltungsförderung erfahren. Nein, die Entdeckung der Seele und mit ihr die des Humanen und Ethischen ist nicht von zufälligen äußern Umständen, nicht von zufälligen Siedlungsverhältnissen abhängig; sie ist ein Erkenntnisvorstoß, und als solcher ist sie ausschließlich an die Gesamtentwicklung der Erkenntnis und an deren Entwicklungslogik gebunden, deren Beiprodukt, wenn man es so nennen darf, allerdings u. a. auch das Phänomen der Städtischkeit ist, so daß sich immerhin hie und da eine Gleichzeitigkeitsbeziehung herstellen läßt. Jede Entwicklungs-

stufe aber ist wesensgemäß intolerant gegen jede vorangegangene, und schon von hier aus ist die unerbittliche Intoleranz
der ethischen Prophetie, ihre prometheisch unweise Unduld-
samkeit zu erklären, die dennoch mit der antiprometheischen
Erkenntnisintoleranz seltsam verwandt ist, da es ihnen beiden
um den Schutz des Menschen vor dem Rückfall ins Tierische
geht, letztlich um die Verhütung jener unterscheidungslosen
Akzeptationshaltung, die als mephistophelische »all round«-
Akzeptation das Abänderliche und Unabänderliche witzig
durcheinanderwirft und ebenhiedurch die Erkenntnis in ihr
Gegenteil umstülpt, nur daß nun die Prophetie – im allgemeinen durchaus mit Recht – dies alles unter dem Zeichen der
Heidnischkeit sieht, den Abfall ins Tierische gleichsetzend mit
dem ins Heidnische. Am Rückfall ins Heidnische entzündet sich
der ethische Eifer des Propheten, und die berüchtigte Intoleranz der Kirche ist hierin sein legitimer, wennzwar etwas büro-
kratisierter Erbe, klar voraussehend – und die Ereignisse haben
die Voraussicht bestätigt –, daß jede Erschütterung der Erkenntnishierarchie den mühselig eingeleiteten Humanisie-
rungsprozeß der Menschheit abzubrechen droht, den Menschen selber aber, entblößt seines Menschentums, entblößt
seines distinkten Menschenantlitzes, entblößt seines Seelenheiles unrettbar dem Apokalyptischen überantwortet. Von hier
aus betrachtet, scheint der neue Weisheitstypus ebensowohl
wegen seiner Zentrierung in der menschlichen Seele als auch
wegen seines intellektuell-ethischen Charakters aufs engste mit
religiösen Haltungen verschwistert zu sein: ethische Religiosität, gepaart mit ihren mystisch-dämmernden Gefühlswerten,
erscheint gleichsam vorbestimmt, als Gefäß für die unwissende
Bewußtheit, für das unbewußte Wissen des neuen Weisheitstypus zu fungieren. Hiezu kommt noch, daß jede Weisheit irgendwie mit dem Todesproblem zurechtzukommen hat und
daß der intellektuell-ethischen es infolge ihrer neuen Bewußtseinslage offenbar verwehrt ist, die Lösung der bäuerlichen
Weisheit, welche den Tod mit dem Gleichmut eines fast animalischen Dahindämmerns akzeptiert, einfach zu übernehmen;
das Problem der Seele hatte sich zu dem des Todes gesellt, und
vereinigt in dem des Seelenheiles waren sie in der religiösen
Haltung untrennbar geworden. Nichtsdestoweniger dürfen Religiosität und Weisheit nicht miteinander verwechselt werden;

171

Weisheit ist – auch in ihrer intellektuell-ethischen Form – vielfach eine Verzichthaltung, und sie kann, wenn's not tut, selbst ohne Gott ihr Auslangen finden. Gerade die von den Propheten inaugurierte religiöse Intoleranz, die an die Stelle der bäuerlichen Erkenntnisintoleranz getreten ist, weist in diese Richtung. Denn sie ist im Grunde ja überhaupt kein Bestandteil des Glaubens, am allerwenigsten des christlichen, der weit eher auf Toleranz abgestellt ist, vielmehr ist Intoleranz eine weltliche Schutzmaßnahme, mit welcher sich Wertsysteme, mögen sie nun religiös oder anderswie bestimmt sein, auf Erden zu behaupten trachten; nicht der christliche Glaube bedient sich der Intoleranz, die irdisch-streitbare Kirche tut es, und wenn sie es auch in oftmals weiser Voraussicht tut, so ist solche Voraussicht und solche Weisheit noch lange nicht Glaube. Damit ist freilich nicht gesagt, daß hiedurch etwa auch das strikt Antiheidnische der intellektuell-ethischen Weisheit aufgehoben wäre; die Kirche rechnet mit vollem Recht Plato, Aristoteles und Vergil zu ihren Vorläufern, und zwar nicht nur, weil sie in ihrer Theologie einen Teil des platonischen, aristotelischen, vergilschen Gedankengutes zu verwerten vermocht hatte, sondern noch weit mehr, weil es antiheidnische Menschen, weil sie intellektuell-ethische Weise gewesen waren. Und ebenso kann der Weise innerhalb der Christlichkeit u. U. durchaus antikirchlich orientiert sein, wie dies viele der Mystiker waren, vor allem wohl Eckhart, und er wird trotzdem der intellektuell-ethische, der scharf antiheidnische Weise bleiben. Die Weisheitsreihe läßt sich bis zur Gegenwart fortsetzen. Sicherlich ist nicht jeder Polyhistor auch ein Weiser, obwohl Leibniz es war, und sicherlich war es nicht jeder Philosoph, obwohl Spinoza ein Weiser reinsten Geblüts war. Mehr noch, der Titel der intellektuell-ethischen Weisheit ist nicht unbedingt an die große Leistung gebunden; unzählig viele geistige Menschen, ob nun im Beruf des Gelehrten, des Arztes, des Künstlers, sind seiner würdig, sofern sie sich bei all ihrem geistigen Erkenntnisstreben unentwegt das Wissen um das Menschentum als solches bewahrt haben, nicht etwa infolge irgendeines verschwommen-irrationalen Mystizismus, sondern weil sie um ihre menschliche Begrenztheit wissen, weil sie wissen, daß selbst das Rationalste im Strom des Dahindämmerns eingebettet ist, weil sie wissen, daß keine noch so große Erkenntnisleistung imstande sein kann, den Erkennenden zu absoluter Distinktheit gegenüber dem Nebenmenschen zu verhelfen, weil sie wissen, daß niemand sich völlig der menschlichen Gemeinschaft zu entlösen vermag und jeder dem Nebenmenschen verbunden und verpflichtet bleibt, ein demütig Dienender an der Menschheit, der er angehört. Dies ist die eigentliche Struktur der Erkenntnishierarchie, in der die intellektuell-ethische Weisheit sich zu verkörpern sucht und in der sie noch am ehesten ihre Wahrheitspartizipation finden sowie an andere vermitteln kann. Keinerlei rationale Polyhistorie ist fähig, solche umfassende Wahrheitspartizipation zu vermitteln – das gigantisch angewachsene und immer weiter anwachsende Wissensmaterial ist ja bereits so unvermittelbar geworden, daß es für den Laien nicht einmal eine schlichte Akzeptierung erlaubt –: nur ein hierarchisch geordnetes Wissen, d. h. eines mit einem ethischen Wissenszentrum, ermöglicht Partizipation, und ebendarum ist nur in ihm Weisheit möglich. Die Kirche hatte dem Abendland eine bis weit in die Neuzeit hineinreichende und gültige, sehr vollkommene Erkenntnishierarchie geliefert, und weder die Aufklärung noch das in deren Fußstapfen wandelnde 19. Jahrhundert haben sie zu ersetzen gewußt, wähnend, daß durch bloße Wissenspolyhistorie, durch bloß rationale Anhäufung von Wissensstoff dem Menschen die Wahrheitspartizipation und damit die wahrhaft humane Lebenseinstellung zugänglich gemacht werden könne. Das Unternehmen ist gescheitert; die tierischen Elemente im Dahindämmern haben sich als die stärkeren erwiesen, und der Mensch ist im Physiognomielosen und Massenartigen versunken. Ob zu seiner Rettung aus der über ihm hängenden apokalyptischen Gefahr ein neuer religiöser Anstoß vonnöten sein wird, ob er sich als Rückkehr zu alten oder zu umgestalteten religiösen Formen wird vollziehen können, oder ob überhaupt völlig andere, vorderhand noch unerahnbare Wege gegangen werden müssen, all dies ist weder vorauszusehen noch vorauszusagen. Doch wenn die Rettung überhaupt noch möglich ist, überhaupt noch möglich werden sollte, dann wird sie den Forderungen der Propheten und ihrer heute so gut wie einst gültigen Ethik genügen müssen; sie wird von der Weisheit des Humanen gebracht werden, wird selber humane Weisheit sein. Daß der geistige Mensch, der geistige Arbeiter berufen ist, auf solchem Wege als Führer zu wirken, ist ein immerhin nicht untröstlicher Gedanke.

Die Flut des Dahindämmerns durchströmt das gesamte Leben des Menschen, sowohl sein individuelles wie das seiner Gemeinschaft im Geschichtsablauf; ein Dämmern ist sein Tagewerk, ist der tägliche Lebenskampf, den er ohne solch dämmernde Instinkthaftigkeit nicht zu bewältigen vermöchte, ein Dämmern ist das Konglomerat von rudimentären halbrationalen Überlegungen, mit denen er seine Individual- und Gemeinschaftsüberzeugungen bildet, um ihnen, wie er selber sagt, gefühlsmäßig verhaftet zu bleiben, und der Dämmerstrom ist es, der ihn in die Stumpfsinnigkeit einer jedes Lebensinhaltes entblößten, physiognomielosen Herdenhaftigkeit versinken läßt, der Dämmerstrom ist es, der ihn zu den Höhen eines bildbegnadeten dichterischen und prophetischen Sehertums emporträgt. Nur wenige Rationalitätsinseln gibt es in dem Dämmerstrom, von äußerster Seltenheit sind die prometheischen Lebensaugenblicke im Sein des Einzelnen wie in dem der Gemeinschaft, und obwohl noch jeder wahre Erkenntnisvorstoß in harter rationaler Arbeit hatte errungen werden müssen, es ist der letzte rationale Vorstoß, es ist dieser schließliche Durchbruch zum Schöpferischen in seiner Genialität am Ende doch wie dämmernde Begnadetheit. Ob nun aber Instinkthaftigkeit, ob Gefühlsüberzeugung, ob Begnadung, nichts von alldem hat mit einer vom Vollbewußtsein geleiteten Willensentscheidung irgend etwas zu schaffen: mag auch der dämmernde Geschehensstrom jeweils von Erkenntnisvorstößen seine Grundrichtung empfangen, es scheint nicht nur diese, ist sie einmal eingeschlagen, für den dämmernden Menschen völlig unbeeinflußbar zu sein, sondern es gilt offenbar auch das nämliche für den angeblich freien richtunggebenden Vorstoß selber. Und doch liegt da ein Trugschluß oder zumindest eine unrichtige Fragestellung vor. Überflüssig, ja unsinnig ist es nämlich, nachforschen zu wollen, wieweit die Erkenntnisvorstöße des Menschen von seinen vollbewußten Willensentscheidungen, wieweit sie von den ihm innewohnenden Dämmerkräften genährt worden sind, überflüssig und unsinnig, weil das innere Verhältnis der beiden Quellen zueinander für uns ewig unergründlich bleiben wird. Außerhalb jeglichen Zweifels hingegen steht die Verstandes- und Vernunftbegabung des Menschen, steht seine Erkenntnisbegabung, stehen die Erkenntnisvorstöße, die er mit der Hilfe solcher Begabung (– und sei sie vielleicht eben auch nicht viel mehr als eine Beihilfe –) in seinen hohen, prometheischen Lebensaugenblicken ausgeführt und zum richtunggebenden Moment des dämmerungserfüllten Geschehensstromes gemacht hat. Gewiß, es waren immer nur seltene und sehr kurze Augenblicke gewesen, doch da sie dem Dämmerstrom des menschlichen Seins seine Richtung gaben, haben sie ihn noch jedesmal bis in die Tiefe mit ihrem prometheischen Glanz erleuchtet, unabhängig von der Kürze ihres Aufschimmerns mit einem Nachleuchten, das – jeden künftigen Erkenntnisvorstoß in sich tragend – zugleich das Leuchten des erkenntnistragenden, erkenntniswilligen Menschengeistes ist. Sosehr der Mensch dem Dahindämmern verhaftet ist, sowenig er ihm je entrinnen kann, es ist das Dämmern, dank aller vorangegangenen Erkenntnisleistungen, gewissermaßen von innen her erleuchtet, ist zum unbewußten Wissen, zur wissenden Unbewußtheit des Menschen geworden. Und in diesem Wissen ist der Mensch zur Hut seiner Erkenntnis begabt, ist er zu ihr befohlen: einerseits zum Bewußtsein genötigt, bewußt, daß seine Dämmergrenzen, möge er sie noch so weit hinausschieben, letztlich doch unüberschreitbar bleiben müssen, andererseits von seiner prometheischen Natur bestimmt und getrieben, über sich selbst grenzenlos hinauszuwachsen, also einerseits zur Selbstbescheidung, andererseits zu steter Selbstvervollkommnung in seiner Erkenntnis verpflichtet, pendelnd der Waagebalken zwischen solch verdoppelter Pflicht, ist dem Menschen eine ihm und nur ihm eigentümliche Haltung geschenkt, oder richtiger, erwerbbar – als Erwerbbarkeit schon Geschenk –, nämlich die Haltung der Weisheit, die allein, stillstehend endlich die schwankende Waage, es ihm ermöglicht, sein Dämmern vor dem Rückfall ins Tierische zu schützen, sich selber aber im Stand der Humanität zu halten. Es ist die Gabe und die Pflicht zum humanen Sein. Keiner vermag Erkenntnisvorstöße herbeizuzwingen, keiner vermag sich zur Genialität aus Eigenem aufzuschwingen, sich selber zum Schöpfertum des Genies aufzurufen, ein jeder jedoch – und dies ist der ethische Aufruf aller echten Prophetie – ist imstande, erkenntniszugekehrt zu bleiben und hiedurch sich selber zu der Weisheit ständiger Wahrheitspartizipation zu erziehen, wissend, daß von hier aus jeder weitere, jeder künftige Erkenntnisvorstoß seinen Ausgang zu nehmen hat. Solange der prometheische Funke im Menschen nicht völlig abgestorben ist, ja, solange nur noch der geringste Schimmer seines Glanzes nachleuchtet, kann er wiedererweckt werden, wiedererweckbar der Funke, wiedererweckbar der Mensch, wiedererweckbar das Menschliche. Sohin: wer von der Unbeeinflußbarkeit des Dahindämmerns, von der Unlenkbarkeit des Dämmerstromes spricht, der irrt; in allem Dämmern leuchtet die Erkenntnis nach, kann sie nachleuchten (stärker jedenfalls, als dies im Schlaftraum je der Fall ist), und ebendarum ist es dem dahindämmernden Menschen möglich gemacht, sich selbst zur Weisheit zu erziehen, aus jedem Absturz wieder zur Weisheit seines Seins zurückzufinden. Sogar noch heute, da alle Erkenntnis apokalyptisch gefährdet erscheint, da das gesamte Wertgebäude des Menschen und der Menschlichkeit in sinnlos-leerer Bestialität zu versinken droht, apokalyptisch weggeschwemmt alles, was der Menschengeist je zu seiner Ehre erdacht und geschaffen hat, sogar noch heute bleibt die Hoffnung auf eine Rücklenkbarkeit nach wie vor berechtigt, bleibt sie die menschliche Hoffnung schlechthin, bleibend, weil der prometheische Funke noch niemals völlig erloschen ist und wahrscheinlich niemals mehr völlig verlöschen wird. Denn unter den verwunderlichen Tatsachen des verwunderlichen Ablaufes, der sich Weltgeschichte nennt, sind zwei wohl am verwunderlichsten: erstens ist es seit Weltenanfang den Menschen noch immer nicht gelungen, sich gegenseitig auszurotten, und zweitens haben die Überlebenden, also gerade die Gewalttätigsten und Rohesten und Angriffslustigsten, kurzum gerade die »Sieger«, herausgezüchtet aus der brutalsten Erbmasse aller Kreaturen, haben sie, die Zertrampler alles Zarten und Sanften von Anbeginn an, nicht das Werden der Kultur, den Fortschritt zu zunehmender Humanität verhindern können; das Wunder des menschlichen Daseins, die Ehrfurcht vor dem menschlichen Leben, die Behütung und Bereicherung solchen Lebens ist dem Menschen, ungeachtet seines Hanges zum vegetativ-animalischen Hindämmern, ungeachtet all seiner Abstürze ins physiognomielos Bestialische, stets aufs neue und aberneue – und wahrlich, als wären da höhere Mächte am Werke – aufgezwungen und abgerungen worden.

Kapitel 3

Methodologie des menschlichen Dämmerzustandes
DER ERKENNTNISVORSTOSS UND DAS NEUE IN DER GESCHICHTE

I. Das »Neue«

Gäbe es nichts »Neues« in der Geschichte, es gäbe keine Geschichte. Das ist eine etwas paradoxal gefaßte Feststellung, immerhin jedoch eine weniger paradoxale als jene, welche – auf Grund mißverstandener logischer Überlegungen – von einer ewigen Wiederkehr des Gleichen redet. Die Idee von der ewigen Wiederkehr[3] ist müßig, sie widerspricht den Tatsachen, und selbst wenn man sie mit dem Hinweis auf die ständigen Kriege, von denen die Geschichte durchzogen ist, stützen will, so sind selbst diese Kriege doch nur »historisch« geworden (zum Unterschied von den Kriegen zwischen zwei Ameisenvölkern), weil sich in jedem von ihnen etwas spezifisch »Neues«, eine durchaus »neue« menschliche Konstellation zeigt; kurzum, Geschichte ist einzig und allein Geschichte des Menschengeistes, von dem alles Neue ausgeht.

Die deutsche Geschichtsmethodologie, wie sie sich seit Rikkert[4] entwickelt hatte, trägt dem Begriff des »Neuen« vollauf Rechnung; es tritt in ihr unter der Maske des »Einmaligen« auf, als welches das eigentliche Substrat alles Geschichtlichen und aller Geschichtswissenschaft verstanden wird, während in dem davon abgesonderten Bereich des Nicht-Einmaligen, also in dem des regelmäßig und gesetzmäßig Wiederholbaren, kurzum in dem des Gesetzhaften schlechthin, die Naturwissenschaften (empirischer wie mathematischer Ausprägung) angesiedelt werden.

Irrig wäre es jedoch anzunehmen, daß nun das »Einmalige« (und damit das »Neue«) völlig aus dem Bereich der Natur und der Naturwissenschaft ausgeschaltet sei; nicht einmal die anorganische Natur ist davon frei, geschweige denn die organische, selbst dann nicht, wenn ihr Geschehen sich einstmals gleich dem anorganischen weitgehend in Funktionalgleichungen (von mehr oder minder hohem Wahrscheinlichkeitscharakter) ausdrücken ließe. Denn wie immer diese Gleichungen konstruiert sein mögen, sie sind auf eine endliche Anzahl von Determinanten (oder Determinantengruppen) basiert, und eben in dieser Endlichkeit der Bestimmungsstücke ist die »Wiederholbarkeit« der Konstellationen, mögen es nun die der Himmelskörper, der Elektronen oder sonstwelcher Phänomene sein, hauptsächlichst gewährleistet, während überall dort, wo zur Beschreibung eine unendliche Anzahl von Determinierungsstücken nötig ist, mit ziemlicher Sicherheit auf eine »Einmaligkeit« der Konstellation oder des Phänomens geschlossen werden darf. Umgekehrt darf mit nicht geringerer Sicherheit behauptet werden, daß überall dort, wo die Natur Phänomene von ausgesprochenem Individualcharakter produziert – noch niemals waren zwei Eichbäume oder etwa gar zwei Hirsche völlig einander gleich –, diese zu ihrer Kompletterfassung eine unendliche Determinantenanzahl voraussetzen. Schon um nur einen einzelnen Blitzschlag genau, d. h. nach Entladungsort und -zeit, Lautstärke, Entladungsform, Einschlagrichtung berechnen zu können, bedürfte es unendlich vieler Angaben über Wolkenbildungen, Feuchtigkeitssättigungen, Elektroladungen sowohl in der Atmosphäre wie auf der Erde, ebenso über deren genaueste Oberflächengestaltung samt ihrem Feuchtigkeitsgehalt etc. Und wollte man gar die »Gleichung« eines organischen Gebildes, z. B. einer Bergföhre an einer Felswand aufstellen, so müßte man eines Faktenmaterials inne werden, dessen Überfülle nicht einmal mehr angedeutet werden kann, denn es gehört hiezu ein schier unübersehbares Wissen, so über sämtliche Föhrenbestände in der engeren und weiteren Nachbarschaft sowie ihrer Samenproduktion, es gehört hiezu das Wissen über die samenbefördernden Windmöglichkeiten, es gehört hiezu das Wissen um die Risse und Korrosionen der Felswand, auf der jene Föhre wachsen soll, über die dort herrschenden Verwitterungen, über die chemischen Vor- und Nachteile für den Pflanzenwuchs an eben dieser Stelle, über die Schnee- und Feuchtigkeitsverhältnisse, u. z. dies alles nicht nur für die Zeit der Samenentfaltung der neuen Pflanze, sondern für ihre gesamte Lebensdauer, da hieraus – und daneben aus einer ganzen Reihe von Nebenumständen – sich ihre Wachstumsform, ihre Wachstumshöhe, ihre Krankheiten und schließlich ihr Absterben ergibt. Angenommen, daß der Mensch je eine Gehirnkapazität werde entwickeln können, welche ihm die Erfassung einer solchen für uns unsinnig unendlichen, oder richtiger über-unendlichen Materialmenge ermöglicht, er wird damit auch sicherlich die Möglichkeit erlangt haben, die »Gleichung« dieser einzelnen Bergföhre aufzustellen, und darüber hinaus würde es an Hand einer solchen »Gleichung« sogar möglich werden, die gesamte Existenz dieses einzelnen Pflanzen-Individuums zu »prophezeien«, aber nicht die individuell-einzelne »Einmaligkeit« als solche, ja, nicht einmal deren »Neuheit« wäre hiedurch aufgehoben, vielmehr wäre sie damit sozusagen wissenschaftlich bekräftigt.

Das Beispiel wurde absichtlich mit etwas absurder Abwegigkeit gewählt. Weder sucht die Physik die »Individual-Gleichung« eines einzelnen Blitzes, noch die Botanik die einer einzelnen Bergföhre aufzustellen; jener geht es um das Blitzphänomen an sich, dieser um die Bergföhre an sich, und für diese »generellen« Gegenstände lassen sich »Individual-Gleichungen« wesentlich leichter aufstellen, ja, sie sind mit diesen geradezu identisch, denn sie entstehen, wenn die unendlich vielen Bestimmungsstücke, von denen die unter ihren Bereich fallenden konkreten Einzelphänomene determiniert werden, in eine Anzahl von »Determinanten-Gruppen« aufgeteilt werden: nichtsdestoweniger, es ist bloß ein gradueller, kein prinzipieller Unterschied. Gewiß, der generelle Gegenstand wird von der Wissenschaft geschaffen, um an Hand seiner »Gleichung« das Auftreten seiner konkreten Spezifikationen (mit einem gewissen, tunlichst hohen Wahrscheinlichkeitsgehalt) »prophezeien« zu können, für die Botanik das Wachsen einer Föhre aus ihrem Samen genau so wie für die Medizin das Entstehen von Masern nach einer geschehenen Infektion, doch wenn man derartige »Wahrscheinlichkeits-Prophezeiungen« mit »Sicherheits-Prophezeiungen«, wie etwa der des täglichen Wiedererscheinens der Sonne oder der des Eintreffens einer Mondesfinsternis vergleicht, so ergibt sich geradezu zwangsläufig die Frage nach der Differenz der dabei im Spiele befindlichen logischen Grundlagen und Gleichungen: die Physik benützt echte Gleichungen, und die sind auch wirklich nur von einer endlichen Anzahl von Determinanten bestimmt, so daß man also auch mit Fug von echten Naturgesetzen sprechen kann; dahingegen handelt es sich bei »generellen Gegenständen« nach Art der »Föhre an sich« oder »Masern an sich« lediglich um »Pseudogleichungen«, d. h. um solche, die sich zwar bemühen, die unendliche Anzahl der Bestimmungsstücke, von denen die Realität abhängt, auf eine endliche Anzahl zu reduzieren, um sich in der Realitätsbeschreibung solcherart einer mehr oder minder mathematischen Form anzunähern, diese Absicht jedoch nicht oder nur mangelhaft erreicht haben, da eben der Übergang von unendlichen zu endlichen Determinations-Anzahlen nicht einfach vermittels Vernachlässigungen zu erreichen ist; der unberücksichtigte Rest bleibt als Fehlerquelle wirksam. M. a. W., der »generelle Gegenstand« trägt in seinem logischen Aufbau und Ausdruck nach wie vor, wenn auch zugunsten praktischer Zwecke zumeist versteckt, die unendliche Anzahl der Bestimmungsstücke seines Ursprunges unauslöschbar in sich und mit sich; er ist gewissermaßen eine versteckte »Einmaligkeit«, eine, die unter der Maske der »Wiederholbarkeit« einherstolziert und eben deshalb die Unendlichkeit ihrer Bestimmungsstücke schamhaft verbergen muß. Und in der Tat, ob nun »Föhre an sich« oder »Masern an sich«, ob irgend eine andere Pflanze oder irgend eine andere Krankheit, ein jedes dieser Phänomene ist in sich abgeschlossen und »einmalig«, und mit jeder neuentdeckten Pflanze und jeder neuentdeckten Krankheit zeigt sich eben auch ihre »Neuheit«.

Durch die »Einmaligkeit« als solche zeichnet sich also der historische Bereich noch nicht vor dem allgemein wissenschaftlichen aus. Die Naturwissenschaften sind allüberall mit Einmaligkeiten befaßt, aber sie haben mit historischer Betrachtungsweise nicht das geringste zu schaffen. Kurzum, die Geschichte ist zwar auf Einmaligkeitsphänomene und deren Neuheit ausgerichtet, aber es sind solche von spezifischem Charakter. Auch dies war der deutschen Geschichtsmethodologie vollauf bekannt, da sie den Bereich der »menschlichen Werte« als Forschungsgebiet für die Historie reklamierte: als historisch bedeutsam, als »geschichtsstiftend« war damit das Einmalige, das »Neue« im Gebiet der menschlichen Werte bekannt. Trotzdem schien es unmöglich zu sein, in das Verhältnis des Einmaligkeitsphänomens zu dem des historischen Gesetzes einen befriedigenden Zugang finden zu können. Diese grundlegendsten Fragen mußten ungelöst bleiben.

Zweierlei Gründe lassen sich für dieses Versagen angeben: erstens, von erkenntniskritischer Seite her, der Mangel an einer zureichenden Werttheorie, zweitens jedoch, von psychologischer Seite her, die Nicht-Berücksichtigung der menschlichen Dämmerzustände.

II. *Die Untersuchung des Dahindämmerns durch das »Neue«*

Das Wirken der historischen Gesetze ist – so konnte festgestellt werden – an das Vorhandensein des menschlichen Dahindämmerns gebunden. Vieles also scheint dafür zu sprechen, daß die »geschichtsstiftenden« Momente der Menschheit dann eintreten, wenn dieser Dämmerzustand unterbrochen wird, da eben dann das gesetzmäßig unerfaßbare »Neue«, der neue menschliche Wert in seiner Einmaligkeit erzeugt wird.

M. a. W.: bedeutet das spontan »Neue« in der Geschichte zugleich auch immer eine Unterbrechung dieses angeblich unproduktiven Dämmerzustandes? Und umgekehrt: ist dasjenige, was in derartigen dämmerfreien Unterbrechungen als mit mehr oder weniger vollbewußt freier Willensentscheidung produziert wird, auch tatsächlich so »neu«, daß es von keinem historischen Gesetz zu erfassen ist?

So bequem es wäre, die beiden Fragen bejahend beantworten zu können, es ist – offenkundig – das Gegenteil der Fall, nämlich: erstens, es gibt Phänomene, die ungeachtet ihres ausgesprochenen Neuheitscharakters unzweifelhaft im Dämmerzustand erzeugt werden; und dies besagt, daß der Dämmerzustand zwar für die Geltung historischer Gesetze notwendig ist, daß aber nicht alles, was in ihm geschieht, von diesen Gesetzen bedingt sein muß; zweitens, es lassen sich immer wieder Bewußtseinslagen finden, die infolge ihrer besonderen Klarheit unzweifelhaft als Unterbrechung des Dämmerzustandes angesprochen werden dürfen, ja, darüber hinaus deutlich neuheitsproduzierend sind und trotzdem mit diesen Produkten im Rahmen historischer Gesetzlichkeiten verbleiben. Beides läßt sich an historischen Fakten nachweisen, und da das Historische an den Bereich der Werte gebunden ist, so ist es insbesonders das Phänomen der Stilwandlungen, an dem sich beide Fragekomplexe illustrieren.

Stil im weitesten Sinne begriffen – und nur in diesem Sinne ist er zu begreifen – ist »Wert-Stil« und als solcher besteht er aus den Form-Merkmalen, die sich in einer gewissen Einheitlichkeit an den Haltungen, Handlungen, Äußerungen und Produkten der Menschen einer bestimmten Sozialgruppe innerhalb eines bestimmten historischen Zeitabschnittes vorfinden. In Myriaden und Aber-Myriaden kleiner und kleinster anonymer

181

Lebens- und Wertakte, getragen von Millionen und Aber-Millionen anonymer Individuen, tief eingebettet in die Unbewußtheit ihres Dahindämmerns, geht, seinen Stil formend, dieses Leben vor sich, in ihnen tut sich der Stil kund, in ihnen erfolgen seine Veränderungen, in ihnen wird er plötzlich zu etwas »Neuem«, zu einer neuen »Wert-Haltung«, ohne daß ein einziger freibewußter Willensakt daran beteiligt gewesen wäre, denn Stile lassen sich nicht bewußt erfinden.

Nirgends wird dies so klar ersichtlich wie am Werden der Sprachen. Die Sprache als menschliche Lebensäußerung und als menschlicher »Wert« ist ein Teil des jeweiligen Stiles; ihre Akte, Myriaden und Aber-Myriaden anonymer Sprechakte, sind ein Teil jenes Unbewußtseins, in dem das Leben des Menschen dahindämmert, ja, ihre Unbewußtheitsqualität ist so stark, daß derjenige, der versuchen würde, seine Sprechakte auch nur halbwegs bewußt und willentlich zu vollziehen, wahrscheinlich nur höchst mangelhaft oder überhaupt nicht zu sprechen vermöchte. Das »Neue« in der Sprache, durch das Sprachgeschichte entsteht, wird kollektiv, in kollektivem Dahindämmern ohne Zutun des individuellen Bewußtseins und des individuellen Willens erzeugt. Und trotzdem, obwohl angenommen werden muß, daß das Dahindämmern in seiner Naturähnlichkeit oder gar Naturhaftigkeit stets von Gesetzlichkeiten bedingt und reguliert wird, kein Gesetz existiert, das erlauben würde, die Sprachveränderungen einigermaßen verläßlich vorauszusagen: auf ihrem heutigen Wissensstand vermag die Sprachtheorie gewisse Phänomene, wie z. B. das der beiden Lautverschiebungen in den germanischen Sprachen zwar als mehr oder minder notwendige, jedoch sicherlich nicht als stringent gesetzliche Entwicklungsstufen zu erklären, [keinesfalls aber] läßt sich prophezeien, daß ihnen nun etwa eine dritte Lautverschiebung oder sonst eine irgendwie ähnliche Veränderung werde nachfolgen müssen. Und wenn sich auch vertreten ließe, daß Sprachen mit zunehmendem Vokabelschatz (wie er sich vor allem aus der Zunahme der Abstrakta und der Generalia ergibt) zu zunehmender Vereinfachung der grammatikalischen Formen tendieren, so ist selbst dies nicht mit absolut stringenter Beweiskraft zu behaupten. Geschichte bleibt Geschichte auch für die Sprache, und auch für sie, ungeachtet ihres Dämmerbereiches, ist das spontan »Neue« – wenigstens vor-

derhand – nicht auszuschalten. Mit jeder Stil-, ja, schon mit jeder Modewandlung sich ebenfalls differential wandelnd, landet
die Sprache schließlich in unvorhersehbaren und daher auch
unvorhergesehenen Neuformungen, die – wie z. B. eben die der
verschiedenen Lautverschiebungen – mit ihrer spontanen
Plötzlichkeit sich als geradezu revolutionäre Entwicklungsein-
schnitte darstellen.

Stil- und Sprachwandlungen, diese spezifischsten aller geschichtlichen Prozesse – sie sind ebensowohl neuheits- wie
wertstiftend –, werden also vornehmlich in dämmernder Unbewußtheit vorwärtsgetragen, und weil dies geschieht, wird für
manchen die Vermutung nahe liegen, daß sich hinter diesen
Vorgängen eben doch noch sehr umfassende, bisher von der
Wissenschaft noch nicht aufgedeckte Gesetzlichkeiten verborgen halten, nach deren Vorschriften der dahindämmernde
Mensch, u. z. aus gleichfalls bisher noch nicht aufgedeckten
Gründen, zu handeln gezwungen ist. Kurzum, es wäre nicht
ausgeschlossen, daß eines schönen Tages, ungeachtet der
unendlichen und über-unendlichen Fülle der zugehörigen Bestimmungsstücke, eine »Gleichung« für Stil- und Sprachwandlungen aufgestellt werde, an der sich die gesamte Entwicklungskurve, von der Vergangenheit bis in alle Zukunft
reichend, einwandfrei werde ablesen lassen. Und sieht man von
der Phantastik solcher Vermutung ab, so verstärkt sie sich,
wenn man bemerkt, wie nicht nur die anonyme Masse und nicht
nur der dahindämmernde, sondern auch der frei-bewußte
Mensch, d. h. der Mensch in seinen frei-bewußtesten und damit
dämmerungsunterbrechenden Augenblicken unentrinnlich in
jene Wandlungen eingebunden ist.

Wenn prometheisch höchste Bewußtseinsklarheit je jeman-
dem zuteil geworden ist, so war dies sicherlich Michelangelo
gewesen. Doch trotz solch titanischer Bewußtheit, trotz der innern Freiheit und der schier übermächtigen Entscheidungsfä-
higkeit seines Schaffens, es wäre schlechterdings grotesk zu behaupten, er hätte das Barock, das er mit diesem Schaffen
eingeleitet hatte, in einem freien Schöpfungsakt, in freier Willensentscheidung zu Leben gerufen! Vielmehr war er das Kind
seiner Zeit gewesen, genau so wie es seine päpstlichen und
fürstlichen Auftraggeber gewesen waren, genau so wie das
Volk, dem er entstammte und das ihn anstaunte: wäre ihnen al-

lesamt nicht das Barock im Geiste und in den Gliedern gesessen, wäre es nicht ihrer aller Lebens- und Wertform gewesen, notwendig in ihnen allen gewachsen, es hätten sich Auftraggeber, Künstler und Publikum niemals so einmütig verstanden, wie sie es (– von den verschiedenen Intrigen, Reibereien, Niedrigkeiten usw. muß natürlich abgesehen werden –) im Großen und Ganzen eben doch getan haben. Sei der epochetragende, der epocheprägende Einzelmensch noch so groß, es ist die Zeit stets größer als er, und er ist nicht ihr Schöpfer, sondern ihr Geschöpf, wenn auch das ihr notwendige Schöpfer-Geschöpf, das unter keinen Umständen aus ihr wegzudenken ist. So sinnlos es daher auch wäre, zu fragen, ob es ein europäisches Barock ohne Michelangelo hätte geben können, so sinnvoll wäre die Frage nach dem ägyptischen oder dem indischen oder dem chinesischen Michelangelo, den es in den mehr oder minder analogen (wenn auch zeitlich nicht zusammenfallenden) Stilperioden dieser Länder sicherlich gegeben hatte. Denn Stil-Abläufe sind in den verschiedenen Kulturen weitgehend parallele Prozesse, und mag es auch nicht angehen, diese Parallelität bis zu Spenglerischen Ausmaßen auszuschroten und zu Tode zu hetzen, sie kann unzweifelhaft als ein sehr starkes Argument für die Annahme einer hinter den Stilwandlungen wirkenden Ablaufgesetzlichkeit verwendet werden, einer allgemeinen und überpersönlichen Stilgesetzlichkeit, der sich niemand, nicht einmal die stärkste und eigenwilligste Künstlerpersönlichkeit zu entziehen vermöchte.[5]

Dieser Sachverhalt zeigt sich noch viel schärfer, ja, so scharf, daß man ihn geradezu mit Betroffenheit quittiert, auf dem Gebiet des reinen Denkens. Denn hier, so sollte man meinen, kann und darf und muß der Menschengeist sich nach seinem eigensten freiesten Ermessen bewegen, ohne Rücksicht auf irgendwelche Außengesetzlichkeiten, ohne Rücksicht auf Stil oder Mode, lediglich seinem innern Bedürfnis nach Wahrheitsfindung folgend. Und obwohl es nicht nur heute, sondern immer so gewesen ist, d. h. obwohl die Philosophie, wo immer und wann immer sie auf Erden betrieben, gewißlich – zumindest der Hauptsache nach – von den lautersten Impulsen reiner Wahrheitssuche bewegt worden war, und obwohl die daran beteiligten Denker – zumindest der Hauptsache nach – stets geglaubt hatten, ihr Geschäft in freiester Form zu besorgen, ausschließlich gelenkt von ihren Wahrheitsabsichten und ihrer Wahrheitskritik, es zeigt sich trotzdem, daß sie, ohne darum zu wissen, in überpersönliche Abläufe eingeordnet waren, so etwa in den des ständigen Wechsels zwischen idealistischen und positivistischen Denk-Perioden, einem Phasenablauf, der (oftmals mit dem der zugehörigen Stilperioden übereinstimmend) mit zwingender Regelmäßigkeit in allen Philosophie-Entwicklungen der Welt und durch alle Zeiten hindurch immer wieder anzutreffen ist.

Zudem – und diese subjektive Ansicht des Sachverhaltes darf nicht vernachlässigt werden – ist das Freiheitsgefühl, von dem das Schaffen des produktiven Menschen, des Denkers wie des Künstlers, begleitet wird, keineswegs so eindeutig, wie er vorgibt, oder richtiger, wie er gerne vorgeben möchte. Ja, fast läßt sich behaupten, daß in Wahrheit genau das Gegenteil stattfindet. Im Alltagsleben mit all seiner dämmernden Determiniertheit wird Buridans Esel niemals verhungern, sondern schließlich doch aus mehr oder minder freier Willensentscheidung einem der beiden Heubündel sich zuwenden, und mit ziemlicher Freiheit trifft der Mensch im Restaurant, möge er noch so tief dahindämmern, seine Wahl auf der ihm präsentierten Speisekarte. Anders jedoch verhält es sich in den wirklich produktiven Lebensaugenblicken des Menschen: da gibt es keine Wahl. Das Gefühl der Willens- und Entscheidungsfreiheit geht, paradox gesprochen, umso mehr verloren, je »freier« der Mensch produziert; seine produktivsten Lebensaugenblicke stehen unter Zwang. Wohl jeder produktive Mensch wird bezeugen, daß er seine »Eingebungen« gleichsam »im Traume« empfängt, daß das mühselige Geschäft der Forschung, der Gestaltung, der Darstellung ihm von einem ebenso unerforschlichen wie unentrinnbaren Erkenntnisbefehl vorgeschrieben ist, ja, daß er sein Tun lediglich als das eines Instrumentes in der Hand einer höheren Macht, deren Willen er zu akzeptieren hat, empfindet und anerkennt. Der Alltagsmensch wird im allgemeinen niemals zugeben, daß er sich im Dämmerzustand befindet; der produktive Mensch wird es niemals abstreiten.

Die Schaffung der menschlichen »Werte«, die Schaffung des »Neuen« in der Geschichte scheint demnach völlig dem Dämmerzustand überantwortet zu sein; die Stilwandlungen werden von der anonymen Kollektivität der dahindämmernden Massen vorwärtsgetragen, und die großen Einzelleistungen sind erst recht Dämmerprodukte, deren Zustandekommen einer höheren Gesetzlichkeit unterliegt. Von einem frei entscheidenden Erkenntnisvorstoß kann unter diesen Umständen keine Rede sein, und darüber hinaus werden durch solch einen Pan-Determinismus die Grundlagen der Geschichte als eigene Erkenntnisform überhaupt sehr bedenklich ins Wanken gebracht. Denn möge man selbst auch dann noch der Geschichte ein eigenes Substrat zugestehen, nämlich die Phänomenmasse der menschlichen Wertschaffenden, kurzum die der konkreten menschlichen »Kulturen«, es zeigt sich trotzdem, daß ihnen und gerade ihnen damit das eigentlich Historische genommen wäre: die Geschichte würde sich von anderen Wissenszweigen, z. B. von der Botanik nicht anders wie diese von der Zoologie unterscheiden, nämlich nicht prinzipiell, sondern lediglich dem Substrat nach. Das Charakteristikum der »Einmaligkeit« samt dem der in ihr eingeschlossenen »Neuheit« bleibt freilich jeder einzelnen Kultur nach wie vor erhalten, wird aber belanglos, d. h. ändert nichts an diesem Tatbestand; auch die einzelne Föhre an der Felswand – um beim früheren Beispiel zu bleiben – hat in der gleichen Weise als »einmalig« und »neu« zu gelten. Daß man Sprachen als »Naturprodukte«, also eben nicht anders als botanische Phänomene, aufzufassen hätte, wurde schon oftmals in der Wissenschaft vertreten, und wenn vordem die Vermutung ausgesprochen wurde, daß ein künftiges Über-Gehirn, das imstande wäre, der Unendlichkeits-Vielfalt aller Determinanten habhaft zu werden, eine »Gleichung« der verschiedenen Stil- und Sprachwandlungen (genau so wie für jede Föhre) aufstellen könnte, so ist es nicht weiter absurd, ihm hinsichtlich der einzelnen Kulturen die gleiche Fähigkeit zuzumessen: jede einzelne Kultur wird zu einem »Naturprodukt«, in dessen Werden und Wachstum alles nach strenger Determination vor sich geht, so daß also im idealen, wenn auch unausdenkbaren Fall die genaue Entwicklungskurve hiefür, kurzum ihre »Gleichung« aufzustellen ist.

Daß »Kultur« an sich als ein »Organismus« zu begreifen ist, das ist schon einigemale gehört worden, und ebenso ist schon häufig genug versucht worden, von diesem »generellen Gegenstand« und seiner angeblich organischen Struktur ausgehend, kurzum auf diese Weise eine »organische«, allerdings auch

höchst mystische Kulturtopologie zustande zu bringen. Gleichgültig ob historische Intuition an Hand solcher Spekulation zu
Richtigem oder Unrichtigem gelangt, es bleibt ein mystisches
Beginnen; mystisch wird die Auffassung des historischen Gesetzes, und vollkommen mystisch werden die Vorstellungen
über die Determinierung, die dem Individuum mitsamt seinem
Denken und Handeln vom Gesetz her auferlegt wird.

III. *Des Rätsels Lösung: die »Logik der Dinge«*

Das Leben ist voll echtester, voll wahrster Mystik; aber eben
deswegen hat falsche Mystik den Charakter der Lüge und ist
gleich dieser gefährlich. Es gehört zu des Menschen ethischen
Pflichten, so weit als nur irgend möglich ohne Mystik das Auslangen zu finden.

Historische Gesetze und ihr Vorhandensein enthalten so gut
wie keine mystischen Elemente, jedenfalls weit weniger als das
Naturgesetz, dessen Bestände und Hintergründe als tiefste
Rätsel unseres Daseins gelten müssen. Die Struktur des Weltalls und des Atoms ist im Mystischen verwurzelt, nicht aber die
Struktur der Historie. Und ebensowenig bedarf es mystischer
Ahnungen, um die Verbindung zwischen Gesetz und Einzelindividuum, kurzum um desselben Gesetzesgehorsam zu erklären. Denn das historische Gesetz ist ein Teil jenes einfachen
Vorganges, den man als »Logik der Dinge« zu bezeichnen
pflegt.

Die »Logik der Dinge« ist eine Banalität; sie besagt lediglich,
daß eines aus dem andern hervorgeht, daß jede Situation im
Leben eines Menschen oder einer Föhre oder aber auch einer
Idee stets von ihren Vor-Situationen her bedingt ist, daß hinter
einer jeden von ihnen eine ganze Ahnentafel von Vor-Situationen steht. Ein Gebilde wie z. B. der Motorpflug bildet den
Schnittpunkt einer Unzahl von Entwicklungslinien, d. h. er
wäre niemals erfunden worden, wenn nicht die Erfindung des
Explosionsmotors, der Dampfmaschine, der Stahlbearbeitung,
des Eisengusses, des Rades, der Haustierzähmung und schließlich, nebst vielen anderen Erfindungen, die des primitiven hölzernen Handpfluges vorangegangen wäre. Die Entwicklung der
Gerätschaften, die Entwicklung der Naturbeherrschung, die
Entwicklung der menschlichen Welterkenntnis und Wissen-

schaft, dies alles folgt der »Logik der Dinge«, aber nicht anders verhält es sich in der Entwicklung des künstlerischen Ausdrukkes, wenn es auch hier nicht, wie in der Naturbeherrschung, ein Weg ständig zunehmender Vervollkommnung ist: Beethoven konnte nicht wie Bach, und Strawinsky kann nicht wie Beethoven komponieren, doch keineswegs weil etwa die künstlerische Kraft der Komponisten im Laufe der Jahrhunderte kleiner geworden wäre – niemand kann das musikalische Gewicht eines Palestrinas[6], eines Bachs, eines Beethovens gegeneinander abwägen –, sondern weil der musikalischen Materie eine eigene Logik innewohnt, die den Komponisten unerbittlich zum Fortschritt zu stets neuen Formen zwingt. Nichts davon ist mystisch; es ist bloß selbstverständlich.

Ebenso selbstverständlich, fast banal selbstverständlich ist es, daß es die »Logik der Dinge« ist, welche der Geschichte ihre irreversible Einsinnigkeit verleiht; sie reicht sicherlich kaum aus, um Stilwandlungen in ihrer vollen Breite und Tiefe zu »erklären«, d. h. darzutun, warum z. B. die Renaissanceformen an einem bestimmten Zeitpunkt just in die des Barocks umschlagen mußten, aber sie kann zureichende Gründe für die Richtung der Abfolge liefern, einer Abfolge, die eben Gotik–Renaissance–Barock und nicht Gotik–Barock–Renaissance verläuft. Könnte man aus der »Logik der Dinge« noch außerdem die »Notwendigkeit« des Barock gewinnen, es wäre die Geschichte nicht nur irreversibel und einsinnig, sondern darüber hinaus auch noch »eindeutig«, kurzum, sie könnte durch »Gleichungen« erfaßt werden, und wo es realitätsrichtige »Gesetzlichkeiten« gibt, beispielsweise die Marxschen der Kapitalsbewegung, da sind sie der »Logik der Dinge« abgerungen worden.

Für das Verhalten des Menschen innerhalb des Geschehensablaufes ist es gar nicht wichtig, ob dieser eindeutig oder bloß einsinnig ist; der Mensch ist auf jeden Fall der »Logik der Dinge«, möge diese nun gesetzmäßig akzentuiert sein oder nicht, unentrinnbar unterworfen, u. z. gleichgültig, ob er sich im Dämmer- oder in einem besondern, dämmerungsdurchbrechenden Wachzustand befindet. Selbst das Tier hat ja in seinem Lebenskampf mit dieser Logik der Dinge zu rechnen, muß sich nach den Problemen, die sich aus ihr in jeder Lebenssituation ergeben, nach besten Kräften einrichten, und genau das nämliche gilt für den Menschen: durch das Medium des »Problems«, also all der Probleme, die ihm in jeder Lebenssituation von der »Logik der Dinge« aufgegeben werden, ist er unlöslich an diese gebunden, muß er sein Gehaben und Handeln unaufhörlich nach ihr einrichten. M. a. W., nicht durch irgendwelche mystischen Einflüsse ist das Handeln dem Wirken der historischen Gesetze unterworfen, sondern dieses Handeln dient stets zur Lösung gewisser Probleme, die sich der Mensch freilich nicht »frei« aussuchen kann, weil sie ihm von der »Logik der Dinge« – die sich mitunter sogar zu »Gesetzlichkeiten« verschärfen kann – aufgezwungen werden, und durch diese Gebundenheit der Problemstellung entsteht der Eindruck des unentrinnbaren Determinismus.

Die »Logik der Dinge« wird nicht mystisch von den Dingen, sondern – von wem denn anders! – vom Menschen vorwärtsbefördert und entwickelt. Die sich aus der Logik der Dinge ergebenden Situationsketten sind unter diesem Gesichtswinkel nichts anderes als Ketten von Problem-Situationen samt ihren zugehörigen Problemlösungen, die ihrerseits wiederum zum Problem geworden sind.

Denn »Problem« im weitesten Sinn ist für den Menschen (doch auch für das Tier) alles, was ihm Unbehagen verursacht und zur Abstellung solchen Unbehagens auffordert; die geglückte Abstellung ist dann die Problemlösung. Dies gilt sogar schon für die rein kreatürliche Problematik, wie etwa die der Nahrungssuche und Nahrungsaufnahme, obwohl hier noch nicht recht von einer »Logik der Dinge« geredet werden kann; Hunger und Mahlzeit wechseln zwar iterierend miteinander ab, aber diese Iteration wird jedesmal frisch aus sich herausgeboren, bildet also keine echte logische Kette, in der jede Problemlösung als solche bereits wieder den Keim des Unbehagens birgt und sohin als neues Problem die Kette fortsetzt. Ein vollgültiges Beispiel für derartige Problemketten scheint hingegen sich in der Sprachentwicklung zu bieten: keine Sprache »genügt« je den an sie gestellten Anforderungen; weder kann sie je vollkommener Ausdruck ihrer gedanklichen und gefühlsmäßigen Inhalte sein, noch ist sie je ein physiologisch ideales Instrument im Munde des Sprechers, noch vermag sie ihre soziale Funktion der Verständigung je vollständig befriedigend zu erfüllen, kurzum, sie liefert dem sprechenden Menschen unausgesetzt eine Fülle von »Problemen«, und wenn er sich auch derer kaum oder nur in Ausnahmefällen bewußt wird, er befindet sich, da er spricht, doch stets auf der Suche nach Problemlösungen, und das Resultat solcher Suche sind die differential kleinen, anonymen Veränderungen, denen die Sprachen unterworfen sind und ihre Entwicklung ausmachen. Die Sprachentwicklung wird aus dem Sprach-Unbehagen der Sprechenden geboren, und da die von ihr gebrachten Problemlösungen niemals dieses Unbehagen auszulöschen vermögen, vielmehr immer wieder neues entfachen müssen, enthält jede Sprachsituation mit dem Augenblick, da sie entsteht, auch schon den Ansatz zu ihrer weiteren Problematik, kurzum wird sie zum Exponenten der »Logik der Dinge«, hier also der »Logik der Sprachveränderungen«. Der Mensch in seinem Dämmerzustand löst Probleme und schafft hiedurch fortlaufend »Neues«.

Gleichzeitig aber wird dabei sichtbar, daß es Differenzen in den Dämmerzuständen gibt. Betrachtet man etwa die Entwicklung des Pfluges von seiner hölzernen Primitivform bis zu seiner heutigen vollmotorisierten Gestalt, so präsentiert sich diese Abfolge von Veränderungen unverkennbar als eine von Problemen und Problemlösungen, die »logisch« (allerdings bloß einsinnig und nicht eindeutig, denn es wären auf jeder Stufe immer wieder eine ganze Reihe – nicht ausgearbeiteter – Nebenlösungen möglich gewesen) eine aus der andern hervorgehen, weil keine Lösung »genügt«, keine als endgültige anzusehen ist und daher jede einen Unbehagens-Rest enthält, ja, sogar neues Unbehagen hervorruft, und trotzdem zeigen sich bei alldem höchst auffallende »Unbehagens-Pausen«, d. h. es ist eine stoßweise Entwicklung, die u. U. sogar jahrhundertelang, wenn nicht gar jahrtausendelang – so bei den Formen des europäischen Bauernpfluges – stationär bleiben kann. Es lassen sich also hier ganz deutlich Perioden des »Voll-Dämmerns« von denen des »Erkenntnisvorstoßes« unterscheiden, selbst wenn man diesem gleichfalls eine gewisse »Dämmer-Qualität« zugestehen wollte. Gleichgültig von wem die großen Neuerungen – wie z. B. die des Rades – in der Pflugentwicklung geschaffen worden waren, ob durch ein kollektives Hintasten oder durch individuelle Erfinder (die sicherlich das Los prometheischen Märtyrertums zu tragen gehabt hatten), die einzelnen Vorstöße, von denen die langen Unbehagens-Pausen unterbrochen werden, gleichsam als hätte sich während diesen das »Problem-Unbehagen« für einen neuen Durchbruch akkumulieren müssen, teilen die Entwicklung in scharf voneinander geschiedenen Perioden, die sich unschwer als distinkte Kulturstufen erkennen lassen: der Erkenntnisvorstoß, gebildet aus Problemstellung und Problemlösung, leitet also hier bestimmte Kulturperioden ein, also solche, in denen Problemstellung und Problemlösung einen bestimmten, jeweilig neuen »Typus« Mensch geprägt haben, beherrscht von den spezifischen Erkenntnisvorstößen dieser Kultur, dahindämmernd in einem spezifisch von ihnen gefärbten Dämmerzustand.

Wodurch unterscheidet sich aber nun der Erkenntnisvorstoß von der sonstigen geistig-seelischen, menschlichen Geistesverfassung, da er gleich dieser unfrei an die von der »Logik der Dinge« jeweils vorgeschriebene Problematik gebunden ist, da er, unbeschadet seines Prometheismus, gleichfalls in einer Art Dämmerzustand, wenn auch vielleicht in einem »höheren« vollzogen wird? Welches sind die sachlichen Merkmale, an denen diese beiden Dämmerzustände zu unterscheiden wären?

Stile entstehen durch differentiale Veränderungen der allgemeinen Haltungen im anonymen Kollektiv. Aber mit einem Male ersteht ein Genie, wie das eines Michelangelos, und faßt die bisher unbemerkt und unbewußt gebliebenen [Merkmale] der neuen Lebenseinstellung, auch dies unbewußt, ja, aus tiefster Unbewußtheit hiezu gezwungen, in seinem Werk zusammen, so daß gleichsam in einem einzigen gewaltigen Schöpfungsakt der neue Stil geboren ist. Und nicht anders verhält es sich wohl auf sämtlichen anderen Lebensgebieten, selbst auf den so rationalen wie denen der Wissenschaft. Bloß hiedurch wird es erklärbar, daß Probleme »in der Luft« liegen und daß sie so oft gleichzeitig, jedoch voneinander völlig unabhängig von genialen Persönlichkeiten aufgegriffen und gelöst werden; so ist es mit der Infinitesimalrechnung, so ist es mit der nichteuklidischen Geometrie gegangen, und unzählige weitere Beispiele ließen sich da noch anfügen. Die geniale Persönlichkeit erweist sich als diejenige, welche kraft eines besonderen Realitätsgefühls stärker, rascher und intensiver als andere Menschen von der »Logik der Dinge« und deren Problematik erfaßt wird und demgemäß auch diese rascher, stärker und intensiver als andere Menschen erfaßt. Der geniale Mensch ist derjenige, welcher als erster vom »Problem-Unbehagen« ergriffen und hiedurch – oftmals von seiner noch blinden Umwelt verkannt und verhöhnt – gezwungen ist, die ihn beunruhigende »Logik der Dinge« aufzuspüren, ein Gefangener solchen Zwanges und »wie im Traume« handelnd.

Doch diese Unterscheidung zwischen dem landläufigen Dämmerzustand und dem des produktiven Menschen ist, wie ohneweiters ersichtlich, in erster Linie bloß eine temporale, begründet auf dem Zeitvorsprung seines »Unbehagens«. Es ist noch nicht die eigentlich »sachliche«, nach der gefragt wurde und auf die es ankommt. Das Sachliche liegt im Wesen des »Problems«, kann nur da liegen, weil die Bindung der Menschen an die »Logik der Dinge« eben in den Problemen gegeben ist, die sie zu lösen haben: sowohl der Mensch in seiner Alltags-Dämmerung wie der produktive Mensch in seiner »Über-Dämmerung«, sie beide lösen Probleme, und [es] ist zu fragen, ob es nicht zwei verschiedene Problemtypen sind, an denen sich die beiden Dämmerungstypen sachlich unterscheiden.

IV. *Exkurs: Über Problemtypen und Systeme*

1

Problemtypen werden am Systembegriff definiert. Daraus läßt sich jedoch nicht ableiten, daß das System vor dem Problem eine Apriorität geltend machen könne. Denn umgekehrt sind Systeme in ihrem Bestand immer problemabhängig, d. h. sie werden ausschließlich zur Lösung von Problemen errichtet, sind also auch bloß innerhalb dieser Funktion zu verstehen. Es besteht also eine Gegenseitigkeitsdefinition, die freilich nicht als Tautologie aufzufassen ist, da die beiden Determinanten nicht der gleichen logischen Kategorie angehören (wie dies innerhalb einer Tautologie nötig wäre).

2

Das Wort »System« ist ein mechanistischer Begriff; es ist nicht weit von dem der Maschine entfernt, da in beiden eine »Verkettung« von Dingen gemeint ist, die in Bewegung gesetzt werden können, ohne daß ihre Verkettungsstruktur sich hiedurch ändert, nur daß der Systembegriff der weitere ist: einerseits braucht das System nicht unbedingt wie die Maschine dyna-

misch auf einen bestimmten Zweck abgestellt zu sein; andererseits erlaubt es, ja fordert es (und zwar besonders, wenn es als
dynamisch zweckgerichteter Apparat auftritt), daß die Anzahl
der ihm zugehörigen Teile vermehrt und sogar unbeschränkt
vermehrt werde. Jede Definition gründet sich aber auf Unver-
änderbarkeiten: so weit ein System von der Klasse der ihm angehörenden (vermehrbaren oder unvermehrbaren) Dinge abhängig ist, kann es durch sie definiert werden, doch auf jeden
Fall hat die Grundstruktur, kurzum das Verkettungsprinzip unveränderbar zu bleiben, und dieses steht also im Zentrum jeder
Systemdefinition, dies umsomehr als die Klasse der systemangehörigen Dinge oftmals erst eben hiedurch konstituiert
wird.

3

Wird der Systembegriff auf Verhaltungsweisen des Menschen
angewandt, so gestattet er (zumindest auf einer ersten Ebene,
die solches zumeist geradezu erfordert):

a. eine pragmatistische Auslegung, weil Systeme ausschließlich auf den »Zweck« der Problemlösung gerichtet sind, Problemlösungen aber eben Werkzeuge des Lebenskampfes sind,
ja, seine Siege ausmachen;

b. eine behavioristische Auslegung, weil ein Verhalten, welches der Mensch – infolge der hiefür verwendeten Definitions-
ausweitung (ein notwendiger Grundzug alles Behaviorismus) –
mit leblosen Maschinen und sicherlich mit allen übrigen organischen Geschöpfen teilt, genau so wie bei diesen bloß von außen
beobachtbar ist.

In beiden Auslegungen wird Weltdualität vorausgesetzt, d. h.
der Mensch (beobachtet und identifiziert mit seinem »systematischen Verhalten«) wird der ihm »fremden« Welt gegenübergestellt; insbesondere der plus-unbekannte Problemtypus unterstreicht diese Dualität, da bei ihm das ich-zugehörige System
durch eine non-ich-zugehörige Unbekannte, also durch eine
»Fremdheit« affiziert wird.

4

Die Gegenüberstellung von System und Welt, also einerseits
der verketteten Gesamtheit der gelösten (oder prinzipiell lös-
baren) Probleme und andererseits der Gesamtheit der ungelö-

sten (oder gar unlösbaren) Probleme, entspricht dem Gegensatz Rational-Irrational, dies umsomehr als der Begriff »Rational« seine Konstituanten vielfach, wenn auch nicht ausschließlich, aus dem des Systems bezogen hat, und zwar insbesondere aus dem des »rational systematischen« Verhaltens der menschlichen Individuen. Denn:

a. das »System« verhilft dem Menschen zu dem »rational zweckgerichteten« Verhalten, das er in seinem Lebenskampf braucht;

b. das »System« ist eine Verkettung von Dingen, also von Phänomenen, deren Hauptcharakteristikum in ihrer scharfabgegrenzten (rationalen) Distinktheit liegt, selbst wenn es sich um »flottante« Phänomene, wie Verhaltungsweisen, Reflexe usw. handelt;

c. das »System« ist seiner mechanistischen Herkunft nach »endlich«, d. h. es ist in jedem Augenblick seines Bestandes als eine endliche Anzahl von Dingen zu erfassen, auch wenn diese unbeschränkt vermehrbar sind, d. h. in Gestalt von Dingklassen auftreten, von denen jede eine unendliche Dinganzahl, wenn nicht gar Klassenanzahl umgreift;

und schließlich, wie vordem erwähnt,

d. das System definiert sich an seiner strukturellen Unveränderbarkeit.

Dieser »System-Rationalität« gegenüber repräsentiert sich die »Welt«, aus der die Mannigfaltigkeit der Plus-Unbekannten herstammt, eben kraft solcher Unbekanntheit als »irrational«, um erst durch die Problemlösungen »rationalisiert« zu werden. Gewiß, das irrationale Rohmaterial der Welt kann »an sich« von niemandem erfaßt werden, denn schon der leiseste Ansatz zum Erfassen der Welt vollzieht sich in Rationalisierung und bringt sie, zumindest ansatzweise, in ein System. Trotzdem weiß der Mensch um den Bestand des Irrationalen in der Welt, und mit der ganzen Sicherheit seines ahnenden Gefühls weiß er um die irrationale Unerfaßlichkeit des Lebensstromes, der durch ihn fließt und dennoch ihn trägt, unermeßlich in Breite und Tiefe, unermeßlich vor Veränderlichkeit, bar jeglicher Unterscheidbarkeit, bar jeglicher Struktur-Konstanz: die Welt als solche ist zwar niemals erkennbar, niemals gegeben, vielmehr ist sie es immer nur in einem gewissen Rationalisierungszustand (in einem gewissen »Lösungsstadium«), aber in Ansehung der zunehmenden Rationalisierung, der sie ständig unterworfen wird, ist sie an sich und in jedem Augenblick »irrational«.

5

Gibt es Ur-Unbekannte? d. h. erste unauflösbare Gegebenheiten, in denen die Welt sich äußert? Das »Wissen« um den irrationalen Lebensstrom ist sicherlich eine von ihnen, und sie ist leichthin als das »Ich lebe«, wie es im Descarteschen Sinn gemeint ist, zu agnoszieren. Daneben aber gibt es auch das Descartesche »cogito«, das freilich stets – das »Ich denke« ist im Gegensatz zum diffusen »Ich lebe« stets an individuelle Inhalte gebunden – ausschließlich in kategorialen Formen auftritt und beschrieben werden kann. Wie immer jedoch diese Ur-Erlebnisse aufscheinen, sie sind

a. »Distinktionen«, die sich aus der Diffusität des allgemeinen Lebensgefühls scharf herausheben; sie sind

b. ein »Wissen«, das dem Menschengeist, ohne daß er sie eigens »denkt«, unentrinnbar »auferlegt« ist, und sie sind daher »distinkte Wissensstücke« (für die sich mit einigem Recht auch der gebräuchliche Ausdruck »Intuitionen« verwenden läßt); und sie gehören

c. kraft dieser unentrinnbaren »Auferlegtheit« der plus-unbekannten Sphäre an (gleichgültig, ob diese im Menschengeist oder außerhalb seiner lokalisiert wird).

Die üblichen »Kategorien des Denkens« dürfen gleichfalls unter diese Beschreibung subsummiert werden.

6

Unter dem Aspekt der Plus-Unbekannten lassen sich demnach bestimmte Ur-Erlebnisse, oder richtiger bestimmte Klassen von Ur-Erlebnissen aufzeigen, nämlich:

a. die Distinktion eines allgemeinen Gefühls des Lebens oder des (wie man unter diesem Aspekt wohl lieber sagen möchte) Gelebtwerdens;

b. die Distinktion individueller Erlebnisinhalte, die sich aus dem diffusen Lebensgefühl herausheben und (wenn auch nicht immer denkerisch) wahrgenommen werden.

Als Plus-Unbekannte verlangen diese beiden Erlebnisinhalte oder Erlebnisklassen nach Problemlösung. Von einer echten Problemlösung kann aber erst nach Konstituierung eines Systems, in dem der Problem-Akt stattfindet, gesprochen werden; wenn es also hier eine Problemlösung gibt, so muß sie »außersystematisch« sich darbieten. Eine solche »außersystematische« Problemlösung präsentiert sich in anderen Ur-Erlebnissen, von denen hier die (wahrscheinlich zentralen) herausgegriffen seien, nämlich:

c. die Distinktion von Verknüpfungen zwischen den individuellen Erlebnisinhalten, kurzum die Distinktion von Erlebnisinhalten, welche sogenannte »Relationen« zwischen den übrigen sind;

d. die Distinktion individueller Relationen, so z. B. die von »Zugehörigkeiten« (etwa als »Eigenschaften«) oder die von »Abfolgen« usw., eine Distinktion, die zugleich das Ur-Erlebnis des Wieder-Erkennens und des Gedächtnisses ausmacht;

e. die Distinktion bestimmter Abfolgen in ihrer Eigenschaft als »Regelmäßigkeiten«, die den diffusen Erlebnisstrom gewissermaßen als Landmarken begleiten und abstecken, ebendarum aber auch, irreversibel wie der Erlebnisstrom selber, das Grundschema von Ursache und Wirkung manifestieren.

Daß die Plus-Unbekanntheit der Gruppe a/b sich in dieser zweiten Gruppe c/d/e »löst«, ist nichts anderes als die Gegenseitigkeitsdefinition von »Ding« und »Relation«; hätte die Darstellung mit den Ur-Erlebnissen c/d/e angehoben, so hätte deren Plus-Unbekanntheit die nämliche Frage nach »Lösung« aufgeworfen, und diese wäre, völlig symmetrisch, in Gruppe a/b zu lokalisieren gewesen. Immerhin, im Empirischen und Konkreten scheint die Voranstellung der Gruppe a/b »natürlicher« zu sein, d. h. in der Entwicklung des Menschengeistes, beispielsweise beim Kleinkind, scheint das Ur-Erlebnis »Ding« dem der »Relation« voranzugehen. Und tatsächlich läßt sich da auch vertreten, daß eine Welt, in der bereits »Relationen« gestiftet sind, ein »höheres«, ein »rationaleres«, kurzum ein »Lösungsstadium« gegenüber einer bloß »punktuellen« Dingwelt darstelle; gewiß, es läßt sich nicht behaupten, daß das »Wissen« um die »Relation« etwa ein »bewußteres« als das um das »Ding« sei und bereits einen eigenen »Erkenntnisakt« erfordere – dies widerspräche dem ganzen Konzept von Ur-Erlebnissen, das sich schließlich auch auf empirische Erfahrungen (so solchen der Kleinkind- und Tierpsychologie) berufen darf –, vielmehr bleibt beides dem Bereich des (intuitiven oder in-

196

stinkthaften) »Wissens« schlechthin verhaftet; doch darob darf nicht abgeleugnet werden, daß hier eine Art »Bereicherung«, und zwar nicht nur des Wissensmaterials, sondern auch der Wissensstruktur stattgefunden hat. Ja, die Gesamtgruppe a-e darf bereits »systemähnlich« genannt werden.

Dies erhärtet sich, wenn der Vorgang wiederholt und nach den Lösungsmöglichkeiten für die durch die Gesamtgruppe a-e repräsentierte Plus-Unbekanntheit abgefragt wird. Denn die gemeinsame Plus-Unbekannte der Gesamtgruppe ist ja eben vornehmlich ihre »Gewußtheit«. Aber auch hier gibt es mangels eines lösungs-aufnehmenden Systems noch keinen echten Problemlösungs-Akt, vielmehr sind es auch hier zusätzliche Ur-Erlebnisse, welche an Lösungsstatt auftreten, vor allem:

f. die Distinktion eines bestimmten Erlebnisinhaltes, welcher Wissen genannt wird.

Es handelt sich also um ein »Wissen um das Wissen«, und da sich dieses ebensowohl auf die Gruppe a/b wie auf c/d/e bezieht, nicht zuletzt also auf e, nämlich auf das Wissen um die irreversiblen Kausalabfolgen zu beziehen hat, so ergibt sich als letztes in der Reihe der Ur-Erlebnisse:

g. die Distinktion innerhalb des »Wissens um das Wissen«, nämlich das wissende Wissen um bestimmte (irreversible) regelmäßige Abfolgen, d. h. das Wissen um ihre »Erschließbarkeit«.

Hiedurch erst wird die »Welt« zum »System«; sie wird zu einem Gebilde konstanter Verkettungsstruktur, zumindest so weit als sich in ihr Kausalität vorfindet.

Die Ur-Erlebnisse, für die in der komplettierten Total-Gruppe a-g ein prinzipielles, jedoch noch keineswegs ein mit dem Anspruch auf Vollzähligkeit auftretendes Grundschema zu sehen ist, konstituieren eine Art Ur-System der Welt, verwurzelt im »Wissen« des Individuums, ja sogar, wie durch f/g ausgedrückt, in seinem »Wissen um das Wissen«. Nichtsdestoweniger ist die Dualität hiedurch nicht aufgehoben: auch als »System«, wenigstens in dieser Ur-Form, bleibt die Welt dem Individuum als etwas Fremdes entgegengesetzt. Denn sowohl im System-Inhalt, nämlich der »Welt«, wie in der System-Form, nämlich dem »Wissen« und selbst im »Wissen um das Wissen« (d. h. der »Erschließbarkeit«) sind die System-Konstituanten dem Individuum unentrinnbar »auferlegt«; sie bleiben ihm »plus-unbekannt«, kurzum, es ist kein Erkenntnis-, sondern ein »Erlebens-System«; die materialen Problem-Lösungen, die in ihm vollzogen werden, sind zwar rational zweckgerichtet, verbleiben aber plus-unbekanntes Rohmaterial für die eigentliche Erkenntnis-Systematik und deren Voll-Rationalität; nirgends wird dies so deutlich wie in der Tierpsychologie, resp. ihrer erkenntniskritischen Beleuchtung: die Distinktionen der Gruppe a-g bilden die Konstituanten, aus denen sich auch die tierische Umwelt aufbaut, vollzählig bei den höheren Tieren, rudimentär hingegen bei den niedereren Arten. Unbeschadet der Wissensabstufungen, welche bei den Gruppen a/b, c/d/e und f/g, respektive von einem »Primär-«, »Sekundär-« und »Tertiär-Wissen« zu sprechen erlauben würden, braucht nirgends ein Durchbruch zur eigentlichen Erkenntnisfunktion zu erfolgen, darf dies alles im Bereich des bloßen »Wissens« und sohin auch jenes Dämmerzustandes erfolgen, den der Mensch vom Tiere ererbt hat. Das »Ur-System«, in dem der Mensch die Welt als Rohmaterial erlebt, ist von animalischer »Stummheit«.

7

In behavioristischer Ausweitung des Terminus »Sprache« ist das »Ur-System« der Welt trotz seiner »Stummheit« für den Menschen (wie für das Tier) eine »Sprache«, da es von ihm (wie vom Tier) »verstanden« wird. Und diese »Ding- und Relationssprache« wird vom Menschen (wie vom Tier) in dem jeweiligen »Verhalten«, mit dem die Welt eben »rational« bewältigt wird, zum »Ausdruck« gebracht. Denn Mensch wie Tier gehören selber dem System an, in dem sie die Welt er-leben, und über das Er-leben hinaus wird das System von ihnen schlechthin gelebt, da sie in ihm leben. Wenn also auch das »stumme« System menschlich-tierischer Verhaltungsweisen nur höchst selten sprachlichen Mitteilungszwecken dient, vielmehr höchstens als stummer Monolog gelten kann, es ist für die behavioristische Betrachtung eine voll-gültige Rationalsprache und der einzige wissenschaftlich legitime Ausdruck für die jeweilige menschlich-tierische Umwelt, weil alles, was sich nicht in dieser Sprache vorfindet, im Unkontrollierbaren, in einem Bereich der bloßen Interpretation, ja sogar metaphysischen Spekulation verbleibt. Gewiß, der Beobachter projiziert damit

seine eigene Rationalität und seine eigene (innere) Spracher-
fahrung, außerdem in behavioristischer Ausweitung, in das be-
obachtete Phänomen »Verhalten«, doch dies darf und muß unberücksichtigt bleiben, wenn die Projektion tunlichst von allen
subjektiven und psychologischen Schlacken gereinigt, also auf
ihren abstraktesten Kern reduziert wird: unter dieser Voraussetzung darf gesagt werden, daß alle »Systeme« des menschlichen Verhaltens nicht nur den Charakter einer »Welt-Bewältigung«, sondern auch den eines »Welt-Ausdruckes« tragen
(umsomehr –hier spielt wieder pragmatistische Auslegung hinein – als der sprachliche Ausdruck oft genug der Weltbewältigung zu dienen hat und dient).

8

Prinzipiell lassen sich demnach Bewältigungs- und Ausdrucks-Systeme unterscheiden, mögen sie auch in der empirischen Welt niemals anders als vereinigt auftreten.
Das hypothetische »Ur-System« ist Bewältigungs-System; es
ist:
    a. bloß pseudo-dual, weil das systemtragende Individuum, so
sehr es sich der »Welt« entgegengesetzt fühlt, innerhalb des Systems »lebt« und damit die Welt selber agiert;
    b. bloß pseudo-sprachlich, weil das »Ausgedrückte« und der
»Ausdruck« identisch sind.
Hingegen ist es aus eben den gleichen Gründen:
    c. echte Bewältigung, weil das systemtragende Individuum in-
folge seiner Anwesenheit »im« System sich in direktem Kontakt mit den übrigen Systemteilen, die eben nichts anderes als
die »Welt« selber repräsentieren, unausgesetzt befindet und
daher »sein« rationales System unausgesetzt in Tat verwandelt,
kurzum weil die »irrationale« Unbekanntheit der Welt im Augenblick ihres Auftretens zugleich auch schon »rationalisiert«
wird.
Angesichts dieser Identität von Leben und Welt, eine Identität, der sich das Individuum niemals entziehen kann, darf das
Bewältigungs-System auch Erlebens-System genannt werden.
Das Ausdrucks-System – im Gegensatz zum Erlebens-, auch
Erkenntnis-System zu nennen – ist:
    a. echt dual, weil der sprachliche Ausdruck nur eine sehr mit-
telbare Einwirkung (nämlich die einer »Menschen-Beeinflus-

sung«) auf die konkrete Welt haben kann, also in einer von dieser scharf abgegrenzten Sphäre zu lokalisieren ist;

b. echt sprachlich, nicht nur weil der Zweck der Mitteilbarkeit vorangestellt wird, sondern auch weil dieser Zweck (infolge der hier waltenden echten Dualität) nur im Abbildungs-Wege, d. h. durch »Symbole« erreichbar ist.

Aus eben diesem Sachverhalt wird es dem Ausdrucks-System:

c. zur Aufgabe – zur bloß schrittweise erfüllbaren, ewig unbewältigbaren Aufgabe –, seine abbildhaften Rationalisierungen derart einzurichten, daß sie vom Bewältigungs-System aufgenommen werden können, um hier zur Bewältigung der Welt-Irrationalität verwendet zu werden.

In dieser Aufgabe der Ausdrucks-Systeme vollzieht sich der Kulturfortschritt der Menschheit.

9

Die Natur macht immer Sprünge, sie macht sie im Übergang von einer Pflanzenart zur andern, von einer Tierart zur nächsten, und sie tut das nämliche in den Entwicklungsstufen der Systembildungen, beispielsweise bei den Systemstufen a/b, c/d/e, f/g. Nirgends sind die Impulse solcher Veränderungen angebbar. Mit besonderer Deutlichkeit ist dies beim Übergang vom Bewältigungs- zum Ausdruckssystem, also von dem des konkreten Erlebens zu dem des symbolisierenden Erkennens sichtbar; denn es ist der nämliche Übergang wie der vom Tier zum Menschen, geheimnisvoll wie die Entstehung der menschlichen Sprache.

Nichtsdestoweniger, es ist außerdem ein Übergang, der sich in der menschlichen Geistesentwicklung selber vollzieht: die Erkenntnis wächst aus dem bloß wissenden Erleben heraus. In Anbetracht der einheitlichen Struktur des Menschengeistes (die immerhin angenommen werden sollte) erscheint es wünschenswert, ja notwendig, den Fortschritt vom Wissen zur Erkenntnis als einen formal einheitlichen Entwicklungsprozeß zu hypostasieren, mögen auch die Impulse, durch die er jeweils vorwärtsgetrieben wird, nicht angebbar sein.

Man möge sich hiezu erinnern, daß der Übergang von der Systemstufe a-e zu der mit f/g skizzierten sich als ein Fortschritt vom bloßen »Wissen« zu einem »Wissen um das Wissen« hat darstellen lassen. Es kann nun behauptet werden, daß dieser

Prozeß fortsetzbar ist, ja sogar fortsetzbar sein muß, und daß »Erkenntnis« dann in Erscheinung tritt, wenn die nächste Stufe, nämlich »Wissen um das Wissen um das Wissen« erreicht wird.

Denn im »Wissen um das Wissen« waren unter anderem die nachstehenden Distinktionen eingeschlossen:

I. die Distinktion von wiedererkennbaren und wiedererkannten Ding-Relationen;

II. die von regelmäßigen Abfolgen, deren Irreversibilität als Ursache und Wirkung, kurz als Kausalität bezeichnet wird;

III. die von der unentrinnbaren »Auferlegtheit« eben dieser beobachteten Distinktion, kurzum ihre zwingende Notwendigkeit.

Das »Wissen um das Wissen«, das sich hiedurch als die (dem Tier wie dem Menschen eigentümliche) stumm-erkenntnislose, dafür aber unmittelbar in die Tat umgesetzte »Erschließungsfähigkeit« erwiesen hat, beruht hauptsächlich auf der dritten dieser Distinktionen. Geht man nun einen Schritt weiter, d. h. hypostasiert man die Distinktion einer weiteren »Wissens-Gattung«, der man die Fähigkeit zuschreibt, die vorangegangene Gesamtgruppe des »Wissens um das Wissen« in sich aufzunehmen, so läßt sich von diesem Gebilde aussagen:

a. daß es (konstruktionsgemäß) gleichfalls »Erschließungsfähigkeit« umfaßt, daß aber diese nun nicht nochmals unmittelbar in die konkrete Tat umzusetzen ist, einfach weil nicht zweimal das nämliche geschehen kann;

b. daß also eine Abrückung von der konkreten Sphäre Platz gegriffen hat und daß daher eine von jener abgerückte neue Sphäre konstituiert werden muß, wenn diese »Erschließungsfähigkeit zweiter Potenz« ein Betätigungsfeld haben soll;

c. daß daher diese neue Sphäre, soll sie existent sein, mit »unkonkreten« idealen Gegenständen, d. h. mit Gedankendingen bevölkert ist;

d. daß die Verkettungsstruktur auf dieser zweiten Sphäre die nämliche wie auf der konkreten zu sein hat, da sonst nicht die gleiche Erschließungsfähigkeit in ihr wirken könnte, mit andern Worten, daß die neue Sphäre in einem topologischen Abbildverhältnis zur konkreten steht (die prästabilierte Harmonie also eine logische Notwendigkeit ist);

e. daß es jedoch in der neuen Sphäre ohneweiters Regionen

geben kann, in denen nichts von der konkreten abbildbar ist (unbeschadet der ebenfalls in diesen Regionen wirkenden Erschließungsfähigkeit), mit andern Worten, daß die neue Sphäre nicht zur Gänze in der konkreten rückabbildbar zu sein braucht;

f. daß die »unentrinnbare Auferlegtheit« der Distinktionen desgleichen in die neue Sphäre eingegangen ist und ihr den Charakter stringenter Notwendigkeit verleiht.

Dieser ganze Aufbau (der hier allerdings bloß andeutungsweise und keineswegs in strenger Form wiedergegeben ist) wäre ein bloßes Hirngespinst, wenn ihm nichts in der Realität entsprechen würde: solch empirische Entsprechung ist aber vorhanden, und zwar eben in der logischen Struktur der menschlichen Erkenntnis; von hier aus und nur von hier aus darf diese als die Sphäre des »Wissens um das Wissen um das Wissen« angesprochen werden. In ihm gründet sich das »Erkenntnis-System« im Gegensatz zum »Erlebens-System«.

Sowohl das Erlebens- wie das Erkenntnissystem finden ihre Verkettungsstruktur in den für beide gleicherweise gültigen »Erschließungsketten«; in beiden Fällen führen sie, weil eben dies das Wesen der Erschließungskette ausmacht, zu einem »es gibt«, das strukturell zwar gleich für beide Fälle, terminologisch aber üblicherweise unterschieden wird: für das Erlebens-System ist das »es gibt« entweder »richtig« oder »unrichtig«, für das Erkenntnis-System ist es »wahr« oder »unwahr«.

Ebenso dürfen im ersten Fall die Erschließungsketten als »Verursachungs-«, im zweiten als »Begründungsketten« bezeichnet werden.

10

Tier wie Mensch lösen unausgesetzt Probleme, jenes bloß im Erlebens-, dieser aber auch zugleich im Erkenntnissystem; zur Problemlösung werden die Erschließungsketten verwendet: im menschlichen Leben ist daher die Erfüllung ein »Es gibt«, das ebensowohl mindestens einer Verursachungs-, wie mindestens einer Begründungskette als Resultat angehört.

Erlebens- und Erkenntnissystem sind daher für den Menschen in der Realität stets zu einer für ihn unlösbaren Einheit verquickt. Selbst im Erkenntnissystem der Wissenschaft läßt sich diese Verquickung noch nachweisen, umsomehr als sie allerwärts bemüht ist, diese Verquickung zu purifizieren, d. h. in abstrakte Gestalt zu bringen.

11

Das (unerkennbare und hypothetische) »Ur-System« als Grundform jedes Erlebens- (oder Bewältigungs-) Systems durfte als Materialresiduum betrachtet werden, von dem aus die Menge der Plus-Unbekannten den »höheren« Systemen ständig zugeliefert wird. In geradezu antipodischem Gegensatz zu diesem Ur-System läßt sich ein (unerreichbares) »Absolut-System« hypostasieren, das ist ein absolut vollkommenes Erkenntnis- (oder Ausdrucks-) System, in dem sämtliche je vorgekommenen oder je noch vorkommen werdenden Probleme der Welt als gelöst vorhanden und ausgedrückt wären, kurzum das Erkenntnis-System eines Gottes.

Der Mensch ist jedoch kein Gott, und daher sind die Systeme, mit welchen er die Welt teils bewältigt, teils ausdrückt, äußerst unvollkommene Gebilde; nicht nur, daß sie logisch unpurifiziert sind, sie sind auch noch überdies durchaus Mischformen, unter denen die beschriebene Primitiv-Verquickung von Erlebens- und Erkenntnissystemen noch die verhältnismäßig einfachste ist.

Bedenkt man, daß das »Ur-System« (eben in Gestalt der Erlebenssysteme) in sämtliche Systemverquickungen eindringt, daß aber keine die von ihm eingebrachten plus-unbekannten Probleme zur Gänze lösen kann, weil dies eben bloß im unerreichbaren Absolut-System möglich wäre, so wird klar, daß jedes System, sei es nun isoliert oder mit anderen verquickt, auf jeden Fall befähigt und bemüßigt ist, die in ihm eingebrachten Plus-Unbekannten oder Unbekanntheitsreste – denn ein Stück ihrer Problematik kann ja gelöst werden – den »nächst höheren« oder »nächst-rationaleren« Systemen zur Lösung anzubieten.

Man könnte demzufolge leicht verleitet sein, sich eine Art »Schichten-Anordnung« der Systeme vorzustellen, in der diese – angefangen vom Ur-System bis hinauf zum Absolut-System – nach Maßgabe der Abnahme ihres »Erlebensgehaltes« und der Zunahme ihres »Erkenntnisgehaltes« gewissermaßen übereinandergelagert wären; die Plus-Unbekannten würden dann in dieser Skala unter ständiger Verminderung ihrer Ausdrückbarkeit sukzessive von Systemschicht zu Systemschicht weitergegeben werden.

Dies wäre freilich ein sehr simpler »Welt-Aufbau«, auch wenn hiedurch offenkundig die Welt-Dualität durch eine Art Multiplizität ersetzt wäre; nur daß er (mit Ausnahme der Multiplizität, zu deren Gunsten sich manches sagen ließe) keineswegs mit der Realität übereinstimmt. Sicherlich lassen sich hie und da solche Übereinanderlagerungen von Systemschichten konstatieren, aber ebensooft werden sie sich in mannigfachster Weise verkreuzen, und noch öfter läßt sich über ihr Aussehen und ihre Lage überhaupt keine Aussage machen.

Als feststehend hingegen darf gelten, daß der Weg, den eine Plus-Unbekannte von System zu System nimmt (wie dies beispielsweise, wenn auch im historischen Nacheinander und nicht im schichtenweisen Übereinander, mit dem Problem der Gestirngravitation, und zwar auf dem Wege vom ptolemäischen System bis zu dem der modernen Feldtheorie der Fall war), zumeist, doch nicht immer in der Richtung zu zunehmendem Erkenntnisgehalt und zunehmender Ausdrückbarkeit liegt.

In diesen oftmals sehr verschlungenen »Problemwegen« deutet sich tatsächlich so etwas wie eine Multiplizität der Welt an; nichtsdestoweniger bleibt Dualität ihre Grundstruktur: denn immer sind es zwei und nur zwei Systeme, die durch den jeweiligen Problemakt verbunden werden, und gleichgültig wie viel »rationalere« und wie viel »minder-rationale« Schichten über oder unter jenen beiden gelagert sind (in Ansehung der Multiplizität, nicht einer geordneten Übereinanderlagerung), sie werden durch den Problemakt als solchen in zwei distinkte Gruppen geschieden; im Problem-Augenblick und an der Problem-Stelle, so kontinuierlich also wie die kontinuierliche Problembeschäftigung des Menschen, sondern Objekt- und Subjektbereich sich scharf voneinander ab.

12

Es mag auffallen, daß in der bisherigen Erörterung des Systemmechanismus die Plus-Unbekannte zwar eine tragende (und vielfach sogar definierende) Rolle spielt, daß sie aber offenbar am eigentlich aktiven Systemaufbau nicht beteiligt ist. Doch das ist nur natürlich. Denn die Plus-Unbekannte setzt fertige Systeme voraus, und der ihr eigentümliche Problemtypus fragt nach der Möglichkeit ihrer Aufnahme in ein fertiges System. Von einer aktiven Beteiligung am Systemaufbau kann also keine Rede sein.

Selbstverständlich gibt es keine »passiven« Problemlösungen. Gerade die primitiven Erlebens-Systeme, in denen die jeweiligen Problemlösungen unmittelbar »aus-agiert« werden, zeigen dies aufs deutlichste. In behavioristischer Betrachtung (und mit behavioristischer Ausdruckserweiterung) besitzt die Pflanze ein bestimmtes Reflex-System, und der Wechsel von Licht und Dunkelheit ist für sie jedesmal eine plus-unbekannte neue Situation, also eine Problemerregung, der sie durch Problemlösung innerhalb ihres Systems, nämlich durch Lichtzukehrung aktiv beikommt; ja, es ließe sich sogar (ebenfalls mit behavioristischer Ausdruckserweiterung) sagen, daß mit dieser Problemlösung auch schon eine erste, allerdings sehr kurze Erschließungskette ausagiert worden sei.

Für die menschlichen Verhaltungsweisen trifft dies alles viel genauer und viel sinnvoller zu. Der Mensch muß all seine Problemlösungen, also auch die vom plus-unbekannten Typus, »aktiv« durch Erschließungen vornehmen; so ist es ihm »auferlegt«. Wenn der Primitive, der erstmalig ein Flugzeug sieht, dieses einen »weißen, surrenden Großvogel« nennt, weil »alles was fliegt ein Vogel ist und daher auch dieses Flugding einer sein muß«, so hat er damit nicht nur einen formal richtigen Schluß (unabhängig von der falschen Prämisse) ausgeführt, sondern sogar einen mit sprachschöpferischen Konsequenzen, da er ja mit seiner Überlegung einen der Hauptwege zur Bildung neuer Vokabeln gegangen ist. Und so simpel dieses Beispiel auch gewählt sein mag, prinzipiell enthält es genau die nämlichen Elemente wie jene, die in hochentwickelten Erkenntnissystemen wirksam werden, wenn sich diese mit einer Plus-Unbekannten konfrontiert sehen: das Auftauchen eines neuen Lichtpunktes am Nachthimmel führt den Astronomen unweigerlich zu dem Schluß »alles was am Himmel sichtbar ist, hat als Stern gewertet zu werden, also ist auch dieser Lichtpunkt ein Stern«, und astronomische Aufgabe ist es daher, diesen neuentdeckten Stern nach Umlaufszeit, Bahnform, Lichtzusammensetzung usw. zu bestimmen, auf daß er zum scharf definierten »astronomischen Individuum« werde und als solches mit seinem »Namen« in den Sternkatalog aufgenommen werden kann. (Daß es Sterne gibt, welche auf Grund anderer Symptome als die Sichtbarkeit, z. B. infolge ihrer Ablenkungswirksamkeit »errechnet« worden sind, um erst hinterher visuell entdeckt zu werden, ändert nichts an dieser Tatsache; in diesen Fällen fungieren eben die anderen Symptome als Plus-Unbekannte.)

Wäre für den Primitiven nicht das Flugzeug, für den Astronomen nicht der neue Stern als unerwartetes Phänomen aufgetaucht, ihrer beider Apperzeptionssysteme wären für sie »intakt« geblieben. D. h. die (mehr oder minder indirekte) Welt-Bewältigungsfunktion, die jedem Erkenntnis-System zukommt, hat sich an der diesem dargebotenen und von ihm eingereihten Plus-Unbekannten (dem Flugzeug, dem neuen Stern) zwar bewährt, aber prinzipiell nicht geändert. Und dies kann auch gar nicht anders sein, da ja das System in seiner anscheinenden »Lückenlosigkeit« keinerlei Platz für das neue Phänomen ausgespart bereit gehalten hat und von vorneherein auch keinerlei Verlangen nach irgendwelchen lückenfüllenden Phänomenen hatte hegen können, und wenn deren »unerwartetes« und »überraschendes« Auftreten – daran zeigt sich ja gerade die plus-unbekannte Qualität – keine Lücke aufreißt, so bleibt das System »intakt«, obwohl es jene Plus-Unbekannte in sich aufgenommen hat.

Die von der anfänglichen System-Definition vorgesehene Vermehrbarkeit der System-Bestandteile konkretisiert sich also an den Problemlösungen, durch welche Plus-Unbekannte ins System aufgenommen werden, und zwar ohne daß hiedurch die Bewältigungs-Funktion alteriert wird; was alteriert, oder genauer, erweitert wird, ist lediglich seine Ausdrucksfunktion. Es liegt daher die Vermutung nahe, daß eine solche, fast möchte man sagen »statische« Systemerweiterung ausschließlich in Erkenntnis-, d. h. Ausdrucks-Systemen vonstatten gehen könne, dies umsomehr, als ein reines Bewältigungs-System, soweit ein solches überhaupt in Reinheit vorstellbar ist, durch eine eingebrachte und eingereihte Plus-Unbekannte sich mangels einer anderen Funktion notwendig in seiner Bewältigungsfunktion und also in seiner Systemganzheit zu ändern hätte. Kurzum, die Plus-Unbekannte ist aufs engste mit der Ausdrucks-Funktion des Systems verknüpft, ja, es läßt sich geradezu stipulieren, daß – zumindest innerhalb von Erkenntnis-Systemen – die plus-unbekannte Problemlösung stets zu einem »erschlossenen Ausdruck« (einem durch Erschließungsketten präzisierten Ausdruck) führen müsse. Dies hatte Kirchhoff[7] gemeint, als er in der berühmten Einleitung zu seiner »Theoretischen Physik« behauptete, es seien immer nur korrekte »Beschreibungen«, die sich aus dem physikalischen System gewinnen ließen. Daß Kirchhoff sich damit den behavioristischen Ansichten über die Aufgaben der Wissenschaft und ihrer Sprache bereits sehr annähert, ist leicht einzusehen, und es wäre bloß noch hinzuzufügen, daß sich dies sinngemäß auch auf die System-Funktionen anwenden läßt.

Geht man mit diesen Feststellungen auf das Beispiel des heliotropischen Verhaltens der Pflanze zurück, so müßte konsequenterweise ihre vom Licht ausgelöste Reflexbewegung ebenfalls als »Ausdruck« gewertet werden, ein an sich korrekter, doch in seinen möglichen Mißdeutungen nicht ungefährlicher Extremfall der behavioristischen Ausweitung von Terminologien.

13

Der Mechanismus der plus-unbekannten Problemlösung kann als der einer »Improvisation« bezeichnet werden.

Die Plus-Unbekannte wird vermittels Erschließungsketten (Verursachungs- oder Begründungsketten) in das System eingebracht und erhält hiedurch daselbst ihre Bekanntheitsqualität als Problemlösung. Die Erschließungsweise wird vom System selber, von seinem Material und seiner logischen Struktur vorgeschrieben, und da das System – so wenig wie irgend ein anderes Gebilde – nicht mehr herzugeben vermag, als in ihm steckt, müssen auch diese Vorschriften innerhalb des Systems verbleiben; d. h. die Schlußketten werden nur bis zur Einreihung der Plus-Unbekannten ins System und nicht um einen einzigen Schritt weiter geführt. Besäße der Primitive ein höherrationales Erkenntnis-System, als ihm zu eigen ist, er könnte und dürfte sich bei der Agnoszierung des neuen Phänomens Flugzeug nicht mit dem »surrenden weißen Großvogel« begnügen, sondern müßte seine agnoszierenden Erschließungsketten wesentlich weiter vorwärtstreiben: er hat innerhalb seines Systems improvisiert, und gerade dieses Improvisatorische ist es auch, das bei seiner Vokabelbildung zum Ausdruck gelangt.

Gesehen von einem höher-rationalisierten System, sind die Erschließungsketten des Primitiven »verkürzt«, und weil sie »verkürzt« sind, belassen sie sein System unverändert oder, um einen bereits gebrauchten Ausdruck zu verwenden, sie belassen das System im unbewegt »Statischen«; kurzum, es stagniert. So weit solche »Verkürzungen« also zu erkennen sind, ist an ihnen und gerade an ihnen die Improvisation zu definieren. Das »es gibt«, das am Ende einer jeden Schlußkette steht, ist bei der Improvisation stets innerhalb des Systems lokalisiert, von dem aus und in dem sie vollzogen wird.

Die Plus-Unbekannte und die mit ihr gekoppelte Improvisation bilden zusammen den Bewältigungsmechanismus, mit dem Mensch wie Tier ihren Alltag meistern. Denn die problemerregend »neuen« Situationen, vor die Mensch wie Tier sich fortwährend gestellt finden, sind spezifische Plus-Unbekannte, und da in der hier herrschenden Alltagsdämmerung die jeweils vorhandene Umwelt, bestehe sie nun aus tierischen Bedingtheiten oder aus menschlichen Regeln, Konventionen, Traditionen, Wert- und Stilhaltungen usw., unweigerlich akzeptiert werden muß, ist die Improvisation, da sie im System verbleibt, die einzig mögliche Reaktionsweise. Der sogenannt »praktische Mensch«, also derjenige, der »ohne viel Worte zu machen« – und dies bedeutet, daß er sich in einem mehr oder weniger »stummen« Bewältigungs-System befindet – mit dämmernd richtigem Instinkt die Welt bewältigt, ist der geborene Improvisator, und mag er auch mitunter ein äußerst genialer Improvisator sein, seine Schlußketten bleiben trotzdem verkürzt und nirgends wird er das ihm vorgezeichnete und von ihm akzeptierte System durchbrechen. Es wurde schon früher auf die Verwandtschaft zwischen dem Handeln im Dämmerzustand und dem im Spiele hingewiesen, und jetzt läßt sich mit vollem Fug präzisieren, daß das Spiel eine geregelte Improvisation genannt werden darf, neuerlich hiemit dartuend, daß – man denke bloß an das Schach – klug und geistreich, ja genial improvisiert werden kann, und daß trotzdem die hiezu verwendeten Schlüsse nicht einen Schritt über das gegebene System hinausführen (– hier ist es ihnen sogar ausdrücklich verboten –), geschweige denn an ihm etwas zu ändern oder gar zu vervollkommnen vermöchten. (Und nebenbei: Spiele sind stumm, sind voll traumhafter, voll dämmerhafter Stummheit.)

Das höher-rationale System, dem es in der Beobachtung min-
derrationaler Improvisationen zukommt, von »verkürzten«
Erschließungsketten zu sprechen, wird mit dem nämlichen
Recht von »verminderter Schlußfähigkeit« reden, wenn es mit
Lebewesen konfrontiert wird, welche unentrinnbar der Improvisation verhaftet sind. Als Attribut des Tieres wird diese »ver-
minderte Schlußfähigkeit« freilich nur als natürlich empfunden,
und als das des Primitiven wirkt sie als hervorstechendes Merkmal seiner »Prälogizität«, doch als Attribut des modernen
Großstadtmenschen ist sie ein recht erschreckendes Symptom
seiner undurchbrochenen und fast undurchbrechbaren Alltagsdämmerung.

14

Trotz dieser Gebundenheit der Plus-Unbekannten an die Improvisation und der hiedurch bewirkten, schier unentrinnbaren
Eingeschlossenheit im System, ist sie doch fähig, seine Durchbrechung einzuleiten, und zwar als »Signal« für das Vorhandensein einer Minus-Bekannten.

Gewiß, es bedarf keines Signals, um in einem System, wie es
etwa das kartographische ist, das Vorhandensein von Minus-
Bekannten, hier also von weißen Landkartenflecken, anzuzeigen. Aber die wegen ihrer Über-Simplizität als erstes Beispiel
herangezogene Kartographie ist ja überhaupt kein echtes, sondern ein Pseudo-System, nämlich eines, das sich höchstens
technisch, nicht jedoch wesensgemäß weiterentwickeln kann,
also endlich ist und mit dem Verschwinden der letzten Weiß-
flecken auf den Landkarten theoretisch, wenn auch nicht praktisch, ebenfalls verschwunden sein wird.

Ein echtes System hingegen ist das der Physik, und demgemäß
gibt es in ihr Plus-Unbekannte, welche als Signale wirken. Eine
solche z. B. war der Michelsonsche Versuch[8], von dem aus die
Relativitätstheorie ihren Ausgang genommen hat. Am Michel-
sonschen Versuch war es mit einem Male klar geworden, daß
mit Partien der physikalischen Realität gerechnet werden muß,
die innerhalb des »klassischen« Systems nicht mehr zu bewältigen sind. Die hiedurch signalisierte System-Lücke wurde hierauf vom Genie Einsteins entdeckt; sie ist die Nicht-Beachtung
der Lichtgeschwindigkeit im Beobachtungsakt.

Selbst in der Mathematik, diesem reinsten aller Minus-Bekanntheits-Systeme, ist die Signalwirkung der Plus-Unbekannten aufzeigbar. Und zwar zeigt sie sich hier in Gestalt der mathematischen »Aufgaben«, die dem Mathematiker teils aus seinem eigenen Betätigungsfeld, teils aus benachbarten, wie etwa dem der Physik, ständig zugeliefert werden und daher – im wahrsten Wortsinn – ihm »aufgegebene« Plus-Unbekannte sind. Denn im mathematischen Alltag geht es ebenso alltagsverdämmert zu wie in sämtlichen anderen Gebieten des menschlichen Lebens, und in seiner Alltagsdämmerung ist der Durchschnittsmathematiker im allgemeinen nur herzlich froh, daß er sich nicht mit System-Lücken und den von ihnen bedingten (ihm zumeist höchst unsympathischen) Systemumbauten zu beschäftigen hat, sondern sich mit einfachen – allerdings mathematisch sinnvollen – »Improvisationen« innerhalb plusunbekannt aufgegebener Probleme begnügen darf. Doch dann erscheint im Zuge irgend einer Erschließungskette, die zur Lösung solch plus-unbekannter Probleme aufgestellt worden ist, ein überraschendes »es gibt«, das – wie etwa die Imaginärzahl bei ihrem ersten Auftreten – sich in den bisherigen mathematischen Bestand nicht mehr einreihen läßt, also eine neuerliche Plus-Unbekannte ist, freilich eine, die sich den bisher geübten Methoden und Normen entzieht, und dies ist dann der Augenblick, in dem es für den genialen Kopf aufblitzt, daß ein Stück neuer »mathematischer Realität« sich darbietet, »unbewältigbar« durch das bisherige mathematische System, ein »Signal« für dessen »Lückenhaftigkeit«, und daß daher mit neuen Erschließungsketten an seinen »Umbau« geschritten werden müsse, um solcherart – wiederum im wahrsten Wortsinn – eine »Schließung« der Lücke bewirken zu können. Die meisten der großen mathematischen Errungenschaften – es seien bloß der Übergang von der euklidschen zur nicht-euklidschen Geometrie oder aber die Erfindung des Infinitesimalkalküls erwähnt – sind historisch auf diesem Wege entstanden, wenn es auch vorkommen mag und sicherlich auch schon vorgekommen ist – so wahrscheinlich bei Bolzanos und Cantors Vorstoß ins Über-Unendliche –, daß die Entdeckung der System-Lücke ohne vorangegangene plus-unbekannte »Signalisierung« sich vollzogen hat und daher auch immer wieder sich vollziehen wird.

15

Die Fähigkeit zum Empfang von »Signalen«, die das Vorhandensein von System-Lücken anzeigen, scheint ein Vorrecht des Menschen und seiner »Erkenntnis« zu sein, ja, sie ist vielleicht sogar seine erste und grundlegende Erkenntnistat, die erste »prometheische« Durchbrechung seiner animalischen Alltagsdämmerung.

Denn wenn auch Tier und Mensch gleicherweise verhalten sind, die Welt oder ihre Welten zu bewältigen, und wenn auch die System-Lücke sich ausdrücklich auf Mängel in der Welt-Bewältigung bezieht, also gerade zur Umgestaltung und zum Ausbau des Bewältigungs-Systems auffordert, es hat wohl noch kein Tier je solcher Aufforderung Folge geleistet; noch keines hat das Bewältigungs-System, das seiner Art eigentümlich ist und dem es durch Geburt angehört, je um das geringste abgeändert oder gar vervollkommnet.

Freilich ließe sich dagegen – behavioristisch – einwenden, daß am Tier zwar einwandfrei eine gewisse Handlungs-Invarianz zu konstatieren sei, daß dies aber noch nicht berechtige, daraus Schlüsse auf irgend ein bestimmtes System-Verhalten zu ziehen: so ließe sich z. B. im Gegensatz zu der hier vertretenen Annahme ohneweiters vertreten, daß – insbesondere bei niederen Tieren, aber auch bei der Pflanze – der Organismus ständig von »Signalen« der Außenwelt affiziert wird und daß diese Signale durchaus als Hinweis auf System-Lücken verstanden werden, weil einfach – insbesondere bei Mangel an Gedächtnis – überhaupt kein System, sondern nur eine einzige Systemlücke vorhanden ist, mit andern Worten, daß die tierischen und pflanzlichen Reaktionen das sogenannte Bewältigungs-System ständig frisch aus sich heraus zu gebären haben und hiebei lediglich von der Konstanz ihrer Haltungs-Invarianzen geleitet werden. Unzweifelhaft ist es ein formal richtiger Einwand, dessen Berechtigung um so mehr steigt, je näher man sich Grenzfällen nähert, von denen einer der schon mehrfach erwähnte Pflanzen-Heliotropismus ist; denn hier laufen die verschiedenen terminologischen Bestimmungen wie System und Problem, Plus-Unbekannte und Minus-Bekannte, Signal und Systemlücke tatsächlich so enge zusammen, daß sie ununterscheidbar werden und jede Vertauschung zulassen.

Nichtsdestoweniger darf es bei der hier gewählten Terminologie bleiben. Denn sie zielt auf menschliche Verhaltungsweisen und muß sich daher mit der innern Erfahrung der menschlichen Erkenntnis decken. Diese Stellungnahme wäre auch dann aufrecht zu erhalten, wenn sie – was nur wünschenswert wäre – in logische Formalsprache übersetzt werden würde. Das »Gemeinte« steht stets außerhalb jeder Formalsprache, weil der »Ausdruck« von nirgendwoanders her zu beziehen ist, und wenn auch die an ihn geknüpften Aussagen letztlich bloß in ihrer formalistischen Ausprägung auf ihre Gültigkeit geprüft werden können, es darf die essentiale Gemeintheit niemals darüber vergessen werden; ohne sie wäre nämlich nicht einmal die Wahl der Formeln möglich.

16

Dies vorausgeschickt, darf die Frage nach dem Weltbewältigungsmechanismus der System-Lücken und der von ihnen erregten minus-bekannten Probleme wiederaufgenommen werden.

Systemlücken und ihre Minus-Bekanntheit werden also, im Sinn der vorangegangenen Ausführungen, immer dann sichtbar, wenn – plus-unbekannt »signalisiert« oder nicht – das jeweilige System sich unfähig erweist, den von ihm selber abgesteckten Realitätsbereich zur Gänze zu überdecken, mit andern Worten, wenn sich in diesem Bereich »unbewältigbare« Partien zeigen.

»Welt-Bewältigung« vollzieht sich im Erlebens-System, das ebendeshalb auch Bewältigungs-System hatte genannt werden dürfen. Als empirisch-physischer Bestandteil der Welt ist das Individuum auch Bestandteil des Systems, als das sich ihm die Welt darstellt, um kraft solcher Darstellung bewältigbar zu sein. Kurzum, das Bewältigungs-System ist ein physisches, das gleicherweise die physische Welt und das physische Individuum umgreift, und obwohl diese Gleichstellung die ursprüngliche Dualität zwischen Welt und Ich nicht auszulöschen vermag, ist sie dennoch, und zwar vor allem in Systemen mit überwiegendem Erlebens- und verschwindendem Erkenntnisgehalt, wie sie dem Primitiven und dem Kinde zu eigen sind, so stark, daß sie das Individuum zwingen kann, sich in die Objektwelt zu transponieren und von sich in der dritten Person zu sprechen. Dieses Grundverhältnis in allen Bewältigungs-Systemen wird freilich durch ihre Verquickung mit Erkenntnis-Systemen oftmals bis zur Unkenntlichkeit verwischt, kann jedoch niemals völlig verschwinden und verschwindet auch niemals zur Gänze: wo immer das Bewältigungs-System aus seinen verschiedenen Verquickungen herausgelöst wird – und dies geschieht in allen »wissenschaftlichen« und daher nicht zuletzt in einer behavioristischen Weltbetrachtung –, da taucht desgleichen, wennzwar in abstrakt-purifizierter Gestalt, auch die »dritte Person« samt ihrem ausschließlich physischen Verhältnis zur Welt wieder auf; selbst in dem von der Relativitätstheorie in die Physik abstrakt introduzierten Sehakt ist, trotz seiner radikalen Reduzierung auf den Moment der absoluten Lichtgeschwindigkeit, jene »dritte Person« des Ichs noch wiedererkennbar.

Sohin: die Verkettungsstruktur eines Bewältigungs-Systems ist stets eine physische, d. h. sie ist zwischen physischen Gegenständen etabliert, nämlich zwischen dem physischen Individuum und der physischen Welt, und sie darf daher als eine physikalisch-kausale Verkettungs-Struktur angesprochen werden.

Das Individuum »weiß« um diese physikalisch-kausalen Verursachungsketten (s. 6, Distinktion g), und zwar vermag es in ihnen – ihrem Wesen gemäß – drei Möglichkeiten zu unterscheiden:

a. das Individuum ist in seinen Handlungen selber Verursachung innerhalb dieser Ketten, und die Welt ist in ihren verschiedenen »Weltzuständen« als Folgeerscheinung solch subjektiven Eingreifens aufzufassen;

b. das Individuum ist in seinen Zuständen erleidende Folge ihm angetaner Eingriffe, und die Welt in ihren Geschehnissen ist Verursachung hiefür;

c. sowohl Verursachung wie Folge liegen außerhalb des Individuums, mit andern Worten, die Verursachungskette verbindet lediglich Dinge der Welt, ohne das Individuum (als physisches Weltding) unmittelbar zu berühren.

Von diesen drei Alternativen sind die beiden ersten, also jene, in denen das Individuum selber physischer Teil der Verursachungsketten ist, unmittelbar am (primitiven) physikalisch-kausalen Weltbewältigungs-System beteiligt. Die dritte nimmt bloß mittelbaren Anteil daran, allerdings einen höchst bedeutsamen.

Das »Wissen« um die Kausal-Ketten schließt auch das um ihre

»Unterbrechungen« in sich ein. Kausalitäts-Unterbrechungen sind selbst für das Tier (– man denke an einen Hund vor dem Spiegel –) höchst beunruhigende, ja panikerzeugende Phänomene.

Minus-bekannte Problematik entsteht demnach stets dann, wenn in den physikalisch-kausalen Verursachungsketten, und zwar vor allem in jenen, welche Individuum und Welt miteinander in Verbindung bringen (Alternativen a und b), sich Unterbrechungen zeigen, d. h. wenn die Kausalverbindung zwischen den Kausalpartnern, hier also zwischen dem physischen Individuum und der physischen Welt, nicht herstellbar ist. Und eben weil es »Lücken« in Verursachungsketten sind, in die das physische Individuum physikalisch eingereiht ist, oder korrekter gesprochen, systemgemäß eingereiht werden sollte und eingereiht werden will, kann gesagt werden, daß sie stets einen Mangel an Welt-Bewältigung anzeigen, kurzum, daß sie »System-Lücken« im physischen Weltbewältigungs-System sind.

17

Soweit das Individuum verursachendes Subjekt in den physikalischen Kausalketten (– entwicklungsgeschichtlich wohl als »Ur-Fall« zu betrachten –) ist oder sein will, zeigt sich die »Lücke« oder Kausal-Unterbrechung als ein Unvermögen zur Erreichung des Kausal-Zieles, d. h. das Individuum sieht sich außerstande, eine physikalische Kausalverbindung zwischen sich und den Welt-Dingen derart herzustellen, daß in und an diesen die gewünschten Folgeerscheinungen entstehen; es ist der einfachste Fall einer spezifischen Unbewältigung und wird ebensowohl vom Tier wie vom Mensch erlebt.

Die physikalischen Kausalketten, um die es dabei geht, verlaufen im dreidimensionalen Raum, und zu ihrer »Ununterbrochenheit« gehört es daher, daß die daran beteiligten physischen Gegenstände (einschließlich des Individuums) in direkter Berührung miteinander stehen; anders ist solch primitiv physikalische Einwirkung von Verursachung und Folge nicht möglich. Die »Unterbrechungen« oder »Lücken« in diesen primitiven Bewältigungs-Systemen sind also gleicherweise räumlich; sie sind räumliche Unterbrechungen der Ketten oder einfach Entfernungen zwischen Individuum und Welt, zwischen Subjekt und Objekt. Ob das – tierische oder menschliche – Individuum ein Wild, das die rascheren Beine hat, nicht erjagen kann, oder ob es eine Frucht, die auf zu hohem Zweige hängt, nicht erlangt, oder ob es des Gegners Halsschlagader nicht zu durchbeißen vermag, weil dieser eine zu dicke Haut besitzt, es sind damit Verursachung und Folge, die gewünschte Folge, stets räumlich voneinander getrennt.

Unterbrechungen in physikalischen Kausalketten können bloß geschlossen werden, wenn sich physische Dinge finden lassen, die geeignet sind, als Zwischenglieder an den Unterbrechungsstellen der Kette zu dienen, um diese solcherart wieder zu einer ununterbrochen echten Berührungskette zu machen. Es handelt sich also um die »Interpolation« physischer Gegenstände. Wenn der Mensch ein Lasso oder einen Bumerang oder auch nur einen Stein dem enteilenden Tier nachschleudert, wenn er vermittels einer Stange die Frucht vom Baum herabschlägt, wenn er die Haut des Gegners mit einem Messer durchbohrt, um zu seiner Schlagader zu gelangen, so hat er mit alledem eben nichts anderes als »Interpolationen« vorgenommen, und zwar durchaus »räumliche« Interpolationen, welche eine räumliche Berührungs-Kette schließen und gerade hiedurch zu ihrem »Zweck« gelangen. Die Waffe, das Werkzeug und in weiterer Entwicklung die Maschine dienen alle zur Schließung von »System-Lücken« im physischen Bewältigungs-System, und sie dürfen daher füglich Bewältigungs-Interpolationen genannt werden.

Die Bewältigungs-Interpolation besteht aus einem konkreten Gegenstand, der zwischen dem konkreten Individuum und andern konkreten Welt-Dingen räumlich eingeschaltet wird. Daß der »Zweck« dieses Vorganges, nämlich der »Zustand«, in den dieses andere Welt-Ding versetzt werden soll (die Wunde des getroffenen Tieres, das Herabfallen der Frucht vom Baum, das aus der Schlagader herausquellende Blut), zum Zeitpunkt der Interpolation noch nicht konkret vorhanden ist, sondern bloß in der »Vorstellung«, gewissermaßen also bloß abstrakt repräsentiert wird, ändert nichts an dem geschilderten Tatbestand, ist also erkenntnistheoretisch irrelevant. Doch als psychologisches Faktum betrachtet, zeigt sich daran, wie tief (selbst bei vorsichtigster behavioristischer Auslegung) diese Art von Abstraktionskraft im Tierischen verankert ist, denn das gesamte

»rational-zweckgerichtete« Gehaben des Tieres beruht auf solch dunklen, instinktgeleiteten Zweck-Vorstellungen.

So sehr aber das Tier sein Handeln nun auch nach Zweck-Vorstellungen eingerichtet hat und demgemäß seine »logischen« Improvisationen vornimmt, es lassen sich – sieht man von Zähmungsprodukten ab – nur bei sehr hochstehenden Tierarten, und selbst hier nur in schwachen Andeutungen, gewisse Ansätze zur Schließung minus-bekannter-Systemlücken, kurzum zur interpolierenden Werkzeugbenützung vorfinden. Damit ist nicht gesagt, daß Werkzeugbenützung – unbeschadet ihrer hohen Bedeutung für die menschliche Geistesentwicklung – unbedingt schon minus-bekannte Problematik anzeigt. Affen, welche Kokosnüsse auf den Störenfried werfen, improvisieren diesen feindlichen Spaß im Rahmen ihres artgebundenen, haltungs-invarianten Systems, und ein Mensch, der heute eine Stange ergreift, um einen Apfel vom Baum zu schlagen, hat damit eine Improvisation innerhalb des heute gegebenen Bewältigungssystems, keineswegs also eine System-Erweiterung vollzogen. Die von der minus-bekannten Problematik veranlaßte System-Erweiterung hängt immer und ausschließlich vom Phänomen der »Erstmaligkeit« ab: in einer werkzeugslosen Urzeit war das Ergreifen einer Stange eine ausgesprochene System-Erweiterung, und sie war (– hier zeigt sich bereits das Wesen des Erkenntnis-Vorstoßes –) eine geistige Tat, die in ihrer Art sicherlich nicht geringer zu bewerten ist als heute etwa die Entdeckung der Quantentheorie.

18

Soweit das Individuum nicht verursachendes Subjekt, sondern erleidendes Objekt in den physikalischen Kausalketten eines Bewältigungs-Systems ist (s. 16, Alternative b), liegen – zumindest auf einer ersten Stufe – völlig symmetrische Verhältnisse zu den vorherbeschriebenen vor, d. h. strukturell die nämlichen, nur daß sie hier sozusagen ins Negative gewendet erscheinen: wenn das Individuum als Objekt gewisser Kausalketten in Zustände gerät, die es als schädlich empfindet, so muß es trachten, diese Kausalketten zu annihilieren. Das Tier hat hiezu – von den vorher erwähnten seltenen Ausnahmen abgesehen – zwei Möglichkeiten zur Verfügung, nämlich unmittelbares Zur-Wehr-Setzen gegen den Verursachungsfaktor oder aber unmittelbare Flucht, während der Mensch unter Umständen befähigt ist, in die Kausalketten einen neuen Verursachungsfaktor zu interpolieren, dem es gelingen mag, die als unangenehm empfundenen Folgen zu verhüten. Die Interpolation wird hiedurch zu einer »Schutzmaßnahme«, also zum Negativum eines Angriffs-Werkzeuges. Die Schutzmaßnahme – beispielsweise ein Regenschirm – ist demnach ein physischer Gegenstand, welcher durch räumliche Unterbrechung einer physikalischen Kausalkette diese durch eine andere – beispielsweise eben die des Naß-Werdens durch die des Nichtnaß-Werdens – ersetzt, um sich selbst hiebei zum Verursachungsfaktor zu machen. Es ist also erlaubt, hier von »negativen Bewältigungs-Interpolationen« zu sprechen. Hingegen wäre es, trotz der räumlichen Unterbrechung der Kausalketten, durchaus unerlaubt, den Vorgang etwa als »künstliche Schaffung von System-Lükken« aufzufassen, denn die System-Lücke ist hier der minusbekannte »Schutz«, und die Problemlösung, welche in solche Lücke interpoliert wird, besteht in der Entdeckung der Kausalketten-Durchbrechbarkeit, und zwar einer Durchbrechbarkeit, die mit Hilfe eines physischen, »Schutzmaßnahme« genannten Gegenstandes vollzogen wird.

Ob entwicklungsgeschichtlich die Schutzmaßnahme dem Angriffs-Werkzeug vorangegangen oder ob das Umgekehrte geschehen ist – wahrscheinlich waren es Gleichzeitigkeiten –, kann hier als irrelevant beiseite gelassen werden. Erkenntnistheoretisch relevant ist bloß, daß die Erweiterung und somit auch der fortschreitende Ausbau des Bewältigungs-Systems sich gleicherweise ebensowohl auf die positive wie auf die negative Bewältigungs-Interpolation stützt, daß also – etwas paradox ausgedrückt – die Bausteine für den System-Aufbau geradezu mit den System-Lücken zu identifizieren sind, oder – korrekter – mit den Entdeckungs-Akten, durch welche diese Lücken zur minus-bekannten Problematik werden.

19

In eben diesem Fall der Objektstellung des Individuums innerhalb der Kausalketten (also eben 16, Alternative b) ist auch ein erster Ansatzpunkt für den Übergang vom Bewältigungs- zum Erkenntnis-System zu sehen.

Und zwar liegt der Ansatzpunkt im Mechanismus der »negativen Bewältigungs-Interpolationen« (deren konkrete Ausprägung sich im Phänomen der »Schutzmaßnahme« manifestiert hatte).

Die erste Reaktion des Individuums gegen eine Kausalkette, der es als Objekt ausgeliefert ist und durch die es sich geschädigt fühlt, ist wahrscheinlich nicht die Ergreifung von Schutzmaßnahmen, sondern weit eher tierisch-unmittelbares Sich-zur-Wehr-Setzen oder tierisch-unmittelbare Flucht: um sich aber zur Wehr setzen zu können (oftmals jedoch auch um geeignete Schutzmaßnahmen herzustellen), muß man den Verursacher des Übels kennen, da eben er es ist, der unschädlich gemacht werden soll. Wenn sich also das Individuum von Kausalketten unbekannter Verursachung getroffen und hievon – fast selbstverständlicherweise, denn Objekt-sein-müssen allein ist schon Schädigung – noch überdies geschädigt fühlt, so ist es geradezu zwangsläufig verhalten, nach der fehlenden Verursachung zu fragen.

Der Beantwortungsmechanismus hiefür läßt sich etwa folgendermaßen schematisieren:

a. Vor allem wird das Phänomen der schädigenden Kausalkette (oder auch nur des Objektseins in Beziehung zu ihr) als Ich-fremd und sohin als plus-unbekannt empfunden, so daß es als Plus-Unbekannte dem jeweiligen Ich-System eingereiht werden muß, und dies geschieht, wie bei jeder Plus-Unbekannten, in erster Linie durch assoziative Namengebung. Zum Beispiel wird der Primitive, der von unvermutetem Donnern erschreckt worden ist, diese Plus-Unbekannte als »Trampeln« oder »Brüllen« oder ähnlich bezeichnen.

b. Jede Plus-Unbekannte kann unter Umständen als Signal für eine vorhandene minus-bekannte Systemlücke wirken, und zwar ist sie hier als die der »Verursachung« oder der »Herkunft« zu erkennen, sohin in dem obangeführten Beispiel als die der »Herkunft« des Trampelns oder des Brüllens. Mit andern Worten, die physikalische Kausalreihe zwischen dem Himmelslärm und dem Zustand des lärm-erschreckten Menschen weist eine Lücke auf, nämlich eine Lücke am Anfang der Kette, und dieses mangelnde erste Kettenglied ist eben nichts anderes als die unbekannte Verursachung.

c. Gewohntermaßen wird für die Schließung einer solchen Lücke vorerst einmal nach einem physischen Gegenstand gesucht, der als neuer Verursachungsfaktor interpoliert werden kann. In Befolgung dieses Vorganges wird der Primitive sich hiezu vor allem andern einen konkret trampelnden Stier oder konkret brüllenden Löwen aussuchen, ohne Rücksicht darauf, daß diese Tiere sich nicht im Himmel befinden.

Hiemit aber ist bereits das konkrete Bewältigungs-System durchbrochen, d. h. es ist dieses mit einem, wenn auch noch sehr unstimmigen Erkenntnis-System verquickt worden, denn zwischen dem Brüllen des konkreten Löwen und dem des Donners läßt sich keine physisch-kausale Verbindungskette (wie sie für echte Bewältigungs-Systeme erforderlich ist) mehr ziehen. Die einzige Verbindung zwischen »oben und unten« ist die des gemeinsamen »Namens«, und der »Name« ist es auch, dem die verursachende Wirkungskraft zugetraut und zugeschrieben wird. Wie leicht ersichtlich, zeichnet sich in diesem Schema die Struktur primitivster Magie ab.

Die Weiterentwicklung solch magischer Vorstellungen beruht hauptsächlich auf dem Wissen um die »prästabilierte Harmonie« zwischen dem inner-logischen und außer-kausalen Geschehen (wie es sub 9 d angemerkt worden ist). Im stummen Bewältigungs-System tritt dieses Wissen kaum andeutungsweise, jedenfalls nur höchst unartikuliert in Erscheinung: als ein Beispiel hiefür konnte (sub 17) jenes Rudimentär-Wissen angeführt werden, das sich in des Menschen Handlungsweise äußert, wenn er sie auf konkret noch nicht vorhandene, jedoch vor-gewußte »Zwecke« richtet, also deren interpolations-verursachte, kausale »Erreichbarkeit« auf Grund eines logischen »es gibt« voraussetzt. Was im stummen Bewältigungs-System bloß instinkthaft getan oder für solches Tun verwendet wird, also auch das »es gibt«, nimmt im Erkenntnis-System artikulierte Gestalt an, und so gilt hier:

d. »Es gibt« unsichtbare Gegenstände, welche die gleichen »Namen« wie die sichtbaren tragen und daher die gleiche, wenn nicht sogar eine stärkere Realität als diese besitzen.

e. »Es gibt« zu jeder Kausalreihe eine Verursachung, und wenn diese nicht in Gestalt eines irdisch-sichtbaren, physischen Gegenstandes auffindbar ist, so kann und muß der unsichtbare gleichen Namens dafür eingesetzt werden; »es gibt« also einen unsichtbaren Stier oder Löwen in den Himmelsgefilden, einen unsichtbaren Verursacher des dort ausgebrochenen Trampelns oder Brüllens.

Die physikalische außen-kausale Verursachungs-Kette ist also hier durch eine im Geiste und in der bloßen Vorstellung des Individuums befindliche inner-logische Begründungs-Kette »verlängert« worden, und dies wird noch deutlicher angesichts der weiteren Begründungen, mit denen die Verursachungsfunktion dieser interpolierten »idealen Gegenstände«, d. h. hier die der hypothetischen Himmelstiere, erklärt wird; die Begründungs-Verlängerung wird nämlich – und damit ist allerdings auch ein höherer Grad des Ich-Bewußtseins erreicht – durch Anthropomorphierung der Objektwelt hergestellt: es donnert, »weil« der Stier oder Löwe erzürnt worden sind, und es donnert nicht, wenn man sie vermittels Bitten und Drohungen davon abhält.

Für das magische Erkenntnis-System sind dies äußerst zwangsläufige Überlegungen, und zwar, weil es durch sie und nur durch sie den für jedes Erkenntnis-System (vid. 8 c) notwendigen Wieder-Anschluß an das physische Bewältigungs-System zu finden vermag. Und gerade die Ununterscheidbarkeit der ineinanderlaufenden, niemals voneinander gesonderten Verursachungs- und Begründungsketten zeigt, wie die Aufgabe vom magischen Denken gelöst wird: das Erlebens- und Bewältigungs-System einerseits, das Ausdrucks- und Erkenntnis-System andererseits werden zur vollen Identifikation gebracht, so daß ein »Einheitsbereich« geschaffen wird, in dem nicht nur jede Verursachung zugleich Begründung ist, sondern auch – und dies ist das Charakteristische – jede Begründung als Verursachung fungiert und fungieren muß, weil in diesem Einheitsbereich die Hypothese und die Realität denselben logischen Platz zugewiesen erhalten haben; denn dieser ist einzig und allein durch den »Namen« bestimmt.

Die Prävalenz des »Namens« bedeutet nicht, daß dahinter das »Benannte« verschwände oder sonstwie seine Bedeutung verlöre. Gewiß, der magisch-primitive Geist wird zwischen (sprachlichem oder bildlichem) Symbol und (konkretem oder phantasiertem) Gegenstand bewußt keinerlei Unterschied machen oder zu machen vermögen, vielmehr werden Symbol wie Realität wie Phantasie unterschiedslos unter dem gemeinsamen Namen (der eben selber Symbol und ebendeswegen auch Realität und Phantasie »ist«) subsumiert, doch diese vorstellungsgemäße Identität entspricht nicht der praktischen, denn in den unbewußten, stummen Handlungen seines täglichen Lebens und seiner täglichen Welt-Bewältigung weiß auch der Primitive sehr wohl zwischen Symbol und Realität und Phantasie zu unterscheiden; angesichts eines realen Löwen wird er, unbeschadet aller sonstigen Rituale, seinen Pfeil auf diese reale Löwengestalt und nicht auf deren Symbol im Sand oder ihr Phantasiebild im Himmel richten. Es stehen also unbewußte Unterscheidung und bewußte Indentifikation einander gegenüber, und das Resultat dieser (allerdings nur scheinbaren) Antinomie ist das Phänomen der »auswählenden Vertauschbarkeit«: der Bewältigungs-Mechanismus im magischen »Einheitsbereich« beruht auf der Dreieinigkeit von Namen-Realitätsding-Phantasieding, und zwar derart, daß zur Schließung der jeweils vorkommenden, minus-bekannten Systemlücke je nach Bedarf irgendeiner der Dreieinigkeits-Bestandteile gewählt werden darf. Daß daneben der magische Mechanismus auch noch jedwede Improvisation zuläßt, versteht sich von selber, da es ja im Alltagsleben und in Alltagsdämmerung keinerlei Weltbewältigung ohne ständige Improvisation gibt.

Das Symbol hat bei alledem eine merkwürdige Mittelstellung zwischen konkreter Sichtbarkeit und abstrakter Unsichtbarkeit, zwischen Irdischkeit und Unirdischkeit, da es mit irdischsichtbar-fühlbar konkreten Mitteln (Sprache, Bildhaftigkeit usw.) erzeugt wird und trotzdem sich mit dem Symbolisierten (dem Benannten, dem Abgebildeten) in keiner Weise »deckt«, sondern es bloß »meint«, sowohl das Bewältigungs- wie das Erkenntnissystem »meinend« und in sich zum »Ausdruck« bringend. Das Schema des magischen Systems wäre demnach folgendermaßen zu ergänzen:

f. Die magische Realität ist durch ihren »Einheitsbereich« konstituiert, enthält also – da dieser die Identifikation von Bewältigungs- und Erkenntnis-System in sich birgt – konkrete und abstrakte Segmente in unlöslicher Verquickung. Die systemstiftenden Kausalketten können demnach ebensowohl durch die konkreten wie durch die abstrakten, als auch durch beide Segmente gelegt werden, ohne daß die Realitätsgeltung des Einheitsbereiches hiedurch beeinträchtigt wird. Maßgebend für den Verlauf der Kausalketten sind ausschließlich die Kausal-Interpolationen, welche zur Schließung der jeweiligen System-lücken verwendet werden und je nach Erfordernis – im Sinne der allgemeinen Erlaubnis zur wahlweisen Kategorien-Vertauschung – ebensowohl vermittels eines physischen wie eines phantasierten Gegenstandes (gleichen Namens) vorgenommen werden dürfen (so eben z. B. vermittels des phantasierten Himmelslöwen).

g. Aus der Realitäts-Gleichheit der verschiedenartigen Kausalketten im Einheitsbereich ergibt sich, daß unabhängig von dem Realitätssegment, wo solches stattfindet, die konkreten und die abstrakten Kausalvorgänge unmittelbar aufeinander einwirken können. Der Himmelslöwe stellt sein Donnern ein, wenn sein irdischer Repräsentant durch entsprechende (irdische) Mittel besänftigt worden ist, droht aber, im entgegengesetzten Fall, sein Zürnen noch weiter zu verstärken und seinen irdischen Bruder zu noch schärferen Strafmaßnahmen, so zum Einbruch in die Dorfherden zu veranlassen. Es ist dies zugleich, wie leicht ersichtlich, für das magische Denken – freilich ohne daß es je danach artikuliert verlangt – eine erste Erklärung für das (selbst den Primitiven geheimnisvoll anmutende) dunkle Faktum des »vorweggenommenen« Zweckes, der noch nicht konkret vorhanden, dennoch schon vorgewußt ist, also (gerade für den primitiven Geist) sich »irgendwo« aufhalten muß, so daß es für eine von schreckhaften Geheimnissen durchsetzte Weltanschauung zur Beruhigung wird, wenn es gelingt, solch geheimnisvollen Aufenthaltsort anzugeben. Hier nun ist – um im Beispiel zu bleiben – der Zweck in einem gewissen Verhalten alles dessen, was den Namen »Löwe« trägt, zu sehen, und da eben infolge der »Realitäts-Gleichheit« ein Exemplar dieser Namensträger stets (wenn auch unter Umständen unsichtbar) vorhanden ist, ja mehr noch, da er seine Wirksamkeit, mag sie auch den menschlichen Zwecken meistens zuwiderlaufen, konstant durch Donnern usw. kundtut, also eine konstante Kausalverbindung zwischen ihm und dem Menschen hergestellt ist, ist für diesen in solcher Kausalstruktur auch die ständige Anwesenheit seiner Zwecke (magisch) gegeben, mag er sie im Augenblick verfolgen oder nicht. Der gesamte Mechanismus beruht letztlich auf der realitäts-gleichen Vertauschbarkeit des konkreten mit dem abstrakten Löwen.

h. Hiezu tritt nun die Funktion des »Symbols«. Denn da das sprachliche oder bildliche Symbol, kurzum der »Name« als Ve-

hikel für die Verbindung zwischen den beiden Realitätsseg-
menten und sohin auch für die zwischen ihnen vollziehbaren
Vertauschbarkeiten fungiert, haben sich in diesem Zwischenreich des Symbols die Kausalvorgänge der beiden anderen
Realitätssegmente nicht nur zu spiegeln, sie haben dieses
(wohlgemerkt realitäts-gleiche) Spiegelbild nicht nur zu verursachen, sondern sie werden auch selber von ihm verursacht,
wenn sie zuerst hier in diesem Zwischenreich des Symbols hergestellt werden. Damit wird im besondern der Symbolbereich
zum engeren Aufenthaltsort der Zwecke. Ein Tier kann nur er-
legt werden, wenn dieser »Zweck« vorher symbolisch, etwa
durch eine Zeichnung im Sand dargestellt wird; anders wäre die
unmittelbare Verbindung zwischen Erkenntnis- und Bewältigungs-System, ohne die es weder Zweck-Vorwegnahme, noch
Bewältigung gäbe, nicht zustande zu bringen. Dies gilt desgleichen für das Beispiel des »Löwen«. Doch ebenso erfließt von
hier aus die Erlaubnis, sich mit lediglich symbolischen Mitteln
zu begnügen, so oft es darum geht, den Löwen, sei es nun den
im Himmel, sei es den auf Erden, wirkungsvoll zu besänftigen.
Es ist eine sehr weittragende Erlaubnis, denn durch sie werden
die Vorgänge im Zwischenreich des Symbols zu »verursachen-
den Ritualen«; selbst das »Opfer«, und möge es noch so konkret und blutig sein, gehört in diese Klasse des symbolisch ver-
ursachenden Rituals.

   Die Konstanz-Struktur des magischen Aufbaues, die allüberall, doch auch, und dies keineswegs zuletzt, an der »konstanten« Anwesenheit der Zwecke im magischen Einheitsbereich
sichtbar wird, verlangt gleicherweise nach einer Stabilisierung
der Rituale, kurzum, sie verlangt nach einem fixen Ritual-Ka-
non. Allerdings, ein solches Verlangen darf nicht etwa als das
eines einfachen Symmetriebedürfnisses oder sonst irgend eines
Gleichschaltungswunsches verstanden werden; der Verständ-
nisschlüssel kann nur im magischen Denken selber liegen.
Hiezu sei nun an den Aufbau der »Ur-Distinktionen« (vide 5,
6 et 8) erinnert, von denen angenommen werden durfte, daß sie
infolge eines iterierten »Wissens um das Wissen« auseinander
hervorgegangen sind und hervorgehen, um schließlich in Fortsetzung solcher Iteration zum Phänomen der »Erkenntnis« zu
führen. Soweit diese Annahme zu Recht besteht, ist sie für alles
menschliche Denken gültig, sicherlich also auch für einen

Denkbereich wie den magischen, dessen System allerwärts noch Primitivelemente wahrnehmen läßt. Es wäre demnach nur folgerichtig, wenn die Iteration des »Wissens um das Wissen« sich in dieser Iteration des »Symbols der Symbolisierungen« widerspiegelte, und hiefür sprechen nicht nur erkenntnistheoretisch-formale Erwägungen, sondern auch ihre – hier recht wichtige – Übereinstimmung mit den Fakten des zeitlichen Ablaufes, d. h. mit denen der menschlichen Geistesentwicklung: es läßt sich behaupten, daß jedes magische System in seinem Ablauf ein Stadium erreicht, in dem es seine gesamte Symbol-Apparatur mit all ihren sprachlichen, bildhaften, ritualen oder sonstwelchen Ausprägungen zu kanonisierter Stabilisierung bringt, und daß in diesem – sehr historischen – Augenblick das primitiv Magische ins Religiöse umschlägt. Gewiß, Religion ist nicht bloß Kanonisierung magischer Vorstellungen; nicht einmal die heidnischen Religionen, um die es hier in erster Linie geht, lassen sich ausschließlich darauf beschränken, aber in ihren Frühstadien (die sie übrigens unverlierbar weiter mit sich führen), sind sie hauptsächlich von hier aus bestimmt, und ihr Beginn läßt sich tatsächlich mit dem ersten Aufscheinen ihrer Symbol-Kanonisierungen, vor allem also – weil historisch dokumentierbar – mit dem ihrer kanonisierten Bildwerks-Symbole (Idole, Götzen usw.) festsetzen, um so mehr als nach erfolgter Kanonisierung, zu deren Wesen dies geradezu gehört, jedes von ihnen, unbeschadet seines Spezialzweckes, auch das gesamte Glaubenssystem als »Symbol des Symbols« zu symbolisieren hat. Sohin:

i. Das »Dauer-Symbol« – das Bildwerk, das Idol usw. – als »Symbol des Symbols« bemüht sich, sämtliche Symbole des magischen Systems in sich zu konzentrieren und darzustellen (daher die bekannten Symbolüberwucherungen, z. B. in der ostasiatischen und indianischen Kunst, doch auch in der Gotik) und wird ebendarum fähig, zur »Kultstätte« für das kanonisierte Ritual des hiedurch gestifteten »Glaubens« zu werden, damit aber auch zum Aufenthaltsort sämtlicher »Zwecke« dieses Glaubensrituals, zum »Gnadenbild« der von ihm intendierten Weltbewältigung.

j. Gleich dem magischen System, aus dem er hervorgegangen ist, bildet der Glaube einen »Einheitsbereich«, in dem Bewältigungs- und Erkenntnis-System zur Identifikation gebracht worden sind und fortlaufend weiter identifiziert werden. Dies gilt in besonders hohem Maße für das Ritual, und gerade in seiner Eigenschaft als Bewältigungs-System, das der Hauptsache nach immer »stumm« ist und aus mehr oder minder geregelten, mehr oder minder stummen Improvisationen (vide 13) besteht, verliert es, mag es auch vielfach aus Worten bestehen, seinen sprachfunktionalen Charakter und wird in einem tieferen Sinne zur »stummen Verhaltungsweise«.

k. Während in den prä-magischen, prä-religiösen Bewältigungs-Systemen der ihnen angehörende Mensch die Welt-Bewältigung (gleich dem Tier) bloß unbewußt agiert, wird ihm diese Stellung nun durch das Ritual bewußt gemacht (obwohl daneben in seiner Alltagsdämmerung sich auch die ursprüngliche, unbewußt instinkthafte weitervererbt und niemals völlig verschwindet). Kraft der minus-bekannten Problemlösungen seines Erkenntnis-Systems hat er sich seine Rituale selbst gesetzt, um mit ihrer Hilfe sein Objektverhältnis zur plus-unbekannten Welt in ein Subjektverhältnis zu verwandeln. Gewiß, die eigentliche physische Welt-Bewältigung läuft daneben instinkthaft-dämmerhaft weiter (und es ist sie, in der sachlich-nüchtern mit sachlich-nüchtern gespitztem Pfeil auf irdische Löwen geschossen wird), doch da auch dies in den magischen Einheitsbereich einbezogen ist, wird die Ritualbefolgung nicht nur zum notwendigen Grundriß für den Aufbau des physischen Bewältigungs-Systems, und sie wird nicht nur zu dem Vehikel, mit dem das Individuum sich physisch in den Bewältigungsapparat des magischen Einheitsbereiches einreiht – Rituale benötigen die physische Person zur Agierung –, sondern sie ist, darüber hinaus, hier auch Bewußtwerdungsvorgang, nämlich der, mit welchem das ritual-agierende Individuum sich seiner geglückten Weltbewältigung bewußt wird. Mit andern Worten, kraft seines Erkenntnis-Systems dem Ritual dienend und sogar ihm untertan, ist der Mensch trotzdem imstande, es zur Weltbewältigung zu benützen, ja gerade daran das Bewußtsein seiner allumfassenden Weltbeherrschung zu gewinnen. Denn da er durch das Ritual zu einem Teil des magischen Einheitsbereiches gemacht wird, der in seiner Ganzheit die Einheit der Welt symbolisiert, aber auch in jedem seiner Teile immer nur wieder Weltsymbol sein kann, muß der Mensch, da er hier eingereiht wird, sich gleichfalls als Symbol empfinden, als Symbol seiner

All-Zugehörigkeit und zugleich jeder All-Herrschaft, der er mit seiner – im Ritual symbolisch verbürgten – Weltbewältigung schrittweise entgegengeht.

Hält man von hier aus Rückschau auf die bisherigen Überlegungen und läßt man gelten, daß ihre Resultate sich ziemlich deutlich mit den Fakten decken, aus welchen die Entwicklung der magischen Daseinsbewältigung besteht, so ist zu vertreten, daß in den Resultatsgruppen

a-c die primär-magische Haltung

d-h das voll-magische Denken

i-k das religiös-magische Weltbild

sich in vielen Zügen wiedererkennen lassen. Trifft dies zu, d. h. trifft es zu, daß in dem Entwicklungsschema, wie es sich hier ergeben hat, eine erkenntnistheoretische Notwendigkeit vorliegt, so darf eben solch innere Notwendigkeit – und dies erscheint um so wichtiger, als damit die Strukturkonstanz des Menschengeistes sich wieder offenbart – für die sukzessive Freiwerdung des Ich-Bewußtseins verantwortlich gemacht werden. Hinsichtlich der »primär-magischen« Haltung wäre mit wahrscheinlich gutem Recht anzunehmen, daß in ihr das Infantilstadium der »dritten Person« des Ichs noch kaum überwunden ist, und mit noch größerer Sicherheit ist zu behaupten, daß in der totemistischen und animistischen Periode, welche hier als die des »voll-magischen« Denkens bezeichnet wurde, die Ich-Vorstellung sich noch keineswegs konsolidiert hat. Erst in der dritten Epoche, der »religiös-magischen«, also erst, wenn der Mensch infolge seiner Einreihung ins kanonisierte Ritual sich selbst zum Symbol zu setzen vermag, erfolgt der eigentliche Ich-Durchbruch, und weil er eine Funktion der Symbolisierungen ist, gelangt er – mit erkenntnis-theoretischer Notwendigkeit und historischer Bewahrheitung – vor allem in diesem, d. h. im symbolischen Bildwerk zu Ausdruck und Konkretisierung:

1. Die Menschengestalt als Bildwerks-Symbol für die bewältigte, oder korrekter für die bewältigbare Weltganzheit ist keineswegs Ergebnis einer simplen Anthropomorphierung, vielmehr Ausklang eines weitausholenden und verwickelten Symbolisierungsprozesses; denn so lange das Ich sich seiner nicht vollbewußt geworden ist und infolgedessen auch noch Reste der infantilen »dritten Person« in sich trägt, kurzum, so lange es nur mit Hilfe seines »Namens« sich von anderen Welt-

dingen zu unterscheiden vermag, so lange bleibt auch sein Symbol mit denen aller anderen Weltdinge unlöslich verquickt. Die Herauslösung aus der Symbolüberwucherung vollzieht sich erst, wenn Ich und Welt – und dies wurde dem Abendland wundersam vom religiösen Denken und ebendarum auch von der religiösen Kunst Griechenlands geschenkt – klar einander gegenübergestellt und hiedurch, ja gerade hiedurch zur transzendentalen Einheit gebracht werden.

Religion benötigt diese transzendentale Einheit von Ich und Welt, denn nur in einer solchen Einheit, die dem Menschen den Übergang von der Objekt- zur Subjektstellung in seiner Weltbeziehung gestattet, vermag er als geschaffenes Wesen die religiös lebende, religiös erlebende Verbindung mit dem erschaffenden Gott herzustellen, kurzum zur Partizipation am Göttlichen zu gelangen, wie er es durch seine Partizipation am Ritual symbolisiert. Würde das magische Denken, in dem alles Religiöse wurzelt, nicht durch die Schaffung des Einheitsbereiches (vide f) den Bereich der transzendentalen Einheit als formale Möglichkeit vorbereitet haben, es hätte die Menschheit in ihrer religiösen Entwicklung vermutlich völlig anderen Bahnen folgen müssen, für uns jedenfalls so unausdenkbare, daß es müßig wäre, darüber nur im geringsten spekulieren zu wollen.

Auffallend, ja höchst merkwürdig aber ist hiebei, daß eben dieser magische Einheitsbereich logisch auf »unrichtigen« Grundlagen beruht. Mystisierende Relativisten werden da natürlich einwenden, daß es keine »objektive« Unrichtigkeit gäbe und daß dasjenige, was uns »unrichtig« erscheint, nicht mit unsern Augen, sondern mit denen des Primitiven betrachtet werden müsse und hiedurch eine zwar zeit- und ortgebundene, dennoch »objektive« Richtigkeit gewinne. Demgegenüber ist immer wieder festzuhalten, daß der Primitive, unbeschadet seiner Magie, in einer dreidimensionalen konkreten Welt lebt, daß er nicht mit stumpfen, sondern sehr spitzen Pfeilen schießt und daß auch für ihn 2 + 2 stets 4 und nicht 5 ist. Und aus dem gleichen Grund ist die Kategorienvertauschung, die der Primitive sich erlaubt, die Vertauschung von Konkret und Abstrakt, von Gegenständlichkeit und Phantasiegebilde, mit einem Wort die allgemeine »Realitäts-Gleichheit«, auf der sich der magische Einheitsbereich aufbaut, unzweifelhaft »unrichtig« und daher logisch einfach unzulässig. Freilich, die historische Entwicklung schert sich nicht um derartige nachträgliche Stipulierungen: das magische Denken mitsamt all seinen logischen Unzulässigkeiten und sohin auch mit seinem »unrichtigen« Einheitsbereich ist ein offenbar unüberspringbares Stadium der menschlichen Geistesentwicklung, ist ein historisches Faktum, das niemand wegleugnen kann. Was folgt hieraus? Nun,

erstens, daß die bekannte logische Regel von der unrichtigen Prämisse, die ebensowohl richtige wie unrichtige Folgerungen (bei formal richtiger Ableitung) erlaubt, sich auch hier wieder bewährt, da aus dem »unrichtigen« Einheitsbereich sich (in logisch und historisch richtiger Abfolge) der »richtige«, nämlich der transzendentale Einheitsbereich entwickelt hat;

zweitens, daß im »materialen« Denken zwar immer »objektiv richtigen« Regeln gefolgt wird, so etwa hier mit der Schließung von Systemlücken durch Interpolation, daß aber wegen der unendlichen Fülle des Weltmaterials – und dies ist die Ursache des »materialen Irrtums« – auch immer ein von den Regeln unerfaßter Rest zurückbleiben muß, wie eben im magischen Denken das »unrichtige« Prinzip der Realitätsgleichheit und der Kategorien-Vertauschbarkeit;

daß aber der Menschengeist infolge seiner erkenntnismäßigen Grundstruktur ahnend stets zum formal und daher objektiv Richtigen hinstrebt und daß sohin auch die Entwicklung vom »primär-magischen« zum »religiös-magischen« Denken als ein Symptom solchen Fortschrittes zu werten ist, kurzum, daß diesem eine höhere und objektivere Richtigkeit als jenem zukommt.

Damit erledigt sich wohl auch ein zu erwartender anderer Einwand, nämlich der jener aufklärerischen Kurzsichtigkeit, welche das Religiöse und primitiv Magische kurzerhand in einen gemeinsamen Topf dampfender Unrichtigkeit und brodelnden »Aberglaubens« geworfen haben will, weil beides dem modernen wissenschaftlichen Denken nicht standhält.

Andererseits freilich kann und darf nicht geleugnet werden – und diese Konstatierung liegt in der Richtung jenes aufklärerischen Einwandes –, daß die abendländische Geistesentwicklung mit der Erreichung des wissenschaftlichen Denkens sich zu einer Stufe emporgearbeitet hat, welche sich von der »religiös-magischen« und erst recht von der »primär-magischen« scharf abhebt, und es wäre daher unerlaubt, an diesem Problem einfach vorbeizugehen.

Zwischen der primär-magischen Haltung des Primitiven und der religiös-magischen Weltansicht eines griechischen Weisen liegt unbestreitbar ein ungeheurer Abstand: dort ein beinah unbewegtes, nur durch wenige Plus-Unbekannte alteriertes Dahindämmern, hier ein wach-wirkliches Erleben des Kosmos, dort ein auf wenige Improvisationen beschränktes Geistesleben, hier ein ausgebildetes Erkenntnis-System mit stets neuen minus-bekannten Problemen; und wenn man bedenkt, daß die physischen und psychischen Ahnen der Griechen sich von anderen Primitiven kaum unterschieden haben dürften, also auch nicht in ihrem magischen Weltbild, so ist man sicherlich berechtigt, von einer innern Entwicklung und von »Fortschritt« zu reden, selbst wenn man den ihn begleitenden Zivilisationsfortschritt unberücksichtigt ließe. Und dies ist um so erstaunlicher, als das magische Denken, zumindest in seinen Primär-Stadien, ausgesprochen »statisch« ist, vor allem wohl, weil eine Problem-Lösungs-Mechanik, die bei einem Minimum an praktischer Zielgerichtetheit sich der Hauptsache nach mit bloßen Symbolhandlungen beschäftigt, sehr wenig Raum für Fortschrittsimpulse bietet. Es erhebt sich also eine Doppelfrage, einerseits nämlich nach den trotzdem in Kraft getretenen Fortschrittsimpulsen, andererseits jedoch nach ihrer Limitierung, d. h. nach den Gründen, die das religiös-magische Denken, wie etwa das der Antike oder das der ostasiatischen Völker, für so lange Zeit an einem Vorstoß zu exakter Wissenschaftlichkeit (im modernen Sinn) hatten hindern können, obwohl die Geisteskräfte hiefür vorhanden waren und überdies bereits eine sehr hohe Denk-Technik ausgebildet hatten.

Der erste Teil der Frage beantwortet sich gerade mit dem Hinweis auf die Denk-Technik. Denn von allem Anfang ist das magische Denken – ersichtlich in jedem seiner Schritte, sowohl in der Art seiner Ausfüllung von Systemlücken wie in der Konstruktion seines Einheitsbereiches – spekulativ ausgerichtet gewesen, und eben in dieser spekulativen Kraft ist, in schier notwendiger Abfolge, schließlich jene Höhe erklommen worden, die den Übergang zur reinen Theologie eines echt religiösen Weltbildes gestattet hat. Desgleichen ist es solch spekulativer Kraft zuzuschreiben, daß innerhalb des Magischen (und, wie die Maya-Kultur zeigt, sogar auf einer sehr frühen Stufe) mathematische Höchstleistungen zustande gekommen sind und zustande kommen. Damit aber hat es auch sein Bewenden; der Übergang von der Mathematik zur Physik ist nicht mehr vollziehbar: das Naturwissenschaftliche bleibt im Spekulativen stecken, und die naturwissenschaftliche Technik gelangt daher nicht über das Improvisatorische hinaus. Und sohin erhebt sich die hier letzte Frage, d. h. die nach den Gründen für eine derart undurchbrechbare Verhaftung an das Spekulative an sich.

Hiezu muß auf den Ausgangspunkt dieser ganzen Erörterung, so weit sie den magischen Bereich betrifft, zurückgegangen werden: es hat sich dort um jene Kausalketten gehandelt, durch welche das Individuum (als deren Objekt) in eine »leidende« Position gebracht wird (16, Alternative b), so daß es gezwungen ist, nach den Verursachungen dieser Kausalketten zu forschen, um sie solcherart entweder verhüten oder abbiegen zu können, kurzum, um zu seiner Weltbewältigung zu gelangen. Dies ist erkenntnistheoretisch die Hauptwurzel, ja wahrscheinlich die einzige Wurzel der magischen Einstellung; zumindest konnte ihre gesamte Struktur von hier aus aufgerollt werden. Das magisch denkende Individuum beschäftigt sich also ausschließlich mit Kausalketten, in denen es, sei es als Subjekt, sei es als Objekt, selber einen Platz innehat, und darob ist ihm der Blick auf all die Kausalketten verwehrt, die außerhalb seines Personenbereiches (16, Alternative c) verlaufen. Innerhalb solcher Einstellung können höchste, ja erhabenste Ergebnisse gezeitigt werden, so eben die der transzendentalen Einheit, die den gesamten Kosmos gedanklich umfaßt und diesen mit dem innern Kosmos des Menschen in Einklang bringt: aber das exakte Wissen über diesen Kosmos ist von hier aus nicht zu erlangen. Solches Wissen ist dem Menschen bloß dann zugänglich, wenn er die Kausalreihen außerhalb seiner Person beobachtet, und eben diese Beobachtung bildet die Ganzheit der modernen Wissenschaft.

Es gibt primär-magische, voll-magische und religiös-magische Massenwahnphänomene, ganz zu schweigen von jenen massenpsychischen, die keinen ausgesprochen wahnartigen Charakter tragen, doch es gibt sicherlich keine einzige massenpsychische Erscheinung, die irgendeine Verbindung oder Verwandtschaft mit wissenschaftlichem Denken je aufwiese. Daß der Mensch in der Masse wenig Anteil an Kausalreihen nimmt, die außerhalb seiner Person verlaufen, könnte schon hier als einleuchtend anerkannt werden, doch über die präziseren Gründe für solches Verhalten wird erst in anderem Zusammenhang zu handeln sein.

Kapitel 4:
Absteckung des Untersuchungsfeldes.
ÜBER MODELLE

I. *Die idealistische, die phänomenologische und die positivistische Ansicht*

Alle Erkenntnis vollzieht sich in Errichtung von Modellen, d. h. von (kognitiven) Symbolen, Symbolkombinationen, Symbolaggregaten, Symbolsystemen. Das Modell ist ein idealistischer Begriff. Die Intuition, insbesondere in ihrer phänomenologischen Fassung, ist eine Gegenposition zum cogito als Erkenntnisplausibilität. Der Mensch, das Ich, das Erkenntnissubjekt, wundersam-wunderbar ausgestattet mit Seins-Intuition, mit Erkenntniskraft, mit Symbolisierungsfähigkeit, ist imstande, die Data der Erfahrung, die ihm vom Non-Ich (einschließlich gewisser, zum Non-Ich objektivierter Ich-Bestandteile) zu erfassen und an ihrer Hand das Seiende, mag es auch niemals aus der unverbrüchlichen Dunkelheit, in der es sich »an sich« befindet, wahrhaft entlöst werden können, doch so weit zu erahnen, daß es in Wirklichkeits-Modellen symbolisch zur Darstellung gelangt, zu einer Darstellung, die im Alltagsleben sogar als die Wirklichkeit schlechthin genommen werden darf.

Der Bereich der Modelle präsentiert sich demnach als eine Art idealer Zwischenschicht, die der erkennende Mensch zwischen sich und allem, was er erfaßt, einschaltet oder, korrekter ausgedrückt, einzuschalten bemüßigt ist: einzig und allein auf dieser Zwischenschicht, einzig und allein an den auf ihr sich bewegenden (und wie im platonischen Höhlengleichnis schattenähnlichen) Symbolen wird ihm das Sein sichtbar, wird es ihm wirklichkeitsgetreuer, da die fortgesetzte Alimentierung durch neue Erfahrungsdata einerseits zu Symbolerweiterungen, andererseits zu Symbolkorrekturen und -verschärfungen nötigt: auf der Modellschicht herrscht fortwährend Bewegung; nicht nur, daß die Symbole sich gegenseitig korrigieren und jedes neue Datum der Erfahrung hiezu neuen Anstoß gibt, es müssen zwecks Erfaßbarkeit ihre verkreuzten Beziehungen auch immer wieder frisch symbolisiert werden, und das bedeutet, daß jedesmal, gleichgültig ob Erkenntniserweiterung oder -korrektur (umsomehr als beides aufs gleiche hinausläuft) stets eine neue Symbolschicht »vor« die bereits bestehenden eingeschoben zu werden hat, eine »subjektnähere« neue Verarbeitungsschicht, denn nur auf einer solchen läßt sich die geforderte Neusymbolisierung der Symbole vornehmen. Kurzum, jedes Modell ist Erkenntnis und zugleich Objekt der Erkenntnis, ist Roh- und Verarbeitungsmodell in einem, und es ist vor allem diese Doppelfunktion, welche die Erlaubnis erteilt, die Modellschicht »zwischen« Erkenntnissubjekt und Erkenntnisobjekt zu placieren.

Führt man dieses räumliche Bild – das als solches selbstverständlich auch nichts anderes als Symbol und Modell ist – weiter aus, so ist die Modellschicht in »nächster Nähe« zum erkennenden Ich-Kern zu placieren. Denn alles, was das Ich über sich selbst aussagt, alles, was es an sich selber oder gar an seinen eigenen Erkenntnisvorgängen erkennt, all das fällt als Erkenntnisobjekt in die Region des Non-Ich, fällt in die Region des »Seins«, in die »An-sich-Region« der donnée immédiate[9] und des »Gemeinten«, fällt also »hinter« die Modellschicht zurück und partizipiert demnach an der hier unverbrüchlich herrschenden Ur-Dunkelheit. Und so ist es auch tatsächlich: die Existenz des erkennenden Ichs und des seiner Erkenntnis zur Aufgabe gestellten »etwas«, die Existenz des initialen Erkenntnissubjektes und des initialen Erkenntnisobjektes ist dem Menschen äußerste Wissenssicherheit, doch ebenso sicher weiß er um die Undurchdringlichkeit der Dunkelheit, in die ihm beides gehüllt bleibt; »beleuchtet« ist ihm lediglich das Modell, das er sich von beidem zu schaffen imstande ist.

Trotz solchen Wissens versucht der Mensch – denn das ist sein Recht, sein menschliches Vorrecht –, die Unheimlichkeit jener dunklen Regionen »vor« und »hinter« der symboltragenden Modellschicht aufzuhellen: es ist ein unmögliches Beginnen, aber es ist eines, das mit jedem seiner noch so fruchtlosen Versuche fruchtbar wird; es ist das Beginnen der Philosophie.

Wer philosophiert, weiß, oder sollte wenigstens wissen (denn sonst geht seine philosophische Bemühung ins schwärmerisch

Abseitige), daß er von der innersten Einsamkeit seines Ichs dazu getrieben wird. Er weiß, daß die Wirklichkeit, obwohl sie wirklich ist, ausschließlich als Gedachtes existiert, daß jedwede Erfahrung vom cogito (dem Vehikel, das alle Kategorien begleitet) abhängt, daß dieses cogito sowohl in seiner auf ein »etwas« hinzielenden Erkenntnisgerichtetheit als auch in seiner Form, nämlich seinen logischen Formen, ein dem Ich auferlegter, unerklärlicher Zwang ist, mehr noch, daß solches Wissen die einzige dem Menschen verliehene unerschütterliche Apriorität darstellt, und daß er daher, will er seine Stellung zum eigenen Dasein, zu dem der Welt, zur Eigenwirklichkeit und Weltwirklichkeit ergründen, immer wieder vom Apriorischen und nur vom Apriorischen, mag es ihm noch so dürftig erscheinen, auszugehen hat, unbeeinflußt von den Unsicherheiten empirischer Daten, vielmehr einzig auf die ihm verliehene logische Denkkraft angewiesen. Es ist die philosophische Ur-Position, die Position des Idealismus, sowohl des indischen wie des klassischen wie des Kantschen, und sie bringt den Menschen, bei aller philosophischen Bescheidenheit, in die Position des Weltschöpfers (der er ist), denn er fühlt sich gezwungen, das Universum ganz allein aus seinem solipsistischen Denken neuaufzubauen, auf daß das deduktiv hieraus entstehende Weltmodell die gleiche Plausibilitäts-Sicherheit wie sein apriorischer Ursprung gewinne.

M. a. W., der Idealismus wünscht die dunkle Region »vor« der modelltragenden Zwischenschicht aufzuhellen und strebt daher an, in diese das modellschaffende Ich, oder richtiger den modellschaffenden Prozeß einzubeziehen. Das kann jedoch nicht auf direkte Weise geschehen. Denn erstens lassen sich aus dieser dunklen Sphäre »vor« der Modellschicht keine Data der Erfahrung gewinnen, ohne sie in die »hinter« ihr befindliche zu transponieren, und zweitens sind Ich-Phänomene, die solcherart gewonnen werden, von der eigentlichen Ich-Region bereits abgespalten, d. h. werden zu empirischen Fakten psychologischer und ähnlicher Natur, also gerade zu solchen, die vom reinen Idealismus vermieden werden müssen. Es wird also vonnöten [sein], einen andern Weg einzuschlagen, nämlich einen, welcher nicht auf unmittelbare Fakten, sondern sozusagen auf Indizien basiert ist: das bestehende zwischenschichtliche Weltmodell wird auf Konstanten hin untersucht, die als Spuren der modellschaffenden Arbeit genommen werden können; Methodologie und Wissenschaftslehre dürfen als Niederschlag jener Indizienanalysen gelten. Freilich läßt sich derartiges kaum an einem in ständiger Bewegung befindlichen Gebilde vornehmen, wie es infolge fortwährender Frischalimentierung durch Erfahrungsdata das Weltmodell ist, vielmehr muß dieses hiefür, wenigstens fiktiv, d. h. durch fiktive Ausschaltung von Frischalimentierungen, stillgelegt werden. Das aber eben ist die spezifische Technik der Philosophie; im Gegensatz zur empirischen Erkenntnis, die ihre neuen Modellschichten mit Hilfe der Erfahrungsdata schafft, nimmt die philosophische Erkenntnis das bestehende Weltmodell als stabiles Ganzes, und unter Verwendung der aus den Indizien deduzierten Data anstelle der empirischen schafft sie ihr Modell des Weltmodells, ein infolge seiner Indizienhaftigkeit zwar nur hypothetisches, dennoch das erkenntnistheoretische Modell der Welt, einschließlich die dunkle Region, die zwischen dem Erkenntnissubjekt und dem empirischen Weltmodell, also »vor« diesem liegt.

Das idealistische Weltmodell ist hypothetisch, aber es ist kritisch, d. h. es schließt metaphysische Spekulationen, also jeden Versuch zur Aufhellung des Dunkels »hinter« der modelltragenden Zwischenschicht, rigoros aus; es bleibt ja das empirische Datum der Erfahrung, der Ansatzpunkt für metaphysische und ontologische Interpretationen, von vorneherein radikal unberücksichtigt. Doch unberücksichtigt bleibt auch des Menschen metaphysisches Bedürfnis, das womöglich ein noch stärkerer Antrieb zu seinem Philosophieren ist als das erkenntnistheoretische, das Bedürfnis nach Aufhellung jeglicher Seins-Dunkelheit, nicht nur der »vor«, sondern auch der »hinter« der beleuchteten Zwischenschicht. Gerade das hatte Kant im Sinn, als er davon sprach, daß sein kritisches Geschäft Raum für eine »künftige Metaphysik«[10] zu schaffen habe, und gerade daran setzt die nachkantische Metaphysik an, die man sehr wohl in seinem Sinn, mögen auch ihre Wurzeln bis Leibniz zurückreichen, eine »kritische« nennen dürfte, und die zum ersten Mal aufgeschienen ist, dann aber niemals mehr völlig verschwand und schließlich von Husserls Phänomenologie eine endgültige Formung erfuhr, die auch bei seinen existentialistischen Nachfahren noch durchschimmert. Es ist kritische Metaphysik, weil all das ohne die idealistische Indizientechnik des »stillgelegten

Modells« nicht möglich gewesen wäre, nur daß hier die Untersuchung nicht mehr den Konstanten gilt, die als Indizien für die subjektiven modellschaffenden Elemente genommen werden dürfen, sondern jenen, von welchen aus auf das Sein und den Charakter der donnée immédiate und ihrer Ur-Gegebenheit geschlossen werden kann. Daß das ein durchaus legitimer Vorgang ist, hat Husserl[11] mit aller wünschenswerten Genauigkeit nachgewiesen, und so ist parallel zum idealistisch-erkenntnistheoretischen Modell des Weltmodells ein phänomenologisch-metaphysisches entstanden, dem freilich nun die Beziehung auf das initiale cogito fehlen würde, hätte Husserl in einer letzten und vollkommen genialen Wendung – in der ihm allerdings der zum rein Metaphysischen absackende Existentialismus nicht mehr zu folgen vermochte – nicht den Indizienprozeß da nochmals wiederholt und aus dem phänomenologischen Modell die idealistischen Konstanten herausgeholt, um solcherart in zwiefacher Neusymbolisierung ein idealistisches Modell des phänomenologischen Modells des Weltmodells zu erzeugen. Mit dieser Rückwendung zum Idealismus hat Husserl ein philosophisches Weltbild entworfen, das an Schärfe und Folgerichtigkeit bloß mit dem der Hochscholastik zu vergleichen ist.

Gewiß, jede rein hypothetische Konstruktion provoziert Reaktionen, welche nach einer Rückkehr ins Gebiet gesunder Irdischkeit und des schlicht-handgreiflichen Menschenverstandes verlangen. War schon der Idealismus in seiner Kantschen und gar in seiner Hegelschen Form Hypothetik, so ist die Phänomenologie Doppelhypothetik im wahrsten Wortsinn, und hat schon jener die positivistische Vereinfachung herausgefordert, so fühlt sich diese gegenüber der Phänomenologie gewissermaßen doppelt daseinsberechtigt.

Der Positivismus lehnt hypothetische Konstruktionen ab; er ist mit aller Bewußtheit bescheiden, und wenn er auch zugibt, daß die Erkenntnis sich lediglich im Bereich der Modelle abspielt, also damit die idealistische Position bis zu einem gewissen Grad anerkennt, ja solcherart sogar zugibt, daß sich »vor« und »hinter« der Modellschicht ein dunkler Raum befindet, so hält er sich doch nicht für berechtigt, diesen vermittels Hypothesen aufzuhellen, sondern will bescheiden warten, bis das durch Erfahrungsdata, die in der Zukunft vielleicht noch aufscheinen werden, geschehen wird. Ob derartiges überhaupt erwartbar, d. h. prinzipiell möglich ist, betrachtet er als ein Problem, das bereits außerhalb seiner Kompetenz liegt; keinesfalls will er mit Hypotheseninstrumenten vom Schlage des Cogito und der Intuition etwas zu schaffen haben. Wodurch unterscheidet er sich dann von der empirischen Erkenntnis, von der empirischen Wissenschaft? Tatsächlich hat er das lange Zeit hindurch, nämlich in seiner naiven, allerdings noch sehr metaphysikdurchsetzten Anfangsperiode, der Periode eines Comte, eines Spencers, eines Wundts, selber nicht gewußt und sich für eine Art Fortsetzung der Empirie, für ihre Zusammenfassung und Krönung gehalten. Erst mit Mach, der bezeichnenderweise von Kant ausgegangen ist, wurde das positivistische Denken über sich selbst klar und begann zu wissen, daß es eine Protest- und Purifizierungsbewegung innerhalb der Philosophie sein wollte und vielfach sogar ist. M. a. W., der Positivismus gehört dem Bereich der Philosophie [an], u. z. weil er deren Technik des »stillgelegten Modells« übernommen hat, und man geht nicht einmal so fehl, wenn man manche seiner Bemühungen als idealistisch bezeichnet und in manchen anderen phänomenologische Einschläge bemerkt, genau so wie sich umgekehrt behaupten läßt, daß die positivistische Arbeit auch im idealistischen oder aber auch im phänomenologischen Rahmen zu leisten wäre. Trotzdem läßt sich von einem nicht-idealistischen, nicht-phänomenologischen eigenen positivistischen Modell des empirischen Weltmodells sprechen. Dem Umfang nach fällt es mit diesem zusammen, begreift also die Erkenntnis bloß als mediales Instrument, eben bloß als die »selbstbeleuchtete« empirische Zwischenschicht, als welche sie »gegeben« ist, doch das spezifisch Positivistische liegt weniger im Umfang des Forschungsgebietes als in der Forschungsmethode, und da zeigt sich, daß die strikte Ausschaltung jeglichen Indizienschlusses zu völlig neuen Resultaten geführt hat, zu Resultaten, die insbesondere für die Grundlagenforschung der Wissenschaften von unschätzbarer Wichtigkeit geworden sind.

Mag also der Positivismus auch nichts mehr mit den philosophischen Impulsen des Menschen zu tun haben, er ist, da er die Technik der Philosophie als solche übernommen hat, immer noch als Philosophie, wenn auch nur noch abgeleitete zu nehmen und bildet demnach zu den idealistischen und phänomenologischen Einstellungen eine wesentliche Ergänzung, auf die nicht mehr verzichtet werden kann, am allerwenigsten, wenn es um eine Betrachtung des Modells geht.

II. *Erkenntnistheorie des Wahnes: das »Wahnmodell«*

Ein »Wirklichkeitsmodell« ist eine Vorstellungskonstruktion, oder richtiger eine gedankliche Bewegungs-Maschinerie: jedes »Modell« besteht aus »Elementen«, nämlich aus einer kleineren oder größeren Anzahl gewisser Wirklichkeitsvorstellungen, welche aus der »Erfahrung« stammen und als unumstößlich gelten oder zumindest als gesichert gelten sollen, und diese »Elemente« werden vermittels gewisser »logischer« Bewegungs-Vorstellungen, welche ihrerseits aus der Erfahrung, u. z. aus dem Erfahrungsgebiet der Mechanik ihren Vorstellungsinhalt beziehen, in »Funktion« gebracht, d. h. es werden gewisse »logische Abläufe« vorstellungsgemäß konstituiert, welche ein Abbild eines größeren oder kleineren Wirklichkeitsausschnittes und seiner Kausalität geben sollen.

Jede Wissenschaft, sogar die Mathematik, darf solcherart als »Wirklichkeitsmodell« aufgefaßt werden. Das »treueste« Modell der empirischen Wirklichkeit ist die Physik: sie besitzt eine genaue Kontrolle über die Tatsachen, welche sie aus der Erfahrung bezieht, und sie operiert mit einer Minimalanzahl dieser Erfahrungstatsachen, da sie von einer Maximalanzahl anderer Weltinhalte abstrahiert. Je weniger »abstrakt« ein Wissenschaftsgebiet ist, desto größer ist die Anzahl der Erfahrungstatsachen, die sie zu ihrem Modellbau benötigt; konstant bleibt jedoch die »logische Bewegungsmechanik«, welche den »Kausalitätsablauf« des Modells als Abbild der Wirklichkeit veranschaulichen soll. Soll die Gesamtwelt in ihrem ganzen Inhaltsreichtum erfaßt werden, so wären hiezu unendlich viel Erfahrungstatsachen vonnöten; die Metaphysik, welche sich an diese Aufgabe heranwagt, konstruiert »Pseudomodelle«: Schopenhauer z. B. glaubte eine einzige »Erfahrungstatsache« zum Modellbau verwendet zu haben, nämlich den »Willen«, aus dem sich »logisch« das gesamte Weltgetriebe hätte ergeben sollen, während in Wahrheit eine Unzahl von Nebenelementen, die er nicht bemerkt hat, in seinem »Weltmodell« vorhanden sind.

Die »Biologie« ist die Wissenschaft vom »normalen Lebewesen«, sie hat zum Ziel, das »Modell des Lebewesens« zu bauen; die Medizin liefert das »Modell des gesunden Menschen und seiner (krankhaften) Störungen«; die Nationalökonomie liefert das »Modell einer normalen Wirtschaft und ihrer (krankhaften) Krisen«; die Psychoanalyse liefert das »Modell des unbewußten Seelenlebens mit seiner normalen und abnormalen Funktion«. Alle diese Erkenntnisgebiete beziehen ihre Geltung und Würde als Wissenschaften in erster Linie aus der Reinheit ihrer Abstraktion, d. h. aus der scharfen Auslese der für ihren Modellbau nötigen Erfahrungstatsachen.

Das »Normalmodell«, um dessen Aufbau es in jeder Wissenschaft geht, also der »normale Organismus«, das »normale Seelenleben«, die »normale Volkswirtschaft«, der »normale soziale Körper« etc. oder wie sonst immer es genannt wird, ist gewissermaßen die »platonische Idee« des betreffenden Wissenschaftsgebietes, allerdings keine utopische, sondern eine durchaus »irdische« platonische Idee, denn sie gründet sich ausschließlich auf Erfahrungstatsachen und reicht nirgends über dieselben hinaus.

In diesem Sinne wird nun auch nach der »irdischen platonischen Idee« des Wahnphänomens zu fragen sein, und es darf angenommen werden, daß sie aus der ihr zugeordneten und nicht minder irdischen Idee eines »normalen sozialen Wertverhaltens« zu gewinnen sein wird, kurzum aus einem idealen »Modell normal-menschlichen Wertverhaltens«.

Kapitel 5:
Ich-Modell und Wertlehre.
WERTE UND WERTSYSTEME

I. *Begriff des Wertes*

Angenommen, daß es ein in sich abgekapseltes reines Denk-Ich gäbe, ein Denken im »schwarzen Raum«, die »Innenansicht« eines Denkens, das sich mit keinerlei Weltinhalten, sondern ausschließlich mit sich selber, d. h. mit den Fortschritten seiner logischen Funktion beschäftigte, angenommen, es gäbe diesen unausdenkbaren Fall, und angenommen, daß die Mathematik ein Annäherungsbeispiel für diesen unausdenkbaren Fall darstelle, so zeigt selbst noch die Unausdenkbarkeit recht merkwürdige Eigenschaften und von diesen insbesondere drei, nämlich

1. das reine, lediglich auf sich selbst beschränkte Denken innerhalb der Mathematik erzeugt in sich selber Probleme (u. z. überall dort, wo die Unendlichkeitsgrenze überschritten wird), d. h. es erzeugt in sich Objektgebiete, die »erforscht« werden müssen, als wären sie eine »Außenwelt«;

2. das reine Denken vermag einen Großteil dieser Probleme zu lösen, d. h. »Wahrheiten« über sie auszusprechen, ja, es würde wahrscheinlich überhaupt nicht funktionieren, wenn es sich nicht auf solch konstanter Wahrheitssuche befände;

3. das reine Denken kann jedoch innerhalb seiner selbst kein letztes Wahrheitskriterium angeben, sondern muß sich letztlich stets auf »logische Evidenzen« wie z. B. »1 ist 1« berufen; für die Fundierung dieser mehr oder minder tautologischen Evidenzen ist kein »logischer« Grund aufzufinden, sondern bloß ein unabweisbares »Evidenzgefühl«, d. h. also etwas, das – nicht anders wie die Inhalte der Außenwelt – aus einem Gebiet außerhalb des reinen Denkens herstammt.

M. a. W.: das solcherart konstruierte Beispiel ist weit davon entfernt, jener eben unausdenkbare Idealfall »reinen Denkens« zu sein, den es gerne darstellen möchte; es ist überhaupt keine Konstruktion, sondern eine Abstraktion, u. z. aus der menschlichen Alltagspraxis des Denkens, das sich stets auf der Wahrheitssuche befindet (– mögen es auch zumeist nur die Wahrheiten über Gelderwerb sein –) und in diesem Prozeß der Wahrheitssuche auch tatsächlich hie und da zu Wahrheiten gelangt, die ihm sodann durch das Evidenzgefühl, durch dieses beglückende Gefühl einer Übereinstimmung mit dem innern und äußern Sein, wie es sich dann immer einstellt, zusignalisiert werden. Wollte man tatsächlich statt dessen den unausdenkbaren Fall absolut reinen Denkens ausdenken, so gäbe es für dieses wahrscheinlich überhaupt keinen Denkfortschritt und daher auch keine Logik mehr; das reine Ich, das bloß aus reinem Denken bestünde, wäre blasphemisch nur mit Gott zu identifizieren, dessen Denken ruht, weil es sich in konstanter beglückter, problembefreiter Übereinstimmung mit sich selber befindet.

Nichtsdestoweniger muß deshalb der mit der ersten Annahme

bezogene »Innenansichts«-Standpunkt keineswegs verlassen werden; man darf ihn beibehalten, wenn man die Sphäre dieses idealen und idealistischen Ichs entsprechend erweitert: mit dem reinen Denken, wie es sich als Gedächtnis und Logik repräsentiert, ist das Auslangen nicht zu finden, nicht nur weil die dem Denken nötigen Probleminhalte bloß in einer zweiten Seinssphäre (außerhalb des Denkens) beheimatet werden müssen, sondern noch viel mehr, weil bloß von einer zweiten Seinssphäre her die Bejahung der Denkresultate als »Wahrheiten« vorgenommen werden kann. Wir kennen von dieser notwendigen zweiten Seinssphäre vorderhand nichts anderes als jene Bejahungsfunktion, die im Gegensatz zu allen logischen Überlegungen unmittelbar aus der Unbekanntheit dem Ich zugeflutet wird, aber diese Bejahung ist eine Erfahrungstatsache, genau wie das Denken eine Erfahrungstatsache ist, und wir haben daher allen Grund, dem Ich neben seiner »rationalen« Denksphäre, eine »irrationale« Erlebenssphäre zuzugestehen, als ein »Immediat-Erlebnis« des Ichs, das »erfühlt« das Ich unausgesetzt begleitet, wenn es auch immer nur wieder durch Bewußtmachung, also durch Denken – wie alle übrigen Weltinhalte – zum Ausdruck zu bringen ist.

Descartes cogito ergo sum ist auf diese beiden Erfahrungstatsachen der Ich-Phänomenologie gegründet (u. z. erkenntnistheoretisch, nicht psychologisch). Der Trugschluß des ergo hat sich offenkundig aus der logischen Unmöglichkeit ergeben, das Ich mit dem Denken allein auszustatten.

Die Grenze zwischen der rationalen und der irrationalen Ich-Sphäre ist nicht scharf zu ziehen. Das Descartesche cogitare spricht von »klarem und distinktem« Denken, hätte also – soferne Descartes sich damit befaßt hätte – alles halbbewußte, unterbewußte, unbewußte Denken zweifelsohne in die Irrationalsphäre des esse verwiesen. Wollte man an dieser Einteilung zwecks Grenzziehung festhalten, so sind alle Haltungen und Handlungen des Menschen, welche unter der Leitung des Denkens erfolgen, wie dieses selber, als »rational« zu bezeichnen, während die übrigen, also sämtliche Gefühle, Empfindungen, Wollungen, Perzeptionen, Instinkthandlungen, Vorstellungen, Bilder, Träume etc., aus denen das psychische »Erleben« des Menschen besteht, in die Irrationalsphäre zu fallen hätten. Akzeptiert man diese Scheidung, so hat man auch die Annahme eines zweiten Bewußtseinszentrums zu akzeptieren: das Zentrum des Unter-Bewußtseins und Un-Bewußtseins scheidet sich von dem des Vollbewußtseins, als wäre dem Menschen von vorneherein eine Art peinlicher Doppelpersönlichkeit eingeboren. Nicht nur die Tiefenpsychologie, auch die Alltagserfahrung und Alltagsbeobachtung bestätigt diese Annahme zweier getrennter Bewußtseinszentren: eingebettet in den großen Lebensstrom, der ihn in unerforschlicher Breite und Tiefe ebensosehr umhüllt wie erfüllt, könnte sich der Mensch angesichts all der ihm zugefluteten Welt-Inhalte niemals zurechtfinden, wenn er jedes einzelne von ihnen erst dem Vollbewußtsein präsentieren müßte, um erst nach dieser denkerischen Verarbeitung seine Handlungen und Haltungen rational einzurichten; er findet sich aber zurecht, weil die an sich unerfaßliche (d. h. rational unerfaßliche) Unendlichkeit der Weltinhalte unmittelbar in sein irrationales Gefühlsbewußtsein eingeht, in sein intuitives Immediat-Bewußtsein, so daß er also bloß im Notfall – und er tut es auch nur ungerne – auf die denkerische Verarbeitung übergehen muß. Qualitativ konstruiert sich also das »Irrationale« als immediate Intuition, quantitativ hingegen als Bewältigung unendlich großer Inhalts-Anzahlen; m. a. W., das »Irrational-Volumen« des Menschen ist unendlich größer als sein »Rational-Volumen«.

Aus diesem Sachverhalt ergibt sich – wiederum an der Alltagserfahrung zu bestätigen – die merkwürdige Konkurrenz zwischen den beiden Bewußtseinszentren: der Mensch empfindet sein »eigentliches« Leben im irrationalen Immediatbewußtsein, nicht nur weil er sein eigentliches »Weltgefühl« daraus bezieht, nicht nur weil neben dieser Unausschöpfbarkeit ihm sein Rational-Bewußtsein wie ein zeitloser, raumloser, unausgedehnter Punkt erscheint, sondern weil noch außerdem jedes Rationalergebnis erst dann zu einem solchen wird, wenn es in die Gefühlssphäre zurückgekehrt ist und hier zur Wahrheit deklariert wird; auf der andern Seite hingegen darf sich das Rationalbewußtsein darauf berufen, daß selbst das »Gefühl« erst dann zur wahren Existenz gelangt, wenn es aus seiner Stummheit ins »Bewußtsein gehoben« und aussprechbar wird; ja, daß selbst das Irrational-Bewußtsein nur so weit existent ist, als es gedacht werden kann, ja, mehr noch, daß gerade die Zeit- und Raumlosigkeit des zur Logik verarbeiteten Welteninhaltes den

Menschen zum Menschen mache, d. h. zum Wesen, das kraft Vergangenheitserinnerung und Zukunftsplanung sich aus dem passiven Dahingetragenwerden im Erlebnisstrome zu aktiver Zeitüberwindung, also Ewigkeitsannäherung zu befreien vermag. Das cogitare und das esse des Ich stehen also einander »fremd« gegenüber, sie sind füreinander vielfach »Außenwelt« (– dies um so mehr als die wirkliche Außenwelt ja dem Rationalbewußtsein gerade durch das Irrationalmedium zugebracht wird –), sie sind, wie die Ich-Phänomenologie insbesondere bei krasseren Persönlichkeitsspaltungen zeigt, einander oftmals geradezu feindlich, d. h. sie beurteilen einander nach »ethischen« Gesichtspunkten, so etwa, wenn das Denken als »kalt«, hingegen das Gefühlsbewußtsein als »denkfaul« abgewertet wird, aber wenn man bedenkt, daß auch diese ethischen Einschätzungen letztlich in der Gefühlssphäre als »Wahrheiten« bejaht werden müssen, daß also diese sogar auch ihre eigene Unterschätzung als »evident« zu legitimieren hat, soferne sie die hiezu führenden Denkprozesse als evidenztragend anerkennt, so wird es gestattet, dem Irrationalbewußtsein eine Hauptqualität zuzuordnen: es gäbe keine »Konkurrenz« zwischen den beiden Bewußtseinszentren innerhalb des Ich, es könnte sich nicht das eine über das andere als »wichtiger« oder »wesenhafter« oder »eigentlicher« oder »wertvoller« stellen, wenn die letzte Legitimationsinstanz, nämlich das Irrationalbewußtsein, nicht eben letztlich »Wert-Bewußtsein« wäre.

Die Inthronisierung eines irrationalen »Wert-Bewußtseins« neben dem »Wahrheits-Bewußtsein« wäre ein bloßes Wortspiel, wenn damit nicht Bedingungen entsprochen werden würde, die sich aus der Bewußtseinsphänomenologie überhaupt ergeben; diese Bedingungen lauten: jedes Bewußtsein muß eine »Innensicht« gestatten, und es müssen sich in dieser Innensicht spezifische Bewußtseins-Abläufe zeigen, bewußtseins-bauende Abläufe, wie sie für das Wahrheitsbewußtsein in den logischen Abläufen »klar und distinkt« gegeben sind.

Es spricht für den Dimensionsüberschuß des Irrational-Volumens gegenüber dem Rational-Volumen, daß die logischen Abläufe unzweifelhaft zugleich auch als Wert-Abläufe zu gelten haben. Es ist das Irrational-Bewußtsein, welches aus der unendlichen Weltvielfalt eine gewisse (wahrscheinlich bereits endliche) Anzahl von Inhalten auswählt und diese dem Ratio-

nal-Bewußtsein vorlegt, um sie nach logischer Verarbeitung
sodann entweder als »Wahrheiten« zu akzeptieren oder aber,
falls die logische Verarbeitung selber die Unendlichkeitsgrenze
(wie in der Mathematik) überschreitet, die unbefriedigenden
Resultate neuerlich als »Irrationalitäten« dem Rationalisierungsprozeß zu übergeben; der Eintritt in den Rationalisierungsprozeß geschieht als »Frage«, der Austritt hingegen als
»Evidenz«, und eingespannt zwischen diesen beiden Impulsen,
die beide vom Irrationalbewußtsein ausgehen, »dient« das rationale Wahrheits-Geschehen dem irrationalen Wert-Gesche-
hen, wird es zu einem Teil desselben. Doch die rational über-
blickbare Strecke des Wertgeschehens reicht über diesen
logischen Geschehensabschnitt hinaus: was zwischen der
»Frage« und der »Evidenz« liegt, ist in erster Linie »Entdek-
kung« von Wahrheiten, in zweiter jedoch deren »Erfindung«,
d. h. die logische Kombination und dialektische Weiterentwicklung einer endlichen Anzahl von Wahrheiten zu einem
ebenso endlichen »Modell«, das den »Typus« des beobachteten
Wirklichkeitsausschnittes ein für allemal, also zeitenthoben
festhält und damit praktisch »manipulierbar« macht; diese Ma-
nipulierbarkeit der Modelle (besonders deutlich, wenn es sich
nicht um bloß geistige, sondern um technische Wirklichkeitsmodelle handelt) bedeutet eine dritte Phase im logischen Ablauf, allerdings eine, welche bereits außerhalb der »Innensicht«
und deren Zeitenthobenheit vor sich geht und als konkreter
Weltinhalt in konkreter Zeit wirkt, ja, sogar wie alle übrigen
Weltinhalte irrational und intuitiv verwendet wird. Und wenn
auch – wie hier schon vorweggenommen werden muß – der
Wertcharakter der Wahrheit keineswegs auf ihre pragmatistische Verwendbarkeit in der »Außenwelt-Praxis« beschränkt
ist, so gehört diese Verwendbarkeit doch zu dem allgemeinen
Wertgeschehen, um dessen Abläufe es hier geht.
    Die Wertabläufe können also, so weit sie an den Grenzen des
Rationalraumes liegen oder aus diesem herstammen, ohneweiters von der »Innensicht« aus beobachtet werden –, wie aber
steht es um die eigentlichen Irrational-Abläufe, die man im Vo-
lumensüberschuß der Irrationalität vermuten muß und für den
Aufbau des »Wert-Bewußtseins« sicherlich viel bedeutsamer
sind als der verhältnismäßig schmale Bereich der Rational-Ab-
läufe? Wir können und dürfen vermuten, daß sie von Gefühlen,

von Empfindungen, von Instinkthaltungen und Instinkthandlungen getragen werden, kurzum von all jenen irrational stummen Geschehnissen, die den großen Strom des *esse* ausmachen, und wir sind zu dieser Annahme um so mehr berechtigt, als es die wahren Abläufe, inhaltlich in die Zeit eingebettet, sind, die selber einen Welten-Inhalt [ausmachen], während die logischen Abläufe ihrem Wesen nach – denn sie sind »zeitenthoben« – bloß Abstraktionen des konkreten Zeitphänomens darstellen, ebensosehr Abstraktion wie die »Innensicht« selber, in der sie gewonnen werden; doch da es erkenntnistheoretisch nicht angängig ist, die logischen Abläufe mit ad libitum gewählten Inhalten auszustatten, mögen nun diese aus der physikalischen Außen- oder der psychischen Innenwelt herstammen, so müssen all diese Irrationalinhalte bis auf weiteres in ihrer Stummheit belassen werden: hingegen ist es gestattet, die Existenz dieser Abläufe als gesichert anzunehmen, um so mehr als die merkwürdigen Unterbrechungen des Immediatbewußtseins, deren Dauer einerseits durch die »Frage«, andererseits durch die »Evidenz« signalisiert werden, bloß durch das Bestehen der zu diesen beiden Phänomenen hinführenden Irrationalabläufe erklärt werden können.

Etwas vereinfacht ausgedrückt, läßt sich also sagen, daß das Denken des Menschen auf »Wahrheiten« ausgerichtet ist, hingegen seine Lebenshandlungen und -haltungen auf »Werte«; allerdings bedeutet dies nicht, daß das Denken unausgesetzt Wahrheiten produziert und daß alle Handlungen des Menschen unausgesetzt zu Wertsituationen führen: wäre dem so, es müßte dem Menschen durch seine Wert-Intuition, die wir bisher als sein einziges Wert-Kriterium entdeckt haben, unaufhörlich das beglückende Übereinstimmungsgefühl seines Werterlebnisses zugemittelt werden, und dies ist sicherlich nicht der Fall, vielmehr ist Denken immer wieder dem Irrtum, ist Leben immer wieder der Wertwidrigkeit unterworfen, also recht unbeglückenden Situationen, für welche die Intuition leider gleichfalls stets parat steht; doch ohne Rücksicht darauf, ob das Wahrheits- und Wertkriterium von dieser Intuition oder von anderen Instanzen geliefert werden möge, es bleibt die »Wahrheit« stets an das »Denken«, es bleibt der »Wert« stets an das »Leben« gebunden, unlösliche Begriffspaare, so unlöslich wie cogitare et esse, denn so lange das Ich als solches denkt, kann es sich in seinem Bewußtsein niemals belügen, und so lange es lebt, muß es sich auch in der wertwidrigsten Situation bestmöglich einrichten, kurzum, es kann weder einem latenten Wahrheits-, noch einem latenten Wertzustand je entgehen, sondern befindet sich stets (subjektiv oder solipsistisch) in einem Zustand »maximaler« Wahrheit und »maximalen« Wertes. Es ist dies ein Sachverhalt, der eine paradoxe Überspitzung legitimiert: das Denken ist ohne Wahrheit nicht zu denken, und das Leben ist ohne Wert nicht zu leben.

Ohne daß also »Wert« als solcher objektiv definiert oder inhaltlich umrissen werden kann, ist immerhin seine erkenntnistheoretische Lokalisierung gewonnen: die Vorgänge im Bereich des Lebens sind unaufhörlich zielgerichtet, und dieses fortwährende Ziel besitzt »Wertcharakter«, ist »Wert«. Es gibt keine Lebensäußerung des Menschen, welche letztlich nicht wertgerichtet wäre, und deshalb ist auch das Evidenzgefühl, mit dem die gefundene Wahrheit agnosziert wird, positiv und beglückend; jede Wahrheit ist ein »Lebenswert« (u. z. ist sie – da sie aus dem Rationalbereich stammt – der einzige inhaltliche Wert, dessen wir bisher, allerdings nur bisher, habhaft werden konnten).

Die »Wahrheit« ist ein »Wert«, ja, jeder Denkakt ist als solcher schon »Werthandlung«, hingegen ist keineswegs jeder Wert auch eine Wahrheit. Es besteht also hier ein irreversibles Verhältnis, das in manchem Sinne sich mit dem Schema des psychoanalytischen Modells (wie immer dieses aufgebaut wird) analogisieren läßt, insbesondere hinsichtlich der Beziehung zwischen bewußtem und unbewußtem Denken. Oder etwas vergröbert gesprochen: das Gehirn ist bloß ein Teil des Gesamtorganismus. Oder, die natürlichen Zahlen, auf welche alle mathematischen Sachverhalte zurückgeführt werden müssen, sind bloß ein Teil des unendlichen Zahlenraumes. Aber wenn auch die Wahrheit solcherart unter die größere Kategorie des »Wertes« gestellt wird, so bedeutet dies – wie bereits einmal erwähnt – noch lange nicht, daß Wahrheit bloß insoweit als Wahrheit gelten soll oder gar gilt, soweit sie den praktischen Lebenserfordernissen nützlich ist, kurzum, es bedeutet noch lange keine pragmatistische Relativierung des Wahrheitsbegriffes. Denn eine solche Relativierung kann und wird erst dann platzgreifen, wenn die Dinge »inhaltlich«, also »von außen«

besehen werden, ist aber überall dort unmöglich, wo – wie dies hier geschieht – an der erkenntnistheoretischen Innensicht festgehalten wird: die Etablierung der »wertverleihenden« Sphäre, als welche wir hier die des »Lebens« agnosziert haben, ist für die Innensicht lediglich eine »funktional-logische« Notwendigkeit, also eine, welche bloß funktionale, nicht aber inhaltlich konkrete Abhängigkeiten aufdeckt, geschweige denn also, daß sie die Wahrheit als Funktion irgendwelcher Einzelinhalte, wie z. B. der ökonomischen oder gar der rassischen Notwendigkeiten aufzufassen geneigt wäre. M. a. W.: mag auch die Innensicht es aus erkenntnistheoretischen Gründen für notwendig erachten, prinzipiell eine »wertverleihende Sphäre« in sich aufzunehmen, so vergißt sie doch niemals, daß alles, was sie in ihrem Bereich zu beobachten vermag, nur als rational logische Funktion darin aufgenommen werden kann und daher unter der Priorität des reinen Logos steht, m. a. W., daß sie keinerlei Stipulierungen über konkrete Inhalte anzuerkennen in der Lage ist. Die Innensicht steht unverbrüchlich unter der Leitung des Logos.

Der Absolutcharakter der Wahrheit, wie er dem Logos und damit eben auch der Innensicht eigentümlich ist, erhärtet sich noch um ein weiteres, wenn man bedenkt, daß das Evidenzgefühl, mit dem Wahrheiten akzeptiert werden, eine große Ähnlichkeit mit Glaubenshaltungen aufweist, d. h. mit einem Glauben an gewisse Axiome, an denen sich alle gültigen Wahrheiten verifizieren können und müssen. Und tatsächlich ist die Gefühlssphäre, in der ja die Evidenzverleihungen an die Wahrheit vollzogen werden, phänomenologisch mit der religiösen Glaubenssphäre enge verwandt. Gewiß ist nicht jede kleine Wahrheitsbejahung auch schon Glaubensakt, aber je umfassender die Wahrheiten sind, welche das »denkende« Ich dem »lebenden« Ich anbietet, desto intensiver wird das Wertgefühl, desto höher steigt die Wertqualität der jeweiligen »Wahrheit«. Zumeist nun erfolgt diese Wertverleihung, da sie eben in der Gefühlssphäre vor sich geht, durchaus unbewußt; kehrt jedoch der Wertverleihungsakt selber ins Denken zurück, kurzum, wird er selber auch noch ins »Wahrheitsbewußtsein« gehoben, um dann, jetzt als Wahrheitswert zweiter Potenz, nochmals, allerdings in geklärter Form, von der Intuition des Gefühls und des »Wertbewußtseins« erfaßt und bejaht zu werden, dann wird der

Wert der Wahrheit zum Werte eines echten »Glaubens«, er wird zur verdoppelten Übereinstimmung des Menschen mit seinem innern und äußern Sein. Sofern diese phänomenologische Struktur der »Glaubenshaltungen« den Anspruch auf Richtigkeit erheben darf – und manches deutet auf die Berechtigung dieses Anspruches –, so zeigt sich bereits hier, daß »Glaube« als zentraler Wert des Menschen angesprochen werden muß.

Damit ist schließlich auch die Antwort auf einen naheliegenden theoretischen Einwand gegeben, nämlich auf jenen, welcher fragt, warum neben dem wertverleihenden Irrationalbereich nicht auch ein zweiter oder dritter oder n-ter der nämlichen Art angeordnet werden [könnte], damit der Wert von einer neuen »Wertevidenz« usw. immer wieder neu »bewertet« werde: nicht nur, daß über die innerlogischen Notwendigkeiten der »stummen« Irrationalsphäre nichts mehr ausgesagt werden kann, es zeigt die »Wechselbeziehung« zwischen Wahrheits- und Wertsphäre, wie sie in der Glaubensbeziehung zum Ausdruck kommt, daß hier eine logisch absolute Grenze erreicht ist.

II. *Der Mensch und das Wertsystem*

1. *[Problemstellung]*

Die apokalyptischen Ereignisse der heutigen Zeit zeigen wieder einmal, daß der Mensch sein Schicksal nicht in der Hand hat, sondern daß er von ihm unzugänglichen und unkontrollablen Mächten dahingetrieben wird. Ist er diesen dunklen Gewalten plötzlich überantwortet worden oder haben sie stets, also auch in sogenannten normalen Zeiten, in ihm gewirkt?

Es ist kein Zweifel, daß nur ein kleiner Ausschnitt des sogenannten normalen Lebens des Menschen unter Kontrolle des Bewußtseins steht. Der Hauptstrom seines Lebens geht in fast unkontrollablen und oftmals kaum sichtbaren Tiefen vor sich.

Die verschiedenen Erscheinungsformen des beinahe oder gänzlich Unkontrollierbaren:

a. das Triebleben, insbesondere das sexuelle;

b. das Leben in Symbolformen, insbesondere auf sozialem Gebiet, d. h. also in den jeweils gültigen Symbolen der Gesellschaft und nicht zuletzt denen ihrer Ökonomie. Aus all dem ergibt sich eine Art »Traumhaftigkeit«, in der sich das menschliche Leben abspielt, die auch schon vielfach bemerkt worden ist.

Zeiten wie die heutige aber weisen eine Steigerung dieser Traumhaftigkeit auf. Der Traum wird sozusagen ins Wahnhafte gesteigert. Auch dies geschieht allerdings im sogenannt normalen Einzelleben immer wieder, gewissermaßen als eine normale Abnormalität. Doch die Historie zeigt, daß sich diese Abnormalitäten in gewissen Epochen akkumulieren und zu Massenerscheinungen werden. Insbesondere Kriegszeiten sind offenkundig derartige Epochen des Wahnes. Fast gewinnt man den Eindruck als ob Massenerscheinungen überhaupt nur in solchen Zeiten aufträten und daß sie stets wahnhaften Charakter haben.

Es ergibt sich hieraus die Problemlage für die folgenden Untersuchungen:

a. drängen die traumhaften Elemente im Leben des Menschen notwendigerweise stets zu wahnhaften Steigerungen?

b. sind diese wahnhaften Steigerungen stets Massenerscheinungen, d. h. sind Massenerscheinungen stets wahnhaft bedingt?

c. gibt es eine Möglichkeit, den Menschen und insbesondere die Massen vor diesen wahnhaften Abirrungen zu behüten und können dieselben, wenn sie einmal aufgetreten sind, durch entsprechende Maßnahmen wieder ins Normale zurückgeführt, also geheilt werden?

d. gibt es demnach also auch sozusagen normale Massenerscheinungen für die menschliche Psyche?

2. Gesund und krank

Körperliche Gesundheit bedeutet ungestörten Ablauf der Lebensvorgänge im Organismus bis zum Tode durch Altersschwäche oder durch physische äußere Einwirkung. Körperliche Erkrankungen sind demnach Störungen im Organismus, welche diesen natürlichen Ablauf des Lebens stören und den Tod vor Erreichung der natürlichen Altersgrenze herbeiführen. Es kann sowohl unmittelbar wie mittelbar geschehen, letzteres dadurch, daß der Organismus in seinem Lebenskampf durch die krankhaften Erscheinungen gestört wird (Schmerzen gehören demnach bloß zu den mittelbaren, oftmals bloß subjektiven Krankheitssymptomen).

Die körperlichen Erkrankungen können und müssen am Individuum als solchem konstatiert werden. Die körperliche Erkrankung ist in ihren Kriterien von der sozialen oder sonstwelchen Umgebung des Individuums unabhängig; selbst ein völlig isoliertes Individuum ist für den Arzt untersuchbar.

Eine körperliche Erkrankung ist für den Arzt konstatiert (und damit zumeist heilbar gemacht), wenn die Ursachen der Schädigungen im Organismus erkannt sind. Wo derartige Ursachen nicht auffindbar sind, besteht immerhin die Möglichkeit einer geistigen Erkrankung (Hysterie).

Für die geistige Erkrankung, welche sohin in einem gewissen Gegensatz zur körperlichen zu registrieren ist, gilt demnach vor allem das negative Kriterium einer Nichtauffindbarkeit physischer Verursachungen innerhalb des Organismus. Selbst dort, wo es sich um spezifisch geistige Erkrankungen handelt oder richtiger in diesem Falle solcher des Gehirns und des Zentralnervensystems, müssen sie als körperliche Erkrankungen kategorisiert werden, wenn für sie physische Verursachungen aufweisbar sind.

Darüber hinaus darf behauptet werden, daß die rein geistige Erkrankung niemals oder fast niemals am isolierten Individuum als solchem konstatierbar ist. Denn die geistige Erkrankung affiziert nur in den seltensten Fällen die Lebensdauer des Individuums als solches. Das »abnormale« Verhalten des geistig Kranken ist im allgemeinen (mit Ausnahme der Hysterie) kein Verstoß gegen die Lebensregeln des Organismus, sondern ein Verstoß gegen gewisse Lebensnormen innerhalb der sozialen Gemeinschaft. Was in einer Gemeinschaft als normal gilt, ist in einer anderen abnormal, d. h. wird bloß von Individuen produziert, welche kraft ihrer geistigen Erkrankung sich den Normen ihrer Umgebung nicht zu fügen vermögen.

Hieraus folgt, daß auch die Normalität und Abnormalität einer ganzen Gruppe bloß im Vergleich mit anderen Gruppen zu konstatieren ist. Dieser Vergleich kann entweder mit räumlichen Nachbargruppen erfolgen, oder aber im Zeitenablauf: ein Wahn wie z. B. der einer Lynchhorde kann verrauchen, und ebenso bringt die Historie immer wieder Rektifikationen von Wahnzuständen, welche Gruppen und ganze Völker erfaßt hatten.

Die Abhängigkeit der geistigen Erkrankung resp. ihrer Kriterien von den Normen der sozialen Umgebung gibt der Diagnose (zum Unterschied von der für physische Erkrankungen) fürs erste einen relativistischen Charakter. Es ergibt sich daraus das Problem, ob und inwieweit sich für geistige Erkrankungen gleich wie für die körperlichen ein *objektives* Kriterium finden läßt.

3. Offene und geschlossene Systeme

Im allgemeinen werden geistige Erkrankungen, zumindest vom Mann auf der Straße, als ein Verstoß gegen die Regeln der »Vernunft« angesehen; wer sich nicht »vernünftig« benimmt, gilt als irrsinnig, wobei freilich das Kriterium der Vernunft hier sehr subjektiv ist, nämlich abhängig von der Vernunft des jeweiligen Beurteilers.

Will man also die geistige Erkrankung fürs erste tatsächlich unter das Kriterium der Vernünftigkeit stellen, so kann die gesuchte »objektive« Symptomfindung bloß dann erreicht werden, wenn es ein objektives Kriterium für die Vernunft selber gibt, also eines, das nicht von den subjektiven Normen des jeweiligen empirischen Beurteilers abhängig ist.

Eine inhaltliche oder materiale Beschreibung einer »objektiven Vernunft« läßt sich nicht geben. Hingegen lehrt ein Blick auf das Verhalten des Menschen, und zwar sowohl des Individuums wie der Menschheit als solcher, insbesondere in ihrer Geschichte, daß sich für das Walten der Vernunft gewisse funktionale Unabhänderlichkeiten konstatieren lassen, nämlich:

a. die Vernunft bewegt sich in bestimmten unabhänderlichen Formalregeln, wie sie von der Logik festgehalten worden sind;

b. die Vernunft dient zur Bewältigung der Weltrealität, d. h. sie erkennt immer weitere Stücke der Weltrealität und macht damit diese dem Menschen und seinem Lebenskampf dienstbar (ob die Regeln der Logik, die demnach das spezifische Werkzeug der Vernunft in diesem Lebenskampf sind, aus demselben hervorgegangen sind, ist gleichgültig und darf daher hier dahingestellt werden);

c. als vernünftiges Verhalten darf daher dasjenige gelten, das einerseits den Regeln der Logik entspricht, ja aus diesen deduzierbar ist, andererseits aber in der Richtung fortschreitender Erkenntnis liegt, d. h. immer weitere Stücke der Weltrealität zu bewältigen trachtet und sich an dieser fortlaufend verifiziert.

In dieser ständigen, ewig unabgeschlossenen Weiterentwicklung zur Weltrealität (unter ständiger Befolgung der logischen Regeln) darf die Vernunft als der Prototypus eines *offenen Systems* angesprochen werden; ihr erkenntnismäßiger Ausdruck ist das Gesamtorganon der Wissenschaft, vor allem dort, wo die Wissenschaft rein rational ist, also der Naturwissenschaft.

Der Mensch handelt jedoch nach dem Prinzip des kleinsten Kraftaufwandes. Wenn es ihm und seiner Vernunft gelungen ist, einen Vorstoß zur Bewältigung der Weltrealität auszuführen, so sucht er es bei diesem Vorstoß bewenden zu lassen, gewissermaßen hoffend, damit die gesamte Weltrealität erfaßt zu haben. Er wird hiebei zu einem großen Teil von der Deduktionskraft seiner Logik unterstützt, denn wenn ein Stück Realität einmal erfaßt ist, so lassen sich eine ganze Reihe anderer Stücke einwandfrei lediglich durch logische Schlußweisen daraus deduzieren, und die Realität zeigt, daß diese Deduktionen richtig gewesen sind. So ist z. B. mit dem System der Euklidschen Axiome und den darauf aufgebauten Deduktionen für Jahrtausende hindurch das Auslangen zu finden gewesen. Gewiß, die Euklidsche Geometrie kann auch heute nicht als abgeschlossen gelten, obwohl inzwischen zu anderen Geometrien vorgeschritten worden ist, und man kann sie daher auch nicht recht gut als geschlossenes System bezeichnen, doch in Anbetracht der Gesamtentwicklung der mathematischen Wissenschaften, ist sie in ihrer Art trotzdem geschlossen gewesen, und diese Geschlossenheit mußte durch einen Revolutionsakt (Riemann[12], Lobatschewski[13]) gesprengt werden. Die gesamte Wissenschaft ist solcherart von geschlossenen Systemen durchsetzt, von denen jedes einzelne durch seinen spezifischen Axiomengehalt ausgezeichnet ist; im allgemeinen kann gesagt werden, daß bei allen Systemen mit mathematischem Gehalt Offenheitscharakter vorherrscht, während außermathematische Systeme (z. B. Marxismus oder Psychoanalyse) stets eine Tendenz zur Geschlossenheit aufweisen.

Wenn man also von dieser hiermit geschilderten Struktur der Vernunft nach »objektiven« Kriterien für geistige Erkrankung fahndet, so lassen sich dieselben folgendermaßen gruppieren:

a. als Verstöße gegen die Regeln der Logik als solche, wie dies bei völliger Sinnesverwirrung, aber natürlich auch schon bei schizophrenen Spaltungserscheinungen – welche eine Aufhebung der Identität bedeuten – sichtbar wird;

b. als Verstöße gegen die Regeln des offenen Systems, d. h. gegen die Regeln der Realitätsbewältigung und deren Verifizierbarkeit an der Realität, wie dies bei allen Wahnformen mit intakter logischer Funktion zu konstatieren ist.

Die Mentalität der meisten Irren enthält beide Strukturelemente, doch das Wesen des geschlossenen Systems kann innerhalb der irren Erkenntnis fast durchgängig beobachtet werden und ist insbesondere bei massenwahnartigen Erscheinungen prävalent, da ja hier logische Verwirrung fast überhaupt nicht in Betracht kommt. Kurzum, die objektiven Kriterien für massenwahnhafte Verirrungen sind vornehmlich in der Symptomatik des geschlossenen Systems zu suchen.

Nebenbei meldet sich hier bereits auch das ethische Problem, nämlich als die Pflicht zur Vernunft, die dem Menschen gleich einer metaphysischen Bestimmung auferlegt ist.

4. Soziale Beispiele für geschlossene Erkenntnissysteme
a. das mittelalterliche Weltbild,
b. die Wiedertäufer,
c. Marxismus.

5. [Normen und soziale Realität]
An den angeführten Beispielen kann ersehen werden, daß das Erkenntnissystem innerhalb der jeweiligen sozialen Gruppe als »normstiftend« wirkt, m. a. W. daß die Normen, von denen eine soziale Gruppe moralisch beherrscht wird und ohne die sie überhaupt nicht bestehen würde, einen wichtigen Bestandteil der Realitätserkenntnis und Realitätsbewältigung ausmachen.

Doch neben diesen formulierten Normen bestehen unendlich mehr unformulierte als Lebenshaltungen, Traditionshaltungen usw. Freilich stehen auch diese mit den formulierten Normen im Einklang, soweit sie nicht direkt von denselben abhängen.

Soweit die Normen formuliert sind, treten sie mit dem Anspruch auf »Wahrheit« auf; soweit sie unformuliert sind, sind sie nicht »Wahrheiten«, sondern »Werte«. Nicht nur das Leben in der Gruppe, sondern auch das eines jeden einzelnen Menschen ist einerseits von der Wahrheit, anderseits vom Wert her bestimmt, d. h. das Ich, soweit es »denkt«, befindet sich stets im Stadium maximaler Wahrheit, doch insoweit es »lebt«, befindet es sich stets im Stadium maximalen Wertes.

Sowohl die Wahrheit als auch der Wert bewältigen Weltrealität. Beide also nützen dem Leben, beide dienen zur Überwindung des Todes oder zumindest seiner Hinausschiebung.

Alle Todesbedrohung für das Ich kommt von »außen«; selbst der Organismus als solcher, gar wenn er krank ist, ist für das Ich ein »Außen«. Ist das Ich imstande, sich so weit zu erweitern, daß es alles Außen sich zugehörig machen kann, so ist das Feindliche und Lebensbedrohende des Außen radikal und für immer ausgeschaltet.

Wert definiert sich demnach für das Ich als Ich-Erweiterung, Unwert als Ich-Verengung.

6. [Wert und Wahrheit]

Der Zusammenhang zwischen Wahrheit und Wert (Wahrheit ist Wert, doch nicht umgekehrt) läßt die jeweiligen Wertsysteme gleichfalls nach offenen und geschlossenen unterscheiden: Überall dort, wo die Normen von einem offenen Erkenntnissystem diktiert werden, ist auch das gelebte Wertsystem offen, wo ein geschlossenes System die Normen diktiert, wird das Wertsystem ebenfalls geschlossen.

Geschlossene Wertsysteme im sozialen Leben müssen, wenn die Realitätsbewältigung erschöpft ist, notwendigerweise erstarren, um schließlich, besonders bei Zusammenprall mit realitätsgerechteren Systemen, revolutionär gesprengt zu werden. Offene Wertsysteme hingegen besitzen gleich dem offenen Erkenntnissystem die Fähigkeit der Anpassung an die Realität, d. h. der Evolution.

Sowohl das offene wie das geschlossene Wertsystem streben nach Absolutheit, d. h. zur kompletten Bewältigung der Realität. Das Wahnhafte im geschlossenen System – auch in dem des Individuums – liegt in dem Bestreben, diese Arbeit mit den einmal festgestellten Axiomen bewältigen zu können. Der Psychotiker tut dies im allgemeinen ohne Rücksicht auf die Weltrealität, da er diese nicht mehr sieht; der Neurotiker versucht, die Weltrealität nach seinen subjektiven Normen zurechtzubiegen.

7. Psychische Phänomene im Werterleben

Icherweiterung als Werterlebnisse werden von positiven Gefühlen begleitet, denen man den Namen ekstatisch zulegen darf: die Icherweiterung bis zur völligen Identifikation mit dem Universum wird zum Phänomen der Vollekstase.

Umgekehrt wird jeder Wertentzug zur Ichverengung und als solche von negativen Gefühlen, nämlich von Panik begleitet. Wird dem Ich jede Möglichkeit zur Ich-Erweiterung genommen, so ist es nur noch dem nackten Tod gegenübergestellt, und es befindet sich in Vollpanik. Vermeidung von Panik und Erreichung von Vollekstase sind die Pole, zwischen welchen sich jegliches System der menschlichen Werte ausspannt. Die Werte selber mögen ihrem Inhalte nach als relativistisch gelten; hingegen dürfen die beiden Pole jene Absolutheit für sich beanspruchen, welche z. B. der Lichtgeschwindigkeit in der Physik zukommt.

Hieraus ist zu folgern:

a. Es gibt eine Dignität von Werten und Wertsystemen, und zwar ist ein Wert oder ein Wertsystem umso »wertberechtigter«, je mehr die Fähigkeit vorhanden ist, den Menschen zur realen Vollekstase zu führen.

b. Jeder Wert und jedes Wertsystem, mögen sie noch so geschlossen sein, versuchen, diese Dignität zu beanspruchen, trachten also nach Absolutheitsgeltung.

c. Geschlossene Wertsysteme drängen demnach zu einer Pseudo-Absolutheit, d. h. einerseits durch Berauschung, anderseits durch Abkapselung und schließlich durch Vernichtung aller anderen Werte.

8. [Rationalverlust und Irrationalbereicherung]

An der Spitze der Werthierarchie steht demnach das Erlebnis »Ich bin die Welt«, und mit diesem Erlebnis ist die Vollekstase verbunden. Solange der Mensch lediglich material denkt und materiale Werte anstrebt, glaubt er, durch eine ständige materiale Ich-Erweiterung zu einem »Ich habe die Welt« zu gelangen, das ihm dann zugleich das Gefühl »Ich bin die Welt« vermitteln soll. Er wird zu diesem Trugschluß um so leichter verleitet, als jedes materiale Werterlebnis gleichfalls von ekstatischen Gefühlen begleitet wird.

Es braucht schon ein gewisses Maß von Einsicht und Bewußtheit, um zu erkennen, daß die ekstasierenden Momente in jedem »Ich habe« als Rauscherlebnisse zu betrachten sind und sohin die materialen Werterlebnisse in die Kategorie der

Pseudo-Ekstasen fallen.

Der Punkt dieser Erkenntnis liegt in der Pflicht des Menschen zur Bewußtheit. In dieser Pflicht zur Humanität wird das Werterlebnis erst dann zum wirklichen Wert, wenn es mit den Normen des Systems und deren Wahrheitsgehalt in Einklang zu bringen ist. Ohne daß daher die materialen Werte radikal ausgeschaltet werden müssen (außer im mönchischen Leben), werden sie sozusagen an einen tieferen Platz in der Werthierarchie verwiesen. Als Vollwerte gelten schließlich nur diejenigen, welche unmittelbar dem »Ich bin die Welt« dienen; es tritt Wertsublimierung ein.

Auffallend hiebei ist, daß sämtliche materialen Werte inklusive der Rauschzustände rational sind; »Ich habe« ist rational zweckgerichtet. Wollte man jedoch hieraus schließen, daß die Sphäre der Bewußtheitswerte, welche hierarchisch nunmehr über die der Materialwerte angeordnet wird, irrational gelten soll, so wäre dies ein Irrtum. Denn die Wahrheitswerte, die hier in Betracht kommen, sind ebenfalls rational.

(Exkurs über die Begriffe Rational und Irrational).

Es kann nun aber – und eben von hier aus gesehen – kein Zweifel bestehen, daß das »Ich bin« oder gar »Ich bin die Welt« weit mehr dem Gebiete des Irrationalen zuzurechnen ist als das »Ich habe«. Gewiß, jeder Akt, alles Dynamische im menschlichen Sein ist mit irrationalen Momenten durchsetzt, und dies gilt für jedes Wertschaffen, also auch für das rationale als solches; aber so sehr auch das »Ich bin« dynamisch unterbaut ist, es bleibt hier schließlich ein unauflöslicher Irrationalrest, ein Tao, ein »Sinn«, der dem rationalen »Zweck« strikte entgegengesetzt ist. Wenn die Wahrheit ihrerseits als Wert aufgefaßt werden darf, so ist es, weil sie letztlich [an] diesem irrationalen Sinn, dem Wahrheitssinn als solchem, nutznießt.

Betrachtet man von hieraus nun nochmals die auf das »Ich bin« hin ausgerichtete Werthierarchie, so läßt sich folgendes konstatieren:

a. Die durch die Werterlebnisse vermittelte echte Ich-Erweiterung stellt sich für das Individuum als ein irrationaler persönlicher Sinn dar, nämlich als der einer »Persönlichkeitsentfaltung«.

b. Die spirituelle Welterfassung in ihrer Totalität, zu der diese Ich-Erweiterung hinstrebt, ist, u. z. dem Wesen des rationalen

Logos entsprechend, bloß unter der Leitung einer logos-tragenden »Menschheit« zu verstehen; der irrationale Wertinhalt hierbei ist der Einklang des Ichs nicht nur mit der Welttotalität, sondern auch eben mit der Menschheit als solcher; es ist das irrationale »Gemeinschaftserlebnis«, das sich neben das nicht minder irrationale Persönlichkeitserlebnis stellt.

Für die Dynamik des Werterlebnisses ergeben sich hieraus die folgenden Konstatierungen:

a. Jedes Werterlebnis, ob rational oder irrational, muß bewußtgemacht werden, auf daß es echter Wert werde und seinen Platz in der Werthierarchie finde.

b. Geschieht dies, so wird mit der Ich-Erweiterung, die damit eintritt, ein neuer Irrationalwert gesetzt, der entweder in der Richtung der Persönlichkeitsentfaltung oder des Gemeinschaftserlebnisses oder beider zusammen liegt. Jedes echte Werterlebnis bringt demnach auch eine Irrationalbereicherung.

c. Geschieht dies jedoch nicht, und werden die Werterlebnisse nicht bewußt gemacht, so bleibt nicht nur die Irrationalbereicherung aus, sondern es tritt statt dessen Rationalverlust ein.

In offenen Wertsystemen, in ihrer ewig unabgeschlossenen Entwicklung, findet der Wechsel zwischen Rational- und Irrational-Erlebnis unausgesetzt statt, d. h. mit dem ständigen Fortschreiten der Erkenntnis zu stets neuen rationalen Wahrheitswerten geht ständige Irrational-Bereicherung Hand in Hand.

Geschlossene Systeme hingegen, die von einer rationalen Entwicklung abgesehen haben, müssen notgedrungen dazu neigen, sich mit Irrationalwerten anzureichern, ohne dieselben zur Bewußtmachung zu bringen. Sie stehen demnach unter dem Zeichen der Rationalverarmung.

9. [Rationalverlust als Massenerscheinung]

Jedes geschlossene Wertsystem gerät demnach in Gefahr, mit seinen sozialen Erscheinungsformen in die Irrationalitäten des Gemeinschaftserlebnisses zu geraten, ohne imstande zu sein, diese zu Bewußtsein zu bringen. Es ergibt sich die Massenerscheinung des Rationalverlustes, wie er eben in allen Massenphänomenen so oft zu beobachten ist (Lynchhorden etc.).

1 Iwan P. Pawlow (1849-1936), russischer Physiologe und Pathologe. Seine Modellversuche mit Hunden bildeten die Grundlage für die Lehre von den bedingten Reflexen und für das System der objektiven Psychologie.
2 Vgl. Vergil, *Eklogen,* IV/22.
3 Vgl. Friedrich Nietzsches Theorie von der ewigen Wiederkunft des Gleichen vor allem in: *Also sprach Zarathustra* (1883-1885) und in *Der Wille zur Macht* (1906).
4 Vgl. Heinrich Rickert, *Kulturwissenschaft und Naturwissenschaft* (Tübingen 1915³), S. 128ff.
5 Vgl. Brochs Aufsatz »Zur Geschichte der Philosophie« in: HB, *Philosophische Schriften 1: Kritik,* KW 10/1, a.a.O., S. 147-166.
6 Giovanni Pierluigi da Palestrina (1525-1594), italienischer Komponist.
7 Vgl. Gustav Robert Kirchhoff, *Vorlesungen über mathematische Physik. Mechanik* (Leipzig 1876), »Vorrede«.
8 Albert A. Michelson (1852-1931), US-amerikanischer Physiker; widerlegte durch den nach ihm benannten Michelson-Versuch die Annahme eines ruhenden »Weltäthers«, indem er die Unabhängigkeit der Lichtgeschwindigkeit von der Ausbreitungsrichtung auf der Erde nachwies und damit eine der wesentlichen Erfahrungsgrundlagen der Einsteinschen Relativitätstheorie schuf.
9 Vgl. Henri Bergson, *Essai sur les données immédiates de la conscience* (1899).
10 Vgl. I. Kant, *Prolegomena zu einer jeden künftigen Metaphysik, die als Wissenschaft wird auftreten können.*
11 Vgl. Edmund Husserl, *Ideen zu einer reinen Phänomenologie und phänomenologischen Philosophie* (1913).
12 Bernhard Riemann (1826-1866), deutscher Mathematiker; Mitbegründer der Funktionentheorie; Arbeiten über nichteuklidische Geometrie.
13 Nikolai I. Lobatschewski (1793-1856), russischer Mathematiker; begründete die nichteuklidische Geometrie (1826) unabhängig von Gauß und Bolyai.

Zweiter Teil
Der menschliche Dämmerzustand und die Masse

Kapitel 1:
Normalität und Abnormalität.
ERKENNTNISTHEORETISCHE KRITERIEN
GEISTIGER ERKRANKUNGEN

Wenn ein Einzelindividuum zum Amokläufer wird, besteht kein Zweifel über seine geistige Erkrankung; wenn ein ganzes Volk zu rasen beginnt, wird das Urteil über sein Verhalten vom Erfolg abhängig: man darf das Meer peitschen lassen, wenn man hinterher siegt. Und sicherlich ist die menschliche Geschichte – sie sieht ja auch danach aus – zum allergrößten Teil von manischen Menschen bewirkt und geleitet worden; nichts ist so erfolgreich wie eine idée fixe. Wenn man also von Massenwahnphänomenen sprechen will, so hat man sich zuerst einmal über die Definition des Wahnsinnes klar zu werden.

I. *Empirischer Sachverhalt*

1. *Gesundheit und Krankheit*

Das »absolut gesunde Lebewesen« ist zwar unter Menschen nur äußerst selten anzutreffen, ist aber im Tier- und Pflanzenreich häufig genug vertreten, um nicht als idealer, sondern als empirischer Begriff gelten zu können: als »gesundes Lebewesen« gilt jenes, das im Rahmen seiner angeborenen körperlichen und geistigen Kräfte alle Möglichkeiten zur Befriedigung seiner Lebenstriebe ausnützt, durch keinerlei körperliche oder geistige Einwirkung der eigenen Person in diesem Streben gehindert oder unterbrochen wird, so daß der Lebenskampf ausschließlich auf die Außenwelt und auf die Realitätsbewältigung abgestellt ist und, abgesehen von äußeren Einwirkungen, wie etwa Unglücksfällen etc., erst durch natürliche Kräfteabnützung, also durch Altersschwäche ein Ende erreicht.

Die Außenwelt für das pflanzliche und freilebende tierische Lebewesen ist durch die Natur, für den Menschen außerdem durch die physischen und psychischen Lebensbedingungen seiner Kultur gegeben.

2. Körperliche und geistige Krankheit

Allgemeine Definition: Krankheiten (unter Einschluß der angeborenen Gebrechen) beeinträchtigen zeitweise oder dauernd die Realitätsbewältigung durch das Individuum und können bei Nicht-Heilung u. U. noch vor Eintritt der Altersschwäche den Lebenstrieb sei es feindlich vernichten, sei es zur freiwilligen Aufgabe bringen, so daß vorzeitiger Tod eintritt. Schmerzen oder Leiden sind sowohl bei körperlichen wie bei geistigen Erkrankungen lediglich subjektive Begleiterscheinungen.

Gegenseitige Abgrenzung: als körperliche Krankheiten gelten alle jene, deren Verursachungen in Organdefekten oder Organschädigungen nachweisbar sind, also auch diejenigen, deren Krankheitsbild trotz physischer Ursachen lediglich psychische Symptome zeitigt, während als geistige Erkrankungen jene zu werten sind, bei denen der Mangel einer auffindbaren physischen Ursache mehr oder minder gesichert durch Annahme einer psychischen Ursache ersetzt werden kann, auch dann, wenn das Krankheitsbild (wie bei manchen Hysterien) ausschließlich körperliche Symptome zeigt. Ob und inwieweit hinter den konstatierbaren physischen Ursachen wiederum psychische stehen, ist manchmal ungesichert, doch niemals ist es gesichert, ob und inwieweit hinter den angenommenen psychischen Ursachen nicht wieder physische verborgen sind. Diese Wahrscheinlichkeitsdifferenz wird der Wissenschaft zur steten Aufgabe, in der Erforschung der Krankheitskausalitäten zu physischen Verursachungen vorzudringen und solcherart den Kreis der sogenannt rein geistigen Erkrankungen, so weit als nur irgend erfaßbar, in den der körperlichen einzubeziehen, m. a. W. in solche, deren Verursachung einwandfrei einer sinnlichen Wahrnehmung zugänglich ist.

Geltungs-Raum körperlicher Erkrankung: Ist erst einmal die körperliche Verursachung einer Krankheit festgestellt, also diese als körperliche konstatiert, so wird es gleichgültig, ob das Krankheitsbild gleichfalls körperliche Symptome zeitigt oder bloß am »Verhalten« des Patienten gegenüber der Außenwelt, mithin an seiner verminderten Realitätsbewältigung (z. B. bei Idiotie infolge Gehirnaffektion) abzulesen ist; das Krankheitsbild kann als ein objektives Faktum »isoliert« betrachtet werden, ohne Rücksicht auf das physische oder psychische Milieu, in dem der Kranke sich befindet (– mögen auch vom Milieu aus therapeutische Maßnahmen zu treffen sein –), kurzum die körperliche Erkrankung ist von »objektiver Absolutheit«.

Geltungsraum geistiger Erkrankung: Ist erst einmal die geistige Verursachung einer Krankheit, die keine körperliche Verursachung erkennen läßt, mit genügend großer Wahrscheinlichkeit festgestellt, so sinken die körperlichen Symptome, selbst dort, wo sie sich wie in der Hysterie als ausschließliche gebärden, zu bloßen Begleiterscheinungen herab, sie konstituieren nicht mehr allein als solche das Krankheitsbild, und es kann daher dieses auch nicht mehr »isoliert« betrachtet, sondern muß aus dem »Verhalten« des Patienten zu seiner Umwelt, vor allem zu seiner geistig-sozialen Umwelt gewonnen werden; die geistige Erkrankung ist in ihrer Konstatierbarkeit eine Funktion des »Verhaltens« zur Gegenpartei, welche die Außenwelt sozial repräsentiert, ja, es ist sogar diese Gegenpartei selber, welche die »Normalität« und »Abnormalität« des auf sie gerichteten Verhaltens bestimmt – ein psychisch Arbeitsunfähiger ist »normal«, solange er einer bevorzugten Oberklasse angehört –, und selbst wenn man dieses Urteilsamt der jeweiligen Umgebungsgruppe nicht anerkennte, selbst wenn man auf der Suche nach »objektiven« Kriterien schließlich zu »Grenzfällen« gelangt, etwa zu dem eines absolut Schizophrenen, der in »keine« soziale Gruppe infolge seiner Insuffizienz mehr einzufügen ist, oder aber zum Fall des genial Manischen, der »jede« soziale Gruppe sieghaft zwingt, seine idée fixe als normal anzuerkennen, es kann, will es der Zufall, die Gruppenkonstellation sich ändern und, unter Umstülpung des angeblich objektiven Sachverhaltes, den Sieger zum Besiegten, den Besiegten zum Sieger machen. Fügt man noch hinzu, daß auch der »außenstehende« Beobachter selber irgend einer sozialen Gruppe angehört und von deren sozialen Normen abhängig ist, so wird klar, daß innerhalb der empirischen Erforschung geistiger Krankheiten eine Einschränkung des Beobachtungsfeldes auf die Person des Patienten, wie dies bei körperlichen Krankheiten getan werden darf, unmöglich und unerlaubt ist; der Geltungsraum geistiger Erkrankungen ist eben stets der eines »Verhaltens«, erlaubt also keine »Aus-Isolierung« des Verhaltungs-Partners, sei nun dieser als soziale Umgebung oder sonstwie gegeben, es sind die Verhaltungsbedingungen der Außenwelt (und damit sogar der Beobachter selber) stets in das Beobachtungsfeld einzuschließen, und dies macht die Kriterien geistiger Erkrankungen, im Gegensatz zu den körperlichen und zu ihrer objektiven Absolutheit, auf empirischem Gebiet »relativistisch«.

3. Funktion der Normsetzung

Eine »soziale Gruppe«, d. h. eine Menschengruppe, welche nicht ein zufälliges Konglomerat von Individuen ist, sondern unabhängig von den auswechselbaren Individuen einen mehr oder minder dauernden Zusammenhalt zwecks gemeinsamen Handelns besitzt, erwirbt diesen dauernden Zusammenhalt durch gewisse stabile »Haltungen«, die für die Mitgliedschaft an der Gruppe unerläßliche Vorbedingung sind; ob durch Tradition oder durch einen Konstitutionsakt festgelegt, die Gruppe und ihr Handlungsradius ist durch diese Haltungs-Vorschrift existent und definiert.

Gruppen bilden sich, um den Lebenskampf ihrer Mitglieder zu erleichtern; die Vorschriften, mit denen sie das Verhalten ihrer Mitglieder »normiert«, sind aus den Gruppenzwecken entstanden und diesen angepaßt. In Ansehung dieser Zwecke verhält sich die Gruppe »vernünftig«, u. z. im weitesten Sinne vernünftig: für das magische Denken ist ein Beschwörungstanz, zu dem sich die Gruppe zusammenfindet, ebenso logisch, plausibel und vernünftig wie irgend eine praktische Einrichtung, deren Zweck auch dem Zivilisierten einleuchtet. Die Logik der Gruppe ist Ergebnis gewisser Zweck-Haltungen; jede soziale Gruppe besitzt in diesem Sinn ihre eigene Logik, ihr eigenes Plausibilitätsschema, unter dem sie die Realität apperzipiert und bewältigt, und wenn auch diese verschiedenen Logiken bei benachbarten Sozialgruppen nur in minimalen Abschattungen voneinander differieren, so wären diese Differenzen doch nicht vorhanden, wenn sie nicht letztlich auf »Glaubensdifferenzen« basierten, auf der Differenz von Axiomen, die am Ende der logischen Kausalketten stehen und für sie die letzte Wirklichkeitsbestätigung bedeuten sollen: gleichgültig wie groß der Wirklichkeitsausschnitt ist, den eine bestimmte soziale Gruppe zu bewältigen hat – der Wirklichkeitsausschnitt für eine Nation ist sicherlich größer als jener der Schuhoberteils-Erzeuger-Innung –, es kann immer nur dann von einer echten sozialen Gruppe gesprochen werden, wenn ihr Realitätsbild (– das u. U.

bloß »Geschäftsprinzipien« heißen mag –) axiomatisch festgelegt und akzeptiert ist; jede Gruppe produziert gewisse »Glaubensformen« als integrierenden Bestandteil ihrer eigenen Logik, und von diesen axiomatischen Glaubensformen gehen die »Normen« für das Verhalten der Gruppenmitglieder aus.

Die »Normen« verpflichten die Gruppenmitglieder zu bestimmten Haltungen innerhalb der Gesamthaltung der Gruppe: sie haben die Glaubens-Axiome der Gruppe zu akzeptieren, demnach auch das spezielle Realitätsschema und die spezielle Logik der Gruppe, kurzum, sie haben gewisse Haltungen als »gut« anzustreben und andere als »schlecht« zu verwerfen. M. a. W., die »Normen« der Gruppe sind ihr ein »System wohlbegründeter Haltungen«, sie sind ihr ein »Wertsystem«, nach welchem die Gruppenmitglieder in dem von der Gruppe vorgezeichneten Lebensausschnitt zu handeln verpflichtet sind. Dieser Verpflichtungscharakter der »Normen« und des von ihnen errichteten Wertsystems macht dieses zur »Moral«, zur »Gruppenmoral«; ohne Gruppenmoral gibt es keine soziale Gruppe.

Wer sich den Normen der Gruppenmoral widersetzt oder von ihnen abirrt, wird aus der Gruppe ausgestoßen. Dies kann auf zweierlei Art geschehen: entweder sind die Gründe der Abirrung für die Gruppe begreiflich und in das Realitätsschema der Gruppe einordenbar, oder aber sie liegen außerhalb der Gruppenlogik und ihres Realitätsschemas; im ersten Fall wird das abirrende Individuum als »Verbrecher«, im zweiten Fall als »Irrsinniger« aus der Gruppe ausgeschieden.

Die Kriterien, welche die Gruppe für den Irrsinn parat hält, sind also in erster Linie moralischer, ja, ethischer Natur. Der Irrsinnige ist »vom Teufel besessen«, er ist, selbst wenn er keinen unmittelbaren Schaden stiftet, infolge seiner Abnormalität auf alle Fälle potentiell »gemeingefährlich«, er ist »unheilig«, und seine Anwesenheit »entheiligt« die Gruppe; sie »schämt« sich des Geisteskranken, der zu ihr gehört, sie schämt sich seines »verlorenen Verstandes«. Sollte es überhaupt möglich sein, ihn zu »heilen«, so hat der Heilungsakt in Gestalt einer »Wieder-Heiligung« vor sich zu gehen: in der Irrenbehandlung hat sich die magische Medizin mit ihrer Methode der Dämonen-Austreibung am längsten erhalten, eigentlich bis weit in die Neuzeit hinein, denn die Vorstellung vom »verlorenen Verstand« ist ebenso beharrlich wie jede alte Vorstellung, umsomehr als sie allesamt von der Sprache aufbewahrt (also in Wahrheit bewahrt) werden; wer infolge der Abnormalität seiner Haltungen gegen die Normen der Gruppe verstößt, dem können nur gewisse sakrale Gegen-Haltungen der Gesamtgruppe helfen, gewisse »Riten«, welche »heilen und heiligen«, so daß der verlorene Verstand »wiedergefunden« und der Wiedereintritt in das Plausibilitätsschema der Gruppe ermöglicht und als »Seelenrettung« sogar zur wohlgefälligen Tat wird.

So lange sich eine festgefügte soziale Gruppe in ihrem Realitätsschema gesichert fühlt, ist sie gegen Dissidenten und insbesondere gegen denjenigen, welcher den »Verstand verloren« hat, verhältnismäßig tolerant; seine Normwidrigkeit, seine »Abnormalität« wird nicht als gemeingefährlich, sondern als »harmlos« empfunden, und die Teuflischkeit des Verstandesverlustes sinkt zur (uralten) Komik des »dummen Teufels« herab. Intoleranz setzt erst ein, wenn die Gruppe ihre Festgefügtheit verliert oder sich von außen angegriffen fühlt; innere und äußere Gefährdung steigern die »Gemeingefährlichkeit« des Narren. Die Hexenverbrennungen des späten Mittelalters waren Funktion der Glaubensauflockerung und der Glaubensumformung.

4. Die unkontrolliert autonome Gruppe

Wer ist geistig krank gewesen, die Hexe oder diejenigen, die sie verbrannt haben? vielleicht beide, wahrscheinlich sogar beide, zumindest in der Mehrzahl der Fälle, doch sicherlich waren die Verbrennungen stets Ausfluß eines Wahnes, des Hexenwahnes und seiner Fürchterlichkeit.

Die Idee der Teufelsbesessenheit war ein abstrakt notwendiges Resultat des theologischen Denkens gewesen; neben die Entsühung der Menschheit durch den körperlichen Tod Christi, neben die Mittlerschaft Christi für das Gute, mußte folgerichtigerweise auch eine Mittlerschaft für das Böse angenommen werden, eine ständige Reinkarnation des bösen Prinzipes, da sonst das nun einmal nicht wegzuleugnende Vorhandensein dieses bösen Prinzipes in der angeblich für immer entsühnten Welt völlig unerklärbar gewesen wäre. Wenn daher die theologische Weltkausalierung forderte, daß in der empirischen Welt nach den empirischen Eingangspforten des Bösen gefahndet werden müsse, so handelte sie in gewissem Sinn – freilich nicht in jedem – mit der gleichen Logizität wie die moderne Chemie, welche die Skala der Atomgewichte aufgestellt hatte und daraufhin daran ging, die Lücken der Skala durch systematische Aufsuchung der anfänglich noch fehlenden Elemente zu schließen; in beiden Fällen handelte es sich um die Bewahrheitung einer der Grundtheorie entsprechenden, sinnvollen Hypothese.

Der Hexenwahn entsprach der »Norm« der spätmittelalterlichen Christlichkeit, er entsprach ihrem Realitätsschema, ihrer Moral, ihrem Wertsystem, ja, sogar ihrer Humanität, denn es galt, Seelen zu retten und ihnen die göttliche Gnadengabe des Verstandes, dessen sie beraubt worden waren, wieder zu verschaffen, auf daß sie, wenn auch erst im Tode, wieder in die Gemeinschaft der Gläubigen einkehren könnten. Es mag sein, daß das Mittelalter, u. z. besonders in den Bergregionen (– die seefahrenden Völker, wie die Holländer, waren von dem Wahn weit weniger affiziert –), tatsächlich durch ein Wiedererwachen magischer Geistesformen heimgesucht worden war – schließlich waren noch während des 13. Jahrh. in Schweden Menschenopfer üblich –, und es ist daher nicht unwahrscheinlich, daß die magische Erbmasse in einer Anzahl von Personen wieder zum Ausdruck gekommen ist, so daß sich also unter den »Hexen« wirklich einige gefunden hatten, deren Fähigkeiten und deren Tun gegen die christliche Norm verstießen; im allgemeinen jedoch lebten die Hexen durchaus in der christlichen Norm, u. z. so sehr, daß sie durch die mannigfachen, durchaus erwiesenen Selbstbezichtigungen sogar die äußerste Konsequenz dieser Norm, nämlich die der »Abnorm« auf sich genommen haben und – vermutlich mehr oder minder hysterisch – alle hiefür notwendigen Symptome zu produzieren in der Lage waren. Ehe sie noch die körperlichen Opfer wurden, waren sie die Suggestionsopfer einer hypertrophisch gewordenen Norm, eines hypertrophisch gewordenen Wertsystems, das auf durchaus »logischem« Weg seine eigene Normalitätsgrenze überschritten hat.

Der Hexenwahn kam erst in der Kampfzeit der Kirche zum vollen Ausbruch; er wurde als (indirektes) Mittel im Zuge der Reformation und Gegenreformation benützt, u. z. mit gleicher Intensität von beiden Parteien. Aber die Ketzertheorie, die dem Hexenwahn erstlich zugrunde gelegen hatte, diese erste logische Hypertrophierung der christlichen Ethik stammt aus einer Zeit, in der die Kirche vollkommen autonom wirkte, durch keinerlei Gegenbewegungen ernstlich gestört wurde und daher ihre Satzungen vollkommen ungehindert nach ihrer eigenen Logik entwickeln konnte. Und gerade auf dieser ungestörten Autonomie beruht die Hypertrophierung. Denn jede Realitätserfassung, gleichgültig auf welchen Realitätsausschnitt sie sich bezieht, versucht die Erkenntnisprinzipien, mit denen sie dieses Stück Realität erfolgreich bewältigt hat, immer weiter anzuwenden, um solcherart den ersten gelungenen Schritt ins Unerkennbare unendlich oft zu wiederholen, d. h. schließlich zu einer Totalwelterkenntnis zu gelangen; dieses ungehemmte und hemmungslose Vorwärtstreiben der Kausalketten führt im rein Geistigen alsbald zu einer zwar durchaus legitimen, aber doch nur spekulativen Beschäftigung mit den Unlösbarkeiten der Unendlichkeitsprobleme (– für die Scholastik im Gottesbegriff gegeben –), erzeugt jedoch auf praktischem Gebiete, wenn auf dieses die Ergebnisse der freischwebenden abstrakten Spekulation rückangewendet werden sollen, realitätswidrige Zustände, deren Sinnwidrigkeit sich auf die Dauer nicht erzwingen läßt, resp. die Erzwingung zum Irrsinn stempelt: die rein spekulative Vorwärtstreibung der aristotelischen Naturwissenschaft oder die der antiken Medizin hat letztlich zu dem hypertrophisch realitätswidrigen Gebäude führen müssen, das von der Renaissancewissenschaft sozusagen mit einem Schlage zerstört wurde, und der ethische Realitätsausschnitt, dessen Entdeckung einstens die humane Großtat des christlichen Geistes gewesen war, muß schließlich den Zwang, der ihr von der hypertrophisch gewordenen ethischen Spekulation angetan wird, als das enthüllen, was er ist, nämlich als »Irrwahn«.

Jedes Denk-, jedes Wertsystem wünscht, sich solcherart ungehemmt zu unendlicher Absolutheit, also bis ins hypertrophisch Wahnhafte, weiterentwickeln zu dürfen, doch da jedes System von einer konkreten Sozialgruppe menschlicher Wesen getragen wird, gibt es zumeist eine Nachbargruppe, welche die Kontrolle übernimmt und kraft ihres eigenen Realitätsschemas einen wahnverhütenden Ausgleich schafft. Diese wohltuende Konkurrenz der verschiedenen Normensysteme (wie sie im Alltagsleben überall anzutreffen ist) fällt weg, wenn ein System die Alleinherrschaft übernimmt und – dank besonderer Vorzüge und Totalitätsfähigkeit, also von Eigenschaften, für die uns das christliche System immer noch als eines der größten und umfassendsten Beispiele gelten muß – ihr Wertsystem als autonomen Zentralwert etablieren kann. Gibt es ein solches autonomes Zentralsystem, dann gibt es im Räumlichen, zumindest in unmittelbarer Nachbarschaft eben keinerlei ebenbürtiges Konkurrenzsystem mehr; die Kontrolle kann bloß vom »Nachfolger« als dem zeitlichen Nachbarsystem ausgeübt werden, und dies war im Falle der Christlichkeit jene Bewegung, welche mit der Reformation als Kritik des Katholizismus einsetzte, um sodann, abseits vom Protestantismus, zur Kritik der Christlichkeit, ja, des Gottesglaubens überhaupt zu werden, kurzum zur »Aufklärung«, für die sich die große Epoche des Christentums als bloße Wahnerfülltheit, als das »finstere Mittelalter« darstellte.

Ein autonomes, nach außen abgekapseltes und von außen unkontrolliertes Zentralwertsystem, das infolge Erreichung der Unendlichkeitsgrenze im Geistigen, infolge Erreichung der Wahngrenze im Ethischen zu seinem logisch natürlichen Ende gelangt ist, gibt den Einzelwerten, die es um sein Zentrum geschart gehabt hatte, ihre »Freiheit« zurück, es gibt sie »frei«, nach ihrem eigenen Gesetz zu handeln: die mittelalterliche Lebensorganisation war um den Glauben geschart gewesen und selbst die staatlichen Wertgebilde, obwohl oftmals mit der Kirche machtpolitisch im Streite, blieben auf das Glaubenszentrum ausgerichtet; mit der Renaissance entzog sich ein Wertgebiet nach dem andern der theologischen Führung, zuerst die Wissenschaft auf den Universitäten, und bald gab es kein Gebiet des Lebens mehr, das seine Regeln von der religiösen Satzung zu beziehen geneigt war –, der »Laiengeist«, gegen den die Kirche sich so lange gewehrt hatte, war allerorts zum Sieger geworden, und durfte sich überall »frei« entwickeln. Die große Einheit des um die allein autonome Kirche zentrierten Lebens zerfiel in eine Unzahl von Werteinheiten, die allesamt, ihrem Wesen gemäß, nach absoluter Autonomie strebten und sich voneinander abzukapseln begannen; ob politisches Wertgebiet oder kommerzielles oder militärisches oder künstlerisches oder sonst eines, es wurde ein jedes »entfesselt«, es mußte ein jedes, wollte es nicht von den andern erdrückt und aufgesaugt werden, nach Alleingeltung trachten, und verlustig der Zähmung durch die christliche Moral, wurde das Leben in zunehmendem Maße zum Produkt nackter Machtausnützung, zum Produkt eines Kampfes aller gegen alle: die letzte Phase dieser Entwicklung mußte zu dem Kriege werden, wie er heute geführt wird, zu einem »frontenlosen« Krieg, weil all die verschiedenen Wertgebiete, die sich da bekriegen, einander überlappen und überschneiden, um solcherart in der kompliziertesten Weise füreinander fifth column-Arbeit zu leisten, es mußte zu einem apokalyptischen Zustand werden, zu einer Gottesstrafe für die »Aufklärung«, mit der sich die Menschheit von der kirchlichen Zentrierung »frei« gemacht hatte.

»Reaktionäre« Geister haben diese Entwicklung vorausgesehen und wollten sie aufhalten. Allein, geschichtliche Entwicklungen sind nicht aufzuhalten, und noch viel weniger lassen sich einstige Zustände, mögen sie noch so gut gewesen sein, willentlich wiederherstellen. Und selbst wenn man dem heutigen Menschen das Bild des Mittelalters so vorteilhaft darstellen könnte, wie es überhaupt darzustellen wäre, nämlich als die große Bemühung zu einer Gesamtorganisation der Menschheit unter der Leitung christlicher Humanität, es würde der moderne Mensch die Rückkehr ablehnen und den heutigen Grauenszustand der Welt vorziehen. Denn die Erinnerung an den »dunklen Wahn«, in dem sich die mittelalterliche Welt zu Ende gelebt hatte, überschattet heute noch jedes treuere Bild, das man von ihr machen könnte: das Grauen vor dem einstigen »Wahn« ist stärker als das vor der handgreiflich gegenwärtigen Schreckenswelt.

5. Die relativistische Gruppenorganisation

Jede soziale Gruppe, welche geographisch nicht völlig isoliert oder sonstwie abgekapselt ist, besitzt eine soziale Umgebung, eine soziale Außenwelt, in der sie wirkt und in der sie sich, besonders bei entfesseltem Konkurrenzkampf, zu behaupten hat. Sie ist daher in irgend einer Form auch stets Teil einer übergeordneten Obergruppe, denn wenn nicht »Abkapselung« besteht, ist ja eben schon in der Relation zur nächsten Nachbargruppe die Struktur zu einer neuen und größeren Gruppengemeinschaft gegeben. Gruppengemeinschaften können sich in Großgruppen aufstaffeln – der Staat ist eine solche, die »Christenheit« war eine solche –, so daß also jede derartige Großgruppe zu einem unendlichen Gewebe verschiedentlichster Untergruppen und Untergruppengemeinschaften wird, zu einem sehr komplexen System von Gruppen, die teils ineinander verschachtelt sind, teils sich überkreuzen und überschneiden, teils ohne gegenseitige Berührung im Gesamtkonglomerat liegen. Als prinzipielle Grenzfälle in diesem Gefüge, d. h. als prinzipiell kleinste und prinzipiell größte Sozialgruppe ist einerseits das menschliche Individuum, andererseits die Gesamtheit all dieser Individuen, kurzum die Menschheit als solche sozusagen von der Natur selber beigestellt, während alle dazwischen liegenden Gruppen und Gruppenformationen vom menschlichen Vergesellschaftungstrieb und -willen erzeugt werden; das Einzelindividuum ist ein durchaus konkreter Begriff, da es in etwa drei Milliarden Exemplaren anzutreffen ist, während die Konkretheit der verschiedenen Gruppen und Obergruppen von der Realwirksamkeit ihres jeweiligen Sozialgefüges abhängt, um an der letzten Sozialgrenze, nämlich beim Begriff der Menschheit als solcher, völlig im Vagen zu verdämmern, da die drei Milliarden Individuen sich bisher jeder Gesamtorganisierung widersetzt haben und kein anderer Zusammenhalt als der einer gemeinsamen Besiedlung des Planeten Erde für sie angeführt werden kann.

Genau so wie im Verhältnis des Individuums zur Gruppe, kann diese bloß dann ihrerseits Mitglied einer Obergruppe sein, wenn sie sich deren »Normen« fügt, also im Rahmen des Realitätsausschnittes, den die Obergruppe bedeckt, an deren Apperzeptionsschema, Wertsystem und Moral teilnimmt; m. a. W. und umgekehrt gesehen: Einzelgruppen schließen sich zu einem Gruppensystem (als Obergruppe) zusammen, um gemeinsam gewisse Zwecke im Lebenskampf zu erreichen, und sie statten hiezu die Obergruppe mit Normen aus, die ihren einzelnen Gruppenwerten gemeinsam sind, so daß sie von sämtlichen Mitgliedsgruppen akzeptiert werden können.

Es entspricht dieser Gruppenmechanik, daß die größere Gruppe – gleichgültig ob sie (wie zumeist in der der Staatenbildung) durch Zusammenschluß von Untergruppen oder aber (wie bei den Religionsgründungen) durch einen einmaligen Stiftungsakt entstanden ist – wesensgemäß besser als jede ihrer Untergruppen zur Durchsetzung von Autonomie- und Alleingeltungsansprüchen geeignet sein muß und geeignet ist. U. z.

wird diese Autonomie folgerichtigerweise (– und die empirische Beobachtung bestätigt es überall –) nach zwei Richtungen hin verfolgt, einerseits als »Abkapselung« gegen alle »äußeren« Nachbargruppen, andererseits durch sukzessive Aufsaugung und Vernichtung aller »inneren« Untergruppen; die äußern Nachbargruppen werden a priori als autonomiestörend und autonomiefeindlich empfunden, die inneren jedoch als gleichfalls verderblich oder zumindest als überflüssig, da sie ja doch nur unzureichende Annäherungen an das »höherstehende« Wertsystem, an die höherstehende Moral der Obergruppe sein können: die Autonomie der Obergruppe lehnt jede äußere und innere »Kontrolle« ab, die erstere als »barbarisch«, die letztere als »laienhaft«. Es ergibt sich hieraus das Ideal eines erdumspannenden Gesamtwertsystems, das unter Ausschaltung aller Zwischen- und Untergruppen »alle« Menschen umfaßt, so daß ein jeder von ihnen unmittelbar dem Hauptsystem angehört und unmittelbar unter den Zentralwert gestellt wird. Sowohl der Katholizismus hat diese letzte Organisierung der Menschheit angestrebt (– man denke an die Konstruktion der gottesstaatlichen Jesuitenexperimente in Südamerika –), als auch der Protestantismus hat, wenn auch auf anderem Wege (– Ausschaltung der kirchlichen »Mittlerschaft« –) das nämliche angestrebt, und genau die selbige Idee wirkt in der »klassenlosen« Gesellschaft des Marxismus. Denn die allumfassende Welteinheit, das große Friedensideal, in dessen Rahmen jedes Individuum unmittelbar Gott angehört, ist das Ziel aller Menschheitsträume seit jeher gewesen, wird es immer sein, umsomehr, als der Mensch immer zu einem makellosen Wunschbild hinleben muß und daher meint, daß sich böse Erfahrungen nicht wiederholen können, weil sie sich nicht wiederholen dürften. Und so vergißt er der gräßlichen Wahngebilde, die [sich] umso gräßlicher entwickeln werden, je größer und ausschließlicher und totalitärer eine Wertautonomie zu konstituieren sein wird; er hält den hypertrophischen Wahn der Autonomien für abgetan, ein für allemal abgetan.

Das Individuum ist im autonomen Wertgebiet dem Wahn der logischen Hypertrophie ausgeliefert. Aber dort, wo solcher Wertabsolutismus noch nicht erreicht ist oder wo ein zentrales Wertsystem, wie das mittelalterliche, wieder zersprengt worden ist und neuerlichem Wertrelativismus Platz gegeben hat, dort ist der Notstand des Individuums nicht geringer: es wird von Wertzerrissenheit bedroht.

Denn je kleiner eine Gruppe in dem komplizierten sozialen Aufbau ist, desto größer ist die Anzahl der Obergruppen, denen sie als Untergruppe teils angehören muß, teils angehören kann; das Einzelindividuum als die soziale Minimalgruppe ist einer Maximalanzahl von Obergruppen – Familie, Nation, Generation, Religion, Beruf, Staat, Klasse, Klub, politische Partei, etc. etc. – einzuordnen und einzugesellschaften. Für das Individuum (und analog für jede andere Kleingruppe, die sich in ähnlicher Position befindet) entsteht hiedurch die Aufgabe, sich den Normen all der Obergruppen, denen es gleichzeitig angehört, zu assimilieren, m. a. W. all die verschiedenen Apperzeptionsschemata, Glaubensaxiome, Wahr- und Werthaltungen, Logiken und Moralen möglichst reibungslos dem eigenen Realitätsschema einzuverleiben. Das Indviduum ist ja an der Schaffung dieser Obergruppen nur sehr wenig beteiligt, zumeist »trifft es sie an«, zumeist sogar schon bei seiner Geburt, und wenn auch die Assimilation durch dieses langsame Hineinwachsen in das Obergruppen-Milieu erleichtert wird, mehr noch, wenn auch hiedurch von vorneherein eine gewisse Auswahl von Obergruppen präetabliert wird, von Obergruppen, welche von vorneherein wertmäßig, logisch und moralisch harmonieren – der Sohn einer großbürgerlich amerikanischen Familie wird sozusagen »natürlich« in seine Zugehörigkeit zur presbyterianischen Kirche, zum Yale-College, zum Business-Beruf, zur Handelskammer, zum Rotary-Club, zur republikanischen Partei hineinwachsen, hingegen nur durch eine Abnormalität in eine kommunistische Organisation geraten –, wenn also auch hiemit eine gewisse »Normen-Verträglichkeit« von vorneherein gewährleistet erscheint, die es dem Individuum erleichtern soll, sich gegenüber all diesen Obergruppen »normal« zu benehmen, d. h. von ihnen allen, sowohl in ihrer Gesamtheit wie einzelweise, als »normal« anerkannt zu werden, so sind diese angeblich verträglichen Wertgebiete heute infolge der allgemeinen Wertzersplitterung bereits derart weit voneinander abgerückt, daß das Individuum – mag auch sein eigenes Realitätsschema zweifelsohne eine erstaunlich große, ja, maximale Gewissenselastizität besitzen – sich in unausgesetzter Gefahr schwerster Gewissenskonflikte befindet: das Phänomen des

»abnormen Verhaltens« benötigt heute keineswegs mehr so krasse Beispiele, wie es das des Lords ist, welcher als Prince Egalitée in die kommunistische Partei eintritt, nein, dies wäre heute ein viel zu billiges Beispiel, billig in seiner Rekursion auf die »natürliche« Opposition zweier Gruppenbegriffe, wie es Kommunismus und Kapitalismus sind, nein, die Wertrelativierung ist heute schon weit darüber hinausgeschritten, und es sind Wertgruppen, welche früher als »verträglich« gegolten hatten, beispielsweise Kirche und Staat, in einen Zustand von Unverträglichkeit getreten, der es dem Individuum schier unmöglich macht, den autonom gewordenen und daher mit Totalitätsanspruch behafteten Normen zweier solcher Gruppen gleichzeitig zu gehorchen; als bestes Beispiel hiefür wäre das des conscientious objectors anzuführen, der im Konkurrenzkampf der beiden Obergruppen sich für den Totalitätsanspruch seiner Religion entscheidet, also innerhalb eines kriegshandelnden Staates zum fifth columnisten wird, und hiefür vom Staate zwar widerwillig, aber folgerichtigerweise (– der Staat darf Religionsgehorsamkeit nicht als »Irrsinn« bezeichnen, obwohl er dies viel lieber täte –) als »Verbrecher« behandelt werden muß.

Im autonomen Wertgebiet ist der »Wahn«, so weit er als religiöser, als nationaler, als ökonomischer Wahn das jeweilige Wertgebiet selber hypertrophiert, von diesem unkontrolliert und unkontrollabel, hingegen ist im Wertrelativismus jeder Wahn über-kontrolliert. Wir haben uns hier, wo es sich um die objektive Diagnostizierbarkeit des Irrsinns handelt, noch nicht darum zu kümmern, wie weit diese beiden polaren Sachverhalte als Basis medizinischen Irreseins zu gelten haben werden, es kommt also auch nicht gerade darauf an, daß die Zerrissenheit, die dem Individuum im Wertrelativismus auferlegt ist, zumindest zu einer Förderung der Neurosenerscheinungen im letzten Jahrhundert geführt haben dürfte, weil das Wissen um die Konstatierbarkeit des »abnormen« Verhaltens, zu dem man gezwungen ist, den Gewissenskonflikt für den angeblich »Abnormen« nur noch steigert und zumeist eine Verstärkung seiner Abnormalität nach sich zieht; doch es kommt darauf an, zu wissen, daß die Unerträglichkeit dieses Gewissenskonfliktes, daß die fürchterliche Wert-Unsicherheit, in die das Individuum geworfen ist, dieses zum eigentlichen Träger des jetzigen Weltgeschehens macht, zum Träger eines Gesamtwahnsinnes, der dem

Individuum als solchem unerfaßbar erscheint und den es doch, kraft innern Gesetzes, gewißermaßen freiwillig akzeptieren, ja, darüber hinaus, wollen muß.

Man muß sich nämlich darüber klar sein, daß das heutige Weltgeschehen nicht nur als letzte Phase des Wertzerfalls, sondern auch als erster Versuch zur Wiedergewinnung eines Zentralwertes betrachtet werden muß. Der Vorgang ist ein realpolitischer, und er setzt daher nicht einen utopischen Zentralwert, welcher einstmals den gesamten Erdkreis zu organisieren und alle sozialen Zwischen- und Untergruppen zum Verschwinden zu bringen haben wird, der Vorgang strebt keinen Gottesstaat an, sondern rechnet mit der Realität, um von dieser aus zu einer »Vereinheitlichung« der Welt zu gelangen. Die heutige soziale Gruppenbildung, wie sie aus unzähligen Gründen geographischer, historischer, rassenbiologischer, ökonomischer, kultureller Prägung oder sonstwelchen Ursprunges, nun einmal vorliegt, kann trotz allem Wertrelativismus realpolitisch nicht aus der Welt getilgt werden: es war stets ein (mehr oder minder bewußt gehandhabtes) Prinzip der Realpolitik gewesen, allenthalben die bestehenden Gesellschaftsformen strukturell anzuerkennen, sie aber als Bausteine für das eigene politische Gebäude, welches staatlich oder sonstwie errichtet werden soll, zu verwenden, m. a. W., sie zu Bausteinen einer neuen Obergruppe zu machen. Dies ist eine grundlegende Differenz in der Entstehungsgeschichte der heutigen Totalitarismen: die russische Revolution wollte tatsächlich den neuen Gottesstaat unter Vernichtung aller störenden Zwischengruppen aufbauen, während die Fascismen sich darauf beschränken, diesen Gruppen ein neues gemeinsames Wertsystem, eine gemeinsame »Moral« aufzuzwingen, kurzum sie gleichzuschalten. Die Macht zu solcher Gleichschaltung aber kann nur vom realen irdischen Machthaber, also vom Staate ausgehen, und so muß es den Fascismen vom realpolitischen Gesichtspunkt aus als gesunde Logik angerechnet werden, daß sie die Staatstotalität in den Mittelpunkt ihres Wertsystems gestellt haben; die Folgerichtigkeit dieses Vorganges kann an der parallelen Wendung der russischen Haltung ermessen werden. Ist aber einmal die Staatstotalität an die Spitze des Wertgebäudes gestellt, dann ist auch der nächste Aktionsschritt automatisch vorgezeichnet, ja, unausweichlich: mit rein geistigen Mitteln, wie sie von der katholischen Kirche, nicht eben immer freiwillig, verwendet worden sind, läßt sich keine neue Werttotalität inaugurieren, vielmehr weist eben das Wesen des Staates darauf hin, daß die neue Wertorganisierung der Welt zuerst einmal auf geographischem Weg durch Ländereroberung und Länderniederwerfung angebahnt werden müsse, und daß man das Schicksal der Kultur und der Humanität inzwischen ruhig sich selbst überlassen dürfe, ohne Rücksicht auf die Gefahr ihres völligen Unterganges im Zuge des begonnenen Grauengeschehens.

Wir wissen nicht, wohin dieses Geschehen führen wird; es mag sein, daß es die letzte Anarchie bedeutet, es mag sein, daß es sein Ziel eines neuen zentralen Weltsystems in irgend einer Form erreicht; und es mag auch sein, daß es bloß als Weckruf für die Menschheit notwendig war. Aber wir sehen bereits, daß es in seinen Methoden alle Formen des hypertrophischen Wahnes verwendet, die ansonsten – eben etwa im ausgehenden Mittelalter – erst am Ende einer Epoche zentraler Wertgebung steht, und fast ließe sich daraus der Schluß ziehen, daß auf dem eingeschlagenen Weg kein neues echtes Wertsystem, sondern bloß ein Mimikry-System zustande kommen werde. Für das Individuum ist dies allerdings für den Augenblick gleichgültig: es muß seiner seelischen Zerrissenheit entgehen, und die ihm von den totalitären Methoden gegebene Erlaubnis, in einen hypertrophischen Wahn hineingleiten zu dürfen, ist ihm wie eine Beruhigung, ist ihm wie eine Hoffnung auf eine gesichertere Welt, ist ihm ein Festpunkt, für das ihm Mord und Gegenmord kein zu hoher Preis dünkt.

6. Die Suche nach »objektiven« Wahnkriterien

Fast also ließe sich behaupten, daß die Menschheit und die Menschheitsgeschichte für ewig zwischen zwei großen Wahnsystemen hin- und herpendeln werde müssen, zwischen dem Wahnsystem der autonomen Werthypertrophie und dem der relativistischen Wertzerrissenheit. Oder sie wird dies so lange tun müssen, so lange sie kein objektives Kriterium zur Erkennung wahnhafter Zustände an der Hand hat: weder die Wertautonomie, noch der Wertrelativismus aber sind imstande, ein derartiges objektives Kriterium zu liefern, und dies macht die Lage recht eigentlich verzweifelt, da – wie gezeigt – alle Kriterien für geistige Erkrankung lediglich aus dem »Verhalten« zur

Umwelt zu gewinnen sind. Auch das »ethische« Element, welches bei der Struktur und der Beurteilung menschlicher »Haltung« (und damit auch für die Geisteskrankheit) von so ausschlaggebender Bedeutung ist, verweigert hier weitere Auskunft oder tieferes Eindringen, denn wenn man selbst das »Glück der Gesamtmenschheit« zu den material-ethischen Regulativen zählen wollte, so wird man von den hypertrophischen Wahnformen, die gerade dem autonomen sozialen Gebilde, also erst recht der »Menschheit« eigentümlich sind, bald eines Bessern, oder richtiger Schlechtern belehrt.

Der einzige Ansatzpunkt, welcher hier einige Hoffnung auf »Objektivität« offen läßt, ist die Feststellung der »Haltung im Sozialen« an sich, da diese unverrückbar im Mittelpunkt all dieser Überlegungen steht. Gelingt es, eine wirklich gefestigte Phänomenologie der Haltung, oder besser noch der »Wert-Haltung« überhaupt zu liefern, so kann damit ein Ansatz zum »objektiven Kriterium« der Geisteskrankheit geschaffen werden.

Welche Bedeutung ein solches Ergebnis für die Einschätzung des Massenwahnes und für die Gestaltung der heutigen Politik hätte, braucht hier nicht ausgeführt zu werden.

Kapitel 2:
Phänomenologie der Dämmerzustände in der Masse.
MASSENWAHNTHEORIE (1939 und 1941) [I][1]

Auf dem ganzen bisherigen Problemweg durch die Gebiete der Staatstheorie, der Politik und der Wirtschaft hat es kaum eine einzige Strecke gegeben, auf der wir nicht Fragen der Massenpsychologie begegnet wären.

Daß der Massenpsychologie ein solch zentraler Platz in der heutigen Welterkenntnis zugemessen werden müsse, war mir schon seit langem klar, freilich zuerst nur als Vermutung. In meine 1937 verfaßte Völkerbundarbeit[2] hatte ich den Wunsch nach einem Institut zur Erforschung von Massenwahnerscheinungen aufgenommen, denn es wäre die Pflicht des Bundes als Hüter des Weltfriedens gewesen, all die von den Diktaturen propagandistisch entfesselten, wahnhaften Aggressionen – der Antisemitismus war bloß ein Beispiel unter vielen – höchst wachsam zu verfolgen, da sie allesamt bereits den Keim zu Friedensstörungen in sich trugen. Dies gilt heute – obzwar oder weil wir uns nun im Kriege befinden – wohl ebensosehr, wie es damals gegolten hatte. Doch über dieses Gebiet praktischer Anwendbarkeit hinaus hat sich meine Vermutung von der zentralen Stellung der Massenpsychologie für die politische Erkenntnis immer mehr erhärtet, ja, eigentlich vollinhaltlich bestätigt.

Meine Untersuchungen hiezu waren wiederum vom Geschichtsrelativismus ausgegangen, und zwar von den Fragen: Wie ist es möglich, daß immer wieder offenkundige, von jedermann einsehbare Unwahrheiten zu Wahrheitswürde aufsteigen können, um sich in solcher Würde, wenn auch nicht dauernd, so doch für sehr lange Perioden zu behaupten? Wie ist es möglich, daß offenkundige Wahnsinnshaltungen und Anormalitäten für lange Perioden als »normal« gelten konnten und wahrscheinlich immer wieder dies tun werden? In diesen Fragen war bereits die Aufforderung enthalten, auch für sie – genau so wie es für die Frage nach der Existenz absolut gültiger »Werte« in meiner Werttheorie geschehen war – nach objektiven Kriterien zu fahnden, welche für die Phänomene des »normalen« und »anormalen« Verhaltens zur Anwendung gebracht werden können. Für physische »Gesundheit« und »Krankheit« werden derartige Kriterien ihrem Material gemäß von Biologie und Medizin geliefert: für geistige Erkrankungen sind solch empirisch-objektive Kriterien nicht vorhanden, und dies hat zur Folge, daß zur Klärung auf eine erkenntniskritische Phänomenologie dieser Begriffe zurückgegangen werden muß.

Die Antwort, welche da von der Erkenntniskritik erteilt wird, erscheint mir bedeutsam genug: wiederum auf das Schema der »offenen« und »geschlossenen« Erkenntnissysteme im Gebiete des Denkens, resp. auf die analogen Wertsysteme im Gebiete menschlicher »Haltungen« zurückgehend, kann gezeigt werden, daß den ersten stets »normales«, den letzten jedoch stets »abnormes«, d. h. wahnbehaftetes Verhalten zugeordnet werden darf. Soweit ich dieses Ergebnis an der psychopathologischen Literatur kontrollieren konnte, scheint die Kategorisierung mit der medizinischen Beobachtung in Einklang zu stehen. Allerdings, unbeschadet allen Entdeckerehrgeizes würde ich nicht zu behaupten wagen, es müßte nun das Einteilungsschema nach geschlossenen und offenen Systemen auch als diagnostisches Instrument verwendbar gemacht werden können; es ist bloß eine erste Kategorisierung, wenn auch eine mit einigem Wahrscheinlichkeitsgehalt, und soll daher vorderhand auch nur dazu dienen, für das »psychische Modell«, in dem die Wahnerscheinungen ihren Platz haben, ein erstes Gerüst zu errichten.

Der »Irre« ist demnach derjenige, welcher mit seinem ganzen Denken und Gehaben ohne Rücksicht auf die Umweltsrealität sich in seinem streng subjektiven, in sich abgeschlossenen Wertsystem bewegt. Schwieriger und hypothetischer ist der gegenteilige Nachweis, nämlich daß der sogenannt »seelisch Gesunde« (der ja als Idealbild selber schon hypothetisch ist) sich nach einem offenen System entwickle, d. h. eine »wachsende Persönlichkeitsentfaltung« darstelle, die in der Richtung zunehmender Seinserkenntnis, also ebensowohl in der einer objektiven Erkenntnis der äußern Welt wie in der des eigenen Ichs, vor sich zu gehen habe. Ob nun aber so oder so, in beiden Grenzfällen wird vom Beobachter vor allem der Maßstab der »Vernünftigkeit« angelegt werden: der »Irre« hat für ihn die »Vernunft verloren« (obwohl der Irrsinn in seinem geschlossenen System überaus logisch handelt, ja, sogar hypertrophisch logisch auftritt), und der »Normale« zeigt sich als derjenige, in dessen Gehaben nichts »Unvernünftiges« nachzuweisen ist (obwohl diese Vernünftigkeit sich eigentlich nicht auf das Rationale allein bezieht, sondern auch auf »irrationale« Momente, wie sie z. B. schon im Phänomen der Persönlichkeit und der Persönlichkeitsentfaltung enthalten sind). Und Ähnliches wie für das Individuum gilt auch für Gemeinschaften von Individuen, die zu einheitlichem Wertverhalten sich zusammengetan haben.

Eine Gemeinschaft ist jedoch nicht bloß eine Multiplikation von Individuen, die miteinander ein gemeinsames Wertsystem pflegen. Nicht nur, daß es dem ethischen Gehalt eines jeden echten Wertsystems entspricht, auf das Leben in einer sozialen Gemeinschaft ausgerichtet zu sein, es ist in dieser noch außerdem ein spezifischer Wert enthalten, ohne den eine Gemeinschaft nicht denkbar wäre, obwohl er nicht zu ihren eigentlichen Systemwerten gehört: der zusätzliche Wert, um den es sich da handelt, ist das »Gemeinschaftserlebnis«, und daß es – in dem hier vorgetragenen Sinne – mit Fug als Wert und Werterlebnis bezeichnet werden darf, kann an der »ekstasierenden« Wirkung bemerkt werden, von der es, wo immer es auftritt, begleitet wird. Und mit gleichem Fug läßt sich behaupten, daß dieses Gemeinschaftsgefühl »irrational« sei, ebenso irrational wie das Werterlebnis in der »Persönlichkeitsentfaltung«, zu der es gewissermaßen ein Gegenstück abgibt. Denn wie immer man sich ein ideal offenes Wertsystem ausdenken will, es ist auf rationalen »Pflichten« basiert, auf die Pflicht zur Wahrheitserkenntnis, auf die Pflicht zu einem bestimmten sozialen Verhalten usw., und wenn auch die Pflichterfüllung als »Tugend« gilt, so ist diese Tugend nicht minder rational, sie hat mit den sie begleitenden Gefühlen nichts zu schaffen, ja, sie wird von diesen, mögen sie noch so positiv sein – man hat Gott zu lieben, unabhängig von der Beglückung, die man hiedurch empfindet –, ethisch sogar beeinträchtigt; so stehen auch die Gemeinschaftsgefühle als »Irrationalitäten« außerhalb des vom System vorgesehenen rationalen Tugendkreises, um so mehr als diese Gefühle an sich nicht unbedingt an soziale Tugenden gebunden sind, sondern auch in »tugendentblößten« Gemeinschaften, etwa in einer panikisierten Menge (– das absolut Geschlossene des radikalen Irrsinns kennt überhaupt keine sozialen Tugenden –) auftreten können, also sozusagen als reinste Form eines irrationalen Gemeinschaftswertes.

Allerdings, diese Art der Irrationalität ist keine absolute, d. h. sie gilt bloß in eingeschränktem Maße, denn weder wird sich das gesunde Individuum durch das mehr oder minder offene Wertsystem, in dem es lebt, seine Persönlichkeits- und Gemeinschaftsgefühle verbieten lassen, noch sind diese so irrational, daß sie unerklärbar wären: es ist im Gegenteil durchaus klar, daß sich das Individuum beruhigter und sicherer fühlt, wenn es sein eigenes Wertsystem in dem der Gemeinschaft multipliziert wiederfindet, gleichsam als eine bereits vollzogene »Formung« der Außenwelt, gleichsam als eine ihm bereits von vorneherein geschenkte »Erweiterung« seines Ich, kurz, eben als jene Ich-Erweiterung, von der alle ekstasierende Wirkung und sohin auch die des Gemeinschaftsgefühls ausgeht. Hiezu gesellt sich ferner die »Enthemmung« und Zweifelbefreiung, wie sie sich stets als notwendige Folge aus der Multiplikation des eigenen Wertsystems ergibt: je weiter entfernt, je »unsichtbarer« das

Ziel eines Wertsystems ist – und gerade bei offenen Wertsystemen, die eben nur ewiges Hinstreben und ewiger Fortschritt sind, liegt das Ziel in unerreichbar unendlicher Entfernung –, desto tiefer, ja verzweifelter wird des Menschen Zweifel an dem unsichtbaren, von ihm bloß erahnten Ziel, desto eher fühlt er sich »von Gott verlassen«, desto mehr steigt sein Bedürfnis nach Zweifelbefreiung, und gerade diese findet er in der gleichgerichteten Gemeinschaft, da diese all die individuellen Ahnungen der Gemeinschaftsmitglieder zu einem metaphysischen Wissen des Zieles zusammenschließt, zur Glaubensgewißheit einer Religionsgemeinschaft. Sogar noch in den niedrigsten und flüchtigsten Gemeinschaften, wie z. B. in der entfesselt sadistischen Kriminalität einer Lynchhorde, ist – hier als Abschüttelung des Gesetzesverbotes – das ekstasierende Moment irrationaler Zweifelbefreiung zu entdecken. Daß es bei dieser wie bei jeder »Enthemmung« noch außerdem starke sexuelle Nebenmotive gibt, braucht nicht eigens erwähnt zu werden; sie schwingen in jedem Gemeinschaftserlebnis mit, und besonders in ihrer mystischen Übersteigerung, wie etwa im uralten Glauben an die einigende Kraft des »Blutes«, sind sie befähigt, der Gemeinschaft einen letzten Irrationalwert zu verleihen.

Irrationalwerte können entweder als echte »Zusatzwerte« zu einem bestehenden Rationalsystem, ohne daß dieses dafür geändert zu werden braucht, hinzugefügt werden, oder aber sie zerstören diese System-Intaktheit, d. h. sie fordern, daß ihnen zuliebe auf Teile des Rationalsystems verzichtet werde; auf der einen Seite läßt sich von einem »Irrationalgewinn«, auf der andern Seite von einem »Rationalverlust« sprechen, etwa – um im Bereich der irrationalen Gemeinschaftserlebnisse zu bleiben – vom Irrationalgewinn in einer metaphysisch-religiösen Gemeinde und vom Rationalverlust in einer Lynchhorde. Es hängt also von der Rationalstufe ab, auf welcher sich ein Individuum befindet, ob zu einem Irrationalerlebnis »aufgestiegen« oder »abgestiegen« wird; für den Primitiven kann der Blutmythos einen Irrationalgewinn bedeuten, für ein Kulturvolk, das bereits einmal der Humanität verpflichtet gewesen war, bedeutet er einen Rationalverlust. Neben diesem offenkundigen Relativismus besteht jedoch, nicht minder offenkundig, auch eine objektive Rangordnung der Irrationalwerte, und zwar liegt diese gleichfalls in jener Skala, die sich vom radikal geschlossenen zum radikal offenen System hinspannt, denn es ist klar, daß zwischen den jeweiligen Systemstrukturen und den verschiedenen Irrationalwerten gewisse »objektive« Affinitäten existieren, so etwa zwischen offenen Strukturen und metaphysisch-religiösen Werten, während solche sadistisch-primitiven Charakters zweifelsohne eher den geschlossenen Systemen zuzuordnen sind. Und da die irrationale Ekstaseverlockung stets stärker als die rationale für den Menschen ist, so ist es zumeist ihr zuzuschreiben, daß der Mensch, trotz seiner Trägheit, nicht dauernd in dem ihm angestammten oder sonstwie ihm zugeteilten Wertsystem verharrt, sondern, im Sinne jener Rangordnung, manchmal zu »höheren« Systemen »bekehrt« oder zu »niedrigeren« plötzlich »depraviert« werden kann. Es erscheint durchaus erlaubt, in das Schema dieser beiden psychischen Bewegungsrichtungen eben auch die massenpsychischen Bewegungen einzutragen, und insbesondere darf das Phänomen des Massenwahnes mit dem des »Abstieges« und der »Depravierung« zu niedrigeren Wertstufen der Systemskala identifiziert werden; Massenwahn steht stets unter dem Zeichen eines Rationalverlustes zugunsten eines irrationalen Gemeinschaftserlebnisses, welches in einem Wertsystem von engerer Geschlossenheit zu lokalisieren ist.

Wenn das Individuum in seiner Suche nach Werterlebnissen in den Bereich niedrigerer und billigerer Ekstaseformen gerät, also etwa in die des Rausches und seiner verschiedenen Abarten, so kann es in einer überwiegenden Zahl der Fälle zumindest teilweise für solche Depravierung verantwortlich gemacht werden; der Wertverlust, der sich damit ausdrückt, ist ein »Vergehen« gegen das Wertsystem, dem das Individuum angehört oder »von Rechts wegen« angehören soll, oftmals sogar ein kriminelles Vergehen, und es wird daher vom System aus, d. h. von der systemtragenden Gruppe, zumeist auch auf die eine oder andere Weise »bestraft«. Diese »Bestrafung«, die sehr scharf sein kann, solange es sich lediglich um vereinzelte Fälle handelt, wird jedoch zunehmend gelinder, je mehr Personen den Weg der Abirrung beschreiten, kurzum, je massenwahnartiger die Abirrung wird. Und dies hat seinen guten Grund: nicht nur, daß es technisch schwer möglich ist, hunderte von Menschen, geschweige denn tausende, gerichtsmäßig oder sogar nur

durch »Verachtung« zu bestrafen, es wird auch allgemein gefühlt, daß das »Irregehen« größerer Menschenmassen nicht
mehr als individuelle Verfehlung betrachtbar ist, sondern
daß man hier nach der Unabweislichkeit einer allgemeinen
Verursachung fragen muß. Derlei Verursachungen gibt es immer, sogar der individuelle Trunksüchtige wird durch bestimmte Ursachen in sein Laster getrieben, und wenn man mit
einer etwas kursorischen, dennoch nicht unbegründeten Sim-
plifikation vom Individuum auf die Allgemeinheit schließen
will, so wird man von dieser – und zwar, wie die Tatsachen zeigen, mit Recht – erwarten dürfen, daß auch sie als Kollektivum
durch gewisse Unsicherheits- und Minderwertigkeitsgefühle
zur Auflassung ihres Rationalstandards und zur Aufsuchung
von Rauschzuständen (die beinahe in allen Massenwahnphänomenen nachweisbar sind) bewogen wird. M. a. W., es sind vor
allem »wertgefährdete« Menschen, welche am widerstands-
losesten und raschesten von einem Massenwahn ergriffen werden, Menschen, die entweder infolge ihrer eigenen Unfähigkeit
oder infolge der Mängel des Wertsystems ihrer Lebensumgebung – ob das eine oder das andere »schuldtragend« sei, ist eigentlich gleichgültig – ihren Platz im System, sei es nicht finden
konnten, sei es verloren haben, und die hiedurch sowohl
ökonomisch wie sozial wie seelisch in schwerste Unsicherheit
gestürzt sind; das Gespenst der vollkommenen Wertlosigkeit –
und hoffnungsloser Wertverlust bedeutet immer Panik – steht
hinter diesen Menschen, und aus solcher Panik heraus führt eigentlich kein anderer Weg als der zu einer »Ersatzgemein-
schaft«, zu den Ersatzekstasen unmittelbarer Affektbefriedi-
gung, besonders wenn sich ein »Führer« zu solchem Weg findet,
denn niemand ist führungssüchtiger als der panikisierte
Mensch.

Dies sind durchaus wohlvertraute Erscheinungen, und ihre
Symptome können an jeder Lynchhorde, doch nicht minder am
pogromistisch gewordenen deutschen Volke studiert werden;
trotzdem geben sie bloß eine Hälfte des Gesamtbildes: denn
daß die Individuen, welche sich zum Massenwahn zusammen-
schließen, durch innere Insuffizienz hiezu bemüßigt werden,
daß sie mit der Realität ihrer Wert-Umgebung nicht zurecht-
kommen, daß sie unter Panikwirkung stehen, all dies darf als
spezifisch neurotisches Gehaben angesprochen werden, und

der – wiederum etwas simplifizierte, dennoch wiederum recht begründbare – Schluß, welcher sich daraus ziehen läßt, besagt, daß der moderne Massenwahn (– und dies erklärt auch in einem tiefern Sinn den deutschen Haß gegen Sigmund Freud –) vorwiegend als Massenneurose in Erscheinung tritt; doch man braucht daneben bloß eine Gestalt, wie es Hitler selber ist, zu betrachten, um zu wissen, daß dieses ganze Geschehen keineswegs nur als ein ausschließlich neurotisches aufgefaßt werden darf, sondern als eines, in dem starke psychotische Einschläge gewissermaßen als Grundveranlagung mitspielen, und hieraus ergibt sich die Vermutung, daß es neben der heutigen Form des Massenwahns auch andere Formen geben müßte, nämlich solche, in welchen statt des neurotischen das psychotische Element als das offenbar ursprünglichere rein zum Ausdruck gelangt. Eine Annäherung an dieses Problem muß wohl wiederum von dem der Wertstruktur aus gesucht werden.

Sowenig es unter den Sterblichen eine absolute Gesundheit gibt, sowenig dürfte es auf Erden ein wirklich absolut offenes Wertsystem geben; nicht einmal das Erkenntnissystem der Mathematik kann solche Würde voll in Anspruch nehmen. Demnach würde in jedem noch so »offenen« Wertsystem (und wahrscheinlich bereits in seinen Axiomen) immer auch ein Stück »Geschlossenheitsstruktur« eingebaut sein, und diese Annahme scheint sich in der durchgängigen (und anders eigentlich kaum recht erklärbaren) Tendenz aller Wertsysteme, sich »abzuschließen«, auch ziemlich einwandfrei zu bestätigen. Soferne nun aber die Geschlossenheit eines Systems tatsächlich mit seiner Wahnhaftigkeit identifiziert werden darf, so ist das Stück »Geschlossenheitsstruktur« zugleich ein in jedem Wertsystem steckendes Stück durchgängiger Wahnhaftigkeit. Und da Wertsysteme als das ureigenste Werk und damit als der getreueste Spiegel der Menschenseele zu gelten haben, mehr noch, als der selbstgeschaffene Lebensraum des Menschenkollektivs, das im Grunde überhaupt an nichts anderem als an seinen Wertsystemen zu erkennen ist, so ist durchaus zu folgern, daß in deren Wahnbehaftung sich eine ebenso durchgängige Wahnveranlagung des Menschengeschlechtes ausdrückt. Damit ist das Problem lokalisiert, so daß die weitere (und nicht nur terminologische) Frage aufgeworfen werden kann, ob jene durchgängige, wennzwar bloß partielle, dennoch ursprüngliche

Wahnbehaftung des menschlichen Kollektivs eine unteilbar einheitliche sei, oder ob sie sich in eine psychotische und eine neurotische Komponente zerlegen läßt; dies setzt allerdings eine definitorische Klärung der beiden Begriffe voraus, und hiezu soll (ohne Rücksicht auf die fluktuierende Grenze zwischen ihnen, also auch ohne Rücksicht auf die vielfältigen Mischformen) aus der Fülle der Unterscheidungsmerkmale lediglich ein einziges herausgegriffen werden, nämlich jenes, welches am Verhältnis des Neurotikers wie des Psychopathen zur Außenweltsrealität – beide befinden sich mit ihr im Konflikt – abgelesen werden kann: der Konflikt des Neurotikers besteht in einem richtigen Kampf, den er unausgesetzt mit der innern und äußern Realität zu führen hat, um diese im Sinne seiner Realitätsinsuffizienz zurechtzubiegen, und wenn er, wie dies fast immer der Fall ist, in diesem Kampf nicht obsiegt, sondern eine Niederlage erleidet, so wird er zum panikisierten Flüchtling, zum Flüchtling in eine andere, d. h. rationalärmere und niedrigere Wertrealität und unter Umständen sogar in völlige Apathie; der Psychotiker hingegen weiß nichts von seiner Realitätsinsuffizienz, er weiß nichts von Realitätsunsicherheiten und Realitätsanpassungen, vielmehr fühlt er sich in seinem eigenen (eben psychotisch geschlossenen) Wertsystem vollkommen sicher, und sein Konflikt mit der Realität ist daher nicht ein »Kampf« wie der des Neurotikers – auch der Amokläufer kämpft nicht –, sondern ist ein unaufhaltsames Weiterschreiten im eigenen Wertsystem, das unbekümmert um jegliche Realität weiter und weiter wuchert, unbekümmert um Sieg oder Niederlage. Gewiß, manche Züge, die damit den Psychosen zugeteilt werden, finden sich mehr oder minder ausgeprägt desgleichen bei Neurosen vor, indes im großen und ganzen darf die Unterscheidung ihre Richtigkeit behaupten, und unter diesem Gesichtswinkel scheint das Stück »Geschlossenheitsstruktur«, das allen Wertsystemen innewohnt und sich immer wieder zur Geltung bringt, weit eher als psychotisch denn als neurotisch angesprochen werden zu dürfen. Doch um diese Begriffe wirklich zu klären und der ganzen Einteilung einen konkreten Gehalt zu verleihen, muß die seelische Mechanik der Massen konkret beobachtet werden, und dies kann bloß an ihrer geschichtlichen Entwicklung geschehen.

Die Grundstruktur eines jeden Wertsystems ist logisch, wenn auch nicht immer rational; ein System gewinnt erst dann rationalen und damit offenen oder zumindest halboffenen Charakter, wenn seine Logik (unter Verwendung gewisser Auswahlprinzipien) zur Bewältigung der Realität verwendet wird, und zwar ebensowohl der äußern wie der innern Realität. Dieser Vorgang vollzieht sich stets im Sozialen, kann sich bloß im Sozialen vollziehen, d. h. mit Hilfe einer Gruppe, welche dem Wertsystem konkrete Hilfe angedeihen läßt und damit zur Realitätsbewältigung verhilft. Und es gibt wohl keinen Sterblichen, geschweige denn eine Gruppe von Sterblichen, die nicht trachten würden, mit einer einmal gelungenen Realitätsbewältigung ein für allemal das Auslangen hienieden zu finden: dieses Gesetz des kleinsten Kraftaufwandes, das man auch das einer gesunden Faulheit nennen dürfte, hat zumindest fürs erste noch nichts mit Psychose oder Neurose zu tun, obwohl hinter aller Faulheit stets die Gefahr einer mehr oder weniger depressiven Lethargie lauert. Vielleicht läßt sich da sogar von biologischen Notwendigkeiten sprechen, denn immer wieder zeigt es sich, wie Wertsysteme und Kulturen, besonders jedoch solche »geschlossenen« Charakters, lethargisch werden und sich zum Sterben anschicken; es ist ein gänzliches Versagen aller physischen und psychischen Widerstandskraft – man denke an die zentralamerikanischen Kulturen –, so daß es kaum entscheidbar wird, ob es sich da um einen biologisch bedingten Tod oder aber um eine Art psychotischen Massenselbstmords handelt. Doch dies ist eine Endphase, die kaum mehr den Massenwahnphänomenen in dem hier verstandenen Sinne zuzuzählen ist. Als Anfangsphase hingegen hat die »Faulheit« des Menschen zu gelten, denn sie ist die erste Hemmung in der möglichen Weiterentwicklung des Systems, sie ist der erste Anlaß zur Überführung der offenen in eine geschlossene Struktur, und wenn auch der damit eingeleitete Prozeß letztlich zum Aussterben des Wertsystems, ja, sogar der werttragenden sozialen Gruppe leiten mag, es ist der zwischen Anfangs- und Endphase liegende Prozeß als solcher, in dem die Massenwahnphänomene liegen und aus dem heraus deren seelische Mechanik zu erhellen ist. Und gerade hiezu – nur das Rationale ist einwandfrei beobachtbar – ist die logische Struktur zu studieren, unter deren Leitung das System im Zuge seines geschichtlichen Verfallsprozesses steht.

Es darf daher angenommen werden, daß die innere Mechanik eines Wertsystems, soweit sie einwandfrei beobachtet (oder erschlossen) werden kann, mit seiner bewußten (oder unbewußten) Logik identisch ist. Die einzelnen Werthandlungen werden von dieser Logik teils vorgeschrieben, teils motiviert; m. a. W., jedes Wertsystem, selbst das des Irrsinnigen, besitzt – in einem sehr erweiterten Sinn – eine Art »Theologie«, und im geschlossenen System lehnt es diese Theologie ab, sich an der äußern und innern Realität zu kontrollieren oder gar durch ein anderes Wertsystem mit Hilfe der Realität kontrollieren zu lassen. Die Logik, welche die Wertnormung im System vornimmt, verteidigt überall und immer ihre Autonomie. Wenn also eine soziale Gruppe nach Herstellung eines geschlossenen Systems strebt, wie sie es eben stets tut, so stehen ihr zur konkreten Durchführung solchen Vorhabens prinzipiell zwei Wege, ein aktiver und ein passiver, zur Verfügung: entweder sie muß sämtliche andere Wertsysteme in ihrer Reichweite, sei es durch überzeugende Bekehrung, sei es durch brutale Gewalt, besiegen und sich selber einverleiben, oder sie muß sich gegen unüberwältigbare Außensysteme tunlichst hermetisch isolieren. Beide Wege sind in der Geschichte, sowohl in größeren wie in kleineren Ausmaßen – etwa bei der Schaffung der großen Religionsgemeinschaften oder der kleineren Sekten –, allerwärts auffindbar. Unter besonders günstigen Umständen vereinigen sich die beiden Wege; dies war im christlichen Mittelalter der Fall, als Europa sowohl spirituell wie geographisch zu einer streng in sich abgeschlossenen Einheit christlicher Wertnormung geworden war. Zwar waren die »laienhaften« Wertsysteme noch nicht endgültig unterworfen (und sie wurden es niemals), aber trotz dieser politischen und sonstigen Zerrissenheit der Laienwelt, nicht zuletzt im Kampfe gegen das Papsttum erkennbar, war das Rückgrat der europäischen Wertnormung nahezu ausschließlich von der katholischen Theologie gebildet; sie bildete den logischen Brennpunkt, auf den alle Werthandlungen des Menschen bezogen waren.

Eine autonom gewordene Theologie, also insbesondere eine solche, welche infolge Abschließung des Systems nicht über ihren ursprünglichen Axiomenkreis hinausschreitet und sich weigert, diesen zu erweitern, verfolgt eine einzige Aufgabe, nämlich sich deduktiv auszugestalten und sich logisch unangreifbar haltbar zu machen; es ist eine logische »Hypertrophie« in diesem Vorgang, denn er ist rein deduktiv, und die autonom gewordene Deduktion ist nicht nur gegen jegliche Realitätskontrolle gefeit, sondern treibt auch unaufhaltsam den unlösbaren Problemen ihrer Unendlichkeitsgrenze zu. Indes, dies ist noch nicht ausgesprochen wahnhaft, wenn auch vielleicht schon wahnbetont. Die eigentliche Wahnhaftigkeit tritt erst ein, wenn die Hypertrophie, ungeachtet ihrer Realitätsentfremdung, jedoch kraft der ihr nach wie vor zukommenden logischen Suprematie im System, diesem die praktischen Wertnormungen zur Bewältigung der (von ihr ignorierten) Realität vorschreibt: solange das System und seine Autonomie besteht, hat die systemtragende soziale Gruppe keine andere Wahl, als jene realitätsentfremdeten Normen zu akzeptieren, und in der Realitätsblindheit dieser Akzeptierung liegt das eigentlich Wahnhafte des Vorganges; eine soziale Gruppe, welche in sich realitätsfremde Normen ihrer Theologie konkretisiert, befindet sich in »Massenwahn«. Um hiezu im mittelalterlichen Beispiel zu bleiben: für die christliche Theologie war die Ketzertheorie von unabweislich logischer Notwendigkeit, da sonst das Böse und seine Anwesenheit in einer von Christus entsühnten Welt nicht erklärbar wäre, und aus der Umsetzung dieser deduktiv-logischen Überlegung in eine praktische Wertnormung, nämlich in die Aufforderung, nun auch wirklich die »teufelsbesessenen« Personen ausfindig zu machen, entstand der Massenwahn des Hexenglaubens mit seiner unausdenkbar gräßlichen Realitätsfeindlichkeit. Das Auffallendste an dieser Art von Phänomenen ist wohl ihre Unabhängigkeit von äußern Einwirkungen, etwa in ihrer Unabhängigkeit von der für den neurotischen Massenwahn unerläßlichen Schockwirkung durch panikisierende Momente wie Realitätsinsuffizienz und Realitätsunsicherheit, die zwar ihre wahnbefördernden Qualitäten niemals verlieren, hier aber keineswegs mehr unerläßlich sind, am allerwenigsten als Wahnauslösung; möge also auch die Mobilisation aller primitiv magischen Vorstellungen, wie eben im Hexenwahn, durchaus den Eindruck einer neurotischen »Flucht«, ja sogar eines »Absturzes« in ein anderes und niedrigeres Wertsystem von geringerem Rationalgehalt erwecken, es ist (– in einem autonomen, allseits isolierten Wertgebiet gibt es neben diesem überhaupt kein anderes Wertsystem oder Wertmaterial, es sei denn eben jenes, welches der Mensch seit seinen primitiv magischen Urzeiten in der Seele unverlierbar mit sich trägt –) ein falscher Eindruck, und weder kann von einer »Flucht«, noch von einer »Panik«, noch von einem »Rationalverlust« gesprochen werden, vielmehr wird der Rationalgehalt des Systems – jeder religiöse Wahn zeigt dies aufs deutlichste – durch die entfesselten Irrationalkräfte nicht nur nicht beeinträchtigt, sondern sogar intensiviert: es ist hier der Rationalgehalt schon vor dem »Absturz«, sozusagen aus Eigenem, zum Rationalverlust geworden, und zwar mit dem Augenblick, da er in realitätsentfremdete Hypertrophierung geraten ist, und hieraus resultiert jene merkwürdig unmittelbare Verbindung von logischer Strenge mit dunkelsten magischen Vorstellungen, jenes merkwürdig unmittelbare Herauswachsen affektbeladener dämonischer Irrationalität aus logischer Spitzfindigkeit, kurzum jenes Bild einer sich selbst zerstörenden, selber magisch gewordenen Ratio, das alle Züge einer Psychose aufweist und daher nur als solche zu agnoszieren ist. Die Bezeichnung »hypertrophischer Wahn« scheint für diese Psychosenstruktur nicht unangebracht, ebensowohl in Ansehung seiner Herkunft aus hypertrophierter Logik wie in Ansehung der empirischen Phänomene, insbesondere der des Massenwahnes, welche damit beschrieben werden sollen.

Die Vermutung einer allgemein psychotischen Veranlagung des Menschengeschlechtes scheint demnach einen nicht unerheblichen Wahrheitsgehalt zu besitzen. Ist dem aber so, dann wird es auch wahrscheinlich, daß die neurotischen Wahnformen, zumindest soweit sie als Massengeschehen auftreten, in erster Linie auf psychotischer Grundlage beruhen. Dies wird um so wahrscheinlicher, als die neurotischen Phänomene stets bereit sind, in psychotische umzuschlagen, nämlich dann, wenn sie sich an eine hypertrophierte Theologie von genügend großer Realitätsfremdheit – das wesentliche Merkmal der Psychosen – anlehnen können; ein neurotischer Panikzustand, wie es der des deutschen Volkes gewesen ist, hat durch die Beibringung der rassischen Theologie zweifelsohne psychotische Züge angenommen. Warum aber werden dann die offenbar weitaus ursprünglicheren psychotischen Formen doch immer wieder von neurotischen abgelöst? Wann treten die einen, wann die anderen in Erscheinung? Auch diese Fragen verweisen auf das Wertmodell, aus dessen Mechanik sie allein Klärung erfahren können.

Nochmals möge das mittelalterliche Beispiel benützt werden: durch nahezu drei Jahrhunderte hindurch, also etwa bis zum Anfang des 19. Jahrhunderts, vermochte die Menschheit nicht, sich des Mittelalters zu erinnern; als ob unter dem Eindruck eines schreckhaften Ereignisses eine Gedächtnislähmung sich vollzogen hätte, waren von der mittelalterlichen Größe, Schönheit und Vollkommenheit keinerlei Spuren geblieben, nichts als eine vage Erinnerung an eine dunkle Entsetzlichkeit, an ein »finsteres Mittelalter«, an eine Menschheitskrankheit, die man überstanden hatte und die niemals mehr wiederkehren sollte. Nun, derartige Gedächtnisauslöschungen in Ansehung unerträglicher Erinnerungen hat es in der Geschichte immer gegeben, und gleichwie das Individuum geradezu ausnahmslos bemüht ist, in sich die Erinnerung an einen überstandenen Irrsinnsanfall auszutilgen, so scheint hier – möge hiezu vorläufig die mystische Annahme eines Kollektivgedächtnisses erlaubt sein – der Irrsinnsdruck, welcher nicht nur in Gestalt des Hexenwahnes, sondern mit der ganzen Schwere einer durchgängigen, hypertrophischen Realitätsentfremdung auf dem Menschen des ausgehenden Mittelalters gelastet hatte, selbst für den späten Nachfahren noch so unerträglich gewirkt zu haben, daß er schaudernd die Augen seiner Erinnerung davor hatte schließen müssen. Dies umsomehr, als Renaissance und Reformation, obwohl der logische Bruch in den Grundlagen bereits vollzogen war, noch weiter unter den Nachwirkungen des Wahnes litten, nicht zuletzt infolge der Rückfälle, die durch die Gegenreformation erzeugt wurden; erst die »Aufklärung« – daher ihr Name – wurde als endgültige Liquidierung des Prozesses empfunden, als eine endgültige Wahnüberwindung, freilich ohne daß jemand geahnt hätte, daß damit der Zugang zu neuen Wahnformen eröffnet worden war. Oder richtiger, die Kirche hatte es geahnt, und dies erklärt ihre vielgeschmähte »Intoleranz« gegen den neuen »Laiengeist«, unter dessen Leitung der Prozeß der Wahnbefreiung gestanden hatte; die Wahnbefreiung war zugleich eine neue Wahnerweckung.

Denn wenn ein Wertzentrum – wie es das kirchliche für Europa gewesen ist – aufgelöst wird, beginnt der Prozeß der

»Wertzersplitterung«. Das heißt es zerfällt das bis dahin einheitliche Wertsystem in eine Reihe von Untersystemen, von denen jedes einzelne – nachdem die zentrale Theologie und Wertnormung verlorengegangen ist – nach Errichtung einer eigenen, sozusagen privaten Theologie, damit aber auch nach Absolutgeltung strebt. Die einzelnen Sozialgebilde, wie immer sie heißen mögen, Staat oder Religionsgemeinschaft oder Berufsgruppe oder sonstwie, entwickeln demnach jedes für sich selbständige und vielfach einander kontradiktorische Wertnormungen, die – solange sie nicht in den letztlich unvermeidlichen gewaltsamen Wertkonflikt ausarten – sich miteinander trotzdem irgendwie vertragen müssen, weil sie in der praktischen Realität ungeachtet der Auflösung des Wertzentrums nach wie vor aufeinander angewiesen sind, gewissermaßen als Wertgefüge ohne Wertzentrum. Innerhalb dieses Wertgefüges sind also soziale Untergruppen gezwungen, sich nach den kontradiktorischen Normen ihrer verschiedenen Obergruppen zu richten, damit die Wertverträglichkeit im Gesamtgefüge halbwegs in Balance gehalten werde, und da zumeist die Zahl der Obergruppen, denen eine Untergruppe angehört, umso größer wird, je kleiner die Untergruppe ist, so ist es vor allem das menschliche Individuum als solches (in seiner Eigenschaft als soziale Elementargruppe), das sich nach einer Maximalzahl der verschiedensten und kontradiktorischsten Wertnormungen zu richten hätte: die Normungen des Staates, der Nationalität, der Religionsgemeinschaft, des Berufes, sie stehen alle im Widerstreit innerhalb der Seele des Individuums, und wenn sich dieses nach der einen Normung »normal« verhält, so wird es für die andere »anormal« (z. B. der conscientious objector), ja, es kann in Beziehung zu ihr geradezu zum fifth columnist werden. Neben den konkreten Schädigungen, die sich für die Gesellschaft aus jedem Wertkonflikt ergeben – sogar ökonomische Schädigungen gehören dazu –, so daß schon von hier aus das Individuum seine Realitätsinsuffizienz und Realitätsunsicherheit erfährt, wird ihm diese nun auch noch, und zwar offenbar auch noch intensiver und daher eigentlich ausschlaggebend, durch die Gewissensqual zugemittelt, die sich notwendigerweise immer einstellt, wenn in Ermangelung zureichender objektiver Entscheidungsgründe zwischen zwei oder mehreren kontradiktorischen Wertnormungen gewählt und entschieden werden muß. M. a. W., die Realitätsinsuffizienz des Menschen, von der zuerst angenommen gewesen war, daß sie bloß hinsichtlich eines einzigen Wertsystems, nämlich das der jeweiligen Lebensumgebung, stattfinde und sich bemerkbar mache, findet in Wahrheit hinsichtlich einer ganzen Reihe, überdies einander bekriegender Wertsysteme statt; die neurotische »Flucht« in ein anderes und niedrigeres System ist also hier durch die Wertmechanik selber bedingt, da es gezwungen ist, sich in der Fülle der einander konkurrierenden Systeme zu entscheiden und dabei, wie es der menschlichen Natur, besonders unter dem Druck von Gewissensqual, eben entspricht, sicherlich jenes herausgreifen wird, welches die raschesten und billigsten Ekstasemöglichkeiten erwarten läßt. Gleichgültig, welche Formen diese neurotische Flucht annimmt – meistens trägt sie hysterischen Charakter, doch soll die Parallelisierung zwischen individueller und kollektiver Psychologie nicht allzu weit getrieben werden –, es ist die neurotische Massensituation so eng mit dem Prozeß der Wertzersplitterung verquickt, daß man im Gegensatz zum psychotischen »hypertrophischen Wahn« der Werteinheitlichkeit hier nun füglich von einem »Zerrissenheitswahn« als Massenneurose reden darf.

Im 19. Jahrhundert begann die Wertzersplitterung ihre Klimax zu erreichen, und aus der damit verbundenen seelischen Lebensunsicherheit (welche weit früher als die ökonomische eingetreten ist) begann sich das früher weitgehend unbekannt gewesene Krankheitsbild der Neurosen zu entwickeln, anfänglich vielleicht nur auf die Bourgeoisie beschränkt, jedoch bald – unter den mannigfachsten Gestalten – zu dem allgemeinen Zerrissenheitswahn anschwellend, dessen gespenstische Auswirkung wir nun erleiden und erleben. Bedenkt man, daß auch die vorangehenden Jahrzehnte des Fortschrittes, der Ruhe und des Friedens eben nur Jahrzehnte umfaßt haben, dabei selbst diese fortwährend gestört, und daß hievon nichts als eine unerträglich gewordene Wertzersplitterung übriggeblieben ist, die den Menschen zur Flucht in neue Selbstversklavung, in neue Hypertrophierung zwingt, weil dies die einzige ihm belassene Hoffnung zu sein scheint, um der auf ihm lastenden Entscheidungslähmung zu entrinnen und zu einer neuen, allerdings wiederum nur wahnhaften Werteinheit zu gelangen, so wird es beinahe schreckhaft klar, wie unentrinnbar die psychotische

Veranlagung der Menschheit ist, wie unentrinnbar die beiden Massenwahnformen, zwischen denen sie hin- und herpendelt, und daß sie solcherart, da das »Anormale« als »normal« angesprochen werden muß, niemals imstande sein wird, ihre Geschäfte unter der Leitung der Vernunft zu besorgen. Es ist, als ob die »normale Vernunft« niemals imstande sein sollte, jene Werteinheit zu schaffen, ohne die keine Kultur aufzubauen ist, daß sie also eine Verfallserscheinung ist, ein Vorbote des Zerrissenheitswahnes, der alle Errungenschaften bis auf den letzten Rest austilgen muß, damit in Begleitung entsetzlicher Qualen sich der Wiederaufstieg vorbereiten könne: dieses düstere Bild wäre, soferne es stimmt, die stärkste Legitimation für Hitler, – das Menschengeschlecht kann der ihm eingeborenen Wahnhaftigkeit nicht entrinnen und muß sie erdulden.

Kapitel 3:
Psychische Zyklen in der Geschichte.
MASSENWAHNTHEORIE (1939 und 1941) [II]

Im rationalen Bereich ist Unentrinnbarkeit mit Gesetzlichkeit zu identifizieren; man kann bloß dann Unentrinnbarkeit konstatieren, wenn ein Gesetz aufgezeigt wird, dem das Geschehen nicht zu entrinnen vermag.

Ein Geschehensgesetz muß demnach die Fähigkeit besitzen, den Verlauf seines Geschehens in gewissen Grenzen vorauszusagen. (Eine bloße »Auslegung« des Geschehens, wie es so viele »Geschichtsauffassungen« sind, ist eine bloße Spielerei des Geistes.) Nur an der Prophezeiungskraft innerhalb des real-empirischen Geschehens vollzieht sich die Verifizierung eines Gesetzes.

Die Marxsche Theorie z. B. hat sich auf einem bestimmten Feld des ökonomischen Geschehens, insbesondere auf dem der Kapitalskonzentration zweifelsohne als echtes historisches Gesetz bewährt. Eine nämliche Leistung muß also von jeder anderen Theorie gefordert werden, welche auf irgendeinem Geschehensgebiet, gleichgültig ob dieses ebenfalls das ökonomische oder aber irgendein anderes sei, mit dem Anspruch auf gesetzliche Geltung auftritt. Daß innerhalb des historischen Geschehens genügend Raum für weitere Determinationen vorhanden ist, kann gerade an der Marxschen Theorie, welche nicht einmal das Gebiet der ökonomischen Abläufe, mag sie dies auch nicht gerne zugeben, vollkommen bedeckt, recht deutlich gesehen werden. Insbesondere ist der sonderbare Zyklenablauf, der als »Wellenbewegung der Geschichte« seit alters her bekannt ist und auch im Ablauf der ökonomischen Krisen eine nicht zu unterschätzende Rolle spielt, kaum allein aus der Mechanik der Kapitalskonzentration heraus zu begreifen, sondern verlangt nach Zusatzgesetzlichkeiten, nicht zuletzt solchen, welche den massenpsychischen Faktor in diesen Geschehensteilen zu berücksichtigen imstande sind. Um nur einen, wenn auch nur verhältnismäßig kleinen Ausschnitt herauszugreifen, dessenungeachtet keineswegs unwichtig für das ökonomische Geschehen, sei auf das der Börsenspekulation verwiesen: die Börse, deren Privattheologie übrigens durchaus studierenswert ist, unterliegt zweifelsohne, ungeachtet ihrer praktischen Profitzwecke, fortwährend massenpsychischen Beeinflussungen, und wenn die Prosperityperiode vor 1929 mit ihrem mystisch-realitätsfernen Glauben an das Eigenleben der Aktie ausgesprochene Hypertrophiezüge zeigte, so sind die depressiven Ereignisse auf dem Anlagemarkt nach Wiederherstellung der Wirtschaftsrealität teilweise einfach auf neurotische Entscheidungslähmungen zurückzuführen. Womit freilich nicht gesagt sein soll, daß ein historisches Gesetz die Aufgabe oder die Möglichkeit hätte, Börsenkurse vorauszubestimmen.

Soweit die Sachlage überschaubar ist, darf angenommen werden, daß bei alldem ein »Gesetz psychischer Zyklen« am Werke ist, das seinerseits seine Begründung am werttheoretischen Modell des massenpsychischen Geschehens findet.

Die ausgehende Antike war mit allen Symptomen einer Wertzersplitterung ausgestattet gewesen. Nach verschiedenen mehr oder minder krampfhaften Versuchen, neue Wertzentren zu schaffen, Versuche, während welcher die kulturelle Selbstzerstörung teils aktiv, teils passiv unaufhaltsam vorgeschritten war, wurde endlich, ein wahrer Gnadenakt, mit dem Christentum wieder der Zugang zum offenen System einer echten Werteinheit gefunden. Es hat Jahrhunderte gedauert, bis aus dem Zerrissenheitswahn der sterbenden Antike sich die »Normalität« des Hochmittelalters und seiner neuen Kulturblüte entwickelt hatte, und nach dem darauffolgenden Hypertrophierungswahn mußten wieder Jahrhunderte vergehen, ehe die Humanität aufs neue ihre Herrschaft hatte errichten können.

Dies ist grob schematisiert, aber es fügt sich in eine Konstruktion, deren logische Mechanik als die eines echten Realitätsmodells, nämlich als die des Wertgeschehens angesprochen werden darf. Das »Gesetz psychischer Zyklen«, das darin zu vermuten ist, würde demnach folgende Phasen umfassen:

1. Herrschaft eines zentralen Wertes, unter dessen Leitung der Kulturaufbau erfolgt.

2. Zerfall des Wertsystems, und zwar sobald die Theologie des Systems bis zu ihren Unendlichkeitsgrenzen gelangt ist (Epoche des Hypertrophiewahns),

3. Wiederetablierung der Realität, und zwar ebensowohl der innern wie der äußern,

4. Übergang in Wertzersplitterung (begleitet vom Zerrissenheitswahn) und neue Suche nach einem zentralen Wert.

Zweierlei würde für die Unentrinnbarkeit dieses Phasenablaufes sprechen, nämlich erstens die Annahme einer durchgängig psychotischen Veranlagung des Menschengeschlechtes, durch welche dieses von einer Wahnphase in die andere getrieben wird, zweitens jedoch die dialektische Notwendigkeit, mit welcher eine Phase aus der anderen hervorgeht: das erste Argument ist bloß ein hypothetisches, da die psychotische Veranlagung nicht zu den Aufbauelementen des Wertmodells gehört, sondern bloß als ein hinter diesem wirkendes Movens angenommen wird, als ein Movens, das die Modellmechanik in Bewegung zu halten hat; hingegen ist das zweite Argument in seiner Dialektik keineswegs hypothetisch, sondern ausschließlich formal begründet, und auf Grund dieser Formalität würde es, eindeutige Schlüssigkeit vorausgesetzt, dem »Gesetz psychischer Zyklen« die Würde absolut logischer Unentrinnbarkeit verleihen.

Wie aber verhält es sich mit dieser logischen und dialektischen unbedingten Schlüssigkeit? Mit unbedingter Schlüssigkeit hatte sich der Hexenglauben aus der theologischen Spekulation ergeben, mit unbedingter Schlüssigkeit hatte die Dialektik des Hegelschen Dreischrittes zur materialistischen Revolutionstheorie geführt, an deren Ziel und Ende die logische Paradoxie eines letzterreichbaren absoluten Glückszustandes der

Menschheit steht, und wenn man all die Absurditäten bedenkt, die mit unbedingter Schlüssigkeit vom sogenannt reinen Denken ausgeheckt worden sind, so hat man alles Recht, an solcher Schlüssigkeit der logischen Spekulation einigermaßen zu verzweifeln. Dies beweist allerdings nichts gegen die Richtigkeit der Ansätze: das theologische Denken ist in seinem Ansatz »richtig«, und ebenso ist dies die Hegelsche Dialektik; es ist bloß die Hypertrophiegrenze überschritten worden, und zwar nicht zuletzt, weil alles Denken unaufhörlich von Nebenvorstellungen ebensowohl inhaltlicher wie formaler Art begleitet wird, so daß von Eindeutigkeit keine Rede sein kann, vielmehr eine ständige Kontrolle und Rektifikation an der Realität notwendig wird, um die ursprüngliche Richtigkeit wiederherzustellen.

Das »Gesetz psychischer Zyklen« beansprucht Unentrinnbarkeit mit Hinblick auf die Irreversibilität seines Phasenablaufes: aus einem zentralen Wertsystem (laut Phase 1) kann immer nur wieder hypertrophischer Wahn (laut Phase 2) entstehen, während aus der daraufauffolgenden zweiten Normalitätsperiode, die sich als Wiederetablierung der Realität (laut Phase 3) zeigt, notwendig die Wertzersplitterung mit ihrem Zerrissenheitswahn (laut Phase 4) zugleich als Vorbereitung für die Bildung einer neuen Werteinheit entspringen muß. Eine Unterbrechung, ein Ausweichen oder gar eine Umkehrung scheint auf diesem Kreisweg vollständig ausgeschlossen zu sein. Nichtsdestoweniger sind korrektive Ergänzungen sowohl in dialektischer wie in empirischer Hinsicht anbringbar:

A. Im Zuge einer Entwicklung verhalten sich Phasen wie Normalität und Anormalität dialektisch wie Thesis und Antithesis; die jeweils daraufauffolgende Phase müßte also als Synthesis der beiden vorhergehenden aufgefaßt werden können.

B. Tatsächlich scheint es sich in der empirischen Realität so zu verhalten:

a. Die Wiederherstellung der Realität (laut Phase 3), die nach Liquidierung des mittelalterlichen Wertsystems eingetreten ist, vereinigt in sich die Hauptmomente der beiden vorangegangenen Phasen, d. h. also ebensowohl diejenigen, welche die Werteinheit des Mittelalters (laut Phase 1) bestimmt haben, wie diejenigen, welche innerhalb des Liquidationsprozesses (laut Phase 2) seit der Renaissance gewirkt haben; die Stabilisierungsperiode des 18. und 19. Jahrhunderts war zwar nicht mehr streng katholisch zentriert, trotzdem aber ungebrochen christlich, und insbesondere stand die neue Humanität als Realitätsformung der Demokratie durchaus im Zeichen einer religiösen Zentrierung, zumindest in den angelsächsischen Ländern.

b. Ebenso zeigt es sich – und dies ist gerade für die Wahntheorie wichtig –, daß man die Wertzersplitterung und mit ihr den Zerrissenheitswahn (laut Phase 4) als Synthese der vorangegangenen Normalität und Anormalität (also von Phase 3 und 2) betrachten darf, denn die Grundlage der neurotischen Entscheidungslähmung ist in den separierten Absolutheitsstrebungen der auseinandergefallenen Wertgebiete zu sehen, d. h. ist ohne deren immer wieder durchbrechende – eben psychotische – Einzelhypertrophierungen schlechthin undenkbar.

C. Je größer die Geschichtsabschnitte sind, welche man antithetisch gegeneinanderstellt, desto vager wird die Konstruktion, desto großflächiger und damit undeutlicher wird die dialektische Wellenbewegung, mit der kleinere und schärfere, nach der Art der hier vorgezeichneten, überlagert werden können. Um vollständig in die Hegelsche Geschichtsdialektik einzumünden, braucht man bloß die wahnbehafteten Zwischenperioden zu vernachlässigen, d. h. als Verfallserscheinungen den vorangehenden Normalitätsperioden hinzuzurechnen, so daß zwei Hauptphasen, nämlich »Mittelalter« (Phase 1 zusammen mit Phase 2) und »Neuzeit« (Phase 3 und 4), entstehen.

Rein dialektische Spekulationen sind – nirgends ist dies so klar ersichtlich wie in der Hegelschen Geschichtsphilosophie – auf die Realität weitgehend unanwendbar. Hingegen vermögen sie immer wieder methodologischen Gewinn zu bringen. Für das »Gesetz psychischer Zyklen« besteht dieser in der dialektischen Hypothese von der logisch gleichbleibenden Konstruktion aller Geschichtsperioden (laut C), insbesondere da sich diese Annahme auch empirisch (laut B a) offenbar bestätigen läßt: gleichgültig an welcher Stelle des Kreislaufes eine Normalitätsepoche steht, sie ist – abgesehen von der inhaltlichen Realitätsbewältigung durch ihr Wertsystem – formal ein Abschnitt, welcher von zwei wahnbehafteten »Verfallsperioden« eingegrenzt wird, und zwar einerseits von einer überwiegend hypertrophischen Charakters, andererseits aber von einer, in der sich überwiegend Zerrissenheitszüge nachweisen lassen.

Ohne daß auf räumliche Vorstellungen besonderes Gewicht gelegt werden soll – sie gehören zu den häufigsten Fehlerquellen in allen angeblich logischen Spekulationen, und hievon ist auch die Vorstellung von der »Kreisbahn« keineswegs ausgenommen –, darf und soll auf Grund der bisherigen Überlegungen nunmehr die Darstellung des »Gesetzes psychischer Zyklen« etwas vereinfacht werden: der psychische Geschichtsablauf, insonderlich soweit er die sogenannte Massenseele betrifft, stellt sich nunmehr als eine Pendelbewegung dar, welche nach Durchgang durch eine »normale« Mittellage einmal nach dem psychotischen, das andere Mal nach dem Zerrissenheitspol ausschwingt.

Eine Pendelbewegung ist ebenso »unentrinnbar« wie eine Kreisbahn (als deren Grenzfall man sie schließlich auffassen kann, wenn man, allerdings in einer einigermaßen unnützen Gedankenspielerei, den Kreis zu immer schmäleren Ellipsen ausstrecken will); doch gerade an einer Pendelbewegung wird es auch ersichtlich, daß man den Ausschlag zu verkürzen oder die Mittellage zu verlängern vermag: einen freien Willen im Gebrauch der Vernunft für die Menschheit vorausgesetzt, müßte also diese in der Lage sein, ihre Wahnabstürze zu vermeiden oder zumindest zu mildern. Dies ist eine optimistische Ansicht, und sofern sie zutrifft, würde sie den »dialektischen Fatalismus«, mit dem man sonst die Ereignisse hinnehmen müßte, vielfach entkräften.

Ist solcher Optimismus berechtigt? Vermag die Menschheit vermittels freien Willens dem Verhängnis ihrer psychotischen Veranlagung zu entrinnen? Der große Menschheitstraum von der Schaffung eines erdumspannenden einheitlichen Wertsystems, das ungestört von jedem andern System endlich den ewigen Frieden und das Glück für alle verbürgen möge, dieser große Traum in seinen vielerlei Formabwandlungen – von denen die kommunistische die vorderhand letzte ist – glaubt ebenfalls, optimistisch zu sein, und enthält trotzdem, gleichsam als zweite Traumschicht, unerkennbar für den Träumenden, dennoch ihn bedrückend, alle Gefahren des hypertrophischen Wahnes: geschichtsdialektisch ist (laut C) eine neue Werteinheit in Synthese mit der neuzeitlichen Weltrealität zu erwarten, doch je umfassender die neue Einheit sein wird, desto umfassender wird auch die aus ihr entspringende Hypertrophie werden; schon heute verlangt die Theologie der neuen Werteinheit, möge sie nun kommunistisch oder sonstwie heißen, daß zwecks ihrer Verwirklichung, wo immer es not tut, »Opfer gebracht werden müssen«, und da die Nötigung hiezu stets vorliegt, so werden sie bereits in erschreckendem Maße gebracht, Vorboten eines hypertrophischen Wahnes, demgegenüber der mittelalterliche ein bloßes Kinderspiel gewesen war und von dessen unabwendbarer, wenn auch unerahnbarer Gräßlichkeit sich der heute Lebende noch kein Bild zu machen vermag. Was also kann einer solchen Entwicklung der Massenseele entgegengesetzt werden? Nichts und doch alles. Denn unvermittelt nebeneinandergelagert ruht in der Seele des Menschen das Dunkle und das Helle, und die Furcht vor dem Wahnsinn ist ebenso groß wie der Hang zu Wahnsinn und Rationalverlust. Die Einzelseele »weiß« um ihren »Absturz« im Kollektiven, weiß vielleicht sogar um die Gefährdung ihrer Ebenbildhaftigkeit, und ebendeswegen ist sie immer wieder »erweckbar«, kann immer wieder zur Ratio erweckt und geführt werden, genau so wie es auf der andern Seite möglich ist, immer wieder ihre dunkelsten Irrationaltriebe zu entfesseln und aufzupeitschen. Und da es hiebei letztlich um Wertnormungen und Wertverlust geht, so ist es ungeachtet aller massenpsychologischen Begleitumstände letztlich eine ethische Frage, in welche das Problem immer wieder einmündet; es geht um die Befreiung des ethischen Willens aus seinen massenpathologischen Verstrickungen.

Der damit ausgedrückte Optimismus darf auf den Bestand der demokratischen Staatsform und deren Lebensfähigkeit ausgedehnt werden, ja, ich glaube vertreten zu können, daß die Möglichkeit zur Wahnbefreiung zugleich auch das stärkste Argument für die Aufrechterhaltung der Demokratie darstellt, oder vielleicht richtiger für die Aufrechterhaltung der Humanitätsprinzipien, die in der demokratischen Staatsform verkörpert sind. Denn die kurzen Perioden glücklicher Wahnbefreitheit, deren die Menschheit sich erfreut hat, waren immer solche der Humanität gewesen. Irrsinn verlangt auch auf politischem Gebiete nach geschlossenen Systemen, während Wahnbefreiung beinahe notwendig bloß innerhalb eines offenen politischen Systems vor sich gehen kann, also innerhalb einer »gesunden« Gemeinschaft, die als absoluter Idealfall auf Erden zwar nicht existiert, immerhin aber durch die Demokratie noch am näch-

sten repräsentiert wird. Für die Demokratie ergibt sich hieraus
– und eigentlich war dies seit jeher der Fall gewesen –, daß sie
die Aufgabe der Wahnbefreiung zu ihrer eigenen zu machen
hat; es ist die ethische Pflicht aller Demokratie, sicherlich sogar
eine, die den ethischen Gehalt der Demokratie am reinsten repräsentiert. Oder um im Bilde zu bleiben: in jener Pendelbewegung, als welche der Ablauf des psychischen Massengeschehens
sich hier gezeigt hat, darf die Mittellage als der Lokalisationsort
für die Demokratie und das demokratische Handeln betrachtet
werden, und diesem obliegt es daher, das Ausschwingen zu den
beiden Wahnpolen, dem des Hypertrophie- und dem des Zerrissenheitswahnes, tunlichst herabzumindern.

M. a. W.: ist das »Gesetz psychischer Zyklen« tatsächlich ein
echtes (historisches) Gesetz – und vieles spricht dafür, es als
solches gelten zu lassen –, dann muß, kann und wird es zur Re-
gulierung des Geschehens in der Richtung zunehmender Rationalität verwendet werden. Denn jede echte Gesetzlichkeit,
sei sie nun naturwissenschaftlich oder historisch, besitzt die
Kraft, in den Ablauf der Dinge einzugreifen; auf historischem
Gebiet darf hiezu immer wieder auf das Beispiel der von Marx
entdeckten ökonomischen Gesetzlichkeit verwiesen werden, da
diese ebensowohl kraft ihres objektiv wissenschaftlichen Gehaltes wie kraft ihres Aufrufes zur Gerechtigkeit (– der jedoch
von dem Wissenschaftsgehalt keineswegs absonderbar ist! –)
imstande gewesen war, der politischen Ethik und damit dem
politischen Geschehen eine entscheidende neue Wendung zu
geben. Die Pflicht zur Wahnbefreiung ist sicherlich nicht weniger ethisch wie die zur ökonomischen Gerechtigkeit; ob das
»Gesetz psychischer Zyklen« zur Erfüllung dieser Pflicht ausreicht, hängt u. a. von seiner Politisierungsfähigkeit ab.

Kapitel 4:
Dämmerzustand und Führerschaft.
MASSENWAHNTHEORIE (1939 und 1941) [III]

Das »Gesetz psychischer Zyklen« stellt einen bestimmten,
nämlich den psychischen Teil des allgemeinen Wertgeschehens
im historischen Ablauf dar; es bildet daher einen Teil des allgemeinen Wertmodells und einen ersten Ansatz zum »Modell mas-

senpsychischer Abläufe«, um dessen Aufbau es hier geht: das »Gesetz psychischer Zyklen« benötigt eine Reihe von Korrelaten, auf daß mit ihnen, die gleich dem Hauptgesetz einerseits mit der empirischen Erfahrung, andererseits mit der Konstruktion des allgemeinen Wertmodells in voller Übereinstimmung zu stehen haben, eine halbwegs befriedigende theoretische Überdeckung des Untersuchungsgebietes stattfinde und die (an sich unvermeidlichen) Theorielücken tunlichst verschlossen werden mögen.

Beispielsweise sollte man meinen, daß es möglich sein müßte, psychische Abläufe zu stoppen und den wahngerichteten Pendelausschlag zu verhindern, wenn man die ersten Auslösungsverursachungen dieser Bewegung wieder aus der Welt schafft: die Geschichte lehrt aber, daß eine psychische Massenbewegung fast niemals rückgängig zu machen ist, und daß insbesondere eine panikisierte Masse niemals durch Abstellung der Panikursachen, ja, nicht einmal durch Befriedigung ihrer eigenen Forderungen – man denke etwa an die Konzessionen, zu denen Ludwig XVI. sich bereit erklärt hatte – wieder beruhigt werden kann, vielmehr daß nun plötzlich ein psychisches Moment auftritt, das man mit Fug als das einer (emotionellen) »Superbefriedigung« bezeichnen dürfte. Wie leicht ersichtlich, spielt diese »Regel der Superbefriedigung« eine bedeutsame Rolle in allem revolutionären Geschehen, und sie ist, wohlgemerkt, eine außerökonomische Regel; das »Gesetz psychischer Zyklen« gibt für sie höchstens eine etwas gewundene Erklärung, hingegen ist eine solche aus der allgemeinen Wertmechanik zu gewinnen: Panik ist der Ausbruch jener metaphysischen Ur-Angst, die aus der jeder Seele eingeborenen Todeseinsamkeit entspringt und bloß durch die Ekstase fortwährenden Wertgeschehens übertäubt zu werden vermag; wenn also das Wertgeschehen, wie in der Panik, ja, schon in der Vor-Panik, sei es aus dieser, sei es aus jener Ursache, völlig aussetzt, so genügt die Ursachenbeseitigung allein nicht mehr, um das furchtbare Panikerlebnis wirklich aufzuheben – eine derartige rationale »Wiedergutmachung« wird von der beleidigten Seele nur als primitivste Selbstverständlichkeit empfunden und daher kaum bemerkt –, es genügt weder diese noch sonst eine rationale Maßnahme, um so weniger als die Massenpsyche bloß auf einfachste Symbole, nicht aber auf rationale Gründe zu reagieren

befähigt ist, und am allerwenigsten ist Panik in ihrer hoffnungslosen Dunkelheit je für irgendwelche Art von Rationalität zugänglich, vielmehr verlangt gerade solche Dunkelheitstiefe, daß
das Wertgeschehen sozusagen ganz von frischem, sozusagen
von Ur-Beginn wieder anhebe, also in einem Neubeginn, der
ohne einen neuen irrationalen, vielleicht sogar magischen Anstoß überhaupt nicht denkbar wäre. Soweit man von einem
Massenbewußtsein reden kann, »wissen« die Massen um die
Notwendigkeit eines solchen Anstoßes, und der Wunsch nach
der irrationalen »Superbefriedigung«, der aus diesem Wissen
entspringt, erhält zugleich von diesem jene tief im Massengeschehen schwelende Unerschütterlichkeit und Unaufhaltsam-
keit, jene zutiefst irrationale Dynamik, die – ob nun revolutionär oder nicht – für den außenstehenden rationalen Beobachter
(etwa für den Engländer gegenüber Deutschland) völlig unbegreiflich und unnachfühlbar bleibt.

Ein zweites wichtiges psychisches Moment – nicht zuletzt auch
für die Durchsetzung des Wunsches nach »Superbefriedigung«
wichtig – ist in einem Phänomen zu erblicken, das man die
»Ausrichtung der autogenen Massenkräfte« nennen dürfte.
Denn die der Masse innewohnenden autogenen Kräfte, mögen
sie noch so sehr als ein allgemeines Wertstreben erkannt werden können, sind als solche diffus und richtungslos, sie werden
mit steigender Panik zunehmend richtungsloser, und es bedarf
daher einer von außen in die Masse eingebrachten zusätzlichen
Kraft, um die diffusen autogenen Kräfte auf ein bestimmtes
konkretes Ziel auszurichten. Diese Richtunggebung wirkt für
jeden einzelnen Massenangehörigen gleichsam wie eine Bewußtmachung, es ist ein Rationalisierungsvorgang, wenn auch
meistenteils mit irrationalen, vornehmlich symbolhaften Mitteln, und er steht zumeist unter der Leitung einzelner konkreter
Personen, die gegenüber der Masse einen »Rationalisierungs-
vorsprung« besitzen und daher imstande sind, die Ziele für die
Masse zu formulieren und deren diffuses Triebvolumen auf
diese Ziele zu konzentrieren; selbst dort, wo der Rationalisierungsvorgang von vornherein schon vorbereitet erscheint (wie
etwa in allen Fällen hypertrophischen Wahnes), selbst da ist ein
»Führer« oder eine Führergruppe als Träger der »richtunggebenden« Kräfte vonnöten, auf daß das Massenbewußtsein – das
also durchaus kein mythisches Gebilde mit Eigenfunktion ist –

aus seiner richtungslosen Diffusität gehoben werde.

Nebenbei: die Ausrichtungsfunktion gibt den verschiedenen Führergestalten der Menschheit ihre ihnen eigentümliche historische Bedeutsamkeit. Denn was in der Seele des Menschen sozusagen privat vorgeht, ist höchstens für ihn selber historisch, und auch dies nur selten, da das Unformulierte zumeist vergessen wird: Historie beginnt mit dem Formulierbaren. Bloß das Geformte ist zeitlos oder Annäherung an die Zeitlosigkeit, also sichtbare Todesüberwindung. Wert ist Formung und Historie; alle Geschichte in ihrer formüberdauernden, formbewahrenden Aufgabe ist demnach Wertgeschichte. Historisch bedeutsam sind also nicht die diffus anonymen, autogenen Kräfte der Masse, sondern die Ausrichtungskräfte, welche die Formulierbarkeit besorgen. Das Beobachtungsfeld für massenpsychische Erscheinung teilt sich zeitlich in bestimmte Abschnitte ein, die – auch die Phasen des psychischen Zyklenablaufes gehören hiezu – allesamt durch ein je einheitliches Wertverlangen der in diesen Abschnitten lebenden Menschenmassen ausgezeichnet sind, und eben dieses einheitliche Wertverhalten – das sich für die größten und wichtigsten Geschichtsepochen bis zum religiösen Verhalten steigert – ist Funktion des »Ausrichtungsphänomens.« Überall, wo rationale Ausrichtung in das anonyme Geschehen der autogenen menschlichen Kräfte eingreift, entsteht Historie, wird Historie ablesbar, wird die Geschichte sich ihrer selber »bewußt«.

Die Annahme der richtunggebenden Zusatzkräfte ist ein logisches Erfordernis des psychischen Modells, besonders desjenigen für die Geschehnisse und Abläufe von Massenwahnerscheinungen. Die Geschichte zeigt an ihren Führergestalten, wie die von diesen ausgeübte Ausrichtungsfunktion vor sich geht. Und es entspricht dem Modell, d. h. dem ihm zugrunde gelegten Wertschema, daß die zielgebenden Zusatzkräfte in der Doppelrichtung der beiden seelischen Hauptwege (nämlich einerseits der »Irrationalbereicherung«, andererseits des »Rationalverlustes«) wirken, und daß sie an zwei Grundtypen von Führergestalten historisch sichtbar werden. Und zwar:

1. Der echte religiöse Heilsbringer, letztlich also der große Religionsstifter vermag kraft seiner eigenen ethisch-rationalen Erkenntnis die Menschheit zum Ziel ständiger Irrationalbereicherung hinzulenken; er erweckt in der Seele des Individu-

ums – möge sie sich auch oftmals dagegen sträuben – das Bewußtsein der in ihr schlummernden metaphysischen Ur-Angst, so daß der Zugang zum positiven Weg der Angstbesänftigung eröffnet wird, zum kulturaufbauenden, kulturgebundenen Weg der Irrationalbereicherung, dessen Ziel mit der erkenntnismäßig-religiösen Ekstase vom Typus »Ich bin die Welt, weil sie in mich eingegangen ist« gesetzt erscheint.

2. Der dämonische Demagoge hingegen führt die Massen (– nicht die Menschheit! –) stets auf den Weg des Rationalverlustes, d. h. der Triebauslebung in archaisch-infantilen Ekstaseformen; auch er wendet sich also an die Angst, besonders an die des panikisierten Menschen, auch er bemüht sich, die Angstkräfte zu »formen«, doch da er weiß, daß das Individuum niemals geeignet ist, die Angstquelle in sich selber zu suchen, vielmehr immer danach strebt, dieselbe nach außen zu verlegen und irgendwelche außenstehende Personen (– Hexen, Neger, Juden oder andere »Feinde« –) für die Angstbeunruhigung verantwortlich zu machen, fordert er vor allem auf, diese »feindlichen«, symbolischen Angsterzeuger zu »besiegen« und physisch zu vernichten. Es ist der kulturzerstörende, kulturzersprengende, humanitätsvernichtende Weg der Rationalverarmung, der damit beschritten wird, der Weg der triebmäßig-wahnhaften Pseudoekstase vom Typus »Ich habe die Welt, weil sie mir unterjocht ist«.

Der Religionsstifter wird durch sein Tun und nur in seinem Tun zum Symbol der Angstbefreiung, der dämonische Demagoge hingegen setzt seine eigene irdische Person zum Symbol für die Gemeinschaft, die er repräsentieren will, und für deren »Sieg«; der Religionsstifter ordnet sich mit seinem irdischen Sein völlig der göttlichen Ratio unter, die er als höchstes Gut des Menschen erkannt hat, der dämonische Magier hingegen verwendet virtuos alle Mittel der Ratio (– er ist stets ein Virtuose im Technischen –), um Gestriges zu verwirklichen, d. h. um einen Zustand herzustellen, den die Entwicklung der humanen Ratio bereits hinter sich gelassen hat; der Religionsstifter will die Menschheit als solche, er will sie als Ewigkeitsgedanken, der dämonische Magier hingegen braucht den Erfolg der augenblicklichen Aggression, er braucht den Sieg. Kurzum: die kulturaufbauenden und letztlich immer religiösen Richtungskräfte wirken im Sinne der Ratio, manifestieren sich aber nahezu ausschließlich überrational, d. h. im irrationalen Symbol, während die kulturzerstörenden, letztlich wahnbesessenen Richtungskräfte durchaus im Sinne einer triebmäßig bedingten Symbolik wirken, sich aber äußerst logisch und rational manifestieren: es fällt nicht schwer, auch die Theorie der »Superbefriedigungen« in diesem Schema unterzubringen.

Jedes Realitätsmodell, welches auf wissenschaftliche Verwendbarkeit Anspruch erhebt, muß in seinem Aufbau schon den Raum für eine brauchbare Forschungs- und Frageanordnung [enthalten], und sei es auch nur, um im Zuge dieser Fragestellungen zu weiteren Um- und Ausgestaltungen des Modells zu gelangen. Jedes Realitätsmodell ist hiezu auf einigen bestimmten Grundvorstellungen aufgebaut, welche sich durch eine modellgemäße Fragestellung bewahrheiten sollen; z. B. liegt dem Freudschen Seelenmodell prinzipiell die Vorstellung vom unbewußten Bewußtsein und von den mechanistischen Verdrängungskräften zugrunde, während im ökonomischen Modell der marxistischen Soziologie nicht minder mechanistisch der Ausbeutungsdruck der zunehmenden Kapitalkonzentration als Grundvorstellung angenommen wird: als Grundvorstellung für das Modell massenpsychischen Geschehens ist das »*Gesetz psychischer Zyklen*« stipuliert, zu dem sich korrelativ noch eine Reihe anderer psychischer Fakten, z. B. die hier angeführte »*Regel der Superbefriedigung*« und ebenso die »*Regel der richtunggebenden Zusatzkräfte*« hinzuzugesellen haben werden; das Modell muß die Möglichkeit besitzen, diese ihm eingegliederten Grundannahmen zu bewahrheiten, um solcherart nicht nur eine psychologische Theorie der Geschichte aufzustellen, sondern auch das Instrument zu schaffen, mit dem in den künftigen weiteren Ablauf des psychischen Massengeschehens regulierend eingegriffen werden kann. Es soll der Versuch unternommen werden, das vorläufige Schema eines solchen Modells zu skizzieren:

I. *Abgrenzung des Arbeitsfeldes*

1. Das Untersuchungsmaterial besteht aus Einzelpersonen oder aus Gruppen von Einzelpersonen, nämlich von solchen, welche einerseits auf dem Wege der Irrationalbereicherung, anderer-

seits auf dem des Rationalverlustes veranlaßt worden sind
oder veranlaßt werden, massenpsychische Bindungen einzugehen.
2. Historisch gesehen, grenzen sich die Untersuchungsfelder als
Zeitabschnitte ab, welche durch Massenbewegungen von einheitlichem psychischem Aufbau – wie er auch im gegenwärtigen
Weltzustand zu beobachten ist – ausgezeichnet sind.

II. *Vorstruktur des Arbeitsfeldes (Theorie der Vorbedingungen)*

1. Die statischen Vorbedingungen
a. in räumlich-sichtbarer Beziehung, d. h. in der Struktur von
Staaten, Klassen, Kasten, Parteiungen und anderen distinkten
Sozialgruppierungen, in welche die in psychische Bewegung
geratenen Menschenmassen eingegliedert sind,
b. in geistiger Beziehung, d. h. in der Struktur der Kulturtraditionen, der Werthaltungen, der Wertnormungen, der verschiedenen Theologien usw., kurzum der jeweiligen geistigen »Normallage«, von der jene Menschenmassen »abzuirren« beginnen.

2. Die dynamischen Vorbedingungen
a. im innern Geschehen, wie z. B. bei innerer Erschöpfung gewisser Werthaltungen, sei es durch Hypertrophierung, sei es
durch Zersplitterung, also bei Zerstörung der menschlichen
Realitäts- und Wertsicherheit;
b. im äußern Geschehen, nämlich bei jenen zumeist katastrophalen Ereignissen auf sozialem, ökonomischem, politischem
oder sonstwelchem Gebiete, also bei Ereignissen, durch die der
Mensch aus seiner »Normallage« geschleudert und zur Suche
nach neuen Wertsicherungen und neuen Werthaltungen gezwungen wird.

III. *Die eigentlichen »Feldkräfte«*
(Wertaufbau und Wertzerstörung)

1. Ausgangspunkt und Ziel der diffusen, autogenen Kräfte
a. Innerseelische Angst vor der unentrinnbaren Todeseinsamkeit darf als letzt-psychisches (wenn auch vielleicht nicht als
letzt-metaphysisches) Agens für des Menschen wertsuchendes

Tun angesehen werden;

b. letztes Ziel dieses wertsuchenden Tuns ist vollständige Angstbefreiung, d. h. ist Errichtung eines Wertsystems, das den Menschen sowohl innerlich wie äußerlich so weit sichert, daß jede seiner Werthandlungen innerhalb des Systems vom – ekstatischen – Gefühl der Todes- und Einsamkeitsüberwindung begleitet wird;

c. jede Werthandlung ist Einbeziehung eines Stückes der innern oder äußern Welt in das Wertsystem, ist also ein Stück Weltformung, und die damit verbundene »Ich-Erweiterung« bildet die eigentliche Basis für das Gefühl der Ekstase;

d. auch die Gemeinschaften, welche der Mensch im Zuge seiner Werthandlungen eingeht, bilden Teile seiner »Ich-Erweiterung«;

e. das letzte (unerreichbare) Ziel des Wertgeschehens bedeutet demnach auch letzterreichbare Ich-Erweiterung, d. h. Einbeziehung eines Maximums geformter Weltbestandteile in das Ich und in sein Wertsystem;

f. wird aber dem Menschen jegliche Hoffnung auf Angstbefreiung geraubt, d. h. wird ihm jeglicher Weg zur Ich-Erweiterung abgeschnitten, so tritt – als Gegenstück zur Ekstase – »Panik« ein; jede Wertverminderung, jede Minderung der Realitätssicherheit wird daher vom Menschen als Drohung kommender Panik empfunden, und er gerät in den mit »Vor-Panik« bezeichneten Unsicherheitszustand.

2. Mechanik des Wertgeschehens

a. Es entspricht der Doppelnatur des Menschen, daß ihm zur Weltformung und damit zur Ich-Erweiterung zwei (allerdings oftmals einander kreuzende) Wege zur Verfügung stehen, nämlich einerseits der einer geistig-erkenntnismäßigen Einverleibung der Welt, andererseits aber der eines gewaltsam materialen Eingriffes in die Realität; abgesehen von Mischformen (zu denen u. a. verschiedene Rauschzustände und Halluzinationen gehören), tendieren beide zu Identifikationen mit dem Gesamtsein, der erste zu einem »Ich bin die Welt«, der zweite zu einem »Ich habe die Welt«;

b. Wertsysteme, welche – wie etwa das buddhistische – sich lediglich längs des ersten Weges bewegen, kommen ihrem Ziele wesentlich näher und sind wesentlich haltbarer als jene, welche den zweiten Weg einschlagen oder aber – wie etwa der christliche »Gottesstaat auf Erden« – die Verfolgung beider Wege zugleich versuchen, um hiedurch zu einem vollkommenen Totalsystem mit Absolutheitsanspruch zu werden;

c. jedes Totalsystem erschöpft sich an seiner Autonomie, und zwar dann, wenn seine logische Struktur sich bis zu den Problemen der Unendlichkeitsgrenze ausgebreitet hat; das Totalsystem beginnt sodann, in seine Untersysteme zu zerfallen;

d. aus der Hypertrophierung und dem Zerfall totaler Wertsysteme ergeben sich für die von diesen Systemen beherrschten sozialen Gemeinschaften jene Störungen, welche als Massenwahnphänomene, und zwar einerseits des hypertrophischen, andererseits des Zerrissenheitswahnes zu bezeichnen sind; alle Massenwahnerscheinungen stehen unter dem Zeichen eines Realitäts- und Rationalverlustes;

e. dieser schier unentrinnbare Ablauf, wechselnd von Kulturaufbau zu Kulturzerstörung, von zentripetaler Gemeinschaftsbildung zu zentrifugaler Gemeinschaftsauflösung, von Irrationalbereicherung zu Rationalverlust darf als historisches Gesetz betrachtet werden, zu dessen Vorbedingungen vielleicht eine allgemein psychotische Veranlagung des Menschengeschlechtes gehört; es ist das »*Gesetz psychischer Zyklen*«, und es ist nicht nur im Entstehen und Vergehen der großen Welt-Wertsysteme, sondern auch in kleineren Systemabläufen nachzuweisen.

3. Irreversibilität (Der Fortschritt)

a. Sofern es einen menschlichen Fortschritt zu zunehmender Humanität gibt – und es scheint ihn zu geben –, so entwickelt er sich in der Richtung einer wachsenden Erkenntnis der innern und äußern Realität, stellt also (gleich der Erkenntnis selber) ein offenes Wertsystem dar;

b. im allgemeinen vermag der Mensch auf Erden bloß geschlossene Wertsysteme zu schaffen, also solche, deren Realitätsbewältigung nur für eine bestimmte Zeitspanne ausreicht und die sodann verkümmern oder erstarren; die Wiederaufsprengung solcher Erstarrung, also die Wiederherstellung einer offenen Systematik kann als das Wesen aller echten Revolutionen (sowohl im Großen wie im Kleinen) angesehen werden;

c. der psychische Ausgangszustand von Revolution ist der einer Vor-Panik, in welche der Mensch durch die Mängel des erstarrten Wertsystems gestürzt ist; die Geschichte lehrt, daß durch eine bloße Behebung dieser Mängel niemals die Panik besänftigt werden kann, sondern daß die Massen nach einer weitaus größeren Wiedergutmachung in Gestalt einer – unabdingbaren – »Superbefriedigung« verlangen, eine Tatsache, durch welche die *»Regel der Superbefriedigung«* zu einem wesentlichen Bestandteil der Revolutionstheorie gemacht wird.

IV. *Die zusätzlichen, richtunggebenden Rationalkräfte*

1. Die autogenen Feldkräfte sind diffus, und sie werden um so richtungsloser, je mehr der Mensch in Panik gerät; sie bedürfen also einer Zielsetzung, einer »Bewußtmachung« von Zielen, und diese (oftmals bloß symbolhafte) Bewußtmachung vollzieht sich in der Regel dann, wenn *»richtunggebende Rationalkräfte«* auftreten und sich der Masse bemächtigen. Es sind Kräfte, die zumeist von einem Führer oder einer Führergruppe ausgehen, und es hängt von ihrer Art und Stärke ab, ob das Kollektiv auf den Weg der Irrationalbereicherung oder den – von der Masse im allgemeinen vorgezogenen – Weg des Rationalverlustes gebracht wird; insbesondere wird die Wahl von der Art der »Superbefriedigungen« beeinflußt, die dem emotionellen Anspruch der Massen angeboten werden.
2. Die Wirkungsmöglichkeit und -notwendigkeit »richtunggebender Zusatzkräfte« zeigt, daß das »Gesetz psychischer Zyklen« nicht fatalistisch hingenommen zu werden braucht, sondern von der Ratio kontrolliert werden kann. Dies darf von der Demokratie als Hoffnung genommen werden, als Hoffnung auf Rettung ihres gefährdeten Bestandes. Denn in jener Pendelbewegung, in der das psychische Massengeschehen sich abbildet, ist die Demokratie (als das offene System, das sie darstellt) in der Mittellage zwischen den beiden Wahnpolen zu lokalisieren, und nichts spricht dagegen, daß sie nicht von hier aus gleichfalls zur »richtunggebenden Zusatzkraft« werde, und zwar zu einer, welche die Pendelausschwingung zu den Wahnpolen zu verhindern sich bemüht.

Soweit das Schema unseres Modells. In gewissem Sinne läßt sich aus seiner Gliederung bereits eine Fragenanordnung für massenpsychologische Untersuchungen gewinnen. Denn zwischen zwei großen Irrationalitäten spielt sich das rationale Wertgeschehen des Menschen ab; die eine ist die Irrationalität des Gemeinschaftsgefühls, die andere die der Persönlichkeitsentfaltung. Und jeder Kampf gegen Massenwahn muß gewisse Strukturen des Kollektivs auszulöschen trachten, d. h. er muß den Menschen aus »falschen« und »krankhaften« Kollektivbindungen befreien, also ihm ein Stück innerer Freiheit zurückgeben, allerdings ohne daß hiedurch die »gesunden« Gemeinschaftsbindungen irgendwie angetastet werden. Hieraus ergeben sich für die Forschung vier grundsätzliche Aufgabengruppen:

1. die Vorbedingungen für den individuellen Bewußtseinsverlust zu erfassen (Panik-Vorbedingungen im innern und äußern Geschehen),

2. die Wege aufzudecken, auf welchen das Wertstreben des Einzelmenschen in das einer Gruppengemeinschaft überführt wird (Ekstase-Vorbedingungen),

3. das spezifische Massengeschehen mit seiner ekstatisch-panischen Mechanik sowohl innerhalb des Kollektivs wie in seiner Beziehung zum einzelnen und seinen Zielsetzungen aufzudekken (Gruppenfreiheit und innerpersönliche Freiheit in ihrem Verhältnis zur Führung),

4. das Phänomen der unabdingbaren Forderung nach ekstatischer oder zumindest emotioneller Superbefriedigung zu analysieren (Phänomen der innern und äußern Revolution).

Die Aufgabengruppen 1 und 2 umreißen das »hygienische« Problem des Massenwahnes, nämlich die Frage nach der möglichen Verhütung jenes Bewußtseinsverlustes, durch welchen das Individuum in Massentriebhaftigkeit gerät; hingegen umreißen die Gruppen 3 und 4 das »therapeutische« Problem, nämlich die Frage nach den Mitteln, durch welche das Individuum wieder aus seiner massenpathologischen Bindung gelöst und – unter Aufrechterhaltung seiner sozialen Werte – unbeschädigt an seine bewußte Einzelratio zurückgegeben werden kann.

Daß die Behandlung dieser Fragen nicht ausschließlich auf das rein psychologische Gebiet beschränkt ist, sondern die Ergebnisse einer ganzen Reihe anderer Wissenschaftsgebiete in sich einzubeziehen hat, muß nicht weiter ausgeführt werden; Sozio-

logie, Nationalökonomie, Pädagogik, Kriminologie, Psychoanalyse und nicht zuletzt Religionswissenschaft haben allesamt
ein gewichtiges Wort in der Behandlung massenpsychologischer Fragen mitzureden. Aber gerade weil die massenpsychologische Forschung eine solche Fülle mannigfachster Strebungen in sich vereinigt und berücksichtigen muß, ist deren
Organisierung nach einem einheitlichen Gesichtspunkt notwendig, und dieser scheint von der philosophischen Werttheorie befriedigend geliefert zu werden.

»Richtunggebende Kräfte« im massenpsychischen Geschehen
haben bewußtmachende Funktion. Es war eine der Hauptaufgaben der marxistischen Politik, den Massen ein »proletari-
sches Klassenbewußtsein« einzupflanzen. Die mitteleuropä-
ischen Fascismen erreichen ähnliches durch Hypertrophierung
des Nationalbewußtseins. Diese Bewußtmachungsfunktion ist
emotionell, d. h. sie ist nicht lehrhaft, sondern ist zumeist mit
der von den Massen geforderten emotionellen »Superbefriedigung« als aktiver Zielsetzung verbunden; ob man hierbei von
einer echt revolutionären Aktivität (wie beim Marxismus) oder
von einer bloß pseudorevolutionären (wie oft den Fascismen
vorgeworfen wird) sprechen will, ist massenpsychologisch
beinahe gleichgültig, denn in beiden Fällen liegt die ekstasierende Emotion in einem besonderen Phänomen, nämlich in
dem des »Sieges«, im Sieg über das Bestehende (– sogar die
Selbstversklavung war eine Errungenschaft, die der Fascismus
dem liberalen Staat abgetrotzt hat –), und wenn zur Aufrechterhaltung solch emotionellen Momentes die Revolution in
Rußland sozusagen in Permanenz erklärt worden ist, so gehen
die Fascismen mit der ihnen von Anbeginn an wesentlichen Radikalität eigentlich viel folgerichtiger vor, da sie den Siegwillen,
nachdem er im Staatsinnern befriedigt worden ist, nun nach außen richten. »Sieg« ist das Hauptziel der »richtunggebenden
Kräfte«, und besonders dort, wo eine Panik durch Zusammenfassung aller Massentriebe, unbeschadet ihrer Wahnhaftigkeit,
zu politischer Dynamik gebracht werden soll, ist er das einzige
oder zumindest das wirkungsvollste Ziel. Nicht weniger einheitlich wie diese Art der Zielsetzung sind dann die Methoden,
mit denen ihre Bewußtmachung vollzogen wird. Den panikisierten Massen muß wieder Selbstvertrauen gegeben werden,

und zwar durch Identifikation mit den Führerkräften, die hiezu blindes Vertrauen fordern; dem symbolhaften Denken der Masse gemäß wird der Vorgang durch ganz einfache und lapidare Symbole gelenkt, und Vertrauen wie Selbstvertrauen gipfeln schließlich in einer Vorstellung von allergrößter, beinahe mystischer Symbolstärke: in der Selbstmythisierung der Masse. Die Fascismen haben all diese psychischen Massenelemente durchaus genial erkannt und mobilisiert, d. h. zur Bildung der »politischen Überzeugung« verwendet: »Überzeugung« hat mit Wahrheit nichts zu tun und sehr wenig mit Denken; unabhängig von jedem Wahrheitsgehalt, unabhängig von jeder Realitätskontrolle, unabhängig von jeder logischen Widerlegbarkeit glaubt die »Überzeugung« an sich selbst und an die Richtigkeit der ihr gesteckten Ziele, und besonders in ihrer massenwahnhaften Übersteigerung sieht sie nichts neben den Symbolen, nach denen sie ausgerichtet ist, sieht sie nichts als den »Sieg«, mag dieser auch von noch so viel Blutgrauen begleitet sein. »Sieg« und »Erfolg«, seit Urzeiten her mit mystischem Gehalt erfüllt, sind demnach auch die kräftigsten Ansteckungsträger jedweder politischen Überzeugung und der fascistischen im besondern; ein »erfolgreicher« Massenwahn wird unwiderlegbar, er darf sich, wie der fascistische, zum Repräsentanten der »neuen Zeit« ernennen, und er wird schließlich zu etwas, das wie ein »Überzeugungstank« wirkt und sicherlich nicht weniger gefährlich ist als die stählernen der deutschen Armee. Die »richtunggebenden Kräfte« werden, wenn sie tatsächlich in Überzeugung sich verwandeln, zu mystischer Unwiderstehlichkeit.

Gewiß, auch die Demokratie, gegen die sich der heutige Massenwahn richtet, auch sie hat ihre Überzeugungen, und auch diese haben ihren mystischen und darüber hinaus sogar religiösen Hintergrund, aber dieser liegt weit zurück, und es ist eigentlich nicht viel mehr davon geblieben als ein etwas vager und bequemer Glaube an die mystische Unfehlbarkeit der Volksmajorität, die – als wäre sie noch niemals von einer fascistischen Minorität überwältigt worden – schließlich alles zum besten lenkt. So ist schließlich, als letzter Rest, so etwas wie ein mystisches laisser faire, laisser aller entstanden, das sich auf ökonomischem Gebiet nicht gerade gut bewährt hat, auf politischem jedoch, dem ureigensten Gebiet des modernen Massenwahnes, zu einem der hauptsächlichsten Gründe des demokratischen Zusammenbruches geworden ist. Freilich, es ist leichter, Massenwahn zu entfesseln als ihn zu bekämpfen, und selbst wenn der demokratische Staat sein laisser aller fallen ließe, er würde zur Behandlung massenpsychologischer Belange nicht wesentlich geeigneter werden: alles, was den Fascismen zugute kommt, Erfolg, Sieghaftigkeit, Superbefriedigung, kurzum all diese ekstasierenden Momente fehlen dem demokratischen Staat, und da er (den eigenen revolutionären Ursprung beinahe vergessend) kraft seiner nüchternen Rationalität nicht revolutionären, sondern evolutionistischen Fortschritt anstrebt, so wird jeder Schritt, den er in dieser Richtung unternimmt – der New Deal ist hiefür ein Beispiel –, unweigerlich von den Massen sehr bald als ein »reaktionärer« Anschlag beargwöhnt, der sie um das ihnen zustehende Recht auf Superbefriedigungen bringen will. An diesem Sachverhalt kann auch die massenpsychologische Forschung nicht viel ändern, um so weniger als – bei aller Affinität zwischen den offenen Systemen der Demokratie und der Wissenschaft – es sich bisher immer noch gezeigt hat, daß die Fascismen in der Auswertung wissenschaftlicher Ergebnisse für politische Zwecke unübertreffbar sind. So ist es im Grunde recht wenig verwunderlich, daß im allgemeinen die Demokratien nirgendwo sich als fähig erwiesen haben, eine wirkliche Massenwahnbekämpfung einzuleiten; abgesehen von gewissen äußerlichen Imitationen des fascistischen Propagandismus, die in einigen demokratischen Ländern begonnen worden waren, geschah bis zu Kriegsausbruch so gut wie nichts in dieser Hinsicht, indes selbst nachher wurde, wenn auch nun teilweise durch den Kriegszustand bedingt, der imitative Charakter der Aktionen beibehalten; dem hypertrophierten Nationalismus wurde keinerlei spezifisch demokratische Ideologie, geschweige denn etwas radikal Neues entgegengesetzt, sondern er wurde und wird mit Gegennationalismus bekämpft, und so zweckentsprechend die Methode des Gegengiftes gegen das Gift, des Gegenwahnes gegen den Wahn als Kriegshandlung auch sein mag, sie ist letztlich eine Bestätigung der fascistischen Ideologie, ist von dieser vorausgesehen, ja, manchmal sogar gewollt, und ist daher sicherlich nicht geeignet, den fascistisch entfesselten Massenwahn aus der Welt zu schaffen.

Im Geschichtsgeschehen wirken so viel mystische Momente,

daß auch der Betrachter immer wieder zu mystischen Auslegungen verleitet wird. Daß die Demokratien vor den Anforderungen der neuen Zeit nahezu auf jedem Gebiet, vor allem jedoch in machttechnischer und psychologischer Beziehung so
vollkommen versagt haben, kann leichthin zu einer mystischen
Auffassung führen, nämlich eben zu der des Fascismus, mit der
dieser für sich selbst und sein Zerstörungswerk den Anspruch
erhebt, vollgültige und einzige Repräsentanz der neuen Zeit zu
sein. Ja, sogar derjenige, welcher an die Unzerstörbarkeit der
Humanität und ihres Fortschrittes glaubt, mag sagen, daß die
jetzige Zerstörung notwendig sei, nicht nur als Strafgericht für
eine verrottete Welt, sondern noch viel mehr als eine, wenn
auch anfangs gewaltsame Wiederintroduktion mittelalterlicher
Lebensprinzipien, da die kommende und wiederum humane
Weltepoche. Hegelisch gesprochen, eine Synthese von Mittelalter und Neuzeit, die bisher als Thesis und Antithesis einander
gegenübergestanden sind, darstellen werde; wer so denkt, soll
auch auf das Beispiel des erwachenden Islam hinweisen, der –
in oftmals schon aufgezeigter Parallelität mit dem prophetischen Gehaben des deutschen Nationalismus – zuerst furcht-
barstes Zerstörungswerk vollbrachte und dann doch im Osten
wie im Westen wundersame Kulturen zeitigte, insbesondere die
überaus humane Synthese von Antike und Mittelalter im maurischen Spanien. Doch so bestechend derartige Parallelen auch
sein mögen, man darf ihre Geschichtsmystik ruhig als moralische Feigheit bezeichnen, als jene Feigheit, die sich hinter angeblich unentrinnbaren Notwendigkeiten der Geschichte ver-
schanzt, um die eigene Gleichgültigkeit zu bemänteln und
halbwegs beruhigten Gewissens die Augen vor fremdem Leid zu
schließen. Und wie bei allen Entschuldigungsgründen für
schlechtes Gewissen stimmen auch diese nicht. So sehr zugegeben werden muß, daß hinter den Kräften des Fascismus, oder
richtiger aller Diktaturen sich das Streben nach neuer Werteinheitlichkeit verbirgt, mehr noch, daß dieser Übereinstimmung
mit dem »Gesetz psychischer Zyklen« wahrscheinlich ein
Großteil der Erfolge des Fascismus und seiner sonst schon
längst gebrochenen Gewaltmethoden zuzuschreiben ist, es ist
trotzdem kein eigentliches Wertziel vorhanden (außer dem des
nationalistischen Versklavungswillens), und aus dieser sehr tief
sitzenden Unstimmigkeit, aus diesem Streben nach einer chi-

märischen Werteinheitlichkeit, die kein Wertziel, kein echtes Wertzentrum besitzt, ist es wohl zu erklären, daß die Fascismen außerstande sind, den Bereich des Wahnsinns und der wahnsinnsgeschwängerten Zerstörung zu verlassen, von innen heraus gezwungen, einen Wahn zu entfesseln, dessen Hypertrophie seit jeher Symptom eines zerfallenden, niemals eines werdenden Wertsystems gewesen ist; der Verfall siegt und hält sich darum selber für Aufbau. Fast hat man den Eindruck als ob, ungeachtet aller Führerschaften, überhaupt noch keinerlei eigentlich richtunggebende Kräfte in das Geschehen eingegriffen hätten, freilich auch, daß sie nicht mehr lange auf sich warten lassen dürften, da sonst die von den Fascismen entfachte richtungslose Kriegstotalität in blutig zerstörter, blutender Welt nichts übriglassen wird als einen – gleich dem Hexenglauben – jahrhundertelang währenden Weltenwahnsinn.

Nur wirklich richtunggebende Kräfte mit voller Bewußtmachungsfunktion sind noch imstande, dem Wahnsinnstreiben gegenüber sich zu behaupten und ihm ein Ende zu bereiten. Sie sind hiezu ebenso wichtig wie die physischen Waffen, denn diese sind nur dann wirksam, wenn sie von einer Überzeugung geführt werden, die der wahnsinnsbehafteten der Fascismen sich als überlegen erweist. In allen irrationalen Belangen den Fascismen nicht gewachsen, unfähig zum Appell an die dunklen Triebkräfte in der Menschenseele, unfähig daher zur irrational verführerischen Symbolstärke des Wahnsinns, doch nicht minder unfähig zu der unerbittlich logischen Folgerichtigkeit, mit der er seine Zwecke verfolgt, hat die Demokratie, gleichsam gelähmt, ebensowohl seine innere Zersetzungsarbeit wie seinen äußeren Ansturm über sich ergehen lassen und insbesondere das Feld der Wertvereinheitlichung, das wichtigste im gegenwärtigen Geschehen, schlechterdings wehr- und widerstandslos vor ihm geräumt: was sich dem Ablauf einer Gesetzlichkeit nicht fügt, muß unterliegen, und gerade die gelähmte Selbstausschaltung der Demokratie aus dem anscheinend unvermeidlichen Prozeß der Wertvereinheitlichung hat den Fascismen das stärkste Argument für ihren Glauben an die eigene Zeitgerechtheit in die Hände gespielt. Und doch ist die Demokratie, so schlecht sie auch infolge der in ihrer Position und Struktur begründeten Schwierigkeiten physisch und psychisch für den Krieg ausgerüstet gewesen war, ungleich besser als jeder Fascismus für die Schaffung einer neuen Werteinheitlichkeit ausgerüstet, nämlich einer, welche nicht danach trachtet, sich auf Entfesselung von Wahnsinn zu begründen und sich damit auch erschöpft, sondern die Menschenseele wieder zu ihrer »Normalität« und zum Bewußtsein ihrer Würde zurückführt. Der Kampf gegen den Massenwahn und gegen den Nimbus seiner unwiderstehlichen Unfehlbarkeit ist daher der Demokratie, will sie sich behaupten, zwingend auferlegt: hätte die Demokratie diesen psychischen Kampf gegen den Massenwahn früher aufgenommen, sie hätte den physischen, der nun entbrannt ist, wahrscheinlich verhüten können; heute ist er zum Teil des totalen Krieges geworden, aber ebendeswegen muß er nach den Regeln der Totalität verfahren, d. h. es wird die Demokratie nur dann gegen den sie bedrohenden Massenwahn sich zu verteidigen wissen, wenn sie – ohne Rücksicht auf die (zumeist ökonomischen) Privatinteressen dieser oder jener Gruppe in ihrem Verbande – sich mit aller Radikalität den Humanitätsprinzipien wieder zuwendet, denen sie ihre Entstehung verdankt und die sie, in sträflicher Selbstgefährdung, so lange ohne Schutz gelassen hat, daß sie, den Fascismen eine leichte Beute, von diesen nun selber als realitätsferner Wahn betrachtet werden können. M. a. W., die regulativen Grundprinzipien der Demokratie stellen deren besten und wahrscheinlich einzigen Schutz gegen die Ansteckungsgefahr des fascistischen Massenwahnes dar, aber sie verlangen dafür nicht nur gleichfalls Schutz, sondern darüber hinaus, daß die Demokratie sie uneingeschränkt zu den richtunggebenden Kräften im psychischen Massengeschehen mache. Mit der Erzeugung eines auf der geistigen und emotionellen Ebene der Fascismen liegenden Gegenwahnes allein kann der von ihnen entfesselte Massenwahn kaum bekämpft werden; es geht um Schaffung einer »Überzeugung«, und zwar einer besseren und gefestigteren als die fascistische es ist, denn nur von einer solchen ist eine Bewußtmachung zu erwarten, an deren Klarheit jeder Wahn zuschanden werden muß; erst an der Wiedererrichtung einer humanen Überzeugung wird die Menschheit den Rationalverlust, den sie durch die Fascismen erlitten hat und den sie infolge deren virtuoser Handhabung aller technisch-rationalen Hilfsmittel nicht zur Kenntnis zu nehmen vermochte, endlich gewahr werden, erst dann wird ihr der Massenwahn mit all seinen Grauensfolgen voll zu Bewußtsein kommen. Und der Schrecken davor wird nicht geringer sein als der vor dem überstandenen Hexenwahn; man wird von der Finsternis des technischen Zeitalters sprechen.

Der Irre lebt in einem Wertsystem, das entweder zur Gänze wahnhaft ist oder, und dies in der Mehrzahl der Fälle, bloß von wahnhaften Erscheinungen begleitet wird. Die wahnhaften Haltungen und Handlungen stammen von gewissen Normsetzungen des Wertsystems her, die für den Irren unabweislich zwingend sind und von ihm als Befehlsgewalt dunkler »Mächte«, die über ihn gesetzt sind, empfunden werden. Im massenpsychischen Verhalten liegen die Dinge nicht viel anders.

Jeder Versuch zur Wahnbehandlung, insbesondere also auch von Massenwahn, hat mit diesen »Mächten« und ihrer Befehlsgewalt zu rechnen, und zwar merkwürdigerweise in kontradiktorischem Sinne, nämlich

einerseits muß die Befehlsgewalt dieser »Mächte« außer Kraft gesetzt werden, und dies ist zu erzielen, wenn gezeigt werden kann, daß die »Mächte« besiegbar sind (u. a. durch die Ratio), daß sie trotzdem keine Straf- und Rachegewalt besitzen und demnach als »harmlos« aufgefaßt werden dürfen,

andererseits muß, wenn auch unter veränderten Vorzeichen, die Furcht vor ihnen auf höherer Ebene erhalten werden, d. h. die Furcht vor ihnen muß sich in die Furcht vor dem »Wahnsinn« verwandeln, als welcher sie nach ihrer Besiegung durch die Ratio erkannt worden sind, so daß also die Bedrohung durch sie zu einer Drohung wiederausbrechenden Wahnsinnes wird.

Soweit Wahnbehandlung allein in Frage kommt, könnte man sich auf diese Punkte beschränken. Indes selbst hier muß die Besiegung der Wahnmächte von einer »höheren« Instanz besorgt, also von einem andern und höheren Wertsystem aus vorgenommen werden. Eine wirklich gründliche Ausheilung des Wahnes ist also eigentlich nur dann zu erwarten, wenn eine vollkommene Auswechslung des gesamten Systems gegen ein »höheres« vorgenommen wird, m. a. W., wenn unter Auflösung der »niedrigeren« Gemeinschaft zugunsten einer »höheren« ihre Mitglieder aus einem geschlossenen Wertsystem in ein solches von offenerem Typus überführt werden. Es ist ein Vorgang, der offensichtlich alle Züge einer »Bekehrung« an sich trägt.

An Hand des aufgestellten Wertmodells und seiner Mechanik zeigt sich jegliche »Bekehrung« (sei sie nun individuell oder kollektiv) als Bewußtmachungsfunktion, die von den richtunggebenden Rationalkräften eines höheren Wertsystems ausgeht und sich etwa folgendermaßen schematisieren läßt:

1. Die Basis fast jeder Bekehrung ist irrational; sie ist als wundersame (gnadenhafte) Erleuchtung bekannt, als eine Erleuchtung, durch die ein neuer und höherer Zentralwert plötzlich zu innerstem Erleben, damit aber letztlich auch zu Bewußtsein gebracht wird. Wenn irgendwo, so liegt hier die Quelle aller »Irrationalbereicherung«.

2. Neben dieser irrationalen, dem menschlichen Eingriff vielfach unzugänglichen Seite der Bekehrung besitzt sie auch eine rationale und hier wirkt das eigentliche Bekehrungswerk. Hierunter ist jedoch nur zum geringsten Teil eine rational-didaktische Wirksamkeit gemeint; das »bekehrende« höhere Wertsystem wendet sich an eines von niedrigerer Rationalität, muß also eine diesem gemäße Sprache reden, und insbesondere im Massengeschehen muß es eine den Massen gemäße Symbolsprache sein, d.h. eine, deren Rationalität sich weit mehr in Haltungen und Taten als in lehrhaften Worten ausdrückt. Denn der Mensch versteht eben immer nur die Sprache des Wertsystems, in dem er sich jeweils befindet. Zum Unterschied von der irrationalen Erleuchtung und der von ihr verursachten unmittelbaren »Irrationalbereicherung« geht es hier vornehmlich um Bekämpfung und Hintanhaltung des »Rationalverlustes«, wie er vor allem in den Wahnkomponenten der niedrigeren Systeme in Erscheinung tritt. Auch hierin vollzieht sich also ein Bewußtmachungsprozeß, und zwar einer, der sozusagen als Vorbereitung, als Wegbereitung für die »Erleuchtung« gelten kann; allerdings, wiederum zum Unterschied von dieser, ist er kein plötzlicher, sondern geht in distinkten Phasen vor sich:

a. die erste Annäherung der beiden Wertsysteme, des »bekehrenden« und des »bekehrungsbedürftigen«, könnte man die Periode der »Amalgamierung« nennen, denn in dieser wird der erste Versuch unternommen, das höhere System an die Stelle des niedrigeren zu setzen, und zwar derart, daß Wert- und

Glaubenselemente aus dem niedrigeren System in das höhere eingefügt werden, allerdings an untergeordneter Stelle, so daß sich, sozusagen unbemerkt, dennoch symbolhaft für den Angehörigen des niedrigeren Wertsystems verständlich, eine Überlegenheit des neuen Systems äußert;

b. hieraus entwickelt sich die zweite Periode, nämlich die der »Konkurrenz«; das höhere Wertsystem hat nun die Aufgabe übernommen, die ekstasierenden Superbefriedigungen, welche dem Menschen im Rahmen des Rationalverlustes gewährt werden, durch äquivalente zu ersetzen, und in der zumeist symbolhaften Erfüllung dieser Aufgabe (Tieropfer statt Menschenopfer usw.) liegt zugleich eine Vorbereitung für die irrationale »Erleuchtung«, die – wird sie tatsächlich erzielt – die totalste Superbefriedigung abgibt;

c. sind diese beiden ersten Schritte getan, so ist der Bewußtmachungsprozeß bis zur eigentlichen »Systemetablierung« vorgedrungen, d. h. bis zu einem Punkt, an welchem sich der bekehrte Mensch im neuen Wertsystem seelisch »sicher« fühlt, besonders dann, wenn er daselbst auch seine äußere Lebenssicherheit findet;

d. es folgt schließlich, freilich schon vorher schrittweise vorbereitet, die Periode des »Tabus«, in welcher die Werte des alten Systems nun von der neuen Gemeinschaft unter Strafsanktion »verboten« werden, oder richtiger, verboten werden können, weil mit dem erweckten Wertbewußtsein auch die Angst vor dem überstandenen Wahnsinn, die Angst vor dem Rückfall und einem neuerlichen Rationalverlust miterweckt wird.

Es ist also ein ganzes »Entwertungssystem«, das da vom bekehrenden gegen das bekehrungsbedürftige System errichtet wird, und da es einem Prozeß zunehmender Bewußtmachung dient, mit dem ein Rationalverlust bekämpft oder hintangehalten werden soll, entwickelt es sich selber im Sinne einer zunehmenden Rationalität: die vier Schritte, welche hier gewissermaßen als Hauptpunkte des an sich recht komplizierten Vorganges herausgehoben worden sind, beginnen in der Periode der »Amalgamierung« mit einer mehr oder minder lediglich symbolhaften Sprache (nämlich der des unteren Systems), um schließlich in der Periode des »Tabus« sich zu vollrationaler Artikulation aufzuschwingen, denn »Verbote« sind bereits rationale Gesetzgebung.

»Bekehrung« unterscheidet sich sohin grundsätzlich von bloßer »Erziehung«; sowohl der irrationale Prozeß der Erleuchtung wie der rationale der bewußtmachenden Entwertung sind spezifische Formen jeglichen Bekehrungswerkes und damit auch der Massenwahnbekämpfung, soweit diese unter die Kategorie der Bekehrung fällt: sicherlich ist jedoch in der Massenwahnbekämpfung nicht mit bloß didaktischen Maßnahmen das Auslangen zu finden.

Als klassisches Beispiel für den Aufbau eines Bekehrungswerkes wird stets das der katholischen Mission, wie es seit den Anfängen der Kirche bis zu den heutigen Tagen geübt worden ist, angeführt werden müssen. In ihrem Kampf gegen das Heidentum, das von ihr durchaus als ein Phänomen der Rationalverarmung, ja, eines Massenwahnes genommen wird, kommt es ihr unentwegt darauf an, den Heiden von der Insuffizienz seines Denkens zu überzeugen, und so lassen sich hier die vier Stufen der zunehmenden Bewußtmachung deutlicher denn irgendwo anders verfolgen:

a. die Periode der »Amalgamierung«, während welcher heidnische Glaubenselemente, allerdings in untergeordneter Stellung, in die christliche Glaubenshierarchie und -ritualität aufgenommen werden;

b. die Periode der »Konkurrenz«, während welcher die Ekstasemotive des heidnischen Rituals fortschreitend durch die höheren Ekstasen der christlichen Gemeinschaft ersetzt werden, so daß sich hiedurch auch eine symbolhafte »Besiegung« der alten Mächte ergibt;

c. die Periode der »Etablierung«, während welcher die neue Religion dem Menschen vollkommene seelische Sicherheit gewährt, so daß die »besiegten« alten Mächte zu entrechteten und »harmlosen« Dämonen herabsinken;

d. die Periode des »Tabus«, nämlich eines Tabus, das jede Erinnerung an das Heidnische unter schärfste Strafsanktion stellt, so daß jeder Rückfall in Rationalverarmung, unter welchem Namen auch immer sie auftrete, radikal abgeschnitten werden möge.

Der gesamte Prozeß kann als der einer fortschreitenden »Entdämonisierung« bezeichnet werden, ein Bewußtmachungsprozeß, in welchem die Kirche, ungeachtet der zentralen Stellung des Gnadenheiles, sich weit mehr auf ihre höhere Rationalität als auf ihre höhere Irrationalität gegenüber dem Heidentum beruft.

Für den Katholizismus ist jede Ketzerei gleichbedeutend mit einem Rückfall ins Heidentum, und diese Stellung wurde zur Zeit der Reformationsbestrebungen, die für die Kirche allesamt Ketzerei gewesen sind, mit aller Schärfe bezogen; für den Protestantismus hingegen ist die Kirche – und besonders in ihrem spätmittelalterlichen Zustand war sie ihm dies – ein im gewissen Sinn nicht zu Ende geführtes Bekehrungswerk, das also zur vollkommenen Installierung des christlichen Wertsystems unabweislich nach weiterer Fortsetzung verlangt. Oder m. a. W., die Reformation – zumindest in ihren Anfängen – verlangte, daß die erste, die katholische Bekehrung durch eine zweite, die protestantische ergänzt werde. Nicht an Heiden ist dieser Bekehrungsruf ergangen, sondern an die Christenheit – die zu einem guten Drittel davon ergriffen worden ist –, und dieses Verbleiben im ursprünglichen Wertsystem unterscheidet die protestantische Bekehrung grundsätzlich von der katholischen, die ihrer Herkunft gemäß ganz darauf eingerichtet ist, heidnische Wertsysteme durch das christliche zu ersetzen. Gewiß, die Bekehrungsrichtung, nämlich »Entdämonisierung« im Wege der Bewußtmachung, blieb die nämliche, nach wie vor blieb es ein Kampf gegen den Rationalverlust, doch da die Kirche (– ungeachtet ihres eigenen spätmittelalterlichen Rationalverlustes, welcher eine der wichtigsten Mitveranlassungen zur Reformation gewesen war –) diesen Rationalisierungsprozeß bereits bis zu einem außerordentlich hohen Grade vorwärtsgetrieben hatte, gab es für die »ergänzende Bekehrung« des Protestantismus eigentlich keine andere Wahl, als an dem bereits erreichten Punkte anzusetzen und womöglich noch ausschließlicher sich auf die eingeschlagene Linie der Rationalität festzulegen; war die katholische Bekehrung noch gezwungen gewesen, sich mit heidnischen Glaubenselementen zu amalgamieren und mit ihnen in Konkurrenz zu treten, so dürfen sie nun allesamt, angefangen vom Prozessionsritual der Flur- und Wettersegenbitten bis hinauf zur Heiligenverehrung, ja, sogar bis hinauf zum Marienglauben vollständig außer Aktion gesetzt werden, getroffen von einem verbietenden Tabu, das der rationalen Vernunft entspringt, denn die Glaubensreinheit, in deren Namen der Protestantismus handelt, wird eben von ihm selber auf Vernunft gegründet und soll durch deren Aktivierung bewerkstelligt werden. Von emotionalen oder ekstasierenden Superbefriedigungen kann bei dieser »protestantischen Nüchternheit« überhaupt keine Rede mehr sein, eher ließe sich, wie beim Calvinismus, von einer hypertrophierten Rationalität sprechen, und fast ließe sich vertreten, daß das religiöse Moment hier in Gefahr steht, immer weiter von einem rein moralischen, nämlich dem Pflichtmoment eines Gesetzbuches verdrängt zu werden, auch wenn als solches zufällig die Bibel gewählt worden ist; nichtsdestoweniger besitzt der Protestantismus und sein Bekehrungswerk eine Überzeugungskraft, die Hunderttausende und Aberhunderttausende zu fanatischen Glaubensstreitern höchster Aufopferungsfähigkeit gemacht hat, er besitzt also alle Merkmale jener echten und reinen Gläubigkeit, um derentwillen er sich etabliert hat, und dieses beinahe erstaunliche Faktum, diese Revolutionierung ohne eigentliche Revolutionstendenzen, diese Systemaufwühlung unter gleichzeitigem Verbleiben im ursprünglichen System läßt sich bloß durch das ungeheuer große Gegengewicht erklären, das der Protestantismus seinem nüchternen Rationalismus gegenüber in die Waagschale wirft: von all den Irrationalitäten des Katholizismus, mit denen dieser das Heidentum gefangengenommen hatte, ist kaum etwas übriggeblieben, dafür aber ist das Moment der inneren Erleuchtung, das Moment der Gnade und der Gnadenwahl zu ausschlaggebender Bedeutung gesteigert worden; es ist eine Wiederentdeckung der innerseelischen Realität, die sich da vollzogen hat, eine Wiederentdeckung, die mit der äußern Realitätsentdeckung des Zeitalters durchaus parallel geht, und sie ist das große Gegengewicht, mit dem der Protestantismus seine eigene Nüchternheit aufhebt, seiner Religiosität jedoch wieder alle Ekstasemöglichkeiten neu eröffnet. Mit dieser seelischen Neuentdeckung vermochte die Reformation in das historische Geschehen einzugreifen, mit ihr hat sie die Massen erfaßt, und wenn dieser Erfolg auch durch die politisch-ökonomischen Verhältnisse des Spätmittelalters, beispielsweise bei der deutschen Bauernschaft, weitgehend vorbereitet gewesen war, so war die äußere Lebensunsicherheit nicht minder vom Wertzerfall des katholischen Systems bedingt, von seinem zum hypertrophischen Wahn hindrängenden Rationalverlust, und die Realitätsentdeckung des Protestantismus, mit dem er die Seele zum Bewußtsein ihres eigensten tiefsten Seins aufrief, war die erste Kampfansage gegen die Wahnbedrohung, war erste Wiedererweckung zur Normalität; kurzum, ohne diese Wendung zur seelischen Realität wäre die protestantische Bekehrung nie und nimmer möglich gewesen. Und ebendarum war diese zweite, die protestantische Bekehrung befähigt, die »Entdämonisierung« wiederaufzunehmen und jene Aufklärung einzuleiten, in der aufs neue die Humanität sich selbst gefunden hatte; sonderbarerweise wurde es zugleich Rettung für den Katholizismus, der aus der Realitätsentfremdung seiner Theologie nun gleichfalls wieder zur Realität heimkehren konnte, eingeschlossen in die große Normalitätswendung, welche die Welt vorgenommen hatte. Noch sonderbarer ist es freilich, daß der Protestantismus trotz seines siegreichen Kampfes gegen den Weltenwahn und trotz der Führung im Weltgeschehen, die er hiedurch errungen hat – die angelsächsische Demokratie ist unbestreitbar sein geistiges Kind –, heute gefährdeter als der Katholizismus erscheint. Gleichwie die Kirche infolge der sinnreich komplizierten Struktur ihres Bekehrungswerkes und ihres Rituals dem Heiden eine ganze Reihe ekstasierender Hilfen geboten hat, auch wenn dieser noch nicht von der erleuchtenden Gnade betroffen gewesen war, ist sie auch in Perioden der »Wiederverheidung«, also des Glaubensverlustes, immer noch in der Lage, den Menschen mannigfach zu fesseln und daher solche Perioden zu überdauern, während der Protestantismus, der sein gesamtes Sein auf die innere Erleuchtung abgestellt hat, mit dem Augenblick zu Fall kommt, da dieses innere Zentrum verlorengeht oder auch nur für eine kurze Zeitspanne versagt; die katholische Kirche vermag während solcher Zeiten den Menschen noch halbwegs im humanen Zaum zu halten, der Protestantismus ist hiezu nicht imstande, und so ist er nicht nur zum Vater der Aufklärung, sondern auch zu dem des Nationalismus und seiner Wiederverheidung geworden.

Auch heute geht es um Entdämonisierung. Und der von den Dämonen bedrohten Demokratie ist die Aufgabe zugefallen, sich gegen sie zu wehren.

Dämonen, welche bekämpft werden sollen, müssen halbwegs präzise erkannt werden. Die Wahnformen, von denen die fascistische Überzeugung durchwoben ist, sind derart komplex, daß sie kaum auf einen gemeinsamen und gar dämonischen Nenner zu bringen sind: der neurotische Kulturekel, der Sadismus und die Zerstörungswut, all diese Folgen einer hoffnungslosen Zerrissenheit sind nicht als dämonisch anzusprechen, eher verdienen die psychotischen Hypertrophien, deren sichtbarstes Beispiel in der Rassentheorie gegeben ist, diese Bezeichnung, doch Wahn allein, auch wenn er zum vollen Irrsinn gesteigert erscheint, ist noch nicht dämonisch, vielmehr bedarf es hiezu eines spezifischen Zuschusses, und dieser wird hier von der genial sinnvollen Technik geliefert, mit der dem Sinnlosen zum Siege verholfen wird, so daß selbst das apokalyptische Blutgrauen dieses Krieges noch den Anstrich einer historischen Zweckmäßigkeit erhält. Es ist die nämliche knabenhafte Zweckmäßigkeit wie jene, deren Ausgeburt in den nationalsozialistischen Köpfen spukt, wenn sie träumen, daß alle kleineren und wehrlosen Nationen und Rassen, nicht zuletzt – nach dem Muster des indianischen Schicksals – die gesamten Neger Afrikas ausgerottet und bis zur Erreichung dieses Endzieles völlig versklavt werden müßten, damit teils durch Beistellung unentgeltlicher Arbeitskraft, teils durch Tod der Minderwertigen dem wohlbewaffneten deutschen Volke der Aufstieg zu gottähnlicher Glückseligkeit ermöglicht werde; denn alle Siege wären zwecklos, wenn aus ihnen nicht ein realer, also ökonomischer Nutzen zu ziehen wäre, und da der moderne Krieg nicht mehr wie einstens um die Gewinnung strategischer Grenzen, aber auch nicht mehr zur kapitalistischen Gewinnung von Absatzmärkten geführt werden kann, muß auf die urtümlichste Siegesvorstellung, nämlich auf die von den gewinnbaren Jagd- und Weidegründen, auf die von den kostenlos fronenden Unterworfenen zurückgegangen werden, um über den nationalistischen Selbstbetrug hinwegzutäuschen, welcher genau weiß, daß dieser Krieg, mehr als jeder vorhergehende, nichts als nackte Sinnlosigkeit zurücklassen wird, Sieger wie Besiegte in der nämlichen elenden Schrecknis umfassend. Die Vorstellung vom Siege samt der von seinen überwältigenden Zielen und Früchten bis aus tiefster, leergewordener Vergangenheit heraufgeholt, er ist selber leer, ist Sieg um des Sieges willen, und gerade seine Verbrämung mit exaktester, virtuosenhaft exekutierter Technik enthüllt die dämonische Nichtigkeit seiner Bestechung: die berauschende Verleitung zum schieren Nichts.

Doch gleichgültig, ob man das Phantom des Sieges, die Vorstellung vom Besiegen dämonisch nennen will oder nicht, es handelt sich jedenfalls, unabhängig von der Wortbezeichnung, um eine Grundvorstellung in fast allem Wahngeschehen der Massen und besonders im heutigen, zu dessen mannigfachen Hypertrophien eben auch die des Sieges (– schon der Ausdruck »totaler Krieg, totaler Sieg« weist in diese Richtung –) unzweifelhaft gehört. Gewiß läßt sich daneben mit nicht minder gutem Rechte von einer Hypertrophie des Machttriebes sprechen, ja, es ließe sich sogar diesem eine primäre, jenem aber nur eine sekundäre Bedeutung beimessen, weil der Machttrieb unausrottbar dem Menschen eingeboren ist und der Siegwille bloß eine seiner verschiedenen Auswirkungen darstellt; aber der Machttrieb ist anonym, nicht viel weniger anonym als der Schopenhauersche Wille, während die Siegeswunschbilder durchaus akzentuiert sind, also unter der Leitung richtunggebender Kräfte des eigenen oder eines fremden Bewußtseins stehen, das ihnen ein manchmal erreichbares, manchmal ein unerreichbares, immer jedoch klar umrissenes Willensziel vorschreibt. Das Verhältnis zwischen Machttrieb und Siegesvorstellung entspricht beiläufig dem zwischen der Freudschen allgemeinen und anonymen Libido und den distinkten Sexualvorstellungen (auch wenn diese nicht auf eine bestimmte Person, sondern nur auf den Sexualakt als solchen bezogen sind), und zwar kann man der Vorstellung von der nicht endenwollenden Sexualpotenz ohneweiters eine von »Siegespotenz« zur Seite stellen, von einer Siegespotenz, welche erlauben soll, den Siegesakt beliebig oft in nicht endenwollenden Ekstaseserien zu wiederholen; ob nun der Machttrieb in die Libido eingeschlossen sei oder diese in jenen, sie beide stehen jenseits von gesund und krank, doch allen Abirrungen sind sowohl die Sexual- wie die Siegesvorstellungen unterworfen, und gerade dies rückt sie in den Mittelpunkt der psychologischen Betrachtung, dieselbe immer wieder zur Psychopathologie machend. Es ließe sich geradezu behaupten, daß im Massengeschehen die Siegesekstase – der »Siegesrausch« – beiläufig die nämliche Stelle einnimmt wie die Sexualekstase im Individualgeschehen, d. h. jene Stelle, von der aus das ständige Ekstasebedürfnis des Menschen am bequemsten, am handgreiflichsten, also mit dem geringsten Aufwand von Sublimierungen zu befriedigen ist, allerdings zwar nicht immer real, dafür aber mit um so üppigerer Phantasie, und besonders dort, wo – wie bei Massen in Panik oder Vor-Panik – der Wunsch nach einem rettenden Werterlebnis in Gestalt emotionaler Superbefriedigungen auftaucht, müssen dieselben beinahe zwangsläufig auf dem Wege des geringsten Widerstandes, auf dem Wege der leichtest erlangbaren Ekstase gesucht werden. Sieg ist das Rettungssymbol, das den Massen vorschwebt, gleichwie die Fahne ihrerseits Symbol dieses Symbols ist, und die Siegesverlockung war seit jeher das Instrument gewesen, mit dem die Massen zu wahnhaften Handlungen getrieben werden konnten: Lynchakte und Pogrome, obschon selber kaum Siege zu nennen, sind symbolhafte Andeutungen von solchen, und sie sind es um so mehr, als jeder Sieg sich gegen einen »Feind«, gegen einen »Fremden« oder Fremdartigen zu richten hat, ja, um so mehr, als sich der Fremde, möge er noch so harmlos sein, stets noch am geeignetsten erwiesen hat, zum Sündenbock für eine Panik gemacht zu werden, deren Ursachen – dies gehört zum Wesen der Panik – sonst nicht angebbar wären. Die Siegesphantasien der Masse gleichwie die Sexualphantasien des Individuums zeigen ebensowohl in ihrer Verquickung mit Angst- und Panikzuständen als auch in ihrer symbolhaften Umkleidung und Verkleidung stark neurotische Züge, doch dies besagt keineswegs, daß sie aus den mehr oder minder psychotischen Formen hypertrophischen Wahnes völlig verbannt sein müßten: gewiß gibt es viele Hypertrophien, insbesondere solche des religiösen Wahnes, die mit Siegesvorstellungen wenig zu tun haben, aber schon in der Verbrennung von Hexen, die wegen ihrer »fremdartigen« Rothaarigkeit als »wertfremde« Feinde des christlichen Wertsystems hatten gelten müssen, läßt sich erkennen, daß da etwas als »Symbol« und eben symbolhaft besiegt worden ist, nämlich das »Böse« schlechthin, das sich außerdem bezeichnenderweise als Geschlechtsakt mit dem Teufel repräsentierte. Keines dieser Elemente fehlt im modernen Massenwahn, sie sind allesamt, angefangen von der wahnvorbereitenden Panik bis hinauf zu dem als Rassenschande aufgezäumten Inkubus, höchst vollzählig vertreten, sie allesamt werden zur Wahnaufpeitschung verwendet, und sie gipfeln in Siegesbesessenheit, in einer hohlen Siegesbesessenheit an sich, in einem Amoklauf an sich, dessen totale Radikalität notgedrungen sich schließlich gegen den Menschen an sich wenden muß. Dies sind immerhin einige Gründe, die gestatten würden, das Treiben der Diktatoren dämonisch zu nennen.

Und ob man sie dämonisch oder anderswie nennen will, von dieser Siegesbesessenheit ist jene lähmende Wirkung ausgegangen, die den restlichen Teil der Menschheit, vor allem also die Demokratien, zu untätigster Wehrlosigkeit hat erstarren lassen. Die Bekämpfung des sie bedrohenden Massenwahnes, zu welcher sich die Demokratie, will sie bestehen bleiben, wird aufraffen müssen, wird sohin zu einem sehr großen Teil gegen die Siegesvorstellung als solche zu richten sein.

Der Primitive – und das Denken der Massen ist immer dem des Primitiven nahe – wechselt seinen Gott, wenn dieser durch einen stärkeren Gott besiegt wird. Der dem »Siegesdämon« verschriebene Massenwahn wird demnach am wirksamsten bekämpft werden, wenn es gelänge, den fascistischen Siegeslauf aufzuhalten, kurzum, wenn eine »Besiegung des Sieges« durch Waffengewalt stattfände. Es ist die paradoxe und eigentlich antinomische Bekämpfung des Wahnes durch einen »Gegenwahn«, also ein Verbleiben im Bereich der Rationalverarmung, und da die Fascismen ihrer besseren Bewaffnung sicher sind, ist es gerade diese Situation, die ihnen genehm ist, nicht nur in militärischer, sondern auch in psychologischer Beziehung, denn sie verhindert die Bildung einer wahrhaft demokratischen Überzeugung.

Mit der ihm eigentümlichen philosophischen Folgerichtigkeit hat das indische Denken die zentrale Stellung der Siegesvorstellung im modernen Wahngeschehen erkannt und ebenso folgerichtig die einzige Bekämpfungsmethode, welche keine Antinomie enthält, nämlich die Methode der »non-resistance« in Vorschlag gebracht, ja, sogar weitgehend durchgeführt. Die große psychologische Entdeckung, die damit gemacht worden ist, liegt in der Möglichkeit zur »Entwertung des Sieges«: gelingt es, die Menschheit zu überzeugen, daß Siege zu nichts nutzen, daß sie ein Vorstoß ins Leere sind, der keines Menschen Glück vergrößert, so wird der Sieg schließlich seine Nichtigkeit erweisen und seine dämonische Verlockung verlieren. Eine andere Frage ist es freilich, ob die gewählte Methode der non-resistance tatsächlich geeignet ist, diese »Entwertung des Sieges« zu vollziehen. Denn die Aufforderung, jede Unterjochung widerstandslos, ja, mit persönlicher Selbstaufopferung auf sich zu nehmen, rechnet einerseits mit der inneren Widerstandskraft eines 300-Millionen-Volkes (– irgend etwas vom nationalsozialistischen »Der einzelne ist nichts, das Volk ist alles« schimmert sonderbarerweise, freilich unter anderem Vorzeichen, auch hier noch durch –) und andererseits mit den zwar nicht gerade liebenswürdigen, immerhin aber noch knapp erträglichen Unterjochungssitten der Engländer, versäumt jedoch darüber, mit den Sitten untermenschlicher Konquistadoren zu rechnen, die sich durchaus nicht scheuen würden, dem indischen Volk das Schicksal der Inkas, Azteken und Mayas zu bereiten. Der Opfertod eines einzelnen hat einmal in der Geschichte grundlegend die Welt verändert, der Opfertod eines Volkes hat noch nie auch nur annähernd Ähnliches vollbracht. Denn alle moralische Kraft geht vom Individuum aus.

Das asiatische Denken mag seine Folgerichtigkeit zum radikal einseitigen Pazifismus Indiens oder zum radikal einseitigen Bellizismus Japans steigern – müßig die Frage, ob solche Denkgegensätze aus den gegensätzlichen Urprofessionen der Jagd und des Ackerbaus, des Fischfanges und des Hirtenwesens herstammen mögen –, doch niemals wird es so in sich zwiespältig wie das Denk- und Wertschema des christlichen Europas werden. Vielleicht Wahnbehaftung, vielleicht Genialität, ursprünglich das eine wie das andere, es ist der abendländischen Welt und vor allem Deutschland, das sowohl im Guten wie im Bösen ihr Antlitz und oftmals ihre verzerrte Karikatur ist, noch niemals gelungen, einen Ausgleich zwischen ihrer humanen Rationalität und ihrer dämonengehetzten triebhaften Gier herzustellen, und solcherart stets an eine Wertdoppelgleisigkeit verhaftet, wurde das Konzept des mit Feuer und Schwert herrschenden und erobernden »Gottesstaates auf Erden« für sie zum verführerisch großen Leitgedanken. Und die »Wahnnähe« solcher Zwiespältigkeit kommt auch im abendländischen Pazifismus zum Ausdruck: er ist aus dem vernünftigen Kopf, nicht aus dem kriegerischen Herzen des europäischen Menschen geboren, und ebendeswegen ist ihm eine wahrhaft gefühlsmäßige Wahnablehnung nach Art der indischen non-resistance beinah vollkommen fremd; jeder der großen Rationalisierungsschritte, die das Abendland seit der Antike gemacht hat, sowohl der katholische wie der protestantische, doch desgleichen auch der

demokratische, da er sich vollgültig den beiden religiösen an-
reiht, hat pflichtgemäß und manchmal sogar mit Sehnsucht sich
dem Gedanken des ewigen Friedens angenähert, indes keiner
hat sich zu einer echten »Entwertung des Sieges« aufraffen und
sich hiedurch der eigenen Zwiespältigkeit entledigen [können].
Viel eher und leichter scheint die Befreiung von der Zwiespältigkeit vor sich zu gehen, wenn die entgegengesetzte Richtung,
nämlich die des siegesbesessenen Wahnes eingeschlagen wird;
die Fascismen zeigen eine Eindeutigkeit, wie sie Europas Geist
selten vorher besessen hat.

Wenn heute dem Frieden zuliebe in zunehmendem Maße innerhalb der Demokratie von einer non-resistance gegen die nationalsozialistische Aggression gesprochen wird, so ist dies –
abgesehen von der direkten deutschen Propaganda – oftmals
eine unbewußte Heuchelei; denn so ehrlich es diese Art von
Pazifisten auch meinen mögen, sie fühlen – und dies ist kraft
Zwiespältigkeit fast wie eine kleine sympathisierende Hoffnung
–, daß sie persönlich nicht unmittelbar vom deutschen Vernich-
tungs- und Versklavungswillen getroffen werden würden und
daß daher die Aufforderung zur widerstandslosen Selbstaufopferung zwecks »Entwertung des Sieges« zum Heile der
Menschheit glücklicherweise an andere, nämlich an die verschiedenen Minoritäten und vor allem an die Juden gerichtet
ist. Und dies um so mehr, als der jüdische Geist, soweit man von
einem solchen reden darf, tatsächlich (allerdings keineswegs
durchaus infolge eigenen Verdienstes) wie eine Insel der Eindeutigkeit aus dem Zwiespältigkeitsmeer ragt und hiedurch als
eindeutiger Pazifismus zu einem richtigen Antipoden der fascistischen Siegesideologie geworden ist, also auch vollauf deren
Haß verdient.

Und so ist es eigentlich nicht verwunderlich, daß der einzig
wissenschaftliche, also europäische Versuch zur Entwertung
des Sieges, der einzige, der sich an pazifistischer Konsequenz
dem der non-resistance zur Seite stellen läßt, von einem Juden,
von Karl Marx herstammt. Und ebensowenig ist es verwunderlich, daß der Haß gegen den »jüdischen« Sozialismus weit weniger seinem wirtschaftlichen als seinem pazifistischen Gehalt
gilt; mit den von Marx aufgedeckten wirtschaftlichen Gesetzlichkeiten mußte sich der Nationalsozialismus, wie schon sein
Name besagt, wohl oder übel abfinden, hingegen mit dem soge-

nannten Internationalismus konnte und kann er dies niemals tun. Dabei ist das beinahe groteske Faktum zu verzeichnen, daß der Sozialismus, ungeachtet seiner jüdischen Herkunft, eben doch in erster Linie ein europäisches, ja, sogar ein deutsches Produkt ist, daß er die gesamte Erbmasse seiner geistigen Ahnenreihe in sich trägt, ebensowohl die der Christlichkeit beiderlei Gestalt wie die des Hegelianismus und nicht zuletzt die der westlichen Demokratie, eine Erbmasse, die ihm geradezu zwangsläufig alle Zwiespältigkeitszüge der europäischen Entwicklung ins Antlitz geschrieben hat: europäisch in seiner seltsamen Mischung von wissenschaftlichem Traum und wissenschaftlicher Realpolitik – als pseudowissenschaftliche Mischung im Fascismus wiederzufinden –, ist der Sozialismus gemäß seinem Traum von einem endgültigen Glückszustand der Menschheit a priori pazifistisch, indes, da er das Moralische als bloße Funktion des Ökonomischen nimmt (obwohl er seine ganze politische Wirkung aus der Gerechtigkeitsidee zieht), hat er wenig Neigung, irgendeine ethische Leidenschaft als bewegendes Movens anzuerkennen oder eine ethische Haltung, wie es die der non-resistance ist, irgendwie in Rechnung zu stellen, vielmehr erscheint hier der ewige Friede als bloßes Beiprodukt des Systems, als ein Beiprodukt, das selber erst durch Kampf und Sieg errungen werden muß, nur daß Kampf und Sieg nun von der nationalen auf die soziale Front verlegt worden sind. M. a. W.: unabhängig von seinem nationalökonomischen Wert ist der Marxismus nicht das vollwertige Instrument zur Bekämpfung des »Siegesdämons«, für das er sich selber hält, und er ist hiezu unfähig, weil er im höchsten Sinne »realpolitisch« ist, ja, sogar sein muß, und weil ihm hiefür die Entfesselung von »Gegenwahn« – gleichsam als eine in Permanenz erklärte Siegesorgie auf den Trümmern der kapitalistischen Bastille – wesentlich zweckmäßiger als eine unmittelbare Wahnbekämpfung erscheint. Gewiß, all dies soll sich nach dem Weltsieg des Sozialismus von Grund auf ändern, eine Siegesbesessenheit soll bloß so lange andauern, als er eine kapitalistisch-imperialistische Welt mit ihren eigenen Waffen bekämpfen muß, aber es ist mehr als fraglich geworden, ob es zu solchem Sieg kommen wird, oder ob die Wertdoppelgleisigkeit des Sozialismus, die selbstverständlich – Rußland ist hiefür nur ein Beispiel unter vielen – eine konstante Schwäche seiner politischen und selbst seiner militärischen Position bedeutet, nicht vor der Eindeutigkeit der Fascismen wird kapitulieren müssen. Oder ob der Fascismus nicht die Hintertür ist, durch die der Marxismus schließlich doch in Welt und Geschichte sich einschmuggeln werde, nachdem ihm der Königsweg der Revolution versperrt worden ist. Und ob so oder so, Fascismus oder Sozialismus, hinter beiden erhebt sich, heute schon deutlich sichtbar, das Gespenst hypertrophischen Wahnes.

Allerdings: der Sozialismus fürchtet seine eigene Hypertrophierung nicht. Und um seiner politischen Wirkung willen ist er sogar durchaus bereit, diese Hypertrophierung zu unterstreichen. Denn er kann mit Recht darauf verweisen, daß der Hungrige und Ausgebeutete gerne solche Wahngefahr auf sich nimmt, wenn hiedurch der augenblickliche Hunger gestillt wird, genauso wie der Satte und Ausbeutende sich wenig um den fascistischen Wahn schert, wenn er von diesem eine augenblickliche Rettung gefährdeter Machtpositionen erhoffen darf. Außerdem kann der Sozialismus nicht nur mit Recht, sondern sogar mit berechtigtem Stolz darauf hinweisen, daß er mit seinen Prinzipien ein für allemal zur Phase der »Realitätsfindung« gehört, daß er ein Stück Realität, nämlich die ökonomische, hinter den sogenannten Ideologien aufgedeckt hat und daß dies eine Bewußtmachung darstellt, welche den humanen Rationalisierungsprozeß, sowohl den religiösen wie den weltlich philosophischen und politischen, legitim fortsetzt, ein Beitrag zur Entdämonisierung der Welt, vor dessen Bekehrungsstärke die Gefahren einer neuerlichen Dämonisierung schlechterdings verschwinden. Hier ist, so kann der Sozialismus weiter argumentieren, theoretisch eine letzte Station der Rationalisierung und Entdämonisierung erreicht, und gleichgültig ist es daher, daß zu deren praktischer Erreichung der »Witz der Weltgeschichte« sich nun nochmals aller alten Dämonen, nämlich der des Krieges und des Fascismus, zu bedienen beliebt: bloß die Demokratie als solche – doch wer ist sie? – fühlt sich heute von diesen Dämonen bedroht, bloß sie – doch wo ist sie? – schließt unter sentimentalem Ach und Weh ob des Verlustes der »Zivilisation« beharrlich die Augen vor den geschichtlichen und ökonomischen Notwendigkeiten, anstatt sich ihnen, wie es sogar die Fascismen nach ihrer Art tun, bewußt unterzuordnen. Kurzum, der Sozialismus betrachtet sich als den legitimen Erben und Nachfahren der Demokratie, die für ihn eine überholte Station im Rationalisierungsprozeß ist, und er verlangt von ihr, soweit sie überhaupt noch als vorhanden gelten kann, daß sie sich in dem Kampf zwischen Ausbeutern und Ausgebeuteten, auf den mehr denn je es heute allein ankommt, rückhaltlos an die Seite der letzteren stelle, m. a. W., daß die Demokratie die längst veraltete Position des ökonomischen Liberalismus aufgeben möge, um an seine Stelle die der ökonomischen Gerechtigkeit zu setzen, umsomehr als sich diese mit allen demokratischen Prinzipien, nicht zuletzt mit denen der amerikanischen Konstitution, im besten Einklang befindet: für eine Demokratie, die sich dem Sozialismus zuwendet, ist keine eigene neue Entdämonisierungsaktion vonnöten, aber für eine, die solche Wendung nicht vollzieht, gibt es keine Rettung mehr.

Der Sozialismus hat alle Aussichten, mit seinen Überlegungen recht zu behalten. Zumindest in den grundlegenden ökonomischen Belangen; wie immer auch die Weltwirtschaft geführt werden wird, ob fascistisch oder demokratisch, sie wird den freien Güteraustausch vielfach durch Planung ersetzen, durch die Wirtschaftslogik hiezu gezwungen, obwohl vollgeplante Erzeugung und Verteilung ein vorderhand noch völlig ungelöstes, von der sozialistischen Theorie noch lange nicht bewältigtes Problem darstellt. Wirtschaftsplanung ist nicht mehr zu umgehen, auch wenn sie paradoxerweise nicht als geplante Planung, sondern als Improvisation auftreten wird. Doch was ist damit für die Massenwahnbekämpfung geleistet? Zweifelsohne wird durch Verringerung der panikauslösenden Wirtschaftsunsicherheit allerlei Wahnverursachung hinweggeräumt; indes das Beispiel der Fascismen und selbst Rußlands zeigt recht deutlich, daß die Anbahnung einer planwirtschaftlichen Lösung – und möge sie in der Zukunft noch so erfolgreich werden – nicht die geringste Tendenz zur Aufhebung von Wahnvorstellungen, am allerwenigsten der Siegesvorstellungen enthält, vielmehr im Gegenteil sich durchaus in den Dienst jedweden Wahnes stellen läßt. Nun enthält aber der Sozialismus, eben in seiner marxistischen Anlage, eine Reihe außerökonomischer Elemente: er würde und könnte sich nicht immer wieder um die Demokratie bemühen, wenn er nicht letztlich gewillt wäre, sich den regulativen Prinzipien der Demokratie rückhaltlos unterzuordnen und den Schutz der menschlichen Würde und Persönlichkeit, kurzum die Wahrung der Humanität zu seinem eigentlichsten Ziel zu machen. Denn ungeachtet seiner Verhaftung an die krasseste Realpolitik und ungeachtet der daraus erfließenden (spezifisch abendländischen) Zwiespältigkeit, kurzum, ungeachtet alles Schwankens zwischen Wahnzuneigung und Wahnabneigung, und mehr noch, ungeachtet seiner Mitbeteiligung an den wahnbesessenen Angriffen gegen die Prinzipien der Humanität, weiß der Sozialismus um solche Wahnhaftigkeit, und er weiß, daß deren Bekämpfung, die ihm ursprünglichste Pflicht geblieben ist, unter allen Umständen – hier tritt das psychologische Gesetz der Geschichte neben das ökonomische – von der Verteidigung eben dieser Prinzipien auszugehen haben wird. Wo der abendländische Geist nicht eindeutig, wie in den Fascismen, von Siegesvorstellungen übermannt ist, ringt er überall, sowohl in der Demokratie wie im Sozialismus, um die Gewinnung eines eindeutigen, aller Zwiespältigkeit enthobenen Weges, auf dem es ihm gelingen soll, den blutigen Weltenwahn zu beseitigen und die Führung der Weltgeschäfte in die Hand der Vernunft zu bringen. Die Mittel zu dieser fortschreitenden Entdämonisierung der Welt sind »wissenschaftlich« geworden; die Auffindung und Verwertung geschichtsbedingter Gesetzlichkeiten, für welche die ökonomischen und psychologischen bloß die ersten Glieder einer niemals abschließbaren, niemals abgeschlossenen Reihe bilden, ist unendliche Aufgabe zur Erreichung des Zieles, eines Menschheitszieles von höchster Invarianz: die glücklichen »Normalitätsperioden« der Menschheit tunlichst zu verlängern, den historischen Pendelausschlag zu den beiden Wahnpolen hin tunlichst zu verkürzen. Ob man dies dann Sozialismus oder Demokratie nennen will (kaum jedoch Sozialdemokratie), ist ziemlich gleichgültig; immerhin, es ist die Demokratie, welche das Angriffsobjekt des modernen Massenwahnes ist, und so ist es nur richtig und vertretbar, daß er in ihrem Namen bekämpft wird.

1 Es handelt sich um das letzte und umfangreichste Kapitel von Brochs »Autobiographie als Arbeitsprogramm«. Zu den voraufgegangenen Teilen der »Autobiographie« vgl. HB, *Philosophische Schriften 2*: Theorie, a.a.O., S. 195ff, besonders auch S. 203, Fußnote 1.
2 Vgl. HB »Völkerbund-Resolution«, in: *Politische Schriften,* KW 11, hrsg. v. P. M. Lützeler, (Frankfurt am Main, 1978), S. 195-232.

Dritter Teil
Der Kampf gegen den Massenwahn
(Eine Psychologie der Politik)

Kapitel 1:
Die Aufgabe.
MASSENWAHNTHEORIE (1939 und 1941) [IV]

Die Betrauung der Demokratie mit der Aufgabe zur Massenwahnbekämpfung verlegt diese durchaus in die politische
Sphäre. So war es seit eh und je gewesen; immer hat Massenbehandlung zum politischen Gewerbe gehört, und umgekehrt ist
– zumindest in der heutigen hochpolitisierten Welt und angesichts eines [Wahnes], der beinahe ausschließlich politisch zu
Ausdruck gelangt – kaum eine andere Massenbehandlung als
eine politische denkbar. Selbst die religiöse Annäherung an die
Massen, die früher sich halbwegs auf ihre eigenen Belange hatte
beschränken können, sieht sich heute in die Problematik Diktatur–Demokratie gezogen.

Doch eben weil es Wahnbekämpfung auf politischem Gebiet
ist, muß man sich nochmals die Frage vorlegen, ob die Demokratien überhaupt solcher Aufgabe gewachsen sind. Sie haben
bisher so viel Unfähigkeit bewiesen, daß man mit einigem Fug
von einem psychischen Mangel sprechen könnte, und dies ist
nicht gerade die beste Ausrüstung für eine Wahnbekämpfung.
Ja, es ließe sich sogar behaupten, daß es so etwas wie einen spezifisch [demokratischen] Wahn gibt, nicht nur politische Kurzsichtigkeit und Dummheit, nämlich eine spezifisch demokratische Hypertrophie, die sich in erster Linie, und zwar stets am
unrechtesten Platz, als ein hypertrophisch ungebundenes laisser
faire, laisser aller kundtut, darüber hinaus aber mit all der Lei-
denschaftlichkeit, die jeder echten Hypertrophie zukommt,
sich wehrt, den Blick auf die Weltrealität zu richten.

Denn:

Die Demokratien haben die traditionelle europäische Gleich-
gewichtspolitik fortgesetzt, ohne zu erkennen, daß diese durch
die Flugtechnik, welche die Isolation Englands aufgehoben und
den strategischen Wert der englischen Flotte vermindert hat
(– und bald die amerikanische Isolation in gleicher Weise be-

rühren wird –), vollkommen erschüttert worden ist.

Sie haben nicht erkannt, daß die europäischen Kleinstaaten, welche innerhalb weniger Stunden überflogen werden können und außerdem auf ausländischen Waffenbezug angewiesen sind, nicht mehr als Machtfaktoren in jenem Gleichgewicht gelten konnten.

Sie haben – teilweise wohl aus kapitalistischen Affekten – in Unterschätzung der industriellen Abhängigkeit Rußlands von Deutschland und in Überschätzung des traditionellen deutsch-russischen Antagonismus erwartet, daß Rußland[1] sich als Machtfaktor im europäischen Gleichgewicht verwenden lassen werde, und sie haben daher ausschließlich mit diesem Ostkrieg gerechnet, der ihnen, unabhängig vom Sieger, auf jeden Fall zum Vorteil gereicht hätte.

Sie haben – sogar nach München[2] – den kommenden Zusammenbruch ihres Kartenhauses nicht vorausgesehen, sondern haben, ohne ihre Aufrüstung aufs Äußerste zu beschleunigen, untätig zugewartet, sicherlich auch in der Vorstellung, es werde niemand, nicht einmal ein Hitler, sich zu einem wirklichen Krieg entschließen können.

Sie haben sich den Zusammenbruch des Kartenhauses, geschweige denn die daraus sich ergebenden Folgen, überhaupt nicht vorstellen können, am allerwenigsten, daß es in diesem Krieg letztlich ausschließlich um die Rüstungskontrolle der Welt geht und daß dem Sieger kraft dieser industriellen Kontrolle tatsächlich die Weltherrschaft zufällt.

Sie haben keine Ahnung gehabt, daß eine derartige totale Welteroberung nichts anderes als Weltversklavung bedeuten soll und bedeuten wird; sie haben sich nicht vorstellen können – obwohl das Schicksal der Juden ihnen einen deutlichen Fingerzeit hätte geben sollen –, daß man mit den heutigen technischen Mitteln ohneweiters ganze Völker im Wege der Ausfolterung durch Konzentrationslager, wissenschaftlichen Vitaminentzug und durch Kälte einfach ausrotten kann und daß auf diese Weise zumindest ein einheitlich deutsches Mitteleuropa erstehen wird.

Sie haben es nicht verstehen wollen und verstehen es wohl auch heute noch nicht ganz, daß diese Siegesbilder durchaus geeignet sind, ein Volk zu einem ekstatischen Amoklauf aufzurufen, nichtachtend fremdes Leid, nichtachtend den eigenen

Tod, sinnlos zerstörerisch um eines einzigen Sinnes willen, dem des nackten Siegesrausches.

Das Register der politischen Blindheit, mit der die Demokratien geschlagen gewesen sind, ließe sich noch beliebig verlängern, und zu dieser politischen Blindheit muß noch eine psychologische hinzukonstatiert werden, nämlich die Blindheit vor der Genialität des deutschen Volkes und seines Führers: alles, was die Demokratien nicht erkannt hatten, wurde von Deutschland rechtzeitig und mit vollem Realitätsbewußtsein erkannt; die deutsche Genialität hat das »Loch in der Weltgeschichte« entdeckt, in das es hineinzustoßen gilt, und in genial systematischer Arbeit wurde das deutsche Volk durch zehn Jahre zu diesem Vorstoß erzogen und vorbereitet, und zwar in aller Öffentlichkeit, kaum getarnt durch einige offizielle Erklärungen, mit denen die künftigen »Feinde« sich willig beruhigen ließen. Nichts als ein Achselzucken hatten die Demokratien für die immer deutlicher werdenden deutschen Welteroberungspläne übrig, die zwar für wahnsinnig erachtet wurden, jedoch nicht wegen ihrer barbarischen Absichten (die in Ansehung der Juden, Tschechen und anderer Kleinvölker sogar manche Sympathien erweckten), sondern wegen der »Undurchführbarkeit« solcher weltumspannender Pläne; nun, die Genialität des deutschen systematisch-wissenschaftlichen Geistes hat auch die Durchführbarkeit des angeblich Undurchführbaren bewiesen, an Einfällen und Voraussicht unendlich einer blinden Unterschätzung überlegen, die ihr nichts als mutige Improvisation entgegenzusetzen hat. Wo also liegt der psychische Wahn, wo die psychische Gesundheit? Kann man da der Demokratie noch die Kraft zutrauen, einen Wahn zu bekämpfen, der vielleicht gar keiner ist, jedenfalls aber in seiner Durchführbarkeit sich ihr in jeder Beziehung überlegen zeigt?

Die Demokratien waren unfähig gewesen, konkret zu denken, sie waren unfähig gewesen, die Verschiebung der Machtlage durch die moderne Technik und ihre Radikalität auch nur im entferntesten zu erfassen, und sie waren blind für den Geist und die Genialität eines Gegners gewesen, der mit keinem dieser Mängel behaftet ist; ihre Welt war eine gestrige und ist es wahrscheinlich auch noch jetzt inmitten der Katastrophe. Nur ein einziges Moment läßt sich zu ihren Gunsten anführen: die Weltkatastrophe war nicht notwendig gewesen, sie war und ist ein Akt des Über-Mutes, sie ist ein Akt des leeren Siegesrausches um seiner selbst willen. Denn bei aller Grausamkeit, die der Technik als solcher innewohnt, und so kriegsfördernd sie seit der Erfindung des ersten Bronzeschwertes gewesen ist, zur Voraussetzung des Krieges hat stets eine gewisse geographische Stabilität gehört, in der sich Landstrich gegen Landstrich, Land gegen Land zu stellen hatte, und eben diese geographische Stabilität ist nun von der Technik selber, also ganz außerhalb ihrer kriegerischen Funktion, mit einem Male aufgehoben worden; nur wenige Jahre noch, und die Welt wäre kraft ihrer technischen Vereinheitlichung und ihrer technischen Verkehrsenge so klein geworden, daß die Völker geradezu automatisch an den Verhandlungstisch gezwungen worden [wären], um unter gründlicher Auflassung ihrer überflüssig gewordenen Kleinstaatlichkeiten die Kriegsfunktion der Technik endlich abdanken zu lassen. Dies war es, worauf die demokratische Welt gebaut, dies war es, was sie erwartet hatte, und wäre sie während dieser Wartezeit gerüstet gewesen, wäre ihr die Rüstung nicht zu »kostspielig« gewesen (– einer der Hauptgründe der Katastrophe –), so hätte der Wahnsinnsausbruch vermieden werden können. Es war also für diesen sozusagen der letzte noch mögliche Augenblick, der letztmögliche Augenblick für einen Überfall auf die Welt, und auch dies wurde von Deutschland mit genial-wahnsinniger Folgerichtigkeit klar erkannt; dämonisch sein Führer, dämonisch der »Sieg«, dem es sich verhaftet hatte, hat Deutschland friedliche Übereinstimmungen bloß insoweit zugelassen, als sie zur Kriegscamouflage brauchbar waren oder zur Gewinnung strategischer Positionen benützt werden konnten (– Kolonialmandate waren für einen, der Weltherrschaft anstrebt, keine strategisch anstrebungswürdigen Belange –), darüber hinaus aber [wurde] jede Friedensbemühung systematisch vereitelt und mit unerbittlicher Zielgerichtetheit auf den Krieg hingearbeitet: die dämonische Siegeslüsternheit sah das Kriegsgespenst in die Zeitentiefe verschwinden und mußte es heraufholen, ehe es hiefür zu spät geworden war. Die Demokratien haben in einer Welt von gestern gelebt; Deutschland hat eine vorgestrige Welt heraufbeschworen, allerdings eine, die mit den modernsten Einrichtungen ausgestattet ist. Nun ist freilich das Gestern dem Vorgestern zumeist näher als dem Heute oder gar dem Morgen verwandt, eine Verwandtschaftsbeziehung, die von Hitler in seiner Vorkriegspolitik aufs beste verwendet worden ist und nicht wenig zu seinem Erfolg beigetragen hat, indes, so schuldig die Demokratien auch in dieser Beziehung gewesen sind, sie waren ehrlich gewillt, den Krieg zu vermeiden, und gerade mit ihrer ärgsten Dummheit, gerade mit ihrer Nicht-Rüstung haben sie den Beweis hiefür erbracht. Das Grauen wurde mutwillig entfesselt. Es war nicht notwendig gewesen.

Oder doch, es war notwendig gewesen, weil Politik immer Ausnützung der Schwächen des andern gewesen ist. In Ansehung dieses Grundsatzes führt Deutschland heute einen Präventivkrieg. Denn genauso, wie es den Westvölkern unverständlich gewesen war, daß es jemanden geben konnte, der tatsächlich Krieg will, genauso ist es den Deutschen – und nicht zuletzt, weil sie jahrhundertelang von übermächtigen Nachbarn bedroht gewesen waren – völlig unfaßbar, daß es bei irgendjemandem einen wirklichen Friedenswillen geben könne: für Hitler, der darin mehr als anderswo der Repräsentant deutscher Denkungsart ist, stand und steht es fest, daß er zuerst hatte zugreifen müssen, weil das Britische Reich, wäre es einmal aus seinem Isolationsschlaf erwacht, unbedingt statt seiner die Hegemonieinitiative ergriffen hätte, und alle Folgen des totalen Krieges, wie er ihn jetzt führt, samt totaler Versklavung, ja, physischer Ausrottung, dem deutschen Volke zugefügt worden wären. Versklave, um nicht versklavt zu werden, heißt es für die deutschen Machthaber, und selbst wenn es durch ein Wunder nicht so weit gekommen wäre, selbst wenn die Völker sich vorher am Verhandlungstisch hätten treffen müssen, so ist es noch besser, durch Krieg und Weltverelendung zur ersten Stelle aufzurücken, als im Zuge von Verhandlungen zu einer zweiten genötigt zu werden: nicht nur, daß der Krieg als Vater aller Dinge zweifelsohne ein für die Menschheit unvermeidliches Übel ist, das niemals zum Verschwinden gebracht werden kann, es hat sich die Menschheit noch stets zu neuer Blüte erhoben, und wenn sie dies dereinst unter Führung eines siegreichen deutschen Volkes wieder tun wird, so werden seine heutigen Untaten vergessen sein, vergessen wie seine schuldlosen Opfer; die Geschichte preist bloß den Sieger.

Kein Zweifel, es ist etwas Grandioses in diesem Konzept, freilich eine Grandiosität, die wie beinahe jede aus der Siegesvorstellung herstammt, aus der Überwindung der Humanität, kurzum, die Grandiosität eines Dschingis Khan. Und wie sich wohl in jeder Aggression wahrscheinlich auch in der des Dschingis Khan, fast immer Züge von Verfolgungswahn nachweisen lassen, weil bloß derjenige, welcher selber von Aggressionsabsichten durchschüttelt ist, sich unausgesetzt von losschlagbereiten Feinden umringt sieht, so sind sie wohl hier, wenn auch vielfach genial übersteigert und überdeckt, nicht minder vorhanden. Was Deutschland beabsichtigt und betreibt, ist Politik, und als Politik ist es grandios, aber es ist von Wahnsinn durchsetzte Politik, durchsetzt von Hypertrophien und Zerrissenheiten, durchsetzt von psychotischen wie von neurotischen Elementen, also auch geführt von ausgesprochenen Psychopathen und Neurotikern, die selber dem schieren Nichts verfallen sind und daher, befangen in ihrem grandiosen Schachspiel, nichts von all dem durch sie entfesselten Menschheitsleid, nichts von diesem Mahlstrom an Blut und Tränen, nichts von diesem Weltenelend und Weltengrauen, das sie verursacht haben, sehen können, sehen wollen. Mag der psychologische Aspekt noch so sehr vom politischen überschattet sein, mag das Grandiose darin noch so sehr das Wahnhafte überwiegen, unverkennbar bleibt der entsetzliche Rationalverlust, auf den diese Art von Politik zusteuert. Statt Fortschritt in der Bewußtmachung wurde absichtlich Bewußtseinsverdunkelung gewählt, ja, sogar das Nationalbewußtsein wurde verdunkelt, da es ins Lynchhafte und zum Amok gewendet wurde, und eben von hier aus, von dieser durchgängigen und allgemeinen Bewußtseinsverdunkelung aus erhält der ganze – in der Sphäre des Politischen so überaus rationale – Vorgang den rationalverarmten Charakter einer erschreckend wirklichen »Wiederverheidung«: nicht auf die Ablehnung des Christentums, die in der Geschichte seit eh und je freigeistige Vorläufer verschiedenster Prägung gehabt hat, kommt es dabei so sehr an, auch nicht auf die immerhin schon reichlich närrische, kokett bärtige Wiedererweckung germanischen Götterglaubens (– der eigentliche Nationalsozialismus ist viel zu großzügig, um dergleichen Bürgerspäße irgendwie ernst zu nehmen –), nein, dies ist noch nicht das Heidnische, das gemeint ist, wohl aber ist es in dem Rückgriff auf die magische Vorsphäre des Menschlichen zu erkennen, auf eine Vorsphäre, die beinahe kannibalisch genannt werden darf und aus der, schlechterdings teuflisch, die primitivsten Seeleninhalte wieder ans Licht gefördert werden, auf daß mit ihnen das Rationalvakuum, also das Nichts durch ein anderes Nichts aufgefüllt werde; die Berufung auf die Historie und auf ihre angeblich für ewig unerläßliche Kriegserfülltheit, an die der Aggressor sich klammert, weil er sein schlechtes Gewissen – fast jeder weiß um den eigenen Wahnsinn und heute wohl mehr denn je – für sich wie für die Welt entlasten will, diese Hinwendung zur Historie und zum Gewesenen ist zugleich eine seiner ihm eigentümlichsten Grundhaltungen, entsprungen seiner suchenden Rastlosigkeit und rastlosen Aggression, die sich immer wieder gezwungen fühlt, das Nichts im tiefsten Zeitenschachte aufzuspüren, immer wieder zum Hinabtauchen gezwungen ist, um das wahnsinnige Tier des Anfanges[3] heraufzuholen, das apokalyptische Wahngeschöpf, das seit Urbeginn bis heute der dämonische Träger aller Kriegslust, der unheimliche Träger alles Siegesrausches gewesen war und geblieben ist.

Mit der Berufung auf die Geschichte – und das weiß letztlich sogar jeder Fascist – ist die Notwendigkeit und Unausrottbarkeit des Krieges keineswegs bewiesen. Auch die Pest war durch Zehntausende von Jahren hindurch als notwendiges Beiwerk der Geschichte betrachtet worden und wurde dennoch, soferne die fascistische Heraufbeschwörung des Gewesenen sie nicht mit allem andern Unheil gleichfalls heute wieder zurückruft, schließlich so gut wie ausgerottet. Freilich sind die Heilungsmöglichkeiten für die geistige Menschheitskrankheit, welche Krieg heißt, ganz wesentlich komplizierter. Der Krieg ist politisches Erzeugnis, politisches Instrument, politisches Gebilde, und er kann daher bloß auf politischem Gebiet bekämpft und vernichtet werden, also von einer politischen Machtinstanz aus, die ungeachtet ihres eigenen politischen Charakters immun gegen die Ansteckungsgefahr des bekämpften Wahnes sein müßte, und es braucht nicht neuerdings auf die Zwiespältigkeit des Menschengeistes, im besondern des abendländischen, verwiesen zu werden, um zu erkennen, daß mit dieser Forderung wiederum die Antinomie der »Besiegung des Sieges« auf den Plan tritt. Darüber hinaus aber darf nicht vergessen werden, daß der Krieg bloß eine bestimmte, allerdings weitgehend wahnbehaftete Handlungsweise ist und daß er daher, wie eine jede solchen Schlages, auch bloß als Symptom für die dahinterstehende, hier außerdem noch recht unerkannte Geisteskrankheit gewertet werden darf. Also selbst angenommen, daß eine radikal pazifistische Politik, etwa die der indischen non-resistance, überhaupt praktikabel wäre, sie würde, solange sie selber bloße Politik im herkömmlichen Sinne bliebe, immer nur das Symptom treffen, denn sie vermag nicht über ihren eigenen Bereich hinauszugreifen, am allerwenigsten, wenn ihr niemand zeigt, wohin sie greifen soll: der Bereich des Massenwahnes wurde zwar von der Politik stets bepflügt und für ihre Zwecke benützt, aber sicherlich nicht zu Heilungszwecken, selbst dann nicht, wenn es um pazifistische Ziele ging; Politik ist manchmal Instrument von Volkshygiene, aber sie ist nicht ärztliche Wissenschaft mit Heilungsabsichten und gar auf einem noch kaum eröffneten Gebiet, nämlich dem der Massenpsychopathologie. Der politische Pazifismus, zu dem auch der demokratische vollauf gehört, war demnach stets auf Symptombehandlung beschränkt gewesen, d. h. er mußte sich notgedrungen mit der Bekämpfung des bloßen Kriegsfaktums als solchem begnügen, und von hier aus gesehen erhalten die Kriegsanhänger und ihre Prophezeiung von der Unausrottbarkeit scheinbar recht: mag ein Symptom auch zum Verschwinden gebracht werden, es wird, bevor die Krankheit nicht selber geheilt ist, immer wieder hervorbrechen.

Es ist also nicht mehr die Frage, ob die Demokratie stark oder nicht stark genug ist, um die Massenwahnbekämpfung vorzunehmen, sondern ob Politik als solche überhaupt hiezu fähig gemacht werden kann. Die außerordentliche und eben bereits antinomische Schwierigkeit dieses Vorhabens zeigt sich zwar, wie immer, an der logischen Struktur des Tatbestandes, muß aber, wie so oft, inhaltsgemäß letztlich auf Glaubensverlust zurückgeführt werden: Massenwahnbekämpfung war einstens beinahe ausschließlich echt religiöse »Bekehrung«, war ein in der Kirche beinahe täglich wiederholtes Bekehrungswerk, kraft welchem jede wahnverfallene Seele aus ihrem »niedrigeren« System befreit und in ein »höheres«, ja sogar absolutes Wertsystem, nämlich in das christliche hinauftransplantiert wurde, und da hiedurch zwei distinkte, streng voneinander getrennte logische Operationsbasen, d. h. die des bekehrenden und die des bekehrungsbedürftigen Systems gegeben waren, so war jedwede antinomische Situation von vorneherein vermieden, denn

Antinomie setzt voraus, daß zwei logische Reaktionszentren, die ihrer Wesenheit oder Struktur nach in verschiedenen logischen Sphären beheimatet sind, infolge dieser oder jener Umstände, sei es vielleicht auch nur infolge eines »Irrtums«, als logisch gleichwertige und gleichgeordnete Partner auf gemeinsamer Ebene in logischen Konnex gebracht werden, also eine Vermengung der logischen Sphären, ein Charakteristikum aller Antinomie, vorgenommen wird; genau dies aber ist eingetreten, als das Denken sich zunehmend verweltlichte und die Entscheidungsautorität genötigt wurde, aus ihrer Absolutheitshöhe herabzusteigen, m. a. W., als die Entscheidungsinstanz, die im Falle der Wahnbekämpfung leicht als die der Bekehrungsinstanz zu erkennen ist, sich nicht mehr auf ihre Gottgesandtheit berufen konnte, sondern zu einer rein weltlichen Vernunft sich wandelte, die ihre Argumente aus den Weltdingen selber, obwohl sie in eben diese ändernd einzugreifen beabsichtigt, beziehen mußte, degradiert zu einer bloßen Meinung neben vielen anderen Meinungen, zu bloßer Politik neben vielen anderen politischen Überzeugungen, kurzum versinkend in einem absolut gewordenen Relativismus logischer Sphärenvermengung, für den es zum Wahn bloß einen Gegenwahn, zum Sieg bloß einen Gegensieg gibt. Wenn also Politik zu der ihr aufgetragenen Wahnbekämpfung brauchbar sein soll, so ist in erster Linie jener hypertrophisch gewordene Relativismus zu durchbrechen, in dem die antinomische Situation verankert ist. Dies aber ist möglich. Denn die Vernunft, mag sie auch – hoffentlich – zu immer reicherer Vielfalt vorwärtsschreiten, verändert sich nicht in ihrer Grundanlage, und wenn sie auch heute »weltlich« geworden ist, sie ist trotzdem die nämliche, welche sich einstens, eingedenk ihres göttlichen Ursprunges, dem Glauben untergeordnet gehabt hatte; die richtunggebende Funktion der rationalen Vernunft ist heute unverändert die nämliche wie damals, eine Veränderung hat bloß im Absolutheitsanspruch stattgefunden, da dieser aus dem statisch-inhaltlichen Bereich der Religion in den funktional-formalen einer mathematisch gewordenen Wissenschaftlichkeit hinübergewechselt ist. Kurzum, von bedauerlichen, allerdings häufigen Abirrungen abgesehen (die immer auf Verwechselung von inhaltlichen und formalen Elementen beruhen), ist die Vernunft heute von Relativismus ebenso weit entfernt, wie sie es seit je gewesen ist: gewiß, die verweltlichte Vernunft muß ihre Argumente aus der empirischen Weltrealität beziehen, indes, indem sie diese nach ihren kausalen und logischen Funktionsbeziehungen untersucht, erhalten ihre Konstatierungen jene wissenschaftliche Gültigkeit, welche allem Relativismus enthoben ist und vielleicht am besten mit der Bezeichnung einer »wachsenden Absolutheit« versehen werden darf. Einzig und allein von hier erhält die funktionale Graduation der Wertsysteme nach ihrem Offenheits- und Geschlossenheitscharakter einen wissenschaftlich vertretbaren Sinn, und ebendarum, eben weil nur innerhalb einer solchen Graduation sinnvoll von »aufsteigenden« Bekehrungen in der Richtung zunehmender Rationalität (und Absolutheit) gesprochen werden kann, ist auch einzig und allein von hier aus die Möglichkeit eröffnet, den antinomischen Zirkel einer Bekämpfung wahnhafter Politik, des Sieges durch andern Sieg, zu durchbrechen: die Aufgabe der Wahnbekämpfung, die der Politik auferlegt worden ist, verlangt von dieser, daß sie richtunggebende Funktionen erfülle, daß sie von einer »höher-rationalen« Ebene aus ein Bekehrungswerk ausübe, und diese »Höhendifferenz«, die klein oder groß (wenn auch nicht wie im religiösen Glauben unendlich groß) sein kann, immer aber als absolut gelten soll, ist ausschließlich von der wissenschaftlichen Wahrheit zu beziehen; die »Bekehrungsinstanz« wird zur wissenschaftlichen Instanz, die politische Überzeugung wird zur wissenschaftlichen Überzeugung. Der Sozialismus hat – ohne den Boden realpolitischen Denkens zu verlassen, also ohne ins rein Utopische abzuschweifen – den ersten Schritt zu einer völligen Umgestaltung der Politik, nämlich zu ihrer »Verwissenschaftlichung« getan; die Notwendigkeit zur Massenwahnbekämpfung wird mit zwingender Dringlichkeit bald weitere folgen lassen. Es geht nicht darum, daß die Politik sich »in den Dienst« einer wissenschaftlichen Wahrheit stelle, und es geht nicht darum, daß sie wissenschaftliche Wahrheiten für ihre eigenen, lediglich politischen Zwecke benütze – beides kann ebensogut von den Fascismen trotz ihrer innern Lügenhaftigkeit getan werden und wird von ihnen getan –, sondern es geht um eine völlige Identifikation von Politik mit bestimmten Wissenschaftsbereichen, wie dies eben vom Sozialismus zum ersten Male angestrebt worden ist. Das Problem der Massenwahnbekämpfung, vor allem also das einer Besiegung des Sieges oder richtiger der Siegesvorstellung, kann von keiner noch so pazifistischen Politik im althergebrachten Sinne, und sei sie noch so guten Willens, je gelöst werden, doch es kann gelöst werden, sobald seine dämonisch verdunkelte Antinomie – auch dies bildet einen Teil der dämonischen Weltverdunkelung – aufgehoben sein wird. Die Absolutheitsinstanz des Abendlandes heißt schon seit langem Wissen und Wissenschaft.

Allerdings: die Aufgabe ist genau so gigantisch wie der Wahn, den es zu bekämpfen gilt. Die erste Entdämonisierung des Abendlandes durch den Katholizismus war eine geradlinige Heidenbekehrung gewesen, die zweite, die protestantische, durfte sich im großen und ganzen auf eine Fortsetzung des eingeleiteten Rationalisierungsprozesses beschränken, doch nun, da nach einer vieltausendjährigen Bekehrungsarbeit – denn auch die Antike hatte daran ihr wohlgemessenes Teil – beinahe schlagartig und kaum faßbar eine Wiederverheidung von einer vorderhand noch ganz unauslotbaren Wahntiefe ausgebrochen ist, steht die dritte Entdämonisierung, auf die es jetzt ankommt, vor völlig neuen Verhältnissen: im Gegensatz zu ihren beiden religiösen Vorgängern rein weltlich, also auch nicht mehr im Besitz der emotionalen Superbefriedigungen der Religion, geschweige denn ihrer Irrationalbereicherungen, hat sie trotzdem nicht nur den Rationalisierungsprozeß nun sogar mit verdoppelter Intensität, nämlich als wissenschaftliche Bewußtmachung weiterzuführen, sondern sie muß auch noch zu den Anfängen dieses Prozesses, der einfache Heidenbekehrung gewesen war, methodisch zurückgreifen, denn das Phänomen der Wiederverheidung, mit dem sie sich auseinanderzusetzen hat, enthält in komplexester Verkreuzung schlechterdings alle Entwicklungselemente der Antihumanität, frühzeitliche von tiefster Irrationalität ebenso wie spätzeitliche von höchster Rationalität, eine seltsame Phylogenese und Ontogenese aller Negation, und es muß daher wohl auch das neue Positivum, der neue Heilungsvorgang, die neue Bekehrung gleichfalls alles Geleistete nochmals produzieren und zusammengedrängt zur Wiederholung bringen. Und noch ein Stück darüber hinaus. Dies ist die neue politische Aufgabe, und wenn sie theoretisch auch offenbar durchführbar ist, sicherlich nicht viel weniger durchführbar als die Wahnideen, denen sie begegnen will und die ihre Durchführbarkeit bereits bewiesen haben, so bleibt die

Frage der praktischen Durchführbarkeit nach wie vor offen. Wird die Politik, wird die demokratische Politik solch ungeheure Erweiterung ihres Pflichtenkreises auf sich nehmen? Wird sie es tun können? Schon in Ansehung der sozialökonomischen Erweiterung dieses Pflichtenkreises, die ihr durch das Auftauchen des Sozialismus aufgetragen worden ist, hat sie sich nicht eben willig gezeigt, und angesichts all der unabweislichen militärischen Pflichten, die ihr inzwischen zugewachsen sind, dürfte die Willigkeit zur Übernahme weiterer nicht gerade größer geworden sein. Dennoch, gerade unter dem Drucke der über die Demokratie hereingebrochenen Kriegsfurchtbarkeit, muß und wird es zunehmend deutlich werden, daß Demokratie und Massenwahnbekämpfung geradezu identische Begriffe sind, beide aufgebaut auf der Kenntnis ökonomischer und psychologischer Gesetzlichkeiten, beide jedoch untergeordnet dem Grundprinzip der Humanität, in dem aller Wille zur menschlichen Normalität ruht. Eine Politik, welche den Willen zur Heilung des Weltenwahnes besitzt, ist keine Politik im althergebrachten Sinne mehr, sie ist Politik in Umwandlung; der Heilungswille ist zugleich Wille zur Selbstheilung, ist Wille zur Neugestaltung der demokratischen Überzeugung, von der allein die neue Bekehrung auszugehen vermag. Hätte sich die Demokratie, oder richtiger, hätten sich die in Demokratie lebenden Menschen beizeiten zu solcher Erkenntnis durchgerungen – doch es gehört bereits zum Weltenwahn, daß sie hiezu nicht imstande gewesen sind –, so wäre der Ausbruch der großen Geisteskrankheit, welche Krieg heißt, verhindert gewesen, und ebenso bedeutet der Krieg den Anbruch einer unabsehbar langen Periode von Geistesumnachtung, wenn sich die Demokratie nicht noch jetzt, in zwölfter Stunde, ihrer eigentlichen Aufgabe besinnt; denn täte sie es nicht, so würde dies ihre bereits eingetretene rettungslose geistige Verseuchung, also ihre Selbstaufgabe dartun. Die Frage der Massenwahnbekämpfung, der Entschluß zum großen Bekehrungswerk, der Entschluß zur Wiederentdämonisierung der Welt, so schwierig und so komplex auch die Aufgabe sein möge, bildet den Prüfstein für den Lebenswillen und die Lebenskraft der Demokratie im gegenwärtigen Augenblick.

Ein detailliertes Programm für Maßnahmen praktischer Massenwahnbehandlung und Massenwahnbekämpfung läßt sich ex cathedra selbstverständlicherweise kaum aufstellen. Nicht nur, daß das vorderhand noch weitgehend unüberschaubare massenpsychische Material erst im Zuge einer systematischen Erforschung zum Vorschein kommen wird, es ist diese, zumindest für die gegenwärtigen Wahnformen, auch so sehr mit der politischen Massenwahnbekämpfung verbunden, daß der Inhalt eines jeden aufstellbaren Forschungsprogramms mit fortwährenden Abänderungen, ja, Umstoßungen durch den Wechsel der politischen Ereignisse zu rechnen hätte. Indes, wie immer ein derartiges Programm aussehen mag, für den gegenwärtigen Augenblick darf als gesichert angenommen werden, daß Massenwahnbekämpfung – und hiezu sei nochmals auf die Folgerichtigkeit des indischen Denkens verwiesen – sich in erster Linie mit einer »Entwertung des Sieges« zu beschäftigen haben wird, um dieserart die Volksmassen gegen die Ansteckungsgefahr der fascistischen Siegesbesessenheit immun zu machen, und ebenso darf als gesichert gelten, daß die damit gegebene Aufgabe, trotz der in ihr und ihrer »Besiegung des Sieges« enthaltenen Antinomie, befriedigend von einer richtig aufgebauten, d. h. wissenschaftlich angelegten demokratischen Politik prinzipiell zu bewältigen ist. Ob die prinzipielle Bewältigungsfähigkeit auch die praktische nach sich ziehen wird, ob die Aufforderung an die Politik, nun an die Lösung ihrer psychologischen Aufgabe zu schreiten, praktischen Erfolg haben wird, und ob jetzt mit der Dringlichkeit der Lösung auch der richtige Zeitpunkt für sie gekommen ist, dies sind Fragen, die bloß nach ihren Parallelen im Geschichtsablauf beantwortet werden können: die Schlüssigkeit solcher Analogien vorausgesetzt, gibt die Geschichte allerdings eine bejahende Antwort.

(Historischer Exkurs)

Es geht um eine »*Entwertung des Sieges*« in der Massenwahnbekämpfung. Gerade weil dem absoluten Vernichtungswillen des fascistischen Siegeswahnes nicht mit einer indischen non-resistance zu begegnen ist und das abendländische Denken, und sei es noch so pazifistisch, stets nach einer Abwehr durch die Tat fahnden wird, ebendarum wird diese nur dann erfolgreich sein können, wenn ihr althergebrachtes psychisches Vorzeichen, das auf der Skala kriegerischer Ruhmesgloriole liegt und heute vielleicht wohl schärfer als jemals eben von der fascistischen Siegesgier repräsentiert wird, völlig geändert wird; m. a. W., um dem wahnbesessenen Amoklauf Einhalt zu gebieten, genügt es nicht, den Amokläufer einfach totzuschlagen, ja, es sollte – mögen auch viele wünschen, das deutsche Ausrottungsverfahren auf seine Initiatoren rückangewendet zu sehen – dies sogar tunlichst vermieden werden, denn mit einer derartigen Ausrottung wäre der Siegeswahn des abendländischen Menschen keineswegs selber ausgerottet: der Kampf gilt dem Wahne als solchem, gilt der Siegbesessenheit als solcher, und wenn es gelingt, ihn zu seinem Ziel zu bringen, so ist diese »Besiegung des Sieges« kein Sieg im althergebrachten Sinne mehr, kein ekstasierender Freudenrausch, sondern lediglich Erfüllung einer schmerzlichen, einer schmerzlich ernsten Pflicht; beinahe möchte man sagen, daß der gewohnte (und so überaus menschliche) Siegesjubel fortab durch Siegestrauer ersetzt werden müßte, damit die notwendige »Entwertung des Sieges« tatsächlich erreicht werde.

Solche Neubewertung des Sieges und Umorientierung des Siegwillens ist keine pazifistische Sentimentalität, im Gegenteil, es ist kriegerischer Pazifismus, und zwar ein recht konkreter, da er mit dem Krieg sowie mit den Versklavungs- und Ausrottungstendenzen der Fascismen als harte Tatsache rechnet und eigentlich das einzige Mittel darstellt, um der nun einmal vorhandenen Ansteckungsgefahr dieser psychischen Seuche zu begegnen. Und gleichgültig, ob man das dem Fascismus entgegengesetzte und von ihm angegriffene Gemeinwesen demokratisch oder sozialistisch zu nennen beliebt – hier wurde für den Namen der Demokratie entschieden –, alles und nicht zuletzt auch die ganze militärische Wehrfähigkeit hängt von solcher psychischen Immunität und von der Isolierung der Ansteckungsquelle ab.

Immer noch hat die geistige Isolierung eines Wahnes sich als der erste Schritt zu seiner schließlichen Überwältigung erwiesen. Als die Französische Revolution überraschend schnell ins wahnhaft Hypertrophische einer durchaus unvorbereiteten, realitätsblinden »Freiheitstheologie« geriet und hiedurch ihre Brücken nicht nur nach rückwärts, sondern auch nach vorwärts abbrach, so daß sie – eine der auffallendsten historischen Tatsachen, und zwar eine, für die mit rein ökonomischen Erklärungen nicht das Auslangen zu finden ist – sich außerstande sah, in gesicherte demokratische Bahnen einzubiegen, obwohl diese im Beispiel Amerikas (doch auch der Schweiz) bereits vorgezeichnet gewesen waren, da durfte das übrige Europa, unbeschadet seiner sonstigen Reaktionärgesinnung, mit Berechtigung die »Humanität« zur Verteidigung seiner überkommenen Ordnung aufrufen. Die Revolution besaß ihre vehemente Dynamik, und die war so groß, daß sie, wenn auch leergeworden, noch die späten napoleonischen Feldzüge zu befeuern vermochte, aber es war zugleich die Vehemenz einer Hypertrophie, und sie erweckte Wahnsinnsangst in jedem, der noch nicht von ihr befallen war. Joseph II., der reinste Repräsentant des aufgeklärten Absolutismus, beantwortete die Guillotinagen mit der Abschaffung der Todesstrafe in Österreich, und so sehr die Maßnahme auch von den real-politischen Gründen der Staatserhaltung diktiert war, oder gerade deswegen, sie war – wohlgemerkt im 18. Jahrhundert – eine außerordentliche Demonstration für Humanität und gegen humanitätsfeindlichen Wahn, eine Demonstration von äußerster Symbolstärke. Die Revolution jedoch, unfähig geworden, den aus ihrem Schoß geborenen Wahn zu bewältigen, wurde auch unfähig, die ihr von Europa widerfahrene Isolierung zu überwältigen, sie verlor ihre Selbstbehauptung, und trotz aller Siege konnte sie nirgends anderswo mehr wahrhaft Fuß fassen. Was hinterher mit der zwingenden Notwendigkeit eines dialektischen Ablaufes, doch damit desgleichen mit der des psychischen Phasengesetzes geschah, war eine Umkehrung der Ursprungssituation unter Vertauschung und Verkreuzung sämtlicher Begriffe: die Revolution entartete zur Diktatur und zum Imitativabsolutismus Napoleons, und die Orginalabsolutismen durften sich auf die reaktionär-romantischen, nationalistischen Freiheitsableger der Revolution stützen, ein Begriffswirrwarr, in welchem niemand mehr zu entscheiden vermocht hätte – selbst die Abolierung der Todesstrafe war schon längst wieder rückgängig gemacht worden –, auf welcher Seite die Ratio, auf welcher Seite die Humanität sich befand; der Schluß dieses dreißigjährigen Prozesses war eine etwas klägliche Rückkehr zur »normalen« Realität, der Schluß war diplomatische Handwerksarbeit, war der Wiener Kongreß, und er liquidierte (bis auf weiteres) die Revolution, er liquidierte und betrog den Nationalismus, er liquidierte sowohl die feudale wie die bürgerliche Aufklärung, er tat alles, um die Massen zu betrügen, doch da er mit realen Kräften rechnete, gelang es ihm, Europa einen immerhin erträglichen Frieden für ein halbes Jahrhundert zu verschaffen. Am Anfang war ein Wahnphänomen, die Unfähigkeit der Französischen Revolution, sich zur Demokratie zu entwickeln, war ihre Entartung zur Diktatur gestanden, und fast ist es tröstlich, daß ein Land mit echten Demokratie-Ansätzen, so rudimentär diese auch gewesen waren, daß England als der eigentliche Sieger aus dem schemenhaften Wiener Kongreß hervorgegangen ist.

Geschichtliche Parallelen sind immer mangelhaft. Napoleon war der Nachfahre einer echten Revolution gewesen, und mochte diese auch – zum Heile ihrer Gegner, aber auch zu dem seines eigenen Aufstieges – sich ins Wahnhafte hypertrophischen Terrors verloren haben, er hatte ihre edlen Ursprungsinhalte niemals wirklich zu verleugnen gewagt; Hitler dagegen, Feind und Vernichter aller Freiheit, Gleichheit und Brüderlichkeit, ist kein Revolutionsnachfahre, sondern Vorläufer eines Nichts, das mit hypertrophischem Terror beginnt und behauptet, daß nun daraus eine echte Revolution sich ergeben werde. Napoleon, das beliebte Vergleichsobjekt für jeden Diktator, versagt also auch im Falle Hitler; von der beidseitigen Genialität abgesehen, reicht der Vergleich nicht weiter als die erobernde Realpolitik, die da heute genauso wie damals getrieben wird. Und ebenso sind die Aufgaben, welche der aufgeklärte Absolutismus vor 150 Jahren als Revolutionswidersacher zu erfüllen hatte, kaum mit den heutigen der demokratischen Hitler-Gegner in Vergleich zu setzen; denn wenn auch der realpolitische Hintergrund, nämlich die Bedrohung des staatlichen Bestandes durch Aggressoren, nicht zuletzt vermittels fifth columns, damals wie heute der selbige ist, es haben die Situationsinhalte sich ganz wesentlich seitdem geändert: für die Absolutismen und die Revolution gab es bei aller

Kontradiktion doch noch eine begriffliche und ethische Verständigungsbasis (– die für Europa vorbildlich gewordene konstitutionelle Monarchie Englands ist ein Musterbeispiel solch begrifflicher Verständigung –), während der natonalsozialistische Terror an sich, der Krieg an sich, der Sieg an sich strukturgemäß sich mit nichts anderem mehr zu verständigen vermag, am allerwenigsten mit der Demokratie; für die Zeit des Wiener Kongresses und damit auch für diesen wäre eine »Besiegung des Sieges« eine sinnlose Aufgabe gewesen, weil es auch keinen »Sieg an sich« gegeben hat, heute hingegen ist sie zur obersten und konkretesten Selbsterhaltungspflicht der Demokratie geworden.

»Sieg an sich« ist kein Abstraktum für den deutschen Soldaten; solange es noch irgendein nichtunterworfenes Volk im Erdkreis gibt, kann der Begriff konkret erfüllt werden, und solange es konkrete Erfüllung gibt, bildet sich »Überzeugung«, hier die nationalsozialistische, und ihre Haltbarkeit wächst in zunehmenden Maße mit jedem neuen Sieg. Die demokratische Überzeugung ist – dies hat sich gerade im letzten Dezennium erwiesen – weit weniger haltbar, und sie ist auch weit schwieriger zu bilden. Denn Demokratie ist auf abstrakten Prinzipien aufgebaut, deren Konkretisierung von allen Realitätsbedingungen abhängt und selbst unter den günstigsten ökonomischen, sozialen, psychologischen oder sonstwelchen Bedingungen immer nur recht mangelhaft ausfällt. Nirgends noch ist Freiheit, Gleichheit, Brüderlichkeit wahrhaft konkretisiert worden, und mit der »Besiegung des Sieges« ist es damit womöglich noch schlechter bestellt: der Antiimperialismus, den die Vereinigten Staaten dank ihrer geographischen und ökonomischen Vorzugsstellung schon sehr früh, im Gegensatz zu den anderen Demokratien, in die Prinzipien ihrer Politik hatten einreihen können, wurde kaum jemals ernstlich durchgeführt, und es war auch nicht ernstlich zu verlangen, da in einer allgemein imperialistischen Welt bloß strategisch gesicherte Staatsräume sich zu behaupten vermögen; sogar der Bürgerkrieg war u. a. ein Unternehmen zur Weiterbehauptung der vorher erkämpften strategischen Südgrenze gewesen. Fast ließe sich sagen, daß Demokratie von der Durchbrechung ihrer Prinzipien lebt, daß sie hölzernes Eisen, ein konkretes Abstraktum ist – die Fascismen nennen es demokratische Heuchelei –, und daß

347

demnach auch die demokratische Überzeugung niemals über abstrakt leere Worte hinausgelangen werde.

Nichtsdestoweniger: im amerikanischen Bürgerkrieg ging es nicht nur um die strategische Südgrenze, und es ging nicht nur um die industriellen Interessen Neu-Englands, es ging wirklich um die Konkretisierung eines abstrakten Prinzipes, es ging um die Menschenwürde und gegen deren Versklavung, und weil alle Prinzipien der Humanität eine Ganzheit bilden, war es, obwohl es ein Krieg war, auch eine »Besiegung des Sieges« geworden, denn deutlicher als je zuvor konnten die Massen erleben, daß jeder Krieg nichts anderes als ein Bruderkrieg ist, in dem die militärische Gloriole weitaus vom Schmerze überschattet wird, und daß der Sieg nur noch Erfüllung einer ernstschmerzlichen Pflicht in Siegestrauer, nicht in Siegesjubel zu sein hat. Hier war das abstrakte Prinzip »realitätsreif« geworden, und so konnte das Ergebnis des Krieges zu der sehr konkreten innern Friedenseinheit werden, der die Vereinigten Staaten ihren Bestand verdanken.

Die theoretisch antiimperialistische Tradition der Vereinigten Staaten sowie vielleicht auch die Erinnerung an den Bürgerkrieg haben Wilson verleitet, eine Abstraktion verfrüht zur Konkretisierung bringen zu wollen, d. h. in einem Zeitpunkt, in welchem die hiefür nötigen Realitätsbedingungen noch nicht vorhanden waren: hat der damalige erste Versuch Deutschlands zur Welteroberung für ihn, den fanatischen Pazifisten, die Entfesselung eines irrsinnserfüllten Bruderkrieges bedeutet, den man durch Setzung eines allgemein gültigen Friedenszieles, also letztlich durch eine »Besiegung des Sieges« zu beenden hatte, so wurde diese Ansicht von einer noch vollkommen in imperialistische Realpolitik befangenen Welt, der das Wahnhafte des Geschehens noch lange nicht zu Bewußtsein gekommen war, nur bis zur Erringung des praktischen Sieges geteilt, und selten noch war einem edlen Gedanken eine solche Verkümmerung widerfahren, wie sie daraufhin dem Wilsonschen widerfuhr, nämlich einerseits durch die beinah ironische, teils abstrakte, teils imperialistische Völkerbundkonstruktion, andererseits aber durch die Wilsonfeindschaft der öffentlichen Meinung Amerikas, deren Antiimperialismus sich auf einen dogmatischen und hiedurch weitgehend realitätsblinden Isolationismus zurückzog. Was jedoch zu Wilsons Zeit im Abstrakten hatte steckenbleiben müssen, das wird heute, bei geänderter Realitätsstruktur, plötzlich konkretisierbar, ja, ist bereits konkrete Wirklichkeit. Sogar Deutschland selber weiß, daß sein zweiter Weltüberfall, obwohl schematisch dem ersten gleichend, nun durchaus den Charakter eines Bürgerkrieges trägt, daß er ein Bruderkrieg ist, in dem es bezeichnenderweise, als sollte dem amerikanischen Beispiel von 1863 gefolgt werden, wiederum um Menschenwürde und Menschenversklavung geht, freilich diesmal in den irrsinnig grandiosen Weltausmaßen eines »Sieges an sich«. Und wenn Amerika heute oder morgen, ob mit oder ohne Kriegseintritt, wieder daran gehen wird, zum Schutze seines staatlichen Bestandes, der unlösbar mit dem Bestande seiner Demokratie verknüpft ist, sich für Friedensziele einzusetzen, die im Sinne seiner Tradition liegen und daher auch die einzigen für die Bewahrung der amerikanischen Volksmassen vor der fascistischen Ansteckungsgefahr darstellen, kurzum, wenn Amerika, wahrscheinlich unter dem Druck der Verhältnisse, wiederum daran gehen wird, die psychische und politische »Besiegung des Sieges« vorzubereiten, um durch Isolierung des Siegeswahnes die Beendigung des grausig-dämonischen Treibens einzuleiten, so wird dieser konkreten demokratischen Überzeugung diesmal – eine nachträgliche Rechtfertigung für Wilson – die Führung der angelsächsischen Demokratie auf dem Wege zur Wahnbefreiung einer wahnübersättigten Welt zufallen: die Neubewertung des Sieges, seine »Entwertung« war bereits vor dem nationalsozialistischen Welteroberungsversuch vorbereitet gewesen, sie hatte sich überall und sogar, sonderbar genug, im englischen Konservativ-Imperialismus bemerkbar gemacht, und hätte Deutschland nicht die Entwicklung gehemmt, die Kraft der neuen Realitätsbedingungen, die Kraft, welche von der Logik der Tatsachen ausgeht, hätte den zum Wahn entarteten Imperialismus dialektisch zu seinem Gegenteil, zur friedlichen Weltverständigung gebracht; die Zeit war, was sie zu Wilsons Tagen noch nicht gewesen war, für die Konkretheit der menschlichen Friedenssehnsucht reif geworden, und diese ist nicht geringer als die Konkretheit des menschlichen Siegeswahnes.

Die Zivilisation ist ebenso »konkret« wie die Barbarei; wäre dem nicht so, es hätte sich der Fortschritt von dieser zu jener niemals vollzogen. Und wenn die Fascismen glauben, daß die

»ursprünglicheren« und »natürlicheren« sadistisch-triebhaften Siegesstrebungen des Menschen von vorneherein eine bessere Konkretisierungsmöglichkeit als seine »blassen« und »abstrakten« Friedensbedürfnisse haben müssen, so spielt bei solchem Irrglauben auch ein falsch verstandener Marxismus mit, nämlich jener, welcher meint, daß die Bewegungen des ökonomischen Lebens eine Art verlängerten persönlichen Hungers darstellen; gewiß, ein Mensch, dessen ursprünglichste Triebbedürfnisse, insbesondere also die nach Nahrung, nicht befriedigt werden, ist von konkreterer Dynamik als der Satte bewegt, indes, sobald der unmittelbare Hunger gestillt ist (und sei es selbst nur vermittels Rationierungskarten), so ist alles, was darüber hinausreicht, mag es auch von sämtlichen individuellen Wünschen und Trieben durchtränkt sein, bereits ein derart komplizierter Überbau, daß die Konkretheitvaleurs der verschiedenen Triebgruppen darin nicht mehr gegeneinander abgewogen werden können. Was hievon dann zur Konkretisierung gelangt, also einen Realitätsüberschuß erhält, verdankt dies nicht mehr seinen Eigenqualitäten, sondern den überindividuellen Realitätsbedingungen unpersönlicher Tatsachenlogik, von welcher die persönlichen Strebungen, je nachdem sie in der Realitätsrichtung liegen oder es nicht tun, zur Konkretisierung zugelassen oder aus ihr ausgeschieden werden. Doch zu dieser Übereinstimmung mit den Realitätsbedingungen gehört es auch, ihre Vielfalt, ihre Entwicklung und ihre Gesetzlichkeiten bewußt zu erkennen; ohne »Bewußtmachung« geht es zumeist nicht ab. Daß die Realitätsbedingungen in ihrer großen Vielfalt plötzlich die Konkretisierung von Wiederdämonisierung und Wiederverheidung erlaubt haben, obgleich alle ökonomische und technische Entwicklung eine genau gegenteilige Erwartung gerechtfertigt hätte, ist nicht nur auf die Chance des Wohlbewaffneten zurückzuführen, die dieser innerhalb jeder Realität gegenüber dem Unbewaffneten findet, sondern weit mehr auf den Mangel an Bewußtmachung, der die Erkennung der eigenen Stellung und Aufgabe innerhalb der neuen Realität verhindert und damit den Weg für die Dämonen freigegeben hat. Nichts allerdings kann eine wahrhafte Realität wirklich auf die Dauer erschüttern, und gerade die Grauenserschütterung des Krieges ist bereits daran, die unterbliebene Bewußtmachung, das Wissen um die Ablaufsgesetzlichkeit, in der allein unsere Realität gegeben ist, wenn auch verspätet, so doch wieder aufzurütteln und zu erwecken: diese schuldig gebliebene Bewußtmachung muß nun notgedrungen die Gestalt eines Bekehrungswerkes, einer Wiederbekehrung annehmen, die Wahnsinnsabneigung muß zur Wahnbekämpfung werden, und die Neubewertung des Sieges, welche bereits stattgefunden hatte, wird sich zu einer tatsächlichen Umorientierung des Siegwillens steigern müssen, aber der Erfolg wird die »Besiegung des Sieges«, also die Wiedererreichung der Normalität sein.

Die Massenwahnbekämpfung als politisches Geschichtsfaktum bildet einen Teil der Ablaufgesetzlichkeit, von der allein die Geschichtsrealität gebildet und dargestellt wird: ist sie dies nicht, so kann sie weder bestehen noch wirken; die durch die eigentümlich politische Ausprägung des modernen Massenwahnes geforderte Identifizierung der Wahnbekämpfung mit Politik, der Politik mit Wahnbekämpfung, fordert zugleich auch die Identifizierung beider mit der Erforschung der psychologischen Ablaufsgesetzlichkeiten, in denen ihrer beider eigene Existenzberechtigung und Existenz selber ruht. Der Sozialismus ist auf diesem Wege vorangeschritten, indem er seine Politik mit der Erforschung der ökonomischen Gesetzlichkeit identifizierte, und nicht anders verhält es sich mit der psychologischen Gesetzlichkeit, auf welche das Programm einer Massenwahnbekämpfung als Politik aufgebaut sein will. Alles andere bleibt im Bereich bloßer Wünsche stecken und ist utopisch.

Und eben weil bloß Gesetzlichkeiten wirklich Realitätswert haben, kann sich ein Programm für eine politische Massenwahnbekämpfung nur auf wissenschaftlich tunlichst gesicherte Ergebnisse stützen: politische Maßnahmen sind Zwangshandlungen, die sich aus der politischen Situation ergeben, und ein politisches Programm hat bloß Sinn, wenn es diese Situation vorauszusehen vermag; wenn also diese Voraussicht durch wissenschaftliche Gesetzlichkeit gewonnen werden soll, so hat diese sehr vorsichtig gefaßt zu werden, fast bescheiden, denn überall, wo die Grenzen solch exakter Bescheidenheit, wie man sie wohl nennen dürfte, überschritten werden, geht mit dem wissenschaftlichen Gehalt auch die politische Wirksamkeit verloren, wird die Theorie von den Ereignissen widerlegt, und gerade das Geschick des Marxismus, sowohl in seiner weiterwirkenden Gültigkeit wie in seinem Versagen, zeigt recht deutlich, daß der Invarianzbereich, innerhalb welchem historische Gesetze und ihnen eingeordnete Politika prophezeiend in Kraft stehen, keinerlei Überspannung gestattet. Für das massenpsychologische Gebiet bedeutet dies: die durch die massenpsychologischen Gesetzlichkeiten (Phasengesetzlichkeit und Korrelate) repräsentierten Invarianzgruppen (die Massenwahnformen) gestatten keine utopisch-leichtsinnigen Erweiterungen, und selbst die »Besiegung des Sieges«, die durch die heutige Form des Massenwahnes in den Vordergrund gestellt ist, wird für ihre anscheinend so überzeugende Forderung nur insoweit Erfüllung finden, als diese im Rahmen der ökonomischen und psychologischen Gesetzlichkeiten liegt. Allerdings, innerhalb dieses Rahmens wird sie erfüllt werden, und innerhalb dieses Rahmens hat demnach auch die politische Willensbildung zwecks Bekämpfung der Wahnphänomene zu erfolgen, und innerhalb dieses Rahmens ist es also auch möglich, für die Massenwahnbekämpfung gewisse Richtlinien positiver und negativer Art vorzuzeichnen, sinngemäß bescheidene Anweisungen und Warnungen, die eher den Charakter kritischer Bemerkungen als den eines Programmes tragen:

I. *Negative Richtlinien*

Volksmassen akzeptieren jede Lüge, wenn sie konkret ist und hiedurch zur richtunggebenden Funktion wird, aber sie haben ein bemerkenswert feines Gefühl für leere Worte und sind niemals gewillt, solche zu akzeptieren; hieraus ergibt sich eine Doppelgefahr: die Lüge führt die Massen, wie das Beispiel der Fascismen zeigt, zu Rationalverlust, während leere Worte außerstande sind, eine Massenpanik zu beheben.

1. *Gefahr der leeren Worte*
Demokratie – besonders bei erstarrter Tradition – befindet sich stets in Gefahr, von den eigenen Phrasen übermannt zu werden, sich in leeren Worten zu verlieren und sich an ihnen zu berauschen. Worte wie »Freiheit« oder »Menschenrechte« oder »Menschenwürde« sind für eine panikisierte Masse durchaus bedeutungslos; weder die ökonomische, noch die soziale, noch

die seelische Unsicherheit ist durch solche Worte zu beheben, und insbesondere jene Massen, welche durch sozialistische Schulung, auch wenn diese zumeist recht vage ist, sich ein mehr oder minder konkretes Bild von Freiheit und Sicherheit gemacht haben, lassen sich mit einer leeren Selbstanpreisung der Demokratie niemals abspeisen: mit Tiraden treibt man Massen bloß dorthin, wo ihnen konkrete und, sei's drum, fürchterliche Ziele geboten werden, also in die Arme des Fascismus.

2. Die Gefahr des »Gegenwahnes«

Nicht weit von leeren Worten sind imitative Maßnahmen entfernt, und die Massen sind für diese nicht weniger als für jene empfindlich. Das Imitative versagt stets vor dem Urbild, auch wenn es dieses »verbessert«, und weder läßt sich ein imitativer Sozialismus noch ein imitativer Fascismus erzeugen, am allerwenigsten zu prophylaktischen Zwecken, nämlich um hiedurch die Massen von den Verlockungen des Urbildes abzulenken; wo immer derartiges versucht worden ist, das Experiment wurde zu einem Fehlschlag, mußte es umsomehr werden, als gerade diese Urbilder wesensgemäß emotionale Superbefriedigungen versprechen, deren Überzeugungskraft nie von einer Kopie zu erreichen ist.

Es sind dies Schwächen und Gefährdungen, die von der fascistischen Propaganda weidlich ausgenützt worden sind, also auch weiter ausgenützt werden und nicht wenig zum Zusammenbruch ihrer Gegner beigetragen haben, ja, etwas vergröbert ließe sich sagen, daß diese an Leerheit und Imitation zugrunde gegangen sind. Denn lieber offenbar unterwirft sich ein Volk dem fremden Originaldiktator und seiner Eroberung, als daß es die eigenen freigewählten Vertreter mit den nötigen Vollmachten zur Abwehr des Überfalls auszustatten geneigt ist. Sicherlich eine groteske Tatsache und sicherlich keine einfache oder eindeutige, vielmehr sind an ihr, wie überall im Massengeschehen, die verschiedensten Einzelmotive mit beteiligt; doch fast ist es, als ob die Massen bei alldem von einem ganz richtigen Gefühl geleitet wären, als ob sie wüßten, daß eine Wahninfektion sowie der mit ihr verbundene Rationalverlust nicht durch einen andern Rationalverlust hintangehalten werden kann, geschweige denn von einem, der noch überdies bloße Imitation ist.

Jede Massenwahnbekämpfung wünscht, den wahnbefangenen Menschen aus dem geschlossenen, unter Rationalverlust stehenden Wertsystem, in dem er sich befindet oder in das er geraten ist, herauszuheben und ihn in eine »normalere« Gemeinschaft von höherem Rationalgehalt einzuordnen, womöglich ihm aber auch damit eine Irrationalbereicherung, etwa in der Richtung seiner eigentlichen Persönlichkeitsentfaltung, zu vermitteln. Insbesondere die auf religiöser Basis durchgeführten Massenwahnbekämpfungen, am deutlichsten wohl in der protestantischen Bekehrung, folgen grundsätzlich diesem Schema.

Der moderne Massenwahn ist aus dem Glaubensverlust hervorgegangen, und wie tiefgreifend dieser ist, mag an der Gleichgültigkeit der wahnverhafteten Welt gegen jene Märtyrer ermessen werden, die – noch gibt es solche, und zwar ebensowohl auf der katholischen wie auf der protestantischen Seite – in der Meinung, sie könnten als Gottesstreiter sich dem Übel entgegenwerfen, mutige Selbstaufopferung für ihren Glauben auf sich genommen haben. Es war eine Irrmeinung; es gibt keine Blutzeugenschaft, kein Märtyrertum mehr. Dem überzeugten Nationalsozialisten mag vielleicht noch eine demokratische Überzeugung vorstellbar [sein], weil sie auf immerhin noch derselben, d. h. politischen Ebene wie seine eigene liegt, eine religiöse Glaubensüberzeugung jedoch ist ihm schlechterdings unvorstellbar, und was in ihr und durch sie geschieht, bleibt für ihn vollständig eindruckslos. Damit muß die moderne Massenwahnbekämpfung rechnen; sie ist auf den weltlichen Bereich beschränkt. Gewiß, auch sie wendet sich wie ihre Vorgänger an die Seele des Menschen, und auch sie – will sie überhaupt gelingen – muß wie jene von dem großen Bekehrungsoptimismus geleitet werden, für den jede Seele »erweckbar« ist, weil in jeder das »Gute« und das »Böse« unvermittelt nebeneinander wohnen und weil daher auch jeder Mensch ebensowohl den Weg nach »aufwärts« wie den nach »abwärts« einzuschlagen befähigt ist. Gewiß, mit dem Wegfall des religiösen Hintergrundes fällt auch das ethischste aller Bekehrungsmotive weg, das Motiv der Gnade und der Gnadenerkenntnis, aber mag dem auch so sein, es bleibt das ungeheure Residuum des Gewissens in all seiner Weite und Stärke bestehen, und wenn selbst in der Gnadenanrufung nicht auf die Kräfte des Gewissens verzichtet werden kann, so werden sie in einer Wahnbekämpfung, deren Bewußtmachungsmaßnahmen sich nicht mehr auf die Gnade stützen dürfen, erst recht zu den wichtigsten Stützen des Bekehrungsprozesses werden, [das] jeder Seele eingeborene schlichte Gewissen mit seinen schlichten Inhalten, wie immer sie auch heißen mögen, Treue oder Anständigkeit, Vernunft oder Wohlwollen, oder auch nur einfach Ernsthaftigkeit, all diese Schlichtheit soll als Gegenposition zu den Wahnkräften in der Menschenseele erweckt werden, erweckt die Gewissenskräfte, von deren Erweckung – und neuerlich darf auf den Protestantismus verwiesen werden – heute wahrscheinlich mehr denn je das Schicksal einer neuen Entdämonisierung abhängt.

Der Glaube an die schlichten Gewissenskräfte, von denen der Mensch, als einzelner wie als Gruppenmitglied, kurzum der Mann von der Straße in all seinen Lebenslagen geleitet wird, gehört zur Tradition oder, vielleicht richtiger, zu den Wunschbildern der Demokratie, und sie stammen aus ihrer religiösen Gründungszeit. Anständigkeit als Treu und Glauben im Verkehr zwischen Mensch und Mensch, Gruppe und Gruppe, Staat und Staat, in der langen Reihe demokratischer Wunschbilder steht das einer vernunftgetragenen Paktfähigkeit sicherlich an erster Stelle, freilich unmittelbar vom ökonomischen Wunschbild gefolgt, welches eine durch die Vernunft geregelte Wirtschaft ausmalt, und heute gesellt sich unzweifelhaft auch der Wunsch nach Ernsthaftigkeit hinzu, auf daß durch sie den blutigen Mordspäßen des fascistischen Massenwahnes ein Ende gesetzt werde: Anständigkeit, Vernunft, Ernsthaftigkeit, freundliche, fast biedermeierische Bilder, belächelt als heuchlerische Selbsttäuschung, belächelt von jedem, der um die wahren Kräfte des Weltgeschehens weiß, nicht zuletzt also belächelt von der materialistischen Geschichtsauffassung (– obwohl die Sowjets wahrscheinlich besser gefahren wären, wenn sie sich ein wenig an diese liebenswürdigen Ideale gehalten hätten, denn ihr Gegenteil ist nicht immer das Geschichtsnotwendige –), belächelte demokratische Ideale, dennoch von jedem insgeheim im Herzen getragen, also trotz allem noch immer ein Ziel der Menschheit. Und weil dem so ist, kommt ihnen trotz allem ein Realitätswert zu, der es erlaubt, sie als ausschlaggebende

Faktoren in die »Realpolitik« einzusetzen; *es ist ein Realitäts-*
wert, der nicht geringer ist als der einer »Siegesvorstellung«, die
wahnbehaftet hinter den von der Realpolitik (und der materiali-
stischen Geschichtsauffassung) akzeptierten, angeblich realen
Bewegungskräften der Menschheit wirkt. Und gerade weil das
Gewissen und seine Kräfte in ebensolcher Seelentiefe wie der
Siegeswahn angesiedelt sind, kann der Kampf gegen den Wahn
nur von hier aus, nur auf diesem Boden aufgenommen werden:
das Ziel, welches als »Besiegung des Sieges«, als »Umorientierung der Siegesvorstellung«, als »Entwertung der Siegesvorstellung« zu umreißen ist, dieses Entdämonisierungsziel ist
gleichbedeutend mit der Aktivierung und Wiederinthronisie-
rung der Gewissenskräfte.

Kein Ziel ist jedoch innerhalb des historischen Geschehens
erreichbar, wenn es nicht in der »Realitätsrichtung« liegt, d. h.
wenn es nicht in jene Gesetzlichkeiten eingeordnet werden
kann, welche ökonomisch, psychologisch oder sonstwie die Ge-
schichtsabläufe bestimmen. Nicht anders hat es sich mit der
Verwirklichung der marxistischen und der fascistischen Ziele
verhalten, doch nicht nur, daß deren Übereinstimmung mit den
Ablaufsgesetzlichkeiten, jene mit der ökonomischen, die mit
der psychologischen, klar ersichtlich ist, es zeigen auch beide,
insbesondere aber der Marxismus, der die Bewußtmachung
seiner Ziele sich zur ausdrücklichen Pflicht gemacht hat, daß
der Eintritt ins Gebiet der historischen Gesetzlichkeiten keinen
politischen Sonntagsspaziergang bedeutet, der bequem von
Aussichtspunkt zu Aussichtspunkt führt, sondern daß hier ein
schwieriges Gelände vorliegt, dessen Kenntnis mit jedem
Schritt mühselig erkämpft werden muß, weil man sonst statt ans
Ziel unweigerlich in hoffnungslose Verirrung gerät. Es genügt
nicht, daß das Ziel in der Realitätsrichtung liegt, es kann der
Weg zu ihm bloß unter fortwährender, aufmerksam bewußt-
machender und erkennender Anpassung an die Gesetzlichkeiten, welche diese Realität ausmachen, mit Erfolg beschritten
werden.

Das Gefühl der Kriegsmüdigkeit und des Kriegsekels, von
dem die Welt, soweit sie nicht fascistisch ist, in wachsendem
Maße ergriffen ist, kann als Symptom für eine Realitätsrichtung
genommen werden, in der Friedenssehnsucht und Friedens-
überzeugung nicht mehr im Stadium bloßen Wünschens stek-

kenbleiben müssen, sondern mit dem gleichen Konkretisierungsanspruch wie der angeblich konkrete Siegeswahn auftreten dürfen: heute halten Dämonie und Notwendigkeit zur Entdämonisierung einander noch die Waage, und wenn die Entdämonisierung morgen das Übergewicht erhalten soll, so hängt dies beinahe ausschließlich von dem erkennenden Bewußtsein ab, mit dem sie sich in die Realitätsgesetzlichkeiten einordnet und sich ihnen anpaßt. Soweit es sich hiebei um die psychologischen Gesetzlichkeiten handelt – die ökonomischen sind von nämlicher Wichtigkeit, brauchen jedoch nicht eigens angeführt werden –, seien sie kurz rekapituliert:

A. Gesetzlichkeiten des allgemein massenpsychischen Ablaufes

1. Das Gesetz psychischer Zyklen,
2. das Korrelat der richtunggebenden Zusatzkräfte,
3. das Korrelat der emotionalen Superbefriedigungen.

B. Gesetzlichkeiten des Bekehrungs- und Bewußtmachungsprozesses

1. Bekehrung durch Irrationalbereicherung (Bekehrung durch Gnade);
2. Bekehrung durch Hintanhaltung von Rationalverlust, und zwar in vier »Bekehrungsschritten«, nämlich

a. die »Amalgamierung«, mit welcher Elemente des »niedrigeren« Wertsystems an untergeordnete Stellen des »höheren« eingebracht werden,

b. die »Konkurrenz«, mit der das höhere Wertsystem teils symbolhaft, teils durch Handlungen (die gleichfalls immer Symbole sind) seine Überlegenheit über das niedrigere zu beweisen trachtet,

c. die »Etablierung« des höheren Wertsystems, ein Stadium, welches anzeigt, daß sich der bekehrte Mensch im neuen System sicher fühlt,

d. das »Tabu«, mit dem das gesicherte höhere System nun das niedrigere belegt, damit aber auch die Angst vor dem »Rückfall«, die Wahnsinnsangst zu erwecken befähigt ist, wobei diese vier Schritte gleichzeitig das Schema eines »Entwertungssystems« gegenüber den Werten des niedrigeren Systems darstellen.

C. Generelle Vorschriften, wie etwa die der symbolhaften Verständigung mit den Massen, d. h. durch Handlungen, Gesten oder lapidare Formulierungen, da diese von den Massen weit eher als rationale Ausführungen zur Kennntnis genommen werden, besonders wenn die Symbole in steter Wiederholung zu einer kaum mehr verstandesmäßig erfaßten, sondern gefühlshaft erlebten Einrichtung geworden sind.

Die zweite, die protestantische Bekehrung innerhalb der abendländischen Welt konnte im Gegensatz zur ersten und infolge ihrer bewußtmachenden Vorarbeit sich im wesentlichen auf die rationalen Schritte beschränken und z. B. den Schritt der »Amalgamierung« völlig vernachlässigen. Mit der Wendung an die Gewissenskräfte schließt sich die neue, die rein weltliche Bekehrung an die protestantische beinahe wie eine Fortsetzung an – ohne die protestantische »Freiheit des Christenmenschen« wäre die angelsächsische Demokratie und ihr spezifisches Gemeinschaftsgefühl nicht denkbar gewesen –, und von Rechts wegen sollte wiederum das Hauptgewicht auf die rationalen Bekehrungsteile und die Hintanhaltung des Rationalverlustes gelegt werden, wenn nicht eben die inzwischen eingetretene »Wiederverheidung« einen Rückgriff auf frühere Bekehrungsformen teilweise nötig machen würde. Doch dies will nicht besagen, daß etwa die Struktur der einstigen Heidenbekehrung nunmehr sklavisch befolgt werden müßte oder auch nur könnte, vielmehr kann es sich hiebei immer nur um mehr oder minder vage Anlehnungen handeln. Wie ja überhaupt von vornherein jedwede Imitation auszuschließen ist: die Demokratie, betraut mit der Aufgabe zu dieser neuen Entdämonisierung, zu diesem neuen Bekehrungswerk, ist bemüßigt, dieses aus ihrem eigensten Sein und aus ihren eigensten Grundprinzipien heraus zu entwickeln; anders kann ein Bekehrungswerk nicht gelingen.

Kapitel 3:
Politische Bekehrung.
MASSENWAHNTHEORIE (1939 und 1941) [VI]

Da allem Bekehrungswerk integral ein »Entwertungssystem« eingebaut erscheint, ist der »Entwertung der Siegesvorstellung« damit schon ein wohldefinierter Platz im Bereich der Ablaufsgesetzlichkeiten angewiesen. Von diesem Platz aus kann eine Art Richtliniengerüst für die Massenwahnbekämpfung skizziert werden, und zwar im wesentlichen als Gesamtheit der Beziehungen, welche zwischen ihr und den Ablaufsgesetzlichkeiten bestehen:

Ad A 1 (Gesetz der psychischen Zyklen)

In Ansehung ihrer Pflicht zur Massenwahnbekämpfung wird die Demokratie über kurz oder lang, aus dieser oder jener unmittelbar praktischen Veranlassung, deren psychotherapeutischer Hintergrund ihr nicht einmal richtig zu Bewußtsein kommen mag, bemüßigt sein, Totalitätsanspruch innerhalb ihres Wirksamkeitsbereiches zu erheben. Dies ist eine unpopuläre Voraussage. Denn da der Mensch bequem und demzufolge kurzsichtig ist, hat er sich nun einmal gewöhnt, alles, was in der Nähe von Totalität sich befindet, sozusagen als Privateigentum der Fascismen zu betrachten, also auch als ein Symptom für jene fascisierenden Tendenzen, die ja in der Demokratie wirklich immer wieder anzutreffen sind und die diese durch eine imitativ-totalitäre Ausstattung gewissermaßen unmerklich in einen Vollfascismus hineingleiten lassen wollen. Und sicherlich ist, gleichfalls von des Menschen Kurzsichtigkeit befördert, solche Gefahr immer vorhanden. Indes, nicht alles, was eine vorgefundene Form weiterentwickelt, ist als deren »Imitation« anzusprechen: der Vogel ist keine Imitation der Flugechse, und der Aeroplan ist keine Imitation des Vogels, vielmehr ist eine jede dieser Formen aus den Qualitäten ihrer eigenen Wesenheit hervorgegangen, mag auch ihnen allen eine gemeinsame Gesetzlichkeit, nämlich die des Fliegens in der Luft, zukommen. Die Natur schafft unaufhörlich Vorformen, die durch definitivere, manchmal sogar offenbar durch Endformen abgelöst werden, und nicht anders verhält es sich mit den Formen der menschlichen Vergesellschaftung. Außerdem ist das Leben hier wie dort, bei aller Mannigfaltigkeit, mit der Schaffung neuer Formen äußerst sparsam, es bleibt zweifelsohne auf einige wenige Grundtypen beschränkt, und gerade der geschichtliche Fortschritt – im Sinne des offenenen Systems, das er ist und darstellt – besteht letztlich nur in einem steten Wiederaufnehmen des Formenkreislaufes, in einem steten Wiederaufnehmen alter Formen, die niemals etwas anderes als Vorformen sind und daher stets aufs neue weiterentwickelt werden müssen, sobald sie von den unentrinnbar logischen Ablaufsgesetzlichkeiten hiezu aufgerufen werden.

Die moderne Massenwahnbekämpfung ist wesensgemäß gegen Fascismus gerichtet, und sie kann daher den fascistischen Totalitarismus höchstens als Vorform betrachten, als eine Vorform, die durch eine bessere und definitivere [Form] ersetzt zu werden hat, sofern dies von den Ablaufsgesetzlichkeiten gefordert wird. Und – nur Kurzsichtigkeit könnte sich darüber hinwegtäuschen – gerade dies wird gefordert. Nein, nichts dürfte über den »Zerrissenheitswahn« hinwegtäuschen, in den die Menschheit durch ihren Glaubensverlust gestürzt worden ist und der bloß durch Bildung einer neuen, zentralen Werteinheitlichkeit beseitigt werden kann. Das Bedürfnis nach dieser neuen Werteinheitlichkeit ist selber ein Phänomen des modernen massenpsychischen Geschehens, und zwar ein »gesundes«, da es der Angst vor dem Wahn entspringt und demnach auch den Wunsch nach »Heilung« enthält. Die Fascismen, aber auch der Kommunismus, als Produkte des Massengeschehens, haben dieses Bedürfnis durchaus richtig erkannt, doch da sie außerdem, wenigstens zu einem großen Teil, desgleichen Produkt des Zerrissenheitswahnes sind, ist die Totalitätslösung, welche sie gefunden haben, ebenfalls wahnbehaftet geworden, ist dialektisch aus dem Zerrissenheits- in den Hypertrophiewahn umgeschlagen, und zwar in die Hypertrophierung einer sinnlos blutigen Tyrannis, wie sie in solchem Ausmaße bisher von der Menschheitsgeschichte [nicht] erhört gewesen. M. a. W., die Ablaufsgesetzlichkeiten, inbesondere das Gesetz der psychischen Zyklen, lassen mit ziemlicher Bestimmtheit erwarten, daß die Menschheit in ein Stadium neuer Wertvereinheitlichung treten wird, doch wenn damit auch die neue »Realitätsrichtung« gegeben ist und wenn die Fascismen auch dieselbe richtig erkannt haben, so kann die von ihnen geschaffene hypertrophische Staatstotalität, umsomehr als sie ein spezifisch geschlossenes System repräsentiert, bloß als Vorform anerkannt werden, die dämonisch zwar noch infolge ihrer Scheinmodernität und ihrer hochgezüchteten Technik sich zu behaupten vermag, trotzdem aber fallen wird, sobald ihre eigentliche Wahnwurzel, der Siegeswahn, bloßgelegt und vernichtet sein wird.

Wenn die Demokratie, wie es also zu erwarten ist, sich selber zum Zentrum einer neuen Wertvereinheitlichung wird erheben wollen, so wird sie dies nicht in Identifikation mit ihrem Staatsapparat tun: gewiß, die Aufgaben, um derentwillen eine Totalität etabliert wird, sind ohne Einbeziehung der Staatsgewalt wahrscheinlich nicht zu lösen, aber während die Fascismen unter verhängnisvoll maßloser Überschätzung solch staatsfunktionalen Anteils diesen selber zum zentralen Lebenswert deklarieren (wenn auch in Verquickung mit den nationalen Werten), um eine lückenlos-unentrinnbare Gleichschaltung zu erzielen, wird die wahrhafte Demokratie den Staat stets nur als Instrument betrachten, und zwar als eines, das die demokratischen Urprinzipien, die regulativen Prinzipien der Freiheit, Gleichheit und Brüderlichkeit, kurzum die Prinzipien der Menschenwürde und des Schutzes der menschlichen Persönlichkeit zur Verwirklichung bringen soll. Daß die fascistische Totalität »grausam« ist, die demokratische aber »human« zu sein hat, dies ist also bloß ein sekundäres Unterscheidungsmerkmal; das primäre, aus dem sich alle anderen ergeben, ist formal und strukturell, d. h. in der Verschiedenheit der logischen Sphären gegeben, in welchen der Zentralwert placiert ist, hier in der Sphäre moralischer Prinzipien, dort in der eines handgreiflich vorhandenen Machtgebildes, wie es in den staatlich-nationalen Einrichtungen sich darbietet.

Eine demokratische Totalität hat die ihr regulativ zugrunde liegenden Humanitätsprinzipien als schützbares und zu schützendes Rechtsgut zu behandeln: vereinfacht und etwas vage ausgedrückt, würde dies bedeuten, daß jedwedes »antidemokratische« Verhalten unter Strafsanktion zu stellen wäre, und dies ist für die Demokratie insoferne ein Novum, als bisher sie zwar bemüht gewesen ist, den Bürger gegen antidemokratische, humanitätswidrige Übergriffe des Staates zu schützen (manchmal auch – wie es in einigen der ehemaligen europäischen Demokratien geschehen ist – den Staat gegen Übergriffe seiner Bürger), niemals aber daran gedacht hat, daß diese Prinzipien in erster Linie auf den Verkehr der Bürger untereinander, das ursprüngliche Anwendungsgebiet aller staatlichen Gesetzgebung, bezogen werden müßten. Der Staat (und damit auch die Demokratie als Staat) hat kein anderes Mittel als das Strafgesetz zur Hand, um zu verhüten, daß der Mensch sich »schlecht« gegen seinen Nebenmenschen verhalte, m. a. W., um »Gut«

und »Böse« voneinander zu scheiden, und gerade dies ist, wie die Fascismen sehr wohl, die Demokratien jedoch bisher nicht wußten, psychologisch von höchster Wichtigkeit: gerade die seelische Unsicherheit als eine der Hauptursachen des Zerrissenheitswahnes wird durch diese Maßnahmen, welche sich scharf gegen die Einzelhypertrophierung der verschiedenen autonom gewordenen Unterwertsysteme – nebenbei auch gegen die Hypertrophierung des demokratischen laisser aller selber – wenden, wie das fascistische Beispiel lehrt, geradezu schlagartig beseitigt. Und daß die ökonomische Unsicherheit ebenso getroffen wird, weil es eigentlich sonst kein anderes Mittel gibt, um der kapitalistischen Hypertrophie, auf der sie beruht und die durch das demokratische laisser aller noch außerdem verstärkt wird, tatkräftig zu begegnen, das braucht eigentlich kaum mehr erwähnt zu werden.

Über den Aufbau einer demokratischen Totalität, ihre Struktur und ihre juristischen Grundlagen wurde an anderer Stelle gehandelt. Zu ihrem massenpsychologischen Aspekt hingegen soll ergänzend bemerkt werden, daß die »Umorientierung des Siegwillens«, die »Entwertung des Sieges« nur innerhalb einer festen Staatsmoral, die ihre ethischen Grundprinzipien zur Totalität erhoben hat, mit Aussicht auf Erfolg vorzunehmen ist: der Kellog-Pakt[4] z. B. darf gleich dem Wilsonschen Völkerbundgedanken – wie dieser aus der mehr als hundertjährigen, allerdings nicht immer verwirklichten antiimperialistischen Tradition der amerikanischen Politik hervorgegangen – als ein Versuch zu eben jener »Entwertung des Sieges«, ohne die nimmer die Welt von ihrem dämonischen Wahn zu befreien ist, betrachtet werden, freilich auch als ein Versuch, der von vorneherein zum Scheitern verdammt gewesen, nicht nur wegen der allgemeinen Paktunfähigkeit, die in der Welt schon längst Platz gegriffen gehabt hatte, und nicht nur wegen des Mangels jedweder Machtbasis, von der aus dem Pakt eine wirklich materiale Geltung zu verschaffen gewesen wäre, sondern vor allem wohl auch, weil in der innerstaatlichen Gesetzgebung keines der Vertragspartner auch nur der leiseste Schimmer einer wirklich tatkräftigen »Ächtung des Krieges«, eines wirklichen Schutzes pazifistischen Verhaltens sich hätte auffinden lassen, und weil es für kein Land, am allerwenigsten für ein demokratisches, möglich ist, in der Außenpolitik Prinzipien zu vertreten, die nicht in sämtlichen Zügen in der Innenpolitik fest verankert sind; man kann nicht außenpolitische Aggression verdammen und zugleich innenpolitische, etwa in Gestalt von Rassenhaß, als angeblich demokratische Freiheiten gestatten oder auch nur die Augen davor schließen. Denn das Ethische, ob nun als Verhalten einer Person oder eines Staates, bildet eine unteilbare Einheit, nicht anders wie der Weltfrieden eine unteilbare Einheit schon seit vielen Jahren darstellt, heute aber derart empfindlich geworden ist, daß er nicht einmal mehr innenpolitische Aggressionen, wie Lynchbewegungen oder Pogrome, dulden kann. Indes, ebensowenig wie eine Welthumanität vermittels einer bloßen »Ächtung des Krieges« zu erreichen ist, ebensowenig läßt sich die innerstaatliche Humanität, die für jene die unbedingte und erste Voraussetzung bildet, vermittels bloßer Ächtung des Verbrechens erreichen; die ethische Natur des Menschen ist bei weitem noch nicht so sehr erstarkt, als daß sie die Polizierung des Verbrechens, sowohl des privaten wie des öffentlichen, überflüssig machen würde. Und ebendarum, eben weil mit den gegebenen Realitäten gerechnet werden muß, ist für die Annäherung an das ferne Ziel einer ethischen Welttotalität vor allem die Erlangung des näheren und konkreteren Zieles, nämlich das einer demokratischen Totalität notwendig, die Schaffung einer weiterentwickelten Demokratie, die ihre Humanitätsprinzipien der Freiheit, Gleichheit und Brüderlichkeit in ihre laufende Gesetzgebung einbezieht, aber diesen Prinzipien nun auch noch das eines aktiven Pazifismus anfügt, der sowohl innen- wie außenpolitische Aggressionstendenzen unter Strafsanktion stellt und damit eine »Umorientierung des Siegeswillens« vorbereitet, wie sie beispielsweise dem amerikanischen Antiimperialismus stets vorgeschwebt hat. Soweit man dem »Gesetz psychischer Zyklen« vertrauen darf – manches spricht dafür –, wird sich die demokratische Totalität als Überwinderin ihrer fascistischen Vorform in naher Zukunft verwirklichen.

Ad A 2 (Richtunggebende Kräfte)

Die Betrauung der Demokratie mit den Aufgaben der Massenwahnbekämpfung wirft die Frage nach der demokratischen Instanz auf, unter deren Leitung sich der Kampf vollziehen soll.

Gewiß, Verhütung von Unheil jeglicher Art gehört zu den wesentlichsten Grundlagen aller demokratischen Regierungsverantwortung, und wenn tatsächlich einstens eine demokratische Totalität oder totale Demokratie geschaffen sein wird, ein Staatswesen, das nicht nur passiv, sondern durchaus aktiv für seine regulativen Grundprinzipien und damit für die Würde des Menschen sich einsetzen soll, so wird diese Aktivität erst recht zum Pflichtenkreis jener Exekutive gehören, die an die Spitze eines solchen Gemeinwesens gestellt zu werden hat.

Vorderhand existiert jedoch eine derartige Demokratie noch nicht. Es ist möglich, daß sie unter dem Druck der Kriegsverhältnisse und der Kriegsvorbereitungen bereits im Bilden begriffen ist, aber dies genügt eigentlich nicht: damit ein politisches Gebilde wirksam sei, muß es gewollt werden, muß es eben den Willen zur Wirksamkeit besitzen; was lediglich ein Produkt der Verhältnisse ist, ohne vom Menschen wahrhaft gewollt zu werden – die Weimarer Republik ist hiefür ein leider zutreffendes Beispiel –, ist von vorneherein zum Absterben verurteilt. Gerade dies ist es ja, was vom Marxismus gemeint wird, wenn er sich auf die Macht der ökonomischen Verhältnisse nicht allein verlassen mag, vielmehr sie vermittels einer Erweckung des revolutionären Bewußtseins zu fördern trachtet. M. a. W. und einigermaßen banal ausgedrückt: der »Fortschritt« in der menschlichen Historie wird zumeist nicht von den Regierungen, sondern von denjenigen getragen, welche zur Regierung gelangen wollen, und diese sind es dann auch, welche in erster Linie als »richtunggebende Kräfte« im Massengeschehen auftreten. Die demokratische Parteienbildung ist auf diesem Prinzip aufgebaut.

Die sogenannte »politische Überzeugung« ist nirgends so deutlich wie in der politischen Partei repräsentiert; hier findet sie ihren logisch-soziologischen Ort, und es ist daher nicht verwunderlich, daß alles, was im modernen öffentlichen Leben den Charakter einer »Bekehrung« aufweist, in erster Linie von parteiartigen Organisationen getragen wird: die moderne Bekehrung besteht vor allem als »Zugkraft« einer Partei und ist an ihrem »Stimmenzuwachs« abzulesen. Und nicht nur, daß der »überzeugte« Parteimann jede andere politische Überzeugung als »anormal« (wenn nicht gar verbrecherisch anormal) empfindet, es erhält auch – seltsame und so überaus bezeichnende

Enunziation des abendländischen Geistes! – die vollzogene Bekehrung, nicht zuletzt infolge der ziffernmäßigen Feststellung ihres Stimmengewinnes, alle Merkmale eines Rekordes, also eines »Sieges«.

So ist also mit einer gewissen Berechtigung anzunehmen, daß die Impulse zur Massenwahnbekämpfung wiederum von einer parteiartigen Organisation ausgehen werden; angesichts der durchgängig politischen Färbung des modernen Massenwahnes ist die »politische Partei« als seine Gegenposition, ist sozusagen eine »politische Partei der Normalität« geradezu als natürlichste Lösung anzusprechen: nicht die »Regierung«, sondern die politische Partei ist die Instanz, von der das neue Bekehrungswerk auszugehen hat, und die politischen Maßnahmen, durch welche es gefördert und durchgesetzt werden soll, also insbesondere auch die Institution einer demokratischen Totalität, werden als Parteiforderung immer noch am ehesten konkreten Erfolg finden.

Ad A 3 (Superbefriedigungen)

Eine politische Partei ist in erster Linie eine Zweckorganisation; sie kann ferner unter Umständen eine soziale Gruppe sein, und manchmal, allerdings selten, stellt sie eine Gemeinschaft dar. Damit ist jedoch nicht gesagt, daß »Organisation-Sozialgruppe-Gemeinschaft« unbedingt eine »Aufstiegs«-Skala zu bedeuten hätte. Oder schärfer ausgedrückt: jedes jener drei Sozialgebilde ist durch ein ihm spezifisches einheitliches Wertsystem charakterisiert; während aber der Angehörige einer Zweckorganisation den Normen des Systems bloß so weit zu folgen hat, als diese auf den gemeinsamen Zweck ausgerichtet sind, wird der Angehörige einer Sozialgruppe in all seinen Lebenshaltungen und -handlungen von den Gruppennormen geleitet; die »Gemeinschaft« hingegen ist in ihrer Struktur mit den beiden anderen je gleich nahe verwandt, denn sie verlangt für die Dauer ihres Bestehens (etwa für die Dauer eines Gottesdienstes) eine völlige Unterwerfung des Individuums unter ihre Normen, ist aber doch eine Zweckorganisation, und zwar eine zur Erzielung bestimmter Irrationalerlebnisse, die ebensowohl solche des Rationalverlustes wie der Irrationalbereicherung sein können, in beiden Fällen jedoch für das isolierte Individuum bloß schwer erlangbar sind.

Die politische Partei unterscheidet sich von anderen Zweck-
organisationen vielleicht ebendadurch, daß sie beide Tendenzen, d. h. ebensowohl die zur Sozialgruppe wie die zur Gemeinschaft, in sich enthält. Vom rationalen Standpunkt aus strebt die
Partei zur Sozialgruppe, da sie ja wesensgemäß sämtliche
Staatsbürger in ihr Parteigefüge einzubeziehen trachtet – das
Einparteiensystem als Ziel einer jeden Partei gehört zu den typischen demokratischen Antinomien –, wohingegen sie mit ihren (wesentlich versteckteren) irrationalen Tendenzen zur Gemeinschaftsbildung hinstrebt. Am deutlichsten zeigt sich diese
Doppelfunktion bei echt revolutionären Parteien, aber auch
mehr oder minder pseudorevolutionären nach der Art der Fascismen: Revolution ist stets ein Vorstoß zu einer sozialen (nicht
immer gerade staatlichen) Totalität, ist stets ein Versuch, das
Gesamtvolk zum Revolutionärinhalt zu bekehren und solcherart zu einer einzigen Sozialgruppe zusammenzufassen, und andererseits bietet Revolution in Gestalt der ihr eigentümlichen
emotional-ekstasierenden Superbefriedigungen dem Menschen ein Gemeinschaftserlebnis, wie es ihm vom historischen
Geschehen ansonsten nur höchst selten gewährt wird. Soweit
man bei einer weltlichen Institution, wie es eine politische Partei ist, überhaupt von metaphysischen Zielen sprechen kann –
allerdings sind solche überall vorhanden, wo der Mensch nach
werttragenden Weltformungen strebt –, so weit läßt sich sagen,
daß die Revolution eine äußerste Annäherung an das metaphysische Ziel darstellt: Revolution an sich bedeutet noch nicht Irrationalbereicherung, aber sie kann Platz für Irrationalbereicherung schaffen; m. a. W., die erste Superbefriedigung,
welche aus der geglückten Revolution erfließt, liegt noch völlig
auf der Ebene des »Sieges«, die zweite jedoch kann jenseits des
Sieges liegen, nämlich auf jener Ebene, auf welcher Begriffe
wie »Freiheit« und »Menschenwürde« eine innerseelische, ekstasierende Wertrealität gewinnen.

Es gehört zu den besten Aufgaben der Demokratie, ja, ihr
ganzes Verhältnis zur Religion läßt sich daran ermessen, daß sie
Platz für jegliche echte Irrationalbereicherung zu schaffen hat.
Und dies wird, beinahe selbstverständlich, auch in der Massenwahnbekämpfung, deren sich die Demokratie, sei es als Partei,
sei es unter sonstwelchem Titel, zu unterziehen haben wird,

zum Ausdruck gelangen. Allerdings zeigt sich hiebei neuerdings die schier unüberwindliche Schwierigkeit des demokratischen Bekehrungswerkes. Denn während die Fascismen in richtiger Erkenntnis der hohen Wichtigkeit, die den Superbefriedigungen bei der Gemeinschaftsbildung zukommt, unbekümmert alle emotionalen und ekstasierenden Stimulanzen von den Siegesvorstellungen her beziehen, angefangen vom scheinbar harmlosen Chorgesang und den schon weniger harmlosen überdimensionierten Flaggenparaden bis zur Entfesselung aller sadistischen Haßtriebe in der Niederprügelung und Ausrottung von Minoritäten, während also hier sich alles auf der Siegesebene abspielt, eingebunden in einen Rationalverlust, der die Aussicht auf die zweite, auf die human-metaphysische Ebene verzerrt oder gar völlig verhindert, ist der demokratischen Massenwahnbekämpfung, die sich gerade gegen die Siegesvorstellung richtet und ebenhiedurch verhindern soll, daß die Menschheit wieder zu Lynchhorden von Kopfjägern und Amokläufern sich verwandle, die Verwendung all dieser billigen Ekstasemittel von vornherein verwehrt: im Gegensatz zu den Fascismen, die ob ihrer Verhaftung an die Siegesebene sich revolutionär dünken, ist das demokratische Bekehrungswerk verhalten, diese Siegesebene gewissermaßen zu überspringen und sämtliche Superbefriedigungen auf der zweiten, auf der metaphysischen Ebene unterzubringen.

M. a. W.: Demokratie hat Platz für Gott, schafft Platz für Gott, aber als das offene System, das sie ist, verträgt sie keine Götzen. Die Französische Revolution hatte ihre Hypertrophiegrenze überschritten und war in wahnhafte Sphären geraten, als sie, wenn auch wohl nur symbolverspielt, die Götzin der Vernunft zu installieren trachtete; denn gleichgültig, ob eine Vergötzung mit einem Begriff oder mit einer Tugend oder einer Person vorgenommen wird, es ist solche Materialisation des Absoluten immer auch ein Symptom für ein geschlossenes System, und hier war es das Symptom für den Absturz der Revolution in eine neue Geschlossenheit gewesen. Ein ethischer Verein kann zur Not Tugenden »verehren«, indes innerhalb eines lebendigen Gemeinwesens können sie bloß »geübt« werden, und zwar derart, daß sie als regulative Prinzipien eingesetzt werden und als solche in der Beziehung zwischen Mensch und Mensch wirken. Demokratie ist ihrem Prinzip nach – also abgesehen von ihren ökonomischen und machtpolitischen Existenzbedingungen – eine ethisch-religiöse Gründung, sie ist »unsichtbares Gottesreich«, das Reich, in dem es keinen irdischen Statthalter für Gott mehr braucht, keinen Papst und vor allem keinen Kaiser und keine Hierarchie, weil eine jegliche Seele bereits zu ihrer vollen Ebenbildhaftigkeit und zu der ihr eingeborenen vollen menschlichen Würde erweckt worden ist, weil in jeder und damit auch in ihrer Gemeinschaft all jene »Tugenden« lebendig geworden sind, die Freiheit, Gleichheit, Brüderlichkeit, oder aber Anständigkeit, Vernünftigkeit, Ernsthaftigkeit oder sonstwie heißen mögen, in ihrer Gesamtheit jedoch das Leben der demokratischen Gemeinschaft und des demokratischen Gemeinwesens ausmachen: dieses ethische System wird überall dort erschüttert, wo die religiöse Basis im Schwinden begriffen ist und die Seele sich nicht mehr auf ihre Ebenbildhaftigkeit zu berufen vermag, denn infolge des in Gott repräsentierten absoluten Erneuerungsquells wird das System hinsichtlich seiner Gültigkeit beinahe freischwebend, d. h. es hat keinen fixen Bezugspunkt mehr, sondern muß seine Gültigkeit in sich selber finden, also in der Fülle von Relationen, ja, von Relationen zu Relationen, deren eine die andere bedingt, so daß keine einzige angetastet werden darf, da sonst ihre Gesamtheit und das Gesamtsystem gefährdet werden würde; kurzum, entblößt seiner statischen Elemente, wie sie ihm vom Gottesglauben geboten werden, wird der Absolutheitscharakter des sittlichen Systems ins rein Funktionelle seiner Relationen verschoben, nämlich in die Gesamtheit seiner sittlichen Funktionen, und soweit diese mit der Funktion des demokratischen Gemeinwesens zu identifizieren ist – und es ist eine eben sehr weitgehende Identifikation –, wird eine nicht mehr auf Gott und das göttliche Gebot bezogene Demokratie geradezu zwangsläufig verhalten, all ihr Augenmerk auf die Erhaltung jener ethischen Gesamtheitsfunktion zu richten, eine Vorschrift, welche einfach die Wendung zur demokratischen Totalität bedeutet.

Alles rein Funktionelle auf geistigem Gebiet ist »abstrakt«, und es ist daher nochmals zu fragen, ob aus solch abstrakter Haltung überhaupt emotionale Superbefriedigungen gewonnen werden können. Die Frage ist umso berechtigter, als der Kriegswahnsinn bereits so weit vorgeschritten ist, daß keinerlei geistige, geschweige eine abstrakte Entscheidung mehr für das künftige Schicksal der Welt bestimmend zu sein scheint, vielmehr dieses offenbar ausschließlich der Leistungsfähigkeit der fascistischen oder kommunistischen Tank- und Flugzeugkonstruktionen anheimgestellt ist und innerhalb einer derart blutrünstig gewordenen Welt eine mit Abstraktheit beladene demokratische Massenwahnbekämpfung durchaus blutleer, und zwar im vollen Wortsinn blutleer wirkt, verurteilt zu einer Erfolglosigkeit, von der sicherlich keine Superbefriedigungen zu erwarten sind. Nichtsdestoweniger soll hiezu nicht vergessen werden, daß dem Rüstungsvorsprung der Totalitärstaaten, welcher sich jetzt so verhängnisvoll auswirkt, ein Überzeugungsvorsprung vorangegangen ist, daß es zuerst einmal eine kommunistische und eine nationalsozialistische Partei gegeben hat, ohne deren Überzeugungskraft es niemals zum heutigen Wehr- und Angriffswillen gekommen wäre, und daß bei Bildung dieser Überzeugungen durchaus Begriffe im Spiele gewesen sind, über deren Abstraktheitsgrad sich streiten läßt, denn »Rassenüberlegenheit«, aber wohl auch »Proletarismus« sind sicherlich nicht viel weniger abstrakt als »Freiheit, Gleichheit, Brüderlichkeit«, denn ob diese oder jene Abstraktheit zur Konkretisierung gelangt, hängt immer nur von der jeweiligen Realitätsrichtung ab. Sicherlich ist nicht zu leugnen, daß die Diktaturen in der gegenwärtigen Realitätsrichtung liegen – die Realität einer apokalyptisch gewordenen Welt zeugt nur allzusehr dafür –, und sicherlich haben die Diktaturen äußerst richtig den Verlust der statischen Glaubensbasis erkannt, ja, sie haben sogar ganz richtig gefühlt, daß sich hieraus die Notwendigkeit zum Übergang auf »funktionale« Wertstrukturen ergibt, indes, da sie dieselben als eine durchaus materiale »Dynamik« interpretierten und eine solche eben keine andere als die des Krieges sein konnte, wurde die richtige Einsicht bereits in ihrem ersten Ansatz auch schon wieder zerstört und so sehr rückgängig gemacht, daß diese ganze Dynamik geradezu sofort zu einer Pseudostatik zurückschlug, nämlich zu jener Wiederverheidung, für die der Götzendienst moderner Imperatorenanbetung bloß ein Beispiel unter vielen darstellt. Immer wieder zeigt sich bei alldem, daß die fascistische Totalität lediglich als »Vorform« der demokratischen aufgefaßt werden darf, und das nämliche gilt wohl hinsichtlich der emotionalen und ekstasierenden Superbefriedigungen: die Fascismen gestatten unmittelbare Triebauslebungen, ja, sie machen den sadistischen Lynchakt geradezu zur Bürgerpflicht, während die Demokratie in erster Linie nach Zügelung aller humanitätsfeindlichen Triebe verlangt und sie zu sozialen »Tugenden« zu sublimieren trachtet, die zwar meistens, wenn auch nicht immer Maske für alle möglichen Triebauslebungen sind (so daß sie wohl auch immer den Vorwurf der Heuchelei werden tragen müssen), die aber trotzdem eben als Triebsublimierungen unbedingt eine Weiterentwicklung in humaner Richtung bedeuten und den Superbefriedigungen – soferne sie dann noch als solche zu bezeichnen sind – ein neues Feld erschließen, nämlich das der menschlichen Kultur.

Um im Bilde zu bleiben: die gegenwärtige abendländische Kultur, soweit sie noch nicht zerstört ist, handelt nach religiösen, insbesondere christlichen Prinzipien, ist aber selber nicht mehr ausgesprochen religiös, sondern hat bloß Platz für Religion. Und ebenso hat das demokratische Bekehrungswerk diesen areligiös-religiösen Anstrich. Damit ist nicht nur die religiöse Struktur gemeint, welche jeder Werttotalität, sogar auch noch einer fascistischen, wesensgemäß zukommt, sondern weit mehr noch der strukturerfüllende Inhalt, hier nämlich der bewußtmachende Appell an die Gewissenskräfte der Einzelseele, der Appell an diese innerseelische Realität, die das eigentliche Gebiet alles religiösen Geschehens ist, ja, im Grunde erst an dieser Eigenschaft manifest wird. M. a. W., das Ethische – und es gibt bloß eine einzige Ethik, genauso wie es bloß eine einzige und unteilbar einheitliche Wahrheit gibt, weil beide ausschließlich auf Realität abgestellt sind – verliert niemals seine religiöse Struktur, nicht einmal dann, wenn es auf Gott zu verzichten bemüßigt ist, und demgemäß bleibt auch die ethiktragende Funktion der Einzelseele und ihres Gewissens stets in Kraft, bleibt das Gewissen stets die seelische Realität, die es ist. Und eben um diese ethische Realität geht es auch in der Frage der Superbefriedigungen. Denn das Wesen der Superbefriedigungen beruht – wie hier ausgeführt – auf Bedürfnissen des »wertbeleidigten« Menschen, die sich mit bloßen »Wiedergutmachungen« nie und nimmer befriedigen lassen, sondern dies erst tun, wenn ihnen ein »Zusatzwert« verschafft wird: jeder echte Wert aber ist Weltformung, ist Einbringung einer neuen Realität in

die Welt, ist also in gewissem Sinne Weltneuheit; und wenn auch
dieser Wunsch am einfachsten und geschwindesten und wohl
auch am ekstasierendsten durch die unmittelbare Auslebung
von Triebrealitäten befriedigt wird, so hat die Gewissensrealität
kein geringeres Gewicht, und sie ist sicherlich nicht weniger zur
Weltformung geeignet, ja, von ihrer Sublimierungsfunktion
und nicht von den an sich invarianten Trieben ist die für die Superbefriedigung so überaus wichtige Neuheitsqualität bedingt,
und demgemäß ist auch aller Fortschritt in der hier relevanten
sozialen Gemeinschaftsbildung (samt den mit ihr verbundenen
Befriedigungen) nahezu ausschließlich aus den angeblich abstrakten »Tugenden« des menschlichen Gewissens erflossen
und hat von deren innerseelischen Realität eine Haltbarkeit gewonnen, die nie von den Augenblicksekstasen einfacher Triebauslebung erreicht worden sind oder erreicht werden können.
Die Idee einer rein auf sozialer »Tugend« begründeten, vielleicht sogar »abstrakten« Gemeinschaftsbildung, die all ihre
Stärke aus der innerseelischen Realität beziehen will, so daß
Gott bloß als unendlich ferner und kaum mehr aktualer Bezugspunkt gilt, hat es mehr oder minder utopisch immer gegeben;
besonders seit der Reformation haben diese Ideen in zunehmendem Maße zur Konkretisierung gedrängt, und zweifelsohne sind sie in den Gemeinschaftsgründungen der Puritaner
und Quäker wiederzuerkennen, also in Sozialversuchen, die bei
der Schaffung der Demokratie unmittelbar Pate gestanden hatten, darüber hinaus jedoch kraft ihrer Gewissenstotalität auf
eine künftige demokratische Totalität hinweisen. Unter dem
Gesichtswinkel der Superbefriedigungen gesehen, handelt es
sich dabei ursprünglich stets um unterdrückte Minoritätsgrup-
pen (– sogar das jüdische Ghetto vermag hiezu gewisse, freilich
recht rudimentäre Parallelbeispiele zu liefern –), und zwar sind
es Gruppen, die sich von allem Anfang an von der Ekstase au-
genblicklicher Triebauslebung abgewandt und ihre emotionalen Superbefriedigungen eindeutig in einer neuen sittlichen
Wert- und Weltgestaltung gesucht haben; entgegen der fascistischen Meinung ist dieser Prozeß noch lange nicht abgeschlossen.

Für all diese Tendenzen ist es nun überaus bezeichnend, daß
sie scharf antisadistisch eingestellt sind, ohne darum selber ins
Masochistische umzuschwenken; d. h. sie bekämpfen alle sa-

distischen Triebauslebungen, mögen sie nun Krieg oder sonstwie heißen, aber sie suchen ihre eigenen Superbefriedigungen nicht in Leidensekstase (von der z. B. non-resistance niemals ganz frei ist), sondern sie bleiben prinzipiell die Glaubensstreiter, die einstens zur Konkretisierung ihrer Sittlichkeit ausgezogen sind und von dieser Absicht niemals abgelassen haben. Eine totale Demokratie, welche im Zuge der ihr aufgetragenenen Massenwahnbekämpfung sich um eine »Besiegung des Sieges« bemüht, würde also durchaus in der damit eingeschlagenen Richtung operieren; auch hier soll Sadismus nicht durch Masochismus ersetzt werden, denn auch dies wäre Gegenwahn zum Wahn, den zu bekämpfen es gilt. Gewiß, überall wo Autorität eingesetzt wird, da lassen sich mehr oder minder sadistische Haltungen niemals völlig vermeiden, und zweifelsohne fördert jedwede Werttotalität auch Zwangsmaßnahmen, die sehr leicht den Charakter sadistischer Superbefriedigungen annehmen können. Eine demokratische Totalität wird beispielsweise niemals gänzlich von der Gefahr einer theoretischen Hypertrophie befreit werden können, nämlich von der Gefahr einer spezifisch demokratischen »Theologie«, die unweigerlich eine spezifisch demokratische »Ketzertheorie« nach sich ziehen und damit in der Verfolgung des Verbrechens »undemokratischen Verhaltens« jedwedem Sadismus die Türe öffnen würde. Dies sind wahrscheinlich unvermeidliche Übel, umso unvermeidlicher, als sich die Demokratie im Kriegszustand befindet. Doch mehr als irrig wäre es, einer demokratischen Totalität, um solcher Parallelität mit der fascistischen willen, den Vorwurf der Imitation und der imitativen Superbefriedigungen zu machen: die Fascismen sind Zerrbilder echter Werttotalität, genauso wie ihre Dynamik lediglich Zerrbild einer echten Funktionalität ist, sie sind lediglich Vorformen, und wenn sich eine totale Demokratie mit einer Kopierung der fascistischen Superbefriedigungen begnügen wollte, sie würde keinen einzigen Tag Bestand haben. Die »Besiegung des Sieges«, auf die sich die demokratische Totalität gerichtet hält, hat mit den sadistischen Superbefriedigungen des Fascismus nichts zu tun, vielmehr bezieht sie ihre eigenen einzig und allein aus der sittlichen »Weltformung«, die gegen den Sieg als solchen gerichtet ist, auch wenn ihre Durchsetzung einen Sieg, zumindest einen Partialsieg des »Guten« über das »Böse« bedeuten wird.

Emotionale Befriedigungen und Superbefriedigungen sind aber nur dann sinnvolle Begriffe, wenn sie von konkreten Menschen empfunden und angestrebt werden. Wer also sind die konkreten Menschen, denen durch den herrschenden Weltenwahn so viel Schaden erwachsen ist, daß ihnen die »Besiegung des Sieges« als wirkliche Superbefriedigung zur Wettmachung des ihnen widerfahrenden Leides erscheinen mag? Wer sind die konkreten Menschen, welche eine Partei zur Errichtung einer demokratischen Totalität zu bilden wünschen, auf daß von einer solchen die Bekämpfung des Weltenwahns vorgenommen werde? Wer sind die konkreten Menschen, denen die Schaffung einer wahrhaft demokratischen Gemeinschaft wirklich am Herzen liegt? Als der Marxismus sich die analogen Fragen vorlegte, da war die Antwort verhältnismäßig einfach gewesen: alle diejenigen, deren ökonomische Existenz durch den Kapitalismus bedroht ist, also alle, die man aus eben diesem Grunde unter dem Sammelnamen Proletarier zusammenfassen kann, werden zur Bekämpfung des Kapitalismus antreten und damit zum Träger der ökonomisch-historischen Gesetzlichkeit werden, die seinen endgültigen Sturz vorschreibt und damit eine Neuformung der Welt erwarten läßt. Die psychologische Gesetzlichkeit, die nun ergänzend sich zu der ökonomischen gesellt, zerstört die ökonomische Einfachheit des Bildes und gibt ihm ein zwar vielleicht realitätsgetreueres, dafür aber auch komplizierteres Gepräge. Gewiß kommt es auch hier auf die Existenzbedrohung an, indes, die Klasse der Benachteiligten, die kraft ihrer Benachteiligung zum Vollzugsinstrument der Gesetzlichkeit werden soll, ist nicht ohneweiters zu definieren, vor allem weil der Begriff der psychischen Existenz weitgehend fluktuierend ist: ein wohldefiniertes Proletariat kann zum Klassenkampf aufgerufen werden, eine beinahe undefinierte, diffuse Masse, die sich der über ihr hängenden Wahnbedrohung bloß mangelhaft bewußt ist, muß erst einen Bewußtmachungsprozeß durchmachen, in dem ihr die psychische Existenzgefährdung klar wird, ehe sie sich zu entschließen vermag, gegen den Wahn aufzutreten. Es ist dies ein Phänomen, das gemeiniglich unter dem Begriff einer »Gruppenmoral« oder einer »nationalen Moral« etc. subsumiert wird und das aufs innigste mit dem der »psychischen Existenz« und deren Grenzen verquickt ist: beispielsweise wird ein Mensch, der in stark traditionsmäßigen Bindungen lebt, die Tradition innerhalb seiner Ich-Grenze lokalisieren, er wird sie als Teil seiner psychischen Existenz betrachten und demzufolge alles zu ihrer Verteidigung tun, wenn sie von außen, sei es durch einen Wahn oder sonstwie, angegriffen wird, während der Mensch oder das Volk mit gelockerter Traditionsbindung – die Unterbrechung der demokratischen Tradition ist hiefür das traurigste Beispiel – keinen Anlaß zu solcher Existenzverteidigung hat, besonders dann nicht, wenn er seine ökonomische Position, die nach wie vor das Kernstück seines Existenzgefühles bleibt, unbedroht oder gar verbesserungsfähig sieht. Es ist kein Zweifel, daß sich aus alledem ein recht niederschmetternder Eindruck ergibt, oder richtiger, er ergibt sich aus den Welttatsachen selber: wer von dem Wahngeschehen nicht selber unmittelbar in seiner physischen und psychischen und vor allem ökonomischen Existenz betroffen wird, der steht ihm gleichgültig gegenüber, und wenn es ihn betroffen hat, wenn es ihn selber zum Opfer gemacht hat, wie dies, angefangen mit den Juden, allen kontinentaleuropäischen Völkern widerfahren ist, so ist es zur Abwehr bereits zu spät geworden. Und um das düstere Bild zu vervollständigen, muß noch hinzugefügt werden, daß sogar derjenige, welcher all das apokalyptische Grauen Europas am eigenen Leib erlitten hat, sich sofort wieder in die Reihe der Gleichgültigen stellt, sobald ihm die Flucht an ein scheinbar noch sicheres Gestade gelungen ist, er also nicht mehr zur Klasse der unmittelbar »Benachteiligten« gehört. Die Demokratie ist zwar bedroht, doch der Demokrat ist nicht unmittelbar benachteiligt, und daran scheitert – von den Fascismen durchaus bewußt und tatkräftig verhindert – die Schaffung einer wirkichen Abwehrorganisation, möge sie nun als politische Partei oder sonstwie gedacht sein.

Und doch ist diese »Klasse der Benachteiligten« unzweideutig vorhanden, mag sie sich auch ihrer eigenen Existenz meistenteils kaum bewußt sein, lediglich ahnend, daß sie ebensowohl das Opfer des Amoklaufes wie das seiner Ansteckungsgefahr werden wird. Gewiß ist auch hier das ökonomische Moment nicht zu übersehen, denn der Mensch, welcher den heutigen Wahnsinnszustand der Welt durch einen normalen Zustand ersetzt haben möchte, wird das Bild dieser neuen Weltformung unweigerlich mit dem sozialer und ökonomischer Gerechtigkeit verbinden. Damit ist jedoch nicht gesagt, daß der ökonomisch

Benachteiligte, also das Proletariat, auch am empfindlichsten für die Wahnsinnsbedrohung sei; es darf nicht vergessen werden, daß der Sowjetismus und seine Diktatur eine spezifisch proletarische Hypertrophie entwickelt hat, daß die darin enthaltenen Wahnelemente ohneweiters vom Proletariat akzeptiert worden sind, daß diese Verwirrung durch den russisch-deutschen Pakt noch gesteigert worden ist und daß sich daher der Rückweg zu der anfänglichen Abneigung des Proletariats gegen den Fascismus – einer Abneigung, die einerseits durch den scharfen Antisozialismus der fascistischen Anfänge, andererseits durch die humanen und pazifistischen Gerechtigkeitsideale der altsozialistischen Tradition verursacht war – sich nicht sehr leicht finden läßt. Trotzdem ist dieser Rückweg zu finden, und zwar unter der Leitung der Wahnsinnsfurcht, deren Erwachen umso näher gerückt erscheint, je mehr der apokalyptische Wahn ansteigt, je ausgedehnter die von ihm erfaßten Gebiete werden. Die Stellung der englischen Arbeiterschaft zum Kriege kann da als wichtigster Hinweis genommen werden, und sie hat alle Aussicht, die Führung im Weltsozialismus zu gewinnen, besonders dann, wenn die Sowjets infolge der zwiespältigen Hypertrophie und hypertrophischen Zwiespältigkeit ihrer Politik in eine katastrophale Lage gerieten, angesichts welcher sich freilich auch das Wahnhafte ihrer Handlungsweise weithin sichtbar enthüllen würde. M. a. W., die Demokratie hätte das Erbe der Sowjets anzutreten, genauso wie die demokratische Totalität berufen ist, die fascistische abzulösen, und unabhängig von der Form, die dieser neue Sozialismus annehmen wird, unabhängig von seinen privatwirtschaftlichen Einsprengungen und Regulierungen, die bei intakter Wirtschaft ziemlich groß, jedoch bei Rumpfwirtschaft verschwindend klein sein dürften, unabhängig also vom Verwandtschaftsgrad mit den bisherigen kapitalistischen oder sozialistischen Wirtschaftsformen wird die neue kaum mehr ein Produkt des Klassenkampfes sein, sondern wird unweigerlich aus der Angst einer wahnsinnsgepeinigten Menschheit hervorgehen, welche dem Wahnsinn nichts anderes mehr entgegenzusetzen hat als die angeblichen Abstrakta: Anständigkeit, Vernünftigkeit, Ernsthaftigkeit. Ausgebeutet zu sein, ist eine harte und grausame Realität, aber eine noch viel härtere und grausamere, ja, sogar noch viel realere ist es, in den Luftschutzkellern, auf den

Landstraßen, in den Fabriken dem von den Irrsinnsmaschinen herabgeschleuderten Tod ohnmächtig ausgeliefert zu sein; der Nationalsozialismus hat dem sogenannten »Fronterlebnis« höchste politische Gestaltungskraft zugemessen, nun, dieses Fronterlebnis wird unendlich von einem Erlebnis übertroffen, das man das »Bombungserlebnis« nennen dürfte und das all seine Erlebnisstärke aus der Durchschauung der Siegesdämonie zieht: wenn Picasso in »Guernica«[5] selbst das Vieh vom Wahnsinnsgrauen erfaßt werden läßt, so ist die künstlerische Übertreibung nicht einmal so überaus realitätsfremd, denn was hier geschieht, ist mehr als bloßer Mord, ist mehr als bloße Zerstörung menschlichen Glücks und menschlicher Zivilisation, es ist gegen die Kreatur schlechthin gerichtet, ist nicht mehr Beeinträchtigung irgendeines Lebens, sondern Aufhebung der Schöpfung als solcher, und ebendeswegen – es kann gar nicht anders sein – wird schließlich auch der bisher Verschonte sich seiner Gefährdung bewußt werden, wird sogar der bombenwerfende Maschinist ob der Sinnlosigkeit seines Tuns erblassen, werden sie alle, nicht etwa aus plötzlich erwachtem Mitgefühl für fremdes Leid, wohl aber aus eigenster Seelenangst unentrinnbar dem Wahnsinnsgrauen verfallen sein; die Internationale des Leides, die da im Entstehen begriffen ist, diese Partei der benachteiligten Humanität an sich ist nicht minder realitätsbegründet als die Internationale des Kapitals, geschweige denn die des Proletariats, und ihr wird die »Besiegung des Sieges«, wird die Entdämonisierung der Welt obliegen.

Doch weiter: mit der physischen Not allein wäre es nicht getan; physische Not führt kraft der ihr innewohnenden Panikelemente weit eher zu Rationalverlust und Massenwahn – dies ist ja ein Teil des fascistischen Geheimnisses – denn zu innerlicher Bekehrung und Einkehr. Nicht der physische Notstand des deutschen Bauern gab den Anstoß zur Reformation und zur protestantischen Bekehrung (– einer der vielen Irrtümer der materialistischen Geschichtsauslegung –), so wenig wie der Stand der antiken Spätwirtschaft als Anlaß für die christliche Bekehrung genommen werden darf, vielmehr ist es immer ein psychischer Notstand gewesen, von dem aus alle Anstrengungen zur Bildung neuer Wertzentren nach der Art der beiden christlichen Bekehrungen ausgegangen sind. Gewiß, psychischer und physischer Notstand sind zumeist sehr verquickt, und oftmals ist dieser der konkrete Ausdruck des andern innerhalb der realen Dingwelt, so daß die Motivenverschlingung und -verkreuzung notwendigerweise stets aufs neue einseitige Fehlauslegungen zeitigen wird, immerhin jedoch vermag ein Modell der historischen Wertmechanik, ist einmal ein solches halbwegs verläßlich aufgestellt, die Fähigkeit für sich beanspruchen, in der Motivationswirrnis einigermaßen Ordnung zu schaffen. Und von dieser Wertmechanik aus gesehen ist der physische Notstand dieser Zeit in einer Weise Frucht des psychischen, wie dies in der Geschichte vielleicht noch niemals in solchem Maße stattgefunden hat: die Entdämonisierung der Welt kann und wird nicht eine unmittelbare Folge ihrer grauenhaften physischen Not sein, wohl aber wird diese den Menschen zum Bewußtsein seiner psychischen Not erwecken, und von hier aus, von diesem Bewußtmachungsakt aus werden Einkehr und Bekehrung, wird das neue Bekehrungswerk sich aufbauen. Wäre dieser psychische Notstand, wäre diese tiefste Wertentblößung nicht vorhanden, es wäre hoffnungslos, vom Menschen zu erwarten, daß er entgegen all seinen Trieben, die nach sadistischer und masochistischer Auslebung verlangen, sozusagen »widernatürlich« seine Superbefriedigungen ins Rationale und Soziale wende, nämlich sie zu den »Tugenden« seiner Humanität sublimiere, um mit ihrer Hilfe die zur Erzielung von Superbefriedigungen nötige neue Realitätsqualität in die Welt einzubringen, kurzum, um damit ein Stück neuer Weltformung zu schaffen. Nur Furcht kann den Menschen zu solcher Selbstbeschränkung oder, richtiger, wenn auch paradoxer, zu solchem Mut der Selbstbeschränkung bewegen, zu einem Realitätsmut, ohne dessen Leitung es noch nie einen Vorstoß ins Neue gegeben hat. Psychischer Notstand aber ist eben Furcht, ist Furcht vor dem Sich-Verlieren im Erkenntnislosen, im Wertlosen, ist Furcht vor der Verirrung im Dunkel, ist Furcht vor der niemals erlöschenden Wahnsinnsbedrohung. Und darum ist auch zu erwarten, daß es wiederum die Wahnsinnsfurcht sein wird, welche die wertzersplitterte Welt zu neuer Werteinheitlichkeit zurückführen wird, zu ihrem humanen Heil, dessen Rückgewinnung unabänderlich das Ziel aller Wahnbekämpfung, insbesondere also auch aller Massenwahnbekämpfung ist.

Es läßt sich also vertreten, daß psychische Gesetzlichkeiten, wie eben die der »psychischen Zyklen«, der »richtunggebenden

Kräfte« und der »Superbefriedigungen«, nicht nur der Realität entsprechen, sondern auch vom Realen aus in ihrem Ablauf durch entsprechende Maßnahmen und Eingriffe prinzipiell gefördert werden können. Die praktische Durchführung dieser Maßnahmen bildet das eigentliche »Bekehrungswerk«. Das Schema für eine »Bekehrung an sich«, wie man sie wohl nennen dürfte, wurde unter Beobachtung der christlichen Bekehrungen mit den notwendigen Simplifikationen grob aufgestellt; soweit sich aus diesem Schema nun die Richtlinien für die neue, die demokratische Bekehrungsaktion gewinnen lassen sollen, darf nicht vergessen werden, daß eine Übertragung Punkt für Punkt selbstverständlich unmöglich ist: die wiederverheidete Welt von heute ist eine andere als die heidnische am Ausgang der Antike, und was heute an christlicher Moral noch lebendig ist, hat wenig Ähnlichkeit mit der Gläubigkeit des erwachenden Protestantismus. Vieles wird daher heute überhaupt nicht mehr in Anwendung zu bringen sein, und vieles, das einstens in jahrelangem und jahrzehntelangem Geschehen sukzedierte, wird heute simultan werden müssen; daneben aber werden zweifelsohne neue Bekehrungsformen auftreten, einerseits wegen der neuen Technik der Massenbehandlung, gefordert von der neuen sozialen Struktur und den neuen zur Verfügung stehenden Hilfsmitteln, andererseits wegen des eigentlich grundlegenden Unterschieds, welcher zwischen diesem neuen Bekehrungswerk und seinen Vorgängern festzustellen ist, nämlich in der »Religiosität ohne Berufung auf Gott«, kurzum im Übergang von einer statischen auf eine rein funktionale Ethik. Es ist also nicht zu erwarten, daß hiefür von vorneherein genaue Richtlinien gewonnen werden können, vielmehr können diese bloß sehr allgemein skizzenhaft gehalten sein.

Ad B 1 (Bekehrung durch Gnade)

Ein Bekehrungswerk, das zwar Platz für Religion zu schaffen hat, sich aber nicht auf Religion berufen darf, ist gründlich rational und ist daher nicht in der Lage, sich auf irgendeine prädestinierende Gnade zu berufen. Sollte dies trotzdem irgendwie versucht werden, so wäre damit auch die reine Funktionalität der neuen Aufgabe zuschanden gemacht. Auf Irrationalbereicherungen, die sich aus einer Art Gnadenwahl ergeben würden, muß daher gleichfalls verzichtet werden. Gewiß, man kann die Irrationalbereicherungen, die aus den demokratischen »Tugenden« erfließen und sich insbesondere im demokratischen Gemeinschaftsgefühl auswirken, letztlich auf die Gleichheit des Menschen vor Gott – die große demokratische Entdeckung des Christentums – zurückführen, aber diese allgemeine Ebenbildhaftigkeit, die da dem Menschen zuerkannt wird, ist bloß der unendlich ferne Bezugspunkt für die regulativen Prinzipien der Demokratie, nicht eine dem einzelnen demokratischen Bürger zukommende »Erleuchtung«, kraft welcher er persönlich zum Eintritt in die demokratische Gemeinschaft erwählt wird; die Ebenbildhaftigkeit, um die es da geht, sozusagen die »demokratische Ebenbildhaftigkeit«, ist durchaus funktional gedacht, d. h. sie ist ein abstraktes Abzeichen, das jeder Mensch vom Tage seiner Geburt an trägt, keinerlei Früh- noch Spättaufe bedarf und daher auch für ihn keinen spezifisch ekstasierenden Erlebnisgehalt bedeutet. Es ist übrigens nicht uninteressant zu bemerken, wie sehr die Ideenbildung an die Gnadenauszeichnung verhaftet ist: betrachtet man nämlich die drei Hauptschritte zur Herstellung einer vollkommenen Demokratie, d. h. die Gleichheit des Menschen vor Gott, wie sie vom Christentum entdeckt worden ist, die Gleichheit vor dem Gesetz, die wesentliche Entdeckung der Aufklärung, und schließlich die Gleichheit hinsichtlich der ökonomischen Bedingungen, die Forderung des Sozialismus, so ist es wohl mehr als auffallend, daß dieser, seinem Wesen gemäß, eine materialistische Transformation des Gnadenbegriffes vorgenommen hat, indem er für den Eintritt in die klassenlose Gesellschaft unbedingt die »proletarische Geburt« vorschreibt, weil bloß durch diese das »proletarische Denken« gewährleistet wird, während jeder bourgeois Geborene ein für allemal von dieser präetablierten Gnade ausgeschlossen ist und daher auch bei Etablierung der neuen Gesellschaft physisch ausgerottet werden muß. Es braucht hiezu nicht neuerdings auf die theologischen Hypertrophierungen hingewiesen werden – hier ist überdies ein Überbleibsel der christlichen Gnadentheologie ausgesprochen depraviert, ehe es proletarisch hypertrophiert worden ist –, hingegen ist neuerdings nachdrücklichst festzustellen, daß Demokratie als Ausdruck ihrer humanen Grundprinzipien und als Instanz der Massenwahnbekämpfung sich von jeder derartigen

Hypertrophie streng fernzuhalten hat, und dies bedeutet eben nichts anderes – dies aber auch der entscheidende Schritt über den Marxismus hinaus – als den vollständigen Bruch mit der »statischen Theologie« der Vergangenheit, kurzum die Wendung zu einer rein funktionalen Sittlichkeit, die sich lediglich in der Mobilisierung der menschlichen Gewissenskräfte begründet.

Oder m. a. W.: das demokratische Bekehrungswerk ist weniger auf Irrationalbereicherung als auf Verhütung von Rationalverlust ausgerichtet; es ist in erster Linie rationaler Bewußtmachungsprozeß.

Ad B 2 a (Phase der »Amalgamierung«)

In der ursprünglichen Heidenbekehrung bildet die »Amalgamierung« des neuen Glaubens mit Elementen des alten ein überaus wichtiges Instrument. In erster Linie ist es ein Instrument der »Verständlichmachung«: der Missionar hat sich nicht nur in der Sprache, sondern auch in der Vorstellungswelt dessen zu bewegen, an den er sich mit seinem Bekehrungswerk wendet. Die außerordentlichen Schwierigkeiten, mit denen jede Wahnbekämpfung zu rechnen hat, liegen aber nun gerade auf dieser Linie. Denn wenn auch der »Heide« für den Christen zweifelsohne irgendwo ein armer Geisteskranker ist, in Wahrheit oder zumindest in medizinischer Terminologie ist er nicht als krank zu bezeichnen, sondern darf als durchaus »normal« gelten, so daß man sich mit ihm, spricht man nur einigermaßen seine Sprache, auf normaler Basis unterhalten und verständigen kann; anders jedoch verhält es sich dort, wo man mit einem wirklichen Wahn und gar mit einem wirklichen Massenwahn rechnen soll: soweit die Haltungen und die Denkweise eines Irren überhaupt zu beeinflussen sind, kann dies bloß mit Hilfe eines vollkommenen Eingehens auf seine Motivationen geschehen. M. a. W., mit rationalen Überredungen, Predigten oder Beweisen ist gegenüber einer festsitzenden und gar wahnhaften Überzeugung nichts auszurichten. Eine seit Jahrhunderten dem Erfolgs- und Siegeswahn verfallene Welt besitzt eine fixierte geistige Terminologie (die anfänglich keineswegs wahnhaft gewesen, sondern dies erst durch ihre Hypertrophierung geworden ist), und wenn auch inzwischen infolge übergroßen Leides die Bereitschaft zur Annahme eines neuen Wertsystems und damit zu einer neuen Terminologie aufgekeimt sein mag, es ist die alte nicht ohneweiters zu verlassen; jede Denkweise – und gar wenn sie ins Stadium der Hypertrophierung getreten ist – enthält ungeheuer starke Beharrungsmomente (deren Vorhandensein übrigens vom Sozialismus ganz richtig in seinem inhumanen Wunsch nach physischer Ausrottung des angeblich unabänderlichen bourgeoisen Denkens geahnt worden ist), und diese Beharrungsmomente sind eben nichts anderes als die Unfähigkeit, eine andere Sprache als die des alten Wertsystems zu verstehen.

Wiederum darf hiezu auf das Beispiel der Fascismen und ihrer ausgezeichneten Einfühlung ins massenpsychische Geschehen hingewiesen werden: die Fascismen haben die demokratische Staatsform zwar immer angegriffen und damit der Oppositionslust des Bürgers Genüge getan, sie haben aber gleichzeitig auch gewußt, daß gewisse demokratische Denkformen bereits zum Traditionsbestand des europäischen Menschen gehörten, und so haben sie erklärt, daß sie es seien, welche nun die eigentliche und wahrhafte Demokratie brächten – die Farce der Volksbefragungen war das hiefür geeignete Instrument –, daß sie bloß mit den Usancen eines verrotteten Parlamentarismus aufräumten und daher die wirkliche Volksherrschaft darstellten; soweit also wurde das demokratische Wertsystem in das neue einbezogen, doch gleichzeitig wurde es entwertet, indem es als bloßes Akzessorium behandelt wurde, als ein bloßes Dekorationsstück, das neben den viel wichtigeren neuen Staats- und Volkszielen nicht viel bedeutet und lediglich zu deren Verschönerung, sei es in Gestalt von Plebisziten, sei es in der von Reichstagssitzungen bei erhaben-feierlichen Anlässen, hervorgeholt wird. Es ist gewissermaßen eine Entwertung durch Ehrung, die man da dem alten Wertsystem angedeihen läßt, außerdem hiezu ängstlich darauf bedacht, jedwede Imitation zu vermeiden, denn diese angeblich demokratischen Einrichtungen des Fascismus haben mit den früheren nicht das geringste mehr gemein, sondern sind durchaus fascistischer Eigenbau, in allem und jedem seiner obersten Leitidee, nämlich der des »Sieges«, untergeordnet. Die »Entwertung durch Ehrung« übernimmt vom alten Wertsystem gewisse Stücke seines Rituals und erfüllt sie mit neuem Inhalt, so daß dieser neue Inhalt unter Verdrängung des früheren nun zum Nutznießer all der Symbolkraft gemacht wird, die fast jedem alten Wertritual innewohnt.

Denn Rituale, mögen sie nun solche der Staatsform, der Kirche, des Militarismus oder auch nur der Bankusancen sein (– das Geldritual ist eines der wesentlichsten im modernen Leben –), dienen allesamt zur symbolischen Einbeziehung des Individuums in die Geltungssphäre des jeweiligen Zentralwertes, sie machen das Individuum zum »Wertangehörigen«, und da sie ihm hiedurch das von ihm benötigte ekstasierende Erlebnis der Ich-Erweiterung vermitteln, werden sie von ihm in einer sehr tiefen Gefühlsregion aufgenommen und »verstanden«. Der Mensch versteht das Leben, das er lebt, weit weniger durch die Wahrheiten, die er darüber hört, als durch die Wertrituale, in denen er sich bewegt, kurzum, die Rituale sind ein zumindest ebenso wichtiges Verständigungsmittel wie die gesprochene Sprache, und ebendarum muß jedes Bekehrungswerk, insbesondere aber jedes, welches vermittels »Entwertung durch Ehrung« ein vorhandenes Wertsystem zu ändern wünscht, vor allem die diesem eigentümlichen Rituale aufspüren, um sich durch sie verständlich zu machen. Rituale sind sozusagen die Syntax der Symbolhandlungen (die Syntax der »Symbolvokabeln«), mit denen der Mensch sein Leben und seine Lebenswerte sich selber begreiflich zu machen versucht.

Ob nun durch ein Bekehrungswerk oder durch sonstwelche zerstörende Umstände verursacht, die »Entwertung durch Ehrung« ist ein Los, das fast jedem absterbenden Ritual widerfährt. Man braucht bloß den Übergang vom katholischen zum protestantischen Ritual zu beobachten, um Richtung und Ziel einer solchen Ritualauflösung zu erkennen, nebenbei einer, die noch lange nicht an ihr Ende gelangt ist: gewiß, das katholische Ritual wird auch heute noch »geehrt«, steht auch heute noch in Kraft, indes der Protestantismus zeigte, wie es unter Erfüllung mit neuem Inhalt zu einer Vereinfachung zu bringen war, die letztlich eine vollkommene »Verweltlichung« und damit Aufhebung des Kirchlichen an sich bedeuten mußte. Ebenso beispielhaft ist die »Entwertung durch Ehrung«, mit der das soldatische Ritual in den angelsächsischen Ländern – wahrscheinlich nicht in Preußen-Deutschland – von einem ständig fortschreitenden Pazifismus so sehr ausgezeichnet worden ist, daß darüber der ernste Zweck des Militärs, nämlich der des Staatschutzes, geradezu völlig vergessen werden konnte. Überhaupt zeigt das moderne Leben eine auffallende Abneigung gegen »institutionelle Rituale«, wie es die der Kirche und des Militärs sind, es ist in all diesen Belangen, sogar in denen seiner demokratischen Staatsrituale durchaus protestantisch, ja, puritanisch eingestellt, und wenn es auch keineswegs ohne die zum Lebenshaushalt eben notwendigen Rituale auszukommen vermag, so tragen die neuen doch viel »privateren« Charakter als die institutionellen, sicherlich nicht weniger symbolstark als diese, dennoch von einer weit versteckteren und wohl auch komplizierteren Symbolik. Der Grund hiefür ist z. T. in der Wertaufsplitterung zu suchen, unter der das moderne Leben steht und die folgerichtigerweise eine Aufsplitterung der einstigen Zentralrituale in eine Unzahl von Kleinritualen nach sich gezogen hat. Dies hindert freilich nicht, selbst in solcher Aufsplitterung auch noch gewisse Einheitlichkeiten aufzufinden, und insbesondere die verschiedenen Geldrituale deuten auf einen gemeinsamen »Ritualnenner« in all diesen Phänomenen: sie alle sind ritualmäßig auf »Erfolg« ausgerichtet, auf einen Erfolgsmachiavellismus, der z. B. einen eigenen »Machiavellismus des Kommerzes« gezeitigt hat, aber ebenso in sämtliche anderen Wertsphären eingedrungen ist, so daß sogar das einstens ritterliche militärische Ritual zur Erfolgsschädigkeit des »totalen Krieges« hatte verwandelt werden müssen.

Die Demokratie braucht sich nicht erst eigens in diese komplexe Ritualsprache einzufühlen; sie ist mit all ihren Lebensäußerungen selber Teil der Ritualvorgänge, ja, sie ist es so sehr, daß sie gemeiniglich nichts davon weiß, geschweige denn, daß sie deren Veränderung oder richtiger deren Entartung hätte bemerken können. Daß ein machiavellistischer Kommerz nicht nur jede Niedertracht zum Schutze des Kommerzes begehen und dulden muß, sondern auch eine rückhaltlose Anerkennung der Rechte des Stärkeren auf sämtlichen anderen Gebieten in sich einschließt, wird von einer kommerzialisierten Demokratie, d. h. von den Menschen, welche sich innerhalb dieser Rituale für Demokraten halten, einfach nicht zur Kenntnis genommen. Gerade aber an oder vielleicht richtiger gegen diese Rituale des »Erfolges«, und zwar insbesondere dort, wo sie bereits fascistisch infiziert sind, hat sich die Bekehrung zwecks

»Besiegung des Sieges« zu wenden, gerade sie sollen als Form beibehalten, jedoch mit dem neuen Inhalt erfüllt werden, und kein Zweifel kann obherrschen, daß hiedurch die Bekehrungsaufgabe der Demokratie recht wesentlich erschwert wird. Die Hauptschwierigkeit hiebei liegt wohl in der Wirtschaftsverbundenheit und Wirtschaftsgebundenheit der modernen »Erfolgsrituale«; wenn es zur Not gelungen ist, demokratische Formen mit fascistischem Inhalt zu erfüllen, so sind im Wirtschaftlichen Form und und Inhalt viel zu sehr miteinander verquickt, um einen analogen Vorgang ohneweiters zu gestatten. Gewiß, es ließe sich – als eine Art Grenzfall – vorstellen, daß selbst eine zu Plan- und Kollektivkonstruktion tendierende Wirtschaft immer noch börsenmäßig behandelt werden könnte, aber Börsentechnik als solche ist noch kein eigentliches Erfolgsritual: ein wirkliches Erfolgsritual ist in der Stellungnahme zu der beinahe mythisch gewordenen Gestalt des »Käufers« gegeben, der bei Zahlungspotenz (– auch bei mangelnder Paktfähigkeit! –) unter allen Umständen ein ethisch verehrungswürdiges Ideal darstellt und der diesen Nimbus bloß verlieren kann, freilich um dann sogar zum Repräsentanten des Bösen schlechthin zu werden, wenn er, gleichgültig ob durch eigenes Verschulden oder nicht, seine Zahlungsfähigkeit einbüßt; fügt man da noch die ständige Glorifizierung des Erfolgreichen sowie die Mißachtung jeder noch so großen Leistung bei mangelndem unmittelbarem Erfolg hinzu, so wird es mehr als fraglich, wie eine »Besiegung des Sieges« als neuer Inhalt in eine Lebensform eingebracht werden soll, die wesensgemäß lediglich darauf angelegt ist, ein siegreiches Deutschland als künftigen zahlungskräftigen Käufer zu behandeln. Das der Demokratie aufgetragene Bekehrungswerk hat also nicht nur mit all den bereits früher aufgewiesenen prinzipiellen Schwierigkeiten jeder Massenwahnbekämpfung zu rechnen, sondern, sind einmal dieselben überwunden, nun auch mit jenen, die im Beharrungsvermögen der Denk- und Lebensrituale verwurzelt sind.

Wiederum zeigt sich hiebei die außerordentliche Wichtigkeit des wirtschaftlichen Momentes. Wenn sich der »Wirtschaftsgeist« ändert, dann ändern sich automatisch auch die Wirtschaftsrituale und mit ihnen das Erfolgsritual an sich. Doch desgleichen muß hiezu nochmals hervorgehoben werden, daß bei all der zentralen Bedeutung, die der Wirtschaft und ihrer

Eigenlogik zukommt, sie nicht den einzig primären und ausschließlichen Verursachungsfaktor im historischen Ablauf darstellt, sondern selber z. T. außerwirtschaftlichen Verursachungen unterworfen ist. Gerade an den Wirtschaftsritualen und an den Veränderungen, die sie ungeachtet ihres Beharrungsvermögens durchzumachen haben, ist dies beobachtbar. Daß z. B. bloßer Geldbesitz nicht mehr wie im 19. Jahrhundert an der Spitze der kommerziellen Erfolgsrituale steht, daß der »reiche Mann« nicht mehr als der »Sieger schlechthin« gilt, vielmehr seinen Reichtum mit schlechtem Gewissen ertragen muß, weil dem Geld gegenüber sonderbarerweise schon seit langem eine »Entwertung durch Ehrung« eingesetzt hat, dies ist eine beginnende Ritualauflockerung, die weit mehr mit Hypertrophieangst als mit rein wirtschaftlichen oder finanziellen Vorgängen zusammenhängt. Noch viel deutlicher jedoch wird die Einwirkung außerwirtschaftlicher Ereignisse auf die Wirtschaft angesichts des Kriegsereignisses, das kraft seines überwältigenden Wahnsinnes weit über jeden ökonomischen Erklärungsversuch hinausreicht und das trotzdem, sowohl direkt wie indirekt, für die gesamte künftige Wirtschaftsgestaltung bestimmend sein wird, direkt, weil sich in dem ungeheuren Volumen unproduktiver Arbeit, das der Krieg den Ländern, den Völkern, der Welt auferlegt, die Möglichkeiten eines neuen Wirtschaftstypus ankündigen, hingegen indirekt, weil die unter dem Totalitätsgrauen aufkeimende Wahnsinnsangst zwingend zur Wahnbekämpfung und Wiederentdämonisierung auffordert, also nach Rückkehr zu Anständigkeit, Vernünftigkeit, Ernsthaftigkeit auf allen Lebensgebieten, nicht zuletzt dem wirtschaftlichen, verlangt. Kurzum, es ist zu erwarten – eine Erwartung, die sich an den englischen Vorgängen zu bestätigen scheint –, daß sich unter dem Kriegsdruck eine beschleunigte Änderung des Wirtschaftsgeistes vollziehen wird, damit aber auch eine Auflockerung der verschiedenen Erfolgsrituale, so daß dieselben, soweit sie beibehalten werden, tatsächlich mit einem neuen Inhalt versehen werden können, eingeordnet in die Leitidee der demokratischen Wahnbekämpfung, nämlich in die der »Besiegung des Sieges«. Hiezu kommt noch, vielleicht wohl als wirksamste Unterstützung des ganzen Vorganges, daß die Demokratien durch den Krieg gezwungen sind, das beiseite geschobene soldatische Ritual nun aufs neue aufzunehmen, und daß sie hiedurch Gelegenheit erhalten, die »Besiegung des Sieges« dort anzuwenden, wo dieses Vorhaben zur unmittelbaren Zielsetzung wird: im militärischen Bereich kann die unmittelbare Umorientierung des Siegwillens vorgenommen, hier kann der Sieg zu dem gemacht werden, was er für die Demokratie sein muß, und dies ist nichts anderes als eine ihr auferlegte »schmerzliche Pflicht«, die ohne Siegesjubel erfüllt zu werden hat, auf daß der Siegeswahn – womöglich endgültig – aus der Welt geschafft werde.

Die Siegesvorstellung hat auf allen Lebensgebieten zu einem hypertrophierten Machiavellismus geführt, unter dessen Leitung die allgemeine Wertzersplitterung sich zum heutigen apokalyptischen Weltzustand übersteigert hat, und die Fascismen, verhaftet den Erfolgsritualen des Sieges, rechnen sich diesen Zustand als ihren eigensten Erfolg an, als eine neue Menschheitsbeglückung und neue Menschheitsordnung, die sie sogar als Erreichung der wirklichen Menschheitsdemokratie unablässig propagieren; dieser Erfolgspropaganda der Fascismen darf die Demokratie entgegensetzen, daß der wahre Menschheitsfortschritt und damit das wahrhaft »Neue« auf ihrer Seite liegt, daß die »Erfolge«, welche sie anstrebt, die besseren und dauerhafteren seien, weil sie auf der Wiederinstallierung von Paktfähigkeit beruhen, und gerade in ihrem Bekehrungswerk, das die alten Erfolgsrituale (das militärische mit eingeschlossen) mit dem neuen Inhalt der »Besiegung des Sieges« ausstatten soll, darf sie sich auf eben dieses Faktum, das zugleich ihr Programm und ihre Propaganda ist, nachdrücklichst stützen. Die Ausarbeitung des Programmes selber ist allerdings nicht im voraus vorzuzeichnen, sondern muß der Praxis überlassen werden; das nämliche gilt auch für die Propagierung des Programms, mit der jede Bekehrung anhebt.

Ad B 2 b (Phase der »Konkurrenz« – Propaganda)

Jedes Bekehrungswerk ist in seinem Beginn nichts anderes als »Propaganda«, d. h. es ist einesteils Kritik an einem bestehenden, angeblich schlechten und daher verbesserungsbedürftigen Zustand, andernteils aber Anpreisung jenes Zustandes, welcher – nach erfolgter Bekehrung – den schlechten ersetzen soll. Das bekehrende Wertsystem hat das bekehrungsbedürftige zu

»entwerten« und hat sich selber, insbesondere hinsichtlich seiner ekstasierenden Wirkung, als überlegen anzukündigen; das eine wie das andere hat dabei mit stichhaltigen, überzeugenden Gründen (meistens irrationalen) zu geschehen, da sonst die stets vorhandene Gegenpropaganda nicht überwunden werden könnte und die geplante Bekehrung von vorneherein zum Scheitern verdammt sein würde.

Über die höhere Werterfülltheit des demokratischen Systems gegenüber dem fascistischen wurde bereits gehandelt, ebenso über seine höhere kulturelle und humane Leistungsfähigkeit, sowie über die Überlegenheit seiner Superbefriedigungen und Gemeinschaftsbindungen, und es möge diese prinzipielle Höherwertigkeit als gesichert angenommen werden. Die Frage, um die es nun geht, zielt auf die Propagierung dieser der Demokratie innewohnenden prinzipiellen Möglichkeiten; kurzum, es geht nun um die Konkurrenz zwischen demokratischer und fascistischer Propaganda. Denn hievon hängt das Schicksal der demokratischen Bekehrung eben im wesentlichen ab.

Zu Zeiten der primitiven Stammesgottheiten gab es eigentlich überhaupt keine Bekehrung, da Stamm und Gott so sehr identifiziert waren, daß keinerlei Übertragung auf einen fremden Stamm denk- oder durchführbar war. Daß der Besiegte den Glauben des Siegers annehmen konnte, annehmen durfte, annehmen mußte, bedeutete bereits – wenigstens diese erste Fortschrittsstufe hat die kriegsmäßige Verbreitung des fascistischen Glaubensbekenntnisses erreicht – einen gewaltigen kulturellen Fortschritt, doch einen noch größeren hat es bedeutet, als der Sieger sich von den Stammesvorstellungen frei gemacht hatte und sich daher unabhängig genug fühlte, um fremde Glaubenselemente, also auch solche aus dem Vorstellungskreis des Besiegten, in den eigenen aufzunehmen. Erst auf dieser Stufe ist es erlaubt, von wirklichen Bekehrungen zu sprechen. Diese Bekehrungen waren anfänglich zweifelsohne solche der »Tat«, d. h. sie waren eine Götterkonkurrenz, in welcher der Gott mit den kräftigeren »Zauberwirkungen« auch die höhere Bekehrungswirkung besaß, während der schlechtere Zauberer den von ihm vertretenen Gott in die Entwertung stürzte; heute oder richtiger bis vor kurzem war unter den Staatsgöttern derjenige der bessere Zauberer, welcher die Arbeitslosigkeit gründlicher zu bannen verstand. Es hat zweifelsohne sehr lange gedauert, bis für die Bekehrungswirkung nicht die Zauberleistung, sondern die ethischen und gemeinschaftsbildenden Religionsbestandteile ausschlaggebend geworden waren. Indes, auf welcher dieser Entwicklungsstationen irgendeine Bekehrung auch vor sich gegangen sein mag, immer wurde der Bekehrte aus dem Banne seiner teils guten, teils bösen Götter befreit; es wurden diese Götter »entmachtet«, sie wurden »harmlos«, und dieser Vorgang zeigt sich besonders augenfällig überall dort, wo das Ritual der entthronten Götter als untergeordnetes Kultglied, jedoch mit neuem Inhalt versehen, in den neuen Glauben eingefügt worden war.

Ein harmloser Gott ist ein uninteressanter Gott. Und gar in einer neuigkeits- und zeitungsverseuchten Welt sind Harmlosigkeit und Uninteressantheit schlechterdings ein und dasselbe: gelänge es, den Riesendämon der heutigen Welt, den »Sieg«, uninteressant zu machen, so würde dies anzeigen, daß er seine Kraft verloren hat und harmlos geworden ist. Vorderhand wütet der Krieg, und die Diktaturen glauben noch, auf die propagandistische Wirkung ihrer Siege bauen zu dürfen. Allein, mancherlei weist darauf hin, daß das Interesse daran, entgegen aller Erwartung, zumindest bei den siegenden Völkern zu erlahmen beginnt, und dies würde die Hoffnung berechtigen, daß diejenigen, welche heute noch vom Siegesglanz geblendet sind – und das sind in erster Linie diejenigen, welche den diktatorialen Terror noch nicht am eigenen Leibe verspürt haben –, über kurz oder lang gleichfalls sehend werden könnten. Hier hat offenbar die demokratische Propaganda mit ihrem Bekehrungswerk anzusetzen: Sieg ist uninteressant, und selbst der glänzendste Sieg, ausgeführt mit der bewunderungswürdigsten Siegesmaschinerie, wie es etwa die deutsche ist, kann kein anderes und nicht mehr Interesse beanspruchen als ein scharfsinnig erdachter und mit den besten Werkzeugen vollführter Einbruch und Raubmord. Es handelt sich also hiebei – und das ist wichtig – keineswegs um jene direkte pazifistische Propaganda alten Stiles, die stets langweilig gewesen war und es stets bleiben wird, es handelt sich um einen neuen Propagandatypus, es handelt sich um die propagandistische Entwertung des Sieges und um seine Degradierung zu dem, was er ist, nämlich zum Verbrechen, das von der Polizei besiegt und ausgemerzt zu werden hat. Man möge Detektivgeschichten und Detektivfilme nicht unterschätzen; sie sind Ausdruck der Gewissenskräfte, welche Gut von Böse zu unterscheiden wissen und das Böse in der Gestalt des Verbrechers, ungeachtet seiner Romantik, zum happy end vernichtet haben wollen. Und dieses Faktum ist umso bemerkenswerter, als eine bloße Glorifizierung des Verbrechens, wie sie in den deutschen Kriegsfilmen vorgeführt wird, nur für ein nationalistisch bereits hysterisiertes Publikum erträglich ist, hingegen für jedes normale und naive genau so langweilig wie eine rein pazifistische Darbietung wirkt; die Erwartung eines happy end ist von vorneherein enttäuscht. Denn propagandistische Bekehrung, bekehrende Propaganda ist stets Versprechung, kann nie etwas anderes als Versprechung sein, aber das, was versprochen wird, ist die Besiegung des Verbrechens, und indem seine prinzipielle Besiegbarkeit anschaulich, sei es im Film, sei es sonstwie, dargetan wird, zeigt das Versprechen sich als ein ernsthaftes und erfüllbares. Die Besiegung des Verbrechens mit seinen eigenen Waffen, jedoch durch die Kräfte des Guten, hebt diesen Sieg in eine sozusagen zweite logische Ebene, d. h. in eine, auf der zwar die ekstasierenden Siegesvorstellungen der ersten weiter in Kraft bleiben, trotzdem aber bereits ihrer ersten Materialität entkleidet sind und solcherart zu sublimierteren, moralischen Befriedigungen hinleiten; wahrscheinlich ist diese stufenweise Umorientierung des Siegwillens zu »Super-Siegen« auf höherer logischer Ebene psychisch – von den ökonomischen und sonstigen Vorbedingungen des Verbrechens braucht hier nicht weiter gehandelt zu werden – die einzige Möglichkeit, um die Welt sukzessive verbrechensfrei zu machen, und wenn auch eine völlige Wahnbefreiung des Menschen und der Menschheit niemals erreichbar sein wird, es sei denn eben in der unendlichen Ferne eines Goldenen Zeitalters, es ist der Weg, den die demokratische Bekehrung zu gehen hat, es ist der Weg der Entdämonisierung, und die Degradierung der dämonischen Gottheit »Sieg« zum uninteressanten Verbrecher ist im Augenblick wohl der wichtigste Schritt auf diesem Wege. Die christliche Bekehrung hat die alten Götter zu Märchendämonen und Teufeln verwandelt; die weltliche Bekehrung der Demokratie hat für diesen Zweck bloß die Verbrechergalerie zur Verfügung.

Die Fascismen beten den Siegesgott an, aber sie wissen nur höchst undeutlich, wem sie opfern. Ihr Gott ist ihnen unbekannt; er erscheint ihnen bloß in Verkleidungen, von den die rassische eine unter manchen anderen ist, und vermutlich – jeder fürchtet die wahre Gestalt seines Gottes zu schauen – wollen sie ihn gar nicht anders kennenlernen. Desto genauer kennen sie den Teufel ihres Glaubenssystems, und dieser Teufel ist in allem Besiegbaren, also in allen wehrlosen Völkern und Minoritäten, voran die Juden, eindeutig gegeben. Demgemäß ist ihre gesamte Propaganda, insbesondere die nationalsozialistische, nahezu ausschließlich auf Entfachung von Antisemitismus abgestellt; der Antisemitismus samt seinen Ausweitungen auf Negerhaß usw. ist der eigentliche Ansteckungsträger des fascistischen Wahnes, und auf diese nun einmal vorhandene Tatsache hat sich auch die demokratische Massenwahnbekämpfung und ihre Propaganda auszurichten. Gewiß, wenn der Glaube an den Sieggott zu Fall gebracht sein wird, dann wird auch der zugehörige Teufelsglaube in sich zusammenfallen, aber es muß umgekehrt auch dieser zu Fall gebracht werden, damit der Gott falle.

Kein Glaube ist »widerlegbar«, am allerwenigsten ein Teufelsglaube, und das Bekehrungsmittel der »Entwertung« arbeitet auch nicht mit Widerlegung, sondern weit eher mit Selbstanpreisung. Mit Vernunftgründen oder gar mit Gründen der Menschlichkeit ist gegen den Teufelsglauben des Rassenhasses und gegen seine Propagierung so gut wie nichts auszurichten, ganz abgesehen davon, daß der Antisemitismus überdies ein teuflischer Spaß ist, kein geringerer Spaß als jeder Lynchakt, und Späße sich überhaupt nicht widerlegen, sondern höchstens entkräften lassen. Ebensowenig gibt es eine Parallele zum »Super-Sieg« auf höherer moralischer Ebene, eine Parallele zu dieser Polizeiaktion, die den Sieg und die Siegesvorstellung auf den Rang eines vernichtungswürdigen und vernichtbaren Verbrechens erniedrigt, denn zu einem Lynchakt gibt es keinen ihn aufhebenden polizeilichen »Super-Lynchakt«: der teuflische Spaß geht hier mit dem Irrsinn Hand in Hand, und die deutsche Propaganda, teuflisch in ihrer Zweckmäßigkeit, irrsinnig in ihrer hypertrophierten Rassentheologie, stachelt beides an, wissend, wie unangreifbar Spaß und Irrsinn sind, wissend, daß eine Lynchhorde durch nichts von ihrem Spaß abzubringen ist. Nirgends ist Massenwahnbekämpfung so schwierig wie eben in diesem Bereich, und ebendeshalb dürfte es nötig sein, für die

Abschätzung der Möglichkeiten von Propaganda und Gegenpropaganda nochmals deren sachlichen Hintergrund zu einer
kurzen Übersicht aufzurollen:

(Phänomenologie des Verfolgers)

Werttheoretisch betrachtet, sind sämtliche Weltinhalte, welche
nicht durch äußere oder innere Formung dem Ich-Bereich einverleibt werden können, als »ich-feindliche« Un-Werte zu betrachten. Eine innerhalb einer Gemeinschaft lebende Minorität, die ihre Eigenstellung nicht aufgeben wollte oder konnte,
ist in ihrer Fremdartigkeit und Unformbarkeit gefühlsmäßig für
die Majorität stets ein Un-Wert, auch wenn ihre guten oder zumindest harmlosen Eigenschaften rational anerkannt werden.

Solange sich die Majorität in voller Lebenssicherheit befindet,
vermag sie sich jedoch auch gefühlsmäßig mit der Fremdartigkeit der Minorität abzufinden, d. h. es erscheint ihr diese bloß
als komisch. Minoritäten, welche sich in die Gedankenwelt ihres Gastvolkes weit genug eingefühlt haben, um diese Komik
nachfühlen zu können, unterstreichen diese – Neger, Juden,
Tschechen – durch Selbstpersiflage, gleichzeitig die eigene
Harmlosigkeit damit unterstreichend.

Dieser Sachverhalt ändert sich gründlich, wenn die Majorität
infolge ökonomischer, politischer oder auch nur seelischer Unsicherheit in Panik gerät. Da die Panikursachen weitgehend unbekannt sind – sonst wäre es keine Panik –, muß nach denselben
gefahndet werden, und da die Gefahrenquelle nur im Non-Ich
lokalisiert werden kann, so eignet sich für diese Projektion
nichts und niemand besser als der Fremdling, der demzufolge
auch unverzüglich, ohne Rücksicht auf seine bis dahin anerkannte Harmlosigkeit, zum Schädling proklamiert wird.

Doch allzugroß, allzudunkel ist die unbekannte, panikerzeugende Gefahr, als daß man sie tatsächlich dem Alltagsjuden,
dem Alltagsneger, mit dem man Tür an Tür gewohnt hat, zu-
schreiben dürfte, allzu deutlich ist es, daß da noch weit größere,
weit dunklere Gewalten von unbekannt göttlicher Kraft im
Spiele sein müssen, und daß der Zorn dieses unbekannten Gottes besänftigt werden muß. Und damit bricht eine zweite magische Schicht der Seele auf: das Menschenopfer, mit dem der
Gott zu besänftigen ist; Lynchakte, Pogrome, Hexenverbrennungen sind auf einer ersten Schicht direkte Schädlingsverfol-

gung, auf einer zweiten jedoch Menschenopfer zu Ehren des erzürnten Gottes.

An dieser Stelle setzt auch die Hypertrophie der Theologie ein, welche nachweist, daß das Menschenopfer notwendig und gottwohlgefällig ist, und damit wird der ganze atavistische Vorgang zum vollkommenen Wahn, und zwar zu einem Wahn psychotischen Charakters. Der teuflische Spaß des Lynchens ist ein von der jeweiligen Werttheologie legitimierter Opferakt, der Opferakt eines Irren, der sich von Angst befreien will, damit er wieder »normal« werden kann (und tatsächlich werden die Leute nach einem Lynchakt wieder seltsam »normal«, und zwar ohne jegliche Reue ob des Geschehenen).

Jedes Volk hat seine atavistischen und psychotischen Perioden. Aber es mag sein, daß ein so spät christianisiertes Volk, wie es das germanische ist, das noch im hohen Mittelalter in Upsala alljährlich Menschenopfer für Thor veranstaltete und noch im 18. Jahrhundert (in Deutschland) Hexen verbrannte, eine besondere Affinität zu Atavismen besitzt. Außerdem ist es durchaus möglich, daß die außer Frage stehende genialische Veranlagung des Deutschen ihn für psychotische Durchbrüche besonders geeignet macht.

Allerdings, bei aller Wahnhaftigkeit und aller Verblendung, auch hier bleibt ein selbstverräterischer Rest von Bewußtsein sowohl in dem Irrsinn selber wie in der theologischen Hypertrophierung des Wertsystems (des rassischen oder sonstwelchen) erhalten: es ist sozusagen eine dritte seelische Schicht, die da im Massengeschehen zum Ausdruck gelangt, nämlich das Wissen um das Menschenopfer, und zwar zeigt sich dieses Wissen in ganz spezifischen Anwürfen gegen den Juden, gegen den Neger, gegen den Fremdling überhaupt, in Anwürfen, die mit seiner allgemeinen Schädlingseigenschaft wenig zu tun haben, jedoch völlig klar, wie etwa im Ritualmordmärchen, die Menschenopferidee dartun. Das Menschenopfer wird hiemit rationalisiert; sein magischer Gehalt wird verkleinert und wird zu einer juristischen Vergeltungsmaßnahme und zu einer Beruhigung des schlechten Gewissens, man möchte fast sagen, herabgewürdigt.

Über weitere Rationalisierungen, an denen vornehmlich der deutsche Antisemitismus so reich ist, braucht kaum gesprochen zu werden. Der deutsche Geist enthält nicht nur genialische und irrsinnige Elemente, sondern auch einen gewaltigen Zuschuß von Kleinbürgerlichkeit, und so ist es recht verständlich, daß der deutsche Antisemitismus nicht nur von erbärmlichster Gier nach Ausraubung oder Übernahme jüdischer Geschäftsunternehmen getragen ist, sondern auch – der sadistische Irrsinnstraum eines kleinen Bürokraten – sich als eine Art Trockensystem amtlicher Akten und Kartotheken für registrierten Mord entwickelt hat.

Es gibt wohl keinen dieser Punkte, der nicht von der deutschen Propaganda voll ausgenützt worden wäre, und das Ergebnis ist, wie man wohl behaupten darf, ein geradezu lückenloses Propagandasystem des Antisemitismus. Hiezu gesellt sich ein Stück Propaganda der Tat, nämlich die Einpumpung jüdischer Flüchtlingsmassen in die demokratischen Länder, verelendete Menschenherden, die nicht nur den Arbeitsmarkt belasten, sondern überdies infolge ihrer schwierigen Einordnungsfähigkeit, die teils von der Flüchtlingssituation an sich, teils aber auch von gewissen spezifisch jüdischen Eigenschaften herrührt, eine ausgesprochene Verlegenheit für die aufnehmende Gemeinschaft bedeuten. Es ist daher wohl notwendig, auch über die Gegenseite des Antisemitismus sich ein entsprechendes Bild zu machen.

(Phänomenologie des Verfolgten)

Im Rahmen der deutschen Rassenarithmetik, die mit ihrem pedantischen Halb- und Viertelariertum ziemlich genau die Grenzen der jüdischen Erkennbarkeit absteckt, unterscheidet sich der Jude als mediterraner Mensch im allgemeinen von seinem germanischen oder slawischen Gastvolk, obwohl Sprache und Lebensgewohnheiten nach erfolger Emanzipierung sehr bald auch eine körperliche Angleichung verursachen; in den mediterranen Ländern sind die Unterschiede kaum bemerkbar. Nichtsdestoweniger gibt es überall noch gewisse Unterscheidungsmerkmale wie Kleinheit des Wuchses, eine gewisse fettliche Weichheit des Habitus usw., welche die sogenannte »Häßlichkeit« des Juden ausmachen und offenbar objektiv aus dem tausendjährigen Ghettoleben herrühren, da sie mit jeder neuen emanzipierten Generation in einer geradezu überraschenden Weise mehr und mehr abfallen.

Was im Geistigen gemeiniglich als »jüdische Eigenschaften« verschrien wird, ist gleichfalls auf das Ghettoerbe zurückzuführen. Es ist die geduckte Scheu vor ständigen Gefährdungen, denen man wehrlos gegenübersteht, es ist die Verkümmerung eines Volkes, das zwangsweise zu kleinem Schacher angehalten worden war, und es ist die wehleidige Dreistigkeit desjenigen, welcher trotz allem sich behaupten will, sich behaupten muß, nicht zuletzt, weil er um das ihm angetane Unrecht weiß. Hiezu kommt noch, daß der Jude, nachdem er solcherart durch viele Jahrhunderte in einer verkümmerten Tradition gelebt hat, sich mit der Emanzipation in einen völlig andern Traditionsstrom versetzt sieht, d. h. plötzlich aufgefordert ist, sich gerade in jene Welt einzuordnen, die seiner Väter und Vorväter grimmigster Feind gewesen war, und die ihre latente Feindlichkeit, wie er deutlich fühlt, auch ihm gegenüber unverändert aufrechterhält: entweder schreckt er also vor dieser Aufgabe zurück und bildet eine Art freiwilliger Ghettogemeinschaften, merkwürdige Zwittergebilde aus Modernität und ständig weiter verkümmernder Tradition, in denen jede der sogenannten jüdischen Eigenschaften unangenehm weiterwuchernd hypertrophiert, oder aber er stürzt sich mit aller Intensität in den fremden Traditionsstrom, um sich darin, gewissermaßen mit Überassimilation, vor sich selber und seinen Nebenmenschen unkenntlich zu machen. Und beides, freiwilliges Ghetto und die damit verbundene Stagnation sowie Überassimilation und Selbstaufgabe erzeugen in ihm schuldbewußt schlechtes Gewissen. Der einzig wirkliche Wert-Ausweg ist daher in geistiger Arbeit gegeben, ein anderer steht ihm nirgends offen, und dies ist wohl einer der Hauptgründe für die erstaunlichen wissenschaftlichen und künstlerischen Leistungen des Judentums seit der Emanzipation. Eine gewisse Vorschulung hiezu liegt zweifelsohne in der frenetischen Talmudspekulation vor, die das Rückgrat, aber auch die geistige Rettung des Ghettolebens bedeutet hatte, doch eine besonders wundersame Begabung dieses an sich sicherlich nicht unbegabten Volkes läßt sich daraus nicht ableiten, denn allzu offensichtlich sind die derzeitigen Überleistungen aus der Augenblickssituation abzuleiten, und es ist wohl anzunehmen, daß sie bei einer Normalisierung der Assimilation sukzessive auf ein ebenso normales Durchschnittsmaß abflauen würden. Kurzum: der Jude ist ein Durchschnittsmensch, nicht besser, nicht schlechter als jeder andere, jedoch einer, der sich seit über zweitausend Jahren ständig in Ausnahmesituationen befunden hat.

Allerdings, die Ausnahmesituation, in der diese Durchschnittsmenschen seit zweitausend Jahren sich befunden hatten, ist in mehr als einer Hinsicht bemerkenswert. Nicht nur, daß die Schaffung dieser Situation keineswegs lediglich widrigen Umständen zugeschrieben werden darf, sondern der jüdischen Haltung als solcher zugeschrieben werden muß, noch viel verwunderlicher ist die psychische Widerstandskraft, mit der die Situation ertragen worden ist: gewiß, unleugbar gibt es, nicht unähnlich den bekannten Gefängnispsychosen, eine Art Ghettopsychose, deren Nachwirkungen auch beim assimilierten Juden sich fast immer nachweisen lassen, gewiß, es hat die hypertrophierte Talmudtheologie, gleich jedem andern Ritualzwang, notwendigerweise eine ganze Reihe individueller Neurosen erzeugt, indes, von wenigen Ausnahmen abgesehen, ist es trotz alledem und trotz der ständigen Lebensunsicherheit und trotz der ständigen Panikbedrohung nirgends und niemals zu ausgesprochenen Massenwahnerscheinungen gekommen.

Soweit, unserer ursprünglichen Annahme gemäß, seelische Gesundheit – und hier liegt offenbar ein ganz bedeutendes Quantum davon vor – mit einem Wertsystem offenen Charakters in Konnex zu bringen ist, wird diese Annahme durch die Struktur des jüdischen Glaubenssystems bestätigt: Gott ist ein unendlich fernes, unausdenkbares Sein, von dem man sich kein Bild machen kann, ja, dessen Name nicht einmal ausgesprochen werden darf, und des Menschen, mehr noch, der Menschheit Aufgabe ist es, sich zu diesem unendlich fernen, abstrakten Zielpunkt hinzuentwickeln; die vorhandene Welt, in die der Mensch durch den Schöpfungsakt gestellt ist, bildet bloß den ersten Ansatzpunkt zu dieser rastlosen, niemals endenden, strengen Pflichterfüllung, und ebenso ist mit dem geoffenbarten Wort Gottes bloß ein erster Ansatzpunkt gegeben, von dem aus durch fortgesetzte, niemals endende Auslegung und Kommentierung und Überkommentierung (Talmud, Sohar) eine Annäherung an die niemals erreichbare Gotteswahrheit gesucht zu werden hat. Nirgends ist ein Ruhepunkt, nirgends ein engültiger Glückszustand vorgesehen, am allerwenigsten in der Zwiespältigkeit eines »Gottesstaates auf Erden«, denn wenn auch

der Mensch sich bloß im konkreten Irdischen zu vervollkommnen vermag, der Vervollkommnungsprozeß geht rein im
Geistigen vor sich, und welche Stufe auch immer im Irdischen
erreicht sei, sie gilt nichts vor dem unerreichbaren, abstrakt fernen Ziele, darf nichts gelten, da in allem Irdischen – wird es zu
hoch gestellt – die Gefahr des Heidnischen und der Wiederverheidung schlummert. In dieser strengen Ausgerichtetheit auf
das unendlich ferne Ziel und in dieser tiefen Abneigung gegen
jegliche irdische Beimischung darf wohl der Grund für die weitgehende Sektenlosigkeit des Judentums gesehen werden, jedenfalls aber ist es die Struktur eines offenen Systems, das sich
damit dartut.

Zu dieser formalen Struktur des offenen Systems gesellt sich
sein typischer Inhalt: offene Systeme sind im moralisch-inhalt-
lichen Bereich bloß unter dem Leitgriff der Humanität denkbar, und entsprechend der formalen Verdammung des Heidentums wird hier nun auch der Humanitätsbegriff bewußt als
Gegensatz zu allem Heidnischen gefaßt. M. a. W., das Judentum wurde sich seiner selbst als Gegensatz zu allem Heidnischen bewußt, und dies geschah in der Erleuchtung des Urva-
ters Abraham, da Gott ihm gestattete, den Widder anstatt des
Sohnes Isaak zu opfern; von diesem Augenblick an hatte sich
das Judentum endgültig der Humanität zugekehrt und sich vom
Heidentum, das es mit Menschenopfer identifizierte, für ewig
geschieden, und wie sehr dies ins allgemeine Bewußtsein ge-
drungen ist, mag an dem alten Ritualmordmärchen ermessen
werden, mit dem der Antisemitismus seit jeher versucht hat, das
Judentum wieder zu humanitätswidrigem menschenopferndem
Heidentum zurückzuverwandeln. Freilich, die christliche Humanität ist so sehr anders als die jüdische geartet, daß sie vor
lauter Unverständnis und zwecks Selbstbestätigung sich gezwungen fühlte, das Antihumane und Heidnische im Judentum
zu entdecken oder richtiger zu erfinden: die jüdische Humanität ist nicht die der Liebe (obwohl auch diese im Alten Testa-
ment bereits vorbereitet erscheint), sondern sie ist die einer
harten und strengen Pflicht; sie ist durchaus in die Abstraktheit
des Gesamtsystems eingeordnet und daher weit mehr Verbot
denn Gebot, d. h. sie ist Verbot des Blutvergießens und darüber
hinaus Verbot zu meinen, daß mit irgendeiner Art von Blutver-
gießen man sich Gott wohlgefällig erweisen könnte. Mochte

auch die jüdische Nationalgeschichte, wie jede andere, von unablässigem blutigem Kriegsgrauen begleitet gewesen sein, die Erinnerung an jenen Urtag, an welchem das Menschenopfer zunichte gemacht war, blieb unverlöschlich im Generationengedächtnis, und unverlöschlich blieb der Abscheu vor jeglicher Blutekstase. Damit erklärt sich wohl auch das völlige Unverständnis, das vom Judentum dem Gedanken der Blutzeugenschaft entgegengebracht wird; wer für seinen Glauben sterben muß, erfüllt damit bloß eine unpathetische Alltagspflicht im Rahmen des ihm gebotenen Pflichtsystems, eine Pflicht, welche ihn heißt, alle von Gott geschickten Fügungen und Prüfungen gehorsam hinzunehmen, und fast Blasphemie wäre es, den Märtyrer hiefür mit besonderen Ehren zu bedenken. Und von hier aus ist es auch zu verstehen, daß die Juden nicht imstande waren und sind, das Christentum als Weiterentwicklung ihres eigenen Glaubens zu betrachten, sondern als Abfall empfinden mußten: Christus hat entsprechend dem jüdischen Glauben, dem er tief verhaftet gewesen war, Heidentum und Menschenopfer identifiziert, aber die Tat, welche er gesetzt hatte, das nochmalige Menschenopfer in Gestalt einer göttlichen Selbstaufopferung aus Liebe zur Menschheit, auf daß diese mit Hilfe dieses größten Tatsymbols ein für allemal und endgültig entheidet werde, dies war durchaus unjüdisch, dies war eine blasphemische und selbstüberhebliche Wiederholung jener ersten Entheidung, die Gott selber durch die Begnadung seines Knechtes Abraham vorgenommen hatte, dies war, radikal gesprochen, eine Wiedereinführung heidnischer Elemente in den Glauben, vielleicht wohlgeeignet (wie der Erfolg zeigte), das Heidentum zu bekehren, trotzdem aber schon diesem angehörig und daher Abfall. Für das Judentum und seine strenge, beinahe abstrakte Humanitätsauffassung war die Proklamierung der christlichen Liebe durch einen Akt der Selbstaufopferung notwendigerweise zu einem Rückschritt in der Humanitätsentwicklung geworden, zu einer wahnhaften Legitimierung der barbarisch emotionalen Ekstasen des Heidentums, kurzum zu einer blasphemischen Verzögerung auf dem Wege, der zu einer von jedem Menschenopfer gereinigten Welt führen soll.

Dies sind wohl die Hauptmomente, um derentwillen sich der Jude in seine fürchterliche Sondersituation begeben hat, aber es sind auch diejenigen, welche ihn gelehrt haben, diese Situation, ohne geistigen Schaden zu nehmen, mit dem unpathetischen Heroismus des Alltags zu ertragen, wie es eben dem Durchschnittsmenschen ansteht. Die abstrakte Geradlinigkeit des offenen Wert- und Glaubenssystems, in dem er lebt, sowie die strenge Humanität, der er zuzustreben hat, haben den Juden kompromißlos in einen rein geistigen Bereich versetzt und ihm hier die seelische Sicherheit verliehen, solche Kompromißlosigkeit auch tatsächlich durchzuführen und darauf zu beharren: keinerlei heidnisches Element, zu denen übrigens auch die meisten emotionalen Befriedigungen und Ekstasen gerechnet werden, wird geduldet, und wenn solcherart der jüdische Glaube (im Gegensatz zum Christentum, welches fortlaufend heidnische Rituale zu Bekehrungszwecken in sich transformiert hat) sich zu Bekehrungen stets für ungeeignet erwiesen hat, so ist noch viel weniger irgendeine Bereitschaft je vorhanden gewesen, derartige Transformationen für andere Gründe, insbesondere solche der Utilität, zuzulassen; politisch war mit dem Römischen Reich immerhin ein Ausgleich zu treffen, nicht aber in Angelegenheit der Aufstellung eines Kaiserbildnisses im Tempel zu Jerusalem, obwohl gerade dies – für die Römer völlig unbegreiflich – eine besonders billige Konzession hätte sein dürfen. Eine geistige Unbedingtheit durchzieht die gesamte jüdische Geschichte, vielleicht nur ein einziges Mal, nämlich im Fall der Maranen,[6] unterbrochen, und diese so oft als »Halsstarrigkeit« verschriene Unbedingtheit der moralisch-geistigen Werthaltung ist es, die ein Volk von Durchschnittsmenschen gewöhnlichen Kalibers unentwegt einer zweitausendjährigen Verfolgung hatte standhalten lassen; nur wer seinen Weg nicht kennt, verfällt in Panik und geht in der Panik zugrunde.

Die Unbedingtheit hat sich über Emanzipation und Glaubensverlust, zumindest für die heute lebenden Generationen, als Charaktereigenschaft des Juden weitererhalten. Und ihrer geistigen Orientierung ist es wohl auch zuzuschreiben, daß der Jude instinktsicher genug war, um im Bereich der Wissenschaft und in der wissenschaftlichen Betätigung das offene System wiederzufinden, das ihm durch den Glaubensverlust abhanden gekommen war. Indes auch dort, wo er kraft äußerer und innerer Umstände in andere Wert- und Berufsgebiete geraten ist, auch dort hat ihn seine Unbedingtheit nicht verlassen, nur daß sie hier nicht mehr göttlichen und geistigen, sondern sehr irdischen Werten dient, und gerade hiedurch wird der Jude zum sonderbaren Prototypus modernen Lebens: in einer Zeit der vollkommenen Wertzersplitterung verlangt jede einzelne Wertsphäre, daß der ihr angehörende Mensch sich ihr restlos hingebe, um mit ihr zusammen den Existenzkampf gegen den nicht geringeren Absolutheitsanspruch aller übrigen Wertsphären bestehen zu können; es ist also nicht nur überintensive Assimilation, vielmehr eine Art geistiger Prädestination, was den Juden für diese Forderung nach vollkommener, ja, geradezu religiöser Hingabe an das jeweilige Wertgebiet so außerordentlich empfänglich macht, daß er oftmals, wenn auch keineswegs immer, besser als seine Mitkonkurrenten dem modernen Ideal der »Tüchtigkeit« zu entsprechen vermag. Infolge seiner Unbedingtheit an und für sich zu Übertreibungen geneigt, ist der Jude unweigerlich dem Totalitätsanspruch seines jeweiligen mehr oder minder beruflichen Wertsystems verfallen, und demgemäß entwickelt er auch seine eigenen Qualitäten: innerhalb eines geistigen und offenen Systems, wie es etwa das der Wissenschaft ist, kommen die besten jüdischen Eigenschaften zum Vorschein, während in den ethisch minderwertigen Erfolgssystemen, an denen das machiavellistische Leben dieser Zeit so überaus reich ist, die allgemeine Verworfenheit noch durch die übelsten Moventien des Ghettoerbes übersteigert wird, übersteigert zu einer doppelten Verworfenheit, die dann, wie es sich beinahe von selber versteht, sogar auch im körperlichen Habitus des Juden, in seiner sogenannten »Häßlichkeit« zum Ausdruck gelangt.

Nicht nur als Fremdling wird also der Jude von seinem Gastvolk, wenn dieses in Panik gerät, für die Weltschäden verantwortlich gemacht, sondern auch als Spiegel dieser unheimlichen, panikerfüllten, panikbedrohten Welt, und dies umsomehr, als der Jude, wie ganz richtig herausgefühlt wird, infolge seiner geistigen Grundhaltung sowie infolge seiner Anpassung weniger als andere von der Panik berührt wird. Dies und nichts anderes ist die Wurzel jenes dümmsten aller dummen antisemitischen Anwürfe, welcher behauptet, daß die Welt sich von den Juden beherrschen lasse. Doch wie dumm und widerlegbar dieser Anwurf auch ist, unwiderlegbar ist die vom Antisemitismus daraus gezogene Folgerung, nämlich die Folgerung der Notwendigkeit einer allgemeinen Judenausrottung, nach deren

Vollzug sich die Weltverhältnisse zuversichtlich bessern würden; hier ist die Grenze des Widerlegbaren bereits überschritten, und gar wenn die Ausrottungsabsicht bereits in die Tat umgesetzt worden ist.

Vom magischen Bereich aus betrachtet, mag vielleicht der Gedanke aufdämmern, daß das Menschenopfer, dem da ein ganzes Volk verfallen soll, zu einer ins Massenhafte des modernen Lebens gesteigerten Symbolstärke werden könnte, zu einer ins Massenhafte gesteigerten Wiederholung der göttlichen Selbstaufopferung, mit welcher der Christ, eben als Angehöriger desselbigen Volkes, unsere Zeitrechnung eingeleitet hat. Doch dies ist fast ein Nazigedanke, ebenso blasphemisch vom christlichen wie vom jüdischen Standpunkt aus. Das jüdische Volk hat zwar die tragische Ausnahmestellung, in der es sich befindet, geschaffen und aufrechterhalten, mehr noch, es hat sie mit dem Mut des Alltags zu ertragen gelernt, aber niemand kann behaupten, daß es durch die Größe dieser Tragik, die heute wahrlich über jeglich vorstellbares Maß – noch sind die polnischen und rumänischen Grauenspogrome vielfach verborgen geblieben – und über jeglich vorstellbare Bestialität hinausgewachsen ist, jemals über das Niveau seines Alltags emporgehoben worden sei: glückt die Flucht vor den Mörderhorden nicht mehr, ist die Flucht zu Ende, so sterben keine Märtyrer, sondern jüdische Kaufleute, Beamte, Advokaten und Gewerbetreibende, die mehr oder minder mutig, mehr oder minder feige ihre Pflicht erfüllt haben. Das jüdische Schicksal ist grauenhaft, aber unfeierlich.

Es ist vorderhand nicht vorauszusehen, ob und wie das Judentum sich aus dem unheilvollen Zirkel, in dem es sich infolge seiner Ausnahmesituation befindet, wird befreien können; entweder scheint es seine physische oder seine psychische Existenz verlieren zu müssen, denn wenn es nicht vorher nun tatsächlich physisch ausgerottet wird, so scheint ihm die psychische Verflüchtigung in einer bürgerlich-liberalen oder in einer proletarisch-kommunistischen Assimilation sicher zu sein. Selbst der Zionismus, als Gewinnung einer eigenen Staatlichkeit zur Erhaltung des jüdischen Seins und Geistes zweifelsohne die konstruktivste und positivste Lösung, zu der das verfolgte Judentum sich aufgerafft hat, trägt – abgesehen von allen politisch-kriegerischen Gefährdungen, denen heute jede

Kleinnation ausgesetzt ist – den Keim unaufhaltsamer Assimilation in sich, nicht nur wegen der allgemeinen Angleichungskraft eines technisierten Lebens, vor dem auch keine Eigenstaatlichkeit schützt, sondern noch viel mehr wegen der ausschließlich auf den Bereich des Geistes gerichteten jüdischen »Unbedingtheit«, die eben nur im Geistigen, nicht aber durch einen kleinen »Gottesstaat« zu erhalten ist, ja, für die seine Errichtung letztlich sogar schon »Abfall« bedeutet. Ob nun aber so oder so, sei es unter dem Schutze eines demokratischen Gastvolkes, sei es innerhalb einer eigenen Staatlichkeit, und darüber hinaus entgegen allen fascistischen Gefährdungen, es bleibt dem Judentum eine Zuversicht, allerdings nur eine einzige, nämlich die der Erinnerung an die Standfestigkeit, mit der es eine zweitausendjährige Verfolgung durchgehalten hat; doch damit solche Zuversicht sich nochmals bewahrheite, müssen auch ihre Voraussetzungen erhalten bleiben: der Jude wird unter allen Umständen zugrunde gehen, wenn er sich seine geistige Unbedingtheit und strenge Humanität nicht über jeden Glaubensverlust hinaus erhält; er kann sich jedoch behaupten, und zwar unabhängig von den politischen oder sonstwelchen Lebensbedingungen, unter die er gestellt ist, wenn er das Wertsystem strenger Pflichterfüllung, ob nun mit oder ohne religiösen Inhalt, dieses spezifisch offene Wertsystem, das ihm Jahrhunderte hindurch seelische Sicherheit verliehen hat, auch fernerhin nicht preisgibt. Was für die Demokratie gegolten hat und gilt, nämlich daß sie mit ihrem politischen Humanitätssystem, auch wenn es nicht religiös abgestimmt ist, Platz für Gott zu schaffen hat, damit sie bestehen bleiben kann, dies gilt in einem noch sehr verstärkten Maße für das Judentum, das seine religiöse Herkunft noch weit weniger als die Demokratie vergessen darf. In welcher Form das Judentum sich dieser Aufgabe unterziehen wird, ist der Zukunft zu überlassen; jedenfalls wird es ein Akt schärfster Selbsterziehung sein müssen, und keinesfalls wird die Berufung auf die ethische Absolutheit, um die es bei alldem geht, verwendet werden dürfen, um andere Völker und insbesondere die demokratischen zu humanem Verhalten wachzurufen, auf daß sie, ein großer und immer aufs neue wiederholter Irrtum des Juden, seine Beschützung zu ihrer Pflicht machen mögen.

Die Demokratie ist keineswegs zu einem besondern Schutz des Juden verpflichtet. Aber die Pflicht zur Bekämpfung des Antisemitismus ist ihr auferlegt, weil sie sich und ihren eigenen Bestand gegen die Ansteckungsgefahr des fascistischen Massenwahnes zu schützen hat. Und so hat sie sich gegen den Ansteckungsträger, die antisemitische Propaganda, zu wehren.

Die der antisemitischen Propaganda entgegenarbeitende Gegenpropaganda kann von zweierlei Typus sein: entweder sie kann jene direkt angreifen, oder sie kann versuchen, ohne sich viel um den propagierten Antisemitismus zu kümmern, aus sich selbst heraus eine Stimmung zu schaffen, welche zwar nicht notwendig geradewegs prosemitisch zu sein braucht (was u. U. sogar abträglich wäre), wohl aber dem Antisemitismus oder richtiger dem Rassenhaß so entgegengesetzt ist, daß derselbe sozusagen von selber erlöschen muß. Der erste dieser beiden Typen ist vorwiegend rational, da er sich mit vorhandenen sichtbaren, also bereits rational gewordenen Fakten zu befassen hat, der zweite hingegen, mag er selbstverständlich gleichfalls rationale Elemente enthalten, ist weit eher für eine gefühlsmäßig symbolische, d. h. im Grunde irrationale Ausdrucksweise geeignet, wie sie für Massenwirkung sich eben als notwendig erwiesen hat. Indes, selbst auf die Gefahr hin, daß mit rationalen und direkten Mitteln wenig auszurichten sein wird, umsoweniger als der Antisemitismus kraft seines magischen Gehaltes kaum irgendwelche direkte Widerlegung gestattet, es wird die Demokratie sich zweifelsohne beider Propagandatypen bedienen. Und für beide besteht die Vorschrift, die Glaubensinhalte des Gegners zu »entwerten« und harmlos zu machen.

Damit offenbart sich eine weitere Schwäche der rationalen Propaganda und ihrer Direktheit: wer mit seinem Gegner argumentiert, entwertet ihn nicht, sondern unterstreicht seine Bedeutung. Und demgemäß wird auch der Teufelsglaube des Antisemitismus in einer Diskussion über seine Argumente kaum getroffen; vielmehr hat es hiebei stets den Anschein, als ob er selber über die Harmlosigkeit seines jüdischen Teufels beruhigt werden sollte. Daß keines der antisemitischen Argumente stichhaltig ist, daß die Juden nicht die Welt, ja, nicht einmal Palästina, geschweige denn irgendein anderes Land beherrschen, daß geistige Leistungen, von denen sie einige aufzuweisen haben, zur Weltbeherrschung überhaupt nicht geeignet sind, daß sie sogar in ihrem angeblich eigensten Bereich, nämlich im kommerziellen Wirtschaftsleben, sich beinahe überall – von einigen weniger wichtigen Branchen, wie etwa die der Kleiderkonfektion es ist, darf abgesehen werden – sowohl als Arbeitgeber wie als Arbeitnehmer in verschwindender Minorität befinden, kurzum, daß der Antisemitismus mit seinen gegenteiligen Behauptungen sich eine deutsche Märchenwelt aufgebaut hat, einen bösartigen Märchenwald, in dem Zionsweise und Ritualmörder spazierengehen, dies alles ist sogar dem Antisemitismus wohlbewußt, nur daß sein Teufelsglaube solches Wissen nicht zur Kenntnis nehmen darf, nicht zur Kenntnis nimmt, vielmehr stets ein magisches »trotzdem« zur Verfügung hat, und allein schon in diesem magischen »trotzdem« steckt so viel Ansteckungsgefahr und Ansteckungskraft, daß sehr bald auch der bisherige Nicht-Antisemit geneigt sein wird, die Fakten als Fälschungen anzusehen, als Beweis für die teuflische Macht des Judentums, die sogar amtlich-statistische Daten zu beeinflussen imstande ist. Zur Abrundung dieses Bildes muß wohl auch noch die Einschätzung der jüdischen Kulturleistungen hinzugefügt werden, da hier die nämliche magische Tatsachenverdrehung vorgenommen wird: gleichgültig ob es sich um Einsteins Physik, um Ehrlichs[7] Seuchenbekämpfung, um Cantors Mathematik, um Husserls Philosophie, um Picassos Malerei oder um sonst eine Leistung handelt, die aus der Kulturentwicklung einfach nicht mehr wegzudenken und nicht mehr auszumerzen ist, der Antisemit wird behaupten, daß in alldem irgendein geheimer Schwindel sich verbirgt, der die ehemals reinere und glücklichere geistige Welt nunmehr jüdisch verunreinigt, daß aber, soweit dies nicht der Fall ist, einfach Plagiate vorliegen, Plagiate an früheren oder an künftigen Leistungen von Nichtjuden, die dasselbige besser und ehrlicher einstens produziert haben oder einstens produzieren werden. Es ist ein Nebel von magisch-verlogener Vagheit und Halbbewußtheit; das Korrekte wird absichtlich vermieden oder unabsichtlich nicht zur Kenntnis genommen, und müßig ist es daher auch zu fragen, welche Weltverbesserungen nach der so überaus notwendigen Judenausrottung zu erwarten sein werden, denn der Antisemitismus wünscht bloß die Ausrottung, nicht aber, sich mit dem künftigen Segen dieser Maßnahme zu befassen. Nichtsdestoweniger muß die Frage immer wieder gestellt werden, genauso wie niemals davon abgelassen werden darf, die antisemitischen Tatsachenverdrehungen und -verschleierungen immer wieder aufzudecken und ihnen gegenüber eine intensive Aufklärung mit allen Mitteln des gesprochenen und geschriebenen Wortes allerorten anzustreben: die Verpflichtung hiezu ruht in dem Glauben an die mystische Kraft der Wahrheit, in dieser mystischen Kraft, die den Menschen stets aufs neue zu Wahrheitssuche und zu humanem Fortschritt drängt; sie ist die Mystik des offenen Systems, die einzige, die der so unmystischen Ratio innewohnt, und sie ist daher auch die einzige, welche der dämonischen Magie der Lüge letztlich entgegenzusetzen ist. Ungeachtet ihrer augenblicklichen Wirkungslosigkeit.

Die Wahrheit verteidigend, nimmt die direkte Propaganda dem Judentum die erniedrigende Aufgabe ab, sich von den ihm angedichteten Teufelsqualitäten und Teufelsabsichten reinzuwaschen – nichts ist so schmählich wie die Demut eines Menschen, der gezwungen ist, sich selber als harmlos darzustellen –, und die Wahrheit verteidigend, ja, mehr noch, vom eigentlichsten Wahrheitskern ausgehend, vermag eine von der Demokratie gelenkte indirekte Propaganda, die alle Lügen des Antisemitismus einfach beiseite läßt, denselben in einer Weise zu entwerten und ins Uninteressante herabzumindern, wie es von keinerlei jüdischer Abwehr besorgt werden könnte: was dieser – und leider von ihr immer wieder vergessen – streng verboten ist, nämlich den eigenen Zwecken zuliebe die Humanität und deren Absolutheit zu bemühen, das ist der Demokratie nicht nur gestattet, sondern wesensgemäß sogar geboten, und durchaus legitim darf sich ihre Propaganda auf die Absolutheit der Wahrheit, auf die Absolutheit der Humanität berufen. Überall und stets aufs neue bestätigt es sich eben (und nicht zuletzt auch in der Geistesentwicklung des Judentums), daß das offene System der Wahrheit und Wahrheitsfindung inhaltlich unmittelbar zum Humanitätsgedanken hinleitet. Für die Demokratie freilich ist dies eine Selbstverständlichkeit, oder wenigstens sollte es für sie eine sein, und die Propaganda, die sie auf dem Humanitätsinhalt der Wahrheit aufbaut, schließt die der »Besiegung des Sieges« in sich ein und ist darüber hinaus einfach die umfassendste demokratische Selbstpropaganda. Ist da also nicht auch jedwede direkte oder indirekte Propaganda gegen den Antisemitismus ohnehin schon mit inbegriffen?

Kann da von einer solchen spezifischen Propaganda überhaupt noch geredet werden? Der Einwand ist berechtigt, jedoch bloß teilweise, denn wenn auch die antisemitische Lüge wirklich nicht die einzige ist, die sich im Widerstreit mit der Humanität befindet, es ist keine so sehr wie sie Ausdruck der Stammesgottheit, die nach Menschenopfern verlangt, es ist keine so sehr wie sie Deckmantel für den in jedem Lynchakt, in jedem Pogrom, in jedem Amoklauf wiederaufbrechenden wahnhaften Atavismus, kurzum, es ist keine so sehr wie sie – und in ihrem Rassenhaß gibt sie es sogar zu – hervorragendster Repräsentant des heidnischen Geistes, dessen Überwindung zutiefst der Sinn aller Humanität seit eh und je gewesen war und für immerdar bleiben wird. M. a. W., das demokratische Bekehrungswerk als Humanitätspropaganda weitesten Ausmaßes zwecks Wiederentdämonisierung und Wiederentheidung der Welt enthält von vorneherein sämtliche Motive, die diesem Zwecke dienen, also auch jene, die sich gegen den Rassenhaß richten; es kann also prinzipiell einem solch umfassenden Programm kaum etwas hinzugefügt werden, wohl aber ist es möglich, seinen Schwerpunkt je nach Erfordernis zu verlegen, und im Augenblick sind es die gegen den Rassenhaß gerichteten Motive, welche nach einer besonderen Berücksichtigung in der demokratischen Propaganda verlangen, oder, genauer gesprochen, die demokratische Propaganda wird sich in zunehmenden Maße genötigt sehen, ihren antiheidnischen Charakter sichtbarlich hervorzuheben. Es ist die religiöse Haltung der Humanität, die sich damit äußert, jene religiöse Haltung ohne ausgesprochen konfessionelle Bindung, wie dies die der Demokratie geworden ist, darüber hinaus jedoch alle Mystik des Wahrheitserlebnisses in sich trägt.

Jedwede Wahrheit tendiert zu rationalem Ausdruck, und wenn es auch zu den ausgesprochenen Vorteilen jenes zweiten Propagandatypus der Demokratie gehört, daß er den irrationalen Ausdruck erlaubt, er wird sich deshalb nicht des rationalen enthalten. M. a. W., der irrationale symbolische Ausdruck ist nur recht selten unmittelbarer Ausfluß eines rein unbewußten Wissens, er erreicht nur höchst selten diese maximale Symbolstärke (wie sie etwa in manchen großen Kunstwerken und schließlich, weitaus am echtesten, in manchen großen menschlichen Taten sich zeigt), vielmehr ist er zumeist »verhüllendes«

Symbol, d. h. eines, das sich auf einem klaren, rationalen Wissen aufbaut, aber dieses um des Symbolzweckes willen (etwa bei religiösen Kulthandlungen) beiseite läßt, während bei anderen Gelegenheiten, nämlich bei solchen, welche rationale Belehrung erlauben (etwa bei der die Kulthandlung unterbrechenden Kanzelrede), der Rationalgehalt ohne irgendeine Symbolverbrämung ungeschminkt ausgesprochen zu werden hat: die bewußtmachende Funktion, die das Wesen eines jeden Bekehrungswerkes ist, kann und darf auf kein einziges Ausdrucksmittel verzichten, und so wird auch das demokratische Bekehrungswerk sogar in seiner indirekten Fassung überall, wo es not tut oder möglich ist, sich nicht scheuen, den direkten rationalen Ausdruck anzuwenden und ungeschminkt zu sagen, daß es mit seiner Verdammung von Kriegen, Pogromen und Lynchakten sich erstlich und letztlich gegen den in alldem mitschwingenden Gedanken des Menschenopfers wendet, und zwar nicht nur wegen der Gefährdung des kulturellen und moralischen Fortschrittes der Menschheit, sondern noch viel mehr wegen des verhängnisvollen Irrtums, der in der Vorstellung vom erzürnten Gott und seiner Besänftigung durch Menschenopfer nach wie vor heidnisch enthalten ist, doppelt verhängnisvoll, doppelt verirrt, weil noch jedes Schlachtopfer, jeder Krieg, jedes Pogrom, jeder Lynchakt sich als unnütz und überflüssig erwiesen hat, weil noch keines Gottes Gunst damit je errungen worden ist, wohl aber fast immer ein wachsendes Unheil sich als Folge eingestellt hat. Kurzum, die demokratische Propaganda darf mit aller Deutlichkeit aussprechen, daß mit magischen Menschenopfern sich nichts gewinnen läßt, es sei denn gewisse emotionale und ekstasierende Augenblicksbefriedigungen, ja, meistens sogar nur die Hoffnung auf solche Befriedigungen, und daß daher Krieg wie Pogrom wie Lynchakt trotz Mobilisierung magischer Gefühle – bloß das Gewinnverheißende ist dem Menschen wirklich interessant – allesamt wert- und interesselos, also im letzten Grunde eigentlich höchst langweilig sind. Und bei aller Abneigung des Menschen, rationale Belehrungen entgegenzunehmen, dürfte diese, obwohl und weil sie mit den antisemitischen Argumentierungen keineswegs diskutiert, immerhin einige Aussicht haben, angehört zu werden.

Denn der Mensch und sogar der Antisemit weiß um seinen Wahn. Weder kann eine einmal stattgefundene Entheidung und Bekehrung, möge sie selbst, wie die germanische, noch so jung sein, je wieder völlig rückgängig gemacht werden, noch kann eine Massenwahninfektion (die sich hiemit wesentlich vom individuellen Irrsinn unterscheidet) je eine völlige Zerstörung des rationalen Bestandes in der Seele des Individuums verursachen; es bleibt stets ein mehr oder minder großes Stück Intaktheit bestehen, und dieses bietet nicht nur Raum für schlechtes Gewissen ob der Abirrung und der mit ihr verknüpften Untaten, sondern auch für Rationalisierungen und Scheinrationalisierungen, mit denen das schlechte Gewissen beruhigt sein will. Von hier aus ist das Ritualmärchen erfunden worden, von hier aus werden phantastische Anwürfe gegen Neger produziert, auf daß der Fluch der Heidnischkeit vom Schächter auf das Opfer übergehe, auf daß dieses selber zum menschenopfernden Schlächter gemacht werde, wenn auch nur in der Phantasie, zum unbekehrbaren Schlächter, den man zu Ehren der Humanität, zu Ehren der Gerechtigkeit gottbefohlen ausrotten muß. Die Eifrigkeit, mit der hier die eigene magische Absicht verleugnet wird, das Bemühen, mit dem das Menschenopfer zu einer juristischen Vergeltungsmaßregel umgestaltet werden soll, dieser selbstverräterisch ängstliche Versuch zur eigenen Reinwaschung läßt wohl unzweideutig erkennen, wie sehr das Wissen um die eigene Heidnischkeit dem Pogromisten und Lyncher sozusagen bereits knapp unter der seelischen Haut liegt, wie groß und bedrohlich ihm sein Schrecken vor der unausweichlich unausbleiblichen Erweckung geworden ist, und daß es daher zu solcher Erweckung zum Vollbewußtsein nur ein weniges mehr bedarf; m. a. W., der Pogromist und Lyncher ahnt den wahren Sachverhalt, und mit solcher Ahnung befindet er sich in einem Zustand des Halbbewußtseins und der Halbrationalität, kraft welcher er wahrscheinlich bereits befähigt ist, Vollrationales zu hören und aufzunehmen, nämlich, daß sein Streben schlechthin auf Menschenopferung sich richtet und nicht das geringste mit Gerechtigkeit zu tun hat, vielmehr diese bloß als Denkmal für seine Heidnischkeit benützt. Nichtsdestoweniger, mag damit auch manchem die Heidnischkeit seines Tuns schreckhaft aufgehen, es ist hiedurch noch nicht jede Verbindung zwischen den Bereichen des Menschenopfers und der Gerechtigkeit abgeschnitten; es liegt hier eine Urverwandtschaft vor – bei völliger Fremdheit hätte der Tarnungsversuch der gerechten Vergeltungsmaßregel niemals unternommen werden können –, eine tief im Magischen begründete irrationale Verwandtschaft, und wenn auch die rationale Erweckung keineswegs so durchaus rational ist, wie sie aussieht, vielmehr zu einem großen Teil ihre schreckhafte Erweckungskraft unzweifelhaft aus dem wahrheitsmystischen Akt der richtigen Namensnennung bezieht, so ist damit jene zweite Schicht der Irrationalität, von der die Sphäre der angeblich gerechten Vergeltung und Strafe erfüllt ist, noch nicht getroffen: die hier verborgenen wahnhaften Elemente zu treffen und auszulösen, ist aber eine Aufgabe, die von der rationalen Bekehrung nicht mehr geleistet werden kann, und deshalb hat eben hier die irrationale einzugreifen, damit die demokratische Massenwahnbekämpfung erfolgreich werde.

Das magische Element im Begriff der Gerechtigkeit ist heidnisch, gehört aber einer bereits sehr hohen Entwicklungsstufe des heidnisch-theologischen Denkens an. Im primitiven Lebenskampf des Raubtieres sowie des Urmenschen, gleichgültig ob Einzelgänger oder Rudel, gibt es für jeden Angriff, jede Störung, ja, auch nur für jedes Fremdsein bloß eine einzige Antwort, nämlich die der Tötung des Störers, vor allem wohl, weil schon die kleinste Verletzung sich als eigene Lebensgefahr entpuppen kann, mehr noch, weil das gesamte Geschehen, mit einbegriffen die eigenen Verteidigungswerkzeuge, ausschließlich aufs Töten eingerichtet ist, und Tötung des andern die einzig wirklich sichere Vorsichtsmaßregel darstellt: im urprimitiven Leben heißt es nicht Aug um Aug, Zahn um Zahn, sondern Tötung um Aug, Tötung um Zahn, und dieser »Aggressionsüberschuß«, diese anfänglich rein praktische Vergeltungshypertrophie, die rein animalisch war und zweifelsohne nichts mit magischen Vorstellungen zu tun hatte, ist dem Menschen als seelisches Erbgut erhalten geblieben, als die Rachestruktur seiner Seele, als sein Hang zu Superbefriedigungen, die sich mit keiner bloßen Wiedergutmachung bescheiden können, ja, über all dies hinaus, vielleicht sogar als seine allgemein hypertrophisch wahnhafte Veranlagung überhaupt, die kraft ihrer Hypertrophierungen – in den Äußerungen der Kinderseele klar ablesbar – jedwede Störung ihrer Strebungen unweigerlich mit Tötungsabsichten quittiert und eben damit »siegen« will. Von Verbrechen und Strafe, von Gerechtigkeit, magischer oder unmagischer, kann bei alldem noch kaum die Rede sein. Der Begriff des Verbrechens und der Strafe setzt ein Wertsystem voraus, das durch bestimmte, von ihm als Verbrechen bezeichnete Handlungen sich so arg gefährdet fühlt, daß es zu einem Selbstschutz mit der sogenannten Strafe, d. h. mit der Entmachtung des Verbrechens reagieren muß, und wenn dies auch die Reaktion der Urhorde und ihres Wertsystems ist – bei aller Primitivität muß ihr der Besitz eines Wertsystems zugestanden werden, da sie sonst kein soziales Gebilde wäre –, so ist dies bei ihr doch nur eine animalische Reaktion und nicht die eines ausgesprochenen »Strafens«, und gerade daran kann ersehen werden, daß die Definition ergänzt zu werden hat: wenn das System, wie eben in der Urzeit, infolge seiner Primitivität noch derart labil ist, daß es durch jeden Angriff in seinem Existenzzentrum getroffen wird, dann ist die Abwehr kein »Strafen«, sondern weit eher eine Kriegshandlung; erst wenn der Angriff sich immer nur einzelner Systemteile bemächtigen kann, während die Systemganzheit unerschüttert bleibt und ihre Strafensfähigkeit damit bewahrt, ist die Bezeichnung »Strafe« berechtigt. Eine solche Systemfestigkeit ist aber bloß auf höherer Kulturstufe zu erzielen; fast ließe sich sagen, daß Straffälligkeit geradezu ein Symptom für eine über den Urzustand hinausgewachsene Kultur abgibt. Dies hindert freilich nicht, daß die Strafe sich von allem Anfang an den »Aggressionsüberschuß« der Urzeit bewahrt hat; die geringere Systemgefährdung vermindert zwar auch die Strafen je nach Maßgabe der jeweiligen Verbrechensgefährlichkeit, sie werden zunehmend »gerechter«, indes sozusagen für alle Zeiten ist ihnen der Drang zu Superbefriedigungen eingeimpft worden, ein Drang, für den die Waage der Gerechtigkeit sich stets ein wenig zuungunsten des Verbrechers senken soll, und selbst die heutige Gesellschaft (außerhalb der fascistischen Länder), die jeden Gedanken an Rachestrafe empört von sich weist, will ihre Superbefriedigungen vom Strafvollzug haben, nämlich in Gestalt der »Läuterung« des dankbar gebesserten Verbrechers. Dies ist umso bemerkenswerter, als die Wunschrichtung der Superbefriedigungen sich ja nicht geändert hat und nach wie vor, ungeachtet aller Strafdifferenzierungen und -humanisierungen, auf das alte Ziel der Tötung hinweist; jede Strafe ist solcherart Symbol der Todesstrafe, jedes Gefängnis ist Symbol des Grabes, und von solcher Symbolfunktion aus betrachtet sind die Läuterungstendenzen in der Bestrafung wahrscheinlich auch bloß eine symbolische »Tötung« des Verbrechers, auf daß er als »neuer« Mensch aus der Strafe hervorgehen möge. Und an diesem Punkt, am Punkt der Milderung der einstigen, lediglich praktischen Tötung und ihrer Umwandlung zum »symbolischen Tode« in der Strafe, erhält diese nicht nur ihren magischen Charakter, sondern vereinigt sich auch magisch mit der Idee der sakralen Menschenopferung, d. h. die Strafe wird zum Symbol des Menschenopfers. Es ist die Sphäre der magischen Gerechtigkeit, die sich damit auftut, eine Sphäre, in der nichts ohne einen zweiten, symbolischen Nebensinn geschieht, und dies geht so weit, daß u. U. die Symbolhaftigkeit sogar bis auf die Person des Strafverfolgten selber ausgedehnt wird, etwa in der sonderbaren Einrichtung der Blutrache, bei welcher die Verbrechensverantwortung zuerst einmal dem ganzen Fremdstamme aufgelastet wird, dann aber wiederum der Stamm (– den man leider nicht mehr zur Gänze ausrotten kann –) durch jedes beliebige seiner Mitglieder ersetzt werden darf, so daß in solch verdoppelter Symbolstufung es möglich wird, das unschuldige Stellvertretungsopfer zur Sühne der Ursprungsschuld abzuschlachten; bei alledem spielt außerdem die Hoffnung mit, es werde die mit dem eigenen Stamm ohnehin identifizierte und durch das Verbrechen ohnehin beleidigte Gottheit sich infolge Annahme des Sühneopfers bewogen fühlen, die Ausrottung des gesamten Fremdstammes nunmehr selber zu besorgen. Hiemit schließt sich aber nun auch der komplizierte Vorstellungskreis der heidnischen Theologie: auch wenn der Machtbereich der Gottheit schon längst über die Stammesgrenzen hinausgewachsen ist, es bleibt das Verbrechen, sei es nun von einem Angehörigen des eigenen oder eines fremden Stammes ausgeübt, letztlich eine Gotteslästerung, die nach Todesstrafe verlangt, eine Erzürnung der Gottheit, die bloß durch das Menschenopfer wieder zu versöhnen ist, durch das symbolische bei peripheren Systemverletzungen, jedoch unbedingt durch das real-blutige, sobald das Verbrechen als »Sünde« sich gegen das Wertzentrum des Systems in seinem Gesamtbestand wendet. Es ist gewissermaßen eine letzte geistige Klimax, die das Heidentum mit dieser Auffassung erreicht, eine Klimax, die zugleich seine Selbstaufhebung einleitet. Für die Blutrache war (und ist) das Racheopfer, unbeschadet seiner sonstigen Schuldlosigkeit, schuldig infolge seiner Stammesangehörigkeit, indes für die darauf sich aufbauende allgemein magische Gerechtigkeit wird die Schuldbasis ganz beträchtlich erweitert, genügt schon die Angehörigkeit zum Menschheitsstamm überhaupt, um das Individuum an dem der Menschheit eingeborenen Verbrechen, an der ihr eingeborenen anonymen Sünde teilhaftig zu machen, und deswegen, eben wegen der außerordentlichen Anonymität, in der hier Verbrechen wie Verbrecher sich befinden, kann nicht mehr der gewöhnliche Sünder, sondern muß der Reinste, muß der König selber zum Menschenopfer auserkoren werden, mehr noch, muß er sich freiwillig hiezu anbieten, damit die Gottheit versöhnt werde; durch das ganze Heidentum hindurch zieht sich der Gedanke des reinen Königsopfers, bis es durch die Selbstaufopferung des Königs aus Davids Stamm die Absolutheitsgrenze überschritten und sein weltumgestaltendes Ende fand. Kraft des Symbolreichtums dieses größten magischen Gerechtigkeitsaktes trat die Gottesabsolutheit und das absolute Gotteswort an die Stelle der durch das Vorhandensein der Sünde dauernd erzürnten Stammesgottheit.

Vielerlei Elemente aus dieser langen Entwicklungsreihe spiegeln sich in der magischen Gerechtigkeit, die der Pogromist und Lyncher ausüben will. Im allgemeinen ist er auf der Ebene der Blutrache zu lokalisieren, wenn auch die Ähnlichkeit mehr in der Schuldlosigkeit des Zufallopfers als im Bestehen einer Schuld liegt, da zum Unterschied von der echten Blutrache hier die Schuld zumeist eine imaginative ist, ein Irrealverbrechen, hinter dem »die« Juden, »die« Neger sich verbergen sollen; indes, es ist auch ziemlich gleichgültig, von welch realen Fakten die magische Gerechtigkeit ihre Rationalisierungen und Motivationen herholt: sie braucht Vorwände für das Menschenopfer, das als reale Hinrichtung an der Spitze aller Strafhierarchie steht, dartuend, daß auch alle anderen, noch so milden Strafen nichts anderes als Symboltötungen sind, und in Erfüllung solch magischen Zweckes werden all die emotionalen und ekstasierenden Superbefriedigungen gestattet, die der Mensch, heute wie einstmals, aus dem Strafvollzug zu ziehen wünscht.

Die magische Gerechtigkeit ist das symbolische Rückgrat aller weltlichen Gewalt. Das dem Staate zustehende Recht zur realen oder symbolischen Tötung im Strafvollzug soll, in rationalpraktischer Hinsicht, zwar bloß ein Mittel zur Terrorisierung des Bürgers sein, einen ständigen leisen Panikzustand bezweckend, in welchem der Bürger am leichtesten in Zaum und Ordnung zu halten ist, allein, dieser Zweck könnte auf die Dauer wohl nur unter unausgesetzter Terrorverschärfung, wahrscheinlich aber überhaupt nicht erfüllt werden, wenn in alldem nicht auch die Macht des magischen Symbols mit enthalten wäre und mitwirkte: das magische Symbol vermag mit dem ihm innewohnenden seelischen Zwang nicht nur als Verstärkung des von der Rechtspflege ausgeübten Terrors zu wirken, sondern auch die Hoffnung auf Überwindung der damit erzeugten Panik zu erwecken, da die emotional ekstasierenden Superbefriedigungen, die von der symbolisch-magischen Gerechtigkeit vermittelt werden, ihrem Wesen gemäß einen Wertzuwachs und damit eine Paniküberwindung versprechen. Die Fascismen bringen beides zum Extrem, indem sie Hinrichtungsterror wie Hinrichtungsekstase aufs äußerste steigern, um solcherart durchaus folgerichtig – der Staat funktioniert als Gott, und selbst das kleinste Vergehen gegen staatliche Anordnungen wird Gotteslästerung, die die Todesstrafe verdient – den Boden für die von ihnen gewünschte Staatsanbetung vorzubereiten. Die magische Justitia des fascistischen Staates ist mit einem besonders scharfen Schwerte, jedoch mit keiner Waage mehr ausgestattet, und dies ist auch tatsächlich die beste Ausrüstung für die Entfachung von Pogromen, von Rassenhaß, von Blutdurst und Sadismus, kurzum, für die Entfachung all der antihumanen Massenwahnerscheinungen, die dem fascistischen Staat zur Erhaltung seiner Existenz und insbesondere seiner Existenz als Gott lebensnotwendig sind. Der Fascismus lebt von der Heidnischkeit der magischen Gerechtigkeit.

Solange die magische Gerechtigkeit nicht erlischt, ist auch das Heidnische, trotz aller vorhergegangenen Bekehrung und Entheidung, nicht erloschen. Die demokratische Massenwahnbekämpfung und Bekehrung sieht sich also vor die sehr dringliche Aufgabe gestellt, den Staat aus den Banden der magischen Gerechtigkeit zu befreien. Nun ist aber der demokratische Staat, eben in seiner Eigenschaft als Staat, gleichfalls zur Rechtspflege verpflichtet; er wird alltäglich zu Bestrafungen genötigt, er straft alltäglich, und er vermag daher auch nicht zu hindern, daß die von ihm verhängten Strafen, seien sie noch so human, als symbolische Tötungen empfunden werden, dies umsomehr, als an der Spitze auch seiner Strafhierarchie nach wie vor die reale Todesstrafe sich befindet. Es besteht jedoch ein sehr bedeutender Unterschied zwischen realer und symbolischer Tötung, es ist genau derselbige wie der zwischen Isaak und dem an seiner Statt geopferten Widder, und wenn es der Demokratie mit der ihr aufgetragenen Humanisierung und Entheidung der Welt ernst ist, so hat sie den von Gott selber vorgezeichneten Trennungsstrich zwischen Heidentum und Humanität endlich zu berücksichtigen: sie kann die Strafen nicht abschaffen, weil vorderhand noch kein anderer Schutz der Gesellschaft gegen das sie bedrohende Verbrechen erfunden worden ist, aber die Todesstrafe ist abschaffbar. Freilich, das Judentum, an das die Aufforderung zur Humanität zuerst gerichtet worden war, hat die Todesstrafe noch sehr lange beibehalten und sogar in jener urtümlichsten Form der Steinigung, mit der die werkzeuglose Urhorde vorging, wenn es galt, einen der ihren aus dem Stamm auszutilgen, doch auch Athen, kraft seines philosophischen Geistes kaum weniger human als das Judentum, hat seinen urzeitlichen Schierlingsbecher, [der,] wie Steinigung, als Zeichen einer tiefen Scheu vor weiterer Befassung mit den verbotenen und schaurigen Belangen der Todesstrafe angesehen werden darf: während andere Völker zu immer gräßlicheren Hinrichtungsverschärfungen vorschritten (Eingeweideausreißungen bei den Germanen, Totpeitschungen bei den Römern und schließlich die von den Puniern erfundenen Kreuzigungen), schreckte die hellenische und jüdische Humanitätswilligkeit vor jeglicher Ausgestaltung oder gar »Modernisierung« der Todesstrafe zurück; sie wurde beinah wie ein Provisorium behandelt, das man in seiner althergebrachten, altehrwürdigen Form beließ, mehr noch, belassen mußte, weil man für seine eigentliche Problematik weder theoretisch noch praktisch – außer dem Ausweg ständig zunehmender Begnadigungen – irgendeine prinzipiell befriedigende Lösung hatte finden können. Das christliche Abendland ist in der Behandlung des Problems nicht viel weiter als seine beiden antiken Humanitätsahnen gelangt. Jahrhunderte mußten vergehen, bis die Aufklärung wieder die Auflassung der Tortur und der Hinrichtungsverschärfungen durchzusetzen vermochte, und die bald darauffolgenden Bemühungen zur Abschaffung der Todesstrafe wurden bloß in der

Schweiz, bezeichnenderweise also in der abendländischen Ur-demokratie, zu einer dauernden Einrichtung; alles übrige, auch die überaus wichtige Justizreform Josephs II., versandete, oder richtiger, geriet in eine neue Wendung des Zeitgeistes, der sich, zwar solcher Wendung noch unbewußt, dennoch bereits deut-lich humanitätsabgekehrt, daran machte, ins Wahnhafte der soeben verlassenen Barbarei zurückzustreben. Die Todes-strafe, dieses symbolträchtigste Phänomen heidnischer Anti-humanität, wurde beibehalten oder wieder neu eingeführt, und da sie, eben infolge ihrer Symbolträchtigkeit, manche unterbe-wußte Strömung gleichsam seismographisch zur Anschauung bringt, weist sie hier auf die Grausamkeit der Technik hin, de-ren unerahnbarer antihumaner Siegeszug gerade damals an-hob: die Erfindung (oder richtiger Wiedererfindung) der Guil-lotine machte, trotz Beteuerung ihres humanen Zweckes, die Hinrichtungsapparatur zu einem ebenso sadistisch wie tech-nisch erfreulichen Spielzeug, aber auch zum Vorläufer der nicht minder scheußlichen, nicht minder sadistischen, nicht minder erfreulichen, nicht minder technisch reizvollen Elektroexeku-tion. Heute ist der humane Vorwand, unter dem all dies geschah und geschieht, nicht mehr notwendig; die Grausamkeitsent-wicklung ist nun weit genug gediehen, um den Fascisten jede erdenkliche physische und psychische Hinrichtungsverschär-fung zu gestatten, und wie auch immer ihre Grauensabarten heißen mögen, Totpeitschung oder sonstwie, sie werden mit der Folgerichtigkeit des Wahnsinns vollzogen, mit der Logik eines Wahnsinns, welcher begriffen hat, daß es um die Ausmerzung des antiken Humanitätserbes geht, und danach handelt. Und das Humanitätserbe der Antike ist es daher, das der Demokra-tie ihren Platz anweist: genau dort, wo die Aufklärung vor der neuaufkeimenden Grausamkeit zu versagen begonnen hatte, genau dort hat die Demokratie den fallengelassenen Faden wieder aufzunehmen; gegen den endlos weiterwuchernden, blutigen Grausamkeitswahn der magischen Gerechtigkeit, ge-gen ihre heutige apokalyptische Hypertrophie kann kein Kom-promiß, kann bloß das Gegenteil, also bloß die Abschaffung der Todesstrafe gesetzt werden.

Kompromißlos wie die Heiligkeit und Unantastbarkeit alles menschlichen Lebens, kompromißlos wie dieses oberste Prinzip jedweder Humanität, kann das Problem der Todesstrafe bloß kompromißlos gelöst werden. Das 19. Jahrhundert hat Kompromisse angestrebt, um die Humanitätstradition, die sich gegen die wachsende Weltgrausamkeit noch behauptet hatte, mit der Beibehaltung der Todesstrafe zu versöhnen; in erster Linie wurde ihr Humanitätszweck, ihr Humanitätsschutz, der Schutz des menschlichen Lebens vor Ermordung, den sie mit ihrer düsteren Feierlichkeit bieten soll, eindringlich hervorgehoben, dann aber wurde die ganze Feierlichkeit von einem gewissen Punkt an schamhaft vor der Humanität versteckt, indem man die Exekutionen aus ihrer früheren Öffentlichkeit zurückzog. Fast ist es, als wäre da eine gewisse »Entwertung durch Ehrung« versucht worden, und als hätte sich diese hauptsächlich gegen die in und mit der Todesstrafe weiterbestehende magische Gerechtigkeit gekehrt, deren Fortbestand man eben als etwas sehr Unbehagliches empfand. Daß da eine Brücke zur magischen Gerechtigkeit geschlagen wurde, ist umso sichtbarer, als die Todesstrafe nunmehr durchaus jenen Charakter einer »schmerzlichen Pflicht« gewann, den man von Rechts wegen, wahrlich von Rechts wegen – nur tat man es nicht – ihrem magischen Ursprung, nämlich dem Krieg und dem Sieg, längst hätte verleihen müssen. Allein, das Mißlingen dieses Kompromißversuches, dem weder eine Verringerung des Interesses an der magischen Gerechtigkeit und an ihrer Hinrichtungsapparatur noch eine Verringerung der Mordfälle geglückt war, hat eine tiefere, ja, sogar antinomische Ursache, und auch diese war zweifelsohne vom Unterbewußtsein dunkel geahnt worden; das Unbehagen, das wie in jeder Antinomie auch in der des Todesstrafenproblems schlummert, hat hier wohl zu dem Versuch geführt, es mit einem Kompromiß zu überdecken. Denn entwicklungsformal steht die Todesstrafe in einer zwiefachen Reihe, einerseits eben in der magischen, die von einem »Tötung um Aug, Tötung um Zahn« ausgegangen ist, andererseits in einer rationalen, für die es wesentlich humaner »Aug um Aug, Zahn um Zahn« und natürlich am Ende »Tötung um Tötung« heißt, und beide Gerechtigkeitstypen können ihrem Wesen und ihrer Struktur gemäß niemals einer Auflassung der Todesstrafe zustimmen. Wenn also diese Auflassung nicht selber einen neuen, einen dritten Gerechtigkeitstypus bedingt und einleitet, so sieht sie sich antinomisch eindeutig den beiden anderen Typen gegenübergestellt, d. h. sie steht vor einem Widerstand, der ebensowohl begrifflich wie gefühlsmäßig unüberwindlich ist, da in ihm die gesamte Herkunft der Todesstrafe und daher sie auch selber verankert erscheint. Beides aber, der antinomische Widerstand und nicht weniger die Aufforderung zur Schaffung eines neuen Gerechtigkeitstypus, beides freilich mehr erahnt als klar bewußt, beides hat den Menschen seit alters her veranlaßt, das Problem der Todesstrafe lediglich kompromißhaft zu behandeln; insbesondere der Gedanke an einen neuen Gerechtigkeitstypus, der weder auf realer oder symbolischer Tötung noch auf gerechter Vergeltung beruhen soll, bedeutet einen erschreckenden Sprung ins Dunkle, einen weitaus größeren, als im allgemeinen angenommen wird, und zwingt daher den Menschen, die Augen davor zu schließen. Und tatsächlich läßt sich auch noch sehr wenig über die Form eines solchen künftigen, neuen Gerechtigkeitstypus aussagen; wahrscheinlich wird er seine Gestalt – immer noch war die zur Jurisdiktion konkretisierte Gerechtigkeit eine Funktion des sozialen Aufbaues gewesen – von jenen ökonomischen und vor allem psychologischen Gesetzlichkeiten beziehen, aus deren Kenntnis und Anwendung die neue demokratische Gesellschaft und Gemeinschaft hervorgehen soll. Die Verbindung dieser neuen Gesellschaftsgestaltung mit dem neuen Gerechtigkeitstypus, der von der Abschaffung der Todesstrafe bedingt wird, bindet also die Demokratie nochmals an diese kompromißlose zentrale Maßnahme, auch wenn sie einen Sprung ins Dunkel bedeutet; die Demokratie muß den Mut hiezu aufbringen, denn es gehört zum Wesen ihres offenen Systems, zu seinem im Grunde heroischen Revolutionismus, daß solcher Sprung immer wieder gewagt werden muß.

Allerdings, unabhängig von den geschilderten mehr oder minder theoretischen Schwierigkeiten, ist von keinem Staate, auch nicht vom demokratischen, zu erwarten, daß er in Kriegszeiten oder gar unter Kriegsrecht sich entschließe, einem neuen Gerechtigkeitstypus zuliebe die Todesstrafe aufzuheben. Hingegen kann ein Entschluß, der heute nicht in die Tat umzusetzen ist, prinzipiell im Hinblick auf künftige Wirksamkeit gefaßt werden. Schon solch prinzipieller Entschluß ist eine Tat, und er könnte es umsomehr sein, wenn er in die Proklamierung der Friedensziele einbezogen werden würde. Und ebendeshalb hat die Forderung nach diesem Entschluß unweigerlich zu einem

Teil der demokratischen Propaganda gemacht zu werden, vielleicht sogar zu ihrem Kernpunkt. Und wenn auch die Forderung klar und rational ausgesprochen werden muß, sie ist trotzdem zutiefst irrational, d. h. sie kann ihrer irrationalen, symbolhaften Wirkung sicher sein. Denn symbolerfüllt ist die Tat, doppelt symbolerfüllt die des Staates, dreifach symbolerfüllt diejenige, die sich mit des Staates mystischem Tötungsrecht befaßt, und nur durch eine derartig positive Symboltat, nicht durch die negative eines Todesurteils vermag der Staat seine Humanität vor den Massen darzutun, nur hiedurch vermag er ihnen zu Bewußtsein bringen, daß jedwedes Menschenleben unantastbar ist, daß keine Menschenseele so verworfen sein kann, um hievon ausgeschlossen werden zu dürfen, daß keine so hochgestellt ist, auch nicht als Repräsentant staatlicher Gemeinschaft, um sich das Recht zur Durchbrechung dieses obersten demokratischen Prinzips der Menschenwürde anzumaßen. Völlig falsch wäre es jedoch, dies als Deklaration einer staatlichen non-resistance auszulegen: wer solches tut, stellt die Strafe, diesmal freilich mit umgekehrtem Vorzeichen, also als Non-Strafe, wieder in die Reihe der magischen Gerechtigkeit zurück, d. h., gestützt auf den gemeinsamen Nenner des Tötungsrechtes, wird hier mit der dem Staate aufgetragenen kriegerischen Notwehr nicht nur seine polizeiliche Verbrechensverfolgung, sondern auch seine richterliche Verbrechensahndung identifiziert (– ersteres eine zulässige, letzteres eine unzulässige oder höchstens von der magischen Gerechtigkeit her legitimierte Identifikation –), und aus dieser halb zulässigen, halb unzulässigen dreifachen Identifikation entsteht jene beinahe groteske Verwechslung, welche aus der Forderung nach Abschaffung der Todesstrafe kurzschlüssig die Forderung nach allgemeiner non-resistance folgern will; es braucht daher eigentlich nicht noch besonders hervorgehoben zu werden, daß die Humanitätsverantwortung jeder wahrhaft demokratischen Regierung sich an der »Verhütung von Unheil« legitimiert, daß der innere oder äußere Verbrechensangriff zu solchem Unheil gehört, und daß demnach, solange ein solches droht, keine Regierung es wagen dürfte, mit Rücksicht auf die geforderte Entwaffnung des Henkers nun auch mit einer Entwaffnung der Polizei oder der Armee vorzugehen, denn diese stehen für den demokratischen Staat ausschließlich im Dienst der »Besiegung des Sieges«, während Todesstrafe und Hinrichtung selber zu jenen magischen »Siegen« gehören, deren Verbrechenswahnsinn es zu besiegen gilt.

Ein Mann, der für die Aufhebung der Todesstrafe ficht, verliert sein Interesse an der magischen Gerechtigkeit; dies ist das simple Resultat dieser etwas ausgedehnten Überlegungen. Und wenn er das Interesse an solcher Magie verliert, dann wird er auch gegen die magisch-dämonische Siegpropaganda der Fascismen immun; insbesondere wird ihm ihr antisemitisches Leitmotiv uninteressant werden. Kurzum, die fascistische Propaganda kann nur zu einem sehr geringen Teil direkt und rational bekämpft werden, vielmehr muß die Demokratie aus sich selbst und ihren Humanitätsprinzipien heraus dem Siegwillen des Menschen neue Ziele setzen, deren Anstrebung indirekt und womöglich mit irrational-gefühlsmäßig wirkenden Mitteln die fascistische Siegpropaganda außer Kraft setzt; man erreicht wenig, wenn man die Harmlosigkeit des Juden nachweist, mag er noch so uninteressant sein, aber man erreicht viel, wenn man den Antisemitismus selber uninteressant macht. Gewiß, die Grundprinzipien der demokratischen Humanität enthalten noch viele andere Motive neben dem der Todesstrafe – ihre Abschaffung ist wahrscheinlich unter ihnen nur das stärkste Motiv, mit dem gegen die magische Gerechtigkeit zu operieren ist –, und die demokratische Propaganda wird daher sicherlich sämtliche ihr zur Verfügung stehenden Mittel für ihre Zwecke verwenden und nicht sich auf den Kampf gegen die Todesstrafe beschränken, so prävalierend auch die führende Rolle ist (– und als prävalentes Beispiel für den Gesamtkampf wurde er desgleichen hier behandelt –), die ihm in jedem humanitätsausgerichteten Bekehrungswerk zukommt. Doch welche Motive immer hiebei auch außerdem zur Verwendung gelangen mögen, es geht um die Umorientierung des Siegwillens, und deshalb sind die hiefür erforderlichen Maßnahmen tunlichst nicht vom Staate selber zu treffen, da eben jede staatliche Maßnahme wesensgemäß geeignet ist, Opposition zu erwecken, und dies seit eh und je getan hat, sondern es soll das Erforderliche dem Staate von seinen Bürgern, von deren Organisationen, etwa also von einer ihrer politischen Parteien, aufgedrungen und sogar aufgezwungen werden; selbst der demokratischste Staat kann bloß bestehen, wenn es in ihm eine Gruppe gibt, die noch demokratischer als er selber ist. Ihre Propaganda ist sodann die eigentliche Propaganda der Demokratie.

Die Durchführung der von solcher Propaganda geforderten Maßnahmen reicht jedoch über den propagandistischen Bereich hinaus; sie ist Angelegenheit der Organisation.

Ad B2c (Phase der »Sicherung« – Organisation)

Ist ein Bekehrungswerk über die Phasen der »Amalgamierung« und der »Konkurrenz« hinausgelangt, so tritt es in die der »Sicherung«. In der ersten dieser Phasen hatte das bekehrende Wertsystem vor allem eine gemeinsame Verständigungsbasis mit dem bekehrungsbedürftigen zu suchen, d. h. es hatte die »Ritualsprache« desselben zu erlernen und hiezu eine Anzahl dieser Rituale, wenn auch transformiert und »entwertet«, dem eigenen System einzugliedern. Die zweite Phase zeigte den Beginn des eigentlichen Bekehrungswerkes an, denn hier kann das bekehrende System sich nun mit Hilfe der gemeinsamen Sprache mit dem andern messen, es kann die Konkurrenz mit ihm aufnehmen, oder, »moderner« ausgedrückt, es kann zum propagandistischen Angriff übergehen; die zweite Phase ist die der Propaganda. In der dritten Phase ist das Bekehrungswerk prinzipiell eigentlich schon gelungen; es hat kraft seiner Propaganda dem von ihm errichteten neuen Ritualgefüge eine weitreichende Geltung verschafft und hat demnach jetzt nur noch dafür zu sorgen, daß die Bekehrten sich in ihrem neuen Wertsystem so sicher fühlen, daß sie nicht etwa aufs neue abtrünnig werden mögen. M. a. W., die Bekehrten sollen zu jener »werttragenden« sozialen Gruppe gemacht werden, welche den Normungen des neuen Wertsystems sich nicht nur beugt, sondern in ihnen, sowohl äußerlich wie innerlich, so weit Lebenssicherheit gefunden hat, daß sie sich in zunehmendem Maße mit diesem Wertsystem identifiziert und sohin als seine vollgültige Konkretisierung angesehen werden kann: der Bestand des Wertsystems hängt stets vom Bestand der konkreten Sozialgruppe ab, von der es getragen wird, und dieser wiederum hängt von dem Grade der Sicherheit ab, die von der Gruppe eben in jenem System gefunden wird und sie darin verharren und beharren läßt; die Organisierung solcher »Systemsicherheit« für den Bekehrten, die Organisierung der systemtragenden Sozialgruppe, gehört infolgedessen – und so war es stets gewesen, nicht zuletzt in den religiösen Bekehrungen – zu den wichtigsten Aufgaben jeglichen Bekehrungswerkes. Und heute, in einer Zeit der Großstadtmassen und der Massenbewegungen, ist diese dritte Phase des Bekehrungswerkes mehr denn je auf Organisation abgestellt, ist sie schlechthin Organisation.

Die Sicherheit, die der Mensch in einem Wertsystem findet, repräsentiert sich in dem Phänomen der »Überzeugung«; ist der Mensch »überzeugt«, im besten aller Systeme zu leben, so wird er solcher Überzeugungssicherheit zuliebe alles tun, um den Bestand seiner Sozialgruppe und des von ihr getragenen Systems aufrechtzuerhalten und zu schützen. Organisation als Mittel zur Konkretisierung eines Wertsystems setzt also nicht nur stets »Systemüberzeugung« voraus, sondern will auch Überzeugung schaffen; m a. W., Organisation tritt als Vertreterin der jeweiligen Systemwahrheit, der jeweiligen Systemmoral auf und fordert, daß deren Normungen bedingungslos, also mit bedingungsloser Überzeugung anerkannt werden. Demgemäß ist auch festzuhalten, daß Überzeugung zwar manchmal (selten genug) an Wahrheit gebunden ist, sich aber ebensogut an Unwahrheit binden kann: offene Systeme sind auf innere und äußere Realitätsrichtigkeit, kurzum auf Wahrheit ausgerichtet und bewirken demnach auch Wahrheitsüberzeugung; geschlossene Systeme hingegen gehen nie von Vollwahrheiten aus, höchstens von Halbwahrheiten, Viertelwahrheiten, zumeist jedoch von Unwahrheiten oder gar von wahnhaften Haltungen, indes, sie können trotzdem eine Überzeugungsstärke erwecken, welche der des offenen Systems in keiner Weise nachsteht, ja, sie auch ohneweiters zu übertreffen vermag. Angesichts solch zwiefachen Typus der Systeme und der ihnen zugehörigen Überzeugungen gibt es (abgesehen von den in der Praxis überall auftretenden Mischformen) desgleichen für die Organisation prinzipiell zwei Grundtypen, nämlich die »Leistungsorganisation« und die »Menschenorganisation«.

Etwas vereinfacht läßt sich sagen: die Wahrheit spricht für sich selbst, oder zumindest sollte sie es tun, doch um der Lüge und der Niedertracht den Wahrheitsanschein zu verleihen, muß die Selbstevidenz der Wahrheit durch andere Sicherheitsfaktoren ersetzt werden: m. a. W., solange es lediglich um die Wahrheit und um ihre Realitätsrichtigkeit geht, genügt es, ihre objektbezogene Auffindung zu organisieren, auf daß an solcher Arbeitsorganisierung, an solcher »Leistungsorganisation« sich die von den Normen des offenen Systems geforderte Wahrheitsüberzeugung festige, doch wenn dasselbige für die Partialwahrheiten oder Unwahrheiten eines geschlossenen Systems erreicht werden soll, dann muß die Überzeugungsbasis aus dem objektiven in den subjektiven Bereich verlegt werden, es muß der Mensch selber bearbeitet werden, es müssen ihm soziale und ökonomische Vorteile geboten werden, die ihm die Aussicht auf die Vollwahrheit verstellen, kurzum es muß eine »Menschenorganisation« errichtet werden. Und was der Wahrheit nur äußerst selten gelingt, nämlich überzeugte Gesinnung zu schaffen, das wird als Ersatzgesinnung mit Hilfe von Organisation beinahe alltäglich zustande gebracht, ja, Gesinnung und Menschenorganisation sind unter diesem Gesichtswinkel geradezu identisch.

Als Extrembeispiel offener Systematik kann und muß stets aufs neue das der Wissenschaft angeführt werden, hier umsomehr, als sie auch das klarste Beispiel für den Typus der »Leistungsorganisation« abgibt: ihre Organisationsbasis ist ausschließlich die Erkenntnis als solche, und da das Erkenntnisziel in unendlich weiter Ferne, also jenseits jedes heutigen und jedes künftigen Menschenlebens liegt, wird der erkenntnissuchende Mensch, wird der Wissenschaftler bloß als »Idee«, bloß als eine Art »Soll-Mensch«, nicht als empirisches Lebewesen in die Organisationsbasis einbezogen, d. h., er ist lediglich zur Wahrheitsleistung und zur Wahrheitsüberzeugung verpflichtet, indes, wie sich diese Überzeugung außerhalb ihrer Objektbezogenheit, etwa im persönlichen Leben des Wissenschaftlers auswirkt, ist der Wissenschaft völlig gleichgültig; der Märtyrertod Giordano Brunos für seine Wahrheitsüberzeugung hat mit der Organisation der wissenschaftlichen Erkenntnissuche nichts zu schaffen. Ganz anders jedoch verhält es sich im geschlossenen System: hier ist das System selber dem Empirischen und Irdischen verhaftet, ist es sogar auch dann noch, wenn diese Irdischkeit u. U., wie beim Irrsinn, ins Irreale ausartet, und so ist auch die Organisationsbasis nicht mehr von einem abstrakt pflichtsetztenden, unendlich fernen Ziel abhängig, sondern von einem sehr diesseitigen, das vom Menschen selbst erstellt ist, so daß er und sein empirisches Dasein geradezu zwangsläufig gleichfalls zum Teil dieser Organisationsbasis werden; gewiß, auch hier steht der Systemangehörige in einem Pflichtverhältnis zur Systemorganisation, aber neben den »Leistungen«, die das System ihm abverlangt, besteht seine Pflichterfüllung nun auch in »Haltungen«, die ihn als empirischen Menschen zum Systemangehörigen machen, denn diese Haltungen sind eben nichts anderes als die Systemrituale – bezeichnenderweise besitzt das offene System nahezu keine Rituale –, und mit ihrer Hilfe wird er in das System »einorganisiert«, nimmt er bestimmte Stellen darin ein, so daß er ebensowohl durch solche Placierung der eigenen Person wie durch sein Verhalten zum Repräsentanten des Systems wird, es »abbildet« und »darstellt«. Wenn von Organisation gesprochen wird, so hat man zumeist diese Art der »Menschenorganisation« des mehr oder minder geschlossenen Systems im Auge; der empirische Mensch ist eben niemals völlig beiseite zu schieben, nicht einmal innerhalb einer reinen »Leistungsorganisation«, und so dringt die »Menschenorganisation« überallhin und sogar in die offenen Systeme ein, nicht zuletzt, weil auch diese immer wieder sich zur Schaffung von Überzeugung genötigt sehen, hiezu aber eben die Berücksichtigung des empirischen Menschen notwendig ist. Nirgends ist dies so sichtbar wie auf religiösem Gebiet: die bekehrende, überzeugungsbildende Kraft geht auch hier von der »Menschenorganisation« aus, insbesondere von ihrer seelsorgerischen Funktion, die sie neben der Ritualität hiezu entwickelt hat, während Religionen, welche, wie etwa das Judentum, unbedingt auf offener Systematik beharren und daher auf Ritualität und Seelsorge weitgehend verzichten, zugleich auf jegliches Bekehrungswerk verzichten müssen.

Nichtsdestoweniger hat die »Menschenorganisation«, mochte sie auch vom Judentum abgelehnt worden sein, diesem eines ihrer wichtigsten Bekehrungsinstrumente zu verdanken, nämlich das der »Auserwähltheit«. Jede Menschenorganisation ist irgendwie mit dem Begriff der Auserwähltheit verbunden. Denn jedes Wertsystem strebt mit seinen Normungen irgendwie nach absoluter Alleingeltung, und da das System sich in seiner Organisierung konkretisieren soll und konkretisiert, so muß auch in dieser solchem Absolutheitsstreben Rechnung getragen werden: wer in die Organisation eintritt, ist »auserwählt«, d. h. er ist zur Teilnahme an jener erstrebten Systemabsolutheit auserwählt, und darin steckt zweifelsohne das stärkste Element der einer jeden Menschenorganisation innewohnenden Werbe- und Bekehrungskraft. Das Judentum hat seine Auserwähltheit zuerst wie so viele andere Urstämme durch ein physisches Bündnis mit dem Stammesgott, durch das Urritual der Beschneidung bekundet, und es hat sodann, wesentlich später, diesen primitiv ersten Auserwählungsakt durch den von Abraham gesetzten zweiten überdeckt und zu jener radikalen Entheidung gemacht, kraft welcher es sich nun tatsächlich, und zwar kategorisch geistig, von sämtlichen übrigen Völkern im näheren Umkreis unterschied, mehr noch, kraft welcher es sich zum offenen System als zu seiner eigentlichsten Wesenheit entwickeln durfte. Es ist durchaus bemerkenswert, wie das Judentum durch Beibehaltung der Beschneidung (– etwa auf der gleichen logischen Ebene wie die der urtümlichen Todesstrafe –) die Institution der Menschenorganisation unter eine »Entwertung durch Ehrung« setzte: offenbar vollkommen wissend, daß jeder Auserwählungsakt zugleich auch eine physische Menschenorganisation darstellt und damit die Gefahr des geschlossenen Systems, ja der Wiederverheidung heraufbeschwört, wurde der zweite, der abrahamische Auserwählungsakt weit weniger als solcher denn als Aufforderung zur Bildung des antiheidnisch offenen Systems und seiner reinen Leistungsorganisation betrachtet, während das Stück Menschenorganisation, das in der empirischen Welt nun einmal für jede Gemeinschaft wenigstens in rudimentärer Form notwendig ist, gleichsam als Nebensächlichkeit dem alten (eigentlich durch den zweiten Auserwählungsakt überflüssig gewordenen) Urritual überlassen wurde. Die Folgerichtigkeit des Vorganges läßt sich vielleicht am besten an den parallelen Erscheinungen der Reformation ermessen, da diese vielfach desgleichen von der Angst vor Wiederverheidung bestimmt war, jedoch wesensgemäß ihr Prinzip der Auserwähltheit, das sich nun allerdings zu dem der »Taufe« und der »Gnade« sublimiert hatte, so sehr in den Vordergrund stellen mußte, daß trotz aller Einschränkung der Ritualität und Seelsorge, wie dies insbesondere im Calvinismus geschehen war, nach wie vor das geschlossene System durchschimmert. Es ist also auch unter diesem Gesichtswinkel gar nicht so unberechtigt, die Reformation und den Protestantismus als Vorläufer des Fascismus und seiner geschlossenen

Systematik aufzufassen: die Fascismen haben das Prinzip der Menschenorganisation zwecks Hervorbringung von Überzeugung bis zum letzten Extrem vorgetrieben, und sie haben hiezu die rassische Auserwähltheit in einer Weise verwendet, aus der mit aller Klarheit hervorgeht, wie tief heidnisch die Struktur des geschlossenen Systems sowie die des ganzen Vorganges ist.

Das Gepräge einer unerschütterlichen Überzeugung, das dem Massengeschehen durch eine zielgerichtete Propaganda und Organisation, wie eben etwa die fascistische, verliehen wird, ist umso auffallender, als es durchaus traumhafte Züge aufweist. Damit ist nicht gerade der deutsche Traum von der Weltherrschaft gemeint, obwohl es sich nicht leugnen läßt, daß derartige Nationalträume dem ersten Anschein nach wie ein Beweis für die Existenz einer Massenseele wirken, wie ein Beweis für ein Massengedächtnis, das die jahrhundertverklärten Erinnerungsbilder Barbarossas und Napoleons zeitentrückt in sich aufbewahrt und dereinstens auch das Hitlers verklären wird. Doch ganz abgesehen davon, daß die Artikulation eines Wunsches, auch wenn er von einer Volksgesamtheit geäußert wird und auf Welteroberung sich richtet, noch lange kein Charakteristikum für einen Wunschtraum abgibt, es ist die Annahme eines Massentraumes genau so unstatthaft wie die einer Massenseele oder eines Massengedächtnisses. Bloß zweierlei läßt sich hiezu aussagen: erstens, daß jeder Traum etwas »meint«, daß diese »Meinung« vom Träumer durch verschiedene Traumpersonen und deren Haltungen »abgebildet« und »dargestellt« wird, daß hiebei eine selbst dem Träumer kaum verständliche, dennoch von ihm unbewußt verstandene »Ritualsprache« zur Anwendung gelangt, und daß etwas durchaus Analoges, so schon nicht genau das nämliche, in der äußeren Realität vor sich geht, sobald die »Meinung« eines Wertsystems sich konkret organisiert, d. h. sich mit verteilter Rollenbesetzung innerhalb einer Sozialgruppe abbildet und darstellt; zweitens jedoch, daß der einzelne Mitspieler in solcher Darstellung – und dies ist nun wirklich dem echten, dem individuellen Traum ungemein nahe – zwar bloß den eigenen Part des Spieles beherrscht, daß er die ihm vorgeschriebene Ritualsprache nicht versteht, trotzdem aber sie spricht, und daß er sich bei alldem mit großer Sicherheit zwischen den für ihn aufgerichteten Traumkulissen bewegt, weil er, eben im Unbewußten, ein tiefes Wissen um des Spieles wahre Meinung besitzt, ein Traumwissen, das ihm für Traumesdauer – also solange die Organisation Bestand hat, doch nicht einen Augenblick länger – die ersehnte absolute Auserwähltheit bedeutet, denn es ist Teilhaberschaft am Gemeinschaftsgeheimnis, die durch das Ritualspiel da vermittelt wird, und kraft der damit verbundenen außerordentlichen Ich-Erweiterung wird – wohlgemerkt immer nur auf Traumes- und Organisationsdauer – die Wertgesinnung und Wertüberzeugung des Individuums zu traumhaft blinder Unerschütterlichkeit und Abwehrbereitschaft gesteigert.

Dies sind Phänomene, die es immerhin erlauben, auf das Vorhandensein traumhafter Elemente im Massengeschehen zu schließen, umsomehr als anders die ungemeine Flüchtigkeit von Massengesinnungen und Massenüberzeugungen nicht erklärbar wäre; mit außerordentlichem Beharrungsvermögen hält die Masse an ihrer jeweiligen Ordnung, an ihrer jeweiligen Organisation, an ihrem jeweiligen Traum fest, doch wenn dieser durch irgendwelche Umstände zerrissen wird, so findet sie mit einer ebensolchen traumhaften Leichtigkeit in den neuen Traum, um diesem mit der gleichen untreuen Treue, mit der gleichen gesinnungslosen Gesinnung, mit der gleichen unüberzeugten Überzeugungskraft anzuhängen: die Haltbarkeit der Überzeugung hängt lediglich von der Haltbarkeit der Traumesorganisation ab. Denn nicht daß der Mensch traumhaft und seiner selber kaum bewußt über die Oberfläche seines Lebens und der Erde dahingetrieben wird, unwissend dessen, was ihn treibt, nicht dies ist das Wesentliche, wohl aber daß solch diffuse und allgemeine Traumhaftigkeit (deren Konstatierung wahrlich keine Neuentdeckung wäre) keineswegs, wie leichthin anzunehmen, durch rationalsoziale Organisation aufhebbar ist, sondern im Gegenteil, als wäre dies ihre eigentlichste Lebensbedingung, zu akzentuierter Form gebracht wird; sogar der Wissenschaftsbereich, also jener, in welchem Organisation als nahezu reine »Leistungsorganisation« am rationalsten auftritt, ist hievon nicht völlig auszunehmen, da die wissenschaftliche Forschung, insbesondere in ihren dogmatischen Partien, als ein mehr oder minder realitätsnaher, mehr oder minder abstrakter, immer jedoch anhaltender und haltbar ausgebauter, gemeinsamer Tagtraum der Forschungsbeteiligten angesprochen werden darf. Und angesichts dieser Fakten darf eben auch vermutet werden – in einem vorderhand noch weitgehend unerforschten Gebiet muß man sich fürs erste mit Vermutungen bescheiden –, daß Traumhaftigkeit zwar vor allem eine Grundstimmung jeglichen einzelnen und jeglichen gemeinschaftlichen menschlichen Lebens ist, daß aber, über das rein Stimmungsmäßige hinaus, der Traum, und zwar der sozial organisierte Traum in des Lebens nüchternste und klarste und rationalste Sphären eindringt, um daselbst, etwa als Organisation nationaler Wünsche (ein Beispiel unter vielen) zu einem der ursprünglichsten und wichtigsten Moventien der Geschichte zu werden.

Traumhaftigkeit und Wahnhaftigkeit sind strukturell verwandte Begriffe, und es mag sein, daß es ihre gegenseitige Bedingtheit ist, welche sie beide zu allgemeinen Faktoren der Weltgeschichte macht. Nichtsdestoweniger, es sind bei aller Verwandtschaft verschiedene Phänomengruppen: im Gegensatz zur Flüchtigkeit des Traumes ist der Wahn äußerst »haltbar«, d. h. er läßt sich nicht wie jener flugs durch einen andern ersetzen; strukturell ist der Wahn unter diesem Gesichtswinkel (allerdings nur unter diesem) sozusagen eine starre oder erstarrte Traumform, während der echte Traum zwar oftmals Wahnelemente enthält, strukturell jedoch hiezu keinesfalls genötigt ist, vielmehr meistens durchaus »normal« und realitätsangepaßt funktioniert, insbesondere dann, wenn er als rationalsoziale Traumesorganisation auftritt.

Dahingegen scheint das Gemeinsame zwischen Traum und Wahn vor allem vom Inhaltlichen her bestimmt zu sein, da beide weitgehend im urtümlich Triebhaften verwurzelt sind; sowohl die Träume des gesunden wie des neurotischen wie des psychotischen Menschen zeigen dies deutlich genug. Wenn also eine rational-soziale Organisation ihrer Idee und ihrem Wesen gemäß danach strebt, die von ihr vertretene »Überzeugung« haltbar zu machen und hiezu ihre Traumhaftigkeit aus deren Flüchtigkeit herausheben, m. a. W., ihre Ritualsprache stabilisieren will, auf daß das hinter ihr stehende Wertsystem zu dauernder Konkretisierung gelange, so wird sich zweifellos das Traumhafte, seiner strukturellen und inhaltlichen Verwandtschaftslinie folgend, dem Wahnhaften annähern, und die Gefahr der Wahnhaftigkeit wird umso größer werden, je mehr das jeweilige Wertsystem, sei es von Natur aus, sei es infolge eines »Rückfalles«, von urtümlich triebhaften Trauminhalten beeinflußt und erfüllt wird, denn gerade diese fördern nicht nur die Systemgeschlossenheit, sondern eben auch die Hypertrophierung der Systemtheologie. Zum Beispiel ist der primitive Siegeswunsch sicherlich einer dieser urtümlichen Trauminhalte, und zu welch grauenvoller Überzeugungskraft höchster Haltbarkeit er ausgebaut werden kann, ist an der deutschen Wahn- und Traumesorganisation zu ermessen; wer es versteht, Träume zu organisieren, der vermag die furchtbarste Macht über Menschen zu gewinnen. Und so drängt sich neuerdings die Frage auf, ob ein Wahntraum von großer Überzeugungshaltbarkeit, wie eben etwa der fascistische es sein möchte und sein mag, durch irgendein Bekehrungswerk, das an seine Stelle eine wahnfreie Überzeugung setzen will, überhaupt annulliert werden kann, ja, mehr noch, ob Wahnbehaftetheit nicht als wesentliche Voraussetzung für alle Haltbarkeit im Bereich der Traumesorganisation betrachtet werden muß, kurzum, ob das Wahnhafte nicht notwendig am Ende eines jeden Versuches steht, der die Traumesflüchtigkeit ins Haltbare zu verwandeln trachtet. Gerade angesichts der Berechtigung solch skeptischer Fragen läßt sich nur immer wieder mit bewunderndem Staunen auf die Bekehrungsleistung der großen Menschheitsreligionen hinweisen, auf ihre Bewußtmachungsfunktion, der tatsächlich das scheinbar Unmögliche gelungen ist, nämlich einen nahezu wahnfreien Traum zu schaffen, zu organisieren und seinen Bestand über lange Zeiträume hin zu sichern.

Soweit das menschliche Tun und Erleben von Zweck und Sinn bestimmt ist, besitzt der Traum sehr wenig Zweck, doch desto mehr Sinn. Nicht unähnlich verhält es sich mit der Traumesqualität sozialer Organisierungen: reine Zweck- und Leistungsorganisationen reichen über ihre praktischen Ziele kaum hinaus, sind also auch kaum als dauernde Institutionen anzuschauen, während die echten und bleibenden organisatorischen Zusammenschlüsse des Menschen – wie eben insbesondere das Beispiel der haltbaren Religionsorganisationen zeigt – gleich dem Traume sehr wenig Zweckvolles und desto mehr Sinnvolles in sich tragen. Am ehesten läßt sich der Unterschied zwischen den beiden Begriffen noch an ihrem Verhältnis zum Kausalablauf ermessen: der Zweck kann und muß vor Ablauf der zu ihm hinzielenden Kausalreihe gesetzt werden; der »Sinn«

dieses Geschehens kann (obwohl auch er kausal bedingt ist) eigentlich immer erst hinterher klar erfaßt werden, u. z. einesteils als »rationaler Sinn« – und dies ist im wesentlichen nichts anderes als eine »Gesetzlichkeit« – oder aber als »»irrationaler Sinn«, dessen rational-wissenschaftliche Annäherbarkeit am ehesten sich wohl noch im Wege der Ganzheitsbetrachtung wird finden lassen. Wenn die augustinische Geschichtsphilosophie erstmalig die Frage nach dem »Sinn« menschlichen Seins und Zusammenlebens erhebt und sich hiedurch grundlegend von den antiken Staatstheorien (die allesamt bloß den »zweckmäßigsten« sozialen Verband haben finden wollen) unterscheidet, so tritt dabei gleichzeitig die Frage nach der historischen Gesetzlichkeit auf, kraft welcher sich dieser geheimnisvolle (hier christliche) Sinn rational erfassen ließe: im Fortschritt der zur civitas dei organisierten Menschheit sollte sich ihre geoffenbarte Gotteskindschaft bewahrheiten, sollte sich diese geheimniserfüllte, geheimnisgetragene, göttlich-menschliche Bestimmung enthüllen. Und dies ist ein paradigmatischer Vorgang. Denn ob nun zweck- oder sinngerichtet (oder beides zusammen), eine Organisation bezieht ihr Dasein und ihre Daseinsberechtigung einzig und allein aus ihrer Aktivität, aus ihrer zielgerichteten Weiterentwicklung – eine stagnierende oder statische oder passive Organisation wäre schlechthin eine contradictio in adjecto –, und gerade weil der »Sinn« einer Organisation, im Gegensatz zu ihrem »Zweck«, nicht von vorneherein gegeben und feststellbar ist, wirkt er als ein »Geheimnis«, das durch die fortschreitende aktive Entwicklung erst »enthüllt« zu werden hat. Sogar der Prototypus des offenen Systems, nämlich die wissenschaftlich organisierte Erkenntnis, ist solcherart auf ein »Geheimnis« ausgerichtet, denn die alleserfassende absolute »Wahrheit«, zu der die Erkenntnis in ihrer Gesamtheit hinstrebt, um daselbst ihren eigentlichsten »Erkenntnis-Sinn« zu finden, diese absolute Wahrheit ist in ihrer Unerreichbarkeit so geheimnisvoll, daß sie bloß als Attribut Gottes dem menschlichen Verständnis nähergebracht werden kann, als göttliche Erkenntnis, die Stück um Stück mit jeder irdisch entdeckten Wahrheit »enthüllt« wird. Gewiß, nichts ist vom »Sinn« allein her zu erfassen, überall im menschlich-irdischen Leben gibt es noch außerdem »Zwecke«, die unlösbar mit dem Sinn verschwistert sind, ja, sogar des Kunstwerkes Sinn läßt sich von seinen sozialen und ökonomisch-kommerziellen Nebenzwecken aus interpretieren, aber wenn dies auch durchaus Gründe sind, die dem Pragmatisten getatten mögen, den Erkenntnis-Sinn auf einen Erkenntnis-Zweck zu reduzieren, d. h. in den Dienst an einer allgemeinen »Erhaltung des Lebens« einzubeziehen, es wird zugleich sichtbar, daß damit hauptsächlich eine terminologische Umstellung vorgenommen wird, da es methodologisch völlig gleichgültig ist, ob der Erkenntnisprozeß auf den Zielpunkt einer geheimnisvollen Wahrheit an sich oder auf den einer nicht minder geheimnisvollen Lebenserhaltung an sich gelenkt sein soll; in beiden Fällen handelt es sich keineswegs um einen vor Prozeßablauf festgestellten und (etwa nach Art einer Schulaufgabe) aufgestellten, rational eindeutigen »Erkenntniszweck«, sondern ausschließlich um eine nachträglich festgestellte »Richtung«, in der sich der Erkenntnisprozeß abgespielt hat oder abspielt, und eben darauf kommt es an: daß das große Geschehen des Lebens, an dem der Mensch als mehr oder minder unfreiwilliger Akteur teilnimmt, für ihn mit einem geheimnisvollen »Sinn« erfüllt ist, manifestiert sich in erster Linie gerade an der beinahe zwangsläufigen »Richtung«, welches dieses Geschehen einschlägt – nicht umsonst sind im Deutschen »Richtung« und »Sinn« gleichbedeutende Worte –, und dies gibt jedem Schritt, der in solch vorgeschriebener Richtung gemacht wird, den Charakter einer zunehmenden »Sinn-Enthüllung«, einer zunehmenden »Geheimnisenthüllung«, gibt diesem niemals zur Gänze enthüllbaren Geheimnis den Charakter eines ewig weiterwirkenden, tief lebendigen, lebensspendenden Agens. Nichts anderes wird gemeint, kann gemeint sein, wenn von irgend einer menschlichen Organisation, sei es die eines Staates oder sonst irgend einer sozialen Gruppenbildung, ausgesagt wird, daß sie ein »lebendiges« Gebilde sei, d. h. eines, dessen Wesen und Dasein sich infolge einer bestimmten Konstellation der in ihm wirkenden Kräfte aus eigenem zu behaupten vermag und behauptet. Wie überall im Bereich des »Lebens« wird die Funktion, welche die Idee der »Wahrheit« im Bereich der Erkenntnis ausübt, von der Idee des »Wertes« übernommen (also von einem weitaus spezifizierteren Begriff als den einer bloßen Lebenserhaltung), und was dort als Erreichung höherer Wahrheitszustände sich auswirkt, das zeigt sich hier als Erreichung höherer »Wertzustände«; m. a. W., der

»Sinn«, um den herum eine soziale Organisation sich aufbaut, auf daß er sich ihr in ihrer eigenen Entwicklung schrittweise »enthülle«, ist stets als die Idee eines höheren »Wertzustandes«, z. B. als die eines höheren Gerechtigkeitstypus, erkennbar oder zumindest erahnbar. Lebendige Organisation ist werdender Wert, und wer sich in ihr eingliedert, der genießt die Auszeichnung, an solch geheimnisvollem Werden teilnehmen zu dürfen: die Organisation, der er angehört, wird für ihn zur Teilhaberschaft an einem werterfüllten Geheimnis, darüber hinaus aber zur Teilhaberschaft an einer zunehmenden Geheimnisenthüllung.

Teilhaberschaft an einem Geheimnis, Teilhaberschaft an zunehmender Geheimnisenthüllung: die um solches Geheimnis angeordnete Organisation wird auf diese Weise zum Abbild ihres eigenen Zielbildes, zum Abbild eines initialen Wunschbildes, das sie sich von sich selber gemacht hat und als ihr mehr oder minder geahnter, mehr oder minder gewußter »Sinn« in die Zukunft projiziert. Die Struktur von Organisationen darf demnach wohl stets als Symbol ihres verborgenen, sinnhaften jeweiligen Zielbildes genommen werden, etwa so, wie Gott bloß durch das Symbol seines ihm zustrebenden, menschlichen Ebenbildes erfaßt werden kann, und nicht zuletzt ist es dieses Verhältnis gegenseitiger Angewiesenheit zwischen dem in der Gegenwart befindlichen Symbol und dem zukünftigen Zielbild, ist es dieses, fast möchte man sagen freischwebende, Verhältnis zwischen den beiden einander bedingenden, einander bestimmenden und definierenden Begriffen, das sich in der ihnen eigentümlichen richtunggebenden Funktion ausdrückt und auswirkt. M. a. W., die Gemeinschaftsbildung der Organisation samt ihren Denk- und Wertnormen, samt ihren Denk- und Wertformen oder -ritualen, kurzum, die Organisation samt ihrem ganzen »Sinn« – man denke bloß an den Aufbau der großen religiös-kirchlichen Gemeinschaften – erweist sich als eine symbolische Wunscherfüllung, gewissermaßen als vorwegnehmendes Symbol für etwas, das in unbestimmter Zukunft liegt, aber nun infolge seiner Vorwegnahme auch kaum mehr real benötigt wird; nirgends prägt sich die tiefe Traumhaftigkeit, in der sich das menschliche Sozialleben organisiert, so deutlich aus wie in eben dieser eigentümlichen Auf-sich-selbst-Bezogenheit: traumhaft ist das Motiv der symbolischen, vorwegnehmenden Wunscherfüllung, traumhaft das verlockende Entschwinden des Zielbildes, das bloß als richtunggebende Funktion gebraucht wird, dann aber überflüssig wird, und traumhaft vor allem ist die absolute Plausibilität, die von diesem rein symbolischen Geschehen ausgeht und als »Organisations-Überzeugung« einen überaus wichtigen, realen Faktor darstellt; die Treue zum Symbol – oder zum Symbol des Symbols, wie die Fahne, das Wappen oder sonst ein Wahrzeichen einer sozialen Gruppenbildung – ist stärker als sämtliche Inhalte, rationale oder irrationale, die von diesem Symbol gemeint sind, und diese traumhafte Verrückung des sozialen Alltaglebens geht so weit, daß selbst rationale Aussprüche ins Symbolhafte sozusagen rückversetzt werden müssen, auf daß sie als »Wahlsprüche«, als »Schlagworte«, ihres eigentlichen Inhaltes entkleidet, zur sozial wirksamen Geltung gelangen können. Daß in der Massenpsychologie einerseits erträumte Wunscherfüllungen, andererseits einprägsame Symbole und schließlich merkwürdig unerschütterliche »Überzeugungen« eine besondere Rolle spielen, ist wohl seit jeher bekannt gewesen, daß aber diese *drei Momente eine schlechthin unlösbare Einheit bilden*, ist auffallenderweise wenig beachtet worden, obschon die gegenseitige Aufeinanderbezogenheit klar genug zutage liegt. Die Symbolfundierung alles kunstwerklichen Schaffens, ja, sogar seine Traumesstruktur wurde z. B. hingenommen, ohne die »Symbolplausibilität«, welche darin enthalten ist und den Hauptstock der sogenannten »künstlerischen Überzeugung« ausmacht, auf ihre Ursachen hin zu befragen, sondern höchstens sich mit Hinweis auf gewisse ursprüngliche Zusammenhänge, die zwischen diesen Phänomenen und denen des »Spieltriebes« bestehen, zu begnügen dürfen glaubte. Immerhin, gerade das Phänomen des Spieles hätte schon längst über den wahren Tatbestand Aufschluß geben können. Nicht nur daß Spiel – am deutlichsten wohl in den kindlichen Gruppenspielen – eine Imitation dieser oder jener sozialen Gruppierung sein will (und daher auf Spieldauer auch wirklich ist), es ist noch viel mehr mitsamt seinen Normen und Regeln eine symbolische Wunscherfüllung (zumeist als Sublimierung von Siegesvorstellungen), nur daß hier nicht wie in den realen Sozialgruppen ein fernes Zielbild abgebildet und symbolisiert wird: nein, hier findet eine sonderbare Verkürzung der Symbolrelation statt, eine

Verkürzung, in der Ur- und Abbild zusammenfallen, so daß sich hieraus der nicht minder sonderbare Selbstzweck, oder richtiger Selbst-Sinn des Spieles – denn dieses hat ja keinen »Zweck« außer den eines Zeit-Vertreibes – beinahe notwendig ergibt, und ebenso wird daran verständlich, daß das Spiel, obwohl selber am allerwenigsten Traum, in seinem verkürzten Schema gewissermaßen das Skelett für jeden Sozialtraum enthält und daher auch jeden zu spiegeln vermag, umsomehr als solche Skelettierung nichts anderes als radikale Inhaltsentleerung bedeutet, so daß für jedwede Inhaltserfüllung, sei es nun durch geldlichen oder »nur« phantasierten Spielgewinn (– von dem alle Spielleidenschaft ausgeht –) Raum geboten ist. Eine Spiegelung ist aber noch keine genetische Abhängigkeit, und wenn es auch infolge der strukturellen Verwandschaft z. B. möglich ist, Analogien zwischen Spiel und Mathematik aufzuspüren, nicht zuletzt, weil sich die Mathematik ebenfalls, allerdings mit ganz anderer Realitätsbezogenheit, im inhaltsentleerten Bereich errichtet, so ist es dieserhalb noch lange nicht gestattet, die Mathematik als Spiel zu interpretieren, geschweige denn dem Spieltrieb eine primär konstituierende Rolle in allen Betätigungen menschlichen Lebens und menschlicher Erkenntnis zuzuweisen. In Wahrheit handelt es sich um Parallelerscheinungen, die in keinem Abhängigkeitsverhältnis zueinanderstehen, wohl aber parallele Derivate aus einer gemeinsamen Wurzel sind; in Wahrheit handelt es sich um die Einheitlichkeit aller Äußerungen des Menschengeistes, mögen sich diese auch heuristisch in alle möglichen Polaritäten, wie etwa denen der Theorie und Praxis, der Natur- und Geisteswissenschaften, der Normalität und Abnormalität, der Realitätsangepaßtheit und Realitätswidrigkeit oder sonstwie aufspalten lassen; in Wahrheit handelt es sich um die einheitliche Struktur des Traumes und seines Sinnes, in dem, kraft der Überzeugungsstärke symbolhaft imaginierter Wuncherfüllung, sich alle menschliche Organisation begründet, um hiedurch selber zum Sinn und zur Hoffnung für das Leben des Menschen zu werden, denn sogar in dem skelettierten Selbst-Symbol des Spieles sind Sinn und Hoffnung identisch, sind sie im nämlichen Geheimnis vereinigt. Und in Wahrheit läßt sich an alldem die tief schlafwandlerische Traumhaftigkeit ermessen, mit der die Menschheit und die Menschen ihre Wertsysteme in die Realität hineinbauen, sehnsüchtig nach der Traumessicherheit eines Zentralwertes, nach der Sicherheit eines Zentraltraumes, doch immer wieder unfähig, ihn zu bewahren, immer wieder durch eine neue Realität, durch eine neue Traumesrealität aus ihm erweckt: wo Werteinheitlichkeit und Traumeseinheitlichkeit verloren gegangen sind, dort dehnt sich der Konkurrenzkampf zwischen den einzelnen nach Absolutheit strebenden Wertsystemen unweigerlich auch auf deren Symbolgehalte, ja, auf die Symbole selber aus, und der solchem Widerstreit ausgelieferte Mensch wird ohne Gnade und Hilfe aus einem Traum in den andern geschleudert. Gewiß, dies ist ein Extremfall, indes, so stark das Streben nach Wertabsolutheit und Traumeseinheitlichkeit auch sein mag, nicht einmal der Kirche ist es geglückt, eine vollkommen eindeutige und einheitliche Wertorganisation herzustellen, vielmehr ist von einem Zentralwert, und mag er sogar mit so großer Führungskraft wie eben die Kirche ausgerüstet sein, höchstens die Herstellung einer Art »Wertverträglichkeit« zu erwarten, also einer Art »Traumesverträglichkeit«, oder genauer ausgedrückt, die Herstellung jenes »Wertgleichgewichtes«, durch das jede Vollkultur ausgezeichnet ist. Allgemeiner gesprochen, darf daher gesagt werden, daß in Entsprechung zu seinen verschiedenen Sozialgruppierungen und deren komplizierter Verflochtenheit der Mensch auch stets in einem ganzen »Traum-System« lebt, zusammengesetzt aus den verschiedensten, jedoch stets aufeinanderbezogenen Einzelträumen, daß er aus all diesen Symbol- und Sinngruppen, aus ihren Relationen und ihrer Gesamtheit seinen eigentlichen »Lebens-Sinn« schöpft, daß aber bei Eintritt von Wertzersplitterung dieser Sinn verloren geht und das Leben notwendigerweise »sinnlos« wird, weil dann auch die Teilhaberschaft an dem hinter dem »Sinn« sich verbergenden Gemeinschaftsgeheimnis zur Aufsplitterung gelangen muß, aufgesplittert in unzählige Teilgeheimnisse, in ein unzusammenhängendes, systemloses Geheimniskonglomerat, an dem es nichts mehr zu »enthüllen« gibt und ebendeswegen auch nichts, an dem sich eine enthüllende und verwirklichende Sozialorganisation begründen könnte; m. a. W., Teilhaberschaft an einer Sozialorganisation, Teilhaberschaft an einer Kultur, Teilhaberschaft an einem Stil, all dies ist von der Teilhaberschaft an einen bestimmten Lebens-Sinn und an dem in diesem enthaltenen Gemeinschaftsgeheimnis abhängig und setzt demgemäß voraus, daß ungeachtet der Verschiedenheit zwischen den einzelnen Organisationsgruppen, denen der Mensch angehört, eine von Verschiedenheit und Disparatheit unabhängige, gemeinsame »Sinn-Ausrichtung« für die Gruppen bestehe, eine letztlich gemeinsame Ausrichtung nach einem dominierenden Grundwert, nach einem gemeinsamen Gemeinschaftsgeheimnis, das in jedem Akt der Kulturentfaltung, mögen die Kulturbereiche noch so verschieden sein, zu Ausdruck und zunehmender Enthüllung gelangt.

Im Mittelpunkt des »organisierten Traumes«, als welcher sich unter diesem Gesichtswinkel alle »sinnerfüllte« menschliche Organisation repräsentiert, steht also die Plausibilität der symbolisch vorwegnehmenden Wunscherfüllung. Plausibel aber ist bloß dasjenige, das einerseits mit den logischen Gesetzlichkeiten in Einklang sich befindet, andererseits jedoch sich an der empirischen Realität bewahrheitet oder zumindest Aussicht auf solche Bewahrheitung eröffnet. Selbst der Traum des individuellen Schläfers, obwohl in seiner Symbolik und seiner Sprache keineswegs den gewöhnlichen logischen Gesetzen des Tages und Alltags folgend und obwohl mit einer ganz andern Realität als der gewöhnlichen des dreidimensionalen Raumes rechnend, kann zu seiner Plausibilität nicht der in ihm enthaltenen Wirklichkeitsansätze entraten, und noch viel weniger darf der Wachtraum hierauf verzichten, will er seine Plausibilität nicht von vornherein völlig einbüßen. Dieser unausmerzbare Realitätskern aller Traumsituationen, sowohl der wachen wie der schlafenden, ist zu einem großen Teil zweifelsohne in der Trieb- und Instinktwirksamkeit manifestiert. Allerdings, Triebbefriedigung als solche hat mit »Sinn« oder gar »Geheimnis« blutwenig zu schaffen; sie ist weit eher ein »Zweck« des animalischen und menschlichen Handelns, und sie ist daher weit eher ein traumaufhebendes als ein traumbeförderndes Moment: in jenen seltenen Fällen, in welchen der Traum zu unmittelbaren Triebbefriedigungen (– es kommen eigentlich bloß sexuelle hiefür in Betracht, da der Traum kaum zu anderen Zugang hat –) führt, erwacht der Träumer, und nicht anders verhält es sich im individuellen wie kollektiven Tagtraum: der Traum erlaubt bloß symbolische Triebbefriedigungen, und damit reiht er dieselben in den Symbolkreis der allgemein sinnge-

434

benden, vorwegnehmenden Wunschbefriedigungen ein. Werden die Dinge von dieser Seite her betrachtet, so wird vor allem die Verwandtschaft zwischen Triebsymbol und Triebsublimierung auffällig; die Rolle des Triebsymbols im individuellen Schlaftraum ist weitgehend identisch mit der, welche die Triebsublimierung in den verschiedenen Tagtraumformen, nicht zuletzt in denen der organisierten Sozialgruppierungen spielt, und hieraus erklärt sich nicht nur, daß die Triebsublimierungen im Sozialen immer wieder zu Symbolisierungen hindrängen, sondern auch, daß diese ohneweiters vom Schlaftraum aufgenommen werden, ja, zu seinem Hauptrüstzeug gehören. Nun ließe sich freilich einwenden, daß Symbolisierungen und Sublimierungen gegenüber der Ur-Realität der Triebe als solche viel zu sehr umgeformt oder gar verformt seien, um noch als Realitätsgrundlage für irgend eine Art von Traum gelten zu dürfen, m. a. W., daß Sublimierungen und Symbolisierungen selber Traumprodukte seien, Eingriffe des Traumes in die Realität und als solche ungeeignet, ihrerseits die Realität in den Traum zurückzutragen. Indes, nicht nur daß sublimierte Triebe, wie immer sie im Filter der Ratio »entnaturalisiert« sein mögen, darob noch lange nichts an Realität eingebüßt haben, es handelt sich bei alldem weit weniger um die vollzogene Sublimierung und Symbolisierung als um den im Vollzug befindlichen Akt der Sublimierungs- und Symbolisierungsfunktion, und eben dieser Funktion ist sicherlich – sonst wäre sie im realen Lebenskampf nicht das reale Werkzeug, das sie ist – stärkste Realität zuzuerkennen. Kurzum, es handelt sich um die Triebimpulse, von denen der ganze Mechanismus der Sublimierungen und Symbolisierungen bewegt wird, selbst dann noch, wenn das Ich, wie insbesondere gerade im Traume, von allen Außenimpulsen abgekapselt ist und der Impuls sich bloß auf eine Kombination des jeweils vorhandenen Vorstellungs-, Gedanken- und Bildmaterials zu erstrecken vermag. Hier tritt nun nochmals der Vergleich mit der Mathematik auf. Denn wenn auch der Mathematik praktisch mancherlei Beförderung von den »Außen-Aufgaben«, die ihr die Naturerkenntnis usw. erstellt hat, zugekommen ist, so hat sie dieselben prinzipiell zu ihrer Entwicklung nicht gebraucht, sondern hätte sich – so kann mit aller Bestimmtheit angenommen werden –, selbst bei völliger Abkapselung im eigenen Bereich, also lediglich angewiesen auf die eigenen Innenimpulse, genau so entwickelt, wie sie es ohne solche Isolierung bisher getan hat. Worin aber besteht dieser ständig weiterwirkende Innen-Impuls? Gewiß, ein »Sinn« kann niemals zur Gänze enthüllt werden, und im Gegensatz zum »Zweck«, der sich im Endlichen und Irdischen erfüllen will und erfüllen darf, bleibt stets ein unenthüllter, unenthüllbarer Rest (mit Ausnahme des eigentlichen »Spieles«, dessen »Sinn« mit dem Spielende auch immer zur Gänze enthüllt ist) –, doch darf der unenthüllte Rest tatsächlich als unmittelbarer Bewegungsimpuls betrachtet werden? Gewiß, alles »Unenthüllte« und jeder unenthüllte Rest gehört dem Non-Ich an, ist also für das Streben nach Ich-Erweiterung demgemäß auch stets ein Beunruhigungsquell –, doch ist die Unenthüllbarkeit der allumfassenden, absoluten Wahrheit, nach der alle Wissenschaft mit jedem ihrer Einzelschritte strebt, tatsächlich ein bewußtes oder unbewußtes, unmittelbares Agens für den Wissenschaftler?, kann z. B. die Idee der mathematischen Wahrheit an sich, also die Kenntnis »sämtlicher« Relationen im mathematischen Bereich so unmittelbar verlockend sein, daß sie den Mathematiker von jedem gefundenen Resultat sofort zu einem nächsten zu treiben imstande ist? Man hat sich daran gewöhnt, in der Mathematik den Prototypus der deduktiven Methode, des analytischen Schlusses und der tautologischen Aussage, die ihrerseits wieder der Prototypus höchster Plausibilität ist, zu sehen, und man hat sich daran beruhigt, obwohl offenkundig auch die induktive Methode nicht um Deduktionen herumkann und auch das sogenannte synthetische Urteil bloß mit analytischen Schlüssen zu seiner Plausibilität zu gelangen vermag, ja, mehr noch, obwohl immer diese ganze praktische Welt mit ihrer Induktivität und Synthetik sich in dem angeblich entgegengesetzten, analytisch-deduktiven mathematischen System abbilden läßt, also – und dies entspricht der Einheitlichkeit des Menschengeistes – höchstens ein methodischer Gradunterschied vorliegen kann: in stark vereinfachender Abkürzung gesprochen, darf behauptet werden, daß dieser Gradunterschied ausschließlich von der mehr oder minder klaren Abgrenzung und »Abkapselung« des beobachteten logischen Raumes abhängig ist, daß aber diese verschiedenen Bereiche – eben wegen der Einheitlichkeit des Menschengeistes – sich monadologisch aufeinander abbilden lassen und daß daher die Mathematik als der von allen materialen Inhalten entblößte und hiedurch rein auf die logischen Relationen beschränkte Bereich nicht nur die Relationen sämtlicher anderen widerspiegelt, sondern auch trotz ihres tautologischen, »analytischen« Charakters unzweifelhaft mit jeder neuaufgefundenen Tautologie genau so wie jedes sonstige Wissensgebiet eine »Erkenntnisvermehrung«, einen Erkenntnisfortschritt liefert, ohne daß sich dieser, wie sonst üblich, auf ein kausalierendes »weil« (als Zusammenschluß zweier vorher getrennter logischer Wissens-Räume) zu berufen braucht –, ist dieser rätselhafte Erkenntnisfortschritt innerhalb der tautologisch in sich abgekapselten Deduktion nicht eben doch das Hinstreben zur Perfektion der mathematischen Wahrheit als solcher, zu einer Wahrheit an sich, die den eigentlichen Erkenntnis-Impuls in sich birgt? Ganz allgemein betrachtet, schreitet alles Erkennen von Tautologie zu Tautologie vor, und die hohe Plausibilität der Tautologie, am reinsten in der mathematischen Formalität ausgedrückt, beruht auf einem vollkommenen logischen Gleichgewicht zwischen den beiden Urteilshälften, einem Gleichgewicht, das unerklärlicherweise trotzdem unbefriedigend bleibt, als werde es von einer verborgenen Störungsquelle unausgesetzt wieder aufgehoben; es ist ein beinahe musikalischer Sachverhalt, besitzt aber, gemäß dem Abbildungsverhältnis zwischen den einzelnen Bereichen, seine deutliche Entsprechung in der physikalischen Welt, denn auch sie befindet sich mit jedem Augenblicke in einem Gleichgewichtszustand, und zumindest in Ansehung ihrer mikroskopischen Struktur, wie sie jetzt in der Elektronenmechanik sich zeigt, sind auch für sie die Impulse unerkennbar, kraft welchen der Pfeil des Achilles aus einer Ruhelage in die nächste befördert wird. Aus Analogien sind schon viele falsche Schlüsse, besonders solche metaphysisch-mystischer Tendenz gezogen worden, und unerörtert soll es daher bleiben, ob der Erkenntnispfeil der Menschheit, so erstaunlich wundersam auch sein Weiterfliegen ist, seinen Impuls von einem göttlichen Aufruf zum Bewußtsein empfangen hat oder von einer – freilich nicht minder initialen – Anziehungskraft des Zieles, von der Anziehungskraft einer absoluten Erkenntnis an sich empfängt; hingegen ist die Analogie genügend tragkräftig, um mit ihrer Hilfe feststellen zu können, daß die tautologische Struktur in sämtlichen Seinsschichten des Lebens und Denkens vorhanden ist

und umso deutlicher zum Vorschein gelangt, je »abgekapselter«
der betreffende Bereich sich erweist, je mehr der Fortschritt von
einem tautologischen Gleichgewichtszustand zu einem nächsten
unter der Leitung autonomer »Innen-Impulse« des Bereiches
steht und »Außen-Impulse« sowohl in der Störung wie in der
Wiederherstellung des Gleichgewichtes ausgeschaltet sind.
Möge also die Bezeichnung »Deduktion« für diese Art des Erkennens im abgekapselten Bereich weiterverwendet werden, so
läßt sich mit einiger Legitimation vertreten, daß die Bilderfolge
des in sich abgekapselten, individuellen Schlaftraumes sich
»deduktiv« abwickelt. d. h. von Bildtautologie zu Bildtautologie fortschreitet und damit jene für den Traum so überaus bezeichnende tautologische Plausibilität erzeugt, jene Gleichge-
wichtsplausibilität, deren Unterbrechung bekanntlich auch
immer eine Unterbrechung des Traumes, wenn nicht gar des
Schlafes nach sich zieht. Kurzum, die Traumsprache strebt genau so wie die Wachsprache nach tautologischen Gleichge-
wichtszuständen, und genau so wie der Bestand des menschlichen Bewußtseins weitgehend an den Bestand seiner
Wachsprache gebunden ist, genau so wird der Schlaftraum aufgehoben, wenn der Prozeß der ständigen Gleichgewichtserzeu-
gung aus irgendeinem Grunde gestört wird. Akzeptiert man
diese Hypothese – und manches spricht zu ihren Gunsten –, so
präzisiert sich die »Wunscherfüllung«, die unzweifelhaft jeglichen Traum dauernd durchzieht, zu einer »Gleichgewichtser-
füllung«, für welche die übliche Sexualwunscherfüllung nur einen Spezialfall abgibt, prinzipiell jedoch daneben auch noch
andere Erfüllungsmöglichkeiten gestattet. Bei aller Wichtigkeit, die der imaginierten Wunscherfüllung im Traumgewebe
zukommt, ist also festzuhalten, daß sie für die Traummechanik
weit eher ein Werkzeug als ein Ziel darstellt, ein Werkzeug zur
Verfertigung von Bildtautologien, oftmals sogar auch nur der
äußere Anreiz, der – wie mancher physische Außenreiz – den
Traumprozeß in Gang bringt; gewiß, die damit zustandege-
brachte Bildtautologie symbolisiert meistens dann auch die ima-
ginierte Wunscherfüllung, indes eben nicht mehr als ein gewor-
fener Stein und seine Wurfbahn durch die Gleichung der
Wurfparabel symbolisiert wird: daß es im deduktiven Traumprozeß, wie überall in der Deduktion, so etwas wie logische
Gleichungen geben müsse, gewissermaßen »Traum-Gleichun-

438

gen«, ist keine ganz unberechtigte Vermutung, freilich eine, die bloß mit aller Vorsicht zu verfolgen ist. Ein konkretes Beispiel, Bruchstück einer Traumbeobachtung, möge dies erläutern:

Die Vp. = Versuchsperson hört im Schlafe zwei Uhrenschäge von einem benachbarten Kirchturm, den schwächeren Viertel-stunden- und den stärkeren Stundenschlag; es ist ein Viertel nach zwölf.

Der Traum hebt mit der Personifizierung dieser beiden Uh-ren- oder Glockenschläge an: zwei Eindringlinge stehen vor der Türe und haben angeklopft. Doch da der Traum noch nicht ei-gentlich in Gang gebracht ist, besteht noch rationale Kritik, und diese läßt die Gleichsetzung eines lediglich hörbaren Uhren-schlages mit einer materialen Person nicht ohneweiters zu. M. a. W. die Gleichung

Zwei Uhrenschläge = Zwei Personen wird noch nicht als evi-dente Tautologie akzeptiert, vielmehr heißt sie

Zwei Uhrenschläge + x = Zwei Personen + y, ist also von vorneherein eine Gleichung mit zumindest zwei Unbekannten, von denen allerdings die eine oder die andere auch den Null-wert annehmen kann. Angenommen, daß die beiden Uhren-schläge ein dinstinkter, sinnlicher Eindruck gewesen waren, so läßt sich ihnen nur wenig hinzufügen; es besteht also hier für x eine größere Nullwahrscheinlichkeit als für y, und es hat sich der Traum daher auch um eine Lösung in der Richtung des y bemüht. Hiezu mußte der Schläfer eine weitere Anleihe bei sei-nem Erinnerungs- und Bildvorrat machen. U. z. suchte er nach einer verwendbaren ähnlichen Situation. Er fand sie in dem Kindergedicht »Es war ein Kind, das wollte nie/ zur Kirche sich bequemen/ und sonntags fand es stets ein wie/ den Weg ins Feld zu nehmen«; im weiteren Verlaufe des Gedichtes wird nämlich das Kind, welches die Stunde des Gottesdienstes versäumt hat, von der Kirchturmglocke verfolgt und eingefangen, »Die Glocke kommt gewackelt«. Hier also wird ebenfalls ein ab-strakter Stundenschlag mit konkreten menschlichen Eigen-schaften ausgestattet, und da dieses märchenhafte Geschehen einstmals, in der Jugend, mit einer gewissen, wenn auch unbe-haglichen Gläubigkeit aufgenommen worden war, darf dieselbe nun hervorgeholt und zum Aufbau der Tautologie verwendet werden: die beiden vor der Türe befindlichen Personen erhalten glockenförmige Mäntel, haben aber dagegen nur höchst undeutlich angedeutete Gesichter, weil ja auch die wandelnde Glocke kein deutliches Gesicht besessen hatte. Der Traum beginnt demnach mit einer vollkommen evidenten Tautologie: die beiden Uhrenschläge, ein stärkerer und ein schwächerer, stehen in Gestalt einer größeren und einer kleineren Person, beide angetan mit Glockenmänteln, beide unerkennbaren Gesichtes, draußen vor der Türe.

Der Traum aber gibt sich mit der Evidenz dieser Situation nicht zufrieden; im Gegenteil, sein Bestand und seine Deduktivarbeit beginnt erst nach Herstellung einer tautologischen Initialsituation. Als unmittelbare »Impulse« zu dieser Aufnahme und späterer Weiterführung der Deduktion lassen sich drei Hauptgründe, oder richtiger drei Ursachengruppen angeben, von denen die erste für jede Art von Deduktion wirksam ist, während die zwei anderen weitgehend als Spezifikum der Traumstruktur gelten dürfen:

I. Jede Tautologie ist sozusagen ein »statisches« Gebilde, ist aber zugleich auch Ausdruck des dynamischen Systemes, aus dem heraus und nach dessen Regeln sie entstanden ist; sehr unpräzise gesprochen, darf gesagt werden, daß das Vorhandensein des Gesamtsystems in jedem Einzelresultat dieses potentiell ausweitet, z. B. zur Idee der absoluten Erkenntnis, die solcherart als Impuls zur Fortführung der Deduktion in jede Teilerkenntnis einversenkt erscheint.

Potentielle Inhalte in einer statischen Dingkonstellation treten als »Eigenschaften« dieser Dinge auf. Der Traum zeigt dies in einer sehr vereinfachten Weise, da die von ihm introduzierten Personen wesensgemäß mit Eigenschaften behaftet sind, mit Eigenschaften, die sich dynamisch entfalten wollen.

II. Zweifelsohne ist die Traumlogik von der Alltagslogik typenmäßig unterschieden; daß in ihr der Satz vom ausgeschlossenen Dritten nicht gilt, kann als sicher angenommen werden, nicht zuletzt weil es sich hier wahrscheinlich um eine n-wertige Logik (außerdem mit unbestimmbarem n) handelt. Nicht nur daß die Traumlogik die eindeutige Beziehung zwischen Sinneseindruck und Begriff (– eine zwar nicht notwendige, dennoch wichtige Voraussetzung der Tages-Logik –) nicht kennt, es ist auch der deduktive Fortschritt, der Begriffe durch Begriffe auseinanderlegt und erläutert, hier keineswegs eindeutig, denn wenn auch die Traum-Gleichung methodisch sich von der einer Begriffs-deduktion kaum unterscheidet, d. h. wenn sie auch bloß Begriffe durch Bilder ersetzt und demgemäß Bilder in andere auseinanderlegt, um sie an diesen erläutern zu können, so gibt es hier nirgends eine fixe Beziehung, ja, nicht einmal die zahlenmäßigen Beziehungen sind als feststehend zu erachten: es ist ein richtiges Hexeneinmaleins, in dem alles vertauschbar und auswechselbar ist, das aber trotzdem immer wieder zur Gleichungslösung, d. h. zur Tautologie und zu ihrer Evidenz führt.

Die »Abkapselung« des Traumraumes ist also trotz Ausschaltung aller »Außeneindrücke« wesentlich lockerer als der eines Begriffsraumes, wie es etwa der mathematische ist. Der Traum ist gewissermaßen ein Käfig ohne Gitterstäbe. Und mag Deduktion nun auch als Fortschritt im abgeschlossenen Raum genommen werden, und mehr noch, mag dies vom Traumdenken auch als durchaus zwingend empfunden werden, als eine durchaus eindeutige Abfolge, aus der es kein Entrinnen gibt, so ist, von außen besehen, trotzdem eine freie Auswahl, eine methodisch uneingeschränkte Auswahl vorhanden, also ein Materialüberschuß, der als stets frischer Impuls für die Fortführung der Deduktion wirkt.

III. Der methodologische Materialüberschuß wird allerdings wieder eingeschränkt, da ein Großteil der Traumobjekte, zumindest die menschlichen Gestalten unter ihnen, zweifelsohne Projektionen einer einzigen Gestalt sind, nämlich der des Träumers selber. Nichtsdestoweniger, ob Einschränkung oder nicht, die Einbeziehung der träumenden Person in den Objektkreis ihres Traumes sprengt nun nochmals die methodologische Abkapselung, erweitert also nochmals den Deduktionsraum und muß daher als nochmaliger Impuls zur Deduktionsfortführung gelten.

Im Fall des beobachteten Traumes sind die sub I. gemeinten »Eigenschaften« selbstverständlich in der Eindringlings-Eigenschaft der beiden vor der Türe stehenden Gestalten gegeben, und von hier aus erfolgt auch tatsächlich der erste Anstoß zur Fortführung des Traumes, freilich um alsbald desgleichen die Elemente der Mehrwertigkeit (lt. II.) und die des Traum-Subjektes (lt. III.) in sich aufzunehmen.

Es entspricht der »Abgekapseltheit« des Traumes, daß in ihm alles absolutiert wird, daß er keine Zwischentöne kennt: wo es im Traum eine »Eigenschaft« gibt, dort wird sie radikal bis zu ihren äußersten Konsequenzen hin entwickelt; eine Milderung dieser Konsequenzen findet bloß dann statt, wenn dieselben in der Traumkonstellation keinen Entwicklungsraum finden, also – ein spezifisches Traumkompromiß – abgestoppt werden müssen. So also verhält es sich auch mit der Eigenschaft »Eindringling«; ein Eindringling ist eine unerfreuliche, eine feindliche Gestalt, und die Konsequenzen seiner Eigenschaften liegen in der Linie »Einbrecher-Dieb-Räuber-Vergewaltiger-Mörder«. Folgerichtigerweise beginnt die eigentliche Traumbewegung mit dem »Eindringen«: die beiden Gestalten haben zwar angeklopft, stehen aber plötzlich im Zimmer (vom Träumer noch rationalisiert: »Ich habe den Riegel nicht vorgeschoben«), und sie sind mit aller notwendigen Diebs- und Mörderausrüstung, wie Sack, Pistole und Messer ausgestattet. Daß dies auch symbolische Vergewaltigungsinstrumente sind, scheint fürs erste nebensächlich zu sein: der Traum ist mit uneingeschränkter Radikalität auf die äußerste Eigenschaftskonsequenz, die eben Mord ist, aufs deutlichste ausgerichtet, und der Träumer reagiert demgemäß auch ganz eindeutig mit Todesangst. So weit in dieser Situation von Wunscherfüllung gesprochen werden darf, handelt es sich um Erfüllung und Befriedigung des Todestriebes; der Träumer will getötet werden, er hat ebendeswegen die Türe nicht abgeschlossen, er will von der wandelnden Glocke zermalmt werden. (Tagesreste: der Stadtteil, in dem der Träumer wohnt, ist von Mördern und Einbrechern kürzlich heimgesucht worden; die ukrainischen Pogrome haben auf den Träumer, der Jude ist, nachhaltigen Eindruck gemacht.)

Todeswünsche gehen mit Bestrafungswünschen Hand in Hand; die Todesfurcht wird durch den Wunsch nach Bestrafung gemildert. Das von der Glocke verfolgte Kind wird für seine Kirchensäumigkeit bestraft. Der Traum setzt ja auch mit zwei »Schlägen« ein. Die strafende Instanz für das Kind aber ist im allgemeinen nicht eine Glocke, sondern Vater und Mutter. U. z. schlägt der große Vater stärker als die kleinere Mutter. Wäre also die Personifikation nicht initial mit dem Räuberpaar vorgenommen worden, so hätte vermutlich ebensowohl das Elternpaar hiezu verwendet werden können, dies umsomehr, als in des Träumers Jugend die Mutter modegemäß Glockenröcke und Glockenärmel getragen hat, und die langen Schoßröcke des

Vaters immerhin als Pendant hiezu nicht unbrauchbar gewesen wären. Daß der Traumbeginn, in dem das Rationale und Zweckdienliche noch hineingespielt, sich für das Räuberpaar entschieden hat, ist wohl auf Rachegefühle zurückzuführen: der Träumer hat einstens Schläge von den Eltern erhalten, und dafür sollen nun die beiden in Gestalt von Verbrechern auftreten, u. z. wie üblich, der Vater als großer, die Mutter als kleinerer Verbrecher. Die Gleichungsabfolge

Zwei Schläge = Verbrecherpaar
Zwei Schläge = Elternpaar
Elternpaar = Verbrecherpaar

ist also noch völlig rational, freilich noch nicht völlig tautologisch, denn Elternpaar-Verbrecherpaar ist keine reversible Relation.

Angenommen, daß der Traum damit seine Materialsammlung – in Wahrheit ist sie größer – wirklich (lt. II.) abgeschlossen hätte, so obliegt es ihm also, daraus eine neue Tautologie zu bilden. Der erste Schritt hiezu sucht eine Art Reversibilität zwischen Elternpaar und Verbrecherpaar herzustellen, indem Elterneigenschaften auf die Verbrecher übertragen werden: der Träumer erinnert sich, daß er durch Freundlichkeit immer noch aggressive Menschen besänftigt hat, daß furchtlose Freundlichkeit seine Pflicht sei, und wahrscheinlich steht die Erinnerung dahinter, daß solcherart auch schon manche elterliche Strafe abgewendet worden ist; die Verbrecher werden also mit der elterlichen Strafgewalt ausgestattet und sollen sich dafür gleich den Eltern versöhnbar erweisen. Es ist ein Entschluß zur »Liebe«, zu der das Kind den Eltern verpflichtet ist, denn »Ehre Vater und Mutter, auf daß du lange lebest auf Erden«. Mit aller Deutlichkeit meldet sich also der Lebenstrieb, um den Todestrieb, der mit den beiden »Eindringlingen« in den Traum getreten ist, tunlichst abzustoppen. Allerdings ist der Entschluß zur Liebe nun wiederum zwiespältig, muß es sein, weil der Traum eben aus allem die äußersten Konsequenzen zieht und die äußerste Konsequenz des Liebesentschlusses notwendigerweise ins Sexuelle hinleitet. Nun wird auch die in der Situation vorbereitete Sexualsymbolik aktiviert: so unbehaglich es ihm ist, der Träumer wendet sich mit aller ihm zu Gebote stehenden Freundlichkeit an den größeren der beiden Einbrecher und bemüht sich, von ihm Revolver und Messer zu erhalten. Es ist eine nicht unbegreifliche Unbehaglichkeit; nicht nur, daß sich inzestuöse Beziehungen zu beiden Elternteilen damit aufdecken, nicht nur, daß darin eine Homosexualität enthalten ist, die sich sonderbarerweise auch auf den kleineren Verbrecher, also auf die Mutter erstreckt, es zeigt sich überdies, durchaus unmißverständlich, desgleichen der Wunsch nach Entmannung des Vaters, und dem Träumer wird, zumindest unbewußt, recht klar, warum er bestraft und getötet werden wollte. Indes, weder seine Handlungsweise, noch seine Einsichten sind von ihm selber abhängig; sie ergeben sich ihm unabweislich in streng logischer, deduktiver Abfolge aus der Traumsituation, in die er gewissermaßen hineingeraten ist. Es handelt ja auch der Träumende nicht im eigentlichen Sinn des Wortes Handeln, sondern es schreitet der Traum von Situation zu Situation weiter, nicht als Kontinuum, eher quantenmäßig, und der Träumende wird von einer Situation in die andere zwangsläufig geschoben. Hier nun ist es eine Situation besonderer Intensität, ein Wirbel inzestuöser und homosexueller Triebe geworden, die sich um die Grundgleichung der menschlichen Triebe

Todestrieb-Lebenstrieb

gruppieren und sich nach den beiden Gleichungshälften, sie verstärkend und unterstützend, aufteilen. U.z. wird der Lebenstrieb einerseits durch den Entschluß zur »werbenden« Liebe, andererseits durch den natürlicheren und versteckteren Wunsch nach Entwaffnung und schließlich Entmannung und Tötung des Feindes unterstützt, während der Todestrieb seine Verstärkung aus dem mit den Inzest- und Mordwünschen verbundenen, schuldbewußten Wunsch nach Selbstbestrafung bezieht. Dies alles sind Abfolgen aus dem initialen Triebbestand des Traumes, sein in sich abgeschlossener Kreis wird hiedurch nirgends überschritten, und ebenso wird die neue Situation ohne Heranziehung neuen Materials, also mit dem gegebenen Bildbestand dargestellt: der Triebwirbel, in welchen der Träumer geraten ist, hat zur Folge, daß er plötzlich, ohne Übergang, zwischen den beiden Verbrechergestalten steht.

Was wird nun durch die neue Traumanordnung zum Ausdruck gebracht? Der Triebwirbel besteht weiter, und es ist noch unentschieden, ob der Todes-, ob der Lebenstrieb als der stärkere sich erweisen wird. Gewinnt der Todestrieb die Oberhand, so wird der Träumer von dem Verbrecherpaar oder zumindest von dem größeren der beiden ermordet werden; gewinnt hingegen der Lebenstrieb die Oberhand, so wird die Entwaffnung und Entmannung des größeren Verbrechers, wird seine Verdrängung aus der Vaterrolle gelingen. Vorderhand ist der Träumer dank seines Liebeswerbens zwischen die beiden gestellt, hat also einen richtigen Kinderplatz zwischen den beiden Eltern eingenommen. Unbeschadet der Eindringlings- und Verbrechereigenschaft, die sich für beide Teile seit Traumbeginn nicht geändert hat, und unbeschadet, daß sich sowohl die Mordabwehr wie das Liebeswerben auf beide Teile gleichmäßig erstreckt, es beginnt das Mütterliche und das Väterliche in den beiden Gestalten sich nun schärfer zu trennen, und sie erhalten einen neuen Symbolwert: der Träumer fühlt sich unmittelbar zwischen Lebens- und Todestrieb gestellt, wobei jenem mütterliche, diesem väterliche Eigenschaften zugemessen werden, und es hat den Anschein, als ob der Todestrieb insolange das Übergewicht behalten werde, so lange die väterliche Verbrechergestalt größer als die mütterliche bleibt. Die simplifizierte Triebgleichung bietet also nun wiederum das Bild

$$\text{Todestrieb} + x \text{ gleichgewichtig Lebenstrieb} + y,$$

und angesichts des Größenunterschieds zwischen den beiden Gestalten ist es klar, daß sich die Lösungsgruppen auf negatives x und positives y reduzieren lassen werden. M. a. W., es muß der größeren Gestalt etwas weggenommen werden, der kleineren aber etwas zugeliefert werden. Abgesehen davon, daß darin noch etwas Feindseliges gegen beide Gestalten enthalten bleibt, nämlich ein Prokrusteswunsch, es wird der Entmannungstendenz, die sich gegen die größere Gestalt richtet, hiedurch eine zweite, sozusagen formale Begründung gegeben. Und nochmals gerät die Deduktion hier in die Nähe sehr gefährlicher Zonen fürchterlichster Straffolgen, denn es ginge nicht an, das der größeren Gestalt abgeschnittene x nun der kleineren zwecks Ergänzung anzuheften. Ein solcher Wunsch wird von vorneherein verworfen, und als Schutz gegen sein Aufkommen kann wohl genommen werden, daß die kleinere Gestalt, ungeachtet der ihr zugeteilten mütterlichen Züge, niemals ausgesprochen weiblich wird. Das positive y muß also anderwärts gesucht werden, etwa durch ein Anwachsen der kleineren Gestalt zur gleichen Höhe mit der größeren.

Hier wird nun die dritte Funktionsgruppe des Traumes (lt. III.) mobilisiert, nämlich die Widerspiegelung des Träumers in all seinen Traumgestalten; fast hat es den Anschein, als ob dies stets das letzte Auskunftsmittel sei, welches der Traum verwendet, wenn er mit den zwei anderen Funktionsgruppen (I & II) nicht mehr das Auslangen findet, um seine Mechanik aufrecht zu halten. Im vorliegenden Fall ist der Sachverhalt besonders klar. Denn wenn der Träumer sich in seine Gestalten projizieren darf, projizieren muß, dann müssen diese auch alle gleich groß sein. Zur Beförderung dieser Vorstellung wird hier offenbar auch noch der alte Kinderwunsch, so groß wie die Eltern zu sein, aus der Erinnerung heraufgeholt; der Träumer in voller Erwachsenheit steht zwischen den beiden Verbrechern, und vielleicht ist er sogar ein wenig größer als die beiden, so daß sie beide kraft der Projektion zu seiner eigenen Vollhöhe anwachsen müßten. Damit ist aber der Identifizierungsvorgang noch nicht abgeschlossen. Die Strafe, die das Kind erlitten hat und jetzt offenbar wieder erleiden soll, wird mit des Träumers Gestalt gleichfalls auf die beiden Verbrecher zurückprojiziert, und ebenso ist umgekehrt nun das elterliche Richter- und Strafamt in die Hände des Kindes, in die Hände des Träumers gelegt. Doch da auch hierin der Traum von äußerster Radikalität ist, so bedeutet Strafe nichts anderes als ewiger Tod, und das Richteramt wird von demjenigen ausgeübt, der ewiges Leben besitzt. Der Träumer und die beiden Gestalten erleiden also alle zusammen die nämliche Strafe, erleiden den nämlichen Tod und genießen alle zusammen das nämliche ewige Leben. Das Triebgleichgewicht zwischen den Gruppen des Lebens- und Todestriebes ist hergestellt, ihre Grundgleichung ist erfüllt.

Triebgleichgewicht an sich ist jedoch noch keine Tautologie, sondern höchstens Inhalt einer solchen; Tautologie ist eine bestimmte Erkenntnisform, und auch eine Bild-Tautologie, wie sie aus den Traum-Deduktionen hervorgeht, kann nichts anderes sein als eben Erkenntnis. So lange also der Träumer selber im Traume agiert, ist er noch kein Erkennender, sondern hat höchstens – selber Mitglied des Traum-Inhaltes – an der Vorbereitung der Traumes-Erkenntnis mitgearbeitet. So sehr in dem beobachteten Traume der Träumer über die beiden Eindringlinge erschrocken gewesen war, er wurde eigentlich erst zur wirklichen Traumgestalt für sich selbst, als er sich zwischen die beiden anderen gestellt sah, und er wurde es erst recht, als er sich zwecks Gewinnung des Triebgleichgewichtes in sie projizierte. Nun, da es um die Gewinnung der Erkenntnis-Tautologie geht, muß er wie ein Katalysator wieder aus dem Prozeß ausscheiden und wieder den für die Traumanordnung so überaus bezeichnenden Platz eines »Beobachters«, d. h. des vom objektiven Trauminhalt abgeschiedenen, den Trauminhalt beobachtenden Träumers einnehmen.

Nun sind die beiden Gestalten gleich groß, aber die des Träumers zwischen ihnen ist nicht mehr vorhanden; sie hat sich auf ihren Beobachterposten zurückgezogen, da die katalysatorische Arbeit geleistet und erledigt ist. M. a. W., es ist nun wirklich wieder ein tautologischer Zustand hergestellt. Aber diese Tautologie unterscheidet sich wesentlich von der initialen. Dort handelte es sich um die Evidenz der Gleichsetzung

$$\text{Zwei Uhrenschläge} = \text{Zwei Personen,}$$

also um die Gleichsetzung eines (auditiven) Außeneindruckes mit einem Traumbild, während nun die beiden Teile des Traumbildes unter Abstrahierung der verschiedenen Lautstärken des initialen Sinneseindruckes einander gleichgesetzt werden; es besteht also noch immer eine – wenn auch versteckte – Inkongruenz in der Tautologie, und der Traum fühlt sich verpflichtet, hier noch eine Rektifikation anzubringen, eine Aufgabe, die er mithilfe eines spezifischen Traumwitzes abtut: der Träumer weiß nun plötzlich mit befriedigender Klarheit, daß alsbald die halbe Stunde schlagen wird, nämlich $1/2$ Eins, also zwei gleichstarke leichtere und ein stärkerer Schlag, und er weiß nun auch, warum er selber, solange er noch zwischen den beiden Gestalten gestanden ist, ein wenig größer als sie gewesen ist; jetzt, da er aus dem Bilde verschwunden ist, bleiben bloß die beiden gleichstarken Schläge zurück, und die Tautologie ist eine vollkommene geworden. Die ist jedoch nicht nur ein formaler Ausweg, nicht nur ein formaler Witz. Wäre es dies, so könnte durch Projektion des Traumsubjektes in die verschiedenen Traumgeschöpfe an jeder Traumstelle Tautologie erzeugt werden; dies jedoch ist nicht der Fall, vielmehr muß im Traum erst tatsächliche Triebgleichgewichtigkeit platzgreifen, ehe die an sich stets mögliche Formalintroduktion des Traum-subjektes dieses materiale Gleichgewicht nun auch als tautolo-gische Formalevidenz zur sinnfälligen Erkenntnis zu bringen vermag. Die beiden verschieden starken Uhrenschläge waren sozusagen die Problemstellung des Traumes gewesen, und die beiden (wirklich gehörten, wahrscheinlich aber bloß gewußten) gleichstarken waren seine Problemlösung; der Traum hätte also genau so stattgefunden, wenn er mit dem Sinneseindruck der beiden gleichstarken Schläge eine Viertelstunde später begon-nen hätte: er hätte sich dann bloß andere Interpretationen su-chen müssen, um das Drama des Kampfes zwischen den beiden entgegengesetzten Triebgruppen und die schließliche Beruhi-gung des Kampfes, seinen harmonischen, ataraxisch-euphro-synischen Ausklanges darzustellen.

Man kann sagen, daß damit der Traum in eine neue und ihm vielleicht wichtigste Phase getreten ist, oder daß er eine neue, ihm vielleicht wichtigste, nämlich sinn-enthaltende Schichte enthüllt. Sicherlich war diese Schichte von allem Anfang an dem Traume einversenkt gewesen, aber nun zeigt sie sich bild-haft deutlich: hatte der Kirchturm, von dem anfangs die beiden Uhrenschläge hergetönt hatten, bei Traumbeginn als kaum sichtbares Stück des bildhaften Traumhintergrundes fungiert, so ist dieser Hintergrund zu großer Helligkeit aufgelichtet, ja, er ist beinahe sichtbarer als das im Vordergrund befindliche Zimmer und die beiden Eindringlinge geworden. Das Leitmo-tiv des Bildes wird von den drei Uhrenschlägen geliefert, die – zwei schwächere und ein stärkerer – wirklich gehört oder bloß gewußt hergeklungen haben oder noch herklingen werden. Der Kirchturm ist nun von der Sonne bestrahlt – es ist $1/2$ Eins Nachmittag und nicht Nacht –, und eine ganze Dorflandschaft hat sich um ihn herum aufgebaut: Kirche, Gottesacker, Dorf, und hinter dem Gottesacker mit seinen kleinen Kreuzen erhebt sich, kapellenbesetzt, ein Kalvarienberg, auf dessen Gipfel, eine nochmalige Wiederholung des Leitmotivs der drei Schläge, wie es sich gehört, drei Kreuze stehen, das mittlere ein wenig größer als die beiden anderen. Und ringsum dehnt sich Land-schaft aus, Hügel und Wald und sommerliche Felder, unbe-schwert. Schlafen im sommerlichen Feld, Schlafen auf weichem Moos im sommerlichen Wald, unbeschwert traumloses Schla-fen.

M. a. W., die neue Traumschichte, die damit zum Vorschein gekommen ist, stellt die Triebe und ihr nunmehr erreichtes Gleichgewicht in sehr sublimierter Form dar, ja, gewissermaßen behauptet sie, daß das Gleichgewicht letztlich lediglich in dieser und durch diese Form erzielbar gewesen ist. Die Sublimierung ist durchsichtig genug. Der Erlöser und die beiden Verbrecher erleiden die nämliche Strafe, aber das dem Richter vorbehaltene ewige Leben wird von ihm, als dem Richter des jüngsten Gerichtes, jedem verliehen, der die Erlösung aus seinen Händen zu empfangen gewillt und fähig ist. In der realen Welt also ist der Tod, ist der Vater und der von ihm repräsentierte Todestrieb (der »stärkere« Schlag) unbezwingbar; doch in der spiritualen, in der sublimierten Welt wird für den Erlösten der mütterliche Lebenstrieb für immer obsiegen, und wenn von den beiden Gestalten die eine das väterliche, die andere aber das mütterliche Prinzip symbolisiert hatte, so ist es nun nur folgerichtig, daß die eine die Gnade ewigen Lebens aus den Händen des Erlöser-Sohnes empfangen soll: es ist der reumütige Schächer, der ob solchen Glaubenswillens sich die Gnade verdient, offenbar auch, weil er sich damit endgültig von dem andern, dem größeren Verbrecher – vorsichtshalber sind die drei Kreuze leer, so daß die obszönen Verwechslungen von weiblicher und männlicher Gestalt vermieden sind – endgültig geschieden hat. Und zugleich wird dargetan, daß das furchtbare Verbrechen des homosexuellen Inzestes, unter dem die erste Traumhälfte gestanden ist, durch die christliche Liebe ins Erlaubte gewandelt wird, daß die Mutter-Sohn-Beziehung hiedurch zum Zentrum des Lebens gemacht werden kann. Gewiß, an die Stelle der Obszönität tritt nun ein nicht minder schweres Verbrechen, nämlich das der Blasphemie und einer Gotteslästerung, die zweifelsohne – auch um dies zu markieren sind die Kreuze leer geblieben – sich infolge der Identifikation des Träumers mit dem Gottessohn in den Traum eingeschlichen hat, doch der Traum versucht auch diese Belastung noch aufzufangen und ins Erlaubte zu kehren: die Identifikation geschieht bloß so weit, als der Christustod als der Tod eines »Schuldlosen« zu gelten hat, denn eben von solchem Märtyrertod wird der Träumer als Jude in der Realität bedroht, und bloß der Gedanke an das Märtyrertum vermag ihn über das sonst sinnlose Schicksal hinwegzutrösten; diese Schuldlosigkeit aber ist in der

Landschaft enthalten, ist in dem unschuldsvollen Schlafen im
Moose symbolisiert, denn diese Landschaft ist identisch mit der
einer alten Erinnerungsvorstellung des Träumers, u. z. jener
Vorstellung, die mit Mörikes Gedicht »Auf ein altes Bild«[8] für
ihn seit jeher verbunden gewesen war:

> In grüner Landschaft Sommerflor,
> Bei kühlem Wasser, Schilf und Rohr,
> Schau, wie das Knäblein Sündelos
> Frei spielet auf der Jungfrau Schoß!
> Und dort im Walde wonnesam,
> Ach, grünet schon des Kreuzes Stamm!

Es ist das Bild einer Madonna im Grünen unter tiefblauer Him-
melsglocke – auch das Glockenmotiv durfte nicht verloren gehen –, und mit dieser Zusammenfassung des Traumes mitsamt
allen seinen Motiven zu einem einzigen Bild des Friedens wird
dem Träumer das Wiederversinken in traumlosen Schlaf gewährleistet. Daß damit auch eine Rückkehr in den Mutterschoß
symbolisiert wird, ist sozusagen üblich und wird gleichfalls mit
dem vorhandenen Motivenmaterial bestritten.

Auf weitere Details des Traumes kann hier verzichtet werden.
Aus dem Gesagten läßt sich bereits mit einiger Sicherheit entnehmen:

erstens, der Traum stellt mitsamt seinem Material einen abgekapselten Bereich dar und bemüht sich, zu seiner Selbstdarstel-
lung mit dem gegebenen Material sein Auslangen zu finden,
d. h. er bemüht sich, durch gewisse »deduktive« Kombinatio-
nen der gegebenen Elemente zu neuen Erkenntnissen über sich
selbst und seinen »Sinn« zu gelangen;

zweitens, die Resultate dieser Bemühungen sind »Bild-Tau-
tologien«, deren Evidenz eben in solch tautologischem Charakter liegt;

drittens, die erste Voraussetzung für die Erzeugung von Bild-
Tautologien wird vom Triebgleichgewicht des Träumers geliefert, denn ohne Triebgleichgewicht gibt es keinen Schlaf, und
ebendeswegen symbolisiert die Bildtautologie auch u. a. stets
ein Triebgleichgewicht;

viertens, die für den Traum so überaus charakteristischen
imaginisierten Wunscherfüllungen gehören zur Mechanik der
deduktiven Methode, denn sie sind eines der Werkzeuge, mit

denen Triebgleichgewicht herstellbar ist;

fünftens, die Wünsche zur Befriedigung der Triebe, die Imagination ihrer Erfüllung sowie die verschiedenen Erfüllungsmöglichkeiten gehören zum vorgegebenen Traummaterial;

sechstens, der Traum schreitet also von Tautologie zu Tautologie weiter, u. z. zwangsläufig nach einer wahrscheinlich mehrdeutigen Logik; das Traummaterial wird als solches durch diese deduktiven Neukombinierungen prinzipiell nicht vermehrt, vielmehr ist es zu Traumesbeginn bereits vollzählig vorhanden, ist es also von allem Anfang »gewußt«, und nicht zuletzt hierauf beruht die erstaunliche Rapidität, mit der die Material-Elemente in den Traumprozeß eingesetzt werden, kurzum die erstaunliche Blitzesschnelle der meisten Träume;

siebentens, die Abgekapseltheit des Traumes, die Zwangsläufigkeit des Traumprozesses, die Invarianz des Traummaterials, das Vorwissen um die Traumresultate, das Ahnen des »Traum-Sinnes«, der durch solches Vorwissen, wenn auch nur verdämmert, hindurchschimmert, all dies läßt darauf schließen, daß der Traum als »Ganzheit«, als Ganzheits-Gestalt betrachtet werden muß und daß daher die logisch-assoziativen Prozesse, in denen er abläuft und sich selber enthüllt, bloß unter dem Aspekt eben dieser Ganzheit zu begreifen sind;

achtens, der Traum kann nicht unbedingt als »Wert« angesprochen werden, es sei denn in seiner Eigenschaft als Schlafhüter, aber in seiner Gleichgewichtsstruktur spiegelt er Wertstruktur wider, ist also – abgesehen von den in ihm enthaltenen imaginierten Wunscherfüllungen – fast immer das Spiegelbild einer Ich-Erweiterung, und gerade in der Auseinanderfaltung des Traumes zu zunehmend sublimierteren Symbolen wird sozusagen zum zweitenmale diese Erweiterung des Ichs symbolisiert, ja, es ist damit vermutlich all der Erkenntniszuwachs symbolisiert, der aus aller Deduktion – im Traum, wie in der Mathematik wie überall anderwärts – resultiert und immer wieder in tautologischen Gleichgewichtsausdrücken sich äußert;

neuntens, ob die Traumdeduktion wie die mathematische letztlich auf die Evidenz einiger weniger Axiome sich fundiert, kann noch nicht als gesichert angenommen werden, obwohl einiges dafür spricht, nämlich daß die Menschheit bloß eine sehr begrenzte Anzahl von Grundvorstellungen, Grundideen, Grundproblemen besitzt; zu diesen axiomatischen (archetypischen) Grundvorstellungen und ihrer Symbolik gehören aber sicherlich die Bilder, in denen der Mensch das Weben seiner Triebe, vor allem also seines Lebens- und seines Todestriebes vor seinem Seelenauge sieht;

zehntens, die Traum-Deduktion geht in der Richtung zunehmender Sublimierung, und in dieser findet sie die zunehmend komplexer und reicher werdenden Formen ihres tautologischen Gleichgewichtes; hiefür ist in erster Linie die »Ur-Konkurrenz« zwischen dem Lebens- und Todestrieb verantwortlich zu machen, denn der Mensch weiß, daß real der Tod unbezwinglich bleibt, daß er aber im Spiritualen und Sublimierten überwindbar ist.

Die »Traum-Gleichungen« des beobachteten Traumes zeigen ziemlich deutlich all diese Motive, und sie zeigen auch, wie in jeder einzelnen dieser Tautologien sozusagen stets der ganze Traum mit seinem gesamten »Sinn« rekapituliert wird. Will man – roh und unzureichend genug angesichts der kaum vorstellbaren Mehrdimensionalität der Traumlogik – das Aufsteigen von unsublimierten zu sublimierteren Komplexen sich als horizontale Schichtungen vorstellen, so wird dieser Aufstieg in den verschiedenen materialen, gewissermaßen vertikalen Traumschichten, wie es etwa die infantile oder die sexuelle usw. ist, gleichmäßig und in gegenseitiger Spiegelung exekutiert; unabhängig von allem Traum-Fortschritt, enthält die Traum-Ganzheit von vornherein jede einzelne Traumsituation und ist umgekehrt in jeder einzelnen monadologisch enthalten. Und nicht zuletzt gilt dies auch für die vom Traum gebrachten Sublimierungen. Hier z. B. werden (der Person des Träumers entsprechend) die Sublimierungen zu einem großen Teil unter der Form »Gedicht« gebracht, und folgerichtigerweise setzt der Traum mit einem Kindergedicht »Wandelnde Glocke« ein, um zu einem der sublimiertesten deutschen Gedichte, dem »Alten Bild« Mörikes, fortzuschreiten.

Bei allem erforderlichen Mißtrauen gegen analogisierende Betrachtungsweisen, scheint es angebracht zu sein, die in den sozialen Organisationen verkörperten Tagträume in die am individuellen Traum gewonnene neue Beleuchtungsmöglichkeit zu rücken. Allerdings kann dies nur geschehen, wenn dabei auch unausgesetzt die tiefgreifenden Unterschiede berücksichtigt werden. Als feststehend darf angenommen werden, daß die

452

imaginierten, »vorwegnehmenden« Wunscherfüllungen zu den wesentlichen Charakteristiken des »organisierten Traumes«, wie er in der Struktur »lebendiger« sozialer Gruppierungen erahnbar ist, zu rechnen sind, ja, daß man in den Symbolisierungen solch imaginierter Wunscherfüllungen den Grundstock für die traumhafte Sicherheit und Überzeugung zu sehen hat, deren Plausibilität und Selbstevidenz ausreicht, um den Menschen bis zur Selbstaufopferung den Symbolen seiner Sozialorganisation zu verhaften. Indes, darüber darf nicht vergessen werden, daß die Dinge im Sozialtraum eben doch viel rationaler als im individuellen Schlaftraum vor sich gehen. Wahrscheinlich ist dies auch der Grund, um dessentwillen die imaginierten Wunscherfüllungen hier eine wesentlich sichtbarere und »sinngebendere« Rolle als im Schlaftraum spielen, wo sie beinahe ausschließlich als Werkzeuge zur Herstellung des Triebgleichgewichtes und der Schlafbeständigkeit verwendet werden. Freilich sei hierüber nicht übersehen, daß dem Phänomen des Triebgleichgewichtes auch im emotionalen Haushalt aller menschlicher Sozialgruppierungen und der in ihnen enthaltenen »organisierten Träume« eine tragende Bedeutung zukommt, nicht zuletzt, weil eben alles soziale Leben in erster Linie auf Triebzähmungen und Triebsublimierungen beruht, also auf Konstellationen, die sozusagen apriorisch an die Herstellung von Triebgleichgewicht gebunden sind. Es darf z. B. behauptet werden, daß sogar die ökonomische Struktur der Gesellschaft zu einem großen Teil von diesem psychologischen Moment abhängig ist – wie ja immer wieder darauf hingewiesen werden muß, daß beinahe jede Nationalökonomie, die Marxsche miteingeschlossen, in einem weit größeren Ausmaße als von ihr selber angenommen wird, als Psychologie ökonomischen Geschehens zu gelten hat –, und mehr noch, daß keinerlei Wirtschaftsform sich als haltbar durchzusetzen vermag, wenn sie nicht zugleich Gelegenheit zur Herstellung von Triebgleichgewicht gibt. So hat das kapitalistische System den Trieben des Menschen, seinem Sadismus und Masochismus, seiner Macht- und Besitzgier sowie seinem Bedürfnis nicht nur volle Auslebungsmöglichkeiten, sondern auch jene Sublimierungen verschafft, in denen sich das Triebgleichgewicht des sozialen Lebens abspielt; der ökonomische Bereich, in dem der Mensch sein Dasein fristet, weil er es fristen muß, ist mit seinen unzähligen Verästelungen, mögen sie nun Kauf oder Verkauf, Erzeugung oder Finanzierung oder sonstwie heißen, gewissermaßen das »natürliche« Reservoir zur Umlagerung des gesamten menschlichen Triebmaterials, und sei es auch bloß in den primitiven Bereicherungsmöglichkeiten, die das kapitalistische System, zumindest in seinen Blütezeiten, einem jeden bietet, so daß jeder Sklave sich mit der mehr oder minder imaginierten Peitsche des Sklavenhalters im Tornister zwecks späteren Gebrauches ausgerüstet findet.Schon in dieser Fähigkeit zur Erweckung von Wunschphantasien zeigt das kapitalistische System, ungeachtet seiner sonstigen Realitätshärte, ausgesprochen traumhafte Züge, doch noch weit ausschlaggebender hiefür sind die Symbolhaltungen, von welchen alles wirtschaftliche Leben, insbesondere dort, wo es mit Geldgebarung zusammenhängt, durchzogen ist und ihm oftmals einen geradezu mythischen Charakter verleiht. Der Mensch in sozialen Tagträumen, von denen der ökonomische einer unter vielen ist, bewegt sich zwar nach rationalen Überlegungen und Evidenzen, aber darüber hinaus agiert er Traumes-Riten, und der Symbolgehalt der Riten bestimmt zu einem sehr großen Teil die Evidenz seiner Überlegungen, denn was da symbolisiert wird, sind die menschlichen Triebe, und diese, sowie ihr erreichtes oder nicht erreichtes Gleichgewicht, bilden einen namhaften Bestandteil der sozialen Realität, um deren Aufbau und Aufrechthaltung es sich hiebei handelt. Gewiß, all dies geht wesentlich »rationaler« als im Schlaftraum vor sich, und insbesondere ist eine Deduktion, die sich im Wachen abspielt, eben der Typus des wachen rationalen Denkens, kurzum der Deduktion, wie sie allgemein bekannt ist, für den jeweiligen Sozialtraum aber die Form seiner »Theorie« bestimmt; m. a. W., die Deduktivarbeit, die der individuelle Schlaftraum nach seiner eigenen mehrwertigen Logik besorgt, wird im Sozialtraum zu einer eigenen rationalen »Disziplin« des jeweiligen Wertgebietes, nämlich zu seiner »Theorie«, nämlich zur jeweiligen »Wert-Theologie«, und von ihr aus wird verfügt, was in dem betreffenden, ökonomischen oder religiösen oder sonstwelchen, Wertgebiet als gültig und evident anzuerkennen ist. Ob die Resultate solcher Deduktion ebenfalls dann noch als »tautologische« anzusprechen wären, sei dahingestellt; immerhin ließe sich vertreten, daß der im sozialen Tagtraum einer

Gruppe agierende Mensch stets zu einem bestimmten sozialen Platz hinstrebt, auf dem sowohl sein eigenes Triebgleichgewicht sowie das der Gesamtgruppe maximal, wenn auch niemals zur Gänze verwirklicht wird, daß er also auf diesem Platze der sozialen Szene eine festumrissene »Sozial-Rolle« spielt und daß in der Identifikation der handelnden Personen mit den von ihnen dargestellten »Sozial-Rollen« ein Element stark tautologischen Charakters zu erblicken ist. Doch gleichgültig, ob man diese Identifikationen und Relationen (die nebenbei durchaus Triebsublimierungen enthalten) als tautologisch oder nicht-tautologisch ansprechen will, auf ihrem Gesamtbestande und dem ihrer einzelnen Evidenzen erhebt sich das sinnerfüllte Sozialgebäude des »organisierten Traumes«, erhebt sich die Evidenz seines Gesamt-Sinnes: nur dadurch, daß jeder Gruppenangehörige die auf ihn fallende Sozialrolle als absolut selbstverständlich und natürlich evident empfindet – das Ideal einer Sozialevidenz ist wohl die Haltung des »reumütigen« Verbrechers, welcher (wie es die »Hexen« des 16. Jahrh. oft getan haben) selber nach Bestrafung, ja, nach Vernichtung verlangt –, nur durch solch allgemeine und allgemeinste Akzeptierung des sozialen Szenariums kommt der »organisierte Traum« zustande, nur durch solche Fülle einzelner, imaginierter oder realer Erfüllungen von Individualwünschen, nur durch die absolute Evidenz all dieser Individualhaltungen gelangt der »Sinn« der betreffenden Organisation, gelangt sein Wunschinhalt zu jener vorwegnehmenden imaginierten Erfüllung und zunehmenden »Enthüllung«, zu jener Geheimnisenthüllung, um derentwillen die Organisation – und immer wieder ist die Kirche hiefür das schlagendste Beispiel – errichtet worden ist.

Ob nun aber mehr oder minder traumhaft, das Wertsystem, das sich solcherart im Sozialen etabliert hat, besitzt seine Realitätsgrundlage in den von ihm umfaßten Trieben und Triebauslebungen, allein, es gibt diesen Triebauslebungen seinerseits die ihm genehme Wertform, d. h. es schreibt ihnen ihre Auslebungsform vor; vom jeweiligen Wertsystem und seiner Moral her wird z. B. bestimmt, wie weit die Triebe unsublimiert oder sublimiert, wie weit sie individuell oder kollektiv befriedigt werden dürfen. Soziale Organisation ist Trieborganisation; die Triebe haben sich mit ihrem Anspruch auf Befriedigung unbedingt der Axiomatik des Systems und deren Deduktionen zu fügen, und nur durch Einfügung in diesen deduktiven und rationalen Rahmen wird der Anspruch legitimiert, wird er zum »gerechten« Anspruch. D. h., daß anstrebungswürdige und anstrebbare Wunschbefriedigungen kraft der Selbstplausibilität und Evidenz ihrer Anstrebungswürdigkeit und Anstrebbarkeit zu einem Rechtssystem und damit zu einer Moral der erlaubten Triebauslebungen hinstreben, ja, daß die Deduktionen, mit denen solche Evidenz sich zu Bewußtsein bringt und bekräftigt, von einer – allerdings geheimnisvollen – Axiombasis ausgegangen sein dürften, die mit der des jeweiligen Rechtsbewußtseins wenn schon nicht identisch, so doch aufs innigste verknüpft ist. Es ist dies eine Vermutung, die gerade angesichts der sozialen Gruppierungen besonders an Wahrscheinlichkeit gewinnt. Denn jede soziale Gemeinschaft empfängt ihre eigentliche Daseins-Realität von den Rechtsprinzipien, nach denen sie lebt. Wie immer das Wertsystem konstruiert sein mag, welches sich sozial etablieren will, es verlangt, daß seine Bewertungen und Vorschriften als »gerecht« anerkannt werden, und wie immer das System sich als soziale Organisation konkretisiert, in ihrem Mittelpunkt steht eine bestimmte Gerechtigkeitsidee.

Kapitel 4:
Rechtsprechung und neuer Menschentyp.
MENSCHENRECHT UND IRDISCH-ABSOLUTES

Vorbemerkung

Für das vorliegende Kondensat war es nicht notwendig, auf die hinter ihm stehenden psychologischen und erkenntniskritischen Theorien im Detail einzugehen; es genügte sie anzudeuten und ihre systematische Ausführung der künftigen Gesamtdarstellung zu überlassen: hier nimmt die politische Analyse den Vordergrund ein. Indes, auch in dieser mußten, um ihrer Nüchternheit willen, einige Faktoren möglicher Entwicklung unberücksichtigt bleiben, so z. B.

daß es psychopathologische Eruptionen in dem von den Massen abhängigen politischen Leben gibt, und daß sie in ihrem unvorhersehbaren Auftreten die normale Abnormalität des Menschen noch abnormaler machen können;

daß im Gegensatz hiezu den Menschen wieder die Gnade echter Religiosität gewährt wird, und daß sie infolgedessen befähigt werden, ihre Geschäfte auf Grund einer absoluten und dauerhaften Moral zu betreiben;

daß die asiatische Weisheit einen weit größern Anteil als je zuvor in der Weltführung gewinnen wird, da der abendländische Geist mit der Entdeckung der Atomspaltung sowohl im Guten wie im Bösen seine endgültige Leistung erreicht zu haben scheint;

daß es jedoch unabhängig davon der Wissenschaft noch gelingen wird (ob nun mit oder ohne Anwendung der Atomenergie), die Wüsten und andere unfruchtbare Landstriche nutzbar und zu Siedlungsräumen zu machen, andererseits aber chemische Nahrungsmittel in jeder beliebigen Menge billig zu erzeugen, und daß damit eine der nach wie vor wirkenden Hauptursachen von Kriegen, nämlich die Sicherung der Ernährung in Wegfall kommen mag;

daß die durchschnittliche Lebensdauer und Jugendlichkeit des Menschen auf 150 Jahre erhöht wird, ohne daß darum Überbevölkerung einzutreten braucht;

daß die Menschen überhaupt vernünftig werden;

daß trotz alledem die Atombombe oder sonst irgend ein Mordinstrument, dem es gegeben ist, die gesamte Zivilisation und hiezu etwa ein Drittel der Menschheit mit einem Schlage zu vernichten, plötzlich aktiviert wird, einfach weil der Turmbau von Babel für ewig unvollendet bleiben muß.

Das sind durchaus mehr oder minder mögliche Fakten, und ihre Liste ist fortsetzbar.

Und da jede einzelne dieser teils optimistischen, teils pessimistischen Möglichkeiten alle bisherigen sozialen Prämissen über den Haufen wirft, braucht derjenige, der an ihr baldiges Eintreffen glaubt, sich mit der Gesamtmaterie nicht weiter zu befassen, sondern darf die bequeme und – vorausgesetzt daß er nicht atom-furchtsam ist – sogar heitere Rolle des bloßen Zuschauers wählen, der die Weltereignisse einfach vor sich ablaufen läßt. Und er hätte auch alles Recht, die nachfolgenden Ausführungen als überflüssig zu erachten.

A. *Anarchie und Versklavung*

I. *Das Irdisch-Absolute*

1. *Der politische Orientierungspunkt: das Menschenbild*

Alle Politik hebt beim Menschen an; sie wird von ihm, für ihn und oftmals gegen ihn betrieben. Um über Politik sprechen zu können, muß man eine Vorstellung vom Menschen haben; sonst spricht man über eine leere Mechanik.

Der Mensch mag die Gottes-Existenz leugnen, aber niemals daß seine eigene deren Ebenbild ist. Seitdem es ihm dämmernd aufgegangen ist, daß etwas Absolutes in ihm wirkt, die Logik seines Denkens, die ihm auferlegt ist, das Bewußtsein seines Ichs, das Bewußtsein des in seinem Gedächtnis geordneten zeitlichen Ablaufes, das Bewußtsein des Nichts und des Unendlichen, beides unbegreiflich, dennoch von stärkster denkerischer Existenz, hat er die Existenzquelle hiezu in etwas verlegt, das über ihm lebt, und das er mit dem Namen Gottes, freilich ohne ihn aussprechen zu dürfen, zu bezeichnen wagte. Und seitdem dies erstmalig geschehen war, wußte er, daß die Ebenbildhaftigkeit eine Verpflichtung darstellt, der er nicht gewachsen ist. Der Mythos vom goldenen Zeitalter, der Mythos vom verlorenen Paradies, das wiederzugewinnen es gilt, läuft bis zur Aufklärung, läuft bis zu Rousseau und Marx, und es ist der Mythos des schlechten Gewissens; der Mensch weiß, wie schlecht er sich benommen hat und vor allem wie grundschlecht die von ihm geführte Politik gewesen ist.

Augustins Meta-Politik wollte Wesen, Ziele und Mittel der Politik aus der Ebenbildhaftigkeit ableiten; er hat also beim positiven Pol angefangen und ist praktisch damit gescheitert, genau so wie Platos ähnliche Absichten hatten scheitern müssen. Nichts nämlich im Reich der Dinge läßt sich positiv definieren, und am allerwenigsten lassen sich moralische Verhaltensweisen aus dem Absoluten ableiten; von den Zehn Geboten sind alle außer jenen, die sich unmittelbar oder mittelbar – hier aber schon mit der irdischen Zusatzbegründung »auf daß es dir wohl ergehe« – dem Absoluten zuwenden, vom »negativen Pol« aus bestimmt und heißen: »Du sollst nicht.«

In allem politischen Handeln, besonders wenn es gesetzgebend wird (wohin es ja zielt) steckt ein »Du sollst« und »sollst nicht«, und weil das (ohne darum immer Moral zu sein) strukturell dem Moralischen angenähert ist, haben alle an die Politik gerichteten Vorschriften beim »negativen Pol«, beim »Übel« anzuheben. Diese Wendung wurde bereits von Rousseau vollzogen, und bei Marx tritt sie völlig klar zutage, da er durch Abschaffung der Ausbeutung, die für ihn das Ur-Übel ist, den Menschen ins Paradiesische zurückversetzen will.

Kurzum, ohne zu wissen was der Mensch sein sollte, läßt sich kaum über Politik sprechen, aber konkret läßt sich erst darüber sprechen, wenn man weiß, was der Mensch nicht sein soll, nicht sein darf.

2. Biologische Wurzeln

Ob das Tier echte Freiheitstendenzen besitzt, ist trotz vieler Untersuchungen und Experimente vorderhand noch ungeklärt: es versteht sich, daß ein gefangenes Tier ausbrechen und in seine »natürliche«, d. h. in seine ihm triebhaft vorgezeichnete Lebensordnung zurückkehren will, ja daß sich Reste hievon sogar noch bei den Haustieren vorfinden lassen, doch ein solches Streben zur Rückkehr in die Natur-Ordnung ist kaum noch Freiheits-Tendenz zu nennen, vielmehr müßte es hiezu noch eine spezifische Haltung geben, also eine, welche über die beobachtbare Natur-Ordnung hinausreicht und sie aus »Freiheitsinstinkt« zu verändern trachtet. Etwas Derartiges ist bisher noch nicht festgestellt worden, und es ist fraglich ob es überhaupt feststellbar ist. Gewiß, in den Sozialverbänden der Tiere – also dort wo deren Freiheitsstreben am sichtbarsten werden müßte – gibt es immer wieder Einzelgänger: hat aber der Hirsch, der im Begattungs-Kampf gegen seine jüngeren Konkurrenten nicht mehr aufkommen kann, plötzlich seine Freiheitsliebe entdeckt? ist die Sucht nach dem einsamen Sterben, die dem alten Elephanten nachgesagt wird, als Freiheitstendenz zu bezeichnen? Allerdings, wer dies durchaus zu bejahen wünscht, darf darauf hinweisen, daß es angeblich vornehmlich männliche Tiere sind, welche sich isolieren, so daß das als (immerhin schwacher) Beweis für die Männlichkeit der Freiheit genommen werden kann.

Immerhin, irgend etwas von dem Wunsch in eine, in seine natürliche Ordnung zurückkehren zu dürfen, hat sich sicherlich auch im Triebleben des Menschen erhalten und bildet einen Teil seines Freiheitsstrebens: er weiß nur nicht welchen Teil, und er weiß nicht, wird es niemals wissen, wie jene natürliche Ordnung beschaffen war; er weiß nicht, wonach er sich sehnt, weiß es noch weniger als das Haustier, das eben doch manchmal »verwildert« und so in einen einstigen Naturzustand zurückkehrt, während es für den Menschen nichts dergleichen gibt: selbst für den Primitiven, den »Naturmenschen«, ja für diesen erst recht ist die »Zivilisation«, in der er sich befindet, mit seiner Menschennatur identisch geworden; auch ein freiwilliger Robinson Crusoe kehrt nicht »zur Natur« zurück, sondern vertauscht bloß eine Zivilisationsform mit einer andern.

Dem freilebenden Tier kann als »Naturrecht« zugestanden werden, daß es nicht aus seiner Ordnung herausgerissen, nicht gezähmt und dressiert, ja nicht einmal domestiziert werden darf; mit andern Worten, ein Parlament der Tiere könnte zu deren Freiheit eine »natürliche« Rechtsgrundlage, ein »Naturrecht« finden. Wollte man von hier aus per analogiam auf den Menschen schließen, so hieße das nur, daß man ihn nie und nimmer aus seiner jeweiligen Zivilisation herausreißen und in eine andere versetzen dürfe. Das wäre ein echter naturrechtlicher Satz (auch wenn er bloß aus einem Analogieschluß gewonnen ist), und sein Inhalt inkludiert allerlei von weittragender Bedeutung, z. B. daß man am Menschen nichts verüben darf, was selbst dem Tier gegenüber verboten wäre. Nichtsdestoweniger: der Bereich der menschlichen Freiheit reicht weit darüber hinaus, und vom Biologischen her läßt sich kein Naturrecht für sie konstruieren.

3. Das Ungeheuerliche der menschlichen Freiheit

Menschliche Freiheit gibt es bloß im sozialen Verband in Auflehnung gegen den sozialen Verband. Und eben darum ist sie von vorneherein »unnatürlich«. Denn gleichwie das Tier aus triebhaften und praktischen Gründen das Nebentier braucht, so braucht der Mensch den Nebenmenschen. Trotzdem will er mit allen Fasern seines Seins eine soziale Ungebundenheit, die offenbar gegen alle noch so stichhaltigen triebhaften oder praktischen Moventien durchgesetzt werden soll, so daß daraus Konfliktsituationen entstehen, die dem Tier und seiner Natürlichkeit völlig fremd sind.

Auch dem primitiven Menschen ist Freiheit als individuelle

Ungebundenheit noch fremd. Er kennt kein anderes Leben als das innerhalb des Stammes, ja Ausschluß aus dem Stamm bedeutet ihm Hinwelken und Tod, und wenn es in seinem noch dämmernden Ich-Bewußtsein ein Streben nach ungebundener Freiheit gibt, so meint er die Ungebundenheit des ganzen Stammes, eine Grundhaltung der meisten primitiven Jägervölker. Das Erwachen des Ich zur individuellen Freiheit, zu individueller Ungebundenheit ist daher ein schreckhaftes, fast möchte man sagen amokhaftes Erlebnis, da es strukturell einer Ausschließung aus dem Stamm gleichkommt und genau wie diese mit Furcht und Entsetzen quittiert wird; es ist das Erwachen zur Einsamkeit des Ich, und seine furchterfüllt amokhafte Ungebundenheit ist auch noch in der »zivilisierten« Gesellschaft, nämlich in der Entwicklung ihrer Jugendlichen sichtbar, freilich nur echogleich harmlos und nur selten zu wirklichen Ausbrüchen führend.

Aber als vor dreitausend Jahren der all-umfassende Satz »Gott schuf den Menschen nach seinem Ebenbilde« gedacht und niedergeschrieben wurde, da war für den ungeheueren Geist, der dies tat, die Entwicklung zur absoluten Einsamkeit des Ich bereits vollendet, denn dieser Satz, der die gesamte idealistische Philosophie des Abendlandes von Plato bis zu Descartes und bis zu Kant vorwegnahm, ist eben in der Autonomie des Bewußtseins begründet, in der Autonomie eines Denkens, das über sein eigenes strenggebundenes Sein erstaunt und zugleich auch weiß, daß es in seiner unbrechbaren Abgeschiedenheit bestimmt ist, alles Sein in sich aufzunehmen: das Gefäß der Welt, ihr schöpferischer Spiegel, ohne den sie dem Menschen nicht vorhanden wäre, die Erkenntnis, in der die Welt immer wieder zum ersten Mal ersteht. Indem Gott den Menschen in seinem Ebenbild erschaffen hat, läßt er ihn die Weltenschöpfung unaufhörlich wiederholen, hat er der Erkenntnis diese Schöpfungspflicht für ewig aufgetragen, vereinigt er des Menschen Erkenntnis mit seiner eigenen: und der Mensch, der solcherart in seiner Erkenntnis Gott wiedererkannt hat, demütig sich selber als das Geschöpf des Schöpfers erkennend, erkennt damit auch die fürchterliche Pflicht zur Freiheit, die er mit seinem Schöpfer teilt. Kein Zweifel, mit der Formulierung der Ebenbildhaftigkeit wurde der Prometheus-Gedanke in einer Weise zu Ende gedacht, zu der die griechische

Mythologie niemals fähig war.

Es ist ein ungeheuerer und ungeheuerlicher Gedanke, denn er bringt das Feuer der unbeschränkt göttlichen Freiheit ins Irdische, fürchterlich folgerichtig und hart wie der alttestamentarische Gottesgedanke selber. Und mit dieser Folgerichtigkeit wird dem Menschen prometheisch etwas gegeben, was kein Tier besitzt, das Streben nach absoluter Ungebundenheit, so daß er über die geschaffene Natur und ihre Ordnungen hinausgehoben wird, obwohl er mit seinem Körper ihnen unentrinnbar verhaftet bleibt, und obwohl sie ausschließlich kraft seiner Erkenntnis manifest sind: ungezähmt ist das Feuer in der irdischen Natur, ist Vulkan und Blitz, ist immer ihr Widersacher, und ungezähmt ist die Freiheit in der Menschenseele, ist Vulkan und Blitz, so daß er, des Feuers Hüter, immer wieder daran verbrennt, sein Fluch, dennoch seine Gnade. Kein Naturrecht kann solchen Gnadenfluch verbürgen, nur das göttliche Recht war hiezu imstande.

Seit der Vertreibung aus dem Paradies sind die Ebenbilder Gottes eine unerfreuliche Rasse, unerfreulich für ihren Schöpfer, unerfreulich füreinander, denn in ihrem Auge und vielleicht nur da hat sich etwas von der schöpferischen Untrüglichkeit des göttlichen Blickes erhalten. Vor allem sind sie gottverlassen dumm und gleichen darin dem Teufel, mögen sie auch besser als er um die eigene Dummheit wissen. Und besonders dumm sind sie seit dem Turmbau von Babel. Wo immer es zwei verwechselbare Begriffe gibt, da greifen sie gierig danach. Also glaubten sie das göttliche Recht durch ein Naturrecht ersetzen zu können, vergessend, daß sich Geoffenbartes durch nichts ersetzen läßt, vergessend, daß das Naturrecht bestenfalls so weit wie die Naturerkenntnis (also ins Biologische und Psychologische) reicht, ansonsten aber ein unsichtbares Imitationsgebilde ist, das irgendwo im luftleeren [Raum] schwebt.

4. Das Anarchische in allem Sozialgetriebe

Freilich ist damit der »negative Pol«, von dem aus Politik zu betrachten oder gar einigermaßen zu durchschauen und infolgedessen mehr oder weniger konstruktiv zu behandeln ist, noch nicht umrissen. Aber das mag gelingen, wenn das grundsätzlich Anarchische im menschlichen Freiheitsstreben erkannt wird.

Denn im Bewußtsein seiner Ebenbildhaftigkeit will der

Mensch der irdische Gott sein. Er lehnt sich grundsätzlich gegen jeglichen Zwang auf. Im Unterschied vom Tier, das die ihm vorgezeichneten Natur-Ordnungen voll akzeptiert, empfindet er die seinen als einen Kerker, aus dem es auszubrechen gilt: und das ist geglückt; sogar seine biologischen Kerkerstäbe hat der Mensch gesprengt, indem er die Natur übermannte und sich dienstbar machte. Und im Unterschied vom Tier, das (außer im Geschlechtskampf) das Nebentier gleicher Gattung oneweiters akzeptiert, ist dem Menschen der Nebenmensch, obwohl er ihn braucht, eine konstante Last und eine Bedrohung seiner Ungebundenheit: das Streben nach absoluter Ungebundenheit entfesselt jenen Kampf aller gegen alle, der als latente Anarchie innerhalb jeder sozialen Gemeinschaft tobt, zwar geduckt, dennoch unablässig vorhanden. Im Unterschied vom Tier ist der Mensch anarchisch –, er ist das »anarchische Tier«.

Und das Anarchische ist nicht auf den Einzelmenschen und sein Gehaben beschränkt. Unfähig, ohne den Nebenmenschen auszukommen, unfähig also, seine anarchischen Tendenzen voll auszuleben, ist der Mensch zu Assoziierungen gezwungen, die teils eine vorwiegend triebhafte Basis haben (wie etwa die Ehe), teils vorwiegend vernunfthaft konstruierte Zweck-Institutionen sind (wie etwa eine politische Partei), teils jedoch auch mystisch-kultischen Ursprung haben (wie etwa Religionsgemeinschaften), immer aber alle diese Moventien und daneben noch andere in verschiedener Mischung gleichzeitig enthalten. Und möge die Vernunftbeimischung noch so groß sein, selbst die zweckbetontesten Institutionen sind von Menschen errichtet, werden von Menschen betrieben und sind daher von deren anarchischen Tendenzen durchsetzt: jede Institution wünscht (gleich dem Individuum) völlige Ungebundenheit in ihrem Handeln, wünscht uneingeschränkte Machtentfaltung sowohl gegenüber ihren Angehörigen als auch – und gerade daran zeigt sich ihr anarchischer Charakter – gegenüber sämtlichen Neben-Institutionen, obwohl sie diese (nicht anders wie der Mensch den Nebenmenschen) vielfach zur eigenen Existenzhaltung braucht, und obwohl sie daher mit ihnen Assoziierungen höherer Ordnung, also »Kombinations-Institutionen« (von denen der Staat eine ist), einzugehen genötigt ist.

Gewiß läßt sich sagen, daß sich auch ebenso des Menschen Ebenbildhaftigkeit in seinen Institutionen spiegeln müsse, und gewiß tut sie das, nur daß sie hier noch wirkungsloser, noch insignifikanter ist: gerade an den Institutionen (und selbst an den kirchlichen) zeigt sich, daß die Ebenbildhaftigkeit ausschließlich eine innere Qualität des Menschen ist, und daß für das Außengetriebe kaum etwas anderes als das Anarchische – für das sie mitverantwortlich ist – in Betracht kommt. Politik aber ist die Mechanik dieses Außengetriebes.

5. Politik

Ebenbildhaftigkeit und Anarchie, in dem einen der positive, im andern der negative Pol des Weltgetriebes, sie spiegeln beide den Schöpfungsvorgang, jene wie er am siebenten, hingegen diese wie er vor dem ersten Tag, also im Zustand des Tohuwabohu ausgeschaut hat. Im Phänomen der Politik hat sich offenbar ein Rest der Vor-Schöpfung erhalten.

Würde es nämlich in dem Kampf aller gegen alle, der eben nicht nur zwischen den Individuen, sondern auch zwischen ihnen und den Institutionen sowie zwischen diesen untereinander vonstatten geht, sich lediglich um vernünftig zweckhafte Interessen handeln, so könnte Politik in altgewohnter Weise als die Mechanik des Interessen-Ausgleiches definiert werden, wäre ein vernunfthafter Prozeß und könnte nicht jenen hoffnungslos anarchisch-chaotischen Aspekt haben, in dem sich zwar ein paar Partialzwecke, ansonsten jedoch nur Sinnwidrigkeiten wahrnehmen lassen. Gerade das aber ist der richtige Aspekt, denn obschon auch recht viele vernunfthafte Interessen im Spiele stehen, und obschon manche von ihnen, trotz des Strebens nach unbeschränkter Geltung, das ihnen gleichfalls zukommt, hie und da einen vernünftigen Ausgleich gestatten, sie sind doch, ob Individuum oder Institution, viel zu sehr im Triebhaften eingebettet, viel zu sehr mit den nach völliger Ungebundenheit hinstrebenden, dunkel-irrationalen Trieben verquickt, um im Gesamtgeschehen wirklich richtunggebend wirken zu können. Wenn dies stellenweise und meist nur für kurze Zeit dennoch geschieht, wenn Kriege vermieden werden und ein Land ohne allzu schwere innere Störungen sich seiner Prosperität erfreuen darf, so erscheint das fast wie ein glücklicher Zufall, der sozusagen gegen das Wesen der Politik eingetreten ist: gewiß möchte Politik in dem Kampf aller gegen alle die Führung übernehmen, gewiß möchte sie – manchmal, keineswegs immer – vernunftgemäße Ausgleiche schaffen, doch da sie selber aus dem Kampf herausgeboren ist, wird sie weit mehr von ihm bestimmt als sie ihn zu bestimmen vermag; wäre sie bloß Ausgleich von Interessen, so könnte sie vernünftig sein, aber gezwungen, sich um den Ausgleich anarchischer Tendenzen zu bemühen, nimmt sie selber anarchische Züge an.

Weil dem so ist, haben alle Analysen der Politik, welche ihre Richtungslosigkeit anerkennen und sie als einen um die Macht selber geführten Machtkampf nehmen – so Machiavelli, so Clausewitz –, den Vorzug der Richtigkeit für sich; sie begnügen sich, die Mechanik des Kampfes aufzuzeigen und betreiben damit praktische Psychologie. Und mit einigem mystischem Optimismus könnte man es sogar dabei bewenden lassen, denn schließlich ist die Welt trotz all ihrer politischen Misère und trotz des von ihr verursachten menschlichen Leidens ihren Weg weitergegangen und besteht auch heute noch. Ja, es wäre sogar zu behaupten, daß jeder der großen Versuche zum Zustandebringen einer schöpferischen Politik, angefangen mit dem Christentum bis zum Marxismus, im letzten dem chaotischen Kampf noch neue Nahrung zugeführt hat, umsomehr Nahrung je größer der Versuch war. Ist es da nicht richtiger, sich mit der ohnehin unvermeidlichen Alltags-Nahrung zu bescheiden und weiter – mit mystischem Optimismus – jener Alltags-Politik zu vertrauen, deren Ausgleichs-Bemühungen den Kampf wenigstens in seinen ärgsten Schärfen zu mildern versprechen? Ist der Ruf nach einer neuen schöpferischen Politik nicht einfach Panik, die wie jede, auch wenn sie als Atom-Panik berechtigt erscheint, bloß von Schaden sein kann?

Niemand wird die Berechtigung der Atom-Panik anzweifeln wollen. Und doch steckt etwas Unechtes, man möchte fast sagen Intellektualisiertes in dieser Panik. Es ist als ob der Mensch zwar fühlt, daß das Tohuwabohu der Politik einen Grad erreicht hat, der tatsächlich dem absoluten Nullpunkt der Vorschöpfung, ihrer Ent-menschtheit, ihrer Ent-seelung gleichzusetzen wäre, daß er aber davon nichts wissen will, nichts wissen darf, weil es ihn allzusehr aus der gewohnten Bahn seines sogenannten Denkens, oder richtiger seiner Meinungen und angeblichen Überzeugungen (nicht zuletzt auf politischem Gebiet) herauswürfe, und daß er deshalb sein Unbehagen auf ein außer-politisches Zukunftsfaktum, die Atombombe projiziert, nur um vor dem bereits Gegenwärtigen die Augen in althergebrachter Gleichgültigkeit schließen zu können; – trotzdem weiß er es: aus dem Chaotischen entspringt des Menschen Versklavung, und aus dem absoluten Chaos entspringt absolute Versklavung. Das ist der »negative Pol«, den wir heute erreicht haben.

6. Versklavung

Das Phänomen der Versklavung ist weniger sensationell als das der Atombombe. Und im Gegensatz zu diesem regt jenes die Phantasie nicht an. Wer nicht selber versklavt ist, sieht die Versklavung des andern kaum, bemerkt sie höchstens als eine Art Belästigung, und am allerwenigsten kann er sich die Möglichkeit seiner eigenen Versklavung vorstellen; die Atombombe, von der man während der Bürostunden erschlagen und zu Nichts aufgelöst werden wird, ist eine so gruselige, so heroische und zudem so bequeme Vorstellung, daß daneben jedwedes Versklavungs-Phänomen, sei es nun eines im eigenen Lande, sei es in den südafrikanischen Kupferminen und Diamantenfeldern, sei es in den Konzentrationslagern der fascistischen und totalitären Terror-Maschinen, chimärisch verschwindet. Und doch ist all das und noch vieles mehr in gräßlichster Weise bereits vorhanden.

Der Durchschnittsbürger hält sich für unbeschreiblich gut; daß er, getrieben von seinem Wunsch nach absoluter Ungebundenheit, den Nebenmenschen unausgesetzt versklaven will, dringt nicht in sein Bewußtsein. Daraus folgt, daß er seine unbeschreibliche Güte allüberall in den Sklavenhalter projiziert, da er sich immer mit diesem, nie mit dem Versklavten zu identifizieren sucht; unglaubhaft ist es für ihn, daß Versklavung so arg sein könne. Das ist ein Teufelsmechanismus – allzeit funktionierend in der dämonischen Vertauschbarkeit der sadistischen und masochistischen Effekte –, und er ergreift sogar den Versklavten selber: die vielgerühmte und doch so sonderbare Sklaventreue, die Identifikation mit dem harten Herrn war während der Hitler-Periode in ganz Deutschland gang und gäbe, ja selbst bei den gelb-besternten Juden war sie bemerkbar, und sie setzte sich, vollends grotesk, bis in die Konzentrationslager fort, in denen die gefolterten Insassen sich mit ihren SS-Peinigern identifizierten. Das radikal rosige Weltbild des Bürgers ist hier, gerade wegen seiner rosigen Verlogenheit, ins radikal Höllische umgeschlagen.

Daß der rosige Mechanismus mit je größerer Komplexheit des Sozialapparates, in dem er sich befindet, gleichfalls komplexer wird, ist selbstverständlich; daß er jedoch dabei auch gefestigter wird, ist bemerkenswert, besonders da sich daran die Unbewußtseins-Qualitäten des ganzen Prozesses exemplifizieren. Denn die Güte-Projektion wird bloß gegenüber demjenigen geübt, der seine Stärke bereits bewiesen hat, während jeder andere, vor allem jeder offenkundig Schwächere, als Versklavungs-Objekt in Betracht kommt und daher von vornherein als ungütig und schlecht erachtet wird. Und von hier aus wird ein zweiter Mechanismus in Funktion gebracht: einerseits spürt und weiß der Bürger vermöge solcher Ungüte-Projektion recht genau, daß die meisten Nebenbürger, mit denen er zu tun hat, ihn zu unterjochen wünschen, daß er aber davor durch eine ganze Reihe von Institutionen (bis hinauf zum Staat) weitgehend geschützt ist, und andererseits spürt und weiß er, daß sie darin miteinander konkurrieren und daher sich gegenseitig an der Ausübung von Vollversklavung verhindern. Gewiß, die Fülle der Institutionen, die mit ihren Forderungen an den Bürger herantreten, beängstigt ihn und macht ihn seelisch unsicher; hingegen gewinnt er aus ihrer Konkurrenz – und es ist der Vorzug wohlausgewogener Demokratien gerade, diese Institutions-Konkurrenz weise auszunützen – die (allerdings negative) Sicherheit der Nicht-Versklavung, gewinnt sie so sehr, daß ihm nun nicht nur erst recht die Schrecken der Voll-Versklavung, sondern mit ihnen auch die der Fascismen und Totalitarismen restlos unvorstellbar werden, und daß daher kein Bedenken ihn mehr abhält, diese heraufzubeschwören: sie dünken ihn harmlose Zusatzsicherungen für seine rosige Welt.

Unzweifelhaft steckt ein Stück Sklaventum und Versklavungswillen in jeder sozialen Ordnung, denn sie bildet ja das jeweilige Ausgleichsresultat des von der Politik dirigierten Kampfes zwischen den anarchischen, versklavungssüchtigen Gesellschaftskräften. Und unzweifelhaft ist die von der Demokratie angestrebte Aufteilung in eine Reihe von Partialversklavungen verhältnismäßig noch das vorteilhafteste Resultat, mag ihm auch immer – durch keine noch so minoritätsfreundliche Wahlrechtstechnik korrigierbar – der Nachteil anhaften, daß eine allzu ausgeprägte, allzu stabile Majorität den Einfluß ein-

zelner Kraftkonstellationen und -institutionen über Gebühr
begünstigte. Keinesfalls jedoch läßt sich einwenden, daß viele
kleine Versklavungen dem Gewicht einer großen Gesamtver-
sklavung entsprächen; ihre gegenseitige Bindung verhindert,
daß ihre Summe, und sei sie noch so schwer erträglich, in völliger Ungebundenheit wirke. Diese wird erst dann entfesselt,
wenn einzelne Institutionen oder Individuen dank einer besondern Machtkonstellation (die auf Waffenstärke, Überzahl,
Bündnisse oder sonstwelche Umstände sich zu gründen vermocht hat) eine Siegerstellung im Versklavungskampf erringen, d. h. die Autonomie der verschiedenen Institutionen im
Sozialkörper brechen und sie sich der Reihe nach dienstbar machen. Bis zu einem gewissen Grad geschieht das in jeder Revolution, indes – wie Lenin mit dem Hohn der Folgerichtigkeit
bemerkte – Revolutionen dürfen nicht bei einem gewissen
Grad stehen bleiben, sie müssen totalitär werden; sie müssen
den ganzen Institutionsapparat des Landes in die Hand bekommen und mit ihm verfahren wie ein Siegerstaat, der nach ge-
wonnenem Krieg den geschlagenen Feind in sklavische Abhängigkeit bringt. Damit erst wird vollkommen freie Ungebundenheit errungen. Und damit erst wird Voll-Versklavung erzielt,
freilich nicht bei den Institutionen (die eben nur abstrakte Gebilde und Instrumente sind), wohl aber durch sie bei ihren Angehörigen: versklavt kann bloß der Mensch als solcher werden.
   Das dem Bürger Unvorstellbare ist Ereignis geworden; die
Voll-Versklavung ist eingetreten, und das Konzentrationslager
(ob mit oder ohne Gaskammer) ist ihr Symbol, zugleich aber
auch Symbol für das anarchische Chaos in der Politik dieser
Zeit. Denn das eine gehört zum andern.

7. Das Irdisch-Absolute

Und hier scheint die absolute Grenze der menschlichen Moral
gesetzt zu sein: die im Konzentrationslager so gräßlich paradigmatisch verkörperte Voll-Versklavung darf nicht stattfinden.
Und wahrlich, man muß sich nicht auf die göttliche Natur des
Menschen und seine Freiheit berufen, um zu wissen, daß er in
solcher Versklavung nicht nur auf die Stufe des Unter-Mensch-
lichen, sondern sogar des Unter-Tierischen herabgedrückt
wird, daß hier etwas geschieht, das nicht einmal gegen das Tier
verübt werden darf, kurzum, daß der »negative Pol« erreicht

worden ist, an dem sogar gegen das »biologische Naturrecht«, wenn man es so nennen darf und es als solches anerkennt, verstoßen wird.

Ist dieser Satz genügend befestigt, um nicht von den verschiedenen Sklavenhaltern (oder jenen, die es waren und wieder werden können) als bourgeoise oder auch als jüdische Sentimentalität oder als imperialistische Heuchelei abgetan werden zu können? Mit andern Worten, hat die Berufung auf das »Irdisch-Absolute« wirklich absoluten Gehalt? Gibt es überhaupt ein »irdisch Absolutes«?

Von diesen Fragen läßt sich mit Exaktheit bloß die letzte beantworten, und zwar bejahend beantworten. Denn die neue Physik hat eine ganze Reihe von Fakten zutage gefördert, denen allesamt der Charakter empirischer Absolutheit unzweideutig zukommt. Bereits im 19. Jahrhundert wurde der absolute Nullpunkt jeder möglichen Abkühlung entdeckt; die Relativitätstheorie hat die Nicht-Überschreitbarkeit der Lichtgeschwindigkeit für physikalische Vorgänge festgesetzt; die Atom- und Quantentheorie ist daran, Minimalquanten, die keine weitere Zerteilung zulassen, für Materie und Energie (die ja keine getrennten Phänomene mehr sind) aufzuweisen; makroskopisch gewinnt die Annahme eines begrenzten Weltalls mehr und mehr an gesichertem Boden und wird ihr Ziel mit der Angabe der kosmischen Maximalausdehnungen erreicht haben. In all diesen Fakten handelt es sich um absolute Unüberschreitbarkeit oder Ununterschreitbarkeit.

Und alle diese Fakten bilden Widerlegungen der rein logischen Spekulation, die noch im 19. Jahrhundert eine prävalente Rolle in den Naturwissenschaften gespielt hat. Denn »logisch« ist es nicht einzusehen, warum nicht jedes Maß, sei es von Temperaturen, sei es von Geschwindigkeiten, sei es von Raum- und Materieausdehnungen, beliebig, also bis ins Unendliche über- oder unterschritten werden soll. Auch andere Festsetzungen der reinen Spekulation, so die der Äther-Existenz (als logisch »notwendiges« Wellen-Medium) haben fallen müssen. Das heißt nun nicht, daß fortab die Logik aus dem Forschungsvorgang der Naturwissenschaften ausgeschaltet sei; im Gegenteil, zur Widerlegung ihrer Fehlresultate gehörte erst recht eine scharfe logische Beweisführung, freilich eine mit weitaus komplizierteren und vorsichtiger gefaßten Prämissen, als es die vorher üblichen gewesen sind.

Vor allem wurde – und das ist der Relativitätstheorie zu verdanken – mit der Prämisse der klassischen »Guckkasten-Physik« gebrochen: der Beobachtungsakt erwies sich selber als physikalisches Faktum, das seinen Anteil am Beobachtungsresultat hat und daher mit in das Beobachtungsfeld introduziert werden mußte. Daraus ergeben sich die neuen Absolutheitskonstanten wie das der unüberschreitbaren Lichtgeschwindigkeit und (außerhalb der Relativitätstheorie) die Erkenntnis von jenem Unsicherheitsfaktor, der die beobachtbaren Fakten zu Wahrscheinlichkeitsphänomenen macht. Und wenn dies auch eine »exakte« Unsicherheit, eine exakte, nämlich auf mathematischer Grundlage beruhende Wahrscheinlichkeit ist (also nicht die Unsicherheit und Wahrscheinlichkeits-Meinung des einzelnen empirischen Forschers), es ist damit doch die Menschengestalt in die exakten Wissenschaften eingeführt, allerdings nicht als Ebenbild Gottes und nicht als biologisches oder ökonomisches Wesen, sondern als ein abstraktes Gebilde, dem außer den Eigenschaften einer präzis bestimmbaren, präzis meßbaren physikalischen Beobachtungsgabe nichts Menschliches belassen worden ist und das daher als »physikalische Person an sich« bezeichnet werden könnte. Indes, man täusche sich nicht, die Abstraktionsbasis bleibt trotz alledem das Leben und der lebendige Mensch, und so ist er es auch, der im letzten als Träger der neuen »irdischen Absolutheiten« zu gelten hat.

Was im Gebiet der exakten Wissenschaften geschieht, kann auf weniger exakte Gebiete höchstens analogiehaft (also gleichfalls unexakt) übertragen werden, und wer derartiges unternimmt, hat sich ins alte Gefahrenfeld der Analogieschlüsse begeben: wer keine Analogien in der Welt sieht, ist blind, doch wer mit ihnen zu operieren versucht, ist es erst recht; er wird eine Vetternschaft zwischen Dackel und Krokodil entdecken oder aber – auf höherer Stufe – ontologische Spekulationen anstellen, etwa über das Quantenhafte in Biologie und Physik, die manchmal auf etwas Richtiges hinweisen, zumeist jedoch völlig nichtssagend bleiben. Erst wenn das Analogische auf sach- oder erkenntnismorphologische (methodologische) Einheitswurzeln sich zurückführen läßt, wird es fruchtbar. Und so mag es auch als eine fruchtbare Hoffnung für den Menschen genommen werden, daß die gegenwärtige revolutionäre Erschütterung der

Gesamtwelt, einerseits die geradezu erdbebenhafte in allem äußern Geschehen, andererseits die sozusagen präzise Revolution im Zentralgebiet der Erkenntnis, in der Physik und in der mathematischen Grundlagenforschung, schier unzweideutig auf eine gemeinsame Wurzel hindeutet: die Erschütterung ist die der bisher unbedingten Plausibilität, ist die der Entthronung der bisherigen Absolutheiten, und das ist eine Annahme, die über das Analogische und die von ihm für gewöhnlich bevorzugten Indizienbeweise offenbar weit hinausreicht.

Nicht zuletzt scheint das auf das Gebiet des Rechtes anwendbar zu sein, da es – eine Ausnahmestellung in der Sphäre der Sozial-Erkenntnis und Sozial-Erforschung einnehmend – eine normative Formalwissenschaft ist, durchwegs auf Deduktionen beruht und daher eine gewisse Exaktheits-Verwandschaft mit den mathematisierten Wissenschaften besitzt. D. h., da wie dort ist der in den Sätzen der Schritt um Schritt sich weiterentwikkelnden Logik sichtbar werdende Logos die oberste Instanz, und während für die Naturerkenntnis der Formal-Prüfstein in der logischen Tochterwissenschaft kat'exochen, also in der Mathematik gegeben ist, bemüht sich die Rechtskunde um ein ähnliches, nicht minder logisches Formal-Gerüst, nämlich um ein »Recht an sich«, dessen Ur-Bestandteile unverkennbar dem Logos und dem ihm eng verbundenen göttlichen Recht (sowie der dazugehörigen Ebenbildhaftigkeit, ja sogar einer Ebenbildhaftigkeit an sich) voll-legitim entstammen. Mathematik wie »Recht an sich« sind legitime Abkömmlinge des Logos und seiner transzendentalen Absolutheit; sie sind beide diesem »positiven Pol« zugewendet, und aus ihnen beiden ist infolgedessen bloß die Formalstruktur des Erkennens zu gewinnen: wer vom transzendental Absoluten mehr fordert, mißbraucht es und gerät in Irrtümer, die Physik in Irrtums-Hypothesen wie die vom Äther und vom unbegrenzten Raum, dagegen die Rechtswissenschaft, oder genauer gesagt die Rechtsphilosophie in jene Freiheits-Spekulationen, die zwar an der Ebenbildhaftigkeit orientiert sind, aber auf Erden das Anarchische entfesselt haben.

Der Mensch ist zur Erde zurückverwiesen, ja mehr noch, er ist auf sich selbst zurückverwiesen worden, vielleicht sogar um die Erde zu retten, auf daß sie nicht noch weiter in ein mit Konzentrationslagern gespicktes und verziertes Industriegelände sich verwandle. Doch wenn er hiezu lediglich eine Umtaufung vornimmt, indem er das göttliche Recht einfach als Vernunftrecht bezeichnet (das wesensgemäß gleichfalls logos-abhängig wäre) oder es mit dem Namen Naturrecht belegt, ansonsten aber nach keinen neuen irdischen Inhalten fahndet, so hat er den Auftrag nicht erfüllt, sondern bloß eine überflüssige atheistische Demonstration exekutiert. Denn ein Naturrecht, das der Rückverweisung zur Erde, der Rückverweisung zum Menschen dienen will, muß Menschenrecht, ausschließlich Menschenrecht sein, irdisch, weil der Mensch ein irdisches, ein biologisches und psychologisches Wesen ist, dennoch um seiner Ebenbildhaftigkeit willen zugleich ein transzendental-verhaftetes Recht, wenn auch nur insoweit, als es mit dem »Recht an sich« in Einklang zu stehen hat. Gewiß wird sich auch aus den Sätzen dieses Menschenrechtes letztlich ein Bild des Menschen entwickeln, und gewiß wird es – gerade weil es unter der Kontrolle des »Rechts an sich« zustande kommt – sich letztlich mehr und mehr der Ebenbildhaftigkeit annähern, indes die ihr zugehörige menschliche Freiheit wird statt dogmatisch am Anfang nunmehr erst am Ende der Definitionsreihe stehen, ein Definitionsziel der unendlichen Annäherung, ohne je völlig erreicht werden zu können: sukzessive aus Rechtssätzen entstehend, von denen jeder einzelne vom empirischen Anlaß ausgeht und empirisch aussagt, was dem Menschen, sofern er Mensch bleiben soll, nicht angetan werden darf, wird sich von ihm ein juristisch-empirisches, also ein abstraktes Gesamtbild ergeben, etwa das einer abstrakten »Recht-erzeugenden Person an sich« (einer Recht-schaffenden und eben – wie die Sprache so schön vorwegnimmt – einer rechtschaffenen Person, nicht verwechselbar mit der »juristischen Person«), und gleich der analog konstruierten »physikalischen Person« wird sie, ungeachtet aller Abstraktheit, den Vorzug konkreter Irdischkeit, den Vorzug der fruchtbaren Empirie für sich in Anspruch nehmen können, denn gleich jener ist sie die Trägerin des »Irdisch-Absoluten«.

Und darum darf der Satz von der unbedingten Verwerflichkeit der menschlichen Versklavung als »irdisch absolut« gelten und an die Spitze des empirischen Menschenrechtes gestellt werden, eben jenes Menschenrechtes, ohne das schöpferische Politik für immer unmöglich bliebe. Denn da zur Aufgabe der Politik eben die Gesetzesschaffung gehört, steht sie mit diesem gesetzschaffenden Akt selber außerhalb der Gesetzessphäre, doch da Gesetze nicht nur politische Vereinbarungen und Kompromisse, sondern echtes Recht sein sollen, ein echtes Recht, das mehr ist als Ausdruck eines vagen Rechtsgefühles, ist für die Politik das »irdisch absolute« Menschenrecht der einzige Halt, der einzige, um vielleicht doch noch dem Chaos dieser Zeit beikommen zu können.

II. *Menschenrecht*

1. *Recht an sich*

Die Begriffe Gesetz, gesetzesverletzende Tathandlung und gesetzesschützende Strafe sind korrelativ; sie bilden ein logisches Deduktiv-System und sind als solches in einer abstrakten Sphäre, der des »Rechts an sich« beheimatet. Die Brücke zwischen dieser abstrakten Sphäre und der empirisch-konkreten, in der die gesetzesverletzenden Tathandlungen vor sich gehen, wird durch die Institution des »Gerichtes« gebildet: dem Gericht obliegt es, unter tunlichster Berücksichtigung aller Fehlerquellen, die in der empirischen Sphäre liegen, aus dieser einen »objektiven« Tatbestand zu gewinnen, also einen, der kraft solcher Objektivität fast selber abstrakte Struktur hat und infolgedessen an den abstrakten Gesetzesbestimmungen sich messen und »beurteilen« läßt, und die Besiegelung dieses Vorganges geschieht sodann in der »Urteilsverkündung«.

Das ist die Formal-Struktur der Rechtsprechung; sie ist in all ihren Phasen aus dem Begriff des Gesetzes (das ein bestimmtes soziales Verhalten – zumeist vermittels definierender »Verbote« – dem Menschen auferlegt) deduktiv ableitbar, und damit verbleibt sie im Rahmen des »Rechts an sich«. D. h., es wird in ihr nichts über den Inhalt der Gesetze, nichts über das Strafausmaß bei deren Brechung ausgesagt, wohl aber daß Strafen bloß bei gerichtsmäßiger Feststellung eines gesetzesverletzenden Tatbestandes verhängt werden können, und daß hiebei – Rechtsirrtümer und Fehlurteile beiseite gelassen – niemand außer dem überführten Täter unter Strafverantwortung für eine geschehene Gesetzesverletzung zu stellen ist. Und nebenbei ergibt sich aus dieser deduktiven Objekthaftigkeit des ganzen Sachverhaltes, in dem die Strafe eine geradezu automatische

Folge der Verletzung bestehender Gesetze zu sein hat, und daher dem Täter, obwohl Strafträger, eine beinahe abstrakte Rolle zugewiesen wird, daß einerseits vor dem Gesetz (und eben in seiner Abstraktionssphäre) »alle gleich« werden, und daß andererseits Unkenntnis des Gesetzes nicht vor Strafe schützt, denn ein abstraktes Gesetz, das bloß abstrakte Täter sieht, kümmert sich nicht um Tatmotive.

Wie drakonisch oder wie milde eine Gesetzgebung auch sein mag, wie groß oder wie begrenzt ihr Geltungsumfang, gleichgültig ob sie das ganze Volk oder bloß Ausschnitte, z. B. als Militär- oder Adelsrecht usw., umfaßt, es wären innerhalb dieses Umfanges sämtliche Rechtsbegriffe wie Gesetz, Gesetzesverletzung, Tat, Gerichte, Gerichtsverfahren usw. schlechterdings sinnlos, wenn vor dem Gesetz nicht alle gleich wären, wenn Gesetzesunkenntnis vor Strafe schützte, und wenn eine Strafe über einen verhängt werden dürfte, der kein bestehendes Gesetz verletzt hat. Das sind nicht Forderungen, die an das »Recht an sich« gestellt werden, sondern die Ergebnisse der von ihm vorgenommenen Sinngebungen: wo Recht gesetzt wird, da hat es die Struktur des »Rechts an sich« und akzeptiert seine formalen Sinngebungen.

Phänomenen wie der Sklaverei oder dem Konzentrationslager steht das »Recht an sich« neutral gegenüber; weder hat es etwas dagegen, daß sie als Mittel zum Strafvollzug, wie etwa in der Verurteilung zum Galeerensklaven, verwendet werden, noch kann es Einwendungen gegen staatliche Bestimmungen erheben, welche einen bestimmten Volksteil zu Sklaventum und Rechtlosigkeit verdammen: im ersten Fall findet zwar eine Einordnung ins Recht statt, aber dieses wird strukturell durch diese Art Strafe genau so wenig beeinflußt wie durch irgendeine andere; im zweiten Fall hingegen spielt sich die ganze Angelegenheit außerhalb des Rechts-Bereiches ab und ist daher rechtlich belanglos.

Es ist rechtlich belanglos, und doch ist es als ob gerade in dieser Belanglosigkeit jene Dämonie aufscheint, die alles begleitet, was mit dem Konzentrationslager auch nur im entferntesten zusammenhängt. Denn wo der Satz von der Gesetzes-Unkenntnis, die nicht vor Strafe schützt, aus dem Gesamtgefüge des »Rechts an sich« herausgehoben und absolutiert wird, da darf infolge solcher Absolutierung die Existenz eines ur-geheimen, selbst dem Richterstand verborgenen Gesetzes angenommen werden; keiner weiß, wann und wie er es – geradezu erbsündhaft – übertreten hat, keiner ist daher vor den Häschern der Behörde sicher, die plötzlich auftauchen, jederzeit auftauchen können, und wenn auch im Namen eines ur-geheimen Gesetzes sich kein Prozeß führen läßt, vielmehr er niemals beginnen wird, es ist der ewige Nichtbeginn bereits Urteil und Strafe, und zu solcher Abbüßung wird der Mensch gerufen. Gewiß ist das Unsinn, vor allem, weil jeder aus einem festgefügten System herausgelöste und absolutierte Satz seinen Sinn verliert, gewiß hat das mit Recht nichts mehr zu tun, und doch war es die prophetische Vision eines großen Dichters, war es die scholastisch-religiöse Sicht Franz Kafkas, und sie ist zur Wirklichkeit geworden, mehr noch, wird immer wieder zur Wirklichkeit werden, wo die Fassade der Justiz – allem Menschenrecht zuwider – zu Terrorzwecken mißbraucht wird.

Allerdings: der Mißbrauch ist möglich, weil Justitia ihre Augen verbunden hält. Ihre Blindheit ist nicht die des Propheten, nicht die des Dichters, nicht die der großen und zornigen Güte, sondern die der willentlichen Abstraktion; sowohl dem Bereich des unmittelbaren Lebens wie dem der absoluten Idee angehörend, verquickt sie – niemand tut dies außer ihr – unaufhörlich das eine mit dem andern, greift mit dem Abstrakten ins Leben ein, verwandelt das Leben ins Abstrakte, und das gibt ihr einen dämonischen Aspekt, den keine andere Sozialsphäre neben ihr hat.

2. Der Mensch als Sache

Die Abstraktions-Tendenz des Rechtes verwandelt den Menschen fiktiv in eine Sache; fast in jedem Rechtsgeschäft, das er eingeht, in jedem Dienst, sei es ein militärischer oder sonst einer, in den er sich mit bindender Rechtskraft begibt, steckt ein Stück solch fiktiver »Ver-Sachung«, d. h. eine Verpflichtung, die dem Menschen befiehlt, sich in ihrem Rahmen so zu benehmen, »als ob« er nichts als eine sachliche Funktion wäre. Fast alle Institutionen – nur wenige, wie z. B. die kirchlichen, sind davon ausgenommen – trachten Rechtszustände zu schaffen, die den Menschen institutionsgemäß ver-sachen. Als dem Hohenzollern-Enthusiasten Paul I. von Rußland[9] gelegentlich seines Berliner Besuches eine echt preußische Parade vorgeführt wurde, fand er in seiner Begeisterung über so vollkommen ge-drillten, sachhaften Automatismus nur noch die Worte: »Wie schade, daß sie atmen!«

Versklavung und Ver-sachung – jede Institution sucht zu ver-sklaven – stehen solcherart im engsten Zusammenhang. Das ökonomisch orientierte moderne Denken sieht in der »Sache« vornehmlich deren Verkäuflichkeit, und da sich hiezu die re-voltierend beschämende Vorstellung vom Sklavenmarkt asso-ziiert, beschämend, weil der Menschenware nicht einmal mehr das Recht auf Scham gelassen ist, hat von hier aus ein starkes (und übrigens wahrscheinlich von Kant[10] beeinflußtes) sehr verbreitetes Antisklaverei-Argument seinen Ausgang genom-men: der Mensch darf niemals als Sache behandelt werden. Das ist nun freilich, trotz seiner bestechend gefühls-adäquaten Formulierung, ein unkonkreter Satz, denn er beruht auf Be-stimmungen, welche zur Definierung des Menschenbildes (gleich seiner Zweibeinigkeit) zwar notwendig, aber nicht hin-reichend sind; sowenig wie seiner Tierhaftigkeit entrinnt der Mensch – wie eben die Rechts- und Institutions-Situationen zeigen, in die er sich begibt – niemals seiner Sachhaftigkeit, vielmehr bleibt er stets eine Tierspezies und eine Sachspezies. Nichtsdestoweniger wird mit dem Verbot der Ver-sachung, ob-wohl es auch Unverbietbares verbietet, etwas aufgezeigt, das dem Menschen unter keinen Umständen angetan werden darf, so daß sich dahinter wohl ein Hauptsatz des Menschenrechtes vermuten läßt.

Worin besteht die spezifische Ver-sachung, die der Mensch in der Sklaverei erfährt? Nun ist zwar Sklaverei – abgesehen von jenen Fällen, in denen sie als Strafe benutzt wird – ein außer-rechtliches Phänomen, nämlich eine soziale Institution, aber wie jede soziale Einrichtung hat sie einen gewissen rechtlichen Status, und der ist unzweifelhaft mit dem des Eigentumsrechtes enge verwandt. Daran hat sich seit der Antike prinzipiell nicht viel geändert; die zusätzliche Rechtsidee einer Unterscheidung zwischen Sachbesitz und Menschenbesitz war gleichfalls schon in der Antike vorhanden, nämlich in der Sklavenschutzgesetz-gebung des Augustus, hat im Mittelalter (das damit für Rußland bis ins 19. Jahrhundert hineinreichte) den Status des nominell nur halbversklavten »Leibeigenen« geschaffen, hat aber an-sonsten, so im ganzen Orient, überhaupt nicht eingegriffen, oder nur, so etwa im amerikanischen Süden, zu recht unzureichenden Humanisierungsmaßnahmen Anlaß gegeben. Es blieb also beim Eigentumsrecht. Nichtsdestoweniger mußte auch in seinem Rahmen dem Besitz an Menschen eine Sonderstellung eingeräumt werden, denn für eine tote Sache ist es gleichgültig, ob sie herrenloses oder besessenes Gut ist, während dem Menschen, an dem Besitz ausgeübt wird, hiefür etwas weggenommen werden muß, und zwar die »Freiheit«. Diese Freiheitsberaubung stellt sich konkret etwa folgendermaßen dar:

a. der Sklave hat keinen Anspruch auf Freizügigkeit, vielmehr ist er an den Machtbereich des Sklavenhalters gebunden;

b. der Sklave hat keinen Anspruch auf freie Berufs- und Beschäftigungswahl, vielmehr hat er die vom Sklavenhalter befohlenen Tätigkeiten auszuführen;

c. der Sklave hat keinen Anspruch auf ein Lohnäquivalent für seine Arbeitsleistung, vielmehr ist er in der Deckung all seiner Lebensbedürfnisse ausschließlich von der Gnade des Sklavenhalters abhängig;

d. der Sklave hat keinen Anspruch auf freie Religionswahl und -ausübung, vielmehr wird sie ihm vom Sklavenhalter vorgeschrieben;

e. der Sklave hat keinen Anspruch auf Freizeit, vielmehr kann der Sklavenhalter, gewährt er sie ihm überhaupt, jederzeit in deren Bemessung und Gestaltung eingreifen, ja sogar das Recht zu Eheschließungen verweigern;

f. der Sklave hat keinen Anspruch auf unparteiische Rechtsprechung, vielmehr ist er – zumindest weitgehend – der Judikatur des Sklavenhalters und zugleich seiner Exekutivgewalt unterworfen.

Ist etwas derartiges – so muß man wohl fragen – überhaupt noch logisch aus dem Eigentumsrecht abzuleiten? oder kann der Begriff der Sache wirklich in dieser Weise erweitert werden? Oder genauer: können derartige Bestimmungen noch formal vom »Recht an sich« gedeckt werden? oder hätte dieses seine kalte Neutralität gegenüber dem Sklavenproblem nicht doch aufzugeben?

Die Fragen sind falsch gestellt. Denn es handelt sich hiebei in erster Linie nicht um ein Eigentums-, sondern um ein absolutes Herrschaftsrecht, nämlich um jenes, das der römische pater familias in seinem Haus, zu dem auch die Sklaven gehört haben, ausgeübt hat. Und um die Gestaltung von Herrschaftsrechten kümmert sich das »Recht an sich« nicht; es kann bloß sagen, ob die von der Herrschaft etablierte Ordnung die Bezeichnung »Recht« verdient oder nicht. Wenn der absolute Herrscher oder Diktator seine Untertanen als absolut rechtlos erklärt – und das ist ein Zustand, der oft genug eingetreten ist –, so kann dies vom »Recht an sich« bloß akzeptiert werden. Muß es aber darum auch das Besitzrecht des Herrschers an seinen Untertanen akzeptieren? De facto wurde ja dieses Besitzrecht sowohl vom pater familias wie vom absoluten Herrscher (wie der Verkauf der hessischen Regimenter an England dartut) ohneweiters in Anspruch genommen –, doch gibt es da eine rechtliche Verknüpfung mit dem Herrschaftsrecht? läßt sich aus dem Untertanenverhältnis ein Eigentumsverhältnis deduzieren? In Wahrheit gibt es da bloß eine negative Deduktion: wer absolut rechtlos ist, steht außerhalb jeglichen Rechtes, also auch außerhalb des »Rechtes an sich«, und was immer mit dem Rechtlosen geschieht, es bleibt rechts-gleichgültig. Daß die Sklaverei sich in Amerika über die Revolution hinaus nahezu hundert Jahre hat halten können, verdankt sie lediglich juristischen Überlegungen dieser Art.

Hier also kann nur das Menschenrecht eingreifen, und 1863 hat es schließlich auch in Amerika eingegriffen. Und der Eingriff erscheint um so legitimer, als der konkrete Rechts-Status der Sklaverei kaum mehr eine Fiktiv-Ver-sachung zu nennen ist, sondern einer effektiven schon recht sehr angenähert ist.

3. Von der Kriegsbeute zum KZ-Sträfling

Der Primitive erschlägt seinen Feind, und damit folgt er nicht nur seinen Naturtrieben, sondern auch seinen magischen Vorstellungen; er trinkt das Blut des Erschlagenen und frißt ihn auf. Der Bruch mit diesen Habitüden war nur zum geringsten Teil ökonomisch bedingt – im Primitivkrieg (sogar noch im Homerischen) spielte die Landbeute fast überhaupt keine Rolle, die Sachbeute bloß die eines Nebeneffektes, und die Primitivwirtschaft als solche hatte und hat selbst heute im allgemeinen keine Not an Arbeitskräften –, und wenn Kriegsgefangene heimgeführt und nicht sofort abgeschlachtet wurden, wie es der Heldenwut geziemt hätte, so müssen hiefür wohl vor allem gleichfalls magische Gründe gesucht werden, vor allem in einer

Höherentwickung der magischen Kulte, so daß ihre Feste nicht mehr ad hoc, sondern zu bestimmten Daten gefeiert wurden: der Kriegsgefangene wurde am Leben gelassen, weil seine Opferung aufgespart wurde, sei es für den nächsten Festtag, sei es noch jahrelang für den Tod des Herrn, auf daß er mit diesem zusammen begraben werde. Und es mag wohl sein, daß er während der Wartejahre, damit er kein nutzloser Esser sei, auch ökonomisch verwendet wurde, also richtige Sklavendienste versah. Jedenfalls aber wurde er damit zum Familienmitglied, zumindest ein zweitrangiges, und wurde es umsomehr – all das setzt freilich schon eine paternalistische Gesellschaft voraus –, als auch die Frauen, sie gleichfalls zweitrangige Geschöpfe, ihrem Herrn in den Tod zu folgen hatten. Erst mit dem Erlöschen der magischen Kulte und ihrem teilweisen Übergang in religiöse konnten eine Humanisierung eintreten und unter anderem auch ökonomische Momente berücksichtigt werden. Doch wie immer und wann immer das geschah, symbolisch blieb der Sklave das, was er von Anfang gewesen war: eine am Leben gebliebene Leiche, die wie jede Leiche ein bloßer Gegenstand ist, eine bloße »Sache«; mit dem Sklaven darf, sei es zu ökonomischen, sei es zu dekorativen oder sonstwelchen Zwecken, wie mit einem Gegenstand verfahren werden, und selbst wenn er Opferungszwecken dienen soll, hat das »Leben«, das ihm genommen wird, ausschließlich den Charakter eines (allerdings kultischen) »Sachwertes«.

Das Christentum war Sklavenreligion, vielfach verbunden mit einer ausgesprochenen (später zum Großteil wieder verschwundenen) Non-Resistance-Bewegung, und als solche hat sie mit geradezu mirakulöser Raschheit ihr Ziel erreicht: in den christlich gewordenen Ländern des römischen Reiches löste sich das Sklaventum gleichsam unbemerkt, ohne behördlichen Druck, ja eigentlich ohne ökonomische Nötigung ganz selbsttätig auf; die Tempel wurden mit Sklavenhänden gebaut, die neuen Wunderwerke, wie die Hagia Sophia, hingegen mit Lohnarbeitern. Gewiß war der Zustand durch die pax romana und deren bewußte Anstrebung vorbereitet; je friedlicher das Reich wurde, desto mehr verringerte sich die Einlieferung von Kriegssklaven, desto schlechter wurde die Sklavenbilanz, da die Masse der Freilassungen die der Einlieferung ständig überstieg. Aber eben auf die Masse der Freilassungen kam es an, nicht auf den unerschwinglichen Preis der immer rarer werdenden Sklavenware. Denn die Lohnarbeit war nicht billiger, und trotzdem nahm der Prunk in keiner Weise ab. Die marxistische Verkoppelung des Sklavenschwundes mit den finanziellen und ökonomischen Schwierigkeiten des Reiches trifft also nur in sehr beschränktem Maße zu.

Viel eher ist die nachrömische, mittelalterliche Wiederaufnahme der Sklaverei als ein Verelendungs-Symptom einzuschätzen: die barbarischen und halbbarbarischen Königreiche, die an die Stelle der römischen Zentralgewalt traten, fanden bereits Anarchie vor, vermochten sie nicht zu steuern, sondern vergrößerten sie nur; einzelne comes vermochten in ihrem Bereich noch einigermaßen Ordnung zu halten, und nach ihrem Muster entwickelte sich eine Parzellierung der Ordnungsmacht, für die das Königtum bloß eine allgemeine, sehr lose Zusammenfassung war: unzählige Kleingebiete unter dem Schutz von »Burgen«, in denen die Nachfolger der comes und andere Lehensherren saßen, hatten sich gebildet, und es war nur selbstverständlich, daß die Gebietsinsassen, vornehmlich freie Bauern, für die ihnen so zukommende relative Sicherheit sich an dem militärischen Aufwand des Burgherrn beteiligten, also sich zu Abgaben teils in Naturalien, teils in Arbeitskraft verpflichteten; die daraus langsam hervorgegangene, sklaverei-ähnliche »Leibeigenschaft« beruhte auf einem kontraktbrüchigen, dennoch nicht unbegreiflichen Mißbrauch der militärischen Überlegenheit von seiten der Ritterschaft, die ihre Schutzbefohlenen sukzessive entrechtete, ohne aber darum Sklaverei im antiken Sinn herzustellen. Und nicht nur in diesem Werdegang unterschied sich die Leibeigenschaft von der antiken Sklaverei, sie hatte auch ganz andere ideologische Wurzeln: der christliche Geist, der das Sklaventum aufgelöst hatte, wirkte nach, ja hatte sich noch vertieft, und eigentliches Sklaventum blieb, ungeachtet aller sonstigen Verwilderung und Härte, ein undenkbarer Begriff; nicht einmal die Juden wurden zu Sklaven gemacht, später nach der Wiedereroberung Spaniens, auch nicht die Reste der maurischen Bevölkerung, geschweige denn, daß ein Christenmensch den andern sich zum Sklaven machen durfte.

Die Erschütterung des festgefügten katholischen Weltbildes in der Renaissance brachte auch da Wandlung mit sich. Das Christentum war hochfahrend geworden, und seine neuen, re formierten Abarten gaben dabei, wie die Calvinistische Gnadenlehre zeigt, den Ton an. War es nicht der Wille Gottes, daß der Begnadetere über den weniger Begnadeten gesetzt sei? Die neuen Seefahrten, Entdeckungen und Kolonialunternehmungen taten ein übriges hiezu. Überall wurden Völker, farbige Völker gefunden, bei denen Sklaverei im Schwange war, – war man nicht befugt, sie, die mit ihren Sitten heidnischen Tiefstand bezeugten, in gleicher Weise zu behandeln? Freilich geriet man damit in einen theologischen Konflikt, denn wenn man ihnen, wozu man wohl verpflichtet war, die Taufe brachte und sie hiedurch zu vollgültigen Menschen machte, so durfte man sie wohl noch erschlagen, nicht aber versklaven; die Katholiken (insbesondere die Konquistadoren) entschlossen sich zur ersten, die Protestanten im allgemeinen zur zweiten Lösung, und als um 1620 die ersten afrikanischen Sklaventransporte in Nordamerika eintrafen, war man jeder Missionärtätigkeit abgeneigt. Nachdem sich jedoch das Herrschaftsrecht über den Sklaven – und es ist ein Herrschaftsrecht – sehr bald fix etabliert hatte, erinnerte man sich des eben von den Protestanten in Europa durchgesetzten neuen theologischen Prinzips (eines echten Sklavenprinzips) »Cuius regio eius religio«, mit dem das Problem sich nun überaus bequem löste: die schwarzen Sklaven wurden getauft und verloren trotzdem nicht ihre Sachhaftigkeit; der Farbige war zur Versklavung vorbestimmt. Die moderne Versklavung war geboren, der antiken in der Form ähnlich, dennoch mit einem neuen Grundsatz ausgestattet, dem rassischen.

In Europa erzeugte die neue Unbedenklichkeit in der Versklavungsfrage eine maßlose Verschärfung der Leibeigenschaft, im Kleinen die Verschärfung des staatlichen Absolutismus spiegelnd, und die allerwärts in Deutschland und Österreich aufflammenden Bauernaufstände waren die unausweichliche Folge hievon. Luther, wohl gewahr der Versklavungstendenzen, die allem Institutionellen innewohnen, und wahrscheinlich nicht minder gewahr der darin mitschwingenden »Als-ob«-Qualitäten, versuchte – da ihm für die Verbreitung und Festigung seiner Lehre die Fürsten wichtiger als die Bauern waren – mit der These von der innern »Freiheit eines Christenmenschen«, das Fiktive jedweder äußern Unterdrückung herauszustellen und durch Hinweis auf diese Fiktivität die

Aufstände auf das Gleis einer frühchristlichen non-resistance zu bringen. Das war ein verfehltes Beginnen. Dem antiken Sklaven nämlich hatte die innere christliche Freiheit eine ungeheure Überlegenheit über den heidnischen Herrn verschafft und diesen zugleich entschuldigt, weil er es, als armer Heide, nicht besser wußte; nichts konnte dem Bauern des 16. Jahrhunderts solche Überlegenheitsgefühle geben, und weder war sein christlicher Herr entschuldigt, noch war die von ihm ausgeübte Bedrückung in eine fiktive umzufärben: der Bauernkrieg war ein Sklavenaufstand gleich dem römischen des Spartakus, ein Aufstand, in dem Ungebundenheit gegen Ungebundenheit anarchisch einander überboten, und gleich dem antiken mußte er zusammenbrechen, weil die von ihm verfolgten Ziele nicht mehr und noch nicht die seiner Zeit waren.

Fast wirkte es wie ein Wunder, daß die Versklavungstendenzen der Renaissance und des Frühbarocks in Europa – wo es um den weißen Mann ging – wieder abgeebbt sind. Teilweise mag dies auf die rein ökonomischen Moventien dieser neuen Sklaverei zurückzuführen sein: magisch waren die Ursprünge der antiken Sklaverei, und magisch blieb – nichts ist traditionsgeeigneter und -stärker als das Irrationale – ihre auf die magische Stellung des pater familias gegründete Tradition; bloß eine mystische, nicht minder irrationale Traditionsbildung vermochte sie zu verdrängen, und das war die sklaverei-abgekehrte des Christentums, doch nie und nimmer ließ sich diese durch vornehmlich rationale, vornehmlich ökonomisch bedingte Haltungen ersetzen. Die Verschärfung der Leibeigenschaft war ein letzter Versuch zur Aufrechterhaltung der mittelalterlichen Feudalordnung gewesen, deren militärischer und damit auch ökonomischer Wert infolge der Erfindung der Feuerwaffen, dem Aufblühen der Städte usw. verlorengegangen war, aber für die neue Staatsstruktur einen gewissen politischen Wert behalten hatte; indes, der schwand mit der fast jähen Wendung, die Staat und Gesellschaft zur kapitalistischen Wirtschaftsordnung genommen hatten, rasch dahin, und wenn auch die Verelendung des Bauernstandes, das »Bauernlegen« in Deutschland, die Entvölkerung der schottischen Agrikulturbezirke usw., sich während des ganzen 18. Jahrhunderts fortsetzte, es war dies nicht mehr Versklavung, sondern Proletarisierung, war Zwang zur Landflucht und zur Auswanderung. Die

Sklaverei in Amerika dagegen hatte ihre feste Basis in der magischen Idee von der Rassensuperiorität gefunden, und ihre Magie war so stark, daß sie, unabhängig von allen ökonomischen Motiven und, wenn's drauf ankam, auch gegen sie, sich durch die ganze Aufklärungsperiode behauptet und sogar über die Aufhebung der Sklaverei hinaus, wie der Ku-Klux-Klan zeigt, weitergewirkt hat.

Die Aufklärungsperiode, diese große Periode des abendländischen Sozialexperimentes, des Experimentes eines Christentums ohne Gott, einer Humanität ohne Christentum, kurzum einer durchaus säkularisierten Humanität, dieser Periode der Demokratie, ja sogar einer glaubenszugewandten, in Lincoln gipfelnden spezifisch demokratischen Mystik, diese Periode endete mitsamt ihrer Humanität genau in dem Augenblick, in dem ihre eigentlichen, noch immer traditionsgebundenen Glaubenshaltungen erloschen. Und es begann die Periode des Totalitärstaates und seiner Terror-Versklavung.

Die Aufklärung hatte in Frankreich angehoben, war von hier aus nach Deutschland, England, Skandinavien und den amerikanischen Oststaaten vorgedrungen, berührte aber Italien nur wenig, Spanien noch weniger und Rußland fast gar nicht. Die Importierung der Aufklärung in Gestalt des marxistischen Dogmas traf also ein dogmengewohntes, seit jeher diktatorial regiertes Volk, dessen Religiosität sich sozusagen religiös – ohne Zar gibt es keinen Gott – auf Antireligiosität umstellen ließ. In Spanien hätte (von Lenin sogar vorausgesagt) durchaus ähnliches geschehen können, in dem wesentlich demokratischeren Italien kaum mit solcher Radikalität, doch Mussolini, ein beweglicher Geist mit einem Blick für politische Zusammenhänge, verhinderte auch die milderen Möglichkeiten: einerseits jeden weitern Aufklärungsimport unterbindend – das Verbot der Freimaurer-Logen war eine seiner ersten Regierungshandlungen –, andererseits den Totalitarismus der Sowjets als wesentlich moderne Staatsform adoptierend, war für ihn die Kurie und deren alte (nun an der russischen Atheismus-Bewegung sich voll bestätigt fühlende) Aufklärungs-Gegnerschaft der natürliche Bundesgenosse, und damit hatte er das Schema für all die Latein-Fascismen erfunden, die ihn, Franco-Spanien an ihrer Spitze, überlebt haben. Hitler dagegen, zum Unterschied von Mussolini, kein Verstandes-, sondern ein Instinktmensch, dessen eigentliche und wohl einzige Genialität in der Massen-Einfühlung lag, der aber auf der Höhe seiner Macht dann diese Gabe, sehr zu seinem Schaden, nicht mehr ausnutzen konnte, stand in dem zutiefst aufklärerischen und dabei romantischen, ja mystisch bewegten Deutschland vor einer wesentlich komplizierteren Aufgabe: es galt, den zutiefst eigenbrötlerischen und dabei der individuellen Freiheit abgeneigten, zutiefst friedlichen und dabei von der nationalen Größe und Freiheit schwärmenden Deutschen, deren (heute noch bestehendes) Bedürfnis nach Tradition weder vom Kaiserreich noch von der Republik befriedigt worden war, eben diese Tradition zu stiften, und Hitler, instinkthaft spürend, daß Traditionen aus dem Magischen hervorgehen, wissend, wie leicht alle Beweggründe des Menschen und insbesondere der Massen ins Magische zurückzuleiten sind, so daß darin tatsächlich ein Gleichschaltungsnenner zu finden ist, fixierte seinen Totalitärstaat eindeutig in magischer Linie, in der Magie der schieren Macht, in der Magie der Nation, der Rasse, des Blutes, in der Magie der Versklavung und in der des Krieges, denn obwohl staatsmännisch plump, er wußte – dazu gehörte nicht viel –, daß das Zeitalter der Hegemoniekämpfe bevorstand.

Und damit wurde der Hitler-Staat paradigmatisch für das Totalitäre überhaupt. Denn ob nazisch, ob sowjetisch, ob fascistisch, auf der Magie der Versklavung beruht der Terror des Totalitär-Staates. Eine äußerste Ver-sachung des Menschen findet statt; er wird mit jeder Faser seines Seins und Denkens zum »Besitz« des Staates gemacht, wird tatsächlich zu jener »am Leben gelassenen Leiche«, die der Sklave am Ur-Anfang gewesen ist, ja er ist es noch viel mehr als dieser, da er nicht einem einzelnen konkreten Herrn sich zu unterwerfen hat, sondern einem abstrakten obersten Prinzip, nicht einmal einem sichtbaren Kaiser oder König, sondern einem unsichtbaren Rat, einer Enklave, die sich Regierung nennt und mit unsichtbar allgegenwärtigen Späheraugen und Lauscherohren – wer darf wem noch trauen – spinnenartig und unentrinnbar den Untertan belauert: wer die vorgeschriebenen Riten – und wer kennt sie alle, da sie jederzeit verändert und ergänzt werden können? – nicht aufs minutiöseste beachtet, verfällt einer gnadenlosen Rache, nicht nur er, nein, auch alle, die ihm nahestehen oder je nahegestanden sind, sie allesamt Mitbeleidiger des unbekannten Gesetzes, sie allesamt zum Opfer bestimmt, freilich nicht zum Opferungsfest wie einstens der Kriegssklave, sondern zum abstrakten Verschwinden im Konzentrationslager.

Das Konzentrationslager ist die letzte Steigerung dieser Versklavung, jeder Versklavung. Der Mensch wird seines letzten Ich-Bewußtseins entkleidet; statt seines Namens erhält er eine Nummer und soll sich auch nur mehr als Nummer fühlen. Er ist zur Leiche geworden, bevor er noch gestorben ist, und ob er nun verhungert oder erfriert, ob er ohne Hilfeleistung an seinen Wunden und Gebrechen zugrunde geht oder hingerichtet wird, er leidet und erleidet es als Tier und wie ein Tier, abschiedslos, weil er keine Welt mehr besitzt. Selbst das Magische der vollkommenen Ausgeliefertheit, das Magische der Zerknirschung ist erloschen: was einmal ein Mensch gewesen war, ist untertierisch geworden, kaum mehr vegetativ, eine Sach-Leiche, Kehricht, der noch stöhnt. Und es ist die Anonymität des Kehrichts, so daß sein Verrecken nicht einmal mehr dem Abschreckungs-Terror dient. Das russische Konzentrationslager hat wenigstens noch den Scheinzweck einer Aufsammlung von Zwangsarbeitern, hat also noch, so gering auch die Arbeitskraft der zusammengetriebenen, entkräfteten und hoffnungsberaubten Kreaturen sein mag, wenigstens irgendeinen ökonomischen Sinn, doch das deutsche Lager hat, obwohl während des Krieges jede Arbeitshand von äußerster Wichtigkeit gewesen wäre, sogar darauf verzichtet und wollte nichts anderes als Vernichtungsanstalt sein und bleiben, wartend, daß ihm für solchen Unzweck stets neue Ware eingeliefert werde. Der Unzweck war Selbstzweck, aber er war der des Sklavenhalters: Magie hat ihre eigene Kausalität, und wer von ihr umfangen ist, muß sie unaufhörlich und bis zum letzten fortsetzen, damit er nicht selber ins Nichts geschleudert werde; der magische Gott der Versklavung ist gleich den phönizischen und mexikanischen Göttern ein Aasfresser, der zehntausende, hunderttausende von Leichen braucht und auch nach Millionen noch unbefriedigt bleibt, der Nimmersatt, dem Hitler diente und mit dem er sich identifizierte, der aastrunkene Sklavenhalter und darum im Leben ein Vegetarier. Dies ist die Magie-Religion der Versklavung, und Hitlers Schatten geht in jedem Totalitärstaat um.

4. Psychologie der »Pursuit of Happiness«

Mit Weisheit, einer erstaunlich treffsicheren Weisheit, hat die amerikanische Unabhängigkeitserklärung neben die Freiheit und Gleichheit die »pursuit of happiness« an die Spitze der menschlichen Grundrechte gestellt. Flüchtig betrachtet, könnte man es fast für eine leere Floskel halten, denn wirklich genau definiert ist bloß »Gleichheit«, während sich schon bei der »Freiheit« fragen läßt, um welche Art der Freiheit es dabei eigentlich geht, und wenn auch die »happiness« offenbar als die fehlende Zusatzdefinition gedacht ist, ihr Inhalt scheint, verglichen mit dem der Freiheit, noch unpräziser, noch relativistischer, noch subjektiver, noch unerhaschbarer zu sein. Und doch ist mit diesem einen vagen Wort »happiness« sowie durch die Stelle, an der es steht, ein tiefes Wissen um das Sein des Menschen und des Staates angedeutet.

Gewiß, über unsere Glücksgefühle können wir allesamt einigermaßen Bescheid geben: sie werden uns beschieden, wenn unser Leben mit »Werten« bereichert und eben »reicher« gemacht wird, sei es durch Liebe oder andere Geschenke, sei es durch Erfolge, die wir erringen, sei es durch neuerworbene Kenntnisse, oder sei es auch nur durch unsere Gesundheit und unser körperliches Wohlbefinden. All das sind »Werte«, die uns happiness verschaffen, jeder von uns kann die Liste, jeder auf seine Art endlos fortsetzen. Jeder auf seine Art, jeder verschieden –, was ist das einigende Band? was also ist happiness? werden wir es durch ein Poll-Verfahren, durch einen etwas erweiterten Kinsey-Report[11] statistisch erfahren? Gewiß, happiness ist Bereicherung durch »Werte«, aber wenn wir happiness an den Werten und die Werte an happiness definieren, so kommen wir kaum weiter.

Dagegen wissen wir von den »Unwerten«, die uns unglücklich machen, die unserer happiness uns berauben, viel Präziseres auszusagen. Denn auch hier beginnt die Definition beim »negativen Pol«, und es ist der negative Pol alles Lebens schlechthin, fast möchte man sagen, es ist das irdisch Absolute schlechthin, es ist der Tod, es ist das Nichts, in das wir einzugehen haben. Der Tod ist der Unwert an sich. Manchmal freilich tritt er in der Maske des Wertes auf, als Aufopferung für eine Sache, mit der wir unser Ich identifiziert haben und der wir, mag sie nun das Vaterland, die Wissenschaft oder sonst etwas sein, mit unserem Tod Dauer zu verleihen hoffen, manchmal enthält er das letzte Stück Freiheit, das unserem Ich belassen ist, und das wir in Selbstvernichtung ergreifen, und manchmal erscheint er uns, obwohl wir ihn uns kaum vorzustellen vermögen, einfach [als] das kleinere Übel in unseren sonstigen Leiden, so daß wir ihn herbeisehnen. Doch man täusche sich nicht; selbst in diesen Fällen ist er ein Preis, den wir zur Erringung anderer Werte, zur Vermeidung anderer Unwerte bezahlen, der fürchterlich hohe Preis der Ich-Auslöschung. Und man täusche sich nicht: alle Furcht des Menschen gilt der Ich-Auslöschung durch den Tod, alle Hoffnung aber einer Ich-Erhaltung über den Tod hinaus. Gäbe es keinen Tod, es gäbe keine Furcht auf Erden; er ist der Inbegriff alles Furchterregenden.

Vom negativen Pol, von dem Tode her, erfahren wir, was »Wert« bedeutet: er bedeutet Todesüberwindung, oder genauer Hinwegtäuschung über das Todesbewußtsein, ohne dessen ständige Anwesenheit der Mensch wahrscheinlich nicht Mensch wäre, so daß er es sich trotz Überwindung erhalten muß. Und da der Mensch solch anscheinend kontradiktorische Aufgabe löst, immer wieder löst, wird er an ihr zum Menschen. Denn ist ihm der Tod Ich-Auslöschung, so ist ihm jede Ich-Entfaltung, ja auch schon die bloße Ich-Behauptung das ersehnte Zeichen für eine Fernhaltung des Todes; so lange der Mensch Ich-Erweiterungen vorzunehmen imstande ist, lebt er, und er beginnt zu sterben, sobald statt dessen Ich-Verkleinerungen, Ich-Verengungen eintreten. Das Ich ist mit dem Leben identisch und sogar im medizinischen Sinn; wo die Ich-erhaltenden, Ich-aufbauenden psychischen Kräfte nachlassen, verfällt auch der physische Organismus.

Das Ich ist das zentrale Bewußtseinsphänomen, und es ist, nicht zuletzt in seinem invarianten Kern, ein Phänomen des Gedächtnisses; das Ich ist an den Körper gebunden, und in den Stadien des Ich-Erwachens und eines noch rudimentären Ich-Bewußtseins, also beim etwa dreijährigen Kind, kaum mehr jedoch beim Primitiven, werden Körper und Ich kurzerhand gleichgesetzt, doch sehr bald lernt der Mensch das Ich als den Bezugspunkt seines gesamten Lebens und Erlebens kennen und weiß – nichts weiß er so genau wie dies –, was ihm Ich-zugehörig, was ihm Ich-nah und was Ich-fremd ist; die Sprache mit ihren Ur-Hilfsverben »Sein« und »Haben« ist hiefür – wie sollte sie auch nicht – der getreueste Spiegel: alles was der Mensch »ist« erweist sich als Ich-zugehörig, alles was er »hat« erweist sich als Ich-nah, und alles übrige, die ganze übrige Welt erweist sich als Ich-fremd, ja sogar als Ich-feindlich, als todesträchtig.

Wie soll bei dieser Struktur die Ich-Erweiterung vonstatten gehen? Der Mensch »ist« sein Körper; das allein ist sicher, und damit hat das Kind ganz recht. Alle Ich-Erweiterungsphantasien und -mythologeme – in den eigentlichen Mythen erscheinen sie bereits deistisch umgeformt –, mit denen sich das Kind wie der Primitive beschäftigen, sind auf gigantisches Körperwachstum gerichtet (während die Umkehrungs-Vorstellung vom Giganten-bezwingenden Zwerg bereits rationale Resignation ist), und dem Kind ist ja auch in seinem Wachstum, dem Organ-Glück der Jugend, eine teilweise Erfüllung jener Giganten-Träume gegönnt. Zugleich aber erfährt es auch, daß es einer Familie, einem Stamm, einer Nation »angehört«, auch dies noch körperlich, d. h. blutsmäßig bedingt, und dies ist die zweite primitive Ich-Erweiterung; kraft »Angehörens« zur Gruppe »ist« man Sohn, »ist« man Levite, ist man Israelit, kann man sich mit der Gruppe identifizieren, und wenn Gott verspricht, daß sie zahlreich wie der Sand am Meer werden würde, dehnt sich auch das eigene Ich-Gefühl meeresweit aus. Gewiß kann man sich auch mit andern Gruppen, denen man angehört, in gleicher Weise identifizieren, aber man muß erst einen Beruf »haben«, z. B. den kaufmännischen, ehe man ein Kaufmann »ist«, und hier wird bereits die Volte von der Ich-Nähe zur Ich-Zugehörigkeit geschlagen. Und es ist die wichtigste Volte in diesem ganzen Wert-Mechanismus. Denn um die Ich-Erweiterung über das rein Körperliche hinaus fortzusetzen, müssen unausgesetzt Ich-fremde Weltbestandteile in den »Besitz«, in das »Haben« des Ich (das nebenbei das der Gruppe sein kann) überführt und damit »sachwertig« gemacht werden. Manches davon, wie Nahrung und Kleidung usw. gilt dem unmittelbaren körperlichen Lebensunterhalt, also der alltäglichen Todesbezwingung (und nebenbei auch den Phantasien von der Giganten-Stärke, deren man durch magisches Mahl und magische Verkleidung teilhaft zu werden vermag), doch darüber hinaus wird der Besitz an Vorräten, an Kleidern, an Frauen, an Sklaven, an Geld zu einer rein irdischen »Habe«, die in ihrer ungemeinen Ich-Nähe wohl Ich-erweiternd wirkt, aber womöglich mit ins Grab genommen werden muß, damit sie echte, identifikations-getragene Ich-Zugehörigkeit werde. Je reicher der Mann ist, ein um so größeres Grab braucht er – ein Nachklang der Giganten-Phantasien –, und doch, je reicher er ist, desto weniger kann er alles mitnehmen, am allerwenigsten seine Grundstücke, und desto mehr muß er sich mit symbolischen Beigaben begnügen. Hier ist eine der Quellen, aus denen die symbolische Ich-Erweiterung herstammt.

Denn keiner kann, trotz Hitler, die ganze Welt »haben«, auf daß er sich sodann mit ihr identifizieren kann. Oder um bei Hitler zu bleiben: das materielle »Haben« muß zum Vernichten, zum Mitnehmen ins Grab werden. Und wer darauf besteht, mit materiellen Stücken, die er sich aus der Welt zueignet, sein Ich, sein »Ist« aufzubauen, wird zum Geisteskranken oder wenigstens zum Neurotiker, zum Geizhals, zum Sammler, zum Wüstling, zum Lustmörder. Dagegen kann jedes Weltstück, das vom Ich umgeformt wird, sein zwar symbolisches, dennoch echtes Eigen werden. Es ist die Ich-Erweiterung durch Produktivität, die Ich-Erweiterung durch den »geformten Wert«. Der Mensch wird der Welt in Wissens-Symbolen habhaft, er formt sie zur Erkenntnis und kann eben durch die Erkenntnis auch das Materielle wieder formen, so daß es zur »Kultur« wird, ihm zugehörig, vergänglich auch sie, dennoch zeitlos wie die Wahrheit, aus der er sie schafft und daher Symbol seiner Todesüberwindung. In der Erkenntnis wurzelt die todesüberwindende Zeitlosigkeit, und diese läßt sich nochmals zum Objekt des produktiven Aktes machen, läßt sich nochmals symbolisieren: so entstehen die Werke der Kunst, entstehen ihre Abwägungen und Maße, in denen sie, unabhängig vom verwendeten Material, jedoch am sinnfälligsten in der Musik, die zum Tode hineilende Zeit zur Simultaneität zwingen und zum Stillstand umzaubern. Die Kultur in ihrer Ganzheit ist die symbolische Todes-Überwindung, in der des Menschen Leben zum Leben, er selber aber zum Menschen wird, da er, baut er an ihr mit, sein Stück Ich-Erweiterung, sein Stück Todesaufhebung im Zeitlosen der Werte gewinnt. Und wem es solcherart gelänge, nicht nur ein Stück, nein, das Ganze zu erfassen, die oberen und unteren Welten zugleich – eine Ahnung hievon steigt aus Bachs Musik auf –, der ist dem Heiligen nahe, ist nahe der Ebenbildhaftigkeit, und sein erkennender Geist, das All »habend«, ist schon jenseits der Grenze und an der Nirwana-Schwelle, dort, wo es schweigend heißt: »Ich bin das All«.

Von der Freude an der rein physischen Ich-Behauptung bis zu solch letzter Identifikation des Ich mit dem All ist ein unendlich langer Weg, aber er gehört durchaus der pursuit of happiness an, um so mehr als jedes Stückchen Wert, das der Mensch sich zu seiner Ich-Erweiterung erobert, ihm auch ein Stückchen jener Ekstase einbringt, von der die letzte mystische Todesüberwindung, von der das All-Wissen begleitet wird: in und mit jedem Wert, den der Mensch glückhaft erlebt – und wenn Liebe für ihn wahrhaft zur Liebe wird, wenn das einander »Haben« zu einem ineinander »Sein« transformiert wird, wird es jedem deutlich –, partizipiert er an der sonst für ihn unerreichbaren All-Ekstase. Und selbst wenn er sich die vermittels Rauschgiften erschwindelt, ja selbst wenn er seine Gier nach völliger Ungebundenheit an ihre Stelle zu setzen trachtet, selbst dann noch wird er von ferneher ihres Echos gewahr.

Der psychologische Wert-Aufbau ist mit dem theologischen genau so weit oder so nahe verwandt wie die All-Ekstase mit der Ebenbildhaftigkeit, und da diese beiden gleicherweise dem »positiven Pol« der möglichen Werte zugehören, ist es eine recht innige Verwandtschaft. Gewiß kann der psychologische Aufbau, der kein moralisches Soll-System ist, nicht wie der theologische jeden Ich-Erweiterungs-Ansatz, der nicht auf Ebenbildhaftigkeit hinzielt, als »Sünde« und jede Ich-Verkleinerung (bis herunter zur Ich-Auslöschung im Tode) als »Sündenstrafe« erkären, nein, Psychologie kann bloß die Phänomene registrieren und zu – mehr oder minder hypothetischen – Theorien verbinden, allerdings aber dabei auch finden, daß nur jene Ich-Erweiterungen Aussicht auf Dauerhaftigkeit haben, welche in der Richtung zur All-Ekstase (also zur Ebenbildhaftigkeit) liegen, und daß die Ich-Verkleinerungen in einer auffällig engen Verbindung mit der irdischen Straftechnik stehen.

Wer in seinem Leben keine dauerhaften Werte zur Überwindung des Todes gefunden hat, wird unweigerlich, wenn er sich ihm plötzlich ausgeliefert sieht, von Panik, von ausweisloser Furcht erfaßt. Voll-Panik im Angesicht des Todes ist das Gegenstück zur Voll-Ekstase bei Erreichung der todes-überwindenden All-Werte, und so wie jede und sogar noch die kleinste Ich-Erweiterung gefühlsmäßig von einem Stückchen Ekstase begleitet wird, genau so löst jede und auch die kleinste Ich-Verengung ein Stückchen Panik aus. Und da selbst der gesunde und im Aufstieg befindliche Mensch nicht unaufhörlich Ich-Erweiterungen vorzunehmen fähig ist, vielmehr immerzu, sicherlich in sehr kurzen Abschnitten Stillstände und Rückschläge erlebt, schwankt sein Ich seismographisch in einem beständigen Wechsel von Ekstase und Panik. Das sind, soferne keine scharfen Veränderungen des Ich-Umfanges eintreten, bloß oszillierende Schwankungen, und sie sind, vornehmlichst beim sogenannt Normalen, nicht einmal ihm selber bemerkbar, während der Hysteriker (und gar der Manisch-Depressive in bestimmten Lagen) schon von diesen Oszillationen durchrüttelt wird, so daß er, als Extremfall, den ganzen Mechanismus besonders deutlich dartut: es genügt z. B., daß der Hysteriker sich langweilt – und niemand ist der Langeweile so verfallen wie er –, daß er also die tote, dem Tode zueilende Zeit zur Kenntnis nehmen muß, um ihn, je nach seinem passiven oder aktiven Typus, entweder in Panik erstarren zu lassen oder aber zu lärmender Übertäubungstätigkeit (ekstatoid infolge ihres Lärms) zu bringen; immer, d. h. bei jeder drohenden Ich-Verkleinerung kommen diese beiden typischen Reaktionsweisen zum Vorschein, einerseits als völlige Unterwerfung unter die Panik, andererseits als deren Übertäubung durch Scheinmut, d. h. durch eine oftmals unbegreifliche Über-Aggression gegenüber ganz geringfügigen, dafür aber sichtbaren Bedrohungen, auf daß mit Hilfe solch rascher, quasi siegbetonter Ich-Erweiterung die große unsichtbare Bedrohung des panikerzeugenden Todes mitbesiegt werde. Die allgemein verbreitete Angst vor Strafe, gleichgültig ob durch Kindheitserlebnisse verschärft oder nicht, eine Angst, die schon bei bloßen Polizeistrafen einsetzt und zu einer generellen Behördenangst ausarten kann, gehört gleichfalls in diese Kategorie, denn nicht nur daß schon die winzigste Geldstrafe eine Ich-Verkleinerung (zumindest im »Haben«) repräsentiert, ihr Symbolwert geht darüber hinaus und wird hypertrophiert, weil der Mensch – teils wohl wegen seines Generationengedächtnisses, teils aber wohl auch wegen der Mordwünsche, die er in frühesten Jahren hegte, und denen er sich damals ausgesetzt gefühlt hatte – in jeglicher Strafe die Todesbedrohung ahnt, die Dschungelpanik des Primitiven, ihr fortdauerndes Andenken.

Denn die Reaktion des Primitiven (wie des Kindes) auf jedes Vergehen gegen seine Lebensordnung ist der Wunsch nach radikaler Eliminierung des Störenfrieds; es ist nicht so sehr Strafe als Selbstschutz, vielfach magisch bedingter Selbstschutz, und wird trotzdem Strafe, weil sie die Folge eines bestimmten gesellschaftswidrigen Verhaltens ist, und sie ist sogar Todesstrafe, weil die Ausstoßung aus dem Stamm, mit dem die Primitivgesellschaft gegen ihre Rechtsbrecher vorgeht, diesen sowohl aus physischen wie aus psychischen Gründen dem Tod ausliefert. Und das eben ist die Strafpanik, die sich bis zum heutigen Tag erhalten hat, und ohne die es der Strafe niemals gegeben wäre, ihre – immerhin ihr zugedachte – verbrechens-verhütende Wirkung auszuüben: so sehr die Strafen in der nach-magischen Periode der Menschheit sich zu humanisierteren Formen entwickelt haben, sie mußten, der Straf-Wesenheit gemäß, Ich-Verkleinerungen bleiben und wurden daher allesamt zu Symbolen der Todesstrafe; für die Körperstrafen ist das eo ipso klar, für die Einkerkerung ist es bezeichnend, daß neben dem ich-verkleinernden Freiheitsentzug das Todesgrauen der Langeweile gesetzt wird, und selbst noch für die Geldstrafe gilt, daß sie, möge sie nun schwer oder, wie etwa bei Polizeibußen, ganz leicht sein, mit ihren Ich-Verkleinerungen die Ich-Auslöschung andeutet. Diese bis in die leichtesten Strafen hineinreichende Magie ist um so bemerkenswerter, als eine große Anzahl von Gesetzen, z. B. die zur allgemeinen Militärpflicht, ungemein einschneidende Ich-Verkleinerungen vorschreiben und trotzdem keine panik-auslösende Wirkung haben.

Teilweise mag dieser bemerkenswerte Unterschied zwischen den gesetzhaften und den strafhaften Ich-Einschränkungen sich in dem zwischen »Ich-Nähe« und »Ich-Zugehörigkeit« begründen lassen: Gesetze verbieten oder beschränken im allgemeinen bloß jene Ich-Erweiterungen, die zu der Kategorie der »Haben«-Werte gehören, richten sich also (nicht immer just aus moralischen Gründen) gegen Pseudo-Ekstasen, und wenn sie keine Verbots-, sondern Pflichtgesetze, wie eben im Fall der Militärpflicht oder der Steuereintreibung sind, so bieten sie dafür dem Betroffenen gewisse staatsbürgerliche Ich-Erweiterungen als Ersatz an; ganz anders jedoch verhält es sich mit den

Strafen, denn sie alle – und eben vor allen andern die Todesstrafe – packen den Menschen unmittelbar bei seinen »Ich-zugehörigen« Werten an, also dort, wo er wirklich »ist«, und wenn auch die Geldstrafen hievon eine Ausnahme zu sein scheinen, weil sie auf »Haben«-Werte gerichtet sind, sie sind es nicht, vielmehr treffen sie den ökonomisch orientierten Menschen, den Gegenwartsmenschen, kurzum den, für den das Geld das Wert-Symbol an sich geworden ist und der sich daher unausgesetzt mit ihm identifiziert, an einem Zentralpunkt seines Seins, an einem Zentralpunkt seines Ekstase-Empfindens, und nicht nur daß sie ihn von hier aus besonders leicht in Panik zu versetzen vermögen, sie tun dies umsomehr, als sie dabei von der allgemeinen Strafstruktur, an der sie ja partizipieren, vollauf unterstützt werden. Und zwar tritt da (sowohl rechtsformal wie psychologisch) der Zwangscharakter der Strafe in Funktion: Gesetz ist Drohung und enthält infolgedessen noch einen Freiheitsrest, den kleinen Rest der Gesetzesübertretung – nur das echt magische Gesetz des Primitiven (wie es auch beim Zwangsneurotiker noch in Kraft steht) duldet keine Übertretungen –, doch im Strafvollzug und selbst in dem der kleinsten Geldstrafe gibt es keinen Freiheitsrest mehr, und diese Unentrinnbarkeit ist ihre zweite panik-erregende Ursache, dennoch wiederum die erste, da auch sie der des Todes verwandt ist und aus ihm ihre magische Gewalt bezieht.

Gesetz ist bloß Drohung, doch Strafe ist Unentrinnbarkeit; daraus folgt nicht nur ihre Notwendigkeit als Gesetzesschutz, sondern auch ihre Unzulänglichkeit in der Erfüllung dieser Aufgabe: es gibt bekanntlich keine absolute Verbrechensverhütung durch die Strafe; sie ist eine bisher ungelöste Maximum- und Minimumaufgabe, und sicherlich wäre sie nicht gelöst, wenn in Rückkehr zum Urzustand alle Strafen – die Diktaturen sind kraft Enthumanisierung auf dem besten Wege hiezu – wieder auf die Todesstrafe reduziert werden würden; doch auch derjenige, der seine Hoffnungen auf die »gerechte Strafe« setzt und fordert, daß die durch diese verhängten Ich-Verkleinerungen sich beiläufig umfangsgleich mit denen des verletzten Gesetzes decken sollen, wird enttäuscht bleiben müssen, weil es sich ja im Grunde um inkommensurable Dinge handelt. Für den Taschendieb, der seinen Beruf mit Leidenschaft ausübt, ist das Stehlverbot eine ärgere Ich-Einschränkung als die zwei Jahre

Zwangsarbeit, die er bei Verbotsübertretung riskiert, und ebensowenig ist der Mord je aus der Welt geschafft worden, obwohl zwischen ihm und der Todesstrafe scheinbar das präziseste Gerechtigkeits-Gleichgewicht im Sinne des »Aug um Aug« hergestellt ist. Mit andern Worten, die pursuit of happiness verfolgt sehr oft dunkelheitsverlorene, verbrechensgeschwängerte Irrwege, die durch keinerlei Strafpanik abzuriegeln sind.

Überflüssig zu betonen, daß es nicht diese Verirrungen sind, welche von der pursuit of happiness in der amerikanischen Unabhängigkeitserklärung gemeint werden. Im Gegenteil, gerade weil an ihnen ersichtlich ist, daß die nach göttlichem Recht dem Menschen unabdinglich zustehende und solcherart dem »positiven Pol« seiner Wertskala zugeordnete »Freiheit« außerstande ist, sein irdisches Verhalten zu regeln, oder genauer, weil sie als bloße Formaldefinition keine Handhabe bietet, seine Ungebundenheit zu zügeln, ist die pursuit of happiness als »irdische«, am »negativen Pol« orientierte Zusatzdefinition unvermeidlich geworden. Und von hier aus ergibt sich:

    a. die pursuit of happiness bedeutet nicht Ungebundenheit;

    b. Ungebundenheit unterliegt Strafen;

    c. Ungebundenheit tritt ein, wenn ein Mensch gegenüber dem Nebenmenschen Handlungen begeht, deren Struktur (Schaden an Leib und Leben, Freiheitsentzug, Vermögensentzug usw.) an die der gesetzlichen Strafen angenähert oder gar mit ihr identisch ist;

    d. in der Erfindung und Festsetzung von Strafen ist das Gesetz an deren Begriffs-Umkreis, d. h. an das ihn bestimmende »Irdisch-Absolute« gebunden, und dieses zeigt sich hier am »negativen Pol« der Todesstrafe und an den aus ihr derivierten Ich-Einschränkungen;

    e. zur Formal-Bestimmung der Strafe (doch ebendarum auch zu ihrer psychischen Wirkungsfähigkeit) gehört ferner, daß sie die Folge einer Gesetzesübertretung zu sein hat und daher auch eines Urteils bedarf;

    f. Gesetze sind Verhaltungsmaßregeln und Strafandrohung für Nichtbefolgung der gesetzten Regeln;

    g. Gesetze dürfen nicht selber Strafe sein, d. h. Ich-Einschränkungen vornehmen, welche gemeiniglich der Strafe allein vorbehalten sind;

    h. im allgemeinen kann gelten, daß die durch Gesetze vorgenommenen Ich-Einschränkungen bloß die Sphäre der »Ich-Nähe«, dahingegen die durch Strafen vorgenommenen die der »Ich-Zugehörigkeit« treffen;

i. es gibt jedoch ein Grenzgebiet, nämlich das des Geldes, in dem die gesetzhafte Ich-Einschränkung sich mit der strafhaften überschneidet, dort als Steuereinziehung, hier als Geldbuße, und die beiden Kategorien sich bloß am Kriterium der vorangegangenen oder nicht-vorangegangenen Gesetzesübertretung unterscheiden.

All das sind »irdische«, nämlich psychologische Feststellungen, die sich aus dem Begriff der pursuit of happiness ableiten lassen, und mit Fug muß man sich daher fragen, ob damit nicht die Zusatzdefinition zur Hauptdefinition geworden ist, mit andern Worten, ob der formale Apriori-Begriff der »Freiheit« nicht daran ist, zur Gänze entbehrlich zu werden. Denn augenscheinlich genügt die pursuit of happiness, um ein »irdisches Menschenrecht« – und ein außerirdisches braucht man nicht – in seinen Grundzügen festzulegen und von hier aus aufbauen zu können.

Die Frage ist sowohl aus methodologischen wie aus (hier freilich nicht sehr ausschlaggebenden) seelischen Gründen zugunsten einer Beibehaltung des Freiheits-Begriffes zu entscheiden. Denn so wenig der »positive Pol«, an dem die von der Unabhängigkeitserklärung gemeinte »Freiheit« steht, im Empirischen unmittelbar fruchtbar zu machen ist, seine Fruchtbarkeit oder Unfruchtbarkeit ist beiläufig die gleiche wie die des Wissens um das Unendliche in der Mathematik: da wie dort handelt es sich um eine notwendige formal-methodologische Voraussetzung, ja um eine Ur-Voraussetzung, verwurzelt in jener idealen Absolutheit, ohne die es überhaupt keinen Erkenntnisfortschritt gäbe. Gewiß, Deduktionen aus dem Absoluten, die nicht unter empirischer Kontrolle stehen, führen zu Fehlschlüssen, wie etwa dem von der Existenz des Äthers, während die Konstruktion von Idealgebilden auf Basis der Empirie – z. B. eines »Rechts an sich« auf psychologischer Basis (wozu unter anderem Übereinstimmungen wie die formale Korrelation Gesetzesbruch-Strafe verleiten könnten) – zu Zirkelschlüssen führt. Mit andern Worten, die unendliche Deduzierbarkeit aus dem Ideal-Absoluten benötigt eine »Limitation«, und die wird ihr vom Irdisch-Absoluten der Empirie geliefert, während um-

gekehrt die empirische Erkenntnis in erster Linie eine Limitie-
rungs-Funktion hat, d. h. als solche an den Absolutheits-De-
duktionen ausgeübt wird, um ebenhiedurch zur Erkenntnis zu
werden. Demzufolge ist auch auf die Begriffe »Freiheit« und
»Gleichheit« nicht zu verzichten; sie sind legitime Deduktionen
aus dem Apriorisch-Absoluten, und ihre Fruchtbarkeit liegt in
ihrer Limitierungsfähigkeit, ihrer Limitierungsbedürftigkeit:
wird dieser durch das Irdisch-Absolute Genüge getan, so entsteht das System von Sätzen, das wir als das des »irdischen
Menschenrechtes« bezeichnen durften.

Da der Limitierungs-Mechanismus die Erkenntnis allüberall
und allzeit begleitet, wird er gewöhnlich nicht bemerkt; er wird
erst bemerkt, wenn seine konstanten Wendungen vom Deduktiven zum Empirischen (und umgekehrt) besonders ein-
schneidend werden: dann wird er kopernikanische Wendung
genannt.

5. Pflicht des »Rechts an sich« zu kopernikanischer Wendung
Es ist kaum anzunehmen, daß das »irdische Menschenrecht«,
das in der Hauptsache unmittelbare Limitation von »Freiheit«
und »Gleichheit« ist, also von Begriffen, denen nur mittelbarer
Zusammenhang mit dem »Recht an sich« zukommt, zugleich
auch als Limitation von diesem aufgefaßt werden kann; zwischen den beiden Rechtsgruppen besteht weit eher ein Koordi-
nations- denn ein Subordinationsverhältnis, und dafür spricht
unter anderem, daß gewisse Sätze in ihrer beider Gefüge passen, so der von der Strafverfallenheit jeglicher »ungebunde-
nen« Gesetzesübertretung, oder vom Formalunterschied
zwischen Strafe und Gesetz, dieses als Drohung, jene aber
als unentrinnbare Zwangsmaßnahme diagnostizierend. Daß
solch gemeinsame Sätze das Koordinative nicht in Identität
verwandeln, versteht sich von selbst; sie deuten lediglich auf
eine gemeinsame Wurzel hin: weder läßt sich aus ihrem Vorhandensein (wie vielleicht geglaubt werden mag) eine sozusagen autarke Ableitung des »irdischen Menschenrechts« aus
dem »Recht an sich« gewinnen, noch läßt sich das Umgekehrte
erwarten, ja das noch viel weniger, denn das »Recht an sich«
ist ein reines Deduktivgebilde, dem ein höherer Abstraktions-
rang zukommt als dem psychologisch-empirischen des »irdischen Menschenrechtes« (unbeschadet des sonstigen Koordi-

nationsverhältnisses der beiden), und wie immer daher auch die psychologische Rechtsanalyse geführt wird – die pursuit of happiness ist hiefür ein bloßer Ansatzpunkt so gut wie jeder andere, lediglich gewählt, um an ihr die große Weisheit aufzuzeigen, mit der diese drei kleinen Worte in die Unabhängigkeitserklärung eingetragen worden sind –, sie müßte zwar stets zu den gleichen Resultaten gelangen (die ja sonst nicht vollgültig wären), doch nie und nimmer wäre ihr damit ermöglicht, aus ihrem psychologischen Bereich in den deduktiven des »Rechts an sich« vorzudringen; Koordination schließt nicht gegenseitige Ableitbarkeit in sich ein.

Koordination bedeutet lediglich gegenseitige Voraussetzung. Nun könnte man dazu noch einwenden, daß wohl das »Recht an sich«, dank seiner apriorischen Absolutheit, die Voraussetzung des »irdischen Menschenrechtes« sei, und daß sie sich eben auch an den verschiedenen Formalsätzen zeige, die in dieses als unentbehrliche Bestandteile eingegangen sind und solcherart gemeinsamen Besitz beider Bereiche bilden, daß aber das Umgekehrte nicht mehr statthat, einfach weil in einem rein formalen und deduktiven System nach Art des »Rechts an sich« kein inhaltlich gefärbter, aus dem Empirischen stammender Satz Unterkunft zu finden vermag. Das klingt hochplausibel und ist tieffalsch. Überraschenderweise – und letztlich doch nicht erstaunlich, da bloß der Mathematik eindeutiger Formalcharakter zukommt – zeigt sich nämlich, daß das »Recht an sich« weit mehr inhaltlichen Voraussetzungen unterliegt, als von ihm selber bisher angenommen, bemerkt und zugegeben worden ist.

Das »Recht an sich« verhält sich »inhalts-neutral«, d. h. es ist imstande zu jeglicher nicht in sich selber widerspruchsvollen, also zu jeder nicht formal sinnlosen Gesetzgebung des Staates die ihr nötige Rechtsstruktur beizustellen. Das entspricht den bisher üblichen Anschauungen über das »Recht an sich« und sozusagen auch seiner eigenen Meinung. Indes, was geschieht, wenn der Gesetzgeber den karnevalesken Einfall hätte zu dekretieren, daß jeder Mann spätestens sechs Monate nach Erreichung des fünfzigsten Lebensjahres kurzerhand – und zwar unter gleichzeitiger Aberkennung der bürgerlichen Rechte und Ehren – gehenkt werden müsse? Abgesehen davon, daß es für die Betroffenen ein unangenehmes Gesetz wäre, ein umso un-

angenehmeres als es keinerlei Ersatz-Ekstasen vom Schlage des
»Todes fürs Vaterland« liefert, ist es zumindest formal nicht
sinnlos; es steht kaum mit irgendeinem andern in Widerspruch,
und demzufolge könnte und müßte es vom »Recht an sich«, das
sich ja über nichts wundern darf, schlankweg anerkannt und
gutgeheißen werden. Indes, was geschähe dann? Vor allem wird
klar, daß das Gesetz – insbesondere bei Beibehaltung des Prinzips von der Nichtverschärfbarkeit der Todesstrafe – jedem
Bürger zum fünfzigsten Geburtstag unbeschränkte Verbre-
chensfreiheit beschert: von diesem Zeitpunkt an bis zu seiner
Hinrichtung darf jeder jegliches ihm zusagende Verbrechen
begehen; des Strickes ohnehin sicher, bleibt er de facto straffrei,
und damit wird das »Recht an sich«, das nach unbedingter Ver-
brechenssühne verlangt, unmittelbar affiziert. Gewiß, in vielen
(doch nicht in allen Ländern) werden, eben um dem »Recht an
sich« Genüge zu tun, neben der Todesstrafe für Mord auch
noch nominelle Freiheits- und Geldstrafen für sämtliche mit
ihm in Tateinheit begangenen Gesetzesübertretungen (bis
herab zu der des unbefugten Waffentragens) verhängt, und
Analoges ließe sich desgleichen bei den Fünfzigjährigen anwenden, aber genau so wie man sich damit abzufinden hat, daß
der Mord ein Ausnahmefall ist, der entgegen den Vorschriften
des »Rechts an sich« alle Nebenverbrechen de facto straffrei
macht – und wo auf nominelle Strafakkumulierung verzichtet
wird, ist dies anerkannt –, genau so hätte man sich damit abzufinden, daß der nämliche Ausnahmefall generell bei den Fünfzigjährigen eintritt. Gibt es jedoch einen generellen Ausnahmefall? ist ein Gesetz, das etwas Derartiges statuiert, nicht im
vorhinein sinnlos? Um Übereinstimmung mit dem »Recht an
sich« herzustellen, wäre wahrscheinlich ein Zusatzgesetz notwendig, das den Fünfzigjährigen, als wären sie Unmündige oder
Geisteskranke – der unwiderstehliche Zwang zum Verbrechen
kommt sicherlich nicht in Betracht – Strafunfähigkeit zuspricht,
zugleich aber konstatiert, daß sie trotzdem henkbar und henk-
pflichtig sind. Kurzum, ein Rattenschwanz ergänzender Verordnungen wäre erforderlich, um dem Un-Gesetz rechtliche
Struktur zu verleihen. Indes, all das ist mit einem Schlage weg-
geräumt, wenn man sich verdeutlicht, was von allem Anfang an
ganz deutlich war: da liegt überhaupt kein Gesetz vor! Denn
eine strafrechtlich nicht schützbare Bestimmung verdient ge-

rade im Sinne des »Rechts an sich« nicht den Namen »Gesetz«. Und der Strafschutz entfällt, weil den Gesetzesübertreter, der sich nach Erreichung der Altersgrenze nicht freiwillig der Hinrichtung stellt, keine verschärfte Strafe, sondern eben nur wieder der Galgen erwartet. Man wende nicht ein, daß ein nach seiner Verurteilung entsprungener und sodann wieder eingefangener Mörder sich in derselben Lage befände: was nach erfolgter Verurteilung geschieht, also der Strafvollzug, hat mit dem Rechtsverfahren sowie mit dem »Recht an sich« nichts mehr zu tun, während der Rechtsbruch des Fünfzigjährigen noch nicht einmal zur Verurteilung gediehen ist. Mögen daher die Bestimmungen, die seine Hinrichtung verlangen, formal noch so korrekt ausgebaut werden, das »Recht an sich« ist trotz seiner »Inhalts-Neutralität« nicht befugt, ihnen Gesetzescharakter zuzuerkennen. Es handelt sich hiebei um keinerlei Rechts-Antinomie; nein, es handelt sich lediglich darum, daß die »Inhalts-Neutralität« unter gewissen Umständen durchbrochen werden muß.

Zur Legitimation dieser Durchbrechung braucht das »Recht an sich« keine Anleihe bei irgendeinem inhaltlichen Bereich aufzunehmen; es kann aus seinem eigenen Deduktivbestand einen Formalsatz gewinnen, der das leistet: »Der Inhalt eines Gesetzes darf mit der Strafe, die es zu seinem Schutz verfügt, nie identisch sein.« Es bestand bisher wenig Nötigung, diesen Satz auszusprechen; die praktische Gesetzgebung, der es (begreiflicherweise) unausdenkbar ist, daß Gesetz und Strafe je zusammenfallen könnten, nimmt ihn als banal konsequenzenlose Selbstverständlichkeit, mag sie auch – anders wäre sie mit dem »Recht an sich« nicht in Einklang – ihn stillschweigend befolgen. Und tatsächlich, im letzten ergibt rein formale Deduktion immer nur tautologische und daher leere Sätze. Aber auch die Sätze der Mathematik sind nichts als tautologische Umformungen und haben trotzdem ihren außerordentlichen Erkenntniswert. Und hier wird dieser sichtbar, wo die absolute Grenze der Strafbemessung, ihr Irdisch-Absolutes erreicht wird, und [wo] es um die Todesstrafe und um ihre Nichtverschärfbarkeit geht, denn hier beginnt eine problematische Sphäre (nebenbei eben auch die, in der die praktische Gesetzgebung unbeholfen wird), und hier erhält der Satz plötzlich Sinn, Legitimationskraft und Erkenntniswert: solange man sich im sozusagen dreidimensionalen Raum der Alltagsgesetzgebung bewegt, solange gibt es keinen Einwand gegen die »Inhalts-Neutralität« des »Rechts an sich«, doch wenn es zum Extremfall kommt, da zeigt sich – auch in der Physik ist es nicht anders –, daß man, ungeachtet aller Formal-Logizität, und gerade weil man sie auch weiter anwenden muß, mit unzureichenden Prämissen gearbeitet hat; das Beispiel von den Fünfzigjährigen ist ein solcher Extremfall, und es tut dar, daß der Hinrichtungsbefehl, obwohl aus der Autonomie der Gesetzgebung erfließend und offenbar mit keiner anderen Regierungsverordnung oder gesetzlichen Bestimmung in Widerspruch stehend, trotz dieser Formalkorrektheit formal – wohlgemerkt formal – inkorrekt ist, weil eben an den Extremgrenzen die Inhalts-Strukturen ihre innern Formal-Widersprüche sehen lassen, und daß infolgedessen jene Hinrichtungs-Verfügung infolge ihres Gegensatzes zum »Recht an sich« nie und nimmer rechtlich-gesetzlichen Charakter zu erwerben vermag. Und eine ungesetzliche, lediglich titular-gesetzliche Lebensberaubung ist Mord. Es muß kaum unterstrichen werden, daß das Beispiel von den Fünfzigjährigen ein Schattenriß der Terror-Diktaturen ist.

Das ist ein immerhin bemerkenswertes, ja vielleicht eben sogar überraschendes Ergebnis, denn es besagt, daß das rein auf formalen Überlegungen gestützte »Recht an sich« unter gewissen Umständen fähig und befugt ist, inhaltliche Gesetzgebungsmaßnahmen zu überprüfen und zu beurteilen, und daß es sie bei abfälliger Beurteilung, genau so wie bei formalen Unstimmigkeiten, als unrechtlich verwerfen kann, verwerfen darf, verwerfen muß. Und sinngemäß bezieht sich das keineswegs nur auf die Todesstrafe. Vielmehr darf, oder genauer gesagt dürfte kein Gesetzgeber, ob er nun diktatorialer oder parlamentarischer Art sei, irgendeinen Menschen – also nicht nur die Mitglieder einer rechtsgeschützten Gruppe – in einen strafanalogen Zustand versetzen, ohne daß der Betroffene eine mit der entsprechenden Strafe belegte Gesetzesübertretung begangen hätte. Mit andern Worten, soweit der Staat ein Rechtssystem repräsentiert und es sein will, darf es keine rechtlosen Enklaven geben; es können zur Not Gruppen-Unterscheidungen gemacht werden – das Militärrecht war stets strenger als das für die Zivilbevölkerung geltende gewesen –, und Hitler wäre es unbenommen gewesen, für Juden besonders drakonische Strafen einzuführen; aber zwischen Drakonismus und völliger Rechtlosigkeit besteht kein gradueller Unterschied, nein, das ist der Gegensatz schlechthin, und völlig rechtlos, völlig vogelfrei darf niemand gemacht werden. Und ebendarum zerstört Sklaverei, sei es nun die des Privat- oder die des modernen Staatssklaventums, die Komplettheit jeglichen Rechtssystems. Und darum haben auch die juristischen Bemühungen zur Umwandlung des in der Sklaverei-Institution steckenden absoluten Herrscherrechtes in ein Eigentumsrecht allesamt scheitern müssen. Die Fehlanschauung von der »Inhalts-Neutralität« des Rechtes stand dahinter, und aus einer Fehlanschauung läßt sich kein gültiger Rechtssatz konstruieren. Hätte diese Fehlanschauung nicht perseveriert, es wäre immerhin möglich gewesen, daß ein mutiger deutscher Staatsanwalt – nicht unbedingt eine contradictio in adiecto – von dem Usus der Ableugnung aller Kenntnis über die Konzentrationslager-Vorgänge abgewichen wäre, um sie, freilich unter schwerster Selbtgefährdung, zum Gegenstand einer Anklage wegen gemeinen Mordes, Anstiftung und Beihilfe zum Mord, schwerer Körperbeschädigung und Freiheitsberaubung zu machen. Nicht Humanität, nicht der Glaube an das Menschenrecht hätte ihn dazu genötigt – im Gegenteil, beides hat mit der Amtspflicht eines Staatsanwalts nichts zu tun und hätte seinen Standpunkt bloß geschwächt –, einzig und allein eine richtige Auslegung des »Rechts an sich« hätte der Antrieb zu seinem Schritt sein müssen.

Nichtsdestoweniger, an diesem so ungemein merkwürdigen Eingriff des Formalen ins Inhaltliche, der da vom »Recht an sich« vorgenommen wird, ist die Menschengestalt, wenn auch nur in äußerster Abstraktion, nicht unbeteiligt. Es versteht sich, daß es sich dabei nicht um die Abstraktionen des Alltags-Rechts handelt, welche – eben mit allem Recht – den Menschen bloß in seiner jeweiligen juristischen Funktion nehmen, ihn bloß als Kläger oder Beklagten, als Subjekt einer Rechtshandlung oder als deren Objekt sehen und nicht einmal seinem physischen Hinsterben, sofern es nicht eine gerade schwebende Rechtssache unterbricht, irgendwelche Beachtung schenken, sondern ihn in der »juristischen Person« seines Nachlasses ruhig weiterleben lassen. Das sind praktisch notwendige Abstraktionen, aber sie werden an Radikalität von denen des

»Rechts an sich« beträchtlich übertroffen und spielen daher in seinem Rahmen eine sehr geringe Rolle. Denn das »Recht an sich« hat mit der lebendigen Rechtsprechung und ebendeswegen auch mit dem Menschen als solchem kaum mehr etwas zu schaffen; es will das logische System, den logischen Mechanismus darlegen, nach dessen Vorschriften Recht gesprochen wird, und demzufolge operiert es vor allem mit juristischen Allgemeinbegriffen wie »Gesetz« und »Strafe«, die ihrerseits so weit abstrahiert werden, daß sie ohneweiters durch logische Symbole A, B usw. ersetzt werden könnten. Solcherart baut sich das Gesamtsystem aus funktionalen Beziehungen zwischen den Systemteilen auf, und darunter finden sich auch – nach Festsetzung gewisser, manchmal axiomatischer Definitionen – gewisse Skalen-Beziehungen und in letzter Simplifizierung solche von der Form: »Je größer X, desto größer Y«, also etwa unter anderem »Je schwerer das Verbrechen, desto schwerer die Strafe«. Nun müßte, so lange man sich in rein logischen Deduktionen bewegt – und das »Recht an sich« wünscht dies zu tun –, eine solche Skala unendlich fortsetzbar sein, also zu immer schwereren Verbrechen und zu immer schwereren Strafbemessungen, doch mit einem Male ist das Irdisch-Absolute auf dem Plan und »limitiert«, hier einerseits als Mord, andererseits als Todesstrafe, das an sich grenzenlose deduktive Spiel. Die »Limitation« liegt also an der Menschengestalt als solcher, an der menschlichen Qualität des Sterbenmüssens, und diese Qualität wird keineswegs nur als mechanisches Skalen-Ende in das deduktive System projiziert, sondern affiziert es durch und durch, jedenfalls weit mehr als das juristische Menschenbild, mit dem die praktische Rechtsprechung sich beschäftigt: bei aller Reduzierung auf nackteste Abstraktheit, es ist ein inhaltlicher Faktor, der da, wie überall mit dem Irdisch-Absoluten, in einen rein formalen Bereich introduziert wird – der Vergleich mit der relativitäts-theoretischen Introduktion des Sehakts in das physikalische Beobachtungsfeld ist nicht unerlaubt –, und nicht nur, daß an solcher Aufsaugung des Inhaltlichen durch die Form das Absolute sich immer wieder bestätigt, es bestätigt sich daran auch ihre spezifisch menschliche Bedingtheit. Und so ist es auch nicht unpraktisch, die solcherart im Bereich des »Rechts an sich« beobachtbaren (hier sicherlich nicht ausgeschöpften) Wirksamkeiten der zur Abstraktion gebrachten menschlichen

Qualitäten in ihrer Gesamtheit als »rechts-erzeugende Person an sich« zu bezeichnen.

Der Introduktionspunkt für das Irdisch-Absolute im »Recht an sich« wird durch die Fakten des Mordes und der Todesstrafe, also durch die spezifisch juristische Funktion, die der menschlichen Sterbens-Verfallenheit abzugewinnen ist, sichtbar gemacht, und damit wird auch die eigentümliche, wenn man will sogar kopernikanische Wendung augenfällig, die im Bereich des »Rechts an sich« offensichtlich in Gang kommt: nicht mehr die (dem »positiven Pol« zugehörige) »Gerechtigkeit« und nicht einmal mehr »das Gesetz« oder »die Rechtshandlungen« sind im Zentrum der Begriffsbildung zu lokalisieren, vielmehr hat sich dieses zur »Strafe« hin verschoben, da sie und wohl nur sie das inhaltliche Moment trägt, das dem »Recht an sich« die überraschende Befugnis erteilt, das Prinzip der »Inhalts-Neutralität« endlich zu durchbrechen. Und wenn behauptet werden durfte, daß das »Recht an sich« und das Menschenrecht eine gemeinsame Wurzel besitzen, sie gelangt hier zum Vorschein, an diesem Introduktionspunkt des Inhaltlichen in der Sphäre des »Rechts an sich«, deren Koordinations-Verhältnis zu der des Menschenrechtes sich demgemäß gleichfalls von hier aus ergibt. Und all das hat teil an jener »kopernikanischen Wendung«. Mit andern Worten, das zu logischer Mathematisierung hindrängende »Recht an sich« trachtet, die Verbrechens- und Strafskala in zwei aufeinander abbildbare Reihen von Formalsymbolen a, b, c, d ... und a', b', c', d' ... aufzulösen, denen nunmehr durch das Irdisch-Absolute des Mordes und der Todesstrafe ein fixer Nullpunkt gegeben ist, während das Menschenrecht, eben von dem gleichen Nullpunkt ausgehend – und dieser gemeinsame Ausgangspunkt ist hier das Wesentliche –, die Skalenbildung vermittels graduell abgestufter Inhalts-Symbole bewerkstelligt, d. h. vermittels der Symbolisierungen der Todesstrafe in den graduellen Wert- und Ich-Einschränkungen, aus denen die üblichen Strafsysteme bestehen; es zeigen sich also damit zwei methodologisch verschiedene Symbolkomplexe, einerseits von Formal-, andererseits von Inhaltscharakter, und in ihrer beider Wechselbeziehung, die dem einen Sinnerfülltheit (sonst wäre er leer), dem andern aber Ordnungssystematik (sonst wäre er ein bloßes Konglomerat) verleiht, zeigt sich, daß sie einander Voraussetzung sind. Im

»negativen Pol« der Todesstrafe jedoch finden die beiden Symbolkomplexe ihren gemeinsamen Nenner, ihren gemeinsamen Ausgangspunkt, und von ihm aus sind »Recht an sich« und Menschenrecht einig in der strengen Auseinanderhaltung von Gesetzes- und Strafinhalten, die eben zwei getrennten Kategorien angehören; ja mehr noch, sie sind ebendarum auch einig in der rückhaltlosen Verwerfung der Sklaverei-Institution, die in ihrer Rechtswidrigkeit – in beiden Symbolkomplexen – nicht Symbol der Todesstrafe, sondern des Mordes ist.

Der bei alldem aktive Satz des »Rechts an sich« konnte formuliert werden: »Der Inhalt eines Gesetzes darf mit der Strafe, die es zu seinem Schutz verfügt, nie identisch sein.« Und der entsprechende Satz des Menschenrechts lautet: »Gesetze dürfen nicht selber Strafe sein, d. h. Ich-Einschränkungen vornehmen, welche gemeiniglich der Strafe allein vorbehalten sind.« Vergleicht man diese beiden Sätze, so werden an ihnen sowohl die Gemeinsamkeits- wie die Unterscheidungsfaktoren der beiden Rechtsgruppen deutlich.

6. Das gesunde Rechtsempfinden

Die Verwandschaft von »Recht an sich« und Menschenrecht, ihr Koordinationsverhältnis, in dem sie, trotz einiger Überschneidungen, nie einander überflüssig machen, sondern stets einander bedingen und voraussetzen, erhält durch das positive Recht noch eine weitere Stütze: in ihm werden sie beide konkretisiert, jenes der Form, dieses dem Inhalt nach.

Die Konkretisierung im positiven Recht wurde auch für das Naturrecht angenommen; seine Existenz vorausgesetzt, nahm man an, daß es Schritt für Schritt durch positive Kodifizierung zum Vorschein komme, während der unkodifizierte Rest teils im Bereich der platonischen Idee, teils in dem der praktischen Moral, also vor allem in den verschiedenen, zwar ungeschriebenen, dennoch gehaltenen Traditionen angesiedelt sei, gewärtig, je nach Bedarf zur Rechtssatzung zu werden. Daß diese Hypothese Angriffen ausgesetzt sein mußte, versteht sich von selbst. Dem Naturrecht wurde mit gutem Grunde vorgeworfen, daß seine prinzipielle Unsichtbarkeit für seine Nicht-Existenz spricht, daß es einerseits nichts als eine verwässerte Säkularisation des göttlichen Rechtes sei – dessen Sichtbarkeit wenigstens in der Bibel vorliegt –, und daß andererseits alles, was ihm sonstwie zugedacht wird, auf fiktiven und unbefugten Erweiterungen des positiven Rechtes beruhe. Es ist zu erwarten, daß das Menschenrecht zum Erben solchen Vorwurfes gemacht werden wird, um so mehr als ein analoger Vorwurf gegenüber dem »Recht an sich« schon seit langem besteht, indem nämlich dieses einfach als Abstraktion des positiven Rechtes genommen wird, als ein Extrakt ohne eigenen Existenzanspruch.

Nun, das »Recht an sich« ist in seinen axiomatischen Grundbegriffen, das ist in seinen idealen und irdischen Absolutheiten sicherlich von »Gegebenheiten« abhängig, die überdies unter anderem auch die des positiven Rechtes sind, also ohne seine Analyse kaum zu agnoszieren wären, aber das bedeutet noch nicht, daß es seine Abstraktion ist, die sich im Gebäude des »Rechts an sich« präsentiert, vielmehr ist dieses neben ihm – und gerade wegen der gemeinsamen Grundlagen auch zu seiner ständigen Kontrolle – als »Modell«, als das abstrakt gültige Modell eines jeden Rechtes errichtet. Und was hier im Formalen geschieht, das findet auf der inhaltlichen Seite sein Gegenstück im Menschenrecht. Zum Unterschied von der Unkonstruktion des Naturrechtes, dessen Leerplatz es einnehmen soll, hat das Menschenrecht, ohne darum das »Recht an sich« zu imitieren, jedoch am selben Ausgangspunkt wie dieses ansetzend, gleichfalls ein selbständig konstruierbares »Modell« zu sein, also eines, das gleichfalls die Mechanik des Rechtssystems spiegelt und (mit tunlichst hohem Wahrscheinlichkeitsgehalt) »erklärt«, dabei aber als inhaltliche Erklärung die hiefür nötigen Konstruktionselemente nicht mehr ausschließlich aus der formal-logischen Sphäre beziehen kann, sondern sie in einer inhaltlichen suchen muß, und die ist sinngemäß das Wissen um das menschliche Verhalten als solches. Und wenn auch das Verhalten des Menschen von vielerlei Faktoren bedingt ist, von biologischen wie von anthropologischen, von soziologischen wie von ökonomischen, es ist keiner von ihnen wahrhaft apriorisch, es steht hinter ihnen allen die psychologische (und dahinter erst recht die erkenntnistheoretische) Bedingtheit – selbst die wirtschaftlichen Gesetzlichkeiten, die jedem Pan-Ökonomismus (mitsamt dem marxistischen) als heiliges Apriori gelten, wären anders, wenn die psychologischen Realitäten andere wären –, und so gewinnt das Menschenrecht als Modell aus den von ihm verwendeten psychologischen Fakten seinen Systemcharakter, genau so wie es das »Recht an sich« auf Grund seines logischen Aufbaus tut: sie beide sind Modelle, sie beide sind Systeme, sie beide spiegeln das positive Recht, und so ist es nur natürlich, daß die in ihnen erkennbaren Sätze und Satzgruppen »rechtsähnliches« Aussehen haben.

Trotzdem hat das Menschenrecht in einem gewissen Sinn die Erbschaft des nicht-existenten, legendären Naturrechts angetreten: wurde nämlich für dieses angenommen, daß es aus dem Stand seiner Unsichtbarkeit vermittels sukzessiver Kodifizierung im positiven Recht zum Vorschein gebracht wird, so darf solches für das Menschenrecht mit ungleich besserem Fug, mit ungleich konkreterer Geltung ebenfalls behauptet werden. Und gleichwie beim Naturrecht (oder dem ihm zwillingshaft verschwisterten Vernunftrecht) angenommen wurde, daß ausschließlich durch seine Kodifizierung eine »richtige«, eine dem »gesunden Rechtsempfinden« entsprechende Gesetzgebung entstünde, so gilt das doppelt für das Menschenrecht, das infolge seiner psychologischen Fundierung eine gewissermaßen natürliche Affinität zum »gesunden Rechtsempfinden« besitzen könnte. Indes, mag das Rechtsempfinden noch so gesund und hypergesund sein, es hat sicherlich keine staatsrechtliche oder gar wissenschaftliche Autorität und kann sicherlich nicht zuverlässig entscheiden, ob die Gesetzgebung das Menschenrecht wirklich »richtig« konkretisiert oder nicht –, wo also ist die hiefür zuständige, autoritative Instanz zu finden? Insolange es um das Naturrecht ging, gab es bestimmt keine derartige Instanz, und am allerwenigsten wäre das »Recht an sich« anzurufen gewesen, denn zwischen ihm und dem Naturrecht (auch dem zum Vernunftrecht umgetauften) bestand überhaupt keine Beziehung, weil sich ja nichts dergleichen zu einem unsichtbaren Gebilde herstellen läßt, und mit der verbleibenden Formalbeziehung zum positiven Recht allein war kein tertium comparationis gegeben; mit Hilfe des »Rechts an sich« war es – und auch das ist eine Wurzel jener verhängnisvollen These von seiner »Inhalts-Neutralität« – schlechterdings unmöglich, über die inhaltliche Korrektheit des angeblich zwischen Naturrecht und positivem Recht stattfindenden Konkretisierungsvorganges zu entscheiden. Anders freilich verhält es sich mit der Konkretisierung des Menschenrechtes: von vornherein mit dem »Recht an sich« verwandt und koordiniert, ja gleich ihm ein Modell des positiven Rechts, enthält es in unzweideutiger Weise das benötigte tertium comparationis, und dank dieser den drei Gruppen gemeinsamen Struktur-Analogie wird es möglich – im Beispiel von den Fünfzigjährigen konnte dies dargetan werden –, am »Recht an sich« abzulesen, ob eine staatliche Maßnahme als rechtsgültiges Gesetz und damit als »richtige« Konkretisierung des Menschenrechtes betrachtet werden darf. Etwas anthropomorphiert ausgedrückt, ist das ein Richteramt, das ausschließlich dem »Recht an sich« zukommt, nicht nur wegen der Singularstellung alles rein Formalen und Logischen, sondern auch wegen seiner lediglich formal-strukturellen Konkretisierbarkeit; das Menschenrecht steht mit dem positiven Recht in einem inhaltlichen Gegenseitigkeitsverhältnis, das »Recht an sich« in einem einseitigen. Mit andern Worten, bis zu einem gewissen Grad ist trotz all seiner Abweichungen vom Naturrecht das Menschenrecht immer noch sein Erbe, und zwar vornehmlich hinsichtlich des Wunschcharakters, der jenem angehaftet hatte; doch dafür hat es, im Gegensatz zu ihm, eine Konkretheit errungen, die es ihm gestattet, die Erfüllung seiner Wünsche dem Formalismus des »Rechts an sich« anheimzugeben, und kein Zweifel kann bestehen, daß das »Recht an sich« ausgesprochenen Vorschrifts- und nicht nur Wunschcharakter besitzt.

Freilich, der Vorschrifts-Charakter des »Rechts an sich« reicht nicht weit. Es kann bloß konstatieren, ob staatliche Maßnahmen als wirklich rechtsgültig angesehen werden können oder nicht; indes, wenn ein fascistischer Diktator keinen Wert auf die Rechtsgültigkeit seiner Handlungen und Verordnungen legt – und er wird um so weniger Wert darauf legen, je mehr sich herausstellt, daß Rechtsgültigkeit in zunehmender Weise von korrekter Kodifizierung des Menschenrechts abhängt –, so läßt sich, da er und nicht das »Recht an sich« die Macht in Händen hat, nichts dagegen tun. Die Windrose, der es anzuzeigen obliegt, aus welcher der vier Weltecken der Wind der Geschichte bläst, deutet mit der Aufschrift »Recht schafft Macht« ins Paradiesische, mit »Macht schafft Unrecht« ins Purgatorische, mit »Unrecht schafft Macht« ins Höllische, aber mit »Macht schafft Recht« ins alltäglich Irdische, und da es immer wieder der Teufelssturm ist, der über die Menschheit dahinzufegen droht, bescheidet sie sich zumeist gerne mit dem irdischen »Macht schafft Recht«, zwar hoffend auf das Paradieses-Wehen – keine Todesstrafe gäbe es dann mehr im weiten Erden-rund –, dennoch wissend, daß das Wunder nicht kommt, wenn es nicht erzwungen wird: das Wunder »Recht schafft Macht« will, daß zuerst einmal dem Recht die Macht dazu verschafft werden möge. Und dieser Prozeß der Machtverschaffung für das Recht heißt Revolution. Weder das Menschenrecht noch das »Recht an sich«, dieses mit Forderungs-, jenes mit Wunschcharakter, verlangt nach Revolution, vielmehr wenden sich beide fürs erste an die reguläre Gesetzgebung, freilich stets gewärtig, daß in deren Gebundenheit keine Erfüllung zu finden ist, ja daß aus ihr stets aufs neue das furchtbare »Macht schafft Unrecht« erstehen und infolgedessen ihnen die ebenso furcht-bare Pflicht auferlegt wird, voll für die Revolution einzutreten und den Revolutionsschrecken zu verteidigen; dies nämlich hat dann zu geschehen, und es gibt der Revolution – wenn auch sehr spät, da die Revolution kaum mehr etwas anderes als Krieg und Weltkrieg sein kann – jenen rechtlichen Rückhalt, in dem sie seit jeher ihren Adel gespürt und gesucht hat: »Wer dem Ty-rannen widersteht, der dient Gott«, so hat es von den Makka-bäern bis zur amerikanischen Unabhängigkeitserklärung ge-heißen, und es ist dieser Satz, der säkularisiert in allen aufs Naturrecht basierten Theorien der Revolution immer wieder zum Vorschein gebracht wird, um den »das Unrecht schaffen-den« Tyrannen, straffällig zu machen. Das Naturrecht mußte, mangels präziser Handhaben, darin vage bleiben; dagegen ist das Menschenrecht, dank seiner Deckung und Unterstützung durch das »Recht an sich«, vollkommen fähig, das Unrecht als Versklavung und damit als eine Rechtswidrigkeit zu definieren, die mit aller wünschenswerten Präzision die Erlaubnis erteilt, den Rechtsbrecher zur Strafverantwortung zu ziehen. Die Machtmittel hiezu werden von solcher Erlaubnis allerdings nicht beigestellt, aber sie stellt die juristische Legitimation der Revolution bei und ist ihr daher ein immerhin nicht unbedeu-tendes Stück geistiger Macht.

Die Revolution, oder richtiger der von Versklavung bedrohte und darum revolutionäre Mensch hat stets um diese Legitima-tion gewußt, und wenn er die Tyrannis verfluchte, da hat er die von ihr ausgeübte Versklavung gemeint und hat dies auch im-mer ausdrücklich ausgesprochen, wissend um deren Rechts-widrigkeit, wissend um das verletzte Recht, obwohl es nicht

formuliert, nicht kodifiziert war, wissend um das dahinter stehende Irdisch-Absolute, weil er eben vieles von der Weltrealität und von ihren Zusammenhängen ahnt, es wohl seit jeher geahnt hat, unbeschadet der Jahrhunderte und Jahrtausende, die
nötig sind, damit das Wissen rationale Gestalt erlange und
formulierbar werde. Das hindert freilich nicht, daß derjenige,
der gegen seine Versklavung und für seine Freiheit kämpfte,
daneben allzeit bereit gewesen ist, andere zu versklaven – das
hat für die amerikanische Revolution, die den Negersklaven
nicht befreite, genauso gegolten wie für die englischen Barone
und rücksichtslos herrschbewußten Grundherren, die sich die
Magna Charta erstritten –, aber es ist nun einmal so, daß das
»gesunde Rechtsempfinden« vor allem in der Defensive funktioniert, und wahrscheinlich macht gerade das seine Gesundheit
aus. Und gleichgültig, ob der Mensch, der den Ruf nach Gerechtigkeit und Recht erhebt, selber weiter Unrecht zu verüben
imstande ist, der Ruf bleibt in der Welt und ist Realität. Wann
wurde dieser so urhaft anmutende Ruf erstmalig erhoben? offenbar kaum bevor das menschliche Individuum – jäh und
schreckhaft und amokhaft, wie wir sagten – zu seinem ersten
Ich-Bewußtsein, zu seinem ersten Freiheits-Bewußtsein gelangt war: gleich diesen beiden »von oben« den Menschen
über-kommend und ihn zum Ungeheuerlichen und doch so
Ungeheueren seiner platonischen Existenz, die sein Menschentum ist, unnachsichtlich zwingend, ist die Idee der Gerechtigkeit – etwas paradox ausgedrückt – ein erst spät vom Menschen
erworbener Ur-Trieb, sein Recht auf Recht. Fast ist es, als ob
dieser Anspruch auf Gerechtigkeit einem Meta-Recht ent-
spränge, das noch unformulierbarer als das Gottesrecht und das
Naturrecht hinter ihnen beiden wie hinter dem Menschenrecht
stünde, unsichtbarer noch als all diese Gebilde, dennoch hie
und da in ihnen aufscheinend, dennoch in ihnen, so mit der Ablehnung der Sklaverei, sich konkretisierend, dämmerhaft zwar,
dennoch so zwingend wie das Ich selber. Gewiß ließe sich auch
hier einwenden, was positivistisch gegen das Gottesrecht und
das Naturrecht so oft eingewendet worden ist: daß man sich um
das Unsichtbare – und gar um das Doppelt-Unsichtbare – nicht
kümmern kann, nicht kümmern darf, daß wir keinen Zugang zu
dem Bereich der platonischen Ideen haben, selbst wenn wir ahnend zugeben, daß er die Heimat unseres Seins umfaßt, ja mehr

noch, es ließe sich hinzufügen, daß die Rückwendung zur Heimat ein gefährliches Wagnis bedeutet, gefährlich wie die Freiheit, die der Mensch von dorther empfangen hat. Und doch ist es das Bild solch ferner Heimat, das als unaufhörliches Heimweh den Menschen lebenslang begleitet; er simplifiziert das Bild zu dem des goldenen Zeitalters, er simplifiziert es auf Rousseausche und, wissenschaftlicher geworden, auf Marxsche Weise, aber immer hat er dabei das Bild einer einstens vorhandenen gewesenen, einstens wiedererreichbaren Gerechtigkeit vor sich, um deren ferne Existenz sein Rechtsempfinden weiß, und deren Abglanz der Glanz der Revolutionen ist.

Ob das Reich der Ideen sich je weiter erschließen läßt, als es für Plato und Plotin erschließbar gewesen ist, ob und wie weit Feststellungen über das Recht zum Recht, über die selbst hinter dem Gottesrecht verborgene, das Gottesrecht konstituierende Gerechtigkeit zu machen sind, kurzum ob die Erkenntnistheorie sozusagen hinter Gottes Rücken gelangen kann, um ihn von hier aus zu betrachten, das sind Meta-Rechts-Probleme, auf die hier nicht eingegangen werden muß, da sie das der Politik kaum mehr berühren.

Kapitel 5:
*Zeitgenössische Entwicklungen
und die Bekehrung zur Humanität.*
DEMOKRATIE VERSUS TOTALITÄRSTAAT

1. Demokratie als Wurzelboden von Fascismus
Als Nachfolger der monarchischen Staatsform leidet die demokratisch-republikanische an einer theoretischen Zwiespältigkeit: in konkreter Realität verwurzelt, will die Demokratie nichts mit der mystischen Autorität gemein haben, führt sogar ihren Kampf gegen sie unter diesem Titel, kann aber, sobald sie selber Autorität wird, des absoluten Rechtsgrundes für ihr Dasein und für die hieraus entspringenden staatlichen Einrichtungen, Handlungen und Entscheidungen nicht entraten; das Resultat dieses Zwiespalts ist die Wiederaufnahme der verpönten Mystik, nämlich in der Form eines (von Gott gewollten und verliehenen) »natürlichen Rechtes«, das jedem Menschen oder zumindest jedem Staatsbürger von Geburt an zugeordnet ist

510

und daher als absolute Rechtsquelle für die gesamte Staatsfunktion zu gelten hat.

Die amerikanische Unabhängigkeitserklärung ist konzentrierteste Fassung dieses Sachverhaltes: sie ist Absage an den König, und indem sie ihm sein Gottesgnadentum aberkennt, wird es zugleich auf die ihm entgegengestellten »natürlichen Rechte« des Menschen übertragen, auf daß die Kontinuität der »absoluten« Rechtsquelle gewahrt bleibe; die Unabhängigkeitserklärung hat demnach auch den gleichen Platz im logisch-juristischen Staatsgefüge erhalten, wie die Königsfunktion in einer konstitutionellen Monarchie, d. h. sie steht außerhalb der Verfassung, doch nicht von ihr abgetrennt, da sie deren ständig weiterwirkender Rechtsgrund ist. Die Bill of Rights (als Repräsentant der »Freedoms of«) ist lediglich erweiterte Präzisierung jener »absoluten« und »natürlichen« Regulativprinzipien und steht daher gleichfalls als Präambel vor dem eigentlichen Gesetzeswerk, mit dem die Konstitution das staatliche Leben regelt.

Ohne das Vertrauen zur Absolutheit gibt es keine Konstitutionen; niemand könnte wagen, eine Konstitution zu stiften, wenn er nicht glaubte, damit ein Werk zu vollbringen, das gleich den Euklidschen Axiomen so »absolut plausibel« ist, daß es bis zu den fernsten Generationen für jeden »normal« Denkenden unbedingt akzeptabel sein müsse. Daher auch das Vertrauen zur demokratischen Majorität: so wenig man annehmen kann, daß sich in irgendeiner Menschengemeinschaft eine Majorität fände, der die Euklidschen Axiome nicht plausibel wären, genausowenig ist für eine dem gesunden Menschenverstand entsprechende Verfassung – zumindest in der Meinung ihrer Stifter – anzunehmen, daß sie je von einer Majorität verworfen werden könnte, daß nicht jede Majorität in ihrem Rahmen handeln und daher auch für die »natürlichen« Rechte des Menschen, für seine Freiheit und Würde eintreten würde. Dies ist das Vertrauen zum »gesunden Menschenverstand« des common man, und deshalb schien es nicht notwendig, gegen die »Abnormalen«, die Irrsinnigen, von denen es ja immer nur eine verschwindend kleine Minorität geben kann, irgendeinen verfassungsmäßigen oder sonstwie gesetzlichen Schutz einzurichten; man glaubte diesen Schutz den Irrenärzten und Irrenhäusern überlassen zu dürfen.

Nun, das deutsche Beispiel hat gezeigt, welch gewaltigen Anhang auch in einer Demokratie die angeblich verschwindende Minderzahl von Irrsinnigen finden kann; die vorhandenen deutschen Irrenanstalten hätten wahrscheinlich ausreichenden Raum zur Aufnahme des Bevölkerungsrestes geboten, der noch als geistig normal zu bezeichnen ist.

Der deutsche Charakter, sozusagen nach allen Seiten dem Absoluten verhaftet, hat die Zwiespältigkeit dieser Welt womöglich noch schlechter vertragen als die andern Völker. Daß sie (als Christenmenschen) ihre eigene Gottesgnadenschaft und Freiheit vor der des Herrschers zu beugen hatten, das war ihnen noch erträglich, denn da hatte Gott selber noch die Rangordnung seiner Gnadenverteilung vorgenommen, doch daß nun aus ihrem eigenen das Abstrakte des Gottesgnadentums der Republik sich konstituieren sollte, daß sie vor dieser zu ethischer und staatsbürgerlicher Demut verhalten waren, zugleich aber, geradezu verfassungsmäßig, zum Mißtrauen gegen ihre Regierung aufgefordert wurden, das war für ihr dialektisches Gemüt zu viel. Damit ist nicht gemeint, daß sich die große Masse des deutschen Volkes in theologisch-staatsjuristischen Spitzfindigkeiten erging; nein, diese Dinge vollziehen sich im unbewußt Gefühlsmäßigen, aber sie produzieren eben von hier aus ein Gefühl fast gelähmter Zerrissenheit, und diese versuchte das deutsche Volk zu übertäuben, indem es sich mit womöglich noch stärkerer Vehemenz als vorher in den materialen Existenzkampf des modernen Lebens warf.

Freilich, das moderne Leben und insbesondere das der Großstadt ist wenig geeignet, den Menschen von Zerrissenheit zu befreien. Es umgibt den Menschen mit einer Unzahl einander kontradiktorischer Werte und Unwerte (vorzüglich mit diesen), und da deren Ansprüche vielfach unabweislich sind, teils infolge ihrer Lebensnotwendigkeit im Berufsleben, teils infolge ihres einfach quantitativen Vorhandenseins, ist er gezwungen, an ihnen allen und doch in Wahrheit an keinen von ihnen zu partizipieren: der moderne Mensch lebt in Wertzerrissenheit, also in einer seelischen Unsicherheit, die selbst bei Wegfallen seiner ökonomischen Unsicherheit nicht aufgehoben wäre, ihn aber diese noch schwerer ertragen läßt.

All diese Momente sind von den Fascismen und vor allem dem

Nazitum meisterhaft verarbeitet worden, einerseits bewußt, andererseits aber durchaus unbewußt, denn das Beste und Schlechteste, das den Nazi zugesprochen werden kann, ist ihr spezifisches Deutschtum; aus diesem heraus haben sie instinkthaft die emotionalen Bedürfnisse ihres Volkes aufgespürt und befriedigt, sicherlich weit eindringlicher als die italienischen Fascisten dies je vermocht hatten.

Der Nationalsozialismus hat das abstrakte Gottesgnadentum der Republik und ihrer regulativen Prinzipien durch das konkrete Gottesgnadentum des »Führers« [ersetzt], der in mystischer Einheit mit dem »Volkswillen« ist und hiedurch zur alleinigen und absoluten Rechtsquelle wird, so daß alle regulativen Prinzipien desgleichen in ihm verankert sind, von ihm ausgehen und von ihm verkündet werden. Gewiß, es war und ist nichts als ein mystischer Trick, denn die »Ausrufung« des Führers durch den »Volkswillen« war auf parlamentarischen Machinationen und auf Wahlterror basiert, im Formalen aber auf die uneingeschränkte Freiheit der Bill of Rights, welche es gestattet, die Freiheit selber aufzuheben; doch die von den Deutschen als so widerwärtig empfundene Zwiespältigkeit des Staatsapparates war mit einem Schlag beseitigt.

Bezeichnend hiebei ist, daß die Verfassung als solche ohne weiteres belassen werden durfte und als technisches Instrument weiter funktionieren konnte. Denn die regulativen Prinzipien der Freiheit und Menschenwürde standen ja als Präambel außerhalb der Verfassung, und nur diese Prinzipien brauchten eine Abänderung zu erfahren, u. z. gemäß der mystischen Einheit, in der sich der Wille des Führers mit dem des Volkes befinden sollte: wo solche Einheit (im wahrsten Wortsinn) herrscht und als Absolutum deklariert wird, da gibt es nur noch eine einzige Freiheit, nämliche die kollektive des Volkes, und aus ihrer Absolutheit geht ebenso folgerichtig die These von der »nationalen Überlegenheit« hervor, die auch tatsächlich zum regulativen Grundprinzip des Nazi-Staates gemacht wurde.

Damit war die psychische Not des deutschen Volkes noch nicht zur Gänze aufgehoben: hiezu bedurfte es eines weiteren und noch umfassenderen Zentralisierungsaktes, welcher die Wertzersplitterung des Alltagslebens ausgleicht und nach einem Zentralwert orientiert. Nichts aber eignete sich so ausgezeichnet für diesen Zweck wie das Regulativprinzip der »nationalen Überlegenheit«, und so hat der Nationalismus sofort nach seiner Machtergreifung dieses Prinzip vermittels einer Reihe von Gesetzen dem Alltagsleben des deutschen Volkes auferlegt. Im Mittelpunkt dieser Regelungen standen die »Nürnberger Rassengesetze«.

Mit den Rassengesetzen begann nicht nur die Kette der Missetaten des Nazi-Staates, sondern sie zeigten auch an, daß die regulativen Prinzipien nunmehr aus ihrer Passivität als Präambel zur Konstitution in die Aktivität des Strafgesetzes übertragen wurden. Mochte auch der Großteil des deutschen Volkes niemals einen Juden gesehen haben, es war damit jedem Deutschen das Signal gegeben, daß er fortan sein gesamtes Leben nach dem Prinzip der »nationalen Überlegenheit« einzurichten hatte: es wurde ihm ein eindeutiger, leicht faßlicher Grundwert gewiesen, dem er bloß zu folgen hatte, wenn er der allgemeinen Wertzersplitterung entgehen wollte, dem er aber auch zu folgen bemüßigt war, wollte er nicht schärfster Ahndung verfallen, und damit begann die »motorische Erziehung« des deutschen Volkes zur »nationalen Überlegenheit«. Ebendarum wurden die Rassengesetze mit solchem Pomp am Nürnberger Parteitag verkündet. Es war der Beginn des Nazi-Totalitärismus.

Das Muster des deutschen Totalitärismus ist der russische. Die regulativen Prinzipien des russischen Staatsgebäudes sind die des Marxschen Revolutionismus: es mußte also die antikapitalistische Revolution (auch ohne Kapitalisten, gleichwie der perpetuierte deutsche Antisemitismus nach erfolgter Judenausmerzung) zu einer Dauereinrichtung gemacht werden, auf daß, zwecks »motorischer Erziehung« des Sowjetbürgers zur marxistischen Überzeugung, das Delikt »antirevolutionärer Haltung« im russischen Strafgesetz statuiert werden konnte.

Daß das formale Urbild allen Totalitärismus in der Staatsauffassung der katholischen Kirche (insbesondere in ihrer jesuitischen Ausprägung) zu sehen ist, und daß es hier die regulativen Prinzipien der Glaubenssätze sind, welche unter Strafschutz gestellt sind, das braucht nicht eigens ausgeführt zu werden.

2. Staatstotalität

Es läßt sich also aus alldem eine allgemeine Erkenntnis gewinnen, nämlich: *Staatliche Totalität tritt ein, wenn die regulativen Prinzipien einer Gesellschaft* (Prinzipien, die – bisheriger

Übung gemäß – gemeiniglich den Verfassungen als Präambeln vorangestellt sind) *in das bürgerliche und insbesondere in das Strafgesetzbuch eingehen, so daß ihre Übertretungen zum strafbaren Delikt werden.*

M. a. W., zwischen der rechtsstiftenden Absolutheit und dem Einzelmenschen wird eine unmittelbare Verbindung hergestellt, nämlich eine, die ihn zwingt, sein Gesamtverhalten mit all seinen Handlungen unaufhörlich nach den Forderungen jener Absolutheit einzurichten, da er widrigenfalls seine ganze physische und psychische Existenz gefährdet. Ein Ur-Schema wird darin sichtbar: das Tabu.

Denn das Tabu ist ein System »absoluter« Gebote und Verbote, die axiomatisch, also ohne weitere Begründung, dem primitiven Menschen als unmittelbar einsichtig gelten: nur durch Befolgung dieser Gebote und Verbote bleibt er Mitglied des Stammes, und jede, noch so unwillentliche Übertretung hebt die Stammeszugehörigkeit und damit die Lebensfähigkeit des Individuums auf, so daß es, versagen die Wiederreinigungszeremonien, einfach verwelkt und abstirbt, keineswegs als »Strafe«, sondern eben aus einfacher innerer Notwendigkeit. Kurzum, das Tabu-Schema ist sozusagen das Extrem des Totalitärismus: es hält das Individuum so sehr in (magischem) Bann, daß ihm außerhalb des Schemas überhaupt keine Lebensmöglichkeit bleibt.

Das Tabu-System ist nicht Religion, ist noch nicht Religion; dazu fehlt ihm ein wesentlichstes Kennzeichen aller Religiosität, nämlich »Verehrung«. Die Multiplizität der Absolutheits-Instanzen zeigt sich zwar gleicherweise im Tabu wie in den Götzenreligionen, aber in dieser stehen die Gebote und Verbote nicht mehr als in sich selbst begründete Axiome, sondern sind von personalen »Mächten«, welche darob zu »verehren« sind, erlassen worden: das Kausalitätsbedürfnis des Menschen ist – vielleicht infolge Entdeckung seiner eigenen Willensfunktion – so sehr angewachsen, daß er willensbegabte Wesenheiten ins Tabu-System projizieren muß. Hiedurch gewinnt das Tabu und das Leben in ihm eine neue Färbung: es partizipiert an der »Verehrung«, wird selber verehrungswürdig, d. h. es wird »heilig«; wer im Tabu lebt, führt ein »heiliges« Leben, doch wer das Tabu übertritt, der »entheiligt« es und wird zum »Sünder«, der das »Göttliche« im Tabu und damit die »Heiligkeit« des ganzen

Stammes angegriffen und in Frage gestellt hat, so daß die Aufhebung der Stammeszugehörigkeit, die sich daraus ergibt, nicht mehr ein einfaches »Ausscheiden«, sondern ein »Ausstoßen«, also eine »Strafe« wird, die nicht wartet, daß der »Sünder« von selbst absterbe, sondern ihn hinrichtet. Sonderbarerweise ist also das primitive Tabu-Stadium »humaner« als das religiöse; es ist nämlich paradiesisch-vegetativer als dieses, das bereits die Verantwortlichkeit kennt (und daher Austreibung aus dem Paradies bedeutet).

Im paradiesisch-totalitären Ur-Staat des tabuistisch stammhaften Gemeinwesens ist also bereits der Keim zu dem abstrakten und sicherlich nicht minder totalitären Paradies der Civitas Dei enthalten, weil eben da wie dort die Absolutheitsgeltung der Rechtsnormen, hier als vollkommenste und vollbewußte Ethik, dort als ein im Unbewußten wirkendes Konglomerat dunkler Verbote, sich als die dem Menschen einzig mögliche Lebensform und sohin auch als seine Freiheit manifestiert. Der Staat aber zwischen den Un-Staatlichkeiten seiner Vorphase und seines Idealbildes liegend, ist seiner Anlage nach ebenso totalitär wie diese beiden, nur daß er, zum Unterschied von ihnen, die Geltung seiner Normen vermittels gesetzlicher Strafen erzwingen muß und sohin, will er sich damit radikal auf Erden verwirklichen, keine »freie«, sondern bloß »erzwungene« Totalität kennt.

Die supernaturale Struktur der Civitas Dei und ihrer Totalität ist von genau der gleichen logischen Notwendigkeit diktiert wie die supernaturale Herkunft des Rechtes und seiner absoluten Geltung. Man darf demnach wohl mit Fug annehmen, daß solch ein supernaturales Gebilde zwar als unendlich fernes Ziel für die irdische Entwicklung (des Staates) gesetzt und in dieser Eigenschaft sogar angenähert, niemals jedoch zur Gänze verwirklicht werden kann. M. a. W., echte Totalität hat es auf Erden bloß im tabuistischen Gemeinwesen gegeben, kann es wahrscheinlich nur in ihm geben, so daß jeder Versuch zu einer radikalen und plötzlichen Etablierung staatlich-irdischer Totalität, selbst wenn er eine Art Civitas Dei im Auge hätte, unweigerlich eine tabuistische Färbung erhält: der Nationalismus, an den der totalitäre Staat, ob er nun will oder nicht, gebunden ist, weist sehr deutlich auf seine innere Verwandtschaft mit dem primitiven Stammesgemeinwesen.

Freilich kann dieser vorwärtsgerichtete Rückbildungsprozeß – vorwärtsgerichtet, weil er die Totalitäridee des Staates mit einem Schlag verwirklichen will, rückwärtsgerichtet, weil er damit nicht zur Civitas Dei gelangt, sondern ins Tabuistische gerät – nicht die einstigen Primitivformen wiedererwecken: die religiöse Phase der Menschheit ist nicht auszulöschen, und selbst das Nazitum, das mit hyperdeutscher Gründlichkeit seine Civitas Diaboli ausschließlich auf den säkularisierten Staat unter Ausrottung aller religiösen und besonders christlichen Wurzeln fundieren wollte, ist es nicht gelungen, die gewünschte Primitivität einzurichten, sondern mußte bei einem (für normale Zwecke übrigens genügend primitiven) Stadium haltmachen, in dem die tabuistischen Vorstellungen bereits von religiös-magischen überdeckt sind. D. h., das stammhafte Gemeinwesen, das da als deutscher Nationalismus hätte entstehen sollen, konnte der religiösen Vorstellungen von »Verehrungswürdigkeit« und »Heiligkeit« und demgemäß auch von »Sünde« nicht entraten, am allerwenigsten aber der magischen »Strafe«, kraft welcher der »Unreine« aus der Stammesgemeinschaft ausgestoßen und einfach vertilgt wird.

Selbst der russische Totalitärismus läßt ähnliche Züge erkennen: obwohl – im Gegensatz zum deutschen – durchaus rational angelegt und demgemäß auch mit einem besonders humanitätsgerichteten Strafrecht ausgestattet, ist die kommunistische Totalität von äußerster Intoleranz, wenn es um den Schutz ihrer regulativen Grundprinzipien geht; hier wird die Austilgung des »Unreinen«, also eines jeden, der »bourgeoiser« Gesinnung auch nur verdächtig sein könnte, mit einem der deutschen Reinrassigkeit ebenbürtigen Furor besorgt, und daß die solcherart hergestellte »proletarische Reinheit« schließlich eine nationalistische Wendung genommen hat, die fast wie eine Wiederaufnahme des alten Panslawismus anmutet, und deren Weiterentwicklung vorderhand noch nicht abzusehen ist, gibt der Totalität des Sowjetstaates eine Wucht, die über die der Marxschen Revolution weit hinausreicht.

3. Totalitäre Ideologie

Der Totalitärismus befriedigt des Menschen Eindeutigkeitsbedürfnis; er enthebt ihn der Wertzersplitterung und gibt ihm den Halt eines eindeutigen Zentralwertes, nämlich den der regula-

517

tiven Grundprinzipien, denen sich sowohl das staatliche wie das private Leben unterzuordnen hat, und die hiezu strafgerechtlich geschützt werden. Bedeutet schon dieser strafgesetzliche Schutz scharfe »motorische Erziehung« des Volkes zur Befolgung der Grundprinzipien, so wird diese Art Erziehung noch ganz beträchtlich im Krieg verschärft, denn nichts ist für den Menschen erschreckender als sinnlos sterben zu müssen, und so wird er, um solcher Sinnlosigkeit zu entgehen, sozusagen zum freiwilligen Helfer der Ideologie, die ihn in den Kampf und in den Tod schickt. Nicht einmal eine Niederlage – vom Sieg ganz zu schweigen – ändert da etwas an der psychischen Konstellation; der deutsche Kriegsgefangene ist von seinem Vertrauen zum Führer kaum abzubringen. Die Überzeugungsstärke totalitärer Gesinnungen ist fast unerschütterlich.

Denn Ideologie ist nichts anderes als plausibler Wunschtraum, ist theoretisch unterbaute Hoffnung: Ideologie ist niemals exaktes Wissen (und dieses ist niemals Ideologie), aber sie ist auch niemals ein leeres Phantasieren, und weil sie solcherart sich auf Theoreme stützt und doch zugleich auch emotionaler Wunsch ist, muß alles daran gesetzt werden, daß die Theoreme, unter Ignorierung, ja unter wissentlicher Ausschaltung jedes Gegenbeweises, ihre Plausibilität behalten und sich womöglich in der Realität bewahrheiten. Genau dies aber ist das Verhalten der Totalitärstaaten, wenn man »regulative Prinzipien« statt »Theoreme« setzt, doch da die regulativen Prinzipien immer zugleich Theoreme sind und sogar sein müssen, so darf die Haltung von Totalitärstaaten wohl als die von Ideologien angesprochen werden. Die regulativen Prinzipien des kommunistischen Staates sind in den geradezu theologisch durchgearbeiteten Marxschen Theorien [dargelegt], und sogar die Rassen-Überlegenheit der nationalsozialistischen Totalität fundiert sich in theorieartigen Überlegungen, die für einen gar nicht kleinen Teil der Menschheit (nämlich auch außerhalb Deutschlands) einen so starken Plausibilitätsgehalt besitzen, daß er nicht einmal durch eine Besiegung des Herrenvolkes wirklich zu erschüttern sein wird. Aus der theoretischen Möglichkeit einer Verwirklichung, aus diesem »Vielleicht« bezieht der ideologische Wunschtraum seine Überzeugungs- und Kampfkraft, kurzum den Mut zur Erlassung der ihm eigentümlichen Moralvorschrift: willst du vernünftige, plausible Handlungen begehen, so handle so, daß sich meine Ideologie verwirkliche.

Die Ähnlichkeit mit der Struktur des Glaubens ist auffallend. Plausibilität, Wunschbild und Moralvorschrift, dies sind drei irdische Grundpfeiler, auf denen alles Religiöse in der diesseitigen Welt ruht, und tatsächlich ist ja auch jeder religiöse Glaube als Ideologie auffaßbar, selbst dann noch, wenn sein äußerer Kampfwille – Intoleranz und Proselytie – auf ein Minimum eingeschränkt ist. Freilich reicht der echte Glaube über das Ideologische hinaus; er kann bereits zum Aberglauben degeneriert sein – und das tut er vor allem, sobald er seinen objektiven Plausibilitätsgehalt verliert – und trotzdem Ideologie bleiben: Ideologie ist also keineswegs immer Religion, hingegen sehr häufig Religionsersatz.

Je größer der Totalitätsanspruch der – an sich irreligiösen – Ideologien ist, d. h. je mehr sie sich zum absoluten Zentralwert aufwerfen, desto mehr werden sie Religionsersatz, desto deutlicher wird ihr Bemühen, sich zu Religionsrang, also zu Absolutheitsgeltung, zu erheben. Sie werden also, wenigstens ihrer Idee nach, gewissermaßen zu »säkularisierten Religionen«, die unter Ablehnung jeglichen supernaturalen Einschlages das Absolute einfach mit der Selbstevidenz ihrer Axiomensysteme, also eben ihrer Plausibilität zu identifizieren suchen. Gewiß, diese Loslösung vom Supernaturalen ging nicht mit einem Schlag vor sich: in der französischen Revolution gab es noch eine »Göttin der Vernunft«, an und für sich eine Farce, dennoch eine Erinnerung an die logische Notwendigkeit für die Installierung einer absoluten Rechtsquelle, und selbst bei Comte und seiner Schule findet sich noch diese ebenso sonderbare wie überflüssige Umbetitelung des göttlichen Schöpfertums. Doch seit dem 19. Jahrhundert hat die Säkularisation rapide Fortschritte gemacht: »geglaubt« wird ausschließlich »das Wissenschaftliche«, das also alle menschlichen Glaubenshaltungen auf sich konzentriert, und damit – ohne daß es eigens durch eine »Göttin der Vernunft« ergänzt wird – genau jene Stelle einnimmt, die einstens die Gottesreligion in der Seele des Menschen eingenommen hatte. Die kommunistische Totalität ist wissenschaftlich, ist ein direkter Ausfluß solchen Wissenschafts-Positivismus, die Nazi-Totalität ist scheinwissenschaftlich, beide aber sind (abgesehen von allen politischen Gründen, die freilich zur gleichen Motivengruppe gehören) ihrer ganzen

Anlage nach säkularisiert-atheistische Religionen, die keinen andern Gott neben ihrem Un-Gott dulden. Diese säkularisierte Religiosität der politischen Totalitärsysteme steht nicht im Widerspruch mit deren nicht minder intensivem Tabuismus; im Gegenteil, sie befördert ihn, ja vermag ihn in jene wahrhaft dämonische Sphäre zu treiben, deren Bestialität dem tabuistischen Primitiven unbekannt gewesen und erst vom zivilisierten Deutschen erreicht worden ist. Denn nicht nur, daß Wissenschaftspositivismus und Tabuismus gleicherweise die metaphysische Frage nach dem »Bewirkenden« nicht zulassen (allerdings der eine aus fundierten, methodologischen Gründen, der andere aus primitiver Unfähigkeit), es sind ja überdies gerade die von solcher Wissenschaft oder Scheinwissenschaft [erbrachten] Ergebnisse, wie etwa die des Rassismus, die unter Tabu gestellt werden: aus dem vollkommen magischen Glauben an die Wissenschaft haben die Deutschen sich die Erlaubnis zu ihren Untaten geholt; an Hand der Wissenschaft wurden sie dämonisch – verfallen einer Primitivhaltung, die hinter aller Romantik liegt, und die sie mit allen Mitteln der Wissenschaft stützten und zu verwirklichen trachteten. Immer ist Dämonie ein modernisiertes Einst.

Es wirken also eine ganze Reihe von Momenten sehr präzise zusammen, um das den Totalitärismen allesamt eigentümliche Phänomen der »Gleichschaltung« zu erzeugen: im Mittelpunkt stehen die regulativen Grundprinzipien der jeweiligen Totalität, und diese Prinzipien werden einerseits vermittels der »motorischen Erziehung« durch das Strafrecht zu einem das gesamte Alltagsleben des Bürgers durchdringenden und ihn scharf orientierenden Zentralwert gemacht, andererseits aber zu einem in tabuistisch-magischen Vorstellungen verwurzelten »kollektiven Wunschtraum« der Nation, der seine Ideologie und damit auch seine Plausibilität in der mehr oder minder korrekten Wissenschaftlichkeit der Grundlagen findet, so daß der darauf errichtete rational-irrationale Aufbau nicht nur den Charakter einer »säkularisierten Religion«, sondern auch eine Überzeugungsstärke erhält, die durchaus geeignet ist, einen eben durchaus religiösen Fanatismus zu entfachen.

4. Das Problem einer demokratischen Ideologie (1)

Ideologien sind vor allem aus ihrem historischen Werdegang zu verstehen. Zur Frage einer demokratischen Ideologie und deren Möglichkeiten muß also erinnert werden:

A. Demokratie ist stets Rebellion gegen die monarchische Institution, und zwar

a. aus religiösen Gründen, die (– dies gilt weniger für die antiken als für die modernen Demokratien –) kraft mystisch-irrationaler Einsicht in den Willen Gottes von diesem behaupten, daß Er die Menschen als gleich vor seinem Angesicht geschaffen habe;

b. aus rationalen Gründen, von denen die wichtigsten sind

I. die Entartung des Königstums zu sozialer und ökonomischer Tyrannis, so daß Willkür statt »Gerechtigkeit« zu herrschen beginnt, also eine neue und rationalere Rechtsquelle an Stelle der Königsmacht geschaffen werden muß.

II. die Vorstellung von einer rationalen, ebenso schlichten wie gerechten Selbstverwaltung, wie sie, selbst unter Königsherrschaft, in den Munizipien, besonders jenen kleineren Ausmaßes, seit jeher geübt worden ist.

B. Demokratie rüttelt also nicht am Staat oder am Staatsbegriff als solchem (wie es z. B. die Idee der klassenlosen Gesellschaft tut), vielmehr will sie einfach den Staat, unter Beibehaltung seiner Grundstruktur, ja u. U. sogar unter Beibehaltung der monarchischen Staatsspitze in ihre eigene, eben demokratische Verwaltung übernehmen.

Fragt man in Analyse dieses Schemas nach den ideologischen Möglichkeiten für die Demokratie, und will man unter Ideologie wiederum »plausibler Wunschtraum« (ersatz-religiösen Aspektes) verstehen, so zeigt sich, daß eine »demokratische Ideologie« nur sehr geringe Verwirklichungsmöglichkeiten besitzt:

ad A.: Rebellion ist Wunschtraum, und als siegreiche Rebellion erweist sie sich sogar als plausibler Wunschtraum, doch mit dem Sieg wird die Ideologie, die sie während ihrer Kampfzeit unzweifelhaft gebraucht und besessen hat, überflüssig und eben hiedurch weitgehend inhaltlos.

ad. Aa.: Ideologie – jede echte Ideologie – strebt nach religiöser Geltung, ist also zu den bestehenden Religionen wesensgemäß feindlich eingestellt. Dagegen ist die demokratische Idee zu einem großen Teil von diesen abhängig und solcherart unfähig, sich selber als »Ersatzreligion« zu etablieren. Besonders in Amerika ist der antihierarchische Protest der demokratischen Rebellion so sehr mit dem des kirchlichen Protestantismus verquickt, daß der Verfall der Gläubigkeit unzweideutig mit einem der demokratischen Haltungen parallel geht.

ad Ab.: Je mehr die demokratische Kampfideologie – einesteils infolge Verlustes des religiösen Hintergrundes – dahinschwindet, desto mehr stützt sich die Demokratie auf die praktisch-rationalen Erwägungen, von denen ihre Gründung begleitet gewesen ist, d. h. desto mehr wird ihre Ideologie zur Nicht-Ideologie bloßer Munizipalität.

ad B.: Mit dem Verlust ihrer Kampfideologie verliert die Demokratie notgedrungen auch die Bewußtheit ihres eigenen Seins, und mit der Umlagerung ihres Kampfzieles auf das einer geordneten, munizipalhaften Staatsverwaltung wird der Staat als solcher in den Vordergrund gerückt; m. a. W., das demokratische Bewußtsein verwandelt sich in ein Staatsbewußtsein, und an die Stelle des demokratischen Bewußtseins tritt der Patriotismus, in dem sich – mehr oder minder nationalistisch – alle Staatsideologie zentriert, so daß auch hierin die Demokratie zum Erben der Monarchie wird, damit aber sogar auch des monarchischen Imperialismus, denn der »plausible Wunschtraum« des Staates ist in erster Linie seine wachsende Ausdehnung.

Von hier aus gesehen gibt es also für die Demokratie kaum einen Ansatz zur Bildung eines »Wunschtraumes«, auf dessen Basis sie eine ihr originale Ideologie aufbauen könnte. Das praktische Streben nach »entpolitisierter« geordneter Verwaltung ist keine Ideologie und bewährt sich als staatserhaltendes Prinzip bloß in kantonalen Klein-Demokratien nach Art der Schweiz; in Groß-Demokratien hat es bisher versagt, und sie haben zu ihrer Erhaltung stets auf die Staatstradition und die Staatsideologie zurückgreifen müssen.

5. Ideologie und Tradition

Es lassen sich demnach saturierte und nicht-saturierte Ideologien unterscheiden. Die Grenzen freilich sind fließend. Die Ideologie einer vom Sieg gekrönten Revolution wird man z. B. saturiert nennen, obwohl sie sicherlich noch mancherlei nichtverwirklichte, nicht-saturierte, ja nicht-saturierbare Restbestände enthält. Wenn aber diese nicht-saturierten oder nicht-saturierbaren Bestandteile das Übergewicht haben, so wird man von nicht-saturierten Ideologien sprechen dürfen. U. z. gibt es da verschiedene Grade: Nicht-saturierte Ideologien können in saturierte übergehen (– etwa die der amerikanischen Demokratie im Verlauf des Unabhängigkeitskrieges –), andere können (– gleich jenen Staatsideologien, welche zur absoluten strategischen Sicherheit nach Weltherrschaft streben –) infolge äußerer Schwierigkeiten niemals voll oder auch nur annähernd voll verwirklicht werden, und schließlich gibt es solche, die in absichtlicher Utopie (– so alle Träume von einer Civitas Dei auf Erden –) in einem dem Menschen unerreichbaren Bereich angesiedelt sind.

Traditionen werden von menschlichen Gemeinschaften getragen; in ihnen wird eine bestimmte Ideologie als gültiges Wertsystem mit all seinen ethischen und ästhetischen Vorschriften, kurzum mit seinen Normen von Generation zu Generation weitergegeben. Die traditionsstiftende Kraft ruht also auf zwei Hauptvoraussetzungen, einerseits auf der innern Eignung einer Ideologie, sich als Zentralwert zu etablieren, andererseits auf ihrer Fähigkeit zur Organisierung einer straffen Gemeinschaftsorganisation.

Jede Ideologie strebt nach Absolutheitsgeltung, d. h. nach der Würde eines Zentralwertes, der jeden andern ausschaltet oder sich in den Dienst stellt; jede Ideologie strebt daher u. a. nach der Stiftung von Tradition, auf daß sie innerhalb einer solchen »zeitabsolut«, also »ewig« werde. Dies sind nicht-saturierte, auf Erden nicht-saturierbare, ja geradezu religiöse Aspirationen, die jeder Ideologie innewohnen, und so sind es vor allem die Religionen selber, an denen sie in teilweiser Verwirklichung sichtbar werden. Denn die Absolutheitsgeltung ist für die religiöse Ideologie nicht, wie anderswo, bloß ein vager Wunsch, sondern bildet eine Struktureigentümlichkeit ihres Wertsystems: die Perfektion der Einzelseele wie die des Gemeinschaftszieles ist von vornherein in eine Region verlegt, die nur durch fortwährende Ausbreitung und Festigung des Gesamtwertsystems angenähert, doch niemals voll erreicht werden kann; die soziale Gemeinschaft, sei sie nun staatlich oder sonstwie gefaßt, hat sich dieser Forderung unterzuordnen, die dennoch so plausibel ist, daß sie, fern einer lediglich utopischen Phantasie, Generation um Generation zu ihrer sukzessiven Erfüllung verpflichtet. Die nicht-saturierte Ideologie, insbesondere in ihrer religiösen Ausprägung, entwickelt stärkste traditionsstiftende Kraft, und sie behält sie, insolange als sie ihre Plausibilität nicht verliert.

Saturierte oder saturierbare Ideologien dagegen sind hinsichtlich ihrer Traditionsbildung wesentlich gefährdeter. Der Saturierungsakt – wie eben z. B. der einer geglückten Revolution – besitzt zwar den Glanz eines Sieges, aber dieser Glanz erschöpft sich, selbst wenn die Plausibilität der Ideologie weiterbesteht. Die soziale Gemeinschaft, welche solche Ideologie als Tradition weitertragen soll, vor [allem] also der Staat, da er bisher die technisch höchstausgebildete Gemeinschaftsform darstellt, wird durch die Konstitution auf die sieghafte Ideologie verpflichtet, auf daß er deren Wertsystem dauernd in seinen rechtlichen und edukatorischen Institutionen als das allein vernünftige und moralische Verhalten des Bürgers zur Geltung bringe. M. a. W., saturierbare Ideologien besitzen an sich keine Permanenz, sondern können auf eine solche bloß hoffen, wenn es ihnen gelingt, von einem permanenten oder permanenteren Traditionsstrom aufgenommen zu werden und diesen in ihrem Sinn zu beeinflussen.

Denn die Staatstradition als solche ist stärker als die der jeweilig sieghaften Staatsideologie. Der Staat ist in erster Linie ein geographisches Gebilde, und alles, was je auf seinem Boden geschehen oder in ihm zur Ruhe bestattet worden ist, hat seine Zeichen in dem staatlichen Traditionsstrom zurückgelassen; magisch-heidnische Residuen bleiben in ihm lebendig, nationales Brauchtum erhält sich in ihm, auch wenn die zugehörigen Volksstämme längst vergessen sind, und religiöse Vorstellungen, die der Strom einmal aufgenommen hat, verschwinden kaum mehr daraus. Traditionstiefe, Traditionsbreite, Traditionsflutung und -gliederung, es ist ein Werden, das sich eigentlich bloß mit dem der Sprachen vergleichen läßt, und ebenso wie diese nicht an ihre Ursprungsnationen gebunden sind und sie im Munde anderer Völker überleben können, ebenso vermag die Tradition ihren Ursprungsstaat zu überdauern und unabhängig von ihm weiterzuwirken: die Idee des längst in die Brüche gegangenen weströmischen Reiches hat die gesamte abendländische Geschichte, hat dem deutschen Kaisertum ihren Stempel aufgedrückt und hat das politische Konzept Karls des Großen in Napoleon, doch auch in Hitler (von Mussolini ganz zu schweigen) wiederaufleben lassen, während Ostrom, obwohl mit der Zersplitterung des Sultanats scheinbar für immer verschwunden, heute daran ist, kraft der russischen Mittelmeeransprüche eine bei aller Rationalität schier mystische Wiederauferstehung zu feiern. Wenn irgendwo, so zeigt sich im Staat die Traditionsstärke eines kollektiven Wunschtraumes.

Obwohl also die traditionsstiftende Kraft der Staatsideologien sicherlich nicht an die der religiösen heranreicht, hat sich die Staatstradition als solche im allgemeinen doch noch immer mächtiger, ja sogar haltbarer als die religiöse erwiesen. Dennoch ist hieraus nicht zu schließen, daß im Zuge der Staatstradition die religiöse Ideologie letztlich immer einer Staatsideologie weichen müsse. Dies ist keineswegs der Fall. So sehr auch jede Ideologie (und insbesondere jede staatshafte) nach religiöser Allein- und Allgemeingeltung strebt, es ist diese erst dann in greifbare Nähe gerückt, wenn die religiöse Plausibilität zu versagen beginnt; erst dann kann die Staatsideologie mit Totalitätsansprüchen auftreten. Vorher ist es zwar dem Staat manchmal möglich, für seine Absolutheitsansprüche Anleihen bei der Religion und ihren kultischen Einrichtungen zu machen, etwa durch Betrauung des Staatsoberhauptes mit der Würde eines pontifex maximus, oder – wie im Westen – durch die Einrichtung der religionsgeweihten Gottesgnadenschaft des Herrschers, doch dies sind Überbrückungsversuche, die den weitergehenden Konkurrenzkampf zwischen Religion und Staat höchstens zu mildern, niemals aber aufzuheben vermochten. Nirgends war dieser Konkurrenzkampf so unheilvoll wie in Deutschland, dem Schauplatz des unseligen Streites zwischen Kaiser und Papst. Und aus dem Kampf für die Absolutheitsgeltung eines einzigen und zentralen Wertsystems, das zur Übernahme der freiwerdenden religiösen Erbschaft geeignet sein soll, ist es auch zu verstehen, daß der zwar kritische und trotzdem realitätsfremde Dogmatismus des deutschen Denkens sich von den Fluktuationen der demokratischen Einrichtungen abgestoßen fühlt und zur Geburtsstätte der sogenannten »politischen Religionen«, wie es der wissenschaftliche Sozialismus und der unwissenschaftliche Nazismus sind, geworden ist.

Demokratie hingegen ist nicht politische Religion; im Begriff der égalité ist sie an religiöse Vorstellungen gebunden, und in dem der liberté ist sie, sobald ihre Rebellion gegen monarchische Tyrannis geglückt ist, eine nahezu saturierte Ideologie: weder Freiheit noch Gleichheit (die Gerechtigkeit in sich einschließend) sind vergrößer- oder entwickelbare Zustände für das menschliche Individuum; sie sind entweder sozial konkretisiert oder sie sind es überhaupt nicht; der unentwickelte, nicht-saturierte Rest ruht ausschließlich in der fraternité, also in einer recht vagen moralischen Zielsetzung, die überdies nicht spezifisch demokratisch ist, sondern auch in einer Demokratie eine gewisse religiöse Grundhaltung erfordert, um verwirklicht werden zu können. Entweder muß Demokratie zur Durchsetzung der fraternité selber zur Religion werden, oder aber – und gar bei ihrer Unwilligkeit und Unfähigkeit sich zu einer Ersatzreligion umzugestalten – hiefür wenn schon nicht die Religion selbst, so doch zumindest traditionelle religiös-moralische Haltungen des Menschen aktivieren und fördern.

Die Bindung an die Tradition gibt der Demokratie ein konservatives Gepräge, das mit der rebellischen Kampfideologie ihres Anfangs in schlechtem Einklang zu stehen scheint. Es ist, als ob die Demokratien über ihren Initialerfolg nicht hinausgehen könnten, als ob sie den Traditionsstrom, in den sie, um sich zu erhalten, eingehen müssen, nur im Augenblick ihres Eintauchens abzuändern vermögen: nur was im Augenblick der Staatsübernahme erreicht wird, bleibt als Frucht demokratischer Revolution, doch von da ab erweist sich die Staatstradition allein als richtunggebend. Daß die Demokratien von ihren eigenen Errungenschaften überrannt werden können, ist nicht zuletzt auf dieses Faktum zurückzuführen. Ein Traditionsstrom, der bis in magische Urzeiten zurückreicht – die moderne Rechtspflege ist voll solcher Restbestände, die sich (wie die Todesstrafe) mit Demokratie nicht vereinen lassen –, kann gar nicht anders als trüb und voll unerkennbarer Gefahren sein. Von hier aus ist auch der Ruf nach einer neuerlichen, sozialistischen Revolution zu verstehen: die Demokratie hat zur Zeit ihrer Entstehung nicht die Gefahren zu erkennen vermocht, die ihr aus dem damals noch unentwickelten kapitalistischen System als ökonomische (an Stelle der alten monarchischen) Tyrannis erwachsen würden, kann also bloß durch einen neuen

Revolutionsakt aus dieser für sie verhängnisvollen Bindung, der sie infolge ihres Konservatismus anscheinend hoffnungslos verfallen ist, befreit werden.

Es war bisher eine der großen Weisheiten der politischen Lebensführung Englands gewesen, sich die Bindung zwischen Demokratie und Tradition bewußtgemacht zu haben: weder wird eine bereits saturierte demokratische Kampfideologie starr aufrechterhalten, noch wird sie der Vergessenheit anheimgegeben, wohl aber wird die Tradition, zu deren Teil sie geworden ist, selektiv gehandhabt, d. h. sie ist zu einem allgemein anerkannten und allgemein bewußten Convenu gemacht worden, dessen Hauptlinien eingehalten werden, das aber in seinen Einzelheiten je nach den Erfordernissen, zu denen freilich auch die demokratischen gehören, jegliche Abänderung zuläßt. Die Tradition, die britische Staatstradition als solche und in ihrer Gesamtbreite mitsamt ihrer Staatskirche und deren monarchischem Oberhaupt, bildet den englischen Zentralwert, nicht die Demokratie, und doch ist diese in solch elastischem Schema aufs beste bewahrt, weil eben ihr regulatives Prinzip es ist, von dem jene Elastizität kontrolliert wird. So war es bisher; ob die englische Tradition in dieser Form sich fortsetzen wird, kann erst die Zukunft lehren.

6. Das Problem einer demokratischen Ideologie (2)

Demokratie ist nicht politische Religion, doch kraft der Religiosität, aus der sie hervorgegangen ist, vermag sie in dieser und mit dieser eine geradezu mystische Tiefe [zu] erreichen. Während die kontinentalen Demokratien Europas teils, wie die schweizerische, sich munizipal stabilisieren, oder, wie die französische, noch im Kampfzustand gegen Monarchismen sich befinden, und die englische sich auf ihren spezifischen Traditionalismus festgelegt hatte, waren für die amerikanische Demokratie die religiösen Grundlagen lebendig geblieben, und von hier aus [entfaltete sich auch] eine Ahnung von der Heiligkeit des Humanen, die zwar in dem ungeheuren Pionierland mit seiner zügellosen Erfolgs- und Erwerbsgier sicherlich nicht Allgemeingut, trotzdem aber unabweislich vorhanden war als eine leise und doch feste Grundstimmung des Lebens, um schließlich in Lincoln zu sehr reinem, ja erhabenem Ausdruck zu gelangen: nur in einer so klar gläubigen Seele, wie es die Lincolns war, konnte die Gleichheit der Menschen vor Gott zum unmittelbarsten Erleben werden, nur ein so durchdringend rationaler Verstand wie der Lincolnsche konnte die Bedeutung der Freiheit für die menschliche Gesellschaft voll erfassen, nur im Zusammenhalt solch seelischer und geistiger Kapazität – denn ausschließlich hierin ruht das Mystische, nicht etwa in Gefühlsduselei – konnte Brüderlichkeit zur echten Aufgabe werden, nüchtern und heilig zugleich. Es war der religiös-politische Höhepunkt des demokratischen Gedankens.

Indes, es war ein Höhepunkt knapp vor dem Abstieg. Der religiöse Glaube war bereits allüberall im Dahinschwinden begriffen, wurde mehr und mehr zu einer Sonntagsphraseologie, die mit der Alltagshaltung kaum mehr etwas zu schaffen hat, und genau das nämliche geschah (notwendigerweise wohl) auch mit der Demokratie. Schon bei Whitman[12] hatte der demokratische Gedanke eine ganz andere Färbung als bei Lincoln. Denn Whitman, weit weniger nüchtern als Lincoln, doch zumindest ebenso leidenschaftlich der Demokratie zugewandt, fühlte bereits, daß ihr Glaubensgrund ins Schwanken geraten war, und seine dichterische Intuition suchte nach einem Ersatz hiefür: er fand ihn im Pantheistischen, das ihm um so »amerikanischer«, also auch um so demokratischer als alle andern Glaubenshaltungen erscheinen mußte, als es ihm erlaubte, die ganze Zügellosigkeit Amerikas, diese ganze Zügellosigkeit, großartig im Guten wie im Schlechten, die Zügellosigkeit des Pioniertums darin einzuschließen. Es war eine gewaltige, oftmals überdimensionale Gläubigkeit, die Whitman durchbebte, eine gewaltige und oftmals geradezu gewalttätige Moral, ebendarum aber auch Aufhebung der Gläubigkeit, ja Aufhebung der Ethik, weil im Unendlichen Thesis und Antithesis zur Einheit werden: nur dem Genie ist solcher Überschwang gestattet, nur im Genie wird das Pantheistische sinnvoll, und wenn auch das, was Whitman schuf, tatsächlich eine demokratische Ideologie war, vielleicht die erste und letzte, ein echter und echt demokratischer Wunschtraum, es fehlte ihm die sozial verbindliche Plausibilität, jene Plausibilität, die in der Tradition steht und auf die sich Tradition gründen läßt; es war bloß die Selbstplausibilität des dichterischen Genius. Hätte Whitman Nachfahren gefunden, die seine pantheistische Begründung der Demokratie weiterentwickelt hätten, sie wären jener Platitüde verfallen, in die der

Pantheismus stets gerät, wenn er vom Durchschnittsmenschen aufgenommen wird.

Viele, denen der unheilvolle Einfluß des Religionsschwundes auf die demokratische Haltung aufgefallen ist, sehen das alleinige Heil in einer Wiedererweckung der Gottgläubigkeit. Doch es ist leichter, eine politische Ersatzreligion innerhalb des religiösen Vakuums zu errichten – so Hitler – als einen schwindenden Glauben zu neuem Leben zu bringen. In Österreich, also in einem durchaus katholischen Land, versuchte man durch Förderung der Kirche auf allen Lebensgebieten eine antinazistische Propaganda zu betreiben und hat, wie es sich bald herausstellte, damit genau das Gegenteil erreicht. Gewiß, die Kirche war für einen solchen Kampf schlecht ausgerüstet, da sie infolge ihres Hierarchismus weit eher geeignet ist, fascistische als demokratische Kräfte zu mobilisieren, doch der Protestantismus hat vor dem Nazitum nicht minder versagt, da er – gerade im deutschen Luthertum – von allem Anfang an nationalistische Keime in sich getragen hat, von dem sich nicht einmal die Notkonstruktion der Bekenntniskirche freizumachen vermochte. Nein, von keiner konfessionellen Seite her kann die Demokratie Hilfe erwarten; nicht nur, daß jede Benützung des Glaubens für politische Absichten eine Entwürdigung bedeutet, die an sich schon zur Erfolglosigkeit verurteilt, es läßt sich noch viel weniger ein dahinschwindender Glaube künstlich und von außen anfachen, am allerwenigsten durch staatliche Maßnahmen.

Kein Wunder also, daß es allerhand Versuche gegeben hat, die religiöse Stützung des demokratischen Gedankens (deren Notwendigkeit eben viel allgemeiner gespürt wird als der oberflächliche Betrachter annehmen würde) auf andere Weise zu erzielen. Der pantheistische Stützungsversuch Whitmans war nur ein erster Schritt, und wenn er auch keine Nachfolge gefunden hat, keine hatte finden können, so war mit ihm doch die neue Frage mit aller Klarheit herausgestellt worden: braucht das moderne Leben einschließlich der Demokratie nicht eine neue Form der Religiosität, die besser mit ihm in Einklang stünde und daher ihm auch plausibler wäre als die alten Konfessionen? Die Vernunftreligion der französischen Revolution war ein dilettantischer Ansatz gewesen, Comtes Vision von einer Wissenschafts-Religiosität war über das Stadium einer utopischen Plausibilitäts-Phantasie nicht hinausgelangt, und Whitmans eigener Versuch war eine einmalige Genietat; aber die »politischen Religionen«, die sich seitdem etabliert hatten, zeigen nicht nur an, daß das Problem lebendig geblieben ist, sondern auch, daß eine Lösung, mag sie auch wahrscheinlich von ganz anderer Seite kommen, jedenfalls auf dem Boden der praktischen Politik, u. z. auf dem der demokratischen Politik, vorbereitet werden muß. Keinesfalls kann jedoch irgendeine Politik religionsstiftend werden; derjenige, welcher meint, daß »schlechte« politische Prinzipien zur schlechten »Ersatzreligion« führen, während aus der »guten« Politik der Demokratie, wird der demokratische Gedanke nur entsprechend ausgeweitet und »überzeugungsstark« gemacht, sich die echte Religiosität unserer Zeit sozusagen selbsttätig entwickeln müsse, wer solches meint, macht sich eines schweren, nämlich dilettantischen und sogar verhängnisvollen Irrtums schuldig, denn die Idee der säkularisierten Religion, die darin steckt, ist ein bloßer Konterpart der totalitären politischen Religionen und leidet an der Schwäche jeder Imitation: es läuft auf einen »gottlosen Gottesglauben« hinaus, und wenn eine so abstrakte, farblose Konstruktion mit dem klaren, einfachen Atheismus der politischen Religionen in Konkurrenz treten soll, so ist der Ausgang nicht zweifelhaft: er kann bloß Niederlage, also eine Niederlage der Demokratie sein.

Religion ist autonom. Ihre Erneuerung kann nur aus ihr selbst heraus geschehen, und der damit beauftragte Prophet wird kommen, wenn die Zeit hiefür reif geworden sein wird, d. h. wenn die vorderhand noch vag flottanten religiösen Wünsche und Bedürfnisse sich genügend verdichtet haben werden. Diese neue Religiosität mag sich als Fortführung und Vertiefung der alten Kultformen entwickeln, so daß das menschliche Verehrungsbedürfnis auch weiterhin sich an den prophetisch verkündeten Schöpfergeist, an den Weltenschöpfer in seiner Selbstoffenbarung wenden könnte, doch ebensogut wäre es möglich, daß ganz neue, vorderhand noch unerahnbare Glaubens- und Verehrungsformen in Erscheinung träten. Hierüber läßt sich nichts aussagen. Hingegen läßt sich sehr wohl behaupten, daß unabhängig von der Gestalt, welche die höchste Absolutheitsinstanz annehmen möge, sie in plausiblem Einverständnis mit dem gesamten Wissensvolumen dieser Zeit sich wird befinden müssen, und daß – gleichgültig ob eben darum oder trotzdem – die in ihr gegründete und von ihr beschützte Ethik die nämliche wie die der alten Weltreligionen sein wird, vielleicht eine weiterentwickelte, vielleicht eine vertiefte Ethik, aber unverändert in ihrer alten Richtung. Denn unabhängig von allem Fortschritt in Wissen und Skepsis, kurzum unabhängig von allem Plausibilitätsfortschritt, es gibt keine Vielfalt ethischer Richtungen, sondern nur eine einzige Ethik, und die ist die der Humanität, unabänderlich dem Bilde des Menschen zugeordnet. Es ist die Bindung des Menschen an das Unendliche und Absolute, und von hier aus, von seiner Ahnung um die Unabänderlichkeit seiner physischen und geistigen Grundstruktur, von dieser mystischen Unabänderlichkeit seiner Bewußtseinsstruktur, die er ahnt, empfängt er den Auftrag zum Menschsein, die Impulse zur Religionsschaffung, denen er nimmer zu entgehen vermag.

Die Demokratie kann zu einer solchen Zukunftsentwicklung immer nur Vorbereitungsarbeit leisten, und sie tut dies wesensgemäß, da sie – infolge ihrer Fundierung in der Gleichheit der Menschen vor Gottes Angesicht – verpflichtet ist, eine Konkretisierung der Ethik als solcher anzustreben, nicht dieser oder jener Spezialmoral, sondern der Ethik schlechthin: es gibt eigentlich kein anderes demokratisches »Programm«. Wenn man der Demokratie Programmlosigkeit vorwirft, so meint man damit auch ihren größten moralischen Vorzug. Der demokratische Mensch ist – in etwas extremer und nicht ganz genauer Ausdrucksweise – die weltliche Abart des echt religiösen, und wie dieser weiß er, daß der irdische Geist zwar eine Ahnung des Unendlichen, in das er hineingeboren worden ist, verliehen bekommen hat, daß er aber nie und nirgends zum Absoluten und Endgültigen gelangen kann; er schreckt also davor zurück, seine Überzeugung auf irgendwelche irdischen Ziele zu werfen, ja er empfindet dies geradezu als etwas Blasphemisches, zumindest als eine überhebliche Dummheit. Der echte Demokrat behandelt die verschiedenen irdischen »Ideologien« und Gesinnungen, insbesondere wenn sie – wie die »politischen Religionen« – als ethische Überzeugungen und Forderungen auftreten, samt und sonders mit etwas verächtlicher Toleranz, setzt ihnen aber ein anderes und spezifisch demokratisches Konzept entgegen, das der »Anständigkeit«: im Begriff der »Anständigkeit« zeigen sich die beiden Hauptkomponenten der demokratischen Geisteshaltung, nämlich erstens die einer unschwärmerischen, nüchternen Rationalität, und zweitens der Glaube an die innerste Gleichheit alles dessen, was Menschenantlitz trägt; eine Gestalt wie die Lincolns kann geradezu als eine mystische Verklärung der Anständigkeit aufgefaßt werden.

Gewiß, Anständigkeit und fair play sind nicht immer die ausschließlichen Richtlinien demokratischer Politik gewesen, und so lange es Real- und Machtpolitik geben wird, werden sie es wohl niemals sein können. Nichtsdestoweniger darf Anständigkeit als die Grundlinie der demokratischen Tradition und ihrer Politik betrachtet werden (bezeichnenderweise – die Gründe sind leicht einzusehen – in England hauptsächlich für die Innen-, hingegen in den USA hauptsächlich für die Außenpolitik), u. z. sozusagen als Maximalaufgabe: es gibt kein absolutes Programm der Anständigkeit, es gibt bloß tunlichst anständige, tunlichst humane Entscheidungen in den einzelnen Lebenssituationen, und auf solche Ad-hoc-Entscheidungen jeweilig maximaler Humanität (und manchmal unter wirklich fast schändlicher Vernachlässigung weiter ausgreifender Pläne) ist im allgemeinen die Fortentwicklung der Demokratie aufgebaut; nirgends ist die so sichtbar wie im angelsächsischen Recht, das innerhalb seines Formalrahmens – der allerdings minutiös und manchmal überminutiös festgehalten wird – dem Richter und der »Anständigkeit« seiner Entscheidungen einen möglichst weiten Spielraum gewährt, ja, in den obersten Instanzen sogar eine Abänderung des Rahmens selber gestattet.

Anständigkeit läßt sich am ehesten als säkularisierte religiöse Haltung auffassen, als des Menschen religiöse Haltung unter Weglassung der religiösen Ideologie. Weder also ist sie selber Ideologie, noch kann sie sich aus einer solchen zur politischen Religion entwickeln; es fehlt ihr hiezu auch der Wunschtraumcharakter. Aber als Erbe der religiösen Haltung und eingebettet in dem von ihr gespeisten Traditionsstrom, ist die Haltung der Anständigkeit und gerade die der demokratischen Anständigkeit durchaus fähig, den Weiterbestand der ethischen Tradition zu sichern. Politische Religionen suchen den Traditionsstrom zu unterbrechen und sich selbst zur einzigen Quelle eines neuen zu machen; dies war in Deutschland der Fall, und es war nicht zuletzt der schmähliche Zusammenbruch simpelster Anständigkeit, der am Gelingen des Irrsinnsanschlages und damit an der Weltkatastrophe mitschuldtragend gewesen ist. Erfüllt jedoch diese simple Anständigkeit ihre Aufgabe, so kann sie – obwohl noch nicht selber Ideologie, vielleicht aber schon eine Art Vor-Ideologie – zur Vorstufe für den künftigen ethischen Zentralwert werden, an dessen Kommen, bei aller Unerahnbarkeit seiner religiösen und nicht-religiösen Inhalte, kaum mehr gezweifelt werden kann, weil er eine Menschheitsnotwendigkeit ist.

7. Die Konkurrenz mit den politischen Religionen

Primitiver Fascismus kann kaum als politische Religion aufgefaßt werden; er ist einfach Usurpierung der Staatsmaschinerie durch irgendeine Kamarilla oder sonst eine Minoritätsgruppe, die dann, unabhängig von der Form dieser Staatsmaschinerie, in ihr eine mehr oder minder getarnte Diktatur errichtet: die chronischen Staatsstreiche in den südamerikanischen Republiken gehören solch verschwörerischer, opernhaft antiker, jedenfalls recht überlebter Revolutionskategorie an. Erst der italienische Fascismus bemühte sich, dem primitiven Putschsystem einen prinzipiellen Sinn, nämlich den einer antidemokratischen Ideologie zu verleihen, und erst im Nazitum wurde diese zu einer politischen Religion ausgebildet, freilich bloß zu einer Religionsimitation, da die Rassenüberlegenheit eine allzu unstabile Plausibilitätsgrundlage hiefür abgab.

Anders der Marxismus, dessen System und Ansprüche zu einem sehr großen Teil dem Nationalsozialismus als Vorbild dienen mußten. Im Gegensatz zu dem aus halbwissenschaftlichen Meinungen, reinen Zwecklügen, wishful thinking und Dilettantismus zusammengesetzten Theorienmischmasch, das für die politische Praxis freilich aufs beste geeignet war und propagandistisch geradezu genial gehandhabt wurde, hat der Sozialismus ein Theoriengebäude höchster Plausibilität und Wissenschaftlichkeit errichtet, dessen schier theologische Lückenlosigkeit, sind einmal die Grundannahmen akzeptiert, kaum Raum für Einwendungen zuläßt. Insbesondere in einer Welt, in der es reiche und arme Staaten und daneben koloniebesitzende und kolonisierte Völker gibt, außerdem aber diese Struktur auch noch durch die Kluft zwischen ausbeutenden und ausgebeuteten Klassen horizontal zerschnitten ist, so daß allenthalben, wird nicht halbwegs Gerechtigkeit hergestellt, neue Kriegsursachen bereits im Aufkeimen begriffen sind, scheint das sozialistische Rezept mehr als jedes andere imstande zu sein, ein generelles Ordnungsprinzip in die unentwirrbare Welt-Unordnung zu bringen, um eben hiedurch eine Gewähr für Frieden und Humanität zu werden. Was immer die westliche Demokratie, also der Liberalismus, mit all seinen guten Absichten, und seien sie noch so ehrlich (was freilich nicht immer feststeht), in solcher Richtung zu leisten vermag, scheint, neben dem sozialistischen Radikalmittel, Flickwerk bleiben zu müssen.

Die russischen Siege haben den Nimbus des Sozialismus noch beträchtlich verstärkt. Viele, ja die meisten Glaubenshaltungen, religiöse wie nicht-religiöse, haben erst ihre eigentliche Missionskraft gewonnen, wenn sie – und dies ist ihr fast natürliches Streben – in irgendeinem Land zur »Staatsreligion« geworden sind; ist ein solcher geographischer Stützpunkt, gleichgültig durch welche Art revolutionären Akt, von einer Glaubenshaltung einmal gewonnen, so wird diese automatisch zu einem wesentlichen, ja zu einem führenden Teil des politischen Lebens, und ihre Weiterverbreitung vollzieht sich von da ab vor allem mit Hilfe politischer, letztlich also imperialistischer Mittel. Sogar das (katholische) Christentum macht hievon keine Ausnahme, ganz zu schweigen von den Religionskriegen des Protestantismus, des Islams etc., und obschon der Liberalismus sicherlich keine politische Religion ist, so hat er doch bei manchen, z. B. eben bei Wilson, den Charakter einer Glaubenshaltung angenommen, deren Verbreitungs-Instrument der Versailler Frieden hätte werden sollen. Doppelt und dreifach aber tritt dies alles in Erscheinung, wenn es um eine echte politische Religion geht, wie es der Sozialismus ist: er hat seine imperialistische Phase erreicht und verwendet den Revolutionsgedanken, mit dem er sich einstens etabliert hat, nur noch als romantisches, für romantische Gemüter bestimmtes Hilfsmittel in der imperialistischen Proselyten-Praxis. Die Revolution ist zu einer Fifth-Column-Tätigkeit herabgesunken, und dies um so mehr, als mit Barrikaden, ja nicht einmal mit einem Generalstreik etwas auszurichten ist, sondern bloß modernste Waffen politische Macht erringen können.

Gewiß, am Ende des russischen Imperialismus steht der marxistische Weltsozialismus, also der große Traum vom Weltfrieden und von der Welthumanität. Doch wer praktische Politik betreiben will, hat die nächsten Schritte, nicht den letzten, den allerletzten zu bedenken; dies ist Angelegenheit von Schwärmern, und die Leiter der russischen Politik sind alles andere als Schwärmer. Es geht also fürs erste ausschließlich um die Erringung imperialistischer Machtpositionen. In diesem Spiel hat Rußland den ungeheueren Vorteil, seine Kolonien als Teile des Mutterlandes behandeln zu können, da sie unmittelbar an dieses anstoßen, so daß also die zusätzlichen Territorialwünsche nach Ausgängen für diese ungeheuere Landmasse zum Mittelmeer, zum persischen Golf und zum chinesischen Meer nicht als Kolonialaspirationen, sondern als fast legitime Rektifikationen unter Verdammung aller sonstigen Kolonialpolitik vorgebracht werden können. Der Sozialismus in diesen Unternehmungen dient hauptsächlich dazu, die Motive der westlichen Gegenspieler als kapitalistischen Antirevolutionismus zu verunglimpfen.

Gewiß, der westliche Imperialismus ist kapitalistisch orientiert, aber er ist nicht minder historisch gewachsen und bedingt wie der russische. Die russischen Verunglimpfungen sind also sicherlich berechtigt, doch nicht minder berechtigt sind jene, mit denen sie beantwortet werden. Denn was der Welt – und nicht nur der monarchisch-aristokratischen – 1793 unglaubhaft und unfaßbar erschien, nämlich die kalte Ausrottung aller potentiellen politischen Gegner, einschließlich ihrer Kinder, diese Teufelsmethoden Robespierres wurden von ihr – u. z. nicht von ihrem kapitalistischen Teil – mit dem gleichen Entsetzen aufgenommen, als sie vervielfacht und intensiviert 1918 als angeblich unumgängliche Maßnahme der russischen Revolution präsentiert wurden. Der Glanz der liberté, égalité, fraternité hatte während des 19. Jahrhunderts vergessen lassen, daß ein Weg von äußerster Gefährlichkeit eröffnet worden war, doch 1918, mitten noch in einem Krieg, der nach Ansicht der demokratischen Welt das Ende aller organisierten Menschenschlächterei hätte bedeuten sollen, zeigte sich mit Robespierres Schatten ein neuer Typus der Menschenschlächterei, deren Konsequenzen zwar noch nicht abzusehen waren, trotzdem aber schon als etwas höchst Unheimliches, als ein noch vergrößertes Grauen der Zukunft sich anmeldeten: der Typus der fascistischen Massenbehandlung, der fascistischen Staatstotalität, des fascistischen

Terrors, der den kommunistischen noch tausendfach übertreffen sollte, war geprägt; das Grab aller demokratischen Humanitätsträume war gegraben. Kein Wunder also, daß der Kapitalismus, so wenig er an sich zum Verteidiger der Humanität berufen ist, heute im Kampf seines eigenen Imperialismus gegen den russischen sich berechtigt fühlt, diesem all die Sünden der perpetuierten Revolution, des perpetuierten Terrors, der perpetuierten Mißachtung des menschlichen Individuums und seiner Freiheit zu zeihen, kurzum Rußland als einen rein machiavellistischen Versklavungsstaat zu brandmarken.

M. a. W., Rußland und die Weststaaten, beide auf die imperialistische Bahn gedrängt, werfen einander Fascismus vor, und beide haben damit recht: auf der einen Seite kann nicht geleugnet werden, daß die kommunistische Totalitätsstruktur in einer recht nahen Verwandtschaft zur fascistischen steht, und auf der andern ist die Demokratie, u. z. nicht nur big business und Großbourgeoisie, sondern auch die großen Massen bis weit hinein ins Proletariat so sehr vom Schlagwort der »free enterprise« fasziniert, daß man zu seiner Rettung vor der kommunistischen Gefahr sich sogar dem Fascismus verschreiben möchte, der, wenn auch nicht de facto, so doch wenigstens dem Anschein nach, eine Aufrechterhaltung der freien Wirtschaft (unter Knebelung der Unions) verspricht.

Die Vernichtung Hitlers hat also den Fascismus keineswegs aus der Welt geschafft. Je schärfer die Auseinandersetzung der Demokratie mit dem Kommunismus wird – und die imperialistische Gegnerschaft gibt hiezu noch mehr Anlaß als die ideelle –, desto höher steigt die fascistische Gefahr im Innern der Demokratie; und wenn auch die Auseinandersetzung kaum zu einer kriegerischen werden wird, weil die beiden Gegner – dies im Gegensatz zum Hitlerschen Wahnsinn – sich über die desaströsen Kriegsfolgen allzu sehr im klaren sind, es ist, als ob der demokratische Gedanke, eingekeilt zwischen den politischen Religionen des Fascismus und Kommunismus, verurteilt sei, seine Eigenberechtigung und Eigenexistenz mehr und mehr zu verlieren.

8. Totalwirtschaft und Totalversklavung

Das Gehirn des modernen Menschen ist ökonomisch verseucht. Die Gesetze der Wirtschaft sind für ihn oberstes moralisches

Gebot, d. h. er benützt seinen freien Willen, um ihn den Wirtschaftsforderungen unterzuordnen und diesen kosmologische Schicksalsgeltung zu sichern, denn anders würde er nicht moralisch handeln. Kurzum, es ist genau die gleiche Haltung, die der Gottesgläubige gegenüber den Geboten seiner Religion einzunehmen hat: er hält die Gebote für absolut unentrinnbar, und er befolgt sie mit Hilfe seiner freien, moralischen Willensentscheidung, auf daß ihre unentrinnbare Absolutheitsgeltung lückenlos bleibe.

Solcherart hat der dogmatische Marxist an die Unentrinnbarkeit der Kapitalsgesetze und an die von ihnen bestimmte, kommende Weltrevolution zu glauben, aber er hat außerdem die moralische Pflicht, seinen freien Willen zur Herbeiführung dieser Weltrevolution und einer weltgeplanten sozialistischen Wirtschaft zu benützen, auf daß das ökonomische Gesetz sich als unentrinnbar erfülle und seine Absolutheit bewähre.

Umgekehrt ist derjenige, der an nichts dergleichen glauben will, genau den gleichen Haltungen verfallen; denn was dem einen Gottesglaube ist, das ist dem andern Teufelsglaube, aber die Denkhaltung als solche ist identisch. Das nicht-marxistische Denken ist darin womöglich noch krauser als das marxistische: indem es nämlich menschliche Freiheit kurzerhand mit »free enterprise« identifiziert – ein ebenso sonderbares wie heute allerwärts beobachtbares Phänomen – wird das Problem der Freiheit und Unfreiheit, ja sogar von freiem und unfreiem Willen ganz auf den Gegensatz von freier und gebundener Wirtschaft [reduziert], so daß der freiheitsliebende Demokrat dieser Zeit in jeder noch so partiellen, noch so vernünftigen kollektiven Wirtschaftsplanung bereits die Teufelskralle sieht, die ihm seine menschliche und politische Freiheit rauben wird. Genauso also wie der Marxist das bißchen Freiheitsrest, das ihm die Wirtschaft läßt, zur Erreichung von Planwirtschaft verwenden muß, genauso muß der Nicht-Marxist es zur Aufrechterhaltung von free enterprise verwenden, und beides geschieht zu Ehren des ökonomischen Gesetzes, das sich auf der einen Seite als das [der] Kapitalskonzentration, auf der andern aber als das von Angebot und Nachfrage präsentiert, das eine wie das andere die künftige Vollfreiheit des Menschengeschlechtes versprechend.

Was steht hinter alldem? Sicherlich das Gefühl von einer

überwältigenden Allmacht der Wirtschaft, sicherlich – u. z. in beiden Fällen – ein Gefühl äußerster Hilflosigkeit angesichts einer Schicksalsgewalt, vor der das menschliche Sein und die menschliche Freiheit zu Nichts herabsinken: der Marxist glaubt den Willen dieses gottähnlichen, ökonomischen Schicksals wenigstens zum Teil enträtselt zu haben, und vermittels gehorsam dienender Unterordnung unter solchen Willen hofft er auf die Belohnung im künftigen Reich der Freiheit; der Nicht-Marxist wagt sich nicht einmal an die Enträtselung, sondern bescheidet sich mit dem Rest von menschlicher Freiheit, ja sogar mit dem Schein eines Freiheitsrestes, den das Gesetz von Angebot und Nachfrage ihm noch gnädig beläßt. Angst und Hoffnung, die Grundelemente jeder magischen Glaubenshaltung sind in beiden Alternativen sichtbar, ein Mystizismus, der im Fall des Marxismus sich eben zur echten politischen Religion hat entwickeln können, im Nicht-Marxismus aber auf einen sektenhaften Business-Glauben beschränkt geblieben ist, weil sich Demokratie eben nicht zur politischen Religion verwandeln läßt.

Die Anerkennung der »Wirtschaft« als eine über den Dingen dieser Welt schwebende unentrinnbar absolute und abstrakte Macht entstammt in erster Linie der Wertzersplitterung, der die Menschheit mit Dahinschwinden ihrer echt religiösen Zentralwerte verfallen ist. Der Mensch hat seitdem viele Ersatz-Absolutheiten sich geschaffen, jeder Beruf, in dem er steht, jede Tätigkeit, die er ausübt, jede soziale Gemeinschaft, in der er sich befindet, wird von ihm mit Absolutheitsansprüchen ausgestattet (und ausgeübt), doch da der Mensch vor allem essen muß und er die Mittel hiezu von der Wirtschaft bezieht, gibt es wohl keinerlei Beruf, keinerlei Tätigkeit, keinerlei Gemeinschaft, die nicht irgendwie mit der Wirtschaft verquickt wäre, und so ist es nicht verwunderlich, daß das 19. Jahrhundert, das Zeitalter der Wirtschaft kat'exochen, gerade diese Wirtschaft und ihre Gebote zum neuen Zentralwert, kurz zum Religionsersatz erkoren hat; aus analogen Gründen haben die Fascismen des 20. Jahrhunderts den Staat an diese Stelle gesetzt.

Doch nicht nur der Glanz des ökonomischen Aufschwungs hat der Wirtschaft diese Ausnahmestellung verschafft. Götter wären keine Götter, wenn sie bloß gnädig und nicht auch furchteinflößend wären, furchteinflößend in ihrem Glanze und durch ihn. Wo die Wirtschaft, wie in den Tropen, nur gnädig ist, da ist sie keine Wirtschaft, und je glänzender sie wird, desto furchteinflößender wird sie. Gewiß, sie ist die Mutter aller Güter des irdischen Lebens, aber ohne den Krieg, der deren Vater ist, hat sie sie, wenigstens bisher, nicht hervorgebracht; zwischen dem Ur-Fluch vom Schweiße des Angesichts und der Kains-Ur-Sünde des kriegerischen Brudermordes liegt eine einzige Generationsspanne, und die Gütererzeugung der Menschheit vollzieht sich ebensowohl unter der Geißel der Arbeit wie unter den Skorpionen der Zwietracht. Der Lebenskampf des Menschen spielt sich auf dem Boden ab, den die Wirtschaft ihm bereitet hat, und das Treiben und Getriebensein geht ohne Atempause vor sich, denn wo nicht gearbeitet wird, da tritt Wirtschaftstod ein, und das ist zugleich Menschentod. Kein Wunder, daß im Geist des modernen Menschen die Wirtschaft zu einer mythischen Größe, zu einer mythischen Gestalt geworden ist, die bloß mit der Gäas zu vergleichen ist.

Die Hypothese von einer wachsenden Wirtschaftstyrannis bei wachsender Wirtschaftsausdehnung gewinnt natürlich vor allem Plausibilität angesichts der unumschränkten Macht, die das kapitalistische Regime über die Menschen ausübt und sie – mit Ausnahme jener sehr seltenen Philosophen, die sich auf das Glück bedürfnisloser Freiheit verstehen – fast alle, ob arm oder reich, samt all ihren Kräften und Interessen unnachsichtlich der Güterproduktion unterwirft. Ist das aber wirklich eine ausschließlich kapitalistische Eigentümlichkeit? Das magische Wort von der Erhöhung des allgemeinen Lebensstandards hat nämlich für den Sozialismus eine noch weit verpflichtendere Bedeutung als für die kapitalistische Ordnung; denn im Gegensatz zu dieser, der es eigentlich nicht um »Lebens-Standard«, sondern um »Markt-Standard« geht, so daß sie bei Markt-Saturierung ihre Bemühungen schier automatisch einstellt, ist ihm gerechte Güterverteilung und Obsorge für die Bedürfnisse der großen Masse das ethische Gebot an sich: im Sinne solch obersten Gebots – dem sich keiner und kein noch so glücklich bescheidener Lebensphilosoph wird entziehen dürfen – wird in der Anspannung aller verfügbaren Arbeitskräfte zwecks restloser und technisch vollkommenster Ausnützung der vorhandenen und Erschließung neuer Naturschätze die markt- und profitabhängige Wirtschaft womöglich noch übertroffen werden müssen. Eine sozialistische Güterverteilung könnte z. B. in Amerika den proletarischen und unterproletarischen Volksklassen eine monatliche Einkommenserhöhung von etwa $ 100.- bis $ 200.- bringen, vorausgesetzt freilich, daß das derzeitige Erzeugungsvolumen zumindest beibehalten, wenn nicht gar sofort intensiviert wird. Der Wirtschaftszirkel, in dem Reichtum aus Arbeit entsteht, um sogleich wieder neue Arbeit zu gebären und zu ihr zu nötigen, bleibt also in einer sozialistischen Gesellschaft ungeschwächt aufrecht, ja bildet eines ihrer wesentlichsten Fundamente; die »Wirtschaftsverhaftung«, wie man das Phänomen wohl nennen dürfte, bleibt unentrinnbar, und von ihr zur »Wirtschaftsversklavung«, u. z. Versklavung im ausdrücklichsten Wortsinn genommen, ist nur ein Schritt.

Sklaverei aber definiert sich am Stand des Sklavenhalters und an seinen Rechten, nämlich
(1) am Recht zur Arbeitserzwingung, vermöge welchem dem Sklaven
(a) Freizügigkeit,
(b) freie Berufswahl
abzusprechen sind, während
(2) am Bestrafungsrecht, das dem Sklavenhalter seinem Sklaven gegenüber zusteht, sich die Erzwingungsmöglichkeit konstituiert.

Aus diesem Grundschema läßt sich die rechtliche Struktur des Sklaventums ziemlich lückenlos ableiten.

Mögen Elendsmassen auch theoretisch mit dem Recht zur Freizügigkeit und freien Berufswahl ausgestattet sein, sie können diese Güter praktisch kaum ausnützen – der Sohn des Bergarbeiters hat als Kind schon mit in die Grube einzufahren–, und schier zwangsläufig wird die besitzende Klasse den Staat politisch beherrschen und hiedurch die Justiz mittelbar zu ihren Gunsten beeinflussen müssen. Ohne daß also der Kapitalismus sich für Versklavung auszusprechen braucht, ja oftmals sogar gegen seinen ausgesprochenen Willen, so z. B. im Krieg der amerikanischen Industriestaaten gegen den agrikulturalen Süden, wird er Tendenzen schaffen, die zwar mehr oder minder versteckt, dennoch in fürchterlichster Weise sich in die Versklavungs-Definition einordnen lassen.

Das war die von Marx vor hundert Jahren diagnostizierte Situation, und im Gegensatz zu den fortschritts- und freiheitsberauschten Rebellen seiner Epoche hat er, unheilskündend wie jeder echte Seher, in der pessimistischen Verschwisterung von Freiheit und Ökonomie die eminente Versklavungsgefahr für die moderne Menschheit erkannt und nachgewiesen. Nichtsdestoweniger, er blieb trotzdem ein Kind seiner optimistischen Zeit, mußte es bleiben, weil keiner der eigenen Epoche entgeht, und als solches konnte er nicht umhin, auf revolutionäre Abhilfe zu sinnen: es verstand sich, daß diese aus dem Ökonomischen selber zu erwachsen hatte, und da hier Marx alle Verantwortung radikal der kapitalistischen Ordnung (oder Unordnung) zuschiebt, hingegen die industrielle Technik, zu deren Organisationsprodukten, ja -notwendigkeiten sie gehörte, als das wesentlich »fortschrittsfördernde« Element betrachtet, von dem alle Hebung des Lebensstandards und damit der Zivilisation abhängt, so setzte er alle Hoffnung auf den Zusammenbruch des Kapitalismus und erwartete, daß nach solch revolutionärem Umschwung die klassenlos gewordene Menschheit ihre wahre Freiheit, bar jeder Versklavungsgefahr, finden werde.

Indes, Versklavung bedeutet nicht nur Klassen-Versklavung, wie sie noch von Marx gesehen wurde, sie ist darüber hinaus ebenso Wirtschafts-Versklavung an sich, und das ist eben die, welche arm und reich, Arbeitgeber wie Arbeitnehmer in der nämlichen Weise umfaßt. Der Kapitalismus spornt im Auf und Ab der Marktlage die Menschen zu Höchstleistungen an, zu einer Leistungshypertrophie, die sich einerseits als »Rekord-Versklavung«, andererseits als »Krisen-Versklavung« präsentiert, weil nur mit Rekorden den Forderungen der Hochkonjunkturen zu genügen ist, hingegen Krisen jeden, dessen Selbstbehauptungswille für den durch sie verschärften Lebenskampf nicht ausreicht, auf der Strecke liegen läßt. Gewiß, die Klasse der Sklavenhalter zieht auch hiebei noch immer das bessere Los als die der Sklaven, aber sie ist darum nicht minder rekord- und krisenversklavt als diese, denn der dahinterstehende Sklavenhalter ist abstrakt, und er ist die Wirtschaft als solche. Im sozialistischen System kann, soll und wird die Krisenversklavung zwar wegfallen, aber an der Rekordversklavung, mag sie auch manchmal in anderer Form auftreten, wird grundsätzlich nichts geändert; der abstrakte Sklavenhalter bleibt derselbige, zumindest insolange, als dem Menschen die ständig weiter fortschreitende Erhöhung seines Lebensstandards unabweisliches Bedürfnis bleibt, und hiefür Arbeit benötigt wird. Die Aufhebung der Wirtschaftsversklavung – und damit das Reich der vollkommenen menschlichen Freiheit, wie es Marx vorgeschwebt hatte – kann also erst eintreten, wenn entweder eine völlig veränderte Einstellung des Menschen hinsichtlich seines Konsums möglich wäre, d. h. wenn er sich wieder zu völliger Bedürfnislosigkeit bekehren würde, oder aber wenn die Gütererzeugung durch die technische Entwicklung – und das ist im Zeitalter der Atomenergie durchaus denkbar – so abundant zu werden begänne, daß die zur Erzeugung einer beliebigen Gütermenge benötigte menschliche Zusatzenergie verschwindend klein wird. M. a. W., Wirtschaft läßt den Menschen nur dann unversklavt, wenn ihre Erzeugnisse für jedermann nahezu arbeitslos erhältlich sind, außerdem aber quantenmäßig jedes mögliche Bedürfnis übersteigen; so ist es in der tropischen Noch-nicht-Wirtschaft gewesen, und so kann es einstmals in einer – von Atom-Energie gespeisten – Nicht-mehr-Wirtschaft wieder werden, und das würde heißen, daß diese eine Art »kalter Tropenzone der Zivilisation« darstellen würde, sozusagen eine vom Menschen selbstgeschaffene tropische Güter-Üppigkeit auf der gesamten Erdoberfläche, freilich auch eine von ihm selber geschaffene tropische Naturgewalt, die ihn, entfesselte er ihre Destruktionsmacht, unzweifelhaft zu einem noch schutzloseren Geschöpf zu reduzieren imstande wäre, als es sein Vorfahre auf tropischem Eiland gewesen ist.

Zwischen dem Paradies der Noch-nicht-Wirtschaft, die es wahrscheinlich einmal gegeben hat, und dem der Nicht-mehr-Wirtschaft, die es vielleicht einmal geben wird, liegt die Hölle der Wirtschaft, und die gab es gestern, die gibt es heute, die wird es morgen geben, um so mehr Hölle, als auf dieser kurzen, höchstens bis übermorgen wirklich überschaubaren Wegstrecke sich die Entwicklung zur Totalwirtschaft und sohin auch zur totalen Wirtschaftsversklavung feststellen läßt. Es mag sein, daß solche Hölle bloß ein Fegefeuer ist, notwendig, damit das künftige Paradies überhaupt erreicht werden kann, denn Technik und Wirtschaft bedingen sich gegenseitig, und wenn die Technik zu ihrer absoluten Höchstleistung gelangen soll, so wird sie hiezu eine absolut disziplinierte Wirtschaft nicht nur brauchen, sondern auch fordern und schaffen: mit einer allerdings bereits ins Mystische spielenden Erweiterung Hegelisch-Marxscher Dialektik darf behauptet werden, daß die Wirtschaft nicht eher zur absoluten Nicht-mehr-Wirtschaft »umschlagen« kann, ehe sie nicht (unter der Leitung der Technik) selber zur Absolutheit, d. h. zur vollen Totalwirtschaft gediehen ist, und daß demnach auch Totalversklavung dem Menschenreich absoluter Freiheit vorauszugehen hat.

Doch das Heute und Morgen in seiner Konkretheit hat mit dialektischen oder gar mystischen Spekulationen wenig zu tun, soll auch möglichst wenig mit ihnen zu tun haben, da sie oft genug – man denke bloß an den Nazismus – zu verhängnisvollsten Folgerungen führen; und gefährlich ist es, über das künftige Reich der absoluten Freiheit zu spekulieren und um seinetwillen jedes Opfer gutzuheißen, wenn die Menschenfreiheit von heute und morgen bereits auf dem Spiele steht. Nein, es erhebt sich da eine viel dringlichere Frage: gibt es angesichts der allüberall im Zuge befindlichen Wirtschaftsversklavung, der Versklavung des Menschen durch ein abstraktes Gebilde, welches Wirtschaft heißt, noch irgend eine Möglichkeit, menschliche Freiheit, menschliche Individualität, menschliche Würde zu ihrem natürlichen Recht zu verhelfen?

Die bolschewikische Revolution, zwar kaum mehr eine Revolution im Marxschen Sinn, da sie, infolge der Unterindustrialisierung des Landes, von fast keinem Industrieproletariat getragen wurde, dahingegen weit eher den Charakter eines von Volkstribunen angestifteten Prätorianeraufstandes trug, dennoch eine Revolution mit Marxschen Zielen, da sie im Wege einer allgemeinen und radikalen Sozialisierung die Befreiung des Menschen als solchen einzuleiten gedachte, diese große Revolution – groß in ihrer gewaltigen politischen Konzeption, groß selbst noch in ihren Dogmatismen und vielfach sinnlosen Furchtbarkeiten – hat den ersten modernen Terrorstaat, den Prototypus aller Staatstotalität hervorgebracht. Mit überraschender Schnelligkeit hat sich erwiesen, daß Wirtschaftstotalität, wie sie vom Sozialismus theoretisch angestrebt werden muß und hier praktisch etabliert worden ist, unmittelbar Staatstotalität nach sich zieht.

Es darf – mit Trotzki – angenommen werden, daß der Terrorzustand bloß als revolutionäres Übergangsstadium gedacht war, daß insbesondere Lenin nichts anderes als baldigste In-

543

kraftsetzung der Marxschen Ideale im Sinn gehabt hat, und es ließe sich – gegen Trotzki – sogar vertreten, daß selbst Stalin noch dem gleichen Ziel zustrebte und bloß genötigt war, das sogenannte Übergangsstadium zu verlängern, weil seine Weitsicht den deutschen Angriff in Rechnung stellte und daher dem ohnehin noch nicht konsolidierten Land straffste Kriegsvorbereitung auferlegen mußte. Aber auch wenn das alles zuträfe –, warum soll jetzt noch dem Übergangsstadium, das man mit so viel Opfern und Mühe stabilisiert hat, ein Ende gesetzt werden? Das Land ist befriedet; der allgemeine Lebensstandard hat sich beträchtlich gehoben und wird sich noch weiter heben; der Analphabetismus ist im Schwinden begriffen; der Kapitalismus mit all seinen materialen und psychischen Mißständen wie seinen Unsicherheiten und Krisen ist ausgerottet; es herrscht – abgesehen von den Korruptionsfällen, die bei keiner Bürokratie und am allerwenigsten einer russischen sich vermeiden lassen – eine soziale Gerechtigkeit, die mit den Brüderlichkeitstendenzen der russischen Seele in gutem Einklang steht; überhaupt ist der Anschluß an die in Rußland so wichtigen Volkstraditionen wieder aufgenommen, und sogar die Kirche ist darin einbezogen worden, da sie nicht nur, wie es ihr zukommt, zu Kreuz gekrochen ist, sondern auch einen nicht vernachlässigbaren Faktor in der Neuerrichtung des oströmischen Machtbereichs bildet; ein Staatsrahmen ist mit alldem zustandegebracht, der dem Nationalcharakter und seinen verschiedenen Schattierungen sich gut anpaßt und durchaus geeignet ist, die Völker der Sowjet-Union zufriedenzustellen, um so mehr als ihnen diese Zufriedenheit mit den Staatseinrichtungen und Staatsleistungen ständig durch eine wohlausgewogene, bis ins kleinste Dorf dringende Propaganda vor Augen geführt und bewußtgemacht wird; eine Sozialgemeinschaft der Arbeit und des Lebens ist damit erzeugt worden, eine ebenso echte wie bewußte Ideologie, aus der heraus es verstanden werden kann, daß das russische Volk die ihm zugemuteten Opfer auf sich genommen hat und in seiner Heimatsverteidigung siegreich geblieben ist; der Sieg, Nationalstolz in sich selbst, hat den Stolz auf all das Errungene – wie denn nicht – nur verstärkt; neue Länder sind dem Reiche angegliedert worden, noch weitere werden angegliedert werden, und ihre Bevölkerungen werden, soweit sie nicht zur Austreibung verurteilt sind, an den Segnungen des Sowjetismus teilnehmen; aber noch darüber hinaus, es weiß jeder Sowjetbürger, daß allüberall wo es kriegsverwüstete Länder gibt oder solche, die noch immer unter fremder Bedrückung leiden, das Proletariat neidvoll und sehnsüchtig zu Rußland hinschaut, voll Erwartung, daß der Sowjetismus Erlösung bringe. Kann das noch als Übergangsstadium gelten? Welcher Sowjetbürger verlangte da noch nach Abänderung des gegenwärtigen Zustandes? Was immer die große Masse eines Staates verlangen kann, ist erfüllt. Oder gäbe es einen Bürger, den die Gefahr eines russischen Militär-Imperialismus bekümmerte? Gewiß, die Sowjet-Generale tragen heute mehr Medaillen auf ihrer Vorderseite als Göring, aber da sie ihn besiegt haben, sind sie dazu berechtigt, und wenn auch das System strategischer Pufferstaaten, das sie um Rußland herum errichten, vermutlich von der gleichen militärischen Sinnlosigkeit, die es seit jeher gehabt hat, sein wird, so ist doch jede Staatsangliederung ein Erlösungswerk für das Proletariat und ist ein neuer Schritt zum Weltsowjetismus hin, in dem allein die Menschheit ihre Sicherheit endlich finden wird. Also doch die Weltrevolution? Mitnichten! Von solch überaltert idealistischen Phantasien ist einstens ein Trotzki geleitet worden, der damit die Revolution und das Proletariat fast verraten hätte, wenn ihm die überlegene Staatsklugheit Stalins nicht in den Arm gefallen wäre, denn angesichts der modernen Zerstörungswerkzeuge kann keine Revolution mehr – die russische war die letzte dieser Art –, sondern nur eine vollausgerüstete Staatsmacht, wie es die russische ist, den großen Weltumschwung bewerkstelligen. Also Welttotalitärismus? unbedingte Staatsautorität auf der ganzen Welt? ohne Hoffnung auf das Reich der Freiheit für das menschliche Individuum? Die Antwort auf diese Frage wird wahrscheinlich ein verständnisloses Lachen von seiten des durchschnittlichen Sowjetbürgers sein oder er wird sie mit einem »Rußland ist ein freier Staat« abtun. Wie könnte es auch anders sein! Wie könnte einer, der sich auf dem Weg zur Erfüllung all seiner Wünsche sieht, nicht sich frei fühlen! Mag er auch um die Tätigkeit der G.P.U.[13] wissen –, sie ist Instrument einer Regierung, die sich voll bewährt hat, und er vertraut darauf, daß sie ihm nichts anhaben wird; mögen auch Gefährten und Freunde manchmal plötzlich verschwunden sein –, nun, das ist gang und gäbe, und sie werden wohl irgendwie gefehlt haben, so daß es besser ist darüber zu schweigen; mögen auch Gerüchte über sibirische Konzentrationslager und Hunderttausende von Insassen zu ihm dringen –, Gerüchte brauchen nicht wahr zu sein, und selbst wenn sie wahr wären, in Revolution und Krieg gibt es viele, vielleicht sogar Millionen von Verrätern, die man irgendwo unterbringen muß; mag die Wissenschaft aufs schärfste gedrosselt sein, mag der Zensor über dem gesamten Buch- und Zeitungswesen wachen, mögen im Klub bloß die offiziell vorgeschriebenen Themen diskutiert werden dürfen –, er empfindet nichts von alldem als persönliche Beeinträchtigung, um so weniger als die Dinge sich seit den zaristischen Zeiten immerhin gebessert haben, und er findet sich durch die Projekte neuer Untergrundbahnen und Autobahnen, durch technische Neuerungen in Fabrik und Haushalt, denen er sein eigentliches Interesse zuwendet, mehr als reichlich entschädigt. Und was verschlägt es einem solchen Mann, daß ihm, einem Soldaten des Sozialismus in Krieg und Frieden, der Arbeitsplatz von Staats wegen zugewiesen wird, daß er sich aus eigenem keinen andern suchen kann, geschweige denn, daß er streiken dürfte, daß er seinen Arbeitgeber, den Staat, zugleich als seinen Richter anerkennen muß, daß dies Kriterien sind, die anderwärts und mit gutem Fug als die des Sklaventums aufgefaßt werden mögen: was verschlägt es ihm – er ist frei.

Auf vier Seiten sind hier russische Verhältnisse geschildert und beurteilt, aber Rußland hat ein Territorium von nahezu 9 Millionen Quadratmeilen und ist von nahezu 200 Millionen Menschen bevölkert. Spärlich, oberflächlich und einander widersprechend sind die Berichte, die aus diesem beinahe hermetisch abgesperrten Land in die westliche Welt dringen – wahrlich, trotz der Verkleinerung aller geographischen Entfernungen, es ist gelungen, statt der One World, an deren Notwendigkeit niemand zweifelt, richtig Two Worlds zu konstituieren –, und auch das, was hier beschrieben ist, stammt aus zweiter und dritter Hand; wenn dessenungeachtet der Anspruch auf eine gewisse Korrektheit erhoben werden darf, so stammt diese aus anderem und wohl einfacherem Wissen: der Sowjetbürger ist weder ein Engel noch ein Teufel, sondern muß, bei all seinen sehr verschiedenartigen nationalen Eigentümlichkeiten, als der Durchschnittsmensch, der er ist, genommen werden; er handelt und reagiert wie jeder andere Durchschnittsmensch dieser Erde – darin sind selbst die Nazis (soweit es sich nicht um echte Geisteskranke handelt) allen anderen Menschenwesen gleich –, er muß sich wie jeder andere mit seiner Umwelt und seinem Ich, in dem das Engelhafte und das Teuflische eng beieinander hausen, so gut er kann abfinden, und wenn ihm dies gelingt (und gar wenn er, ob zu Recht oder Unrecht, das Gefühl hat, es kraft eigenen Willens bewerkstelligt zu haben), so fühlt er sich frei. Denn die subjektive Freiheit ist ein Relativ-Gebilde, und die objektive existiert nur hinsichtlich bestimmt definierter Inhalte.

Der westliche Demokrat ist zumeist entweder russophil oder russophob. Als Russophile glaubt er alle demokratischen Freiheiten in Rußland verwirklicht zu sehen und freut sich jedes Films, der ihn in diesem Irrglauben bestärkt. Als Russophobe hingegen sieht er nur einen asiatischen Sklavenstaat vor sich, dessen Aggressionen ein noch bedrohlicheres Aussehen als die deutschen und japanischen Weltherrschaftsphantasien haben, da sie diese an realer Macht weit übertreffen. Beide Anschauungen sind gefährlich für die Demokratie; die russophile weil sie, altem demokratischem Usus folgend, zu einem laisser-faire in Sachen der Freiheit, von der man ohnehin nur nebelhafte Vorstellungen hat, führen muß und überdies zu außenpolitischer Achtlosigkeit verleitet, während die russophobe – wie alles Feindselige stets auf Aktivität eingestellt – außenpolitisch unmittelbar zum Krieg hintreibt, innenpolitisch aber, vor lauter Liebe zur demokratischen Freiheit, die Gefahr fascistischer Versklavung heraufbeschwört.

Der russophobe Demokrat ist antikommunistisch nicht, weil er den Arbeiter haßt, sondern weil er – keineswegs völlig unberechtigt – gegenüber dem offenen Terror jeder Staatstotalität den verkappt schleichenden des kapitalistischen Systems vorzieht; er zieht das kleinere Übel vor, besonders wenn er fortschrittsgläubig ist: er wird dann, etwa nach dem Beispiel Hayeks[14], darauf hinweisen, daß alle demokratischen Errungenschaften im Schoße, ja sogar mit Hilfe des Kapitalismus vor sich gegangen sind, und daß diese günstige Entwicklung bloß durch die Ungeduld und Feigheit der Menschen abgeschnitten worden sei, nämlich einerseits durch die Feigheit der Kapitalisten, welche die Marktrisiken nicht mehr tragen wollten, andererseits durch die Ungeduld der Arbeiterklasse, welche die natürliche Besserung ihrer Lage als zu langsam empfand, so daß beide – was dem einen recht ist, hat für den anderen billig zu sein – die Wirtschaft mehr und mehr den Staatseingriffen auslieferten. In der Tat, so ließe sich weiter argumentieren, Kapitalismus als System ist nicht arbeiterfeindlich; gewiß, der Produzent hat möglichst billig einzukaufen, und dieses – geradezu ethische – Prinzip bezieht sich ebensowohl auf den Einkauf von Rohmaterial wie von Arbeitskraft: aber darf man ihn deshalb rohmaterial-feindlich nennen? und selbst wenn der Kapitalismus in den Zeiten seines extensiven Betriebes, d. h. seines »Raub-Kolonialismus«, während dem er neue Märkte und Einnahmequellen im wahrsten Wortsinn »eroberte«, erbarmungslos den heimischen Arbeiter ausnutzen konnte, so ist dieser nun, da die Zeit der Intensiv-Wirtschaft angebrochen ist, selber zum »Kunden« geworden, dessen Kaufkraft gepflegt werden muß, so daß ein natürlicher Ausgleich zwischen den antiquierten Ausnützungs- und den neuen Belieferungstendenzen unzweifelhaft erwartet werden darf. M. a. W., free business wird von der Wirtschaft selber gezwungen, diesen Teil seiner Freiheit, nämlich den des Lohndrucks, mehr und mehr aufzugeben, und statt dessen den Lohnempfänger nicht nur als Produzenten von Arbeitskraft, sondern auch als Konsumenten der von ihm erzeugten Güter zu betrachten und demgemäß zu schonen. Solch uneingeschränktes Vertrauen zur Selbstregulierung der free enterprise wäre vielleicht, allerdings bloß vielleicht, berechtigt, wenn der Eisenarbeiter sich mit Eisentraversen nähren und bekleiden würde. Aber der Wirtschaftsweg vom Hochofen zu den Textil- und Landwirtschaftsmaschinen ist ein langer und zersplitterter, und der Roheisenpreis wird auf diesem Wege zu einer sehr kleinen Quote im Preise des Endproduktes, und so ist es nur selbstverständlich, daß ein höchst bedeutsamer Teil der Gütererzeugung, nämlich die Ur-Industrie in ihrer ganzen Breite, von vorneherein aus der Intensivwirtschaft und deren angeblich sozial so segensreichen Selbstregulierung ausgeschaltet bleibt; ihr Verhältnis zu den intensiv-orientierten Mittel- und Endindustrien ist das der alten, fast möchte man sagen primitiven Extensivwirtschaft, die ihren Profit – und ihre verhältnismäßig einfache Kartellierbarkeit erleichtert dies – in hohen Preisen und niedern Löhnen sucht, um so mehr als sie selber fast keine Möglichkeit besitzt, durch Reklame etc. ihren

Absatz zu heben. Obwohl also infolge solcher Sonderstellung im ständigen Gegensatz mit den sozialpolitischen Aufgaben des demokratischen Staates (und daher vielfach Ziel seiner Gegenmaßnahmen, so der Antitrustgesetze), ist die Ur- und Schwerindustrie infolge ihrer Gebundenheit an Extensivformen immer die erste gewesen und wird immer die erste sein, die nach Schutzmaßnahmen des Staates bei Absatzkrisen verlangt, und sie muß demzufolge auch alle Regierungsformen unterstützen, von denen sie diesen Schutz erhoffen kann. Das Finanzkapital wird hiezu immer Beistand leisten, weil es für höchstmögliche Sicherheit seiner Anlagen zu sorgen hat, und durch das Finanzkapital werden die Wünsche der Ur-Industrie, ungeachtet ihrer Sonderstellung, der übrigen Wirtschaft aufoktroyiert, die sich dem Diktat um so eher fügen wird, je mehr ihre eigenen Intensivierungsmittel versagen, je mehr Kapital sie zur Maschinenerneuerung zwecks Produktionsverbilligung braucht, je höher infolgedessen ihre Amortisationsquote steigt, je mehr sie für Reklame und Propaganda investieren muß, kurzum, je mehr sie sich selber krisenbedroht fühlt. So disparat also auch die an den Staat gerichteten Wünsche hinsichtlich Marktschutzes in Import und Export sein mögen, ihr Grundstreben geht auf eine abstrakte »Aufrechthaltung der Betriebe« (nicht zuletzt, weil stillgelegte Betriebe für das Finanzkapital »wertlos« werden), und zu solcher Betriebsaufrechthaltung bedarf es einerseits einer Aufhebung des Streikrechtes, andererseits aber des Rechtes zu Lohnkürzungen, zu Arbeiterentlassungen sowie zur Abschüttelung aller sozialen Lasten, auf daß die Kalkulation einigermaßen stabilisiert und der unter den Hochpreisen leidende und ohnehin verkleinerte Markt nicht mit weiteren Preissteigerungen belastet werde. Keine noch irgendwie demokratische Regierung, d. h. eine, die noch irgendwie von ihren Wählermassen abhängt, kann solchen Wünschen folgen; dagegen entsprechen sie den Grundanschauungen des Totalitärstaates, der den gesamten Wirtschaftsapparat als eine einzige, gut funktionierende Maschine, ohne Rücksicht auf die dabei beteiligten Menschen und ihre Bedürfnisse, dem politischen Zweck unterzuordnen sucht. Gewiß verträgt sich dies nicht mehr mit den eigentlichen Absichten von free business, und die aufkommenden fascistischen Gruppen sind sich dessen auch sehr wohl bewußt, doch da sie, um zur Macht zu gelangen, allen alles versprechen, geben sie sich auch den Anschein einer Einordnung ins kapitalistische System, um so mehr als hiezu die Flagge des Antikommunismus gehißt werden kann, und wenn auch daneben einige nationalistische und rassische Prinzipien propagiert werden, die mit dem Internationalismus der Geschäftsinteressen in schlechtem Einklang stehen, man will sie nicht ganz ernst nehmen, da die »Aufrechterhaltung der Betriebe«, um die es kapitalistisch geht, es die Mühe wert macht, sich mit unliebsamen Nebenerscheinungen irgendwie abzufinden. Indes, gleichgültig ist es, ob sich der Fascismus auf dem oder jenem Schleichweg in die Free-business-Demokratie hineinschmuggelt, um dann in voller Pracht – und Macht – aus ihr herauszusteigen: gleichgültig sind die dabei angewandten Tricks, und wichtig allein ist die offenbar stets vorhandene Möglichkeit ihrer Anwendung, denn eben an ihr wird sichtbar, daß die Wirtschaft kraft ihrer eigenen Notwendigkeiten zum Totalitärstaat und zur Versklavung des Menschen hindrängt.

Wird aber in der Wirtschaftsentwicklung dieser Punkt erreicht, so läßt der Totalitärstaat nicht mehr mit sich spaßen; seine politische Leitung übernimmt die Wirtschaftsführung, und selbst wenn die kapitalistische Fassade noch gewahrt wird, wie es z. B. in der Schachtschen[15] Periode des Nazi-Regimes versucht wurde, so entsteht bestenfalls etwas, das man vielleicht am zutreffendsten als »entkapitalisierte Privatwirtschaft« bezeichnen könnte: sie setzt noch eine gewisse Abundanz in der Produktion von Konsumgütern voraus, aber der Preis, den der Kapitalist für die regierungsgarantierte Aufrechthaltung seiner Betriebe zu zahlen hat, ist ein hoher, ist nichts anderes als die Aufgabe seines free business, denn weder kann er produzieren, was er will, noch kann er seine Gewinste investieren wie er will, sondern ist – soweit er sie nicht unmittelbar verzehrt (was ihm noch gestattet ist) – gezwungen, sie in Regierungsbonds anzulegen oder über Regierungsgeheiß in bestimmte Fabrikations-Investitionen zu stecken, er ist in seiner Rohstoffbeschaffung aufs äußerste gebunden und hat über ihre Verwertung Rechenschaft abzulegen, kurzum, er hat sich einer systematischen Aushöhlung der kapitalistischen Freiheit zu fügen, die im Grunde bereits deren Aufhebung bedeutet. Mit der kommunistischen NEP-Einrichtung[16], die als technischer Notbehelf der Güterverteilung etabliert worden ist, läßt sich dieses Stadium nicht vergleichen, eher wohl noch mit der Periode des ersten New Deal, während welcher es, bei freilich noch viel größerer Güter-Abundanz und mit dem ausgesprochenen Willen, das free business unangetastet zu lassen, die große Krise von 1930 überwinden konnte – und trotzdem als ein erster Angriff auf den Bestand des Kapitalismus empfunden wurde. Immerhin, es erscheint durchaus nicht ausgeschlossen, daß man in der »entkapitalisierten Privatwirtschaft« den Wirtschaftstypus zu sehen hat, der bei wiederkehrender Welt-Abundanz an Gütern sich als eine Art Stabilzustand für lange Zeit hinaus etablieren könnte, denn nicht nur daß eine Abundanz, die u. a. auch sämtliche Luxusgüter (und mögen sie noch so standardisiert sein) umfaßt, eine gigantische und vielleicht sogar unlösbare Planungsaufgabe wäre, es haben sich bisher in der Geschichte die Kompromißzustände immer noch als die haltbarsten erwiesen. Vorderhand allerdings ist die Welt von der Wiedergewinnung solcher Abundanz noch recht weit entfernt. Gewiß, Amerika hat die seine noch nicht verloren, wird aber hiervon einen wesentlichen Teil an die notleidenden Länder abgeben müssen und ist überdies krisenumwittert, und da man von Abundanz bloß dann reden kann, wenn dem – schließlich überall (und so vor allem auch im russischen Gebiet) vorhandenen – Rohstoffpotential der ihm adäquate Erzeugungs- und Verteilungsapparat zugesellt ist, so wird die Welt wohl noch für einige Dezennien mit Elends- und Rumpfwirtschaften rechnen müssen, die kaum anders als unter striktester Planung von Produktion und Verbrauch zur Funktion zu bringen sind und demgemäß, gleich den ihnen ähnlichen Kriegswirtschaften, geradezu unabweislich das Totalitärregime des Staates erfordern.

Das Vorhandensein der modernen Staatstotalität hat vielerlei Gründe; wirtschaftlich jedoch ist es durch das der Elends-, Rumpf- und Kriegswirtschaften bedingt: von ihnen wird der Totalstaat zur Totalplanung benötigt, und in ihnen allein, nicht in Abundanzwirtschaften ist – zumindest nach dem gegenwärtigen Stand der Dinge – zweckmäßig zuverlässige Planung heute durchführbar. Das unterindustrialisierte, kriegsverwüstete Rußland war 1918, als die Bolschewiken es übernahmen, eine Rumpfwirtschaft, und da das Hauptvolumen für Kriegsvorbereitung reserviert hatte bleiben müssen, hat sich bis jetzt nicht viel daran geändert. Die deutsche Wirtschaft befand sich in einem Schrumpfzustand mit Millionen von Arbeitslosen, denen die Nazis in einer ständig wachsenden Kriegsindustrie Beschäftigung verschafften, so daß der verbleibende Rest an Konsumgütererzeugung nicht einmal mehr für die Durchführung des Schacht-Projektes ausreichte, sondern eine Sparsamkeit verlangte, die nur noch in Voll-Planung zu bewältigen war. In beiden Fällen ist der Totalitärstaat (wenn auch in Deutschland ein wenig verkappt) der einzige Arbeitgeber, in beiden Fällen weist er seinen Bürgern den Arbeitsplatz zu, in beiden Fällen bindet er sie an diesen vermittels einer von ihm selbst ausgeübten Justiz, in beiden Fällen also wird der Bürger staatsversklavt. Doch in beiden Fällen auch ist der Kapitalismus mitsamt seiner Kommerzfreiheit definitiv zerschlagen. Der Bolschewismus hat das durch die physische Ausrottung der Bourgeoisie besiegelt, und diese ebenso fürchterliche wie ehrliche Revolutionstat hat für den Sowjetbürger einen Befreiungsnimbus erhalten, der ihn gut und leicht die von Marx gemeinte menschliche Freiheit vergessen läßt. Der Fascismus in seinem Antikommunismus kann dem Volk nichts ähnliches bieten; die – insbesondere in Deutschland ganz meisterhaft durchgeführte – »legale« Kapitalistentäuschung, mit der er die Bourgeoisie zu seinem willigsten Instrument reduziert hat, ist kein Kapitalistenmord russischen Kalibers, entbehrt jeglichen Revolutionsnimbus und reicht daher in keiner Weise aus, um die Volksmassen über die ihnen geschehene Versklavung hinwegzutäuschen: sie müssen daher anderswie befriedigt werden, und sicherlich darf die kollektive »Nationalfreiheit« als ein gewisses Gegengewicht zur Individualversklavung genommen werden; ein Volk, das unter der Devise »Versklave, damit du nicht selber versklavt werdest« kollektiv-kriegerisch gegen den äußeren »Nationalfeind« operiert, empfindet die eigene Versklavung als weniger bedrückend. Wie so oft in seiner Massenbehandlung wird der Fascismus hiebei von einem durchaus sichern Instinkt geleitet; denn die von der Wirtschaft ausgehende Versklavungsgefahr schwelt allerwärts, ist den Massen zwar undeutlich, dafür aber um so panikhafter bewußt, und jedermann fühlt, daß durch sie ein Recht des Stärkeren etabliert wird, das diesem erlaubt, ja sogar befiehlt, sich zum Sklaventreiber aufzuwerfen, wenn auch zu einem, der selber seiner Knechtesketten niemals ledig zu werden vermag. Nirgends wohl wird die wachsende Versklavung des Menschen und damit seine unerbittliche Wirtschaftsversklavung so deutlich sichtbar wie am modernen Krieg: Totalkrieg, Totalstaat, Totalwirtschaft, Totalversklavung enthüllen sich als Einheit.

Der moderne Krieg hat alles und nichts von seinen Vorgängern übernommen. Er ist Beute- und Tributkrieg wie im wildesten Mittelalter, er kämpft um strategische Grenzberichtigungen wie in der Konsolidierungsperiode der europäischen Reiche, er strebt nach Angliederung von Satellitenstaaten wie in den Zeiten der Kabinettskriege, er sucht Konzessionen, Einflußsphären und Rohstoffbasen wie zur Epoche der – eigentlich sehr unkriegerischen – kapitalistischen Imperialismen (deren Regeln im Grunde nur von Deutschland niemals anerkannt worden sind). Und trotzdem ist dies alles zu einem recht nichtssagenden Beiwerk geworden: Beute hat schon längst keine entscheidende Rolle mehr gespielt, und Kriegsentschädigungen, mögen sie auch noch erpreßt werden, haben sich zu einer Verlegenheit für den Sieger verwandelt; Grenzberichtigungen und strategische Landerwerbung haben sich bereits angesichts der Robotbomben als nutzlos erwiesen und werden noch viel nutzloser werden; Satellitenstaaten sind eine Farce, da sie, wo das Recht des Stärkern herrscht, zu unaufhörlichen Frontwechseln gezwungen sind, also nicht viel höher als die Söldnertruppen des 18. Jahrhunderts eingewertet werden können; Wirtschaftsvorteile endlich lassen sich gewiß auch heute noch akzeptieren, verlieren aber mehr und mehr an Dauer-Wichtigkeit, werden mehr und mehr zu Provisorien, nicht nur weil die wissenschaftlich-technische Entwicklung die gesamte Rohstoffsituation (mit Ausnahme der rein agrikulturalen) rapiden Wandlungen unterwirft, sondern noch viel mehr, weil das Wirtschaftsziel des Krieges, eben seine Wirtschaftsabhängigkeit, auf einer ganz andern Ebene sich lokalisiert, auf einer von so gewaltigen Dimensionen, daß all die Kleinziele, um die es bisher gegangen ist, unscheinbar und nahezu belanglos werden. Es ist die Ebene der kontinent- und ozeanumspannenden Wirtschaftblocks.

Wirtschaftblocks gründen sich auf der Idee großangelegter Autarkien. Sie schließen also das Rohstoffproblem, welchen Wandlungen auch immer es noch unterworfen sein möge, in sich ein. Vor allem jedoch wird versucht, in ihnen das Komplementärverhältnis von Industrie- und Agrikulturgebieten zu

stabilisieren. Denn so lange die komplementären Produktions-
gebiete sich auf verschiedene Einzelstaaten hinerstrecken, wird
das Gleichgewicht durch fortwährende Störungen gefährdet;
das System der Handelsverträge, Präferenzzölle etc., in dem es
wirken soll, ist ein labiles Instrument, ebensowohl infolge der
Künd- und Brechbarkeit der Verträge, wie infolge des in allen
Agrikulturstaaten herrschenden Strebens nach Selbst-Indu-
strialisierung. Zu den Praktiken des kapitalistischen Imperialismus gehört z. B. die gegenseitige Störung solch »natürlicher«
Komplementärverhältnisse, und sicherlich ist man vollbefugt,
darin eine der Hauptursachen des ersten Weltkrieges zu sehen.
Und wenn es damals bloß um »Mitteleuropa« ging, d. h. um das
Komplementärverhältnis zwischen Deutschland und den Bal-
kanstaaten, so hat dieser »Lebensraum« – eine der verhängnisvollsten Wortprägungen der deutschen Kaiser-Romantik –
sich in den folgenden 25 Jahren, bedingt von der technischen
Entwicklung, entsprechend vergrößern müssen: Hitlers »Neue
Ordnung« zielte auf einen gigantischen Großblock wirtschaftlichen Charakters, besonders nachdem er das Lateinblock-Pro-
jekt seines weniger machtvollen und daher auch weniger sachlichen Kollegen Mussolini als das selbständige Konkurrenzun-
ternehmen, das es hatte sein wollen, sich aus dem Wege
geschafft hatte; die Welt wäre in einen West- und einen Ost-
block aufgeteilt worden, zentriert um die deutsche und japanische Industrie, und zwei geschwächte Pufferstaaten, Rußland
und Amerika, hätten sie von einander zu isolieren gehabt. Das
ist der bereits banal gewordene Sachverhalt, und nicht minder
banal sind die Prinzipien der Geopolitik, mit deren Erwägungen er theoretisch verbrämt worden ist. Das von den Nazis hin-
zugefügte Novum liegt in den offenen Versklavungs- und Aus-
rottungsabsichten, vermöge welchen sie – unzweifelhaft viel
radikaler als die Japaner – ihre Neue Ordnung hatten betreiben
wollen; die deutsche Block-Idee war 1914 nicht nur am Widerstand der Großmächte gescheitert, sondern auch am Widerstand der kleineren Nationen, die ja auch die Habsburger Monarchie, obwohl sie ihnen einen durchaus befriedigenden
Wirtschaftsraum bot, zu Fall gebracht hatten, und so erschien
es nur logisch, diese einfach auszurotten oder wenigstens in einer Weise zu dezimieren, daß sie für dauernd im Sklavenstand
zu halten gewesen wären. Die Radikalität solcher Logik mag als

spezifisch deutsch gelten; hingegen ist ihre Brutalität die der Panik, ist die Brutalität des panikisierten Schwachen, der die ihm einmal gebotene einzigmalige Chance (wie sie nach München in der Nicht-Rüstung der Gegner gegeben war) ausnützen muß und sich dabei seiner über-gigantischen Aufgabe nicht gewachsen fühlt –, unheimlich deutsch ist daran nur, daß selbst diese Panik, daß selbst diese Brutalität der Schwachheit zum Gegenstand einer durchdachten Organisierung gemacht worden ist. Nichtsdestoweniger, Erfolgschancen waren vorhanden; geleitet von einer straff militarisierten Sklavenhalter-Nation, in deren Disziplinierung das Individuum zwar auch nichts gilt, immerhin jedoch, soferne es sich fügt, am Leben gelassen wird, hätte der deutsche Großblock als präzis abstrakte Wirtschaftsmaschine tadellos geplant und für einige Zeit wohl auch zu korrekter Funktion gebracht werden können.

Hätte Deutschland seinen selbstmörderischen Amoklauf von 1914 bis 1939 nicht unternommen, so hätte man vermutlich das alte Europa und mit ihm die alte Weltstruktur noch eine Weile in Gang gehalten; doch es ist sehr fraglich, ob das nach dem Erscheinen der neuen Flugzeugwaffen noch möglich gewesen wäre, da sie mit einem Schlage die strategische Isolation Englands und deren politische Bedeutung aufgehoben hatten, und mit aller Sicherheit darf behauptet werden, daß sich der Umschwung jedenfalls mit der Atom-Bombe eingestellt hätte. Denn ganz abgesehen von all den andern Notwendigkeiten, welche immer dringlicher für die Schaffung großer Wirtschaftsgebiete sprechen, die Atom-Drohung verlangt eine so weiterstreute Vervielfältigung aller lebenswichtigen Produktionsstätten, daß sie nur in ausgebreitetsten Herrschaftsgebieten sich durchführen läßt; anders wäre kein Gegenangriff nach einem ersten Atom-Angriff, der eben tödlich wäre, auf den Weg zu bringen, und nur wo ein Gegenangriff zu fürchten ist, wird der erste unterbleiben. Hiezu kommt noch, daß mit je größerer Staatenanzahl auch die Angriffsgefahr wächst, da es ja voraussichtlich nicht mehr lange dauern wird, daß jeder kleine und kleinste Staat im geheimen Bombenangriffe vorbereiten und herostratisch wird ausführen können. Für England z. B. und seine auf kleinstem Raum zusammengedrängte Bevölkerung und Industrie bedeutet das feindselige Irland eine Quelle ständig zunehmenden Unbehagens. Es gehört zum großen Menschheitsunglück, daß Großnationen in ihrer Geographie gewisse emotionale Befriedigungen finden, während Kleinnationen diese entbehren müssen und sie trotzdem, gegen alle Gründe der wirtschaftlichen und physischen Sicherheit, durchzusetzen sich gezwungen fühlen.

Die Großnationen sind daran, das Block-System zur Verwirklichung zu bringen, teilweise einfach von den Ereignissen und Verhältnissen dazu getrieben, teilweise jedoch durchaus bewußt, und zu solcher Bewußtwerdung hat die Erkenntnis von den deutschen Plänen, die da geradezu vorbildlich gewirkt haben, sicherlich nicht wenig beigetragen: anstelle der von der Axis geplanten Weltaufteilung in einen Ost- und Westblock, ergab sich schier automatisch das Gegenbild einer Nord-Süd-Teilung, und die Grundzüge hiezu sind, wenn auch noch skizzenhaft, dennoch schon deutlich genug in den Beschlüssen von Teheran und Jalta ersichtlich. Für Rußland, das seit jeher als Nord-Block etabliert gewesen war und seit Peter und Katharina seine stete Expansionspolitik darauf eingerichtet hatte, war es sozusagen die natürliche Lösung, eine um so natürlichere als seine gewaltige Industrialisierungs-Anstrengung stracks zur Block-Autarkie hinführt; sowohl die panslawischen Ziele, wie die der oströmischen Ansprüche, wie die der Ausgänge zu den eisfreien Häfen im Osten und Westen (und vielleicht sogar auch im Süden, wenigstens als Möglichkeit naher Zukunft) sind in dieser Lösung unterzubringen. Indes, auch England ist zum Block-System prädestiniert; das britische Commonwealth hat die Hauptstücke eines künftigen Süd-Blocks bereits gesammelt und eine Wirtschaftseinheit geschaffen, an deren Gedeihen der Gesamtwohlstand der Welt partizipiert. Mag also auch der britische Flottenschutz, auf den die Vereinigten Staaten sich nun seit vielen Jahrzehnten in der Sicherung ihrer Handelswege hatten verlassen können, sowohl durch den Wegfall aller anderen Konkurrenten wie durch die Entwicklung des Luftkrieges an Bedeutung eingebüßt haben, es haben gerade diese Handelswege und Handelsinteressen an Bedeutung gewonnen, und ebenso sind hiefür die Flugbasen im Empire nun erst recht von äußerster Wichtigkeit geworden, so daß die Konsolidierung des Süd-Blocks ein Erfordernis steigender Dringlichkeit für beide angelsächsischen Länder darstellt. Das Block-System war also sicherlich das geeignetste Instrument, das sich den Big Three für die Grundlegung der künftigen Welteinteilung – und vielleicht sogar des künftigen Weltfriedens – darbot.

Zweierlei Schwierigkeiten mußten jedoch hiebei ins Auge gefaßt werden, ohne daß sie in den Vorbesprechungen überkommen werden konnten:

Erstens war das Problem der genauen Grenzziehung zwischen den beiden Blocks zu lösen. Auf der Einlegung von neutralen Pufferstaaten nach alt-imperialistischem Muster hatte man zu verzichten, da man sich über deren Wertlosigkeit im Klaren ist und weiß, daß sie nur als Kriegsursachen, die ja unbedingt vermieden werden sollen, wirken können. Man überließ also die Lösung der sogenannten »Praxis«, d. h. der beidseitigen diplomatischen Geschicklichkeit, die nun, gestützt von der beidseitigen Militärstärke, einesteils im Rahmen der United Nations, andernteils direkt in den strittigen Grenzgebieten, die definitive Grenzlinie zu ziehen hätte. Es ist eine Grenzlinie, die sich über den halben Erdumfang hinerstreckt, und von Hamburg bis Port Arthur – sowohl in Deutschland selber, wie auf dem Balkan (um dessentwillen die Londoner Konferenz[17] gescheitert ist), wie in Vorderasien und Iran, wie in China – geht nun überall, gewissermaßen als stillschweigendes Einverständnis der beiden alliierten Gegner, die höchst aktive Ausprobung der beidseitigen Kräfte vonstatten, diplomatischer Druck, militärische Unterstützung, Propaganda, Fifth Column-Tätigkeit, kurzum sämtliche Mittel des Noch-nicht-Krieges sind da allüberall im vollen Schwung, und wenn die Westmächte dabei mit der Atom-Drohung operieren, so hat Rußland statt dessen den großen Vorteil einer noch nicht demobilisierten Armee. Wo diese Armee, wie in Japan, nicht in Aktion gebracht werden kann, da ist der Süd-Block definitiv etabliert, während anderwärts die Dinge sich mehr zugunsten Rußlands zu verschieben scheinen.

Zweitens aber – und keineswegs unabhängig von jenen Abgrenzungsschwierigkeiten – ist das Problem der nationalen Souveränitäten zu einer Lösung zu bringen. Und da die beiden Parteien sich zufriedengestellt haben to agree not to agree, und die Regelung ihrer Auseinandersetzung vorzüglich der Gewaltanwendung zu überlassen, ist schwer einzusehen, warum sie die übrigen Völkerschaften anders als die der strittigen Grenzgebiete behandeln sollten. Wie nachdrücklich auch die

Big Three Völkerfreiheit verkündet haben, sie bedeutet heute bloß Freiheit zur bedingungslosen Unterwerfung unter das Block-System. Churchill sprach nicht nur vom englischen, sondern auch vom russischen Standpunkt aus, als er behauptete, daß der Krieg nicht für Ideen, d. h. für *Weltanschauungen* geführt worden sei.[18] Beide Parteien akzeptieren in den Vasallenstaaten ihrer Rayons jede Art von Regierung, und sei es selbst eine fascistische oder fascisierende, sofern sie ihnen Unterwerfungswilligkeit zu garantieren vermag, und wenn sich eine solche nicht findet, so wird eine geeignete mit Gewalt inthronisiert; das bulgarische und das griechische Beispiel – Beispiele unter manchen anderen – halten einander die Waage. Hiebei zeigt sich die Konstruktion des Süd-Blocks als die wesentlich kompliziertere Aufgabe; während nämlich der nördliche hauptsächlich mit asiatischen Bauern- und Nomadenvölkern, deren Nationalbedürfnisse verhältnismäßig leicht befriedigbar sind, zu rechnen hat und bloß in Mittel- und Osteuropa vor schwierigere Assimilierungs-Aufgaben gestellt ist, erweist sich die Struktur des Süd-Blocks als derart differenziert, daß man sich das Zustandebringen der politisch-ökonomischen Einheitlichkeit kaum ausdenken kann: von hier aus ist zu verstehen, daß England eine Aufsplitterung Indiens in eine Anzahl selbständiger Nationalstaaten, von denen wenigstens ein Teil, zwecks Erringung von Separatvorteilen, zum russischen Opponenten hintendieren wird, unter allen Umständen vermeiden muß, von hier aus ist das englische Vorgehen in Java, in Ägypten, in den arabischen Ländern und gegen die Juden zu verstehen (– auch Titus mußte ungeachtet seiner sonstigen Benevolenz den Tempel zugunsten der römischen Reichseinheit zerstören und das querulierende Judenvolk zerstreuen –); von hier aus ist die Zustimmung der Vereinigten Staaten zu alldem zu verstehen und ebenso deren eigene Haltung in der Frage des chinesischen Selbstbestimmungsrechts; ganz besonders jedoch ist von hier aus die merkwürdige Rolle vom »geschlagenen Alliierten« zu verstehen, die Italien bereits zugewiesen ist, und in die Frankreich immer weiter hineingedrängt wird, denn nicht nur, daß beide Länder starke kommunistische Neigungen haben und Frankreich außerdem durch die bereits zur Tradition gewordene russische Bündnispolitik stets geneigt ist, sich von dorther zur Aufrechterhaltung seiner Selbständigkeit Hilfe zu holen, es erhebt sich dahinter nach wie vor die Konzeption eines Lateinblocks, dessen Idee für die angelsächsischen Länder heute genau die gleiche Gefahr bedeutet, die sie für Hitler bedeutet hat, da sie wiederum die Möglichkeit eines globalen Zweifrontenkrieges in sich schließt.

Kein Zweifel, die Bildung eines Latein-Blocks hat Verwirklichungsmöglichkeiten, und kein Zweifel kann bestehen, daß sie von Rußland begünstigt werden: nur liberalistische Schwachköpfe können meinen, daß Rußland seine Anti-Franco-Politik aus lediglich »idealistischen« Gründen 1935 begonnen und jetzt wieder aufgenommen hätte, und umgekehrt wäre es pure Naivität zu meinen, daß es kapitalistischer Reaktionärismus ist, der demokratische Regierungen und gar solche mit sozialistischem Einschlag, wie es die englische schließlich ist, eine sogenannte Freundschaft mit Franco und den lateinamerikanischen Fascismen begünstigt. Aber jeder weiß – und Roosevelt wußte es so gut wie irgend einer – daß das lateinische Nationalgefühl, in Frankreich ebensowohl wie in Italien, im fast kommunistischen Mexiko ebensowohl wie im fascistischen Argentinien, anti-angelsächsisch orientiert ist, und daß von einem Latein-Block, käme er wirklich zustande, nichts Gutes zu erwarten wäre. Der Latein-Block, zumindest der spanisch-portugiesisch sprechende, wäre auch schon längst zustande gekommen, wenn die Länder schon genügend weit industrialisiert gewesen wären, um die notwendige Block-Autarkie zu schaffen; so waren und sind sie noch auf eine Komplementär-Wirtschaft angewiesen, und daß sie sich diese lieber in Deutschland als in dem angelsächsischen Gebiet, von dessen Aufsaugungsstärke sie sich bedroht fühlen, gesucht haben, ja daß sie darüber für die viel größere Versklavungsgefahr durch ein siegreiches Nazi-Deutschland – der Mensch sieht bloß das Morgen, selten das Übermorgen – blind geworden sind, das ist alles recht verständlich. Und wenn es auch heute weder eine deutsche, noch eine japanische Komplementär-Wirtschaft für die Latein-Staaten mehr gibt, und alle wirtschaftlichen Motive für einen Eintritt in den Süd-Block sprechen (um so mehr als der russische ökonomisch nichts zu bieten hat), sie haben ihre irrational-nationalistischen Hoffnungen keineswegs aufgegeben und haben auch wenig Anlaß es zu tun: sie wissen, daß der Antikommunismus ihrer mehr oder minder fascistischen Regierungen ein ausgezeichnetes Aushängeschild präsentiert, daß sie für diese Antipathie gegenüber dem russischen Block und seiner Außenpolitik eine Fortsetzung der Good-neighbour-Haltung Nordamerikas unter allen Umständen erwarten dürfen, und daß damit ein Zustand geschaffen wird, den sie zwar als Provisorium betrachten, wohl aber ausnützen können, indem sie sich ihren good will bezahlen lassen, vor allem durch Kapitalvorstreckungen für ihre Industrialisierung, ohne die sie die beabsichtigte eigene Block-Autarkie nicht zu errichten imstande wären.

Das »Versklave, damit du nicht selber versklavt wirst« ist also im vollem Schwange. Mag der moderne Mensch sich auch mit seiner Wirtschaftsversklavung und deren Unausweichlichkeit – unausweichlich, ob nun mit free business oder kommunistisch gewirtschaftet wird – scheinbar schon abgefunden haben, die Gefahr politisch nationaler Entrechtung geistert allerwärts durch die Welt, und da sie irrationale und gefühlsmäßige Seelensphären berührt, gewinnt sie Erweckungsstärke; die Versklavungsangst wird zu Mißtrauen, wird zu einem nahezu wissenden Ahnen: es geht um die Versklavungsmacht ungeheurer Wirtschaftblocks; es geht um die Macht, die sie gegeneinander auszuüben vermögen, und es geht um die hegemonische Macht, die in ihnen zu erringen ist. Niemals war die Welt entfernter von der ihr versprochenen »Freedom from Fear«[19] als gerade jetzt. Es ist ein gespenstisches Bild, das sich für die Menscheit damit auftut, doppelt gespenstisch, weil es sich als das Ergebnis eines Krieges enthüllt, der mit der Niederwerfung des Nazitums alle Versklavungsmöglichkeiten hatte vernichten wollen.

Und keiner ist von solcher Gespenstigkeit so schwer getroffen wie eben die angelsächsischen Siegerländer mitsamt den ihnen angeschlossenen, kleineren europäischen Demokratien; sie befinden sich heute in einer womöglich noch ärgeren Lage als zu Hitlers Zeiten. Der Teheran-Jalta-Plan, der sowohl den Westdemokratien wic Rußland offenbar als die einzig gangbare Lösung erschien und sie tatsächlich auch ist, hat mit großer Weisheit auf die vorhandenen geopolitischen Stärkeverhältnisse Rücksicht genommen und mit noch größerer sich bemüht, durch Ausbalancierung der Welt in einen Nord- und Süd-Block die Basis für eine Friedens-Internationalität zu legen, die nicht auf Bündnis-Kombinatorik im alten Sinn angewiesen ist; denn während in dieser jeder Staat seinen Nachbarn vermittels

Bündnisse vom Rücken her, also zweifrontig, zu bedrohen suchte – ein Spiel, das durch die ost-westliche Anordnung der Staatsgebiete noch erleichtert wurde –, ist dies bei der Nord-Süd-Ordnung der neuen Blocks nicht mehr durchführbar, einfach weil die Gebiete des Nord- und Südpols unbewohnt sind und es wohl für sehr lange Zeit hinaus noch bleiben werden. Nichtsdestoweniger, so sehr die Lösung den angelsächsischen Staaten »natürlich« war und ihren Bedürfnissen entsprach, sie hatten in ihr von allem Anfang an die schwierigere Aufgabe zugeteilt bekommen: ihr Block war nicht wie der russische, der bloß noch abgerundet zu werden brauchte, von vorneherein konsolidiert, sondern besaß nichts als eine recht lose Grundstruktur, deren Rahmen erst mühselig mit den disparatesten und überdies widerstrebenden Staatsgebilden aufgefüllt zu werden hat. Und was soll gar geschehen, wenn sich wirklich einmal hievon der Lateinblock noch abspalten sollte? Doch die angelsächsischen Länder brauchen gar nicht so weit zu gehen und sich solch letzte katastrophale Folgen auszumalen, sie sind mit denen der Gegenwart und der nächsten Zukunft wahrlich zur Genüge beschäftigt. Werden sie mit ihrem Splitterblock imstande sein, ihre skandinavischen Freunde zu verteidigen, wenn der kompakt wohlkonsolidierte russische Konkurrent die von ihm zweifellos benötigten norwegischen Häfen und Flugbasen anfordern wird? Kein Wunder also, daß das Bedürfnis nach der projektierten internationalen Friedenssicherung ungleich größer bei den angelsächsischen Mächten als bei Rußland ist, ja daß sie diese sogar durch das (leider untaugliche) Mittel der Atombomben-Geheimhaltung zu erzwingen trachten! Wenn irgendwem, so ist ihnen heute die politisch und wirtschaftlich endgültig geeinte One World lebenswichtigste Notwendigkeit, und wenn nicht einmal die hiezu als Vorstufe gedachte Two-World-Einteilung zustande zu bringen ist, so ist damit ebenfalls eine Vorstufe erreicht – aber die zum endgültigen Untergang.

Es ist nicht die »Schlechtigkeit« Rußlands, die solche Situation verursacht hat. Rußland muß die Trümpfe, die ihm in die Hand gespielt werden, ausnützen und ausspielen; der Fehler liegt vornehmlich an den Demokratien, nämlich an ihrer Unfähigkeit demokratisch zu sein: wären sie hiezu fähig gewesen, sie hätten damit den stärksten Trumpf in dem großen Spiel um die Weltorganisation und den Weltfrieden gehalten und behalten.

Das ungeheuere Maß von Vertrauen, das ihnen – besonders Roosevelt – beinahe überall in der Welt am Anfang des Krieges entgegengebracht worden ist, schrumpfte während der letzten Kriegsjahre mehr und mehr ein; eine fürchterliche Verschwendung moralischen Kapitals hat stattgefunden, und der Nutznießer ist Rußland. Denn die sozialistische Idee, mag sie vom russischen Totalitärstaat mehr schlecht als recht vertreten sein, ist lebendig, und die demokratische Idee, auf deren Verkündung und Verwirklichung die Völker gewartet hatten, ist zu einer Phrase herabgesunken und infolgedessen so gut wie nicht vorhanden: free business ist ein beinahe provinzieller Slogan.

Gewiß, die Weltblocks, um die es geht, sind in erster Linie Wirtschaftsgebilde; in ihrer wirtschaftlichen Eigengesetzlichkeit liegt die Quelle ihrer Macht, und die von ihr bedingten Prinzipien, vermöge denen der Mensch sie zu errichten vermag, sind wirtschaftlicher und nicht moralischer Natur. Gewiß, die Eigengesetzlichkeit der hochindustrialisierten, modernen Wirtschaft läßt der Freiheit des Menschen – auch im Bereich des free business – nur geringen Spielraum, und diese Freiheitseinschränkungen sind erst recht im Bereich der großen Wirtschaftsblocks unvermeidlich, da zu deren Organisation und Betrieb, schon im Interesse der Wirtschaft selber, Dispositionen erforderlich sind, die ohne politische Einschläge nicht durchgeführt werden können und daher automatisch zu mehr oder minder totalitären Strukturen führen. Gewiß, unverkennbar ist in alldem die Versklavungsgefahr enthalten, unverkennbar zeigt sich die Stärke ihrer Ursachen, unverkennbar zeigt sich daran die Berechtigung der Versklavungsangst, von der die Menschheit durchschüttelt ist. Indes, ist darum auch wirklich absolute Versklavungsnotwendigkeit gegeben? muß sie fatalistisch hingenommen werden? Gerade die für den Totalitärstaat so charakteristische Übernahme der Wirtschaftsleitung durch die politischen Instanzen bildet einen Hinweis auf die Durchbrechbarkeit rein ökonomischer Determinationen: Politik ist immer Ausdruck einer bestimmten anerkannten oder um Anerkennung ringenden Moral, die eine »gute« oder »schlechte« Moral sein kann, deren ausschließliche Herkunft aus dem Ökonomischen, wie es von rigorosen Marxisten gewünscht wird, zwar eine bequeme Auslegungsmöglichkeit darstellt, trotzdem aber unbeweisbar bleibt.

Und ebendeswegen: gewiß, die Wirtschaft in ihrer heutigen Form, gleichgültig ob als free business oder kommunistisch, versklavt den Menschen, und diese Versklavungstendenzen färben sicherlich auch auf den Staat ab, besonders wenn er totalitäre Struktur erhält. Doch unbeweisbar bleibt es, daß diese Abfärbung unbedingt und absolut notwendig ist. Ja es erscheint sogar wahrscheinlich, daß man ebensowohl free business wie Kommunismus ohne absolute Versklavung betreiben könnte, und daß diese nichts anders als eine politische Degeneration, eine Degeneration der Demokratie ist. Denn Demokratie ist Anti-Versklavung, ja sie kann geradezu als solche definiert werden, sofern man sich darüber geeinigt hat, was Versklavung heißt.[20]

1 Broch schrieb diese Studie im Frühjahr 1941 wenige Wochen vor Hitlers Rußlandfeldzug, der am 22. Juni 1941 begann.

2 Münchner Abkommen vom 29. September 1938.

3 Vgl. die Offenbarung des Johannes, Kap. 13 ff. über das »Tier aus dem Abgrund«.

4 Benannt nach Frank B. Kellog (1856-1937), US-amerikanischer Politiker und Staatsmann; Friedensnobelpreisträger 1929. Kellog unterbreitete als Staatssekretär des Auswärtigen (1925-1929) den Mächten des Locarnopaktes einen Plan zur Kriegsächtung, den Kellog-Pakt (auch Briand-Kellog-Pakt), den bis Ende 1929 vierundfünfzig Nationen unterzeichneten. Der Kellog-Pakt sah keine Sanktionen gegen Friedensbrecher vor; er beruhte auf der Vertragstreue der Mitglieder, die (außer im Verteidigungsfall) auf Kriegsanwendung verzichteten.

5 Pablo Picasso, *Guernica* (1937).

6 Juden, die sich unter dem Zwang der Inquisition im Jahrhundert vor der Vertreibung aus Spanien (1492) und Portugal (1496) hatten taufen lassen. Unter den rund 200000 Emigranten von 1492 befanden sich viele Maranen, die in den neugegründeten spanischen Judengemeinden rings um das Mittelmeer, auch in den »Portugiesengemeinden« von Amsterdam, London, Hamburg usw. wieder zur jüdischen Religion zurückkehrten. Man hat von einer besonderen maranischen Religion gesprochen und Philosophen wie Spinoza von hier aus verstehen wollen.

7 Paul Ehrlich (1854-1915), deutscher Mediziner und Chemiker; entdeckte 1910 mit dem japanischen Bakteriologen Sahatschiro Hata das Salvarsan zur Behandlung der Syphilis.

8 Eduard Mörike, »Auf ein altes Bild« (1837), in: E. M. *Ausgewählte Werke. Erster Band. Gedichte* (Bergen: Müller & Kiepenheuer, 1949), S. 111.

9 Paul I. (1754-1801), russischer Zar von 1796-1801.

10 Vgl. I. Kant, *Grundlegung zur Metaphysik der Sitten* und *Kritik der prakti-*

schen Vernunft.

11 Benannt nach Alfred Kinsey (1894-1956), US-amerikanischer Biologe und Soziologe. Seine Forschungen zum sexuellen Verhalten von Mann und Frau veröffentlichte er im Kinsey-Report, der erstmals 1948 erschien unter dem Titel *Sexual Behavior in the Human Male.*

12 Vgl. Walt Whitman, *Leaves of Grass* (1855) und *Democratic Vistas* (1871).

13 Abkürzung für Gossudarstwennoje Polititscheskoje Uprawlenije (= Staatliche Politische Verwaltung), Bezeichnung für die sowjetische Geheimpolizei von 1922-1934.

14 Friedrich August von Hayek (geb. 1899), österreichischer Volkswirtschaftler, 1931-1950 Professor an der London School of Economics. Vgl. *The Road to Serfdom* (1944).

15 Hjalmar Schacht (1877-1970), 1933-1939 Reichsbankpräsident und 1934-1937 Wirtschaftsminister. Organisierte die Finanzierung der Arbeitsbeschaffungsprogramme und die Aufrüstung Hitlers. Das von ihm angeregte Finanzierungssystem mit Mefo-Wechseln erlangte dabei eine große Bedeutung.

16 Abkürzung für Nowaja Ekonomitscheskaja Politika (= neue ökonomische Politik), von Lenin 1921 verkündetes Wirtschaftsprogramm zur Lockerung der starren kommunistischen Wirtschaftspolitik in der Sowjetunion; galt bis etwa 1928.

17 Das auf der Londoner Konferenz (26. 6.-8. 8. 1945) zwischen Frankreich, Großbritannien, UdSSR und USA geschlossene Abkommen vom 8. 8. 1945 und das damit verbundene Statut des Internationalen Militärgerichtshofes bildeten die Grundlage der Nürnberger Kriegsverbrecherprozesse.

18 Anspielung auf die »Iron Curtain«-Rede, die Churchill am 5. 3. 1946 im Westminster College, Fulton/Missouri (USA) hielt, und die mit den Anstoß zur Gründung der NATO und des Europa-Rates gab. Vgl. Winston S. Churchill, »The Sinews of Peace«, in: W. S. C., *Complete speeches 1897-1963,* vol. VII 1943-1949, hrsg. v. Robert Rhodes James (New York, London, 1974), S. 7285-7293.

19 Vgl. die »Four Freedoms«-Rede von Franklin D. Roosevelt vom 6. Januar 1941. Siehe ferner Brochs Aufsatz »Bemerkungen zur Utopie einer ›International Bill of Rights and of Responsibilities‹«, in: HB, *Politische Schriften,* a.a.O., S. 243-277.

20 Vgl. dazu Brochs Studie »Die Demokratie im Zeitalter der Versklavung«, in: HB, *Politische Schriften,* a.a.O., S. 110-191.

Anmerkungen des Herausgebers

Bibliographischer Nachweis

1. »Vorschlag zur Gründung eines Forschungsinstitutes für politische Psychologie und zum Studium von Massenwahnerscheinungen«, in: HB, *Zur Universitätsreform,* hrsg. v. Götz Wienold (Frankfurt am Main: Suhrkamp, 1969), S. 78-114.
2. »Entwurf für eine Theorie massenwahnartiger Erscheinungen«, uv. YUL.
3. »Eine Studie über Massenhysterie. Beiträge zu einer Psychologie der Politik. Vorläufiges Inhaltsverzeichnis«, auf Englisch unter dem Titel »A Study on Mass Hysteria. Contributions to a Psychology of Politics. Preliminary Table of Contents« in: HB, *Erkennen und Handeln, Essays II,* hrsg. v. Hannah Arendt (Zürich: Rhein-Verlag, 1955), S. 257-282.
4. »Historische Gesetze und Willensfreiheit« und »Historische Gesetze und Dämmerzustand«, unter dem Titel »Geschichtsgesetz und Willensfreiheit« in: HB, *Massenpsychologie,* hrsg. v. Wolfgang Rothe (Zürich: Rhein-Verlag 1959), S. 237-312, unter Zugrundelegung des Originaltyposkripts in YUL.
5. »Der Erkenntnisvorstoß und das Neue in der Geschichte«, uv. YUL; bisher publiziert lediglich der Abschnitt »IV. Exkurs: Über Problemtypen und Systeme« unter dem Titel »Das System als Weltbewältigung«, in: HB, *Erkennen und Handeln,* a.a.O., S. 111-149, unter Zugrundelegung des Originaltyposkripts in YUL.
6. »Über Modelle«, uv. YUL.
7. »Werte und Wertsysteme«, uv. YUL.
8. »Erkenntnistheoretische Kriterien geistiger Erkrankungen«, uv. YUL.
9. »Massenwahntheorie (1939 und 1941)«, in: HB, *Massenpsychologie,* a.a.O., S. 77-226 unter Zugrundelegung des Originaltyposkripts in YUL; der letzte Abschnitt, beginnend auf Seite 427 dieser Ausgabe, war bisher uv. YUL.
10. »Menschenrecht und Irdisch-Absolutes«, unter dem Titel »Politik. Ein Kondensat«, in: HB, *Erkennen und Handeln,* a.a.O., S. 203-255.
11. »Demokratie versus Totalitärstaat«, uv. YUL.

Textkritische Hinweise

Es wird ein Überblick vermittelt über die Textversionen, ihre Entstehungs- und Erscheinungsdaten, ihre Publikationsorte bzw. Aufbewahrungsstellen in Archiven und privaten Sammlungen. Die Datierungen, so weit eruierbar, fußen vor allem auf den Briefen Brochs, die in den Bänden 13/2 und 13/3 dieser Ausgabe erscheinen.

1939:

1. »Vorschlag zur Gründung eines Forschungsinstitutes für politische Psychologie und zum Studium von Massenwahnerscheinungen«.
Entstanden im Frühjahr 1939. 23seitiges Typoskript, YUL.
Erstdruck in:
– HB, *Zur Universitätsreform,* hrsg. v. Götz Wienold (Frankfurt am Main: Suhrkamp, 1969), S. 78-114.
Ferner in:
– dieser Ausgabe.

1941:

2. »Entwurf für eine Theorie massenwahnartiger Erscheinungen«.
Entstanden im Frühjahr 1941. Die deutsche Originalfassung ist nur in einem 18seitigen fragmentarischen Typoskript erhalten geblieben, das die Kapitel I-IV vollständig enthält, (YUL). Die englische Übersetzung mit dem Titel »Theory of Mass Aberration in Outline« ist ganz erhalten und liegt in zwei textidentischen Typoskripten vor: 31 Seiten (YUL) und 40 Seiten (YUL und DLA). Das Kapitel V.2 (Theorie der Bekehrung) ist identisch mit dem Kapitel 2 (Theorie der Bekehrung) des dritten Teils der *Massenwahntheorie,* beginnend mit »An Hand des aufgestellten Wertmodells...«, endend mit »... gegenüber dem Heidentum beruft«. Das ganze Kapitel »Massenwahntheorie (1939 und 1941)« der »Autobiographie als Arbeitsprogramm« ist nach dem »Entwurf« ausgearbeitet worden.
Erstdruck in:
– dieser Ausgabe, wobei die beiden letzten Kapitel V und VI unter Zuhilfenahme der »Massenwahntheorie (1939 und 1941)« von P. M. Lützeler ins Deutsche übersetzt wurden.

3. »Massenwahntheorie (1939 und 1941)«.
Entstanden im Frühjahr 1941 als letzter Teil von Brochs »Autobiographie als Arbeitsprogramm«, die in zwei Fassungen vorliegt:
1. Fassung

234seitiges, fragmentarisches Typoskript mit wenigen handschriftlichen Änderungen Brochs, YUL, DÖL, BMT. Das Kapitel »Massenwahntheorie (1939 und 1941)« umfaßt die Seiten 50-234.
Erstdruck in:
– HB, *Massenpsychologie,* hrsg. v. Wolfgang Rothe (Zürich: Rhein-Verlag, 1959), S. 77-226.
[Ein Teilabdruck dieses Kapitels – S. 132-143 – findet sich unter dem Titel »Toleranz und Massenwahn« in: HB, *Gedanken zur Politik,* hrsg. v. Dieter Hildebrandt (Frankfurt am Main: Suhrkamp, 1970), S. 56 bis 68.]
2. Fassung
250seitiges, fragmentarisches Typoskript mit wenigen handschriftlichen Änderungen Brochs, YUL. Bis S. 224 ist es textidentisch mit der 1. Fassung. In dieser Ausgabe wurde auch für die Manuskriptseiten 50-224 das Originaltyposkript in YUL der Publikation zugrundegelegt, weil der Abdruck in der *Massenpsychologie* von 1959 zu viele redaktionelle Eingriffe (Änderungen, Einschübe, Streichungen) des Herausgebers Wolfgang Rothe enthält.
Erstdruck in:
– dieser Ausgabe.

1943:

4. »Eine Studie über Massenhysterie. Beiträge zu einer Psychologie der Politik. Vorläufiges Inhaltsverzeichnis«.
Entstanden Anfang 1943. 32seitiges, englisch geschriebenes Typoskript mit dem Titel »A Study on Mass Hysteria. Contributions to a Psychology of Politics. Preliminary Table of Contents«, YUL, DLA, BMT, GF. Das Deckblatt des Typoskripts enthält die Zeilen »This work will contain about 250000 words. Office of Public Opinion Research Princeton University, Hermann Broch, Princeton, N. J.« (Das Typoskript enthält ferner einen nicht von Broch stammenden – wahrscheinlich vom Office of Public Opinion Research verfaßten – »Appendix« mit dem Titel »Systematic Explorations Suggested by Broch's Outline«, 2 Seiten.) Die deutsche Originalvorlage dieser Studie ist verlorengegangen, doch finden sich in YUL zahlreiche uv. maschinen- und handschriftliche Entwürfe zur deutschen Fassung: 1. »Vorwort«, 1seitiges Typoskript; 2. »Erster Teil. Der Dämmerungsbereich«, 16seitiges Typoskript; 3. »C. Theorie der Massenpsychologie«, 9seitiges Manuskript mit verschiedenen größeren Streichungen; 4. »II. Dämmerungszustand und Massenpsyche«, 13seitiges Manuskript mit Änderungen; 5. »Kap. III. Phänomenologie der Dämmerzustände in der Masse«, 17seitiges Manuskript mit Änderungen; 6. »Kap. IV. Die Lenkbarkeit des Dahindämmerns«, 8seitiges Manuskript mit Änderungen; 7. »Kap.

III. Psychische Zyklen in der Geschichte«, 8seitiges Manuskript mit Änderungen; 8. »Dritter Teil. Die Wahnbekämpfung (Psychologie der Politik). Kap. I. Die Aufgabe«, 16seitiges Manuskript mit Änderungen; 9. titelloses Typoskript beginnend mit »I. 4. Selbstevidenzen in Totalitarismus und Demokratie«, 9seitiges Typoskript mit zahlreichen handschriftlichen Änderungen.

Von der fertigen englischen Fassung findet sich der Erstdruck in:
– HB, *Erkennen und Handeln. Essays II,* hrsg. v. Hannah Arendt (Zürich: Rhein-Verlag, 1955), S. 257-282.
Ferner in:
– dieser Ausgabe, von P. M. Lützeler ins Deutsche übertragen unter Zuhilfenahme der fragmentarischen deutschsprachigen Entwürfe.

5. »Historische Gesetze und Willensfreiheit« und »Historische Gesetze und Dämmerzustand«
Entstanden ca. 1943. 141seitiges, titelloses Typoskript, YUL, DLA.
Erstdruck in:
– HB, *Massenpsychologie,* a.a.O., S. 237-312 unter dem redaktionellen Titel »Geschichtsgesetz und Willensfreiheit«.
Ferner in:
– dieser Ausgabe, unter Zugrundelegung des Originaltyposkripts.

6. »Werte und Wertsysteme«
I. Begriff des Wertes
1. Fassung
Entstanden ca. 1943. 6seitiges Typoskript mit dem Titel »Skizze einer Erkenntniskritischen Werttheorie«, Fragment, uv. YUL.
2. Fassung
Entstanden ca. 1943. 8seitiges Typoskript mit dem Titel »1. Begriff des Wertes«, das Teil eines 9seitigen Typoskriptes mit dem Titel »II. Erkenntnistheorie des Wahnes; das Wahnmodell«, YUL, ist. (Da die erste Seite dieses Typoskripts sich inhaltlich mit der Studie »Über Modelle« überschneidet, ist sie hier nicht abgedruckt.)
Erstdruck in:
– dieser Ausgabe.
II. Der Mensch und das Wertsystem
Entstanden ca. 1943. 10seitiges, titelloses Typoskript, YUL.
Erstdruck in:
– dieser Ausgabe.

1946:

7. »Der Erkenntnisvorstoß und das Neue in der Geschichte«
I. Kapitel I-III

1. Fassung
Entstanden ca. 1946. 6seitiges Typoskript mit dem Titel »Dämmerzu-
stand und menschliches Schöpfertum«, Fragment; und »Kapitel IV. 1.
›Logik der Dinge‹ als Basis historischer Gesetzlichkeit«, 11seitiges
Typoskript, beide uv. YUL.
2. Fassung
Entstanden ca. 1946. 56seitiges Typoskript, YUL, wobei das Kapitel
»4. Exkurs Nr. 1: Über Problemtypen« (S. 24-56) die erste Fassung von
»IV. Exkurs: Über Problemtypen und Systeme« darstellt. Die ersten
drei Kapitel (S. 1-24) finden sich als
Erstdruck in:
– dieser Ausgabe.
II. Kapitel IV (»Über Problemtypen und Systeme«)
1. Fassung
Entstanden ca. 1946. S. 24-56 des Typoskripts »Der Erkenntnisvorstoß
und das Neue in der Geschichte«, uv. YUL.
2. Fassung
Entstanden ca. 1946. 9seitiges Typoskript mit dem Titel »System und
Welt«, Fragment, uv. YUL.
3. Fassung
Entstanden ca. 1946. 19seitiges Typoskript mit Korrekturen, titelloses
Fragment, uv. YUL.
4. Fassung
Entstanden ca. 1946. 60seitiges, titelloses Typoskript, YUL.
Erstdruck in:
– HB, *Erkennen und Handeln,* a.a.O., S. 111-149 unter dem Titel »Das
System als Weltbewältigung«.
Ferner in:
– dieser Ausgabe, unter Zugrundelegung des Originaltyposkripts.

8. »Über Modelle«
1. Fassung
Entstanden ca. 1946. 6seitiges Typoskript, titelloses Fragment, uv.
YUL, zu dem weitere 30 Entwurfseiten, maschinengeschrieben, uv.
YUL existieren.
2. Fassung
Entstanden ca. 1946. 9seitiges Typoskript mit handschriftlichen Ände-
rungen, YUL.
Erstdruck in:
– dieser Ausgabe.

9. »Erkenntnistheoretische Kriterien geistiger Erkrankungen«
Entstanden ca. 1946. 15seitiges fragmentarisches Typoskript, YUL,
DLA.

Erstdruck in:
– dieser Ausgabe.

1948:

10. »Demokratie versus Totalitärstaat«

I. Vorstudien
– »Machtumorganisierung der Welt«
Entstanden Mitte 1939. 36seitiges Typoskript mit wenigen handschriftlichen Änderungen, uv. YUL. Von dieser Studie existiert eine Übersetzung ins Englische mit dem Titel »Contents. A. Redistribution of World Power«, uv. YUL, DLA, GF, 19seitiges Typoskript.
– »Über Marx«
    1. Fassung
    Entstanden gegen Mitte 1939. 10seitiges Typoskript (4. Seite fehlt) mit dem Titel »Die Marxsche Entdeckung im empirischen Bestand«, Fragment, uv. YUL.
    2. Fassung
    Entstanden gegen Mitte 1939. 9seitiges Typoskript, titelloses Fragment, uv. YUL.
– »Brief an Douglas Young vom 14. 12. 1939«
Entstanden im Dezember 1939. 15seitiges Fragment eines Briefes, uv. YUL, DLA. Es handelt sich nicht um einen Brief im engeren Sinne, sondern um eine Studie, der lediglich folgende Briefzeilen vorausgeschickt sind: »Lieber Douglas, Ihr Brief vom Oktober hat vier Wochen gebraucht, bis er zu mir gelangt ist, und meinerseits brauchte ich vier weitere Wochen, bis ich, heute, mich zur Maschine setze. Aber zu solch[er] Überlegungszeit war ich berechtigt, erstens angesichts der Weltbegebenheit, zweitens angesichts der sehr prinzipiellen Fragen, welche Sie anschneiden. Ich möchte versuchen, dieselben auch möglichst prinzipiell zu betrachten:«. Es folgt dann die Studie mit den Kapitelüberschriften »I. Der imperialistische Aspekt«, »II. Der ideologische Aspekt«. Dieser »Brief« wurde nicht fertiggestellt und auch nicht abgesandt.
– »Der russische Totalitärstaat«
Entstanden 1940. 28seitiges Typoskript mit zahlreichen Änderungen, Fragment, uv. YUL.
– »Über Rußland«
Entstanden ca. 1946. 24seitiges titelloses Typoskript mit zahlreichen Änderungen, Fragment, uv. YUL.

II. Endfassung
Entstanden 1948. 78seitiges Typoskript mit dem Titel »III. Amplifikation«, Fragment, YUL. Das Fragment endet mit »Aber dies ist möglich, da hiezu der«.

Erstdruck in:
– dieser Ausgabe.

11. »Menschenrecht und Irdisch-Absolutes«
Entstanden gegen Ende 1948. 79seitiges, titelloses fragmentarisches
Typoskript mit Korrekturen, YUL, DLA. Der Vorbemerkung ist folgende Notiz Brochs vorangestellt: »Die in dieser Studie vorgetragenen
Ansichten entstammen einer ausgedehnten, massenpsychologischen
Problemen gewidmeten Untersuchung, die der Verfasser 1943 unter
der Patronanz der Rockefeller Foundation begonnen hat. Die Untersu-
chungsresultate werden etwa 1951 in einer dreibändigen ›Massenpsychologie‹ zur Veröffentlichung gelangen, doch angesichts des ungemein
akut-politischen Charakters, den manche der darin angeschlagenen
Themen besitzen, schien es angezeigt, sie herauszuheben und in kon-
densierter Fassung bereits jetzt zur allgemeinen Diskussion zu stellen.«
Erstdruck in:
– HB, *Erkennen und Handeln,* a.a.O., S. 203-255 unter dem Titel »Politik. Ein Kondensat«.
(Auszüge aus dem ersten Kapitel »Das Irdisch-Absolute« sind abgedruckt unter dem Titel »Eine Theorie der Politik« in: HB, *Gedanken
zur Politik,* a.a.O., S. 171-185.)
Ferner in:
– dieser Ausgabe.
(Im Umkreis dieser Studie entstand auch das 3seitige, titellose Fragment »Das Recht an sich«, uv. YUL.)

Busch, Günther. »Hermann Brochs *Massenpsychologie* und *Die Schuldlosen*«, in: *Wort in der Zeit,* Jg. 6, Nr. 5 (Mai 1960), S. 60.

Hardin, James N. »Hermann Broch's theories on mass psychology and *Der Versucher*«, in: *The German Quarterly,* 47. Jg., Nr. 1 (Januar 1974), S. 24-33.

Horst, Karl August. »Stereoskopie des Massenphänomens«, in: *Merkur,* Jg. 15, Nr. 5 (Mai 1961), S. 491-496.

Kiel, Anna. »Hermann Brochs theorie over de massawaan«, in: *Mens en Kosmos,* Jg. 18, Nr. 1 (Januar/Februar 1962), S. 1-16.

Kiel, Anna. »De romans van Hermann Broch en zijn massawaan-theorie«, in: *Mens en Kosmos,* Jg. 18, Nr. 2 (März/April 1962), S. 49-65.

Kahler, Erich. »Massenpsychologie und Politik«, in: E. K., *Die Philosophie von Hermann Broch* (Tübingen: Mohr, 1962), S. 58-76.

Loewenstein, Kurt. »Juden in der modernen Massenwelt. Das jüdische Motiv in Hermann Brochs *Massenpsychologie*«, in: *Bulletin des Leo Baeck Instituts,* Jg. 3, Nr. 11 (November 1960), S. 157-176.

Lützeler, Paul Michael. »Einleitung«, in: HB, *Menschenrecht und Demokratie* (Frankfurt am Main: Suhrkamp, 1978), S. 7-30.

Menges, Karl. »Aspekte der Massenpsychologie«, in: *Kritische Studien zur Wertphilosophie Hermann Brochs* (Tübingen: Niemeyer, 1970), S. 129-170.

Petersen, Ulrich Horst. »Efterskrift«, in: HB, *Massepsykologi* (Kopenhagen: Gyldendal, 1970), S. 202-212.

Pross, Harry. »Hermann Broch oder das Irdisch-Absolute«, in: *Deutsche Rundschau,* Jg. 86, Nr. 3 (März 1960), S. 237-244; ferner in: H. P., *Söhne der Kassandra. Versuch über deutsche Intellektuelle* (Stuttgart: Kohlhammer, 1971), S. 86-98.

Renthe-Fink, Leonhard von. »Prophet der konkreten Utopia. Hermann Brochs nachgelassene Schriften zur Massenpsychologie«, in: *Christ und Welt,* Jg. 13, Nr. 1 (1. Januar 1960), S. 18.

Rothe, Wolfgang, »Einleitung«, in: HB, *Massenpsychologie* (Zürich: Rhein-Verlag, 1959), S. 7-34.

Rothe, Wolfgang. »Ein Massenpsychologe wider Willen. Bemerkungen zum Nachlaß Hermann Brochs«, in: *Frankfurter Allgemeine Zeitung,* Nr. 181 (8. 8. 1959).

Saviane, Renato. »La Psicologia delle Masse«, in: R. S., *Apocalissi e Messianismo nei Romanzi di Hermann Broch* (Padova: Università di Padova, 1971), S. 197-215.

Schlant, Ernestine. »Massenpsychologie«, in: E. S., *Die Philosophie Hermann Brochs* (Bern und München: Francke, 1971), S. 105-145.

Sørensen, Villy. »Dødestraf og selvretsfaerdighed«, in: *Hverkeneller*

(Kopenhagen: Gyldendal, 1961), S. 64-69.

Wienold, Götz. »Nachwort«, in: HB, *Zur Universitätsreform* (Frankfurt am Main: Suhrkamp, 1969), S. 115-138.

Verzeichnis der Abkürzungen

a.a.O.	=	aus angeführtem Opus
Bd.	=	Band
BMT	=	Broch-Museum Teesdorf bei Wien
ca.	=	circa
d. h.	=	das heißt
d. i.	=	das ist
DLA	=	Deutsches Literaturarchiv, Marbach am Neckar
DÖL	=	Dokumentationsstelle für neuere österreichische Literatur, Wien
GF	=	John Simon Guggenheim Memorial Foundation, New York City
HB	=	Hermann Broch
hrsg. v.	=	herausgegeben von
inkl.	=	inklusive
KW	=	Kommentierte Werkausgabe
m. a. W.	=	mit anderen Worten
m. e. W.	=	mit einem Wort
resp.	=	respektive
s.	=	siehe
S.	=	Seite
u.	=	und
u. a.	=	unter anderem
usw.	=	und so weiter
usf.	=	und so fort
uv.	=	unveröffentlicht
u. z.	=	und zwar
vgl.	=	vergleiche
vs.	=	versus
YUL	=	Yale University Library, Beinecke Rare Book Library, New Haven, Connecticut/USA.
z. B.	=	zum Beispiel

Personenregister

Adler, Alfred: 579, 580
Arendt, Hannah: 567, 570
Aristoteles: 172
Augustinus, Aurelius: 102, 458
Augustus (röm. Kaiser): 149, 476
Bach, Johann Sebastian: 188, 489
Bacon, Francis: 156
Barbarossa: 424
Beethoven, Ludwig van: 188
Bergson, Henri: 70, 257
Bolyai, Farkas: 257
Brody, Daisy: 582
Brody, Daniel: 579, 582
Bruno, Giordano: 421
Buddha: 132
Busch, Günther: 574
Canetti, Elias: 580, 582
Cantor, Georg: 403
Cantril, Hadley: 66, 97, 579-581
Christus: 132, 397, 449
Churchill, Sir Winston: 558, 564
Clausewitz, Karl von: 465
Comte, Auguste: 236, 519, 529
Descartes, René: 461
Dschingis Khan: 336
Eckehart (genannt Meister Ecke-hart): 172
Ehrlich, Paul: 403, 563
Einstein, Albert: 42, 209, 403
Euklid: 251, 511
Federn, Paul: 582
Franco, Francisco: 483, 559
Freud, Sigmund: 42, 44, 71, 98, 281, 302, 322, 580, 581
Gauß, Karl Friedrich: 257
Göring, Hermann: 545
Hardin, James N.: 574
Hartmann, Eduard von: 70, 98
Hata, Sahatschiro: 563
Hayek, Friedrich August von: 547, 564

Hegel, Georg Wilhelm Friedrich: 71, 96, 102, 235, 293, 294, 311, 543
Hildebrandt, Dieter: 569
Hitler, Adolf: 67, 68, 281, 290, 332, 335, 346, 424, 466, 483 bis 485, 489, 500, 525, 529, 536, 554, 559, 560, 563, 564
Homer: 478
Horst, Karl August: 574
Husserl, Edmund: 234, 235, 257, 403

James, Robert Rhodes: 564
Jefferson, Thomas: 130
Johannes (Jünger Christi): 563
Johnson, Alvin: 42
Joseph II. (röm.-deutscher Kaiser): 345, 414
Jung, Carl Gustav: 580, 581

Kafka, Franz: 475
Kahler, Erich: 574
Kant, Immanuel: 233-236, 257, 461, 476, 563
Karl der Große: 525
Katharina I. (russische Zarin): 556
Kellog, Frank B.: 362, 563
Kiel, Anna: 574
Kinsey, Alfred: 486, 564
Kirchhoff, Gustav Robert: 207, 257
Kracauer, Siegfried: 580, 581
LeBon, Gustave: 42, 580, 581
Lederer, Emil: 580, 581
Leibniz, Gottfried Wilhelm: 156, 172, 234
Lenin, Wladimir Iljitsch: 468, 483, 543, 564
Lincoln, Abraham: 131, 483, 527, 528, 532

Editorische Notiz

In diesen Band sind alle abgeschlossenen Essays und alle fertige Teile enthaltenden Fragmente von Brochs *Massenwahntheorie* aufgenommen worden. Vorstudien und frühe Fassungen, die lediglich Entwurfs- bzw. Vorläufigkeitscharakter tragen, konnten im Rahmen dieser Edition nicht publiziert werden, doch sind sie in den »Textkritischen Hinweisen« aufgeführt, so daß der Interessierte sich Kopien dieser Entwürfe durch das betreffende Archiv besorgen kann. Der hier vorgenommenen Publikation wurden jeweils die letzten Fassungen zugrundegelegt. Broch selbst hat zu seinen Lebzeiten keine dieser Arbeiten veröffentlicht. Notwendige Eingriffe in den Text – etwa bei Unleserlichkeit oder im Falle einer Wortauslassung – wurden als solche mit Einfügungen in eckigen Klammern gekennzeichnet. Offensichtliche Schreib- und Kommafehler sind stillschweigend korrigiert worden, doch ist, was die Zeichensetzung im allgemeinen anbetrifft, grundsätzlich der Brochsche Usus als Richtschnur anerkannt. Aufsätze, in denen Broch massenwahntheoretische Fragen mitberührt, die ihrer Konzeption nach jedoch zu den philosophischen bzw. politischen Schriften gehören, wurden in den entsprechenden Bänden dieser Ausgabe ediert. Der Kommentar des Herausgebers beschränkt sich – wie bei den übrigen Essay-Bänden dieser Edition – auf den Nachweis von Daten wie Namen, Erscheinungsjahren, Zitaten etc. in den Fußnoten und auf die »Anmerkungen« im Anhang. Auf bereits in den Bänden 10/1 + 2 *(Philosophische Schriften)* und 11 *(Politische Schriften)* Geklärtes wird nicht nochmals oder nur verkürzt hingewiesen.

  Broch arbeitete – mit größeren Unterbrechungen – etwa ein Jahrzehnt lang, von 1939 bis 1948, an dem Forschungsprojekt *Massenwahntheorie*. Das »Vorläufige Inhaltsverzeichnis« von 1943 vermittelt ein Bild von Aufbau und Aussage des Projektes. Nur relativ wenige der geplanten Studien blieben unausgeführt, so daß die hier vorgelegte Edition ein ziemlich getreues Bild der Massenwahntheorie vermittelt, wie Broch sie auszuführen gedachte. Die Einzelstudien sind hier in der Reihenfolge abgedruckt, wie sie nach Brochs »Vorläufigem Inhaltsverzeichnis« angeordnet werden sollten. Die Titel der drei Buchteile und die jeweiligen Kapitelüberschriften sind dem Inhaltsverzeichnis entnommen. Zusätzlich wurden – in Großbuchstaben – die Originaltitel der Einzelstudien beibehalten.

  Für die Arbeit an seiner Massenwahntheorie erhielt Broch vom 1. 5. 1942 bis zum 31. 12. 1944 über das Office of Public Opinion Research in Princeton ein Stipendium, das aus Mitteln der Rockefeller Foundation finanziert wurde. Er hatte damit die Stelle eines unabhängigen Forschungsassistenten bei Hadley Cantril, dem Leiter dieser Institution, inne. Ein weiteres Stipendium bzw. Honorarvorschüsse zur Fertigstellung dieses Buches erhielt er für die Zeit vom 1. 1. 1945 bis zum 30. 6. 1947 durch die Bollingen Foundation.

Direkte Hinweise auf die zeitgenössische massenpsychologische Forschungsliteratur finden sich in Brochs Massenwahntheorie nicht. Wie u. a. seiner Korrespondenz zu entnehmen ist, hat er sich mit folgenden massenpsychologischen Werken beschäftigt: Gustave LeBon, *La psychologie des foules*, Paris 1895; José Ortega y Gasset, *La rebelión de las masas*, Madrid 1929; Alfred Adler, »Zur Massenpsychologie«, in: *Internationale Zeitschrift für Individualpsychologie*, 12. Jg., Nr. 3, 1934. (Mit Alfred Adler war Broch seit der Zeit des Ersten Weltkrieges auch persönlich gut bekannt.) C. G. Jung, »Wotan«, in: *Neue Schweizer Rundschau*, 3. Jg., 1935/36. (Auch C. G. Jung kannte Broch persönlich durch Vermittlung der Jung-Schülerin Jolande Jacobi und durch seinen Verleger Daniel Brody.) Sigmund Freud, »Massenpsychologie und Ich-Analyse«, in: Bd. 13 der *Gesammelten Werke*, London 1940; Emil Lederer, *The State of the Masses*, New York 1940. (Lederer war seinerzeit Professor an der New School for Social Research in New York, mit deren Fakultät Broch in Kontakt stand.) Hadley Cantril, *The Psychology of Social Movements*, New York 1941. (In einem Gutachten über Brochs Massenwahntheorie schrieb Cantril am 14. 2. 1942 an die Rockefeller Foundation: »Broch has here a very profound, very penetrating theory which will rank in importance with the contribution of any recent philosopher in the field of the social sciences.« uv. Princeton University Library.) Wilhelm Reich, *Massenpsychologie des Faschismus*, Kopenhagen 1933; Paul Reiwald, *Vom Geist der Massen. Handbuch der Massenpsychologie*, Zürich 1946. (Mit Reiwald korrespondierte Broch über massenpsychologische Fragen nach 1946; vgl. den Briefwechsel in YUL). Die Anfänge von Elias Canettis Arbeit an *Masse und Macht*, Hamburg 1960, verfolgte Broch in den Jahren vor 1938, als er mit Canetti massenpsychologische Themen diskutierte. Zu einer Fortsetzung dieses Gedankenaustausches, wie Broch ihn gewünscht hatte, kam es im Exil nicht. In der amerikanischen Emigration lernte Broch Siegfried Kracauer kennen; vgl. *Das Ornament der Masse*, Frankfurt am Main 1963. Nach einem persönlichen Gespräch mit Alexander Mitscherlich 1950 in New Haven glaubte Broch, in Mitscherlich einen Geistesverwandten zu erkennen; vgl. A. M., *Massenpsychologie ohne Ressentiment*, Frankfurt am Main 1972.

Von den übrigen Massenpsychologien unterscheidet Brochs Massenwahntheorie sich dadurch, daß er erstens den Begriff des »menschlichen Dämmerzustandes« als individualpsychologische Größe und Voraussetzung von massenwahnartigen Reaktionen des einzelnen einführt; daß er zweitens seine Wert- und Geschichtstheorie mit Massenpsychologie verbindet; und daß er drittens die »Bekehrung« der Massen zur

Demokratie ins Zentrum seines Buches stellt. Broch ist LeBon in der Beschreibung des Massenführers zum Teil verpflichtet. Anders als bei LeBon und Broch spielt die Führerfigur in Alfred Adlers massenpsychologischer Studie eine ganz untergeordnete Rolle. Adler hebt die positiven, kulturbildenden Kräfte der Masse hervor, und damit dürfte er Broch beeinflußt haben, dessen Glaube an die Möglichkeit der Demokratisierung der Massen ein Axiom der Massenwahntheorie ist. Freud folgend wendet Broch sich gegen LeBons Modell einer »Massenpsyche« und geht von einem individualpsychologischen Ansatz aus. Auch C. G. Jungs Massentheorie ist eine Psychologie des Ichs. Sein Kollektiv-Unbewußtes, in dem die gesellschaftlichen Vorgänge letztlich wurzeln sollen, ist nicht mit Brochs Dämmerzustand gleichzusetzen, da die für C. G. Jungs Psychologie zentrale Lehre von den Archetypen keine Entsprechung in Brochs Massenwahntheorie hat. Ortega y Gassets lebensphilosophisch bestimmte Kulturphilosophie hat bei Broch nur geringe Spuren hinterlassen. Nach Ortega weicht durch Arbeitsteilung und Massenproduktion die Kulturleistung des schöpferischen Einzelindividuums einer eklektizistischen Massenkultur. Während in Reichs Studie die sexualpsychologische Analyse im Vordergrund steht, spielt dieser Aspekt bei Broch kaum eine Rolle. Wie bei Reich bildet auch bei Broch das Phänomen Faschismus Anstoß und Ausgangspunkt der Untersuchung; im Gegensatz zu ihm geht es bei Broch aber nicht lediglich um den Problemkomplex der Masse im faschistischen Staat, sondern vor allem um das Thema Masse und Demokratie. Lederers massenpsychologische These läuft hinaus auf eine kritische Auseinandersetzung mit Marxens Vision der klassenlosen Gesellschaft. Im Zentrum des Buches stehen Analysen der Massen im italienischen Faschismus und deutschen Nationalsozialismus. In einem Anhang diskutiert Lederer Fragen, die auch Broch aufwirft, nämlich das Thema der »Massenseele«, den Zusammenhang von Gruppenpsychologie und magischem Denken, den Konnex von Masse und Führerschaft und die Massenpropaganda. Cantril geht in seinem Buch empirisch-beschreibend vor und unterscheidet sich damit methodisch von Brochs philosophisch-ethischem Ansatz. Im Zentrum von Cantrils Studie steht eine massenpsychologische Untersuchung politischer und religiöser Bewegungen der USA in der ersten Hälfte unseres Jahrhunderts. Ein Pendant dazu gibt es bei Broch nicht. Im einleitenden Abschnitt und im Abschlußkapitel (über den Nationalsozialismus) finden sich zuweilen Überschneidungen mit Brochschen Aussagen. Eine Ähnlichkeit in der kultur- und gesellschaftskritischen Sicht bei Broch und Kracauer bringt es mit sich, daß sich bei der Beschreibung der Uniformität moderner Großstadtmassen Parallelen bei den zwei Theoretikern aufweisen lassen, wobei Brochs Problemstellung jedoch weitergefaßt ist. Solche partiellen Ähnlichkeiten zwischen den Beschreibungen der Masse findeń sich auch bei Canetti und Broch. Broch argumentiert allerdings weder ausführlich mit Beispielen aus der Völkerkunde, noch steht wie bei Canetti das Problem der Macht als solcher (wohl das seiner Kontrolle) im Mittelpunkt der Untersuchung. Reiwalds Buch ist als »Handbuch« und großangelegter Forschungsbericht anders aufgebaut als Brochs Studie. In Reiwalds Kompendium werden die Analysen, Theorien und Aussagen von Biologen, Psychologen, Soziologen, Politikern, Dichtern und Historikern aufgeführt, kritisch kommentiert und verglichen. Wie bei Broch ist schließlich das Problem der Demokratisierung der modernen Massengesellschaft zentral bei Alexander Mitscherlich, wenngleich Mitscherlich vor allem auf den konkreten Fall der Massengesellschaft in der Bundesrepublik Deutschland eingeht, während es Broch allgemein um die Erörterung des Problems von Masse und Demokratie zu tun ist.

Erwähnt sei auch noch, daß Broch die individualpsychologischen Aspekte seiner Studie diskutierte mit den Freud-Schülern Paul Federn, Hanns Sachs und René A. Spitz, deren Arbeiten Broch kannte. Vgl. Paul Federn, *Ego Psychology and Psychoses,* New York 1952, Hanns Sachs, *Freud, Master and Friend,* Cambridge/Mass. 1944 und René A. Spitz, *Die Entstehung der ersten Objektbeziehungen,* Stuttgart 1960. Bei Paul Federn war Broch in den vierziger Jahren in psychoanalytischer Behandlung. Während der ersten Emigrationsjahre trafen sich Broch, Hanns Sachs und René A. Spitz öfter im New Yorker Exil. Spitz war der Bruder von Daisy Brody, der Frau von Brochs Verleger Daniel Brody. Broch und Spitz kannten sich seit den frühen dreißiger Jahren.

Mein Dank gilt den Verwaltern der verschiedenen europäischen und amerikanischen Broch-Archive für die Zusammenarbeit während meiner Forschungstätigkeit. Besonders gedankt sei Christa Sammons, der Betreuerin des Broch-Nachlasses an der Beinecke Rare Book Library, Yale University, New Haven, Connecticut, USA. Dank möchte ich auch dem American Council of Learned Societies und der Washington University für ihre Stipendien aussprechen, die es mir ermöglichten, diese Edition während meines Forschungsjahres 1977/78 fertigzustellen.

Copyright-Angaben

tel »Das System als Weltbewältigung«; »Menschenrecht und Irdisch-Absolutes« unter dem Titel »Politik. Ein Kondensat«: Rhein-Verlag, Zürich, 1955.

»Historische Gesetze und Willensfreiheit« und »Historische Gesetze und Dämmerzustand« unter dem Titel »Geschichtsgesetz und Willensfreiheit«; »Massenwahntheorie (1939 und 1941)«: Rhein-Verlag, Zürich, 1959.

»Vorschlag zur Gründung eines Forschungsinstitutes für politische Psychologie und zum Studium von Massenwahnerscheinungen«: Suhrkamp Verlag, Frankfurt am Main, 1969.

Hermann Broch. Neue Studien zum 100. Geburtstag des Dichters
Herausgegeben von Paul Michael Lützeler
stm. suhrkamp taschenbuch 2065. 1986

2/6/8.86

2/7/8.86